CHAPITRE 28 Insuffisance respiratoire . . 608

CHAPITRE 29 Soins intensifs 634

CHAPITRE 30 Situations d'urgence 707

CHAPITRE 45 Troubles de l'appareil
reproducteur f...

CHAPITRE 46 Trou...
génit...

3 Appareils digestif, urinaire et reproducteur, système endocrinien

4 Appareils tégu... ...oteur, systèmes nerveux et sensoriel

PARTIE VIII
Soins infirmiers reliés aux troubles du métabolisme

CHAPITRE 31 Évaluation de l'appareil
digestif. 2

CHAPITRE 32 Troubles nutritionnels 29

CHAPITRE 33 Troubles des voies gastro-
intestinales supérieures. . . . 83

CHAPITRE 34 Troubles des voies gastro-
intestinales inférieures . . . 148

CHAPITRE 35 Troubles du foie, des voies
biliaires et du pancréas . . . 214

PARTIE IX
Soins infirmiers reliés aux troubles d'excrétion

CHAPITRE 36 Évaluation de l'appareil
urinaire. 274

CHAPITRE 37 Troubles rénaux et
urologiques 300

CHAPITRE 38 Insuffisance rénale
chronique et insuffisance
rénale aiguë. 349

PARTIE X
Soins infirmiers reliés aux troubles de régulation endocrinienne

CHAPITRE 39 Évaluation du système
endocrinien 405

CHAPITRE 40 Diabète 433

CHAPITRE 41 Troubles endocriniens 489

CHAPITRE 42 Évaluation de l'appareil
reproducteur 545

CHAPITRE 43 Affections mammaires 573

CHAPITRE 44 Infections transmissibles
sexuellement. 606

PARTIE XI
Soins infirmiers reliés aux troubles de la perception sensorielle

CHAPITRE 47 Évaluation des appareils
visuel et auditif. 2

CHAPITRE 48 Troubles visuels et
auditifs 33

CHAPITRE 49 Évaluation de l'appareil
tégumentaire. 84

CHAPITRE 50 Troubles
tégumentaires. 99

CHAPITRE 51 Brûlures 138

PARTIE XII
Soins infirmiers reliés aux troubles de mobilité et de coordination

CHAPITRE 52 Évaluation du système
nerveux 174

CHAPITRE 53 Troubles intracrâniens. 208

CHAPITRE 54 Accident vasculaire
cérébral. 258

CHAPITRE 55 Troubles neurologiques
chroniques 291

CHAPITRE 56 Troubles des nerfs
périphériques et de la
moelle épinière. 342

CHAPITRE 57 Évaluation de l'appareil
locomoteur. 386

CHAPITRE 58 Troubles de l'appareil
locomoteur. 408

CHAPITRE 59 Arthrite et maladies
des tissus conjonctifs 481

SOINS INFIRMIERS
MÉDECINE-CHIRURGIE

 Concepts généraux, système immunitaire, déséquilibres hydroélectrolytiques et acidobasiques et expérience chirurgicale

SHARON MANTIK LEWIS, RN, PhD, FAAN
PROFESSOR, COLLEGE OF NURSING
RESEARCH ASSOCIATE PROFESSOR, DEPARTMENT OF PATHOLOGY
UNIVERSITY OF NEW MEXICO
ALBUQUERQUE, NEW MEXICO

MARGARET MCLEAN HEITKEMPER, RN, PhD, FAAN
PROFESSOR, BIOBEHAVIORAL NURSING AND HEALTH SYSTEMS
SCHOOL OF NURSING
UNIVERSITY OF WASHINGTON
SEATTLE, WASHINGTON

SHANNON RUFF DIRKSEN, RN, PhD
ASSOCIATE PROFESSOR, COLLEGE OF NURSING
ARIZONA STATE UNIVERSITY
TEMPE, ARIZONA

AUTEURS DE LA
VERSION FRANÇAISE : SUZANNE AUCOIN
PAULINE AUDET
JOCELYNE G. BARABÉ
MONIQUE BÉDARD
GILLES BÉLANGER
SUZANNE BHÉRER
NICOLE BIZIER
HÉLÈNE BOISSONNEAULT
JOHANNE BOUCHARD
MARIE-CLAUDE BOUCHARD
YVON BRASSARD
DANIÈLE DALLAIRE
MARLÈNE FORTIN
NATHALIE GAGNON (QUÉBEC)
NATHALIE GAGNON (SHERBROOKE)
GAÉTAN GIRARD
LUCIE MAILLÉ
MARTHE MERCIER
GUYLAINE PAQUIN
LUCIE RHÉAUME
LORRAINE T. SAWYER
CLAIRE THIBAUDEAU
CHANTAL TREMBLAY
JOHANNE TURCOTTE
FRANCINE VINCENT

Soins infirmiers
Médecine-chirurgie

Tome 1

Sharon Mantik Lewis
Margaret McLean Heitkemper
Shannon Ruff Dirksen

Traduction de *Medical-surgical Nursing : assessment and management of clinical problems*, Fifth edition, by Sharon Mantik Lewis, Margaret McLean Heitkemper & Shannon Ruff Dirksen. Copyright © 2000 by Mosby, Inc. All rights reserved.

© 2003, Groupe Beauchemin, éditeur ltée

3281, avenue Jean-Béraud
Laval (Québec) H7T 2L2
Téléphone :   (514) 334-5912
              1 800 361-4504
Télécopieur : (450) 688-6269
www.beaucheminediteur.com

Tous les droits de traduction, d'adaptation et de reproduction, sous quelque forme que ce soit, en partie ou en totalité, sont réservés pour tous les pays. Entre autres, la reproduction d'un extrait quelconque de ce livre, par quelque procédé que ce soit, tant électronique que mécanique, en particulier par photocopie, par numérisation et par microfilm, est interdite sans l'autorisation écrite de l'éditeur.

DANGER LE PHOTOCOPILLAGE TUE LE LIVRE

Le photocopillage entraîne une baisse des achats de livres à tel point que la possibilité pour les auteurs de créer des œuvres nouvelles et de les faire éditer par des professionnels est menacée.

Nous reconnaissons l'aide financière du gouvernement du Canada par l'entremise du Programme d'aide au développement de l'industrie de l'édition (PADIÉ) pour nos activités d'édition.

Nous reconnaissons également l'aide financière du gouvernement du Québec – Programme de crédit d'impôt pour l'édition de livres – Géré par la Société de développement des entreprises culturelles (SODEC).

ISBN : 2-7616-2032-1

Dépôt légal : 3e trimestre 2003
Bibliothèque nationale du Québec
Bibliothèque nationale du Canada

Imprimé au Canada

3 4 5   06 05

Équipe de l'ouvrage français

Éditeur : **Jean-François Bojanowski**
Chargées de projet : **Josée Desjardins, Majorie Perreault, Violaine Charest-Sigouin**
Traduction : **Dominique Amrouni, Josée Rochon et collaborateurs (E. Bannem, J. Bergeron, J. Coulombe, I. Faucher, S. Ferland, J. Guillemette, J.-N. Huard, S. Larochelle, P. Lemaire, E. Morrissette, F. Poulin, G. Royer)**
Auteurs de la version française : **Suzanne Aucoin, Pauline Audet, Jocelyne G. Barabé, Monique Bédard, Gilles Bélanger, Suzanne Bhérer, Nicole Bizier, Hélène Boissonneault, Johanne Bouchard, Marie-Claude Bouchard, Yvon Brassard, Danièle Dallaire, Marlène Fortin, Nathalie Gagnon (Québec), Nathalie Gagnon (Sherbrooke), Gaétan Girard, Lucie Maillé, Marthe Mercier, Guylaine Paquin, Lucie Rhéaume, Lorraine T. Sawyer, Claire Thibaudeau, Chantal Tremblay, Johanne Turcotte, Francine Vincent**
Révision scientifique : **Maude Bégin, diététiste-nutritionniste, membre de l'Ordre professionnel des diététistes du Québec (OPDQ), Lorraine Bojanowski, Inf., M. Sc. inf., M.B.A, Yves Castonguay, professeur de biologie humaine, Cégep Montmorency, Lucie Verret, B. phar, DPH, M.Sc., pharmacienne**
Recherche et consultation : **Louise Hudon**
Révision linguistique : **Sophie Beaume, Barbara Delisle, Nathalie Larose, Nathalie Liao, Nathalie Mailhot, Louise Martel, Diane Plouffe, Isabelle Roy, Anne-Marie Taravella, Brigitte Vandal**
Correction d'épreuves : **Claire Campeau, Sophie Cazanave, Nathalie Larose, Nathalie Mailhot, Marie Pedneault, Brigitte Vandal**
Conception et production : **Dessine-moi un mouton inc.**
Impression : **Imprimeries Transcontinental inc.**

La pharmacologie est un domaine en constante évolution. Les mesures de sécurité normalement admises doivent être suivies, mais il est parfois nécessaire ou indispensable de modifier les traitements ou la pharmacothérapie à mesure que les nouveaux résultats de recherche et l'expérience clinique viennent enrichir nos connaissances. Nous conseillons au lecteur ou à la lectrice de lire les derniers renseignements fournis par le fabricant de chaque médicament à administrer afin de vérifier la dose recommandée, la méthode et la durée d'administration, ainsi que les contre-indications. Il incombe au médecin traitant, en s'appuyant sur l'expérience et les renseignements fournis par ses patients, de déterminer la posologie et le traitement qui conviennent à chacun d'eux. Ni l'éditeur, ni les auteurs ne peuvent être tenus responsables des dommages ou des préjudices corporels ou matériels qui pourraient découler de cette publication.

AVANT-PROPOS

L'importance du jugement clinique de l'infirmière ne fait plus de doute. La pratique professionnelle actuelle nécessite encore plus d'autonomie dans l'application de la pensée critique. D'après les dernières modifications à la *Loi sur les infirmières et infirmiers*, l'exercice de la profession infirmière consiste à évaluer l'état de santé d'une personne, à déterminer un plan de soins et de traitements infirmiers et à en assurer la réalisation, à prodiguer les soins et les traitements infirmiers et médicaux dans le but de maintenir ou de rétablir la santé et de prévenir la maladie, ainsi qu'à fournir les soins palliatifs. Les activités professionnelles de l'infirmière sont une fois de plus reconnues pour leur contribution au mieux-être des individus, des familles et des collectivités. C'est donc dire que le rôle qu'elle y joue en est un de premier plan. Il ne se résume pas à l'application simple et réflexe d'une ordonnance médicale ou à l'exécution d'un acte purement technique. Au-delà du geste, il y a la réflexion. Surtout la réflexion, devrait-on dire. Car avant d'agir, il faut décider, et faire un choix judicieux implique un questionnement approfondi sur la cible de nos interventions, en l'occurrence la personne prise dans son entité, vivant une situation tantôt bénigne, tantôt précaire quant à sa santé et interagissant avec son entourage dans un environnement spécifique.

A priori, la compétence à décider repose donc sur une évaluation initiale solide de l'état de la personne requérant des services infirmiers professionnels. *A posteriori*, c'est toute la capacité de l'infirmière à analyser une situation qui prend la relève et continue le processus : émettre des hypothèses, mettre des éléments en parallèle, les comparer en les scrutant minutieusement, faire des liens ; bref, entreprendre une démarche systématique de résolution de problèmes. Eh oui, on y revient toujours !

Mais qu'en est-il de l'élève infirmière engagée dans l'apprentissage d'une profession en constante évolution ? Sera-t-elle suffisamment préparée à faire face aux nombreuses et grandes responsabilités qui ne cessent de se multiplier ? Saura-t-elle répondre aux fonctions qui l'attendent ? Tout au long de sa formation, elle se voit confrontée aux exigences qui commandent l'acquisition d'habiletés cognitives, relationnelles, comportementales, psychomotrices et, reconnaissons-le, morales. C'est ici qu'il faut considérer la question des moyens. Le présent volume, adapté au contexte de la pratique québécoise dans les milieux de soins de santé, est le plus volumineux ouvrage du genre jamais édité au Québec. Il constitue l'aboutissement du travail soutenu et rigoureux d'une équipe d'enseignantes et d'enseignants profondément impliqués dans la formation de la relève infirmière. Ils ont su produire un ouvrage qui dépasse l'adaptation pure d'un produit étranger. Leur souci de fournir aux élèves un manuel au contenu riche et contemporain est réel. La participation de plusieurs autres professionnels de la santé concourt à sa qualité en tant qu'instrument de référence fiable. Les notions d'anatomie et de physiologie précèdent les renseignements détaillés sur l'étude des maladies, les moyens de les diagnostiquer et de les traiter. Les clients qui vivent l'expérience de la maladie sont souvent aux prises avec les problèmes qui en découlent ; des plans de soins infirmiers complètent donc l'ensemble.

Savoir pour mieux servir. L'aphorisme ne sonne pas faux quand il est question d'assumer son autonomie professionnelle. Nul doute que, dans la visée d'une pratique infirmière de pointe, l'acquisition de connaissances de plus en plus poussées en constitue les prémices. Du moins, c'est la contribution que ce nouveau livre sur les soins infirmiers en médecine et chirurgie a la prétention de se reconnaître.

LES CARACTÉRISTIQUES DU MANUEL

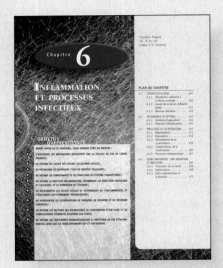

Ouverture du chapitre

L'ouverture de chacun des chapitres consiste en un plan du chapitre qui informe de façon détaillée des éléments abordés dans celui-ci. On y présente également une liste des objectifs d'apprentissage qui précisent les connaissances à acquérir et les habiletés à maîtriser à la fin du chapitre.

Repérage

Pour naviguer avec aisance et rapidité à travers le manuel, les principales sections sont numérotées. Le plan du chapitre donne le numéro de page des sections principales.

Encadrés

Encadrés « Diversité culturelle »

Riches en information, les encadrés « Diversité culturelle » traitent de l'adaptation des soins aux particularités culturelles du client.

Encadrés « Gérontologie »

Des encadrés « Gérontologie » mettent l'accent
sur les soins particuliers à apporter aux personnes âgées,
dont le poids démographique se fait de plus en plus sentir
dans le système de santé.

Encadrés « Enseignement au client »

Plus de 50 encadrés
« Enseignement au client »
offrent à la future infirmière
des pistes d'enseignement
pour aider le client qui
doit prendre part à son
traitement, de même que
les proches qui doivent
le soutenir.

Encadrés « Soins dans la famille »

La famille étant un élément de plus en plus intégré dans
le processus de soins, ces encadrés permettent à la future
infirmière d'enseigner à la famille les soins particuliers à
prodiguer à un proche.

Encadrés « Processus diagnostique et thérapeutique »

Quelque 75 encadrés
« Processus diagnostique et
thérapeutique » expliquent
clairement et succinctement
le processus diagnostique et
thérapeutique s'appliquant
à divers cas cliniques.

Encadrés « Plan de soins infirmiers »

De nombreux plans de soins complets, adaptés à
des problèmes infirmiers pertinents, décrivent
les interventions à poser, de même que les
justifications de ces interventions.

Encadrés « Collecte de données »
Ils illustrent les données que les infirmières
recueillent lors de l'évaluation de la clientèle.

Encadrés « Recherche »
Ils font état des toutes
dernières recherches
dans le domaine des
soins infirmiers.

Tableaux

Des tableaux portant sur l'examen clinique et gérontologique,
les anomalies courantes décelées au cours de l'examen
physique, les épreuves diagnostiques, la pharmacothérapie,
les recommandations nutritionnelles et les soins d'urgence
viennent souligner, compléter ou résumer l'information fournie
dans le texte, afin de permettre une meilleure intégration
de la matière.

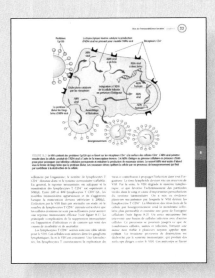

**Illustrations et
photographies**
Elles présentent de façon
claire et attrayante les
éléments à l'étude.

Annexe
On y propose un large éventail de valeurs de
laboratoire auxquelles les élèves peuvent se référer.

REMERCIEMENTS

L'éditeur tient à souligner l'excellent travail des consultants et des consultantes du réseau collégial qui, grâce à leurs commentaires éclairés, ont permis d'enrichir les versions provisoires de chacun des chapitres. Il remercie, entre autres :

Mme Chantal Audet, Inf., D. Sc. inf., Cégep de Ste-Foy

Mme Karin Beaulieu-Lebel, B. Sc. inf., Cégep de Lévis-Lauzon

Mme Carole Boily, Inf., D. Sc. inf., Collège d'Alma

Mme Nicole Champagne, Inf., B. Sc, M. Sc., M. Éd., Collège de Chicoutimi

Mme Suzanne Gagnon, Bc. Sc. inf., Cégep du Vieux-Montréal

Mme Claire Gaudreau, B. Sc. inf., M. Éd., Cégep de Rimouski

Mme Louise Hudon, B. Sc. inf., Dip. ens., Cégep de Ste-Foy

Mme Mireille Jodoin, professeur en soins infirmiers, St-Jean-sur-Richelieu

Mme Sylvie Levasseur, enseignante, Cégep du Vieux-Montréal

Mme Mélanie Martel, professeure, Inf., B. Sc.

Mme Lynn Paradis, Inf., Cégep de Rimouski

Mme Julie Picher, Inf., B. Sc. inf., enseignante, Cégep du Vieux-Montréal

M. Sylvain Poulin, enseignant en soins infirmiers, Cégep de Limoilou

M. Serge Thériault, chargé de cours, Université du Québec à Chicoutimi (UQAC)

Mme Marie-Josée Tremblay, Inf., B. Sc. inf., Collège d'Alma

Mme Bach Vuong, B. Sc. inf., B. Sc. (biochimie), D.E.S. Sc. inf., Collège Bois-de-Boulogne

Sources des figures

TOME I

CHAPITRE 1

1.1, 1.2, 1.3, 1.4 Tirés de POTTER, P.A., et A.G. PERRY. *Fundamentals of nursing: concepts, process, and practice*, 4e éd., St. Louis, Mosby, 1997 ; 1.5 Reproduit de BOISE, L., et autres « Facing chronic illness: the family support model and its benefits », *Patient Educ Couns*, vol. 27, 1996, p. 76, avec l'autorisation de Elsevier Science.

CHAPITRE 2

2.1, 2.3, 2.7, 2.8, 2.9 Avec l'aimable autorisation de CLG Photographics, St. Louis ; 2.4 Tiré de POTTER, P.A., et A.G. PERRY. *Fundamentals of nursing: concepts, process, and practice*, 4e éd., St. Louis, Mosby, 1997 ; 2.5 Tiré de SORRENTINO, S.A. *Nursing assistants*, St. Louis, Mosby, 1996.

CHAPITRE 3

3.4, 3.8 Tirés de SORRENTINO, S.A. *Nursing assistants*, St. Louis, Mosby, 1996 ; 3.2, 3.6, 3.7, 3.9 Avec l'aimable autorisation de CLG Photographics, St. Louis ; 3.3 Tiré de WILSON, S.F., et J.M. THOMPSON. *Respiratory disorders*, St. Louis, Mosby, 1995 ; 3.5 Redessiné à partir de BENZON, J. « Approaching drug regimens with a therapeutic dose of suspicion », *Geriatr Nurs*, vol. 12, no 4, 1991, p. 1813.

CHAPITRE 5

5.16 Avec l'aimable autorisation de CLG Photographics, St. Louis.

CHAPITRE 6

6.2 Avec l'aimable autorisation de Cameron Bangs, MD. Dans AUERBACH, P.S. (éd.), *Wilderness medicine: management of wilderness and environmental emergencies*, 3e éd., St. Louis, Mosby, 1995 ; 6.9 Avec l'aimable autorisation de Molnlyche Health Care, Eddystone, Pa. Dans POTTER, P.A., et A.G. PERRY. *Fundamentals of nursing: concepts, process, and practice*, 4e éd., St. Louis, Mosby, 1997 ; 6.10 Tiré de HABIF, T.P. *Clinical dermatology: a color guide to diagnosis and therapy*, 2e éd., St. Louis, Mosby, 1992 ; 6.11 Tiré de POTTER, P.A., et A.G. PERRY. *Fundamentals of nursing: concepts, process, and practice*, 4e éd., St. Louis, Mosby, 1997.

CHAPITRE 8

8.7, 8.8 Tirés de GRIMES, D.E., et R.M. GRIMES. *AIDS and HIV infection*, St. Louis, Mosby, 1994 ; 8.9 Obtenu des Centers for Disease Control, avec l'aimable autorisation de Jonathan WM Gold, MD, New York, NY ; 8.10 Tiré de SEIDEL, H.M., et autres. *Mosby's guide to physical examination*, 4e éd., St. Louis, Mosby, 1999, avec l'aimable autorisation de Wilmer Ophthalmological Institute, The Johns Hopkins University and Hospital, Baltimore.

CHAPITRE 9

9.8 Modifié d'après DEVITA, V.T., S. HELMAN, S.A. ROSENBERG (éd.). *Cancer: principles and practice of oncology*, Philadelphia, Lippincott-Raven, 1997 ; 9.25 Avec l'aimable autorisation de Pharmacia Deltec, Inc, St. Paul, Minn ; 9.26 Avec l'aimable autorisation de Strato/Infusaid, Inc, Norwood, Mass ; 9.27 Données tirées de The World Health Organization, 1990.

CHAPITRE 12

12.1 Avec l'aimable autorisation de Greg McVicar ; 12.2 Tiré de POTTER, P.A., et A.G. PERRY. *Basic nursing*, 3e éd., St. Louis, Mosby, 1995 ; 12.3 Avec l'aimable autorisation de Spacelabs Medical, Redmond, Wash ; 12.5 Avec l'aimable autorisation de The Methodist Hospital, Houston, Texas. Photographie par Donna Dahms, RN, CNOR ; 12.6 Avec l'aimable autorisation de ConMed, Englewood, Colo ; 12.7, 12.8 Tirés de LITWACK, K. *Post anesthesia care nursing*, 2e éd., St. Louis, Mosby, 1995 ; 12.10 Tiré de MEEKER, M.H., et J.C. ROTHROCK. *Alexander's care of the patient in surgery*, 11e éd., St. Louis, Mosby, 1999.

TABLE DES MATIÈRES

Tome 1

Concepts généraux, système immunitaire, déséquilibres hydroélectrolytiques et acidobasiques et expérience chirurgicale

PARTIE I
Concepts généraux de la pratique infirmière

CHAPITRE 1
Les soins infirmiers en médecine-chirurgie

1.1 ENJEUX DES SOINS INFIRMIERS EN MÉDECINE ET CHIRURGIE t1-3
   1.1.1 Nouvelle organisation des soins t1-3
   1.1.2 Changements démographiques t1-6
   1.1.3 Sensibilisation du client t1-6
   1.1.4 Progrès technologiques t1-6
   1.1.5 Problématiques nouvelles t1-7
   1.1.6 Populations vulnérables t1-7

1.2 PARTICIPATION DU CLIENT : ÉLÉMENT CLÉ DE LA PRISE EN CHARGE t1-10

1.3 CONTINUUM DE SOINS ET SERVICES t1-11
   1.3.1 Soins de courte durée t1-12
   1.3.2 Réadaptation fonctionnelle intensive . . t1-12
   1.3.3 Soins de longue durée t1-13
   1.3.4 Soins à domicile t1-14
   1.3.5 Soins ambulatoires t1-18
   1.3.6 Soins palliatifs t1-19

1.4 ENSEIGNEMENT À LA CLIENTÈLE t1-20
   1.4.1 Survol t1-20
   1.4.2 Objectifs de l'enseignement à la clientèle t1-20

1.5 PROCESSUS D'APPRENTISSAGE t1-21
   1.5.1 Infirmière t1-21
   1.5.2 Client t1-22
   1.5.3 Soutien familial et social t1-24

1.6 FACTEURS CONTRIBUANT À FAVORISER L'APPRENTISSAGE CHEZ LES ADULTES t1-25
   1.6.1 Respect t1-25
   1.6.2 Pertinence t1-25
   1.6.3 Immédiateté t1-26
   1.6.4 Milieu d'apprentissage t1-26
   1.6.5 Changement de comportement t1-26

1.7 PROCESSUS D'ENSEIGNEMENT t1-27
   1.7.1 Collecte de données t1-27
   1.7.2 Planification t1-29
   1.7.3 Stratégies d'enseignement t1-30
   1.7.4 Exécution t1-30
   1.7.5 Évaluation t1-32

CHAPITRE 2
Développement de l'adulte

2.1 VIEILLISSEMENT t1-36
   2.1.1 Théories du vieillissement biologique t1-36
   2.1.2 Théories psychologiques du vieillissement t1-38

2.2 APPROCHES CONCEPTUELLES DU DÉVELOPPEMENT DE L'ADULTE t1-38
   2.2.1 Théorie d'Erikson : crises du développement psychologique t1-38
   2.2.2 Théorie de Peck : tâches de développement t1-40
   2.2.3 Théorie de Havighurst : tâches développementales t1-40
   2.2.4 Théorie de Levinson : évolution des structures de vie t1-40
   2.2.5 Autres théories du développement . . t1-41

2.3 DIMENSIONS PSYCHODYNAMIQUES DE L'ÂGE ADULTE t1-41
   2.3.1 Concept de soi et estime de soi t1-41
   2.3.2 Passage de la vie à la mort t1-42
   2.3.3 Fonctionnement mental t1-43
   2.3.4 Sexualité t1-44

2.4 PROCESSUS SOCIAUX À L'ÂGE ADULTE t1-46
   2.4.1 Développement familial et développement de l'adulte t1-46

2.5 PROCESSUS PHYSIOLOGIQUES À L'ÂGE ADULTE t1-48

2.5.1   Changements physiologiques
à l'âge adulte t1-48

2.5.2   Facteurs à considérer dans la promotion
de la santé t1-48

2.5.3   Stress relatif à la maladie
à l'âge adulte t1-50

CHAPITRE 3
Gérontologie

3.1   ATTITUDE FACE AU VIEILLISSEMENT t1-55

3.2   CHANGEMENTS PHYSIOLOGIQUES LIÉS À L'ÂGE . . t1-56

3.3   POPULATIONS PARTICULIÈRES t1-56
3.3.1   Femmes âgées t1-56
3.3.2   Personnes âgées atteintes
de déficit cognitif t1-56
3.3.3   Personnes âgées vulnérables t1-60
3.3.4   Personnes âgées malades t1-62

3.4   ETHNICITÉ ET VIEILLISSEMENT t1-62

3.5   DÉMARCHE DE SOINS INFIRMIERS AUPRÈS
DES PERSONNES ÂGÉES t1-64
3.5.1   Création d'un environnement
thérapeutique t1-64
3.5.2   Collecte de données t1-64
3.5.3   Diagnostics infirmiers t1-64
3.5.4   Planification t1-64
3.5.5   Exécution t1-65
3.5.6   Évaluation t1-66

3.6   ENSEIGNEMENT AUX PERSONNES ÂGÉES t1-66

3.7   PROMOTION DE LA SANTÉ ET DÉPISTAGE t1-66

3.8   PROBLÈMES DE SANTÉ CHRONIQUES t1-67

3.9   RÉADAPTATION DES PERSONNES ÂGÉES t1-68

3.10   HOSPITALISATION ET PROBLÈME
DE SANTÉ AIGU t1-68
3.10.1   Risque chirurgical élevé t1-69
3.10.2   État confusionnel aigu t1-69
3.10.3   Infections nosocomiales t1-69
3.10.4   Sortie du centre hospitalier t1-69
3.10.5   Rôle de l'infirmière en milieu
hospitalier t1-69

3.11   SOINS GÉRONTOLOGIQUES t1-70
3.11.1   Facteurs environnementaux t1-70
3.11.2   Appareils et accessoires
fonctionnels t1-70
3.11.3   Soulagement de la douleur t1-70
3.11.4   Consommation de médicaments . . . t1-70

3.11.5   Dépression t1-71
3.11.6   Recommandations nutritionnelles . . . t1-72
3.11.7   Sommeil t1-72
3.11.8   Sécurité t1-73
3.11.9   Problèmes de comportement t1-73
3.11.10   Utilisation de moyens de contention . . t1-73
3.11.11   Violence et négligence à l'égard
des personnes âgées t1-74

3.12   PERSONNES ÂGÉES ET SOUTIEN SOCIAL t1-74
3.12.1   Aidants naturels t1-74
3.12.2   Réseaux de soutien pour personnes
âgées t1-75

3.13   POSSIBILITÉS DE SOINS POUR
LES PERSONNES ÂGÉES t1-76
3.13.1   Habitation t1-76
3.13.2   Personnes âgées bénéficiant des soins
de santé communautaires et
présentant des besoins particuliers . . t1-77
3.13.3   Soins offerts dans les centres
de soins de longue durée t1-78
3.13.4   Prise en charge t1-78

3.14   CONSIDÉRATIONS JURIDIQUES ET
ÉTHIQUES t1-78
3.14.1   Préoccupations du client t1-78
3.14.2   Considérations éthiques t1-79

CHAPITRE 4
Stress

4.1   THÉORIES DU STRESS t1-82

4.2   LE STRESS EN TANT QUE RÉACTION t1-83
4.2.1   Réaction d'alarme t1-83
4.2.2   Phase de résistance t1-83
4.2.3   Phase d'épuisement t1-84
4.2.4   Raffinements de la théorie du stress
de Selye t1-84

4.3   LE STRESS EN TANT QUE STIMULUS t1-85
4.3.1   Événements de la vie t1-85
4.3.2   Raffinements de la théorie du stress
en tant que stimulus t1-85

4.4   LE STRESS EN TANT QUE PROCESSUS
TRANSACTIONNEL t1-86
4.4.1   Évaluation t1-86
4.4.2   Résumé théorique t1-87

4.5   RÉACTION PHYSIOLOGIQUE AU STRESS t1-87
4.5.1   Système nerveux t1-88
4.5.2   Système endocrinien t1-89
4.5.3   Système immunitaire t1-91

4.6 IDENTIFICATION DES AGENTS STRESSANTS t1-92
    4.6.1 Agents stressants liés au travail t1-92
    4.6.2 Agents stressants liés à
        la maladie t1-93

4.7 ADAPTATION t1-93

4.8 SOINS INFIRMIERS : STRESS t1-95
    4.8.1 Collecte de données t1-95
    4.8.2 Diagnostics infirmiers t1-96
    4.8.3 Exécution t1-96

CHAPITRE 5
Douleur

5.1 DÉFINITIONS DE LA DOULEUR t1-101

5.2 AMPLEUR DU PROBLÈME DE LA DOULEUR . . . t1-101

5.3 DIMENSIONS DE LA DOULEUR t1-102
    5.3.1 Composante physiologique t1-102
    5.3.2 Dimensions affective, comportementale
        et cognitive t1-108

5.4 ÉTIOLOGIE ET TYPES DE DOULEUR t1-109
    5.4.1 Types de douleur t1-109

5.5 ÉVALUATION DE LA DOULEUR t1-111
    5.5.1 Spécialiste de la douleur t1-111
    5.5.2 Processus d'évaluation t1-112
    5.5.3 Mesure de la douleur t1-115
    5.5.4 Documentation sur la douleur t1-118

5.6 PHARMACOTHÉRAPIE ANALGÉSIQUE t1-118
    5.6.1 Dose d'analgésique équivalent t1-118
    5.6.2 Posologie des analgésiques t1-118
    5.6.3 Dosage d'opiacés t1-119
    5.6.4 Choix des analgésiques t1-119
    5.6.5 Échelle analgésique t1-119
    5.6.6 Médicaments et voies d'administration
        recommandés t1-124

5.7 TRAITEMENT NON PHARMACOLOGIQUE
    DE LA DOULEUR t1-128
    5.7.1 Stratégies de soulagement de
        la douleur physique t1-128
    5.7.2 Thérapies cognitivo-
        comportementales t1-132

5.8 PROCESSUS THÉRAPEUTIQUE t1-134
    5.8.1 Obstacles au soulagement efficace
        de la douleur t1-135
    5.8.2 Évaluation du plan de soulagement
        de la douleur t1-137

5.9 BESOINS DES SOIGNANTS t1-137

PARTIE II
Soins infirmiers reliés aux troubles
de défense du corps humain

CHAPITRE 6
Inflammation et processus infectieux

6.1 LÉSION CELLULAIRE t1-142
    6.1.1 Adaptation cellulaire à la lésion
        morbide t1-142
    6.1.2 Causes de la lésion cellulaire létale . t1-143
    6.1.3 Nécrose cellulaire t1-143

6.2 MÉCANISMES DE DÉFENSE t1-143
    6.2.1 Système phagocytaire t1-144
    6.2.2 Réaction inflammatoire t1-144

6.3 PROCESSUS DE CICATRISATION t1-153
    6.3.1 Régénération t1-153
    6.3.2 Réparation t1-153
    6.3.3 Retardement de la cicatrisation . . . t1-155
    6.3.4 Complications de la cicatrisation . . t1-156
    6.3.5 Processus thérapeutique t1-157

6.4 SOINS INFIRMIERS : INFLAMMATION
    ET INFECTION t1-160
    6.4.1 Promotion de la santé t1-160
    6.4.2 Intervention t1-160
    6.4.3 Soins ambulatoires et
        à domicile t1-171

CHAPITRE 7
Altération des réactions immunitaires

7.1 RÉACTION IMMUNITAIRE NORMALE t1-174
    7.1.1 Immunité t1-174
    7.1.2 Antigènes t1-174
    7.1.3 Composantes du système
        immunitaire t1-176
    7.1.4 Production des lymphocytes t1-177
    7.1.5 Immunité humorale t1-177
    7.1.6 Immunité à médiation cellulaire . . . t1-179
    7.1.7 Résumé des réactions immunitaires . t1-182

7.2 RÉACTIONS IMMUNITAIRES ALTÉRÉES t1-182
    7.2.1 Réactions d'hypersensibilité t1-182

7.3 TROUBLES ALLERGIQUES t1-189
    7.3.1 Collecte de données t1-189
    7.3.2 Épreuves diagnostiques t1-190
    7.3.3 Processus thérapeutique t1-191
    7.3.4 Immunothérapie t1-194
    7.3.5 Allergies au latex t1-195

7.4 PHÉNOMÈNE DE L'AUTO-IMMUNITÉ t1-196
    7.4.1 Théories de la causalité t1-196

7.4.2   Maladies auto-immunes t1-197
7.4.3   Aphérèse ou hémaphérèse t1-198
7.4.4   Système de l'antigène leucocytaire
         humain (ALH) ou complexe majeur
         d'histocompatibilité (CMH) t1-199

7.5 TROUBLES IMMUNODÉFICITAIRES t1-200
     7.5.1   Troubles primaires t1-200
     7.5.2   Troubles secondaires t1-201
     7.5.3   Maladie du greffon contre l'hôte . . t1-202

7.6 MALADIES IMMUNITAIRES t1-202
     7.6.1   Mononucléose t1-202
     7.6.2   Syndrome de fatigue chronique t1-203

7.7 NOUVELLES TECHNOLOGIES EN MATIÈRE
     D'IMMUNOLOGIE t1-205
     7.7.1   Hybridomes : anticorps
              monoclonaux t1-205
     7.7.2   Recombinaison de l'ADN t1-205
     7.7.3   Thérapie génique t1-206
     7.7.4   Amplification en chaîne par
              la polymérase t1-207

CHAPITRE 8
Virus de l'immunodéficience humaine

8.1 INFECTION PAR LE VIRUS DE
     L'IMMUNODÉFICIENCE HUMAINE t1-210
     8.1.1   Importance du problème t1-210
     8.1.2   Transmission du VIH t1-210
     8.1.3   Physiopathologie t1-212
     8.1.4   Manifestations cliniques et
              complications t1-214
     8.1.5   Épreuves diagnostiques t1-216
     8.1.6   Processus thérapeutique t1-216
     8.1.7   Soins infirmiers : infection
              par le VIH t1-224

CHAPITRE 9
Cancer

9.1 INCIDENCE t1-244

9.2 BIOLOGIE DU CANCER t1-244
     9.2.1   Prolifération cellulaire anormale . . . t1-244
     9.2.2   Différenciation cellulaire anormale . t1-246
     9.2.3   Évolution du cancer t1-247
     9.2.4   Rôle du système immunitaire t1-252

9.3 CLASSIFICATION DU CANCER t1-255
     9.3.1   Classification par site anatomique . t1-255
     9.3.2   Classification selon l'analyse
              histologique t1-255
     9.3.3   Classification selon l'étendue
              de la maladie t1-256

9.4 PRÉVENTION ET DÉTECTION DU CANCER t1-256

9.4.1   Diagnostic du cancer t1-257

9.5 PROCESSUS THÉRAPEUTIQUE t1-259
     9.5.1   Objectifs et modes de traitement . . t1-259
     9.5.2   Essais cliniques t1-260
     9.5.3   Interventions chirurgicales t1-261
     9.5.4   Radiothérapie t1-262
     9.5.5   Chimiothérapie t1-273
     9.5.6   Soins infirmiers : chimiothérapie . . t1-282
     9.5.7   Effets retardés de la radiothérapie
              et de la chimiothérapie t1-287
     9.5.8   Thérapie biologique t1-288
     9.5.9   Soins infirmiers : thérapie
              biologique t1-291
     9.5.10   Greffe de moelle osseuse et
              de cellules souches t1-292
     9.5.11   Thérapie génique t1-293
     9.5.12   Recommandations nutritionnelles . . t1-293
     9.5.13   Méthodes non éprouvées de
              traitement du cancer t1-294

9.6 COMPLICATIONS RÉSULTANT DU CANCER t1-295
     9.6.1   Infection t1-295
     9.6.2   Urgences oncologiques t1-295

9.7 SOUTIEN PSYCHOLOGIQUE t1-297
     9.7.1   Soulagement des douleurs liées
              au cancer t1-298

CHAPITRE 10
Déséquilibres hydroélectrolytiques
et acidobasiques

10.1 HOMÉOSTASIE t1-301

10.2 TENEUR EN EAU DE L'ORGANISME t1-301
      10.2.1   Compartiments liquidiens t1-301
      10.2.2   Calcul de l'apport ou de la perte
               hydrique t1-302

10.3 ÉLECTROLYTES t1-302
      10.3.1   Mesure t1-302
      10.3.2   Composition en électrolytes
               des compartiments liquidiens t1-303

10.4 MÉCANISMES DE RÉGULATION
      HYDROÉLECTROLYTIQUE t1-303
      10.4.1   Diffusion t1-303
      10.4.2   Diffusion facilitée t1-304
      10.4.3   Transport actif t1-304
      10.4.4   Osmose t1-304
      10.4.5   Pression hydrostatique t1-305
      10.4.6   Pression oncotique t1-306

10.5 ÉCHANGES LIQUIDIENS DANS LES CAPILLAIRES . t1-306
      10.5.1   Échanges liquidiens t1-306

10.6 MOUVEMENT DE LIQUIDE ENTRE LE LEC
      ET LE LIC t1-307

10.7 RÉGULATION DE L'ÉQUILIBRE HYDRIQUE t1-307
   10.7.1 Régulation hypothalamique t1-307
   10.7.2 Régulation de l'hypophyse t1-308
   10.7.3 Régulation corticosurrénalienne . . . t1-308
   10.7.4 Régulation rénale t1-309
   10.7.5 Régulation cardiaque t1-309
   10.7.6 Régulation gastro-intestinale t1-309
   10.7.7 Perte hydrique insensible t1-309

10.8 DÉSÉQUILIBRES HYDROÉLECTROLYTIQUES . . . t1-310

10.9 DÉSÉQUILIBRES SODIQUE ET VOLUMIQUE . . . t1-310
   10.9.1 Hypernatrémie t1-310
   10.9.2 Hyponatrémie t1-313
   10.9.3 Déséquilibres du liquide
          extracellulaire t1-313
   10.9.4 Soins infirmiers : déséquilibres
          sodique et volumique t1-314

10.10 DÉSÉQUILIBRES POTASSIQUES t1-315
   10.10.1 Hyperkaliémie t1-316
   10.10.2 Hypokaliémie t1-318

10.11 DÉSÉQUILIBRES CALCIQUES t1-319
   10.11.1 Hypercalcémie t1-319
   10.11.2 Hypocalcémie t1-320
   10.11.3 Déséquilibres phosphatiques t1-322
   10.11.4 Déséquilibres magnésiens t1-323
   10.11.5 Déséquilibres protéiques t1-324

10.12 DÉSÉQUILIBRES ACIDOBASIQUES t1-324
   10.12.1 Concentration d'ions hydrogène . . . t1-324
   10.12.2 Régulation acidobasique t1-325
   10.12.3 Déséquilibres acidobasiques t1-326
   10.12.4 Manifestations cliniques t1-329

10.13 ÉVALUATION DES DÉSÉQUILIBRES HYDRIQUES,
      ÉLECTROLYTIQUES ET ACIDOBASIQUES t1-330
   10.13.1 Données subjectives t1-330
   10.13.2 Données objectives t1-330
   10.13.3 Remplacement liquidien et
          électrolytique par voie orale t1-332
   10.13.4 Remplacement liquidien et
          électrolytique par voie intraveineuse . t1-332

PARTIE III
Expérience chirurgicale

CHAPITRE 11
Phase préopératoire

11.1 MILIEUX CHIRURGICAUX t1-338

11.2 RÉACTIONS PSYCHOSOCIALES À LA CHIRURGIE . t1-340
   11.2.1 Peurs fréquentes t1-340

11.3 ENTREVUE AVEC LE CLIENT t1-341

11.4 ÉVALUATION DU CLIENT EN PHASE
     PRÉOPÉRATOIRE t1-341
   11.4.1 Données subjectives t1-342
   11.4.2 Données objectives t1-346
   11.4.3 Soins infirmiers : phase
          préopératoire t1-346
   11.4.4 Information juridique en vue
          de la chirurgie t1-350
   11.4.5 Jour de la chirurgie t1-351
   11.4.6 Prémédication t1-353
   11.4.7 Transport du client vers la salle
          d'opération t1-354

CHAPITRE 12
Phase peropératoire

12.1 MILIEU PHYSIQUE t1-357
   12.1.1 Salle d'opération t1-357
   12.1.2 Salle d'attente t1-358

12.2 ÉQUIPE CHIRURGICALE t1-358
   12.2.1 Infirmière t1-358
   12.2.2 Équipe chirurgicale t1-359
   12.2.3 Équipe d'anesthésie t1-359

12.3 PHASE PRÉOPÉRATOIRE t1-361
   12.3.1 Évaluation psychosociale t1-361
   12.3.2 Examen physique t1-361
   12.3.3 Examen du dossier t1-362
   12.3.4 Admission du client t1-362

12.4 PHASE PEROPÉRATOIRE t1-362
   12.4.1 Préparation de la salle t1-362
   12.4.2 Transfert du client t1-362
   12.4.3 Brossage des mains et port
          de la blouse et des gants t1-363
   12.4.4 Techniques d'asepsie chirurgicale . . t1-363
   12.4.5 Assistance au personnel
          d'anesthésie t1-364
   12.4.6 Positionnement du client t1-364
   12.4.7 Préparation du site opératoire t1-364
   12.4.8 Facteurs de sécurité t1-365

12.5 PHASE POSTOPÉRATOIRE t1-365

12.6 CLASSIFICATION DE L'ANESTHÉSIE t1-365
   12.6.1 Anesthésie générale t1-366
   12.6.2 Anesthésie locale t1-370
   12.6.3 Autres méthodes d'anesthésie t1-371
   12.6.4 Situations d'urgence en salle
          d'opération t1-372

CHAPITRE 13
Phase postopératoire

13.1 SOINS POSTOPÉRATOIRES EN SALLE DE RÉVEIL . . t1-375
   13.1.1 Admission à la salle de réveil t1-375

13.1.2 Altérations possibles de la
fonction respiratoire t1-376

13.1.3 Altérations possibles de la
fonction cardiovasculaire t1-382

13.1.4 Altérations possibles de la
fonction neurologique t1-384

13.1.5 Hypothermie t1-384

13.1.6 Douleur et malaise t1-385

13.1.7 Nausées et vomissements t1-385

13.1.8 Soins chirurgicaux en salle de réveil . . t1-385

13.1.9 Congé de la salle de réveil t1-386

13.2 SOINS POSTOPÉRATOIRES À L'UNITÉ DE SOINS . . t1-387

13.2.1 Altérations possibles de
la fonction respiratoire t1-388

13.2.2 Altérations possibles de
la fonction cardiovasculaire t1-393

13.2.3 Altérations possibles de
la fonction urinaire t1-395

13.2.4 Altérations possibles de
la fonction gastro-intestinale t1-396

13.2.5 Altérations possibles de
la fonction tégumentaire t1-397

13.2.6 Altérations possibles de
la fonction neurologique t1-398

13.2.7 Altérations possibles de
la fonction psychologique t1-400

13.2.8 Planification du congé et du suivi . . t1-402

Annexe t1-A1

Index t1-I1

Tome 2

Appareils respiratoire et cardiovasculaire, système hématologique et soins d'urgence

PARTIE IV
Soins infirmiers reliés aux troubles de ventilation respiratoire

CHAPITRE 14
Évaluation de l'appareil respiratoire

14.1 STRUCTURES ET FONCTIONS DE L'APPAREIL
RESPIRATOIRE t2-3

14.1.1 Voies respiratoires supérieures t2-3

14.1.2 Voies respiratoires inférieures t2-4

14.1.3 Cage thoracique t2-6

14.1.4 Physiologie de la respiration t2-7

14.1.5 Régulation de la respiration t2-11

14.1.6 Mécanismes de protection des voies
respiratoires t2-11

14.2 ÉVALUATION DE L'APPAREIL RESPIRATOIRE t2-13

14.2.1 Données subjectives t2-13

14.2.2 Données objectives t2-19

14.3 ÉPREUVES DIAGNOSTIQUES DE L'APPAREIL
RESPIRATOIRE t2-28

14.3.1 Analyses sanguines t2-28

14.3.2 Saturométrie (oxymétrie pulsée) t2-28

14.3.3 Examens des expectorations t2-28

14.3.4 Tests cutanés t2-28

14.3.5 Examens radiologiques t2-29

14.3.6 Examens endoscopiques t2-32

14.3.7 Biopsie pulmonaire t2-32

14.3.8 Thoracentèse t2-33

14.3.9 Étude de la fonction pulmonaire
(test de la fonction respiratoire
ou spirométrie) t2-33

14.3.10 Épreuves d'effort t2-33

CHAPITRE 15
Troubles des voies respiratoires supérieures

15.1 PROBLÈMES STRUCTURELS ET TRAUMATIQUES
DU NEZ t2-36

15.1.1 Déviation de la cloison nasale t2-36

15.1.2 Fracture du nez t2-36

15.1.3 Rhinoplastie t2-37

15.1.4 Épistaxis t2-37

15.2 INFLAMMATION ET INFECTION DU NEZ
ET DES SINUS t2-40

15.2.1 Rhinite allergique t2-40

15.2.2 Rhinite virale aiguë t2-42

15.2.3 Grippe t2-44

15.2.4 Sinusite t2-45

15.3 OBSTRUCTION DU NEZ ET DES SINUS t2-46

15.3.1 Polypes t2-46

15.3.2 Corps étrangers t2-46

15.4 PROBLÈMES LIÉS AU PHARYNX t2-48

15.4.1 Pharyngite aiguë t2-48

15.4.2 Abcès périamygdalien t2-48

15.4.3 Apnée obstructive du sommeil t2-49

15.5 PROBLÈMES LIÉS À LA TRACHÉE ET AU LARYNX . t2-50
    15.5.1 Obstruction des voies respiratoires. . . t2-50
    15.5.2 Trachéostomie t2-52
    15.5.3 Polypes laryngés. t2-57
    15.5.4 Cancer de la tête et du cou. t2-61

CHAPITRE 16
Troubles des voies respiratoires inférieures

16.1 BRONCHITE AIGUË t2-75

16.2 PNEUMONIE t2-75
    16.2.1 Étiologie t2-75
    16.2.2 Types de pneumonie t2-76
    16.2.3 Physiopathologie t2-79
    16.2.4 Manifestations cliniques t2-80
    16.2.5 Complications. t2-80
    16.2.6 Épreuves diagnostiques t2-80
    16.2.7 Processus thérapeutique t2-81
    16.2.8 Soins infirmiers : pneumonie t2-82

16.3 TUBERCULOSE t2-87
    16.3.1 Étiologie et physiopathologie t2-88
    16.3.2 Classification t2-88
    16.3.3 Manifestations cliniques t2-88
    16.3.4 Complications. t2-90
    16.3.5 Épreuves diagnostiques t2-90
    16.3.6 Processus thérapeutique t2-90
    16.3.7 Soins infirmiers : tuberculose t2-93
    16.3.8 Mycobactéries atypiques t2-95

16.4 INFECTIONS PULMONAIRES FONGIQUES t2-95
    16.4.1 Processus thérapeutique t2-96

16.5 BRONCHIECTASIE t2-96
    16.5.1 Étiologie et physiopathologie t2-96
    16.5.2 Manifestations cliniques t2-97
    16.5.3 Épreuves diagnostiques t2-97
    16.5.4 Processus thérapeutique t2-98
    16.5.5 Soins infirmiers : bronchiectasie t2-98

16.6 ABCÈS PULMONAIRE. t2-99
    16.6.1 Étiologie et physiopathologie t2-99
    16.6.2 Manifestations cliniques et complications. t2-99
    16.6.3 Épreuves diagnostiques t2-99
    16.6.4 Soins infirmiers et processus thérapeutique : abcès pulmonaire . . . t2-99

16.7 MALADIES PULMONAIRES PROFESSIONNELLES . t2-100
    16.7.1 Manifestations cliniques. t2-100

16.7.2 Processus thérapeutique. t2-102

16.8 CANCER DU POUMON. t2-102
    16.8.1 Étiologie et facteurs de risque. t2-102
    16.8.2 Physiopathologie. t2-103
    16.8.3 Manifestations cliniques. t2-104
    16.8.4 Épreuves diagnostiques t2-105
    16.8.5 Classification t2-106
    16.8.6 Processus thérapeutique. t2-106
    16.8.7 Soins infirmiers : cancer du poumon. t2-107
    16.8.8 Autres types de tumeurs du poumon. t2-112

16.9 TRAUMATISMES ET LÉSIONS THORACIQUES t2-112
    16.9.1 Pneumothorax t2-113
    16.9.2 Fractures des côtes t2-115
    16.9.3 Volet thoracique t2-116
    16.9.4 Drains thoraciques et drainage pleural. t2-116

16.10 CHIRURGIE DU THORAX. t2-119
    16.10.1 Soins préopératoires t2-119
    16.10.2 Traitement chirurgical t2-121
    16.10.3 Soins postopératoires. t2-122

16.11 TROUBLES RESPIRATOIRES RESTRICTIFS t2-122
    16.11.1 Épanchement pleural t2-122
    16.11.2 Manifestations cliniques. t2-124
    16.11.3 Thoracentèse t2-124
    16.11.4 Processus thérapeutique. t2-126
    16.11.5 Pleurésie t2-126
    16.11.6 Atélectasie t2-126
    16.11.7 Fibrose pulmonaire t2-127

16.12 TROUBLES VASCULAIRES PULMONAIRES t2-127
    16.12.1 Œdème aigu pulmonaire. t2-127
    16.12.2 Embolie pulmonaire. t2-127
    16.12.3 Hypertension pulmonaire t2-128
    16.12.4 Cœur pulmonaire. t2-129

16.13 GREFFE PULMONAIRE t2-130

CHAPITRE 17
Bronchopneumopathies obstructives

17.1 ASTHME t2-134
    17.1.1 Déclencheurs des crises d'asthme. . . t2-134
    17.1.2 Physiopathologie. t2-136
    17.1.3 Manifestations cliniques. t2-138
    17.1.4 Classification de l'asthme t2-139

17.1.5 Complications t2-139
17.1.6 Épreuves diagnostiques t2-141
17.1.7 Processus thérapeutique t2-142
17.1.8 Soins infirmiers : asthme t2-153

17.2 EMPHYSÈME ET BRONCHITE CHRONIQUE t2-160
17.2.1 Étiologie t2-160
17.2.2 Physiopathologie t2-163
17.2.3 Manifestations cliniques t2-164
17.2.4 Complications t2-166
17.2.5 Épreuves diagnostiques t2-169
17.2.6 Processus thérapeutique t2-170
17.2.7 Soins infirmiers : emphysème
       et bronchite chronique t2-182

17.3 FIBROSE KYSTIQUE (MUCOVISCIDOSE) t2-193
17.3.1 Étiologie et physiopathologie t2-193
17.3.2 Manifestations cliniques t2-195
17.3.3 Complications t2-195
17.3.4 Épreuves diagnostiques t2-195
17.3.5 Processus thérapeutique t2-196
17.3.6 Soins infirmiers : fibrose kystique . . t2-196

PARTIE V
Soins infirmiers reliés aux troubles de transport de l'oxygène

CHAPITRE 18
Évaluation du système hématologique

18.1 STRUCTURES ET FONCTIONS DU SYSTÈME
     HÉMATOLOGIQUE t2-201
18.1.1 Moelle osseuse t2-201
18.1.2 Cellules sanguines t2-201
18.1.3 Rate t2-204
18.1.4 Système lymphatique t2-204
18.1.5 Foie t2-205
18.1.6 Mécanismes de coagulation t2-205

18.2 ÉVALUATION DU SYSTÈME
     HÉMATOLOGIQUE t2-208
18.2.1 Données subjectives t2-209
18.2.2 Données objectives t2-212

18.3 ÉPREUVES DIAGNOSTIQUES DU SYSTÈME
     HÉMATOLOGIQUE t2-213
18.3.1 Épreuves de laboratoire t2-215
18.3.2 Lymphangiographie t2-218
18.3.3 Biopsies t2-219

CHAPITRE 19
Troubles hématologiques

19.1 ANÉMIE t2-224
19.1.1 Définition et classification t2-224
19.1.2 Mécanismes compensatoires
       en situation d'hypoxie t2-224
19.1.3 Manifestations cliniques t2-225
19.1.4 Soins infirmiers : anémie t2-226

19.2 ANÉMIE CAUSÉE PAR UNE DIMINUTION DE
     LA PRODUCTION D'ÉRYTHROCYTES t2-229
19.2.1 Anémie ferriprive t2-229
19.2.2 Thalassémie t2-232
19.2.3 Anémies mégaloblastiques t2-233
19.2.4 Anémie liée à une maladie
       chronique t2-235
19.2.5 Anémie aplastique t2-236

19.3 ANÉMIE PAR PERTE DE SANG t2-237
19.3.1 Perte de sang rapide ou
       hémorragie t2-237
19.3.2 Perte de sang chronique t2-238

19.4 ANÉMIE CAUSÉE PAR UNE AUGMENTATION
     DE LA DESTRUCTION DES ÉRYTHROCYTES t2-238
19.4.1 Drépanocytose t2-239
19.4.2 Carence en glucose-6-phosphate
       déshydrogénase t2-243
19.4.3 Anémie hémolytique acquise t2-244

19.5 HÉMOCHROMATOSE t2-245

19.6 POLYGLOBULIE t2-245
19.6.1 Étiologie et physiopathologie t2-245
19.6.2 Manifestations cliniques et
       complications t2-246
19.6.3 Épreuves diagnostiques t2-246
19.6.4 Processus thérapeutique t2-246
19.6.5 Soins infirmiers : polyglobulie
       essentielle t2-247

19.7 TROUBLES DE L'HÉMOSTASE t2-247
19.7.1 Thrombocytopénie t2-247
19.7.2 Hémophilie et maladie de
       von Willebrand t2-252
19.7.3 Coagulation intravasculaire
       disséminée t2-258

19.8 NEUTROPÉNIE t2-262
19.8.1 Manifestations cliniques t2-262
19.8.2 Épreuves diagnostiques t2-263
19.8.3 Soins infirmiers : neutropénie t2-264

19.9 SYNDROME MYÉLODYSPLASIQUE t2-265
  19.9.1 Étiologie et physiopathologie t2-265
  19.9.2 Manifestations cliniques. t2-265
  19.9.3 Épreuves diagnostiques t2-266
  19.9.4 Soins infirmiers : syndrome
     myélodysplasique t2-267

19.10 LEUCÉMIE. t2-267
  19.10.1 Étiologie et physiopathologie t2-266
  19.10.2 Manifestations cliniques. t2-268
  19.10.3 Épreuves diagnostiques et
     classification t2-269
  19.10.4 Processus thérapeutique. t2-271
  19.10.5 Soins infirmiers : leucémie t2-273

19.11 LYMPHOMES t2-275
  19.11.1 Maladie de Hodgkin. t2-276
  19.11.2 Lymphomes non hodgkiniens. t2-279

19.12 TUMEURS MALIGNES DES CELLULES
  PLASMATIQUES t2-280
  19.12.1 Myélome multiple t2-280

19.13 TROUBLES DE LA RATE. t2-282

19.14 TRAITEMENT À BASE DE COMPOSANTS
  SANGUINS. t2-283
  19.14.1 Protocole d'administration t2-283
  19.14.2 Réactions provoquées par la
     transfusion sanguine t2-286
  19.14.3 Autotransfusion t2-288

PARTIE VI
Soins infirmiers reliés aux troubles d'apport en oxygène

CHAPITRE 20
Évaluation de l'appareil cardiovasculaire

20.1 STRUCTURES ET FONCTIONS DE L'APPAREIL
  CARDIOVASCULAIRE t2-293
  20.1.1 Cœur. t2-293
  20.1.2 Système vasculaire t2-297
  20.1.3 Régulation de l'appareil
     cardiovasculaire t2-298
  20.1.4 Pression artérielle (PA). t2-299

20.2 ÉVALUATION DE L'APPAREIL
  CARDIOVASCULAIRE t2-300

  20.2.1 Données subjectives t2-300
  20.2.2 Données objectives t2-305

20.3 ÉPREUVES DIAGNOSTIQUES DE L'APPAREIL
  CARDIOVASCULAIRE t2-310
  20.3.1 Épreuves non effractives
     (non invasives). t2-310
  20.3.2 Épreuves effractives (invasives) t2-321

CHAPITRE 21
Hypertension

21.1 RÉGULATION DE LA PRESSION ARTÉRIELLE . . . t2-325
  21.1.1 Mécanismes à court terme de
     régulation de la pression
     artérielle t2-325
  21.1.2 Facteurs endothéliaux t2-328
  21.1.3 Mécanismes à long terme de
     régulation de la pression
     artérielle t2-328

21.2 HYPERTENSION t2-329
  21.2.1 Définition t2-329
  21.2.2 Épidémiologie. t2-329
  21.2.3 Classification de
     l'hypertension t2-330
  21.2.4 Physiopathologie de
     l'hypertension essentielle t2-332
  21.2.5 Manifestations cliniques. t2-335
  21.2.6 Complications. t2-336
  21.2.7 Épreuves diagnostiques t2-338
  21.2.8 Processus thérapeutique. t2-339
  21.2.9 Classification des risques t2-339
  21.2.10 Modifications du mode de vie t2-340
  21.2.11 Soins infirmiers : hypertension
     essentielle t2-349

21.3 CRISE HYPERTENSIVE t2-355
  21.3.1 Manifestations cliniques. t2-356
  21.3.2 Soins infirmiers et processus
     thérapeutique : crise hypertensive . . t2-356

CHAPITRE 22
Coronaropathie

22.1 CORONAROPATHIE t2-360
  22.1.1 Épidémiologie de la
     coronaropathie t2-360
  22.1.2 Étiologie et physiopathologie t2-361

22.1.3 Facteurs de risque de la
        coronaropathie t2-365

22.2 MANIFESTATIONS CLINIQUES DE LA
      CORONAROPATHIE t2-375
      22.2.1 Angine t2-375
      22.2.2 Infarctus du myocarde t2-387
      22.2.3 Mort subite t2-412
      22.2.4 Les femmes et la coronaropathie . . . t2-414

CHAPITRE 23
Insuffisance cardiaque
congestive et chirurgie
cardiaque

23.1 INSUFFISANCE CARDIAQUE CONGESTIVE t2-419
      23.1.1 Épidémiologie de l'insuffisance
              cardiaque congestive t2-419
      23.1.2 Étiologie et physiopathologie t2-420
      23.1.3 Types d'insuffisance cardiaque
              congestive t2-423
      23.1.4 Manifestations cliniques de
              l'insuffisance cardiaque congestive
              aiguë t2-423
      23.1.5 Manifestations cliniques de
              l'insuffisance cardiaque congestive
              chronique t2-425
      23.1.6 Complications de l'insuffisance
              cardiaque congestive t2-427
      23.1.7 Classification de l'insuffisance
              cardiaque congestive t2-427
      23.1.8 Épreuves diagnostiques t2-427
      23.1.9 Soins infirmiers et processus
              thérapeutique : insuffisance cardiaque
              congestive aiguë et œdème
              pulmonaire. t2-428
      23.1.10 Processus thérapeutique :
              insuffisance cardiaque congestive
              chronique t2-430
      23.1.11 Soins infirmiers : insuffisance
              cardiaque congestive chronique. . . . t2-434

23.2 MYOCARDIOPATHIE. t2-440
      23.2.1 Myocardiopathie dilatée. t2-441
      23.2.2 Myocardiopathie hypertrophique . . . t2-445
      23.2.3 Myocardiopathie restrictive. t2-446
      23.2.4 Myocardiopathie due à la
              consommation de cocaïne. t2-446

23.3 CHIRURGIE CARDIAQUE. t2-447
      23.3.1 Revascularisation myocardique t2-447
      23.3.2 Chirurgies valvulaires. t2-448

23.3.3 Chirurgies ventriculaires t2-449
23.3.4 Transplantation cardiaque. t2-449
23.3.5 Complications postopératoires
        d'une chirurgie cardiaque t2-451
23.3.6 Soins infirmiers et
        processus thérapeutique :
        chirurgie cardiaque t2-45

CHAPITRE 24
Arythmies
cardiaques

24.1 RECONNAISSANCE ET TRAITEMENT DE
      L'ARYTHMIE CARDIAQUE t2-459
      24.1.1 Système de conduction : brève
              révision. t2-459
      24.1.2 Contrôle nerveux du cœur. t2-459
      24.1.3 Surveillance de l'électro-
              cardiogramme. t2-459
      24.1.4 Surveillance par télémétrie t2-462
      24.1.5 Évaluation du rythme cardiaque. . . . t2-462
      24.1.6 Mécanismes électrophysiologiques
              des arythmies. t2-463
      24.1.7 Évaluation des arythmies t2-465
      24.1.8 Types d'arythmies t2-466
      24.1.9 Antiarythmiques t2-479
      24.1.10 Défibrillation t2-479
      24.1.11 Stimulateurs cardiaques t2-481
      24.1.12 Thermoablation t2-485

24.2 RÉANIMATION CARDIORESPIRATOIRE t2-485
      24.2.1 Soins immédiats en RCR t2-485
      24.2.2 Réanimation cardiorespiratoire
              avancée. t2-489
      24.2.3 Rôle de l'infirmière pendant
              un code. t2-490

CHAPITRE 25
Cardiopathies inflammatoires
et valvulaires

25.1 CARDIOPATHIES INFLAMMATOIRES. t2-494
      25.1.1 Endocardite infectieuse t2-494
      25.1.2 Péricardite aiguë. t2-503
      25.1.3 Péricardite constrictive chronique . . t2-507
      25.1.4 Myocardite. t2-507
      25.1.5 Rhumatisme articulaire aigu et
              rhumatisme cardiaque t2-509

25.2 CARDIOPATHIES VALVULAIRES t2-515
      25.2.1 Rétrécissement mitral t2-516

25.2.2 Régurgitation mitrale t2-518
25.2.3 Prolapsus valvulaire mitral t2-518
25.2.4 Rétrécissement aortique t2-519
25.2.5 Régurgitation aortique t2-520
25.2.6 Valvulopathie tricuspidienne t2-520
25.2.7 Valvulopathie pulmonaire t2-520

CHAPITRE 26
Troubles vasculaires

26.1 TROUBLES AORTIQUES t2-531
26.1.1 Anévrismes t2-531
26.1.2 Anévrisme disséquant t2-539

26.2 ARTÉRIOPATHIE OBLITÉRANTE AIGUË t2-542
26.2.1 Étiologie et physiopathologie t2-542
26.2.2 Manifestations cliniques t2-542
26.2.3 Processus thérapeutique t2-542

26.3 ARTÉRIOPATHIE OBLITÉRANTE CHRONIQUE . . . t2-542
26.3.1 Maladie des membres inférieurs t2-542
26.3.2 Thromboangéite oblitérante t2-551
26.3.3 Syndrome de Raynaud t2-551

26.4 AFFECTIONS DES VEINES t2-552
26.4.1 Thrombophlébite t2-552
26.4.2 Veines variqueuses t2-562
26.4.3 Ulcères variqueux t2-563

26.5 EMBOLIE PULMONAIRE t2-565
26.5.1 Étiologie et physiopathologie t2-565
26.5.2 Manifestations cliniques t2-565
26.5.3 Complications t2-565
26.5.4 Épreuves diagnostiques t2-566
26.5.5 Processus thérapeutique t2-566
26.5.6 Soins infirmiers : embolie
       pulmonaire t2-567

PARTIE VII
**Soins infirmiers en situations
d'urgence**

CHAPITRE 27
**Choc et syndrome de défaillance
multiviscérale**

27.1 CHOC t2-571
27.1.1 Classification des chocs t2-572
27.1.2 Stades des états de choc t2-577
27.1.3 Épreuves diagnostiques t2-583

27.1.4 Processus thérapeutique général :
       état de choc t2-586
27.1.5 Processus thérapeutique : types
       spécifiques de choc t2-591

27.2 SYNDROME DE RÉPONSE INFLAMMATOIRE
SYSTÉMIQUE ET SYNDROME DE DÉFAILLANCE
MULTIVISCÉRALE t2-602
27.2.1 Étiologie et physiopathologie t2-602
27.2.2 Manifestations cliniques du syndrome
       de réponse inflammatoire systémique
       et du syndrome de défaillance
       multiviscérale t2-604
27.2.3 Soins infirmiers et processus
       thérapeutique : syndrome de réponse
       inflammatoire systémique et syndrome
       de défaillance multiviscérale t2-604

CHAPITRE 28
Insuffisance respiratoire

28.1 INSUFFISANCE RESPIRATOIRE AIGUË t2-609
28.1.1 Étiologie et physiopathologie t2-611
28.1.2 Manifestations cliniques t2-614
28.1.3 Épreuves diagnostiques t2-616
28.1.4 Soins infirmiers et processus
       thérapeutique : insuffisance
       respiratoire aiguë t2-616

28.2 SYNDROME DE DÉTRESSE RESPIRATOIRE AIGUË
(SDRA) t2-625
28.2.1 Étiologie et physiopathologie t2-625
28.2.2 Évolution clinique t2-628
28.2.3 Manifestations cliniques t2-628
28.2.4 Complications t2-629
28.2.5 Soins infirmiers et processus
       thérapeutique : syndrome de détresse
       respiratoire aiguë t2-630
28.2.6 Tendances et recherches : traitement
       du syndrome de détresse respiratoire
       aiguë t2-632

CHAPITRE 29
Soins intensifs

29.1 INFIRMIÈRE EN SOINS INTENSIFS t2-635
29.1.1 Unités de soins intensifs t2-635
29.1.2 Infirmière en soins intensifs t2-635
29.1.3 Client aux soins intensifs t2-636
29.1.4 Problèmes reliés aux membres
       de la famille t2-639

29.2   SURVEILLANCE HÉMODYNAMIQUE t2-640

29.2.1   Terminologie hémodynamique t2-640

29.2.2   Principes de monitorage effractif
(invasif) de la pression t2-642

29.2.3   Types de monitorage effractif de
la pression t2-643

29.2.4   Soins infirmiers : surveillance
hémodynamique t2-651

29.3   DISPOSITIFS D'ASSISTANCE CIRCULATOIRE . . . t2-651

29.3.1   Contrepulsion par ballon
intra-aortique t2-652

29.3.2   Soins infirmiers : contrepulsion
par ballon intra-aortique t2-654

29.3.3   Dispositifs d'assistance
ventriculaire t2-654

**29.4   MAINTIEN DE LA PERMÉABILITÉ DES VOIES
RESPIRATOIRES SUPÉRIEURES** t2-657

29.4.1   Tubes endotrachéaux t2-657

29.4.2   Canule de trachéostomie t2-658

29.4.3   Procédures d'intubation
endotrachéale t2-658

29.4.4   Soins infirmiers : maintien de
la perméabilité des voies respiratoires
supérieures t2-659

29.4.5   Extubation t2-669

29.4.6   Complications reliées à l'intubation
endotrachéale t2-669

29.5   VENTILATION MÉCANIQUE t2-669

29.5.1   Types de ventilateurs mécaniques . . t2-671

29.5.2   Modes de ventilation t2-672

29.5.3   Autres manœuvres ventilatoires t2-675

29.5.4   Complications reliées à la ventilation
mécanique t2-677

29.5.5   Recommandations nutritionnelles
chez le client ventilé
mécaniquement t2-681

29.5.6   Ballon de réanimation (Ambu) et
appareil d'aspiration t2-682

29.5.7   Sevrage de la ventilation
mécanique t2-682

29.5.8   Ventilation mécanique à domicile . . t2-683

29.5.9   Soins infirmiers : ventilation
mécanique t2-683

**29.6   SURVEILLANCE DE LA PRESSION
INTRACRÂNIENNE** t2-683

29.6.1   Augmentation de la pression
intracrânienne t2-687

29.6.2   Mesure de la pression intracrânienne
et surveillance du monitorage t2-688

29.6.3   Soins infirmiers et processus
thérapeutique : augmentation de la
pression intracrânienne t2-691

**29.7   AUTRES SUJETS CONCERNANT LES SOINS
INTENSIFS** t2-693

**CHAPITRE 30
Situations d'urgence**

**30.1   SOINS À PRODIGUER AU CLIENT ADMIS
À L'UNITÉ D'URGENCE** t2-708

30.1.1   Triage t2-708

30.1.2   Protocole de mise sous tension t2-713

30.1.3   Évaluation primaire t2-715

30.1.4   Évaluation secondaire t2-719

30.1.5   Interventions et évaluation t2-724

30.1.6   Décès à l'unité d'urgence t2-725

**30.2   SITUATIONS D'URGENCE LIÉES À
L'ENVIRONNEMENT** t2-726

30.2.1   Situations d'urgence liées à
la chaleur t2-726

30.2.2   Situations d'urgence liées
au froid t2-729

30.2.3   Noyade et quasi-noyade t2-732

30.2.4   Morsures et piqûres t2-734

30.3   EMPOISONNEMENTS OU INTOXICATIONS t2-737

Annexe t2-A1

Index t2-I1

Tome 3

Appareils digestif, urinaire et reproducteur,
système endocrinien

PARTIE VIII
Soins infirmiers reliés aux troubles
du métabolisme

CHAPITRE 31
Évaluation de l'appareil digestif

**31.1   STRUCTURES ET FONCTIONS DE L'APPAREIL
DIGESTIF** t3-3

31.1.1   Ingestion et propulsion des aliments . . t3-3

31.1.2 Digestion et absorption t3-5
31.1.3 Élimination t3-8
31.1.4 Foie, voies biliaires et pancréas t3-9

31.2 ÉVALUATION DE L'APPAREIL DIGESTIF. t3-11
31.2.1 Données subjectives t3-11
31.2.2 Données objectives t3-15

31.3 ÉPREUVES DIAGNOSTIQUES DE L'APPAREIL
DIGESTIF t3-19
31.3.1 Examens radiologiques t3-19
31.3.2 Endoscopie t3-26
31.3.3 Biopsie du foie t3-26

CHAPITRE 32
Troubles nutritionnels

32.1 TROUBLES NUTRITIONNELS t3-30
32.1.1 Nutrition équilibrée t3-30
32.1.2 Besoins nutritionnels t3-33
32.1.3 Déséquilibres vitaminiques
et minéraux t3-35
32.1.4 Interactions aliments-médicaments . . t3-41
32.1.5 Troubles de l'alimentation t3-41
32.1.6 Malnutrition t3-44

32.2 TYPES DE SUPPLÉMENTS ALIMENTAIRES t3-51
32.2.1 Alimentation par voie orale t3-51
32.2.2 Alimentation par sonde (entérale) . . . t3-51
32.2.3 Alimentation parentérale totale
(APT) t3-55

32.3 OBÉSITÉ t3-65
32.3.1 Formation de tissu adipeux t3-66
32.3.2 Étiologie et physiopathologie t3-66
32.3.3 Complications t3-67
32.3.4 Épreuves diagnostiques t3-68
32.3.5 Processus thérapeutique t3-70
32.3.6 Traitements chirurgicaux t3-73
32.3.7 Soins infirmiers : client obèse t3-77

CHAPITRE 33
Troubles des voies
gastro-intestinales supérieures

33.1 AFFECTIONS DENTAIRES t3-84
33.1.1 Caries dentaires t3-84
33.1.2 Parodontolyse t3-84
33.1.3 Soins infirmiers : affections dentaires . t3-85

33.2 INFECTIONS ET INFLAMMATIONS DE LA BOUCHE . t3-87

33.3 CANCER DE LA CAVITÉ BUCCALE t3-87
33.3.1 Étiologie et physiopathologie t3-87
33.3.2 Manifestations cliniques t3-89
33.3.3 Épreuves diagnostiques t3-89
33.3.4 Processus thérapeutique t3-89
33.3.5 Soins infirmiers : cancer de
la cavité buccale t3-90

33.4 FRACTURE DE LA MANDIBULE t3-91
33.4.1 Soins infirmiers : fracture de
la mandibule t3-92

33.5 NAUSÉES ET VOMISSEMENTS t3-93
33.5.1 Étiologie et physiopathologie t3-93
33.5.2 Processus thérapeutique t3-94
33.5.3 Soins infirmiers : nausées
et vomissements t3-95

33.6 REFLUX GASTRO-ŒSOPHAGIEN t3-98
33.6.1 Étiologie et physiopathologie t3-98
33.6.2 Manifestations cliniques t3-98
33.6.3 Complications t3-99
33.6.4 Épreuves diagnostiques t3-99
33.6.5 Processus thérapeutique t3-99
33.6.6 Soins infirmiers : reflux
gastro-œsophagien t3-101

33.7 HERNIE HIATALE t3-101
33.7.1 Types de hernies t3-101
33.7.2 Étiologie et physiopathologie t3-102
33.7.3 Manifestations cliniques t3-102
33.7.4 Complications t3-102
33.7.5 Épreuves diagnostiques t3-102
33.7.6 Processus thérapeutique t3-102
33.7.7 Soins infirmiers : interventions
chirurgicales de la hernie hiatale . . . t3-103

33.8 CANCER DE L'ŒSOPHAGE t3-103
33.8.1 Étiologie et physiopathologie t3-104
33.8.2 Manifestations cliniques t3-104
33.8.3 Complications t3-104
33.8.4 Épreuves diagnostiques t3-104
33.8.5 Processus thérapeutique t3-105
33.8.6 Soins infirmiers : cancer de
l'œsophage t3-105

33.9 AFFECTIONS ŒSOPHAGIENNES DIVERSES t3-107
33.9.1 Œsophagite t3-107
33.9.2 Diverticules t3-107
33.9.3 Sténoses de l'œsophage t3-108
33.9.4 Achalasie t3-108
33.9.5 Varices œsophagiennes t3-109

33.10 GASTRITE t3-109
33.10.1 Types de gastrites t3-109
33.10.2 Étiologie et physiopathologie t3-109
33.10.3 Manifestations cliniques t3-110
33.10.4 Épreuves diagnostiques t3-111
33.10.5 Processus thérapeutique t3-111
33.10.6 Soins infirmiers :
gastrite aiguë t3-112

33.11 HÉMORRAGIES DES VOIES
GASTRO-INTESTINALES SUPÉRIEURES t3-112
33.11.1 Étiologie et physiopathologie t3-112
33.11.2 Soins infirmiers t3-113
33.11.3 Épreuves diagnostiques t3-115
33.11.4 Processus thérapeutique t3-115

33.11.5 Soins infirmiers : hémorragie des voies gastro-intestinales supérieures t3-116

33.12 ULCÈRES GASTRODUODÉNAUX t3-119
33.12.1 Types d'ulcères gastroduodénaux . . . t3-119
33.12.2 Étiologie et physiopathologie t3-120
33.12.3 Manifestations cliniques. t3-124
33.12.4 Complications. t3-124
33.12.5 Épreuves diagnostiques t3-126
33.12.6 Processus thérapeutique. t3-126
33.12.7 Pharmacothérapie t3-129
33.12.8 Recommandations nutritionnelles et traitement conservateur t3-131
33.12.9 Soins infirmiers : ulcère gastroduodénal. t3-131
33.12.10 Traitement chirurgical des ulcères gastroduodénaux. t3-136
33.12.11 Soins infirmiers : traitement chirurgical de l'ulcère gastroduodénal t3-138

33.13 CANCER DE L'ESTOMAC. t3-140
33.13.1 Étiologie et physiopathologie t3-140
33.13.2 Manifestations cliniques. t3-141
33.13.3 Épreuves diagnostiques t3-141
33.13.4 Processus thérapeutique. t3-142
33.13.5 Soins infirmiers : cancer de l'estomac. t3-142

33.14 INTOXICATION ALIMENTAIRE t3-144
33.14.1 Intoxication par *Escherichia coli*. . . . t3-146

CHAPITRE 34
Troubles des voies gastro-intestinales inférieures

34.1 DIARRHÉE, INCONTINENCE FÉCALE ET CONSTIPATION. t3-149
34.1.1 Diarrhée. t3-149
34.1.2 Incontinence fécale. t3-151
34.1.3 Constipation. t3-155

34.2 DOULEUR ABDOMINALE. t3-159
34.2.1 Douleur abdominale aiguë t3-159
34.2.2 Douleur abdominale chronique t3-163

34.3 TRAUMATISME ABDOMINAL t3-164
34.3.1 Étiologie t3-164
34.3.2 Manifestations cliniques. t3-164
34.3.3 Épreuves diagnostiques t3-164
34.3.4 Soins infirmiers et processus thérapeutique : traumatisme abdominal t3-164

34.4 INFLAMMATION t3-165
34.4.1 Appendicite t3-165
34.4.2 Péritonite t3-166
34.4.3 Gastro-entérite t3-168

34.5 SYNDROME DE L'INTESTIN IRRITABLE. t3-168

34.6 MALADIE INFLAMMATOIRE INTESTINALE. t3-169
34.6.1 Colite ulcéreuse t3-169
34.6.2 Maladie de Crohn. t3-180

34.7 OCCLUSION INTESTINALE. t3-183
34.7.1 Types d'occlusion intestinale. t3-183
34.7.2 Étiologie et physiopathologie t3-184
34.7.3 Manifestations cliniques. t3-185
34.7.4 Épreuves diagnostiques t3-185
34.7.5 Processus thérapeutique. t3-186
34.7.6 Soins infirmiers : occlusion intestinale t3-187

34.8 POLYPES DU GROS INTESTIN. t3-187
34.8.1 Types de polypes. t3-188

34.9 CANCER DU CÔLON ET DU RECTUM. t3-188
34.9.1 Étiologie et physiopathologie t3-189
34.9.2 Manifestations cliniques. t3-189
34.9.3 Épreuves diagnostiques t3-190
34.9.4 Processus thérapeutique. t3-190
34.9.5 Soins infirmiers : cancer du côlon et du rectum t3-192

34.10 OSTOMIE. t3-194
34.10.1 Types t3-194
34.10.2 Soins infirmiers : stomie. t3-197

34.11 DIVERTICULOSE ET DIVERTICULITE t3-203
34.11.1 Étiologie et physiopathologie t3-203
34.11.2 Manifestations cliniques. t3-203
34.11.3 Épreuves diagnostiques t3-204
34.11.4 Soins infirmiers et processus thérapeutique : diverticulose et diverticulite t3-204

34.12 HERNIE. t3-205
34.12.1 Types de hernies t3-205
34.12.2 Manifestations cliniques. t3-205
34.12.3 Soins infirmiers : hernie t3-206

34.13 SYNDROME DE MALABSORPTION t3-206
34.13.1 Sprue t3-208
34.13.2 Intolérance au lactose t3-208
34.13.3 Syndrome de l'intestin court t3-209

34.14 TROUBLES ANORECTAUX. t3-209
34.14.1 Hémorroïdes. t3-209
34.14.2 Fissure anale t3-211
34.14.3 Abcès anorectal t3-211
34.14.4 Fistule anorectale t3-212
34.14.5 Sinus pilonidal t3-212

CHAPITRE 35
Troubles du foie, des voies biliaires et du pancréas

35.1 ICTÈRE. t3-215
35.1.1 Ictère hémolytique t3-215
35.1.2 Ictère hépatocellulaire. t3-215

35.1.3   Ictère obstructif t3-215

35.2   HÉPATITE VIRALE t3-216
35.1.1   Étiologie t3-216
35.2.2   Physiopathologie t3-218
35.2.3   Manifestations cliniques t3-219
35.2.4   Considérations générales t3-219
35.2.5   Complications t3-219
35.2.6   Épreuves diagnostiques t3-220
35.2.7   Processus thérapeutique t3-220
35.2.8   Soins infirmiers : hépatite t3-224
35.2.9   Contrôle de l'hépatite chez le
personnel soignant t3-228

35.3   HÉPATITES TOXIQUE ET MÉDICAMENTEUSE t3-228

35.4   HÉPATITE IDIOPATHIQUE t3-229

35.5   CIRRHOSE DU FOIE t3-229
35.5.1   Étiologie et physiopathologie t3-229
35.5.2   Manifestations cliniques t3-230
35.5.3   Complications t3-232
35.5.4   Épreuves diagnostiques t3-235
35.5.5   Processus thérapeutique t3-235
35.5.6   Soins infirmiers : cirrhose t3-241

35.6   INSUFFISANCE HÉPATIQUE FULMINANTE t3-249

35.7   CARCINOME DU FOIE t3-249
35.7.1   Manifestations cliniques t3-250
35.7.2   Soins infirmiers et processus
thérapeutique : cancer du foie t3-250

35.8   TRANSPLANTATION DU FOIE t3-250

35.9   PANCRÉATITE AIGUË t3-251
35.9.1   Étiologie et physiopathologie t3-251
35.9.2   Manifestations cliniques t3-252
35.9.3   Complications t3-253
35.9.4   Épreuves diagnostiques t3-253
35.9.5   Processus thérapeutique t3-254
35.9.6   Soins infirmiers : pancréatite aiguë . t3-256

35.10   PANCRÉATITE CHRONIQUE t3-260
35.10.1   Étiologie et physiopathologie t3-260
35.10.2   Manifestations cliniques t3-260
35.10.3   Épreuves diagnostiques t3-260
35.10.4   Processus thérapeutique t3-261
35.10.5   Soins infirmiers : pancréatite
chronique t3-261

35.11   CARCINOME DU PANCRÉAS t3-261
35.11.1   Étiologie et physiopathologie t3-262
35.11.2   Manifestations cliniques t3-262
35.11.3   Épreuves diagnostiques t3-262
35.11.4   Processus thérapeutique t3-262
35.11.5   Soins infirmiers : carcinome
du pancréas t3-263

35.12   PROBLÈMES DES VOIES BILIAIRES t3-263
35.12.1   Étiologie et physiopathologie t3-264

35.12.2   Manifestations cliniques t3-265
35.12.3   Complications t3-265
35.12.4   Épreuves diagnostiques t3-265
35.12.5   Processus thérapeutique t3-266
35.12.6   Soins infirmiers : maladies
vésiculaires t3-269

35.13   CANCER DE LA VÉSICULE BILIAIRE t3-271

PARTIE IX
Soins infirmiers reliés aux troubles d'excrétion

CHAPITRE 36
Évaluation de l'appareil urinaire

36.1   STRUCTURES ET FONCTIONS DE L'APPAREIL
URINAIRE t3-275
36.1.1   Reins t3-275
36.1.2   Physiologie de la production d'urine . t3-276
36.1.3   Autres fonctions rénales t3-278
36.1.4   Uretères t3-279
36.1.5   Vessie t3-279
36.1.6   Urètre t3-280
36.1.7   Fonction de l'appareil urétrovésical . t3-280

36.2   ÉVALUATION DE L'APPAREIL URINAIRE t3-282
36.2.1   Données subjectives t3-282
36.2.2   Données objectives t3-285

36.3   ÉPREUVES DIAGNOSTIQUES DE L'APPAREIL
URINAIRE t3-287
36.3.1   Épreuves urinaires t3-287
36.3.2   Épreuves radiologiques t3-292
36.3.3   Endoscopie t3-297
36.3.4   Étude urodynamique t3-298

CHAPITRE 37
Troubles rénaux et urologiques

37.1   TROUBLES INFECTIEUX ET INFLAMMATOIRES
DE L'APPAREIL URINAIRE t3-301
37.1.1   Classification t3-301
37.1.2   Étiologie t3-302
37.1.3   Cystite t3-303
37.1.4   Pyélonéphrite aiguë t3-308
37.1.5   Pyélonéphrite chronique t3-309
37.1.6   Urétrite t3-309
37.1.7   Syndrome urétral t3-310
37.1.8   Cystite interstitielle t3-310
37.1.9   Tuberculose rénale t3-311

37.2   TROUBLES IMMUNOLOGIQUES AFFECTANT
LES REINS t3-311
37.2.1   Glomérulonéphrite t3-311
37.2.2   Glomérulonéphrite
poststreptococcique aiguë t3-312

37.2.3 Syndrome de Goodpasture........ t3-313
37.2.4 Glomérulonéphrite proliférative
extracapillaire t3-313
37.2.5 Glomérulonéphrite chronique t3-314
37.2.6 Syndrome néphrotique t3-314

37.3 NÉPHROPATHIE ET SYNDROME
D'IMMUNODÉFICIENCE ACQUISE t3-315

37.4 UROPATHIES OBSTRUCTIVES t3-316
37.4.1 Calculs urinaires t3-317
37.4.2 Sténoses t3-325

37.5 TRAUMATISME RÉNAL t3-326

37.6 PROBLÈMES RÉNOVASCULAIRES. t3-326
37.6.1 Néphrosclérose t3-326
37.6.2 Sténose artérielle rénale. t3-326
37.6.3 Thrombose de la veine rénale t3-327

37.7 NÉPHROPATHIES HÉRÉDITAIRES t3-327
37.7.1 Polykystose rénale ou reins
polykystiques t3-327
37.7.2 Maladie kystique de la médullaire . . t3-328
37.7.3 Syndrome d'Alport t3-328

37.8 ATTEINTE RÉNALE DANS LES CAS DE
MALADIES DES TISSUS CONJONCTIFS
ET MÉTABOLIQUES t3-328

37.9 TROUBLES NÉOPLASIQUES DES VOIES
URINAIRES t3-329
37.9.1 Tumeurs rénales t3-329
37.9.2 Tumeur de Wilms t3-330
37.9.3 Cancer de la vessie t3-330

37.10 INCONTINENCE ET RÉTENTION URINAIRE t3-332
37.10.1 Fonction normale de la vessie t3-332
37.10.2 Causes d'incontinence et de rétention
urinaire t3-333

37.11 INSTRUMENTATION t3-336
37.11.1 Cathétérisme urétral t3-337
37.11.2 Cathétérisme urétral intermittent. . . t3-338
37.11.3 Cathéters urétéraux t3-338
37.11.4 Cathéters suspubiens t3-339
37.11.5 Sondes de néphrostomie. t3-339

37.12 CHIRURGIE DES VOIES URINAIRES. t3-339
37.12.1 Chirurgie rénale et urétérale t3-339
37.12.2 Dérivation urinaire t3-340

CHAPITRE 38
Insuffisance rénale chronique
et insuffisance rénale aiguë

38.1 INSUFFISANCE RÉNALE AIGUË. t3-350
38.1.1 Étiologie et physiopathologie t3-350
38.1.2 Évolution clinique t3-351
38.1.3 Épreuves diagnostiques t3-354

38.1.4 Processus thérapeutique. t3-354
38.1.5 Soins infirmiers : insuffisance
rénale aiguë t3-356

38.2 INSUFFISANCE RÉNALE CHRONIQUE t3-359
38.2.1 Signification. t3-360
38.2.2 Manifestations cliniques. t3-360
38.2.3 Processus thérapeutique. t3-365
38.2.4 Soins infirmiers : traitement
conservateur pour l'insuffisance
rénale chronique t3-370

38.3 DIALYSE t3-378
38.3.1 Principes généraux t3-378
38.3.2 Dialyse péritonéale t3-379
38.3.3 Hémodialyse. t3-384
38.3.4 Épuration extra-rénale continue. . . . t3-390

38.4 GREFFE DE REIN t3-391
38.4.1 Sélection du receveur. t3-392
38.4.2 Intervention chirurgicale t3-395
38.4.3 Traitement immunosuppresseur t3-397
38.4.4 Complications reliées à la greffe . . . t3-400

PARTIE X
Soins infirmiers reliés aux troubles
de régulation endocrinienne

CHAPITRE 39
Évaluation du système
endocrinien

39.1 STRUCTURES ET FONCTIONS DU SYSTÈME
ENDOCRINIEN t3-406
39.1.1 Glandes t3-406
39.1.2 Hormones t3-406
39.1.3 Système neuroendocrinien t3-411
39.1.4 Hypophyse t3-413
39.1.5 Glande thyroïde t3-413
39.1.6 Glandes parathyroïdes t3-414
39.1.7 Glandes surrénales. t3-414
39.1.8 Pancréas t3-415
39.1.9 Cœur. t3-416

39.2 ÉVALUATION DU SYSTÈME ENDOCRINIEN t3-416
39.2.1 Données subjectives t3-417
39.2.2 Données objectives t3-423

39.3 ÉPREUVES DIAGNOSTIQUES DU SYSTÈME
ENDOCRINIEN t3-424
39.3.1 Dosages hormonaux. t3-424

CHAPITRE 40
Diabète

40.1 DIABÈTE. t3-434
40.1.1 Étiologie et physiopathologie t3-434

40.1.2 Classification du diabète t3-436

40.1.3 Manifestations cliniques. t3-439

40.1.4 Épreuves diagnostiques t3-440

40.1.5 Processus thérapeutique. t3-441

40.1.6 Soins infirmiers : diabète t3-459

40.2 COMPLICATIONS DU DIABÈTE t3-470

40.2.1 Complications métaboliques aiguës . . t3-474

40.2.2 Soins infirmiers : acidocétose
et hyperglycémie hyperosmolaire
non cétosique. t3-478

40.2.3 Hypoglycémie. t3-478

40.2.4 Soins infirmiers et processus
thérapeutique : hypoglycémie t3-479

40.2.5 Complications chroniques. t3-481

40.2.6 Hypoglycémie réactionnelle t3-487

CHAPITRE 41
Troubles endocriniens

41.1 PROBLÈMES DU LOBE ANTÉRIEUR
DE L'HYPOPHYSE t3-490

41.1.1 Excès d'hormones de croissance. . . . t3-490

41.1.2 Soins infirmiers : excès d'hormone
de croissance t3-491

41.1.3 Excès d'autres types de stimulines . . t3-493

41.1.4 Hypofonctionnement de
l'hypophyse t3-493

41.1.5 Soins infirmiers : hypofonctionnement
de l'hypophyse t3-495

41.2 TROUBLES DE L'HYPOPHYSE POSTÉRIEURE. . . . t3-495

41.2.1 Syndrome de sécrétion inappropriée
d'hormone antidiurétique t3-495

41.2.2 Soins infirmiers : syndrome de
sécrétion inappropriée d'hormone
antidiurétique. t3-498

41.2.3 Diabète insipide t3-499

41.2.4 Soins infirmiers : diabète insipide . . t3-500

41.3 AFFECTIONS DE LA GLANDE THYROÏDE t3-501

41.3.1 Hyperthyroïdie t3-501

41.3.2 Soins infirmiers : hyperthyroïdie . . . t3-506

41.3.3 Hypertrophie de la glande thyroïde . t3-512

41.3.4 Nodules thyroïdiens t3-512

41.3.5 Thyroïdite t3-513

41.3.6 Soins infirmiers et processus
thérapeutique : thyroïdite t3-513

41.3.7 Hypothyroïdie. t3-514

41.3.8 Soins infirmiers : hypothyroïdie. . . . t3-517

41.4 TROUBLES DES GLANDES PARATHYROÏDES. . . . t3-519

41.4.1 Hyperparathyroïdie t3-519

41.4.2 Soins infirmiers :
hyperparathyroïdie t3-522

41.4.3 Hypoparathyroïdie t3-525

41.4.4 Soins infirmiers : hypoparathyroïdie. t3-526

41.5 PROBLÈMES DU CORTEX SURRÉNAL t3-528

41.5.1 Syndrome de Cushing. t3-528

41.5.2 Soins infirmiers : syndrome de
Cushing t3-531

41.5.3 Insuffisance corticosurrénalienne et
maladie d'Addison t3-535

41.5.4 Soins infirmiers : maladie d'Addison . t3-536

41.5.5 Corticothérapie t3-539

41.5.6 Soins infirmiers et processus
thérapeutique : corticothérapie t3-540

41.5.7 Hyperaldostéronisme primaire t3-540

41.5.8 Soins infirmiers et processus
thérapeutique : hyperaldostéronisme
primaire. t3-541

41.5.9 Hyperaldostéronisme secondaire . . . t3-541

41.5.10 Hyperplasie surrénalienne
congénitale t3-542

41.6 PROBLÈMES DE LA MÉDULLOSURRÉNALE. t3-542

41.6.1 Phéochromocytome t3-542

41.6.2 Soins infirmiers :
phéochromocytome. t3-542

CHAPITRE 42
Évaluation de l'appareil reproducteur

42.1 STRUCTURES ET FONCTIONS DES APPAREILS
REPRODUCTEURS MASCULIN ET FÉMININ t3-546

42.1.1 Appareil reproducteur masculin t3-546

42.1.2 Appareil reproducteur féminin. t3-547

42.1.3 Régulation neuro-endocrinienne . . . t3-551

42.1.4 Ménarche t3-552

42.1.5 Cycle menstruel. t3-552

42.1.6 Ménopause. t3-553

42.1.7 Phases de la réponse sexuelle t3-554

42.2 ÉVALUATION DES APPAREILS REPRODUCTEURS
MASCULIN ET FÉMININ t3-555

42.2.1 Données subjectives t3-555

42.2.2 Données objectives t3-563

42.3 ÉPREUVES DIAGNOSTIQUES DE L'APPAREIL
REPRODUCTEUR t3-565

42.3.1 Analyses d'urine t3-566

42.3.2 Analyses sanguines t3-566

42.3.3 Épreuves de dépistage de la syphilis. t3-567

42.3.4 Épreuves cytologiques t3-568

42.3.5 Examens radiologiques t3-568

CHAPITRE 43
Affections mammaires

43.1 PROMOTION DE LA SANTÉ t3-574

43.1.1 Dépistage précoce t3-574

43.1.2 Suivi t3-576

43.2 ÉVALUATION DES AFFECTIONS MAMMAIRES . . . t3-576

43.2.1 Épreuves diagnostiques t3-576

43.3   AFFECTIONS MAMMAIRES BÉNIGNES t3-580
   43.3.1   Mastalgie t3-580
   43.3.2   Infections mammaires t3-580
   43.3.3   Mastose sclérokystique t3-580
   43.3.4   Fibroadénome t3-581
   43.3.5   Écoulement mamelonnaire t3-582
   43.3.6   Gynécomastie t3-582

43.4   CANCER DU SEIN t3-583
   43.4.1   Étiologie et facteurs de risque t3-584
   43.4.2   Physiopathologie t3-585
   43.4.3   Manifestations cliniques t3-586
   43.4.4   Complications t3-586
   43.4.5   Épreuves diagnostiques t3-587
   43.4.6   Processus thérapeutique t3-588
   43.4.7   Soins infirmiers : cancer du sein . . . t3-594

43.5   MAMMOPLASTIE t3-601
   43.5.1   Augmentation mammaire t3-601
   43.5.2   Réduction mammaire t3-601
   43.5.3   Soins infirmiers : augmentation
           et réduction mammaires t3-602
   43.5.4   Reconstruction mammaire t3-602

CHAPITRE 44
Infections transmissibles
sexuellement

44.1   INFECTIONS TRANSMISSIBLES SEXUELLEMENT . t3-607
   44.1.1   Importance t3-607
   44.1.2   Facteurs influant sur l'incidence
           des infections transmissibles
           sexuellement t3-610

44.2   GONORRHÉE t3-611
   44.2.1   Étiologie et physiopathologie t3-611
   44.2.2   Manifestations cliniques t3-611
   44.2.3   Complications t3-611
   44.2.4   Épreuves diagnostiques t3-612
   44.2.5   Processus thérapeutique t3-612

44.3   SYPHILIS t3-613
   44.3.1   Étiologie et physiopathologie t3-613
   44.3.2   Manifestations cliniques t3-614
   44.3.3   Complications t3-615
   44.3.4   Épreuves diagnostiques t3-615
   44.3.5   Processus thérapeutique t3-616

44.4   HERPÈS GÉNITAL t3-617
   44.4.1   Étiologie et physiopathologie t3-617
   44.4.2   Manifestations cliniques t3-618
   44.4.3   Complications t3-619
   44.4.4   Épreuves diagnostiques t3-619
   44.4.5   Processus thérapeutique t3-619

44.5   INFECTIONS À *CHLAMYDIA* t3-620
   44.5.1   Infections urogénitales t3-620
   44.5.2   Manifestations cliniques
           et complications t3-621
   44.5.3   Épreuves diagnostiques et processus
           thérapeutique t3-621
   44.5.4   Lymphogranulome vénérien t3-622

**44.6   INFECTIONS AU VIRUS DU PAPILLOME
HUMAIN (VPH)** t3-622
   44.6.1   Manifestations cliniques
           et complications t3-623
   44.6.2   Épreuves diagnostiques et processus
           thérapeutique t3-623

44.7   SOINS INFIRMIERS t3-625
   44.7.1   Collecte de données t3-625
   44.7.2   Diagnostics infirmiers t3-625
   44.7.3   Planification t3-625
   44.7.4   Exécution t3-625
   44.7.5   Évaluation t3-628

CHAPITRE 45
Troubles de l'appareil
reproducteur féminin

45.1   MÉTHODES CONTRACEPTIVES t3-631
   45.1.1   Choix de la méthode contraceptive . . t3-631
   45.1.2   Méthodes contraceptives
           hormonales t3-631
   45.1.3   Dispositifs intra-utérins t3-635
   45.1.4   Méthodes barrières et spermicides . . t3-636
   45.1.5   Planification familiale naturelle t3-636
   45.1.6   Contraception postcoïtale
           d'urgence t3-636
   45.1.7   Méthodes contraceptives
           permanentes t3-637
   45.1.8   Soins infirmiers : méthodes
           contraceptives t3-637

45.2   INFERTILITÉ t3-638
   45.2.1   Étiologie t3-638
   45.2.2   Épreuves diagnostiques t3-638
   45.2.3   Soins infirmiers : infertilité t3-639

45.3   AVORTEMENT t3-640
   45.3.1   Avortement spontané t3-640
   45.3.2   Soins infirmiers : avortement
           spontané t3-641
   45.3.3   Avortement provoqué t3-641
   45.3.4   Soins infirmiers : avortement
           provoqué t3-641

45.4   TROUBLES MENSTRUELS t3-642
   45.4.1   Syndrome prémenstruel t3-643
   45.4.2   Dysménorrhée t3-646
   45.4.3   Soins infirmiers : dysménorrhée t3-647

45.5   SAIGNEMENTS VAGINAUX t3-647
   45.5.1   Types de saignements irréguliers . . . t3-648
   45.5.2   Épreuves diagnostiques et processus
           thérapeutique t3-649

45.5.3 Soins infirmiers : saignements
        vaginaux irréguliers t3-649

45.6 GROSSESSE ECTOPIQUE t3-649
45.6.1 Manifestations cliniques t3-650
45.6.2 Épreuves diagnostiques t3-650
45.6.3 Processus thérapeutique t3-651
45.6.4 Soins infirmiers : grossesse
        ectopique t3-651

45.7 PÉRIMÉNOPAUSE ET POSTMÉNOPAUSE t3-651
45.7.1 Manifestations cliniques t3-651
45.7.2 Processus thérapeutique t3-652
45.7.3 Soins infirmiers : périménopause . . . t3-654

45.8 AGRESSION SEXUELLE t3-654
45.8.1 Manifestations cliniques t3-655
45.8.2 Processus thérapeutique t3-655
45.8.3 Soins infirmiers : agression sexuelle . t3-656

45.9 AFFECTIONS DE LA VULVE, DU VAGIN ET
      DU COL t3-658
45.9.1 Étiologie et physiopathologie t3-658
45.9.2 Manifestations cliniques t3-658
45.9.3 Processus thérapeutique t3-659
45.9.4 Soins infirmiers : affections de
        la vulve, du vagin et du col t3-659

45.10 MALADIE INFLAMMATOIRE PELVIENNE t3-660
45.10.1 Étiologie et physiopathologie t3-660
45.10.2 Manifestations cliniques t3-660
45.10.3 Complications t3-661
45.10.4 Processus thérapeutique t3-661
45.10.5 Soins infirmiers : maladie
         inflammatoire pelvienne t3-661

45.11 ENDOMÉTRIOSE t3-662
45.11.1 Étiologie et physiopathologie t3-664
45.11.2 Manifestations cliniques t3-664
45.11.3 Processus thérapeutique t3-664
45.11.4 Soins infirmiers : endométriose t3-665

45.12 TUMEURS BÉNIGNES t3-665
45.12.1 Léiomyomes t3-665
45.12.2 Polypes cervicaux t3-669
45.12.3 Tumeurs bénignes de l'ovaire t3-669

45.13 TUMEURS MALIGNES t3-669
45.13.1 Cancer du col utérin t3-669
45.13.2 Cancer de l'endomètre t3-671
45.13.3 Cancer de l'ovaire t3-673
45.13.4 Cancer du vagin t3-674
45.13.5 Cancer de la vulve t3-674
45.13.6 Interventions chirurgicales dans
         les cas de tumeurs t3-674
45.13.7 Radiothérapie pour les cancers de
         l'appareil reproducteur féminin t3-675
45.13.8 Soins infirmiers : cancers de
         l'appareil reproducteur féminin t3-677

45.14 PROBLÈMES DU SUPPORT PELVIEN t3-680
45.14.1 Prolapsus utérin t3-680
45.14.2 Cystocèle et rectocèle t3-681
45.14.3 Soins infirmiers : problèmes du
         support pelvien t3-682

45.15 FISTULES t3-682
45.15.1 Soins infirmiers : fistules t3-683

CHAPITRE 46
Troubles de l'appareil
génito-urinaire masculin

46.1 HYPERTROPHIE BÉNIGNE DE LA PROSTATE t3-686
46.1.1 Étiologie et physiopathologie t3-686
46.1.2 Manifestations cliniques t3-686
46.1.3 Complications t3-687
46.1.4 Épreuves diagnostiques t3-688
46.1.5 Processus thérapeutique t3-688
46.1.6 Soins infirmiers : hypertrophie
        bénigne de la prostate t3-692

46.2 CANCER DE LA PROSTATE t3-698
46.2.1 Étiologie et physiopathologie t3-698
46.2.2 Manifestations cliniques et
        complications t3-699
46.2.3 Épreuves diagnostiques t3-699
46.2.4 Processus thérapeutique t3-699
46.2.5 Soins infirmiers : cancer de
        la prostate t3-702

46.3 PROSTATITE t3-703
46.3.1 Étiologie et physiopathologie t3-703
46.3.2 Manifestations cliniques et
        complications t3-703
43.3.3 Épreuves diagnostiques t3-704
46.3.4 Soins infirmiers et processus
        thérapeutique : prostatite t3-704

46.4 AFFECTIONS DU PÉNIS t3-704
46.4.1 Affections congénitales t3-704
46.4.2 Affections du prépuce t3-705
46.4.3 Affections du mécanisme de
        l'érection t3-705
46.4.4 Cancer du pénis t3-705

46.5 AFFECTIONS DU SCROTUM ET DE SON
      CONTENU t3-705
46.5.1 Affections externes t3-705
46.5.2 Affections congénitales t3-706
46.5.3 Affections acquises t3-706

46.6 SEXUALITÉ t3-709
46.6.1 Vasectomie t3-709
46.6.2 Dysfonctionnement érectile t3-710
46.6.3 Infertilité t3-714

Annexe t3-A1

Index t3-I1

Tome 4

Appareils tégumentaire et locomoteur, systèmes nerveux et sensoriel

PARTIE XI
Soins infirmiers reliés aux troubles de la perception sensorielle

CHAPITRE 47
Évaluation des appareils visuel et auditif

47.1 STRUCTURES ET FONCTIONS DE L'APPAREIL VISUEL t4-3
   47.1.1 Fonction visuelle et structure de l'œil . t4-3
   47.1.2 Structures et fonctions externes t4-4
   47.1.3 Structures et fonctions internes t4-6

47.2 ÉVALUATION DE L'APPAREIL VISUEL t4-8
   47.2.1 Données subjectives t4-9
   47.2.2 Données objectives t4-12

47.3 ÉPREUVES DIAGNOSTIQUES DE L'APPAREIL VISUEL t4-19

47.4 STRUCTURES ET FONCTIONS DE L'APPAREIL AUDITIF t4-19
   47.4.1 Oreille externe t4-19
   47.4.2 Oreille moyenne t4-21
   47.4.3 Oreille interne t4-22

47.5 ÉVALUATION DE L'APPAREIL AUDITIF t4-23
   47.5.1 Données subjectives t4-23
   47.5.2 Données objectives t4-26

47.6 ÉPREUVES DIAGNOSTIQUES DE L'APPAREIL AUDITIF t4-27
   47.6.1 Tests d'acuité auditive t4-27
   47.6.2 Tests spécialisés t4-31
   47.6.3 Tests de la fonction vestibulaire t4-31

CHAPITRE 48
Troubles visuels et auditifs

48.1 TROUBLES VISUELS t4-34
   48.1.1 Promotion de la santé t4-34

48.2 ERREURS DE RÉFRACTION CORRIGIBLES t4-34
   48.2.1 Myopie t4-35
   48.2.2 Hypermétropie t4-35
   48.2.3 Presbytie t4-35
   48.2.4 Astigmatisme t4-35
   48.2.5 Aphakie t4-35
   48.2.6 Corrections non chirurgicales t4-36
   48.2.7 Traitement chirurgical t4-39

48.2.8 Déficiences visuelles non corrigées . . t4-39

48.3 TRAUMATISME OCULAIRE t4-42

48.4 ATTEINTES EXTRA-OCULAIRES t4-42
   48.4.1 Inflammation et infection t4-42
   48.4.2 Troubles de sécheresse oculaire t4-46
   48.4.3 Strabisme t4-47
   48.4.4 Troubles de la cornée t4-47

48.5 TROUBLES INTRA-OCULAIRES t4-48
   48.5.1 Cataracte t4-48

48.6 DÉCOLLEMENT RÉTINIEN t4-54
   48.6.1 Étiologie et physiopathologie t4-55
   48.6.2 Manifestations cliniques t4-55
   48.6.3 Épreuves diagnostiques t4-55
   48.6.4 Processus thérapeutique t4-56
   48.6.5 Traitement chirurgical t4-56
   48.6.6 Soins infirmiers : décollement rétinien t4-57

48.7 DÉGÉNÉRESCENCE MACULAIRE LIÉE À L'ÂGE . . . t4-58
   48.7.1 Étiologie et physiopathologie t4-58
   48.7.2 Manifestations cliniques t4-58
   48.7.3 Épreuves diagnostiques t4-58
   48.7.4 Processus thérapeutique t4-58

48.8 GLAUCOME t4-59
   48.8.1 Étiologie et physiopathologie t4-59
   48.8.2 Manifestations cliniques t4-60
   48.8.3 Épreuves diagnostiques t4-60
   48.8.4 Processus thérapeutique t4-61
   48.8.5 Soins infirmiers : glaucome t4-62
   48.8.6 Inflammation et infection intra-oculaires t4-65
   48.8.7 Énucléation t4-66
   48.8.8 Signes oculaires de maladies systémiques t4-66

48.9 TROUBLES DE L'OUÏE t4-67
   48.9.1 Promotion de la santé t4-67

48.10 OREILLE EXTERNE ET CONDUIT AUDITIF EXTERNE t4-70
   48.10.1 Traumatisme t4-70
   48.10.2 Otite externe t4-70
   48.10.3 Cérumen et corps étrangers dans le conduit auditif externe t4-71
   48.10.4 Malignités de l'oreille externe t4-71

48.11 OREILLE MOYENNE ET MASTOÏDE t4-72
   48.11.1 Otite moyenne aiguë t4-72
   48.11.2 Otite moyenne chronique et mastoïdite t4-72
   48.11.3 Otite moyenne chronique accompagnée d'épanchement t4-74
   48.11.4 Otosclérose t4-75

48.12 TROUBLES DE L'OREILLE INTERNE t4-76
   48.12.1 Syndrome de Ménière t4-76

48.12.2 Presbyacousie. t4-77
48.12.3 Labyrinthite. t4-78
48.12.4 Neurinome acoustique t4-78

48.13 DÉFICIENCE AUDITIVE ET SURDITÉ t4-79
48.13.1 Types de perte auditive t4-79
48.13.2 Manifestations cliniques t4-80
48.13.3 Processus thérapeutique t4-80

CHAPITRE 49
Évaluation de l'appareil tégumentaire

49.1 STRUCTURES ET FONCTIONS DE LA PEAU ET
DES ANNEXES t4-85
49.1.1 Structures t4-85
49.1.2 Fonctions de l'appareil tégumentaire . t4-87

49.2 ÉVALUATION DE L'APPAREIL TÉGUMENTAIRE . . . t4-88
49.2.1 Données subjectives t4-89
49.2.2 Données objectives t4-91
49.2.3 Examen de la peau foncée t4-94

49.3 ÉPREUVES DIAGNOSTIQUES DE L'APPAREIL
TÉGUMENTAIRE t4-96

CHAPITRE 50
Troubles tégumentaires

50.1 TROUBLES TÉGUMENTAIRES t4-100
50.1.1 Promotion de la santé t4-100

50.2 SOINS GÉNÉRAUX DES AFFECTIONS
DERMATOLOGIQUES AIGUËS t4-103
50.2.1 Épreuves diagnostiques t4-103
50.2.2 Processus thérapeutique. t4-103
50.2.3 Diagnostic et traitement chirurgical . t4-107

50.3 SOINS INFIRMIERS : TROUBLES
DERMATOLOGIQUES t4-108
50.3.1 Soins ambulatoires et soins
à domicile t4-108

50.4 TROUBLES DE L'APPAREIL TÉGUMENTAIRE t4-113
50.4.1 Affections cancéreuses. t4-113
50.4.2 Infections t4-116
50.4.3 Infestations et piqûres d'insectes . . t4-117
50.4.4 Réactions allergiques
dermatologiques t4-117
50.4.5 Troubles dermatologiques mineurs . . t4-121

50.5 MANIFESTATIONS DERMATOLOGIQUES DE
MALADIES SYSTÉMIQUES t4-121

50.6 CHIRURGIE PLASTIQUE t4-122
50.6.1 Chirurgie esthétique élective. t4-122
50.6.2 Soins infirmiers. t4-129

50.7 GREFFES DE PEAU t4-129
50.7.1 Utilité t4-129
50.7.2 Types t4-129
50.7.3 Soins infirmiers. t4-130

50.8 ESCARRES DE DÉCUBITUS. t4-130

50.8.1 Étiologie et physiopathologie t4-130
50.8.2 Manifestations cliniques. t4-130
50.8.3 Soins infirmiers et processus
thérapeutique. t4-131

CHAPITRE 51
Brûlures

51.1 TYPES DE BRÛLURES t4-139
51.1.1 Brûlures thermiques. t4-139
51.1.2 Brûlures chimiques t4-139
51.1.3 Brûlures ou lésions par inhalation . . t4-140
51.1.4 Brûlures électriques. t4-141
51.1.5 Lésions thermiques par le froid t4-142

51.2 CLASSIFICATION DES BRÛLURES t4-142
51.2.1 Profondeur t4-142
51.2.2 Étendue. t4-143
51.2.3 Localisation t4-143
51.2.4 Facteurs de risque t4-144
51.2.5 Brûlures mineures versus brûlures
graves t4-144

51.3 PHASES DE TRAITEMENT D'UNE BRÛLURE t4-145
51.3.1 Soins préhospitaliers t4-145
51.3.2 Phase de réanimation t4-147
51.3.3 Phase aiguë t4-161
51.3.4 Phase de réadaptation t4-167

51.4 BESOINS AFFECTIFS DU CLIENT ET DE
SA FAMILLE t4-170

51.5 BESOINS SPÉCIAUX DU PERSONNEL INFIRMIER . . t4-171

PARTIE XII
Soins infirmiers reliés aux troubles de mobilité et de coordination

CHAPITRE 52
Évaluation du système nerveux

52.1 STRUCTURES ET FONCTIONS DU SYSTÈME
NERVEUX. t4-175
52.1.1 Cellules du système nerveux t4-175
52.1.2 Régénération des nerfs. t4-176
52.1.3 Impulsion nerveuse t4-176
52.1.4 Système nerveux central. t4-178
52.1.5 Système nerveux périphérique t4-184
52.1.6 Circulation cérébrale t4-186
52.1.7 Structures de protection t4-186

52.2 COLLECTE DES DONNÉES DU SYSTÈME
NERVEUX t4-190
52.2.1 Données subjectives t4-190
52.2.2 Données objectives t4-194

52.3 ÉPREUVES DIAGNOSTIQUES DU SYSTÈME
NERVEUX t4-201
52.3.1 Analyse du liquide céphalorachidien. t4-201

52.3.2 Examens radiologiques t4-204
52.3.3 Examens électrographiques t4-205
52.3.4 Examens par échographie Doppler
(duplex) t4-206

CHAPITRE 53
Troubles intracrâniens

53.1 INCONSCIENCE t4-209
53.1.1 Étiologie t4-209
53.1.2 État d'inconscience t4-210

53.2 PRESSION INTRACRÂNIENNE t4-211
53.2.1 Régulation et maintien de la
pression intracrânienne t4-211
53.2.2 Débit sanguin cérébral t4-214

53.3 AUGMENTATION DE LA PRESSION
INTRACRÂNIENNE t4-216
53.3.1 Œdème cérébral t4-216
53.3.2 Troubles reliés à l'augmentation de
la PIC t4-216
53.3.3 Complications t4-217
53.3.4 Manifestations cliniques t4-218
53.3.5 Épreuves diagnostiques t4-219
53.3.6 Processus thérapeutique t4-220
53.3.7 Soins infirmiers : augmentation de
la pression intracrânienne t4-223

53.4 TRAUMATISME CRÂNIEN t4-230
53.4.1 Types de traumatismes crâniens t4-231
53.4.2 Complications t4-233
53.4.3 Épreuves diagnostiques et processus
thérapeutique t4-234
53.4.4 Soins infirmiers : traumatisme crânien . . t4-235

53.5 TUMEURS INTRACRÂNIENNES t4-238
53.5.1 Types de tumeurs intracrâniennes . . t4-238
53.5.2 Manifestations cliniques t4-239
53.5.3 Complications t4-240
53.5.4 Épreuves diagnostiques t4-240
53.5.5 Processus thérapeutique t4-241
53.5.6 Soins infirmiers : tumeur
intracrânienne t4-242

53.6 CHIRURGIE CRÂNIENNE t4-243
53.6.1 Intervention chirurgicale t4-243
53.6.2 Soins infirmiers : chirurgie crânienne . t4-244

53.7 AFFECTIONS INFLAMMATOIRES DU CERVEAU . . t4-249
53.7.1 Méningite t4-250
53.7.2 Soins infirmiers : méningite t4-251
53.7.3 Encéphalite t4-255
53.7.4 Abcès cérébral t4-255

CHAPITRE 54
Accident vasculaire cérébral

54.1 FACTEURS DE RISQUE RELIÉS AUX ACCIDENTS
VASCULAIRES CÉRÉBRAUX t4-259

54.2 ÉTIOLOGIE ET PHYSIOPATHOLOGIE t4-259
54.2.1 Régulation et débit sanguin
cérébral t4-259

54.3 TYPES D'ACCIDENTS VASCULAIRES CÉRÉBRAUX . t4-261
54.3.1 Accident vasculaire cérébral
thrombotique t4-262
54.3.2 Accident vasculaire cérébral
embolique t4-263
54.3.3 Accident vasculaire cérébral
hémorragique t4-264
54.3.4 Hémorragie sous-arachnoïdienne . . t4-264
54.3.5 Manifestation d'un accident
vasculaire cérébral temporal t4-265

54.4 MANIFESTATIONS CLINIQUES t4-265
54.4.1 Fonction neuromotrice t4-266
54.4.2 Communication t4-266
54.4.3 Affect (labilité) t4-267
54.4.4 Fonction intellectuelle t4-267
54.4.5 Fonction proprioceptive t4-268
54.4.6 Fonction d'élimination t4-268

54.5 ÉPREUVES DIAGNOSTIQUES t4-268

54.6 PROCESSUS THÉRAPEUTIQUE t4-269
54.6.1 Prévention t4-269
54.6.2 Soins en phase aiguë t4-270
54.6.3 Soins de réadaptation t4-273
54.6.4 Soins infirmiers : accident vasculaire
cérébral t4-274

CHAPITRE 55
Troubles neurologiques chroniques

55.1 CÉPHALÉE t4-292
55.1.1 Céphalée de tension t4-292
55.1.2 Migraine t4-293
55.1.3 Algie vasculaire de la face t4-294
55.1.4 Autres types de céphalées t4-294

55.2 CONVULSIONS ET ÉPILEPSIE t4-299
55.2.1 Étiologie et physiopathologie t4-300
55.2.2 Manifestations cliniques t4-301
55.2.3 Complications t4-302
55.2.4 Épreuves diagnostiques t4-303
55.2.5 Processus thérapeutique t4-303
55.2.6 Soins infirmiers : convulsions t4-307

55.3 SCLÉROSE EN PLAQUES t4-310
55.3.1 Étiologie et physiopathologie t4-311
55.3.2 Manifestations cliniques t4-311
55.3.3 Épreuves diagnostiques t4-313
55.3.4 Processus thérapeutique t4-313
55.3.5 Soins infirmiers : sclérose en
plaques t4-315

55.4 MALADIE DE PARKINSON t4-320
55.4.1 Étiologie et physiopathologie t4-320
55.4.2 Manifestations cliniques t4-321
55.4.3 Complications t4-322
55.4.4 Processus thérapeutique t4-323

55.4.5 Soins infirmiers : maladie de Parkinson t4-325

55.5 MYASTHÉNIE GRAVE t4-328
55.5.1 Étiologie et physiopathologie t4-328
55.5.2 Manifestations cliniques et complications t4-328
55.5.3 Épreuves diagnostiques t4-329
55.5.4 Processus thérapeutique t4-329
55.5.5 Soins infirmiers : myasthénie grave . t4-330

55.6 MALADIE D'ALZHEIMER t4-331
55.6.1 Étiologie et physiopathologie t4-331
55.6.2 Manifestations cliniques t4-332
55.6.3 Épreuves diagnostiques t4-332
55.6.4 Processus thérapeutique t4-332
55.6.5 Soins infirmiers : maladie d'Alzheimer t4-333

55.7 SYNDROME DES JAMBES SANS REPOS t4-334
55.7.1 Étiologie et physiopathologie t4-334
55.7.2 Manifestations cliniques t4-339
55.7.3 Épreuves diagnostiques t4-339
55.7.4 Soins infirmiers et processus thérapeutique : syndrome des jambes sans repos t4-339

55.8 AUTRES TROUBLES NEUROLOGIQUES t4-340
55.8.1 Sclérose latérale amyotrophique . . . t4-340
55.8.2 Maladie de Huntington t4-340

CHAPITRE 56
Troubles des nerfs périphériques
et de la moelle épinière

56.1 AFFECTION DES NERFS CRÂNIENS t4-343
56.1.1 Névralgie faciale t4-343
56.1.2 Soins infirmiers : névralgie faciale . . t4-346
56.1.3 Paralysie de Bell t4-347
56.1.4 Soins infirmiers : paralysie de Bell . . t4-348

56.2 POLYNEUROPATHIES t4-349
56.2.1 Syndrome de Guillain-Barré t4-349
56.2.2 Soins infirmiers : syndrome de Guillain-Barré t4-351
56.2.3 Botulisme t4-352
56.2.4 Soins infirmiers : botulisme t4-353
56.2.5 Tétanos t4-353
56.2.6 Soins infirmiers : tétanos t4-354
56.2.7 Neurosyphilis t4-354

56.3 TRAUMATISME MÉDULLAIRE t4-355
56.3.1 Étiologie et physiopathologie t4-355
56.3.2 Classification des lésions médullaires t4-357
56.3.3 Manifestations cliniques t4-359
56.3.4 Processus thérapeutique t4-361
56.3.5 Soins infirmiers : lésion médullaire . . t4-364

56.4 TUMEURS MÉDULLAIRES t4-382
56.4.1 Étiologie et physiopathologie t4-382

56.4.2 Manifestations cliniques t4-383
56.4.3 Soins infirmiers et processus thérapeutique : tumeurs médullaires . . t4-384

CHAPITRE 57
Évaluation de l'appareil locomoteur

57.1 STRUCTURES ET FONCTIONS DE L'APPAREIL LOCOMOTEUR t4-387
57.1.1 Os t4-387
57.1.2 Articulations t4-389
57.1.3 Cartilage t4-389
57.1.4 Muscles t4-390
57.1.5 Ligaments et tendons t4-392
57.1.6 Fascia t4-392
57.1.7 Bourses séreuses t4-392

57.2 EXAMEN DE L'APPAREIL LOCOMOTEUR t4-393
57.2.1 Données subjectives t4-394
57.2.2 Données objectives t4-397

57.3 ÉPREUVES DIAGNOSTIQUES DE L'APPAREIL LOCOMOTEUR t4-399
57.3.1 Examens radiologiques t4-399
57.3.2 Imagerie par résonance magnétique . t4-405
57.3.3 Arthroscopie t4-405
57.3.4 Arthrocentèse et analyse du liquide synovial t4-406
57.3.5 Enzymes musculaires t4-406
57.3.6 Épreuves sérologiques t4-406

CHAPITRE 58
Troubles de l'appareil locomoteur

58.1 LÉSIONS DES TISSUS MOUS t4-409
58.1.1 Entorses et foulures t4-409
58.1.2 Luxation et subluxation t4-411
58.1.3 Syndrome du tunnel carpien t4-412
58.1.4 Microtraumatismes répétés t4-413
58.1.5 Déchirure de la coiffe des rotateurs de l'épaule t4-414
58.1.6 Lésion méniscale t4-414
58.1.7 Bursite t4-416
58.1.8 Spasmes musculaires t4-416

58.2 FRACTURES t4-417
58.2.1 Classification t4-417
58.2.2 Manifestations cliniques t4-418
58.2.3 Consolidation de fracture t4-418
58.2.4 Processus thérapeutique t4-420
58.2.5 Soins infirmiers : fractures t4-428
58.2.6 Complications des fractures t4-437
58.2.7 Types de fractures t4-440
58.2.8 Fracture de la diaphyse fémorale . . . t4-447
58.2.9 Fracture du tibia t4-448
58.2.10 Fractures stables des vertèbres t4-448
58.2.11 Fractures maxillo-faciales t4-449

58.3 OSTÉOMYÉLITE t4-450
58.3.1 Étiologie et physiopathologie t4-450

58.3.2   Manifestations cliniques. t4-450
58.3.3   Épreuves diagnostiques t4-451
58.3.4   Processus thérapeutique. t4-451
58.3.5   Soins infirmiers : ostéomyélite t4-452

58.4   AMPUTATION t4-455
58.4.1   Manifestations cliniques. t4-455
58.4.2   Épreuves diagnostiques t4-455
58.4.3   Processus thérapeutique. t4-455
58.4.4   Soins infirmiers : amputation t4-456
58.4.5   Facteurs à considérer lors de
         l'amputation d'un membre supérieur. t4-460

58.5   CANCER DES OS t4-460
58.5.1   Myélome multiple t4-460
58.5.2   Ostéosarcome. t4-460
58.5.3   Ostéoclastome. t4-461
58.5.4   Sarcome d'Ewing t4-461
58.5.5   Lésions osseuses métastatiques. . . . t4-461
58.5.6   Soins infirmiers : cancer des os t4-462

58.6   LOMBALGIE. t4-462
58.6.1   Étiologie et physiopathologie t4-462
58.6.2   Lombalgie aiguë t4-463
58.6.3   Lombalgie chronique t4-467

58.7   CERVICALGIE t4-471

58.8   PROBLÈMES DE PIEDS COURANTS t4-471
58.8.1   Soins infirmiers : problèmes de pied
         courants t4-473

58.9   MALADIES MÉTABOLIQUES OSSEUSES t4-474
58.9.1   Ostéomalacie t4-474
58.9.2   Ostéoporose. t4-474
58.9.3   Maladie osseuse de Paget t4-478

CHAPITRE 59
Arthrite et maladies des tissus conjonctifs

59.1   ARTHROSE. t4-482
59.1.1   Étiologie et physiopathologie t4-482
59.1.2   Manifestations cliniques. t4-482
59.1.3   Épreuves diagnostiques t4-484
59.1.4   Processus thérapeutique. t4-484
59.1.5   Soins infirmiers : arthrose t4-485

59.2   POLYARTHRITE RHUMATOÏDE t4-491
59.2.1   Étiologie et physiopathologie t4-491
59.2.2   Manifestations cliniques et
         complications t4-492
59.2.3   Épreuves diagnostiques t4-493
59.2.4   Processus thérapeutique. t4-494
59.2.5   Soins infirmiers : polyarthrite
         rhumatoïde t4-498

59.3   POLYARTHRITE RHUMATOÏDE JUVÉNILE t4-504

59.4   MALADIES ASSOCIÉES À L'ANTIGÈNE HLA-B27 . t4-505

59.4.1   Spondylite ankylosante t4-505
59.4.2   Polyarthrite psoriasique t4-506
59.4.3   Syndrome de Reiter t4-506

59.5   ARTHRITE AIGUË SUPPURÉE t4-507

59.6   MALADIE DE LYME t4-507

59.7   INFECTION PAR LE VIH ET ARTHRITE t4-508

59.8   GOUTTE t4-509
59.8.1   Étiologie et physiopathologie t4-509
59.8.2   Manifestations cliniques et
         complications t4-509
59.8.3   Épreuves diagnostiques t4-510
59.8.4   Processus thérapeutique. t4-510
59.8.5   Soins infirmiers : goutte. t4-511

59.9   LUPUS ÉRYTHÉMATEUX DISSÉMINÉ t4-511
59.9.1   Étiologie et physiopathologie t4-511
59.9.2   Manifestations cliniques et
         complications t4-512
59.9.3   Épreuves diagnostiques t4-514
59.9.4   Processus thérapeutique. t4-514
59.9.5   Soins infirmiers : lupus érythémateux
         disséminé t4-515

59.10 SCLÉRODERMIE SYSTÉMIQUE. t4-520
59.10.1 Étiologie et physiopathologie t4-520
59.10.2 Manifestations cliniques. t4-521
59.10.3 Épreuves diagnostiques t4-522
59.10.4 Processus thérapeutique. t4-522
59.10.5 Soins infirmiers : sclérodermie
         systémique. t4-523

59.11 POLYMYOSITE ET DERMATOMYOSITE t4-523
59.11.1 Étiologie et physiopathologie t4-523
59.11.2 Manifestations cliniques et
         complications t4-524
59.11.3 Épreuves diagnostiques t4-524
59.11.4 Processus thérapeutique. t4-524
59.11.5 Soins infirmiers : polymyosite et
         dermatomyosite t4-524

59.12 CONNECTIVITE MIXTE t4-525

59.13 SYNDROME DE SJÖGREN. t4-525

59.14 FIBROMYALGIE. t4-525

59.15 CHIRURGIES ARTICULAIRES COURANTES. t4-527
59.15.1 Types de chirurgies articulaires et
         complications t4-527
59.15.2 Soins infirmiers et processus
         thérapeutique. t4-530

Annexe t4-A1

Index t4-I1

PARTIE I
Concepts généraux de la pratique infirmière

CHAPITRE 1
Les soins infirmiers en
médecine-chirurgie 2

CHAPITRE 2
Développement de l'adulte 35

CHAPITRE 3
Gérontologie 54

CHAPITRE 4
Stress 81

CHAPITRE 5
Douleur 100

Nicole Bizier
M.A.
Collège de Sherbrooke

Pauline Audet
M. Sc. inf.
Cégep de Limoilou

Claire Thibaudeau
B. Sc. inf.
Cégep de Limoilou

Chapitre 1

LES SOINS INFIRMIERS EN MÉDECINE-CHIRURGIE

OBJECTIFS D'APPRENTISSAGE

APRÈS AVOIR LU CE CHAPITRE, VOUS DEVRIEZ ÊTRE EN MESURE :

○ D'EXPLIQUER LES ENJEUX RELIÉS AUX SOINS INFIRMIERS EN MÉDECINE ET CHIRURGIE ;

○ DE DÉCRIRE LE CONCEPT DE PARTENARIAT DE COURTNEY ;

○ D'EXPLIQUER LA PORTÉE ET LA CONTINUITÉ DES SERVICES DANS LE CONTEXTE DES SOINS INFIRMIERS ;

○ DE COMPARER LES DIFFÉRENTS MILIEUX DE SOINS ;

○ DE DÉCRIRE LES OBJECTIFS DES SOINS À DOMICILE ET DES CENTRES DE SOINS PALLIA-TIFS, AINSI QUE LES SERVICES DE SANTÉ ASSURÉS DANS CES DEUX MILIEUX DE SOINS ;

○ DE DÉCRIRE LE RÔLE DES INFIRMIÈRES EN SANTÉ COMMUNAUTAIRE ET EN SOINS À DOMICILE ET LES DÉFIS QU'ELLES RENCONTRENT ;

○ DE NOMMER LES CARACTÉRISTIQUES DES POPULATIONS VULNÉRABLES ;

○ DE DÉCRIRE LES NOUVELLES TENDANCES EN MATIÈRE DE SOINS INFIRMIERS ;

○ DE DÉTERMINER LES OBJECTIFS DE L'ENSEIGNEMENT À LA CLIENTÈLE ;

○ DE DISCUTER DES FACTEURS DE STRESS AUXQUELS EST CONFRONTÉE L'INFIRMIÈRE DANS SON RÔLE D'ÉDUCATRICE ;

○ DE NOMMER QUATRE CARACTÉRISTIQUES COMMUNES À L'APPRENANT ADULTE ;

○ D'ÉNONCER LES FACTEURS QUI FAVORISENT L'APPRENTISSAGE CHEZ LE CLIENT ADULTE ;

○ D'EXPLIQUER LES ÉTAPES DU PROCESSUS D'ENSEIGNEMENT ET D'APPRENTISSAGE ;

○ D'EXPLIQUER LES COMPOSANTES D'UN OBJECTIF D'APPRENTISSAGE BIEN RÉDIGÉ ;

○ DE DÉCRIRE LES PRINCIPALES STRATÉGIES D'ENSEIGNEMENT ;

○ DE DÉCRIRE LES MÉTHODES COURANTES D'ÉVALUATION À COURT TERME ET À LONG TERME.

PLAN DU CHAPITRE

1.1 ENJEUX DES SOINS INFIRMIERS EN MÉDECINE ET CHIRURGIE 3
  1.1.1 Nouvelle organisation des soins 3
  1.1.2 Changements démographiques . 6
  1.1.3 Sensibilisation du client 6
  1.1.4 Progrès technologiques 6
  1.1.5 Problématiques nouvelles 7
  1.1.6 Populations vulnérables 7

1.2 PARTICIPATION DU CLIENT : ÉLÉMENT CLÉ DE LA PRISE EN CHARGE 10

1.3 CONTINUUM DE SOINS ET SERVICES . . 11
  1.3.1 Soins de courte durée 12
  1.3.2 Réadaptation fonctionnelle intensive 12
  1.3.3 Soins de longue durée 13
  1.3.4 Soins à domicile 14
  1.3.5 Soins ambulatoires 18
  1.3.6 Soins palliatifs 19

1.4 ENSEIGNEMENT À LA CLIENTÈLE 20
  1.4.1 Survol 20
  1.4.2 Objectifs de l'enseignement à la clientèle 20

1.5 PROCESSUS D'APPRENTISSAGE 21
  1.5.1 Infirmière 21
  1.5.2 Client 22
  1.5.3 Soutien familial et social . . . 24

1.6 FACTEURS CONTRIBUANT À FAVORISER L'APPRENTISSAGE CHEZ LES ADULTES . 25
  1.6.1 Respect 25
  1.6.2 Pertinence 25
  1.6.3 Immédiateté 26
  1.6.4 Milieu d'apprentissage 26
  1.6.5 Changement de comportement 26

1.7 PROCESSUS D'ENSEIGNEMENT 26
  1.7.1 Collecte de données 27
  1.7.2 Planification 29
  1.7.3 Stratégies d'enseignement . . 30
  1.7.4 Exécution 31
  1.7.5 Évaluation 32

1.1 ENJEUX DES SOINS INFIRMIERS EN MÉDECINE ET CHIRURGIE

Le système de santé a connu de profonds bouleversements au cours des dernières années. La nouvelle organisation du système de soins de santé, les changements démographiques, la plus grande sensibilisation de l'usager, l'introduction de technologies plus complexes, les nouvelles problématiques et la santé des populations dites vulnérables concourent aux changements qui touchent la pratique des soins infirmiers et la prise en charge des clients.

1.1.1 Nouvelle organisation des soins

Les changements apportés à l'organisation des soins de santé ont été en grande partie mis en œuvre par les pouvoirs publics et les organismes de réglementation, qui se sont efforcés d'optimiser la qualité des soins de santé tout en réduisant leur coût. Les établissements de soins de courte durée jouent maintenant un rôle plus restreint au profit de structures de soins moins coûteuses mais aptes à assurer la même qualité de soins. Dorénavant, les soins de santé sont davantage offerts dans des structures externes telles que les unités de chirurgie d'un jour et de court séjour, ou les cliniques de préchirurgie, qui fournissent des services offerts auparavant exclusivement en milieu hospitalier. Les soins ambulatoires et un séjour hospitalier le plus court possible sont favorisés. Toutefois, le fait que le séjour hospitalier soit réduit au minimum exige que les infirmières se préoccupent, dès l'admission, de la sortie du client. Quelles sont ses capacités, ses ressources, son réseau de soutien ? L'objectif est d'évaluer la nécessité de soins à domicile et d'éviter la réhospitalisation. En collaboration avec l'infirmière en soins à domicile, elle doit également voir à ce que le client, avec l'aide de sa famille, soit en mesure d'assumer ses soins.

L'évolution de la technologie, l'attention portée à la réduction des dépenses de santé et le désir des clients de rester à domicile sont les facteurs qui ont favorisé simultanément le transfert des clients dans des structures de soins communautaires et le développement des soins à domicile. Ainsi, les traitements particuliers comme l'antibiothérapie IV sont aussi de plus en plus administrés à domicile. Même si les hôpitaux restent les principaux fournisseurs de soins de courte durée, des structures telles que les établissements de soins prolongés et les résidences pour personnes non autonomes, ainsi que les services à domicile offrent aux clients la possibilité de vivre leur convalescence dans un environnement qui favorise grandement leur autonomie et leur permet de conserver leur dignité. En conséquence, l'infirmière autorisée joue un rôle de plus en plus grand en renforçant l'autonomie du client et en facilitant sa transition entre les différentes structures de soins.

Pour répondre aux exigences du virage ambulatoire, certaines pratiques novatrices en soins infirmiers ont vu le jour. Ces pratiques visent à offrir des services infirmiers en dehors du cadre hospitalier, à diriger rapidement le client vers la ressource la plus appropriée ou à diminuer le temps de séjour en centre hospitalier. Citons, par exemple, Info-Santé, le triage à l'urgence et les suivis systématiques de clientèle. Les infirmières œuvrant dans certaines cliniques de médecins sont appelées à jouer un rôle plus élargi. Ces nouveaux champs de développement ont permis aux infirmières de démontrer leurs compétences dans le domaine de l'évaluation et de l'intervention. Le système de santé actuel nécessite des infirmières d'expérience, polyvalentes et disposant de connaissances étendues pour assurer le suivi des clients dans différents milieux de pratique.

Influences sociales sur les soins infirmiers. De nombreuses forces extérieures ont des répercussions sur les soins infirmiers. Parmi ces forces, on retrouve les changements démographiques, une population vieillissante, la diversité culturelle, un accroissement de la sensibilisation des usagers, les influences économiques, le système changeant de prestation des soins de santé et les programmes politiques.

Changements démographiques. Les changements démographiques ont des répercussions sur la population dans son ensemble. Au cours des dernières décennies, les changements qui ont touché les soins infirmiers sont, entre autres, le déplacement de population des régions rurales vers les régions urbaines, une prolongation de la longévité, une augmentation du taux de maladies chroniques et du taux de maladies telles que l'alcoolisme et le cancer du poumon. En tant que profession, les soins infirmiers répondent à de tels changements en explorant de nouvelles méthodes de prestation de soins, en modifiant les priorités en enseignement et en établissant des normes de pratique dans de nouveaux domaines. De plus, afin de répondre aux besoins changeants en matière de soins de santé des clients, l'infirmière doit prendre en considération les déplacements démographiques de la population desservie par les milieux de pratique.

Diversité culturelle. Il y a de plus en plus de gens qui voyagent, et nous nous trouvons tous en présence de cultures qui diffèrent de la nôtre. L'infirmière doit être consciente de la différence qui existe entre la façon dont diverses cultures conçoivent la santé et la maladie. Les infirmières sont donc appelées à connaître les différentes cultures et à être compétentes dans ce contexte. Des soins dispensés sans tenir compte des facteurs culturels peuvent s'avérer coûteux et inefficaces (Sullivan, 1999). Le Canada est un pays aux cultures variées, dont une grande population d'Autochtones. Afin d'être efficaces, tous les soins de

Dans le présent volume, les plans de soins types sont élaborés à partir des modes fonctionnels de santé, catégories élaborées par Marjory Gordon. Rappelons que les cadres conceptuels en soins infirmiers définissent la vision de la personne soignée et le but poursuivi par le soin. Ces concepts sont propres à chacun des modèles. Ainsi, le modèle d'Henderson voit l'individu comme ayant des besoins fondamentaux et recherchant l'autonomie. Dans ce modèle, l'infirmière a pour objectif d'aider le client à conserver cette autonomie. Le modèle de Roy, quant à lui, a pour visée de promouvoir les processus d'adaptation des personnes. Il existe plusieurs autres modèles de soins infirmiers, qui ont chacun leur propre façon de voir et de faire en matière de soin. Alors, pour permettre aux infirmières d'utiliser le modèle qui leur convient, Marjory Gordon a mis au point un schéma destiné à uniformiser l'analyse des données. Ce schéma s'articule autour des modes de santé, lesquels représentent les « domaines communs à tous les modèles de soins infirmiers concernant les informations à recueillir auprès des clients » (Gordon, Marjory, 1991*).

Les modes fonctionnels de santé sont au nombre de 11 :
- Mode perception et gestion de la santé : permet de connaître comment le client perçoit sa santé et sa capacité de la gérer.
- Mode nutrition et métabolisme : réfère à l'ingestion des aliments, mais aussi à la nutrition tissulaire et cellulaire
- Mode élimination : correspond à la capacité d'éliminer les déchets par les différents organes tels que les intestins, les reins et la peau.
- Mode activité et exercice : décrit les activités physiques, les activités de loisirs et les exercices que la personne intègre à sa vie.

- Mode cognition et perception : renvoie aux processus cognitifs, à la façon de sentir et de percevoir le monde dans lequel évolue l'individu.
- Mode sommeil et repos : renseigne sur les habitudes de sommeil et de repos.
- Mode perception et concept de soi : donne des indications sur la façon dont la personne se perçoit, perçoit son bien-être, son image, son identité et sur l'estime qu'elle a d'elle-même.
- Mode relation et rôle : informe sur les rôles et les relations et la façon de les assumer au sein d'un couple, d'une famille ou d'un groupe
- Mode sexualité et reproduction : décrit les aspects satisfaisants et non satisfaisants de la sexualité du client qui peuvent être perturbés par son état de santé.
- Mode adaptation et tolérance au stress : réfère à la capacité d'aborder les situations, aux stratégies utilisées et à leur efficacité.
- Mode valeurs et croyances : renvoie aux croyances et valeurs de la personne ou aux buts poursuivis par celle-ci, incluant la notion de spiritualité.

Façon d'utiliser les plans de soins types élaborés à partir des modes de santé
- L'infirmière recueille auprès du client et de sa famille les informations qui correspondent au modèle de soins en vigueur dans son établissement. Au moment de l'analyse des données, elle détermine les domaines auxquels appartiennent les troubles éprouvés par ce dernier. Ensuite, elle peut se référer aux plans de soins et aux diagnostics infirmiers et retenir celui ou ceux qui concordent avec la situation vécue par le client et sa famille.

Tiré de Gordon, M. *Diagnostic infirmier Méthodes et applications*, MEDSI/McGraw-Hill, 1991, Paris. Traduction de la 2ᵉ éd., 589 p.

---

santé, y compris les soins infirmiers, doivent être dispensés en tenant compte d'un tel contexte.

Mobilité des usagers. La mobilité des usagers a accru la sensibilité des gens quant à la valeur et aux coûts des produits et services. La connaissance des systèmes de santé hors du Québec et la recherche du contrôle des coûts ont inspiré la création de nouveaux types d'organismes de soins, tels que des CLSC, des soins de santé en clinique privée et la recherche du contrôle des coûts. Les usagers sont aussi mieux informés sur leur santé et les maladies et font davantage entendre leur désir pour obtenir des soins de haute qualité. Comparativement aux autres professionnels de la santé, les infirmières sont généralement celles qui communiquent le plus souvent avec les clients et, par conséquent, doivent fréquemment répondre à leurs questions sur la qualité et les coûts des soins de santé. En tant que clients, les usagers des soins de santé sont aussi mieux informés de leurs droits. Dans son rôle de défenseur du client, l'infirmière soutient ces droits.

Promotion de la santé. La société met aujourd'hui l'accent sur la promotion et le maintien de la santé et sur la

prévention des maladies. Un grand nombre de personnes s'intéressent à des sujets comme l'exercice, la nutrition et les modes de vie sains. Les soins infirmiers ont répondu à cette préoccupation grandissante en fournissant des programmes communautaires, tels que des forums sur la santé et des programmes liés au bien-être, des programmes pédagogiques sur des maladies spécifiques, ainsi que des activités d'enseignement dans les hôpitaux, les cliniques, les établissements de soins primaires et les autres milieux de soins de santé, pour le client et sa famille. Les activités liées à la promotion de la santé sont une partie importante du rôle de l'infirmière.

Mouvement féministe. Le mouvement féministe a contribué à de nombreux changements dans la société, notamment lorsque les femmes ont cherché à obtenir l'égalité sur le plan économique, politique, professionnel et scolaire. Les soins infirmiers ont, comme le mouvement féministe, aidé les femmes. Étant en nombre majoritaire au sein du personnel infirmier, les infirmières défendent de plus en plus l'égalité des droits pour les femmes en tant qu'êtres humains, travailleuses et professionnelles de la santé. Le mouvement féministe a encouragé les femmes à devenir plus autonomes et à augmenter leurs responsabilités dans le domaine de la prestation des soins. Il a aussi poussé les clientes à accroître leur responsabilité à l'égard de leur corps, de leur santé et de leur vie en général. Plus les femmes prennent conscience de leurs besoins et de leurs qualités uniques, plus elles recherchent des soins de santé qui peuvent les aider à répondre à ces besoins et à favoriser leur épanouissement.

Mouvement des droits de la personne. Le mouvement des droits de la personne est en train de modifier la façon dont la société perçoit les droits de tous ses membres, y compris les minorités, les clients en phase terminale, les femmes enceintes et les personnes âgées. De nombreux groupes ont des besoins particuliers en matière de services de santé. Les soins infirmiers ont su répondre à ces besoins en respectant tous les clients en tant qu'êtres humains ayant droit à de bons soins, conformément aux droits fondamentaux de la personne. Les infirmières défendent les droits de tous les clients. De plus, elles reconnaissent les besoins particuliers de certains groupes ; elles ont d'ailleurs élaboré des chartes des droits des clients pour les mourants, les personnes hospitalisées, les clientes enceintes, ainsi que d'autres groupes, afin de s'assurer que des soins de qualité sont dispensés à ces personnes sans que leurs droits ne soient sacrifiés.

Tendances en matière de soins infirmiers.
Les soins infirmiers ne constituent pas une profession statique et immuable, mais plutôt une profession qui ne cesse d'évoluer à mesure que changent la société, les priorités et les méthodes en soins infirmiers, les modes de vie, et les infirmières elles-mêmes. Les philosophies et les définitions actuelles des soins infirmiers démontrent la tendance holistique en matière de soins infirmiers : s'occuper de toutes les dimensions de la personne, en santé ou malade, tout en établissant des liens avec la famille et la communauté. À mesure que leur orientation s'élargit, les soins infirmiers intègrent les connaissances des sciences sociales et d'autres domaines.

Formation avancée. Le nombre d'étudiants qui suivent une formation universitaire tend à augmenter. Les organismes de soins infirmiers professionnels continuent d'insister sur l'importance de la formation avancée pour toute infirmière recherchant une possibilité de carrière plus vaste. Le projet de formation infirmière intégrée, élaboré en partenariat avec les collèges et les universités et mis de l'avant en décembre 2000, répond à cette orientation en permettant l'obtention d'un baccalauréat après 3 ans d'études au cégep et 2 ans à l'université.

Thérapies complémentaires et médecines parallèles. Les tendances dans la pratique des soins infirmiers comprennent une variété grandissante de milieux de travail où les infirmières peuvent faire preuve d'une plus grande autonomie et sont respectées en tant que membres de l'équipe soignante. Les soins infirmiers ne s'inspirent pas uniquement des interventions infirmières traditionnelles, mais étendent aussi leur horizon aux thérapies complémentaires et aux médecines parallèles comme le toucher thérapeutique, la massothérapie, l'homéopathie. L'Ordre des infirmières et infirmiers du Québec (OIIQ) voit d'un œil favorable l'utilisation de ces outils complémentaires de soins.

On remarque une insistance grandissante sur les aspects des soins infirmiers qui en font une profession constituée de programmes d'enseignement scientifique et moderne, de services exclusifs, d'un rôle autonome élargi et d'un code de déontologie qui l'encadre bien. Les activités des organismes de soins infirmiers professionnels reflètent toutes les tendances en matière d'enseignement et de pratique des soins infirmiers. Enfin, toutes les influences de la société sur les soins infirmiers se reflètent également dans la pratique moderne.

Deux autres tendances doivent être discutées : l'influence politique grandissante des soins infirmiers et l'influence des soins infirmiers sur la politique et la pratique des soins de santé.

Influence politique des soins infirmiers professionnels. Historiquement, l'engagement des infirmières dans la politique a été restreint. Des infirmières telles que Jeanne Mance, Florence Nightingale, Mary Agnes Snively, mère Virginie Allaire ont influencé la prise de décision dans les domaines comme l'hygiène, la nutrition, l'enseignement des soins infirmiers et les réformes des soins de santé. Plus près de nous, l'OIIQ exerce un rôle prépondérant auprès du gouvernement et de la société pour faire avancer la cause des soins de santé au Québec. La puissance politique représente la capacité d'influencer ou de persuader une personne occupant un poste gouvernemental d'exercer son pouvoir pour obtenir le résultat désiré. Les programmes d'enseignement des soins infirmiers, les organismes professionnels et les syndicats d'infirmières mettent de plus en plus l'accent sur l'engagement politique des infirmières. Au Canada, les organismes de soins infirmiers ont fait pression avec succès sur les politiciens à l'échelle régionale, provinciale et fédérale.

Les organismes professionnels, les syndicats d'infirmières et les groupes d'intérêts spéciaux ont également fait des pressions au nom des infirmières, et leurs demandes ont entraîné des modifications en matière de politique d'amélioration de l'aide socioéconomique et de la réforme des soins de santé dans les domaines des soins de longue durée, de la santé mentale et des questions environnementales.

De plus, les infirmières peuvent influencer individuellement les décisions politiques à tous les paliers du gouvernement. Il est nécessaire de préparer les infirmières à occuper un rôle politique d'influence. Pour ce faire, les stratégies spécifiques comprennent, entre autres, l'intégration de la politique publique dans les programmes de soins infirmiers, la socialisation et la participation précoce au sein d'organismes professionnels. La nomination à des fonctions officielles dans divers milieux fait aussi partie de cette stratégie. L'avenir des infirmières promet d'être brillant si elles se penchent sérieusement sur les besoins sociaux, deviennent des activistes pour influencer la politique visant à satisfaire ces besoins et aident généreusement les organismes de soins infirmiers et les personnes qui travaillent pour obtenir un bon système de santé universel.

Influence des soins infirmiers sur la politique et la pratique des soins de santé. Les infirmières sont de plus en plus engagées dans la réforme des soins de santé. Les associations d'infirmières appuient les principes de la réforme des services de santé afin de conserver un système qui assure le caractère public du service, son accessibilité à tous les citoyens, son universalité et sa transférabilité. Le plan d'action sur la réforme est axé sur les services de soins de santé primaires, sur la promotion et le maintien de la santé, ainsi que sur la prévention des maladies.

L'activisme et l'engagement politiques font partie du professionnalisme, et la politique constitue un élément important de la prestation des soins de santé. Par conséquent, les infirmières doivent percevoir la politique comme étant une réalité qui comprend l'art d'influencer, de faire des compromis et d'interagir socialement.

Tant que les infirmières resteront engagées dans la politique et la pratique des soins de santé, les activistes mal informés ne pourront pas tenter d'imposer leur volonté sur la formation et la pratique en soins infirmiers. Les infirmières doivent avoir leur mot à dire sur les décisions prises touchant la pratique et la qualité des soins infirmiers. Même si elles ont souvent réussi à empêcher les infractions liées à l'autogérance de la profession, elles doivent en assurer l'avenir en cherchant, individuellement et collectivement, à accroître leur influence sur la politique des soins de santé qui concerne leur pratique.

1.1.2 Changements démographiques

La population canadienne vieillit. Le nombre de Canadiens de plus de 75 ans augmente plus rapidement que l'ensemble de la population. En outre, les percées médicales, par exemple les nouvelles techniques de chirurgie cardiaque et les nouveaux traitements de la fibrose kystique, ont permis de prolonger l'espérance de vie des individus. Conséquence de cette évolution démographique, les besoins en matière de services de santé ont changé. Notre population vieillissante nécessite davantage de services et contribue à augmenter les coûts reliés à la santé. Les personnes âgées ont des déficiences qui peuvent diminuer leur autonomie et elles ne bénéfi-

cient pas toujours de ressources communautaires et du soutien des professionnels. Elles ont également des besoins médicaux complexes et sont atteintes de maladies chroniques invalidantes multiples. Par exemple, une femme âgée de 80 ans qui doit subir une chirurgie peut présenter une insuffisance cardiaque congestive, de l'hypertension artérielle et du diabète. Étant donné l'état de ces personnes, les soins infirmiers à prodiguer sont plus complexes et le risque de complications est plus élevé. Les problèmes physiques et les troubles fonctionnels, la démence, l'érosion du pouvoir d'achat qui touche en particulier les revenus de retraite et le manque de soutien familial et de ressources communautaires rendent les personnes âgées vulnérables et accroissent leurs besoins en services sociaux et en services de santé. Par ailleurs, les problèmes d'ordre cognitif compliquent les interventions infirmières. À leur sortie de l'hôpital, les personnes âgées requièrent souvent un suivi à domicile. Pour toutes ces raisons, l'infirmière doit adapter ses soins aux personnes âgées.

1.1.3 Sensibilisation du client

Le secteur de la santé se transforme en un marché orienté vers les besoins du consommateur. Les clients s'intéressent maintenant davantage aux soins qu'ils reçoivent : ils ne sont plus des spectateurs passifs, mais ils sont devenus des acteurs. Ils tiennent à se renseigner sur leur état de santé et s'attendent à recevoir des intervenants les renseignements nécessaires pour prendre avec eux les décisions judicieuses concernant leur santé. En général, les clients sont plus renseignés qu'il y a quelques années. Il arrive qu'un client ait obtenu des renseignements en matière de santé par Internet.

Par ailleurs, la santé est désormais considérée dans l'opinion publique comme un droit tout aussi important que les droits de la personne. La législation canadienne en matière de santé met l'accent sur l'égalité d'accès des usagers aux services de santé, quel que soit leur revenu. Du fait de la pression à laquelle sont de plus en plus soumises les ressources limitées et onéreuses des services de santé, les infirmières jouent un rôle plus actif auprès des clients en favorisant, par l'enseignement et la sensibilisation, leur autonomie.

1.1.4 Progrès technologiques

Les progrès technologiques ont également sensiblement modifié le travail des infirmières au plan du rendement et de la nature des interventions infirmières. Les nouvelles technologies ont perfectionné les épreuves diagnostiques et amélioré la gestion des soins. L'informatique, la technologie laser et les nouveaux médicaments assurant la survie des clients ont simplifié les diagnostics et les traitements. Certaines percées technologiques, telles que la chirurgie par laparoscopie, ont permis d'écourter le séjour hospitalier. En conséquence, la prise en charge des clients nécessitant des soins de courte durée ou celle des malades chroniques se fait désormais davantage à l'intérieur de structures de soins de santé communautaire et à domicile.

1.1.5 Problématiques nouvelles

Questions éthiques. Les progrès techniques ont fait émerger des situations génératrices de problèmes éthiques, ce qui était rare auparavant. Citons notamment les soins relevant de l'utilisation de moyens thérapeutiques ordinaires et extraordinaires, les décisions en début et fin de vie, l'utilisation de la technologie en fonction de l'âge ou de la nature des problèmes de santé et le dépistage des maladies héréditaires. L'infirmière travaille souvent dans l'incertitude morale. C'est pourquoi les centres hospitaliers se sont dotés ces dernières années de comités d'éthique qui se penchent sur les questions d'ordre éthique et leurs conséquences sur la clientèle et les soins à prodiguer. L'infirmière doit donc être sensible à cette dimension des soins et être capable de discuter des problématiques qui surgissent.

Domicile : un nouveau cadre de soins. Le fait qu'un ensemble de soins soit dispensé dans la communauté soulève des enjeux qui n'apparaissent pas en centre hospitalier. En effet, les infirmières sont confrontées au milieu social dans lequel évolue le client et sa famille. Si ce n'était des soins à prodiguer, elles n'entreraient pas dans l'intimité des personnes. Les infirmières ne peuvent pas se borner à l'aspect technique du soin. Elles sont confrontées à des problématiques beaucoup plus complexes que celles qui sont rencontrées en milieu hospitalier, où l'environnement est contrôlé par l'établissement. Le fait de pénétrer dans l'univers de la clientèle les oblige à adopter une nouvelle perspective. Ce n'est plus au client à se conformer à la culture d'un établissement mais à l'infirmière à s'adapter à celui-ci et à son contexte.

Maladies nouvelles et maladies difficiles à traiter. Certains problèmes de santé font partie des enjeux de notre système de soins. Les nouvelles infections sont très préoccupantes, car elles sont souvent difficiles à circonscrire. Par ailleurs, la mondialisation, certaines pratiques de culture maraîchère, l'utilisation des antibiotiques chez les animaux d'élevage à des fins alimentaires, l'utilisation excessive de produits antibactériens sont des facteurs qui accroissent la résistance des bactéries aux antibiotiques et rendent certaines infections de plus en plus difficiles à traiter.

Les maladies liées à l'environnement comme l'asthme, plusieurs types d'allergies alimentaires ou aériennes, des maladies auto-immunes font également partie des préoccupations de notre système de soins. Toutes ces maladies représentent des défis que le système de soins devra relever.

1.1.6 Populations vulnérables

Les changements que connaît le système de prestation des soins de santé tendent à faire des populations vulnérables une clientèle cible privilégiée. Les **populations vulnérables** sont les populations généralement marginalisées et plus exposées aux risques socioenvironnementaux (Neufield et Harrison, 2000). Ces populations sont plus susceptibles de présenter des problèmes de santé attribuables à des conditions de vie défavorables (Thibaudeau et Denoncourt, 2000) : abus divers, entraves à l'accès aux services de santé ou dépendance à l'égard des soins à recevoir.

La politique du ministère de la Santé et des Services sociaux du Québec, tout comme celle de Santé Canada, cible les groupes très exposés : les jeunes et les adolescents, les personnes âgées en perte d'autonomie, les femmes et les Autochtones. De façon plus précise, la vulnérabilité correspond à l'incidence qu'ont certaines conditions à risque sur des groupes de population. La pauvreté, l'itinérance, la violence, les comportements à risque, les maladies chroniques, le sexe et l'âge constituent des facteurs de risque. Les difficultés qu'éprouvent les infirmières à promouvoir, dans leur pratique, la santé des individus, des familles, des communautés et des populations ont pour toile de fond les besoins spécifiques des populations vulnérables, aux prises avec des maladies aiguës et chroniques de plus en plus complexes.

Pour être compétente, l'infirmière en santé communautaire qui travaille auprès de populations vulnérables doit tout particulièrement être ouverte à la diversité. La société canadienne n'accepte aucune forme de discrimination qui serait fondée sur la culture, la race, les compétences, la situation économique, le sexe ou l'orientation sexuelle. Pour être ouverte à la diversité, l'infirmière qui intervient en milieu communautaire doit non seulement tenir compte de l'influence des facteurs liés à la diversité sur la santé de ses clients, mais elle doit aussi voir la différence comme une valeur essentielle pour le bien-être de l'individu et de la société.

Pour être compétente sur le plan culturel, l'infirmière ne doit pas seulement être ouverte à la différence culturelle de son client ; elle doit aussi être capable de valoriser et de comprendre les croyances, les valeurs et les coutumes de son client du point de vue de ce dernier, sans être influencée dans son jugement par sa propre culture et sa manière de vivre. Offrir des soins dans un environnement pluriculturel demande de connaître les déterminants culturels et ethniques de la santé, les différences de croyances concernant la santé et la médecine entre les communautés ethniques et la difficulté qu'éprouvent les membres des minorités ethniques à accéder aux services de santé (Shah, 1994).

Les clients issus de populations vulnérables sont généralement en moins bonne santé que les clients qui jouissent d'un accès aux ressources et aux services de santé. Les taux de morbidité et de mortalité plus élevés constituent de véritables menaces pour les membres des groupes minoritaires multiethniques et multiraciaux (Trovato, 1990). Ces personnes connaissent souvent une succession de risques ou des combinaisons de conditions à risque qui les exposent davantage aux effets négatifs des facteurs de risque individuels, que d'autres parviennent à surmonter (Nichols et autres, 1986). Il est donc indispensable que l'infirmière en santé communautaire tienne compte, dans son évaluation, des nombreux risques auxquels sont exposés les clients issus de populations vulnérables. L'infirmière doit aussi connaître et renforcer les capacités de ses clients pour leur permettre de gérer leur quotidien et de réduire les risques.

Pauvreté et itinérance. Les pauvres au Canada ont une moins bonne perception de leur état de santé que les personnes qui ont des revenus plus élevés et ils risquent davantage de souffrir d'une maladie chronique et de mourir prématurément, indépendamment de leur âge, de leur sexe, de leur race et de leur lieu de résidence (Santé Canada, 1999). Les populations de milieux défavorisés sont plus susceptibles de vivre dans un environnement à risque, d'exercer un métier dangereux, d'être sous-alimentés et d'être exposés à de multiples agents stressants. Les pauvres ont des problèmes pratiques de transport, ils ont aussi des problèmes d'emploi liés à un accès insuffisant à des services de garde de qualité. Enfin, ils manquent de couverture dentaire adéquate. Les familles monoparentales, les familles qui ont à leur tête une femme, les personnes âgées vivant seules (surtout les femmes) et les familles autochtones sont particulièrement touchées par la pauvreté (Santé Canada, 1999).

Les sans-abri sont les plus mal lotis des pauvres. Leur vulnérabilité s'explique par leur situation sociale, leur mode de vie et leur environnement, qui les empêchent de maintenir et d'améliorer leur état de santé et de recevoir des soins adéquats. Les sans-abri vivent dans la rue ou dans des établissements temporaires, comme les refuges et les pensions de famille, et ils ont tendance à discréditer les services de santé, les considérant comme trop bureaucratiques et normatifs et ne les utilisant qu'en cas de détérioration de leur santé (Thibaudeau et Denoncourt, 2000). Les obstacles posés aux autosoins et à la prestation de services médicaux aggravent dans cette population les problèmes de santé chroniques. En outre, le nombre de toxicomanes et de personnes qui souffrent de troubles mentaux est très élevé parmi les sans-abri. L'infirmière doit aider le sans-abri à découvrir ses aptitudes et ses ressources potentielles, à déterminer s'il est admissible à certains programmes et à trouver quelles interventions acceptables contribueraient à accroître sa capacité à améliorer son état de santé.

Violence. La violence physique, psychologique et sexuelle, tout comme la négligence causent d'importants problèmes de santé publique, surtout chez les personnes âgées, les femmes et les enfants (ACSP, 1994; Sebastian, 2000). « Toutes les formes de violence ont, à court et à long terme, des effets dévastateurs sur le bien-être physique et spirituel » (ACSP, 1994). Les troubles de santé mentale, la toxicomanie, les agents stressants liés à la situation socioéconomique et les relations familiales malsaines constituent des facteurs de risque donnant lieu à des relations violentes et à des sévices. La violence est présente dans de nombreux milieux, dans les foyers, au travail, à l'école, dans les établissements de santé, dans les lieux publics, et elle est très souvent le fait d'une connaissance de la victime (ACSP, 1994). Protéger les clients exposés à la violence ou qui en ont été victimes est un des principes clés dans les cas de violence. Dans ce genre de situation, l'infirmière ne devra interroger ses clients qu'en privé et en l'absence de l'agresseur présumé, car les victimes de violence ont peur de subir des représailles si elles s'ouvrent à un professionnel de la santé. C'est pourquoi, dans la plupart des régions du Canada, les cas de violence présumés peuvent être signalés à des organismes.

Comportements à risque. Les comportements à risque les plus préoccupants, particulièrement chez les jeunes et les adultes, sont le tabagisme, la toxicomanie et les relations sexuelles non protégées. Le tabagisme reste un problème de santé publique et est la cause du quart des décès dans la population adulte âgée de 35 à 84 ans (Santé Canada, 1999). Le tabagisme est encore très fréquent chez les Autochtones et est en progression chez les jeunes, notamment chez les jeunes femmes. Pour les intervenants, il est essentiel de comprendre d'abord les raisons qui poussent leurs clients à fumer pour être en mesure ensuite d'aider ces derniers à résoudre les problèmes associés au tabagisme et à abandonner leurs comportements à risque.

Le terme *toxicomanie* est un terme général qui désigne non seulement la consommation de drogues prohibées, mais aussi l'abus d'alcool et de médicaments d'ordonnance tels que les agents anxiolytiques et les analgésiques narcotiques. Les toxicomanes cumulent généralement les problèmes de santé et les problèmes socioéconomiques. Les cocaïnomanes, par exemple, ont des affections nasales et sinusales et des troubles cardiaques qui peuvent être mortels (Sebastian, 2000). Un nombre croissant d'infections au VIH chez les adultes est attribuable à l'utilisation de drogues injectables (Santé Canada, 1999). La toxicomanie, et surtout l'abus d'alcool, reste un grave problème chez les adolescents (Gillis, 2000). Les problèmes socioéconomiques que connaissent les toxicomanes peuvent résulter des difficultés financières causées par le coût de la drogue, de la perte d'un emploi ou d'une séparation. Le personnel soignant, par l'évaluation de la quantité de substances toxiques consommées, ainsi que de la fréquence de leur consommation et du type d'utilisation, acquiert de l'information précieuse pour aider ces clients toxicomanes, clients qui tendent du reste à éviter de se faire soigner de peur d'être jugés par les professionnels de la santé et d'être arrêtés par la police.

Les relations sexuelles non protégées et les comportements qui constituent des facteurs de risque multiple sont très fréquents chez les jeunes, notamment chez les jeunes hommes (Santé Canada, 1999). Les infections transmises sexuellement, dont le VIH/SIDA, contractées au cours de relations sexuelles non protégées, représentent une menace sérieuse pour la santé des adolescents (Gillis, 2000). Les grossesses non désirées chez les adolescentes constituent un problème complexe qui a de graves conséquences sanitaires et sociales pour les jeunes mères et leurs enfants. Les problèmes liés aux complications durant la grossesse (DiCenso et Van Dover, 2000), à la pauvreté, à la sous-scolarisation, au chômage et à la violence sont plus fréquents (Gillis, 2000). La complexité des problèmes associés aux comportements à risque milite en faveur d'une collaboration entre les infirmières en santé communautaire, les populations à risque, la collectivité et les divers acteurs sociaux afin de concevoir, de mettre en place et d'évaluer des initiatives destinées à réduire et à prévenir les problèmes et à promouvoir la santé.

États chroniques. « Les **états chroniques** désignent les déficiences qui affectent une fonction ou le développement et les maladies incurables ou évolutives » (Ogden Burke, Kauffmann, Wiskin et Harrison, 2000). La notion de chronicité recouvre les aspects à la fois psychosociaux et physiopathologiques liés aux états chroniques. Les tendances sociales récentes, telles que la mobilité accrue des familles, le travail des mères, la réduction de la taille de la cellule familiale et la pauvreté des familles dirigées par une femme, compliquent la vie des familles qui comptent un enfant handicapé (Ogden Burke et coll., 2000). Ces tendances touchent aussi les personnes âgées, qui souffrent davantage de maladies chroniques à mesure qu'elles vieillissent (Santé Canada, 1999). Par ailleurs, le changement d'orientation dans la prestation de services de santé hospitaliers au profit de soins communautaires oblige les familles, et notamment les femmes, à prendre en charge les malades et les handicapés. Dans ce contexte, il importe que l'infirmière en santé communautaire mobilise les ressources individuelles, familiales et communautaires du milieu pour soutenir les familles qui assument la responsabilité des soins et pour leur faciliter l'accès aux services appropriés.

Les clients qui souffrent de maladies mentales graves, comme la schizophrénie, ou de profonds troubles de la personnalité ont parallèlement de nombreux problèmes sanitaires et socioéconomiques qui doivent être mieux cernés. Un grand nombre de clients atteints de troubles mentaux graves sont sans abri ou vivent dans des logements destinés aux personnes à faible revenu. D'autres n'arrivent pas à garder leur emploi ni à s'occuper d'eux-mêmes au quotidien. Ces clients ont besoin d'être traités au moyen de médicaments et d'être logés, ils doivent recevoir une aide psychologique et du soutien sur le plan professionnel. De nos jours, les malades mentaux ne sont plus internés dans des établissements psychiatriques de longue durée : offrir des ressources dans leur communauté est désormais l'objectif recherché. Dans de nombreuses communautés, toutefois, la mise en place d'un réseau de services communautaires complets, intégrés et accessibles reste une tâche difficile (Shah, 1994). Ainsi, de nombreux clients qui ont du mal à s'adapter à l'intérieur de la communauté se retrouvent devant des services moins nombreux et plus fragmentés. En témoigne le nombre croissant de jeunes malades mentaux qui n'ont reçu que des soins hospitaliers épisodiques. La collaboration entre les diverses ressources communautaires est donc une condition essentielle pour que les personnes qui souffrent de troubles mentaux graves puissent recevoir les soins de santé appropriés.

Sexe et âge. La santé, c'est connu, est déterminée en partie par le sexe. Les hommes, par exemple, ont plus de chances de mourir prématurément que les femmes, tandis que celles-ci sont plus susceptibles de souffrir de dépression ou de maladies chroniques et d'être victimes de violence familiale (Santé Canada, 1999). Comme nous l'avons vu, les femmes risquent davantage de connaître des problèmes de pauvreté et de violence et des problèmes liés à certains comportements à risque et aux agents stressants qui affectent les aidants naturels. Ces risques sont, de plus, aggravés par l'isolement géographique dans lequel vivent un grand nombre de Canadiennes (Leipert et Reutter, 1998). Les infirmières en santé communautaire reconnaissent qu'il est important de savoir écouter et respecter les femmes et de savoir communiquer avec elles dans leur milieu (Leipert, 1999).

Aux facteurs de risque pour la santé des jeunes que nous avons déjà évoqués, viennent s'ajouter des facteurs de risque non négligeables comme les blessures accidentelles, qui sont la première cause de mortalité chez les enfants et les jeunes au Canada, et les taux élevés de stress et de dépression (Santé Canada, 1999). Le chômage et le sous-emploi sont aussi des problèmes persistants chez les jeunes. Les taux de suicide, notamment parmi les jeunes hommes et dans les communautés autochtones, demeurent préoccupants. « Les infirmières en santé communautaire qui s'occupent de la promotion de la santé chez les adolescents doivent tenir compte du vaste ensemble de facteurs qui influencent les décisions et le comportement des adolescents en matière de santé. Elles doivent prendre en considération non seulement les facteurs individuels, familiaux et environnementaux, mais encore les multiples facteurs structurels et sociétaux » (Gillis, 2000, p. 257). La croissance du nombre de personnes âgées dans la population s'est accompagnée d'une augmentation du nombre de clients souffrant de maladies chroniques et d'une augmentation des besoins en services de santé (Craig, 2000). À cause des préjugés associés au vieillissement et aux conséquences de celui-ci (la détérioration de la santé et la maladie), la promotion de la santé et la prévention des maladies s'adressent rarement aux personnes âgées (Birchfield, 1996). Force est de constater, pourtant, que la majorité des personnes âgées vivent non pas dans des établissements, mais bien dans la communauté (Craig, 2000). Il importe donc de considérer la promotion de la santé d'un point de vue plus large. Pour cela, il faut d'abord comprendre comment les personnes âgées perçoivent leur santé et savoir quelles mesures elles peuvent prendre pour maintenir leur état de santé. L'invalidité résultant des maladies chroniques peut être atténuée lorsque les personnes concernées se sentent responsables de leur santé. Il est donc possible d'améliorer le mode de vie et la qualité de vie des personnes âgées.

1.2 PARTICIPATION DU CLIENT : ÉLÉMENT CLÉ DE LA PRISE EN CHARGE

Les infirmières jouent un rôle non seulement dans le traitement des maladies, mais aussi dans l'éducation à la santé, afin d'aider les personnes à demeurer en santé ou à prévenir les risques de problèmes de santé. La pratique infirmière comprend donc des activités de promotion de la santé et de prévention de la maladie. Selon Pender (1996), la promotion de la santé « vise à améliorer le bien-être et la réalisation de soi... s'efforce d'atteindre une santé et un bien-être optimum », tandis que la prévention de la maladie « vise à diminuer les risques pour la santé... s'efforce de prévenir ou d'éviter les maladies et les accidents ». Les infirmières doivent favoriser le développement de compétences personnelles dans le domaine de la santé chez le client. Ainsi, elles interviennent pour aider les individus à augmenter leur capacité d'adaptation et de prise en charge de leur santé, à exercer un contrôle sur leur environnement et à faire des choix en accord avec la santé. La **prise en charge** occupe donc une place très importante dans la vie des personnes. En ce sens, la **participation du client** est un élément clé de la prise en charge.

La participation est une valeur fondamentale de la promotion de la santé. À cet égard, la définition même de la promotion de la santé, « processus qui confère aux populations les moyens d'assurer un plus grand contrôle sur leur propre santé et d'améliorer celle-ci », implique une participation active des populations. En outre, la prise en charge (et, par conséquent, la participation) est peut-être même le déterminant fondamental de la santé (Wallerstein, 1992).

Courtney et ses collaborateurs (1996) ont conçu un modèle de **partenariat** pour aider le personnel infirmier à collaborer avec les individus, les familles et les communautés. Selon les auteurs, le modèle de partenariat fondé sur une philosophie de l'engagement diffère du modèle plus proprement « professionnel » de l'interaction, qui consiste, pour les intervenants, à définir les besoins, à concevoir des programmes, à élaborer des politiques et à offrir des services dans une optique d'« intervention » ou d'« objectifs » et non de « coopération ». Dans le modèle professionnel traditionnel, le personnel soignant a un rôle prépondérant, tandis que dans le modèle de partenariat, les professionnels de la santé ont plutôt un rôle de soutien.

Courtney et ses collaborateurs (1996) définissent le partenariat comme :

le partage négocié du pouvoir entre les professionnels de la santé et les partenaires que sont les individus, la famille ou la communauté. Ces partenaires acceptent de participer activement à un processus qui leur permet de déterminer ensemble les objectifs et les activités de promotion de la santé et du bien-être. Le but final du processus de partenariat est de renforcer la capacité des partenaires que sont les individus, la famille et la communauté à agir, avec plus d'efficacité, dans leur propre intérêt.

Le modèle de partenariat vise surtout à développer les compétences et les capacités du partenaire ; le problème à résoudre peut donc constituer le point de départ de la relation, mais le but de cette relation sera toujours de développer et de renforcer les capacités du partenaire.

Dans le modèle du partenariat, les professionnels travaillent « avec » leurs clients : leur rôle est donc celui d'un médiateur, d'un soutien, d'une personne ressource qui n'exerce pas seule son autorité et son pouvoir, mais qui les partage. Ainsi, dans le modèle du partenariat, le client n'est plus le bénéficiaire passif d'un service conçu par le professionnel, mais un acteur qui participe activement à la définition des forces, des problèmes, des objectifs et des solutions.

La *relation entre le professionnel et le client*, dans le modèle du partenariat, est adaptable et flexible au lieu d'être « uniformisée » et exige par conséquent que les rôles, les objectifs et les responsabilités soient constamment négociés. Les différences individuelles, culturelles et situationnelles sont respectées, et les interventions faites sur mesure. *Les activités et les services* sont décidés en commun, à la suite d'une constante évaluation des progrès, et font appel à une variété de ressources, notamment aux aidants naturels, à la famille et aux groupes d'entraide.

Dans le modèle du partenariat, en revanche, la mesure du succès dépend autant de la résolution du problème que du renforcement de la capacité du partenaire à agir dans son propre intérêt pour prévenir les problèmes éventuels ou les résoudre avec davantage d'efficacité.

La participation, en somme, est un processus essentiel dans la prise en charge des individus, des familles et des communautés. La prise en charge est un élément déterminant de la promotion de la santé et, de fait, peut être un déterminant de première importance de la santé et du bien-être. L'utilisation, par le personnel soignant, d'un modèle participatif pour aborder les principaux déterminants de la santé est relativement récente et est considérée fréquemment comme la « nouvelle » approche dans la santé publique. Le personnel infirmier dans tous les milieux a donc un rôle essentiel à jouer dans l'adoption de cette approche, dans la poursuite de la santé et du bien-être des clients.

1.3 CONTINUUM DE SOINS ET SERVICES

Dans l'expérience de la maladie et de l'hospitalisation, les clients doivent parfois passer d'une structure de soins à une autre selon leur état de santé. Ces structures offrent un **continuum de soins** assurant la prise en charge des clients. Une personne, par exemple, peut être admise à l'urgence à la suite d'un accident de voiture et, une fois son état stabilisé, être transférée à l'unité de médecine générale et de chirurgie, puis dans un centre de réadaptation. Une fois retournée chez elle et pendant les mois de réadaptation, une infirmière en soins à domicile peut suivre son évolution. La communication entre les différents services est d'une grande importance pour le suivi des clients. La façon dont s'est déroulé l'épisode de soins, les problèmes rencontrés, ainsi que ceux qui sont anticipés par l'infirmière à n'importe quelle étape déterminent la réussite de la convalescence. Toutes ces informations sont précieuses et doivent être partagées avec l'infirmière en soins à domicile concernée afin de favoriser la continuité.

Cette section présente un aperçu de certaines structures de soins faisant partie du continuum de soins (voir tableau 1.1). Les nouveaux rôles des infirmières y sont décrits en fonction des besoins des clients et des différents milieux de soins de courte durée et de soins de santé communautaire. Sont également présentés les services de soins à domicile et les centres de soins palliatifs, ainsi que les défis que les infirmières qui travaillent dans ces structures de soins doivent relever.

TABLEAU 1.1	Comparaison des milieux de soins					
	Soins de courte durée	Soins intermédiaires	Soins de longue durée	Soins à domicile	Soins palliatifs	Soins ambulatoires
Exemples	Centres hospitaliers	Centres hospitaliers Centres de soins spécialisés	Centres hospitaliers de longue durée	Essentiellement à domicile ou soins courants dans un CLSC	À domicile En établissement	Cabinet médical ou cabinet de soins infirmiers Groupe de médecine familiale Clinique externe Clinique en centre hospitalier
Objet	Prestation de soins Réanimation Soins chirurgicaux Soins médicaux	Stabilisation Réadaptation	Rétablissement Soutien	Enseignement Réadaptation Autonomie	Soins des mourants Deuil	Diagnostic Chirurgie d'un jour Prévention Soins d'entretien Traitement
Financement	État ou ministère de la Santé	État	État	État	Organisme bénévole	État
Durée des soins	Soins de courte durée, de court séjour	Soins de courte et de longue durée	Soins de long séjour	Soins de courte et de longue durée Soins prodigués sur une courte période	Jusqu'au décès	Soins épisodiques
Pratique infirmière	Compétences pour la prestation de soins de courte durée et de soins intensifs Spécialisation Soutien à la famille	Compétences dans le soutien à la réadaptation Spécialisation Soutien à la famille	Soins d'entretien Promotion de la santé Soins de fin de vie Soutien à la famille	Soins spécialisés Suivi de clientèle particulière Soutien à la famille Enseignement	Soins palliatifs Soulagement de la douleur Soutien à la famille	Interventions Soins de pratique avancée Enseignement

1.3.1 Soins de courte durée

On désigne par l'expression **soins de courte durée** les soins médicaux et infirmiers dispensés dans des milieux contrôlés, tels que les établissements hospitaliers, où une surveillance et des interventions continues sont nécessaires. Les personnes gravement malades, qui par définition ne peuvent pas se prendre en charge, requièrent l'administration de traitements médicaux particuliers ou doivent faire l'objet de mesures spécifiques au sein d'un établissement hospitalier. Les soins de courte durée sont le type de soins le plus onéreux et constituent le secteur de dépenses de santé le plus lourd. On classe les structures de soins de courte durée en fonction de la gravité de l'état des clients. On distingue par exemple les soins critiques, les soins intermédiaires, et les soins généraux ou spécialisés.

Soins critiques. Les **soins critiques** sont dispensés indifféremment dans les unités de soins intensifs de médecine-chirurgie, les services des urgences ou les unités de traumatologie, les unités de soins intensifs néonataux et pédiatriques et les unités de soins coronariens.

En règle générale, les clients admis dans les unités de soins intensifs ont des besoins physiques multiples et complexes. Les infirmières des unités de soins coronariens doivent connaître les techniques spécialisées de réanimation cardiorespiratoire, savoir prendre soin du client mis sous ventilation assistée et pouvoir assurer une surveillance hémodynamique. Les soins infirmiers dispensés dans ces unités exigent que les infirmières se spécialisent dans ces domaines afin d'assurer des soins de qualité. Dans ce genre d'unité, le client est constamment surveillé, et son état est évalué fréquemment. Puisque l'état des clients est très instable, les infirmières des unités de soins intensifs suivent des protocoles de soins autorisés par le corps médical qui leur permettent d'appliquer rapidement les mesures d'urgence. Dans une unité de soins intensifs, les interventions infirmières sont caractérisées par leur rapidité, leur dynamisme et leur autonomie. Les soins étant complexes et l'état des clients, précaire, chaque infirmière n'est responsable que de un ou de deux clients à la fois.

Soins intermédiaires. Les **soins intermédiaires** sont généralement moins soutenus que ceux qui sont prodigués dans les unités de soins intensifs. Ces soins sont donnés aux clients dont l'état n'est pas stabilisé. Ces clients nécessitent une surveillance fréquente, accompagnée ou non du maintien des fonctions vitales grâce à des techniques spécialisées. Une infirmière est responsable de trois ou de quatre clients gravement malades. On trouve habituellement dans les unités de soins intermédiaires des cas de traumatisme récent et d'intoxication médicamenteuse, ainsi que d'autres cas graves et complexes nécessitant des interventions de stabilisation et une surveillance accrue avant leur transfert à l'unité de médecine ou de chirurgie.

Les infirmières de ces unités doivent savoir évaluer l'état critique des clients et appliquer des procédures d'intervention rapides pour les cas potentiellement instables. Elles doivent être en mesure de reconnaître les changements subtils survenant chez les clients dont l'état neurologique, cardiovasculaire ou respiratoire est sous observation. Elles préparent, en outre, les clients pour la prochaine étape de leur phase de rétablissement dès que leur état permet d'envisager le transfert dans une unité de soins généraux ou une structure de soins communautaires.

Soins généraux. Les **soins généraux** font partie de ce qu'on pourrait appeler les services de médecine-chirurgie. Normalement, ces soins sont donnés aux clients qui ne nécessitent pas une surveillance hémodynamique ou cardiaque au moyen d'appareils complexes, mais qui peuvent avoir besoin d'un traitement par voie intraveineuse, de soins pour le traitement des plaies ou de soins postopératoires. Les clients peuvent également être en phase aiguë d'une maladie chronique (diabète ou insuffisance cardiaque congestive), ce qui justifie une intervention immédiate. Les clients qui ont subi une intervention chirurgicale requièrent une surveillance accrue à cause des interventions effractives et de l'anesthésie. Ceux dont l'état demande un suivi médical (diabète, pneumonie et insuffisance cardiaque congestive, maladie pulmonaire obstructive chronique, angiopathie, cancer et trouble immunitaire) peuvent nécessiter une surveillance fréquente et des analyses de laboratoire. Dans les unités de soins généraux, chaque infirmière peut avoir la responsabilité de six clients ou davantage. Les soins personnels peuvent être confiés aux préposés aux bénéficiaires dont le travail sera supervisé par l'infirmière. L'évaluation et la planification des soins, les interventions infirmières, l'administration des médicaments, l'enseignement au client et à sa famille et la planification de la sortie de l'hôpital font partie des tâches des infirmières de médecine-chirurgie.

1.3.2 Réadaptation fonctionnelle intensive

Le terme **réadaptation fonctionnelle intensive** renvoie aux soins postaigus destinés à une clientèle ayant subi des lésions neurologiques et des traumatismes physiques tels que les traumatismes crâniens, les polytraumatismes, les cas de lésion médullaire et d'accidents vasculaires cérébraux (AVC). Les soins de réadaptation intensive peuvent être offerts dans différentes unités au sein d'un même établissement hospitalier ou dans des établissements distincts. Le département de physiothérapie est un exemple de lieu de réadaptation. Les clients en réadaptation intensive peuvent faire quotidiennement plusieurs heures d'exercice et recevoir d'autres traitements de réadaptation. Ils apprennent à utiliser des appareils destinés à faciliter leurs mouvements et ont besoin de temps et d'encouragements pour accomplir les tâches de la vie quotidienne, notamment les activités d'hygiène personnelle. Plusieurs semaines ou mois de réadaptation sont nécessaires avant que les clients puissent envisager un retour à la maison.

Dans les structures de soins axées sur la réadaptation fonctionnelle, les infirmières collaborent étroitement avec d'autres professionnels (diététiste, travailleur social, physiothérapeute ou orthophoniste) afin d'établir un plan thérapeutique orienté vers l'autonomie du client. Cette approche concertée nécessite des rencontres fréquentes qui réunissent le client, sa famille ou ses proches.

1.3.3 Soins de longue durée

L'expression **soins de longue durée** désigne les soins dispensés pendant une période de plus de 30 jours. Ce type de soins est généralement offert dans des centres hospitaliers de longue durée, des maisons de convalescence, des centres de réadaptation fonctionnelle et des centres d'hébergement réservés aux personnes en perte d'autonomie. Les personnes souffrant d'une déficience grave sur le plan du développement, d'une déficience mentale ou de déficiences physiques qui exigent des soins médicaux et infirmiers continus, comme les clients sous ventilation assistée, les personnes atteintes de la maladie d'Alzheimer et les personnes hémiplégiques peuvent nécessiter des soins de longue durée. Le client pris en charge dans ce genre d'établissement est ce qu'on appelle un « résident ». On distingue deux catégories d'établissement de soins de longue durée : les centres d'accueil et les centres de soins spécialisés. Certains centres d'accueil offrent des soins infirmiers de nature différente, notamment des soins spécialisés, prolongés ou courants, ou des soins personnels.

Les soins dispensés dans les centres d'accueil ont pour but d'aider le résident à conserver le plus haut degré d'autonomie. Après une évaluation multidisciplinaire de ses besoins, le résident bénéficie des services adaptés à son état. Ce sont ces besoins qui dictent la structure la plus appropriée pour sa prise en charge. Les centres de soins spécialisés offrent les mêmes services de santé que les centres d'accueil, mais fournissent davantage de services de réadaptation pour les clients en convalescence.

En règle générale, les infirmières des établissements de soins de longue durée sont responsables d'un grand nombre de résidents qui dépendent souvent des services offerts, mais qui ne nécessitent pas tous le même degré de soins. Les infirmières supervisent le travail d'un grand nombre de professionnels des soins infirmiers. Les infirmières auxiliaires administrent les médicaments courants et les traitements réguliers, alors que la plupart des soins physiques sont prodigués par des préposés aux bénéficiaires. Des activités de loisir sont organisées plusieurs fois par semaine. Par ailleurs, la famille et les proches sont invités à rendre régulièrement visite aux résidents et participent parfois aux soins, aux activités et aux repas offerts dans l'établissement. La visite des médecins étant rare, les infirmières doivent souvent obtenir des instructions verbales et communiquer les inquiétudes de leurs clients par téléphone. Dans ces établissements, les infirmières responsables de la prise en charge des clients doivent avoir des aptitudes particulières en matière d'organisation et de leadership et posséder un vaste répertoire de connaissances en lien avec les soins relatifs à des problèmes de santé complexes. Ces dernières leur permettent de gérer les soins dispensés aux résidents ainsi que les activités, et de diriger les professionnels de la santé qui travaillent avec elles.

Unités d'évaluation dans les établissements de soins de longue durée. Les unités d'évaluation servent souvent de transition entre le domicile et une autre ressource. Habituellement, ce sont les établissements de soins de longue durée qui fournissent des services de médecine générale, de soins infirmiers, des services sociaux et des services de réadaptation en plus de l'hébergement et des services externes aux personnes non autonomes (voir figure 1.1 et 1.2). Les soins prolongés fournis en établissement peuvent être temporaires dans le cas de personnes qui se rétablissent d'une affection ou d'une lésion aiguë ou, souvent, de clients qui viennent de sortir de l'hôpital. On trouve également

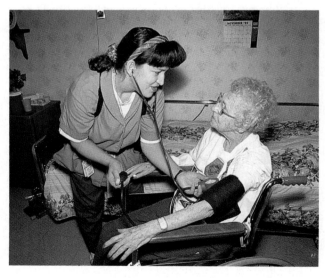

FIGURE 1.1 L'infirmière prend la pression artérielle d'une cliente dans un établissement de soins de longue durée.

des établissements de soins intermédiaires à vocation spécialisée réservés aux personnes ayant une déficience mentale ou des déficiences développementales. Les résidents peuvent être pris en charge pendant des périodes allant de plusieurs semaines à plusieurs années ou durant toute leur vie, faisant de ces établissements un foyer permanent et du personnel, une seconde famille. Ces établissements ont pour buts communs d'évaluer les capacités de leurs clients et de leur fournir l'enseignement et l'encadrement nécessaires pour les aider à développer leur potentiel et à atteindre leur pleine autonomie.

Les infirmières des établissements de soins de longue durée sont responsables d'un grand nombre de résidents et administrent les médicaments courants et les traitements réguliers selon un horaire précis. La plupart des soins physiques sont assurés par des infirmières auxiliaires travaillant sous l'autorité d'une infirmière. Les professionnels des soins infirmiers doivent avoir des aptitudes particulières pour, notamment, être en mesure de planifier des interventions à long terme répondant aux besoins développementaux, physiques, spirituels et psychosociaux des résidents et pour superviser et encadrer du personnel.

1.3.4 Soins à domicile

On appelle **soins à domicile** les soins dispensés à la maison, le plus souvent au domicile même des clients. Les soins à domicile englobent une large gamme de services de santé et de services sociaux offerts aux personnes en voie de rétablissement et à des clients ayant des incapacités ou atteints d'une maladie chronique. On peut ranger dans cette catégorie les soins prodigués dans le but de maintenir la santé, l'enseignement, les activités de prévention des maladies, les examens diagnostiques, les traitements médicaux, les soins palliatifs et la réadaptation, ainsi que les soins à la mère, à son nouveauné et aux enfants. Ces services peuvent être également offerts dans des résidences pour personnes semiautonomes lorsque celles-ci ne disposent d'aucun professionnel pour assurer la prestation des soins spécialisés. La durée des services à domicile est variable : le client peut nécessiter des services intermittents ou à temps complet, ou encore une assistance 24 h sur 24.

Les services de santé communautaire sont à l'origine des soins à domicile. En fait, avant que les hôpitaux ne deviennent le milieu de soins prédominant, les infirmières rendaient souvent visite aux clients à domicile pour offrir un enseignement et des soins spécialisés. Les soins à domicile ont même constitué à une certaine époque un volet des services de santé publique avec d'autres services de santé communautaire comme l'immunisation, la médecine préventive pédiatrique et le contrôle des maladies infectieuses.

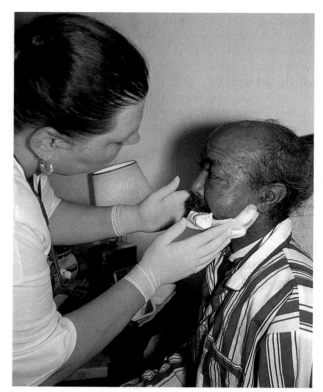

FIGURE 1.2 L'infirmière donne des soins à un client dans un établissement de soins de longue durée.

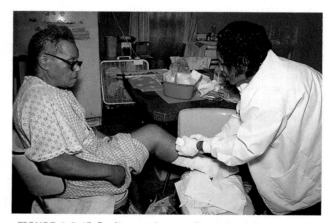

FIGURE 1.3 L'infirmière enseigne au client à domicile.

Le secteur des services de soins à domicile a connu une bonne croissance au cours des dernières années, depuis le virage ambulatoire et la diminution de la durée d'hospitalisation. Dans une conjoncture caractérisée par la volonté d'optimiser les soins de santé en privilégiant les services les moins onéreux, ce secteur est actuellement l'un des plus dynamiques de l'économie de la santé.

Prise en charge du client à domicile. La fréquence des interventions infirmières à domicile varie considérablement et peut aller de une à plusieurs visites réparties au cours d'un certain nombre d'années. Les interventions les plus courantes des professionnels des soins à domicile sont liées à l'insuffisance cardiaque congestive, au soin des plaies, au diabète, à la bronchopneumopathie chronique obstructive (BPCO) et au cancer. Les soins infirmiers spécialisés peuvent également comprendre l'observation et l'examen, la gestion et l'évaluation, l'enseignement et la formation, l'administration de médicaments, le soin des plaies, l'alimentation par sonde, l'utilisation des cathéters et la sensibilisation du client (voir encadré 1.2). Les traitements les plus fréquemment dispensés à domicile sont l'administration parentérale de médicaments, telle que l'administration d'antibiotiques et l'administration d'analgésiques par perfusion contrôlée par le client pour soulager la douleur, l'alimentation entérale, l'alimentation parentérale, la chimiothérapie, la réfection de pansement, le traitement de plaies par pression et l'hydratation. L'infirmière et un membre de l'équipe de réadaptation peuvent, par ailleurs, procéder à l'installation d'appareils médicaux destinés à faciliter l'administration des traitements et à assurer la sécurité du client. Les lits électriques, les fauteuils roulants, les chaises d'aisance,

les déambulateurs et d'autres appareils et accessoires fonctionnels entrent dans cette catégorie.

La clientèle des soins à domicile a bénéficié des nouveautés et des progrès techniques du domaine médical. La miniaturisation des pompes à perfusion permet par exemple aux clients d'exercer leurs activités professionnelles tout en recevant des antibiotiques ou une alimentation parentérale totale. L'emploi de cathéters veineux centraux et périphériques a remédié aux nombreux problèmes associés au manque de fiabilité des traitements par voie intraveineuse administrés à court terme. Des ventilateurs à volume réduit permettent désormais la prise en charge à domicile des clients qui doivent recourir à une ventilation mécanique. Une fois attachés à l'arrière du fauteuil roulant, ces appareils assurent une plus grande autonomie.

Les préoccupations des clients qui nécessitent des soins à domicile sont présentées dans l'encadré 1.3, et des exemples de diagnostics infirmiers figurent à l'encadré 1.4. Malgré le fait que les soins prodigués à domicile sont axés sur le client, il faut toutefois tenir compte de la famille, car celle-ci participe normalement à la prise de décisions et à la prestation des soins. D'ailleurs,

---

Exemples d'activités dans le cadre de soins infirmiers à domicile   ENCADRÉ 1.2

Examen
Examen global et approfondi du client, de la famille et du milieu de vie. Évaluation des services communautaires afin de déterminer les ressources offertes pour diriger les clients et soutenir les aidants naturels. Évaluation continue des progrès des clients.

Soins des plaies
Changement des pansements. Observation, examen et culture des plaies. Débridement et irrigation des plaies. Enseignement au client et à la famille sur la façon de soigner les plaies.

Soins respiratoires
Oxygénothérapie, ventilation mécanique, physiothérapie respiratoire. Aspiration et soins des trachéostomies.

Signes vitaux
Surveillance de la pression artérielle, du pouls et de la respiration. Enseignement au client et à la famille sur la façon de prendre la pression artérielle et le pouls.

Élimination
Aide dans l'application des techniques d'irrigation des colostomieset de soins de la peau. Introduction des cathéters urétrovésicaux, irrigation, surveillance des infections. Enseignement au client et à sa famille sur la nature du cathétérisme intermittent. Insertion, remplacement et irrigation stérile de cathéters urétraux et suspubiens. Stimulation de l'évacuation intestinale et vésicale.

Nutrition
Évaluation de l'état nutritionnel et de l'état d'hydratation. Conseils nutritionnels. Utilisation de sondes nasogastriques et percutanées, y compris de sondes de gastrostomie et de sondes pour l'alimentation du client après une jéjunostomie. Enseignement au client et à la famille sur la façon d'utiliser

une sonde d'alimentation. Mise en place et remplacement d'une sonde. Prise en charge et évaluation continues.

Réadaptation
Enseignement au client et aux proches sur la façon d'utiliser des appareils, de faire des exercices de motricité, de se déplacer et de changer de position.

Médicaments
Information aux clients et à leur famille sur l'action des médicaments, leur administration et leurs effets indésirables. Surveillance de l'observance des traitements et de l'efficacité des médicaments pescrits. Administration de l'insuline et démonstration aux clients de la façon de l'administrer.

Traitement par voie intraveineuse
Évaluation et prise en charge de la déshydratation. Administration des antibiotiques, de l'alimentation par voie parentérale, de produits sanguins, d'analgésiques et d'agents chimiothérapeutiques. Installation de cathéters veineux centraux et périphériques.

Soulagement de la douleur
Évaluation de la douleur, y compris détermination de sa localisation, de ses caractéristiques, des facteurs déclencheurs et de ses répercussions sur les activités du client. Enseignement au client et à sa famille des techniques non médicamenteuses (p. ex. relaxation et visualisation) pour le soulagement de la douleur. Soulagement de la douleur de façon optimale par l'administration des analgésiques prescrits.

Examens de laboratoire spécifiques
Prélèvement sanguin dans le cadre d'études sur les processus morbides et sur l'efficacité des traitements.

le soin dans sa globalité, peu importe le contexte, s'adresse aussi bien au client qu'à sa famille. L'alimentation, par exemple, est un élément essentiel de l'équilibre du diabète. Aussi, si le client diabétique visé est un homme âgé, tout enseignement concernant l'alimentation qui n'inclurait pas la conjointe sera voué à l'échec, car celle-ci est probablement responsable des courses et de la préparation des repas.

La prestation des soins axés sur la famille signifie aussi que l'infirmière à domicile aide les membres de la famille à comprendre les changements de rôles et de responsabilités et les nouvelles tensions engendrées au sein de la famille par la maladie et à s'y adapter. Cette dernière perturbe profondément les relations familiales.

Équipe de soins à domicile. Les organismes de soins à domicile fournissent des soins infirmiers spécialisés, à temps partiel et de façon intermittente, et assurent aussi une assistance médicale à domicile. En règle générale, pour pouvoir bénéficier d'une couverture de leurs soins à domicile, les clients doivent être dans une situation d'invalidité qui les empêche de vaquer à leurs occupations à l'extérieur de chez eux et qui les contraint à recevoir des soins spécialisés tels que les soins infirmiers.

Les besoins du client déterminent la fréquence des visites à domicile, qui peuvent être aussi régulières que deux visites quotidiennes et aussi espacées qu'une seule visite mensuelle. Les visites peuvent être longues, comme dans le cas de la première visite, ou brèves, comme pour les visites destinées à vérifier l'état de cicatrisation d'une plaie. Ces visites peuvent également consister en une routine ou en un régime thérapeutique tel que l'administration d'insuline, la surveillance de la glycémie ou l'application de pansements pour le traitement de plaies ne nécessitant pas de soins complexes.

Les clients peuvent aussi profiter de la prise en charge et de l'évaluation fournies par les programmes de soins à domicile. En effet, dans le cadre de tels programmes, les infirmières peuvent jouer un rôle de gestionnaire de cas à domicile pour les interventions de longue durée lors des visites destinées à dispenser des soins spécialisés. Les interventions de nature préventive visent à promouvoir la santé et à assurer la prise en charge continue des besoins des clients relativement à une maladie chronique.

Les soins infirmiers sont les principaux services offerts à domicile. Les soins infirmiers spécialisés fournis dans le contexte des soins à domicile désignent les

---

| **Préoccupations des clients nécessitant des soins à domicile selon les modes fonctionnels de santé** | **ENCADRÉ 1.3** |

Mode perception et gestion de la santé
- Capacité d'autogestion des soins
- Maintien d'un sentiment de sécurité
- Observance du traitement prescrit

Mode nutrition et métabolisme
- Pertinence des changements dans l'alimentation
- Intégrité de la peau
- Équilibre énergétique

Mode élimination
- Maîtrise de la défécation
- Maîtrise de la miction
- Effets secondaires de médicaments

Mode activité et exercice
- Endurance pour ou pendant l'accomplissement d'activités
- Problèmes affectant la mobilité
- Gestion du maintien à domicile

Mode sommeil et repos
- Somnolence diurne
- Sommeil perturbé ou interrompu
- Asynchronisme sommeil-activité

Mode cognition et perception
- Capacité d'apprentissage
- Douleur aiguë ou chronique
- Déficiences sensorielles
- Plaintes et inconforts

Mode perception et concept de soi
- Perturbation de l'image corporelle
- Estime de soi
- Sentiment d'impuissance

Mode relation et rôle
- Perturbation des relations familiales et des conditions de logement
- Capacité à exercer un métier et à occuper un emploi
- Contacts et participation à des activités sociales
- Altération des rôles au sein de la famille

Mode sexualité et reproduction
- Méthodes de contraception
- Méthodes pour favoriser la procréation
- Solutions de rechange pour la pratique d'activités sexuelles

Mode adaptation et tolérance au stress
- Perception des sources de stress intense
- Adaptation aux changements et à la perte
- Épuisement des ressources d'adaptation
- Gestion du stress
- Sources de soutien formel et informel

Mode valeurs et croyances
- Bien-être global
- Valeur donnée à la vie et à la santé
- Désir de conserver son autonomie

Exemples de diagnostics infirmiers pour les clients nécessitant des soins à domicile   ENCADRÉ 1.4

- Déficit nutritionnel relié à l'incapacité d'ingérer ou de digérer les aliments, ou d'assimiler les nutriments.
- Défaillance dans l'exercice du rôle de l'aidant naturel reliée à la prise en charge de tous les besoins du client.
- Constipation reliée à un déficit liquidien, à la mobilité réduite ou aux effets indésirables d'analgésiques narcotiques.
- Fatigue reliée à un processus morbide et au traitement.
- Déficit de volume liquidien relié à une carence alimentaire, à un manque d'hydratation, à la dysphagie et à la confusion.
- Incapacité d'organiser et d'entretenir le domicile reliée à la mobilité réduite et à une endurance réduite.
- Atteinte à l'intégrité de la peau reliée à l'immobilité physique, aux conséquences de la radiothérapie.

- Douleur reliée à un processus morbide, au traitement, à une diminution de l'amplitude articulaire.
- Risque d'aspiration relié à l'utilisation d'une sonde d'alimentation par voie entérale, à l'atteinte du réflexe pharyngé et à l'incapacité d'expectorer.
- Risque d'infection relié à une altération ou à une diminution de la capacité de l'organisme à se défendre et à la malnutrition.
- Risque de lésion relié à la mobilité réduite, à la confusion ou à l'épuisement
- Incapacité de gérer ses propres soins reliée à la douleur, à un trouble locomoteur ou à un manque d'endurance.
- Isolement social relié à l'immobilité physique ou à une apparence physique modifiée.

soins qui nécessitent l'application de certaines connaissances, le recours à l'examen physique ou à des examens diagnostiques, l'application de savoirs cliniques et l'emploi du jugement clinique pour évaluer, à partir des interventions infirmières, le processus thérapeutique et les résultats obtenus. L'équipe de soins à domicile peut comporter un grand nombre de membres, dont le client, sa famille, l'infirmière, le médecin, l'assistante sociale, le physiothérapeute, l'ergothérapeute, l'orthophoniste, l'auxiliaire familial, le pharmacien, l'inhalothérapeute et la diététiste. Les problèmes de nature orthopédique tels que les opérations de la hanche ou du genou ou encore les troubles neuromusculaires observés couramment dans les cas de sclérose en plaques, de sclérose latérale amyotrophique et d'accidents vasculaires cérébraux (AVC) font partie des troubles physiques et des affections susceptibles de justifier l'intervention d'un physiothérapeute. Ce dernier aide le client à développer son tonus musculaire et son endurance, à affermir sa démarche et ses mouvements et à mettre en place un programme d'exercices. L'ergothérapeute aide le client à développer sa motricité fine, à accomplir ses activités quotidiennes et à développer ses aptitudes sensorielles et perceptivo-cognitives. Il procède à des tests sensoriels et fabrique ou utilise des appareils et accessoires fonctionnels ou adaptatifs. L'orthophoniste se concentre sur les divers troubles de la parole observés chez les personnes qui éprouvent de la difficulté à parler ou à avaler en raison d'un accident vasculaire cérébral, d'une laryngectomie ou d'une maladie neuromusculaire d'évolution progressive.

L'assistante sociale aide le client à s'adapter aux circonstances, à comprendre les préoccupations du personnel soignant, à disposer de ressources financières suffisantes ou à prendre des dispositions en vue de son hébergement et peut également l'adresser à d'autres services sociaux ou à des organismes bénévoles. Les auxiliaires familiaux aident les clients à assurer leurs soins

d'hygiène (bain, habillement, shampooing), à accomplir certaines tâches domestiques comme la préparation de repas et à effectuer de légers travaux ménagers. L'équipe de soins à domicile peut aussi comprendre des pharmaciens, qui sont chargés de préparer les produits administrés par perfusion ; des inhalothérapeutes, qui fournissent une aide en matière d'oxygénothérapie ; des diététistes, qui offrent des conseils reliés à la nutrition. Les membres de l'équipe collaborent avec l'infirmière à domicile pour planifier les interventions et évaluer régulièrement les progrès du client en mettant l'accent sur des programmes d'enseignement à la clientèle à domicile.

Des infirmières et des thérapeutes qualifiés fournissent et supervisent l'ensemble des soins. La clientèle suivie par les infirmières à domicile est constituée le plus souvent de personnes récemment sorties de l'hôpital mais qui, dans certains cas, sont recommandées par un médecin en pratique privée ou par un centre hospitalier. Les clients eux-mêmes peuvent solliciter ce type de services. Il est possible d'éviter des hospitalisations onéreuses en faisant appel à des professionnels infirmiers qualifiés capables de surveiller l'état de santé des clients, de les renseigner, d'administrer des traitements et d'accomplir des tâches qui, autrement, seraient réalisées dans un établissement de soins de courte durée.

Rôle et habiletés de l'infirmière à domicile. L'infirmière à domicile doit être particulièrement organisée et capable de prendre des décisions de façon autonome. Son degré d'autonomie est très grand puisqu'elle doit, avec la famille, planifier sans encadrement les soins à prodiguer. Elle doit également savoir établir des priorités pour intervenir rapidement et résoudre des difficultés. L'infirmière à domicile doit s'adapter à de multiples circonstances défavorables de nature à perturber les examens, la planification et les interventions. Par exemple, l'infirmière devra modifier sa façon de changer les pansements lorsqu'elle intervient auprès d'un client dont les ressources sont limitées. L'infirmière à domicile doit également être en mesure d'organiser son temps, de jouer un rôle de gestionnaire de cas, de procéder à un examen, de poser un diagnostic, de connaître les ressources communautaires offertes, d'enseigner et de juger du bon rétablissement du client. Les qualités de l'infirmière à domicile sont les suivantes : souplesse, empathie, capacité à défendre les intérêts du client et capacité d'adaptation et de communication. Elle doit à la fois tenir compte des exigences administratives de son employeur, des critères de rendement et des besoins de son client.

L'infirmière à domicile doit adopter une approche holistique et neutre qui priorise la famille. Elle s'appuie sur des savoirs distincts et fait appel à un processus de décision différent. Son but est de favoriser l'autonomie du client et de ses proches afin qu'ils soient capables de répondre à leurs propres besoins et se sentent maîtres de leur vie. Ses objectifs favorisent les résultats à long terme plutôt qu'à court terme. L'infirmière prend les décisions et établit les priorités de concert avec le client et ses proches.

L'exécution d'un plan de soins peut s'étaler sur plusieurs visites, semaines ou mois. L'infirmière fait appel à la créativité pour résoudre les difficultés et pour établir les priorités, tout en se laissant une certaine latitude pour s'adapter aux changements et aux circonstances. Les suivis systématiques (cheminements cliniques) et les plans de soins normalisés orientent souvent la prestation des soins et aident l'infirmière à préparer un plan de soins d'une certaine durée. Les suivis systématiques ont pour objet de rationaliser les soins offerts, d'orienter les efforts vers la réalisation des objectifs prédéterminés et d'optimiser les coûts, tout en conservant une qualité de soins acceptable. Le plan de soins comporte généralement une planification à long terme et un suivi par étapes destiné à assurer l'autonomie du client.

La tenue des dossiers est la clé de voûte de la continuité des services à domicile. Elle est essentielle pour un suivi adéquat de la situation clinique. L'infirmière doit être concise et précise lorsqu'elle rédige le dossier afin de pouvoir rendre compte de ses interventions sur le plan légal et professionnel. Les dossiers constituent l'unique moyen de justifier les recommandations proposées en regard des besoins du client, les soins dispensés et la réponse du client. Tous ces aspects sont indispensables pour satisfaire aux exigences requises aux fins du suivi de la situation.

L'infirmière à domicile doit savoir se servir du matériel, des appareils et des accessoires utilisés par le client pour favoriser son autonomie. Il est, de plus, utile de comprendre la terminologie employée dans le domaine de la réadaptation afin de faciliter la coopération avec les thérapeutes et l'évaluation des plans de soins. La plupart des organismes de soins à domicile fournissent les accessoires médicaux suivants : cathéter urétrovésical, matériel pour le soin des plaies, accessoires pour les traitements intraveineux et support à la déambulation.

Ces organismes, tout comme les infirmières, sont soucieux de l'amélioration continue de la qualité des soins. L'évaluation des soins offerts aux clients au plan de la prévention des infections et du taux de réadmission à l'hôpital, ainsi que d'autres aspects des soins cliniques permet de mesurer la qualité des soins et les résultats obtenus. Comme la réduction des coûts de santé touche également le domaine des services à domicile, les infirmières sont désormais appelées à fournir davantage de soins de qualité en un minimum de temps. L'importance donnée récemment à la gestion des résultats les oblige à suivre régulièrement les progrès réalisés par leurs clients pour atteindre des objectifs réalistes.

Services informels de soins à domicile. De nombreux clients comptent sur un système de soins informel pour recevoir un complément de services de santé. Ces clients ont besoin d'une aide à domicile pour conserver leur autonomie et éviter, en l'absence de soutien, d'être placés dans un établissement de soins de longue durée. Cette aide peut prendre différentes formes : préparation des repas, repas apportés par les proches ou par un service de livraison à domicile communément appelé « popote roulante ». D'autres dispositions destinées à favoriser l'autonomie peuvent être prises, telles que l'aide ménagère, la visite des proches, les services d'une auxiliaire familiale ou l'aide d'un intervenant à domicile. Un grand nombre d'organismes de charité et d'associations communautaires offrent de l'aide en apportant de la nourriture, un soutien et en offrant un moyen de transport.

Ce type de soins et de soutien ne nécessite pas l'intervention directe d'infirmières autorisées. En revanche, celles-ci sont plutôt appelées à superviser la prise en charge des clients qui nécessitent ces services. Ces derniers sont financés par le gouvernement fédéral ou provincial ou par les collectivités locales et sont offerts dans le cadre de programmes de maintien à domicile destinés aux personnes âgées et aux personnes handicapées. Les infirmières peuvent aussi diriger les soins dispensés aux personnes âgées confinées chez elles ou à risque de l'être. Ces soins doivent être offerts dans le cadre de partenariats avec des organismes paroissiaux et de programmes financés par la collectivité ou fournis par un club local de l'âge d'or. Les infirmières qui jouent ce rôle doivent être en mesure d'assurer la prise en charge des clients, d'évaluer les activités quotidiennes et de connaître les ressources communautaires pour bien diriger leurs clients.

1.3.5 Soins ambulatoires

Aujourd'hui, les **soins ambulatoires** constituent une forte majorité des soins dispensés. Les clients peuvent consulter un médecin ou une infirmière en pratique avancée dans un cabinet ou des professionnels dans une clinique, une clinique chirurgicale privée ou une école. Une gamme étendue de services médicaux et de services infirmiers y sont offerts. Dans la majorité des cas, ces services ne nécessitent qu'une seule rencontre.

Les infirmières qui dispensent des soins ambulatoires peuvent assister un médecin en pratique privée ou dans des groupes de médecine familiale (GMF) ou, lorsqu'elles disposent d'un complément de formation, exercer le rôle d'une infirmière en pratique avancée. Ces infirmières évaluent les problèmes du client et ses besoins en ressources et en information et apportent le soutien nécessaire pour permettre au client d'être autonome. L'enseignement à la clientèle et le suivi téléphonique sont des pratiques courantes dans le domaine des soins ambulatoires. Les infirmières peuvent faire des prélèvements sanguins, administrer des médicaments, conseiller le client et ses proches, donner un enseignement, vacciner les enfants ou diriger des groupes d'entraide. Les infirmières des cliniques chirurgicales privées dispensent des soins préopératoires et postopératoires aux clients qui ont subi une chirurgie d'un jour. Celles qui exercent un rôle de praticienne peuvent travailler auprès des personnes âgées, des adultes, des enfants, des femmes et des familles en leur offrant des soins spécialisés. Elles procèdent à l'examen des clients et leur administrent des traitements (voir figure 1.4).

1.3.6 Soins palliatifs

De nombreux clients choisissent de mourir chez eux, dans le confort de leur domicile et entourés de leurs proches. Les clients en phase terminale peuvent ainsi mourir dans la dignité sans l'équipement impressionnant utilisé dans les unités de soins de courte durée. Les **soins palliatifs** consistent à offrir soutien et assistance

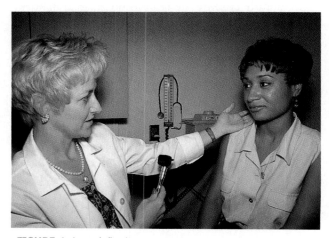

FIGURE 1.4 Les infirmières en pratique avancée jouent un rôle déterminant dans la prestation des soins primaires.

aux clients en phase terminale d'une maladie incurable afin de leur assurer un confort maximal. L'adjectif « palliatif » se dit d'un traitement qui soulage les symptômes d'un mal sans le guérir. Ce sens, dérivé du latin médiéval, est attesté dès le XIVe siècle. Les soins palliatifs offrent aux mourants la compassion, l'écoute et le soutien dont ils ont besoin. Ces soins constituent en cela un retour à une pratique du passé, alors qu'il était d'usage d'aider les mourants à demeurer à domicile et à y vivre, si possible, leurs derniers instants entourés d'objets, d'odeurs et de sons familiers et de l'affection de leurs proches.

Survol des soins palliatifs. Le concept des soins palliatifs est appliqué en Angleterre depuis de nombreuses années. C'est dans les années 1970 que ce concept a été introduit en Amérique et intégré dans les services de santé. À la fin de cette décennie, les programmes de soins palliatifs furent implantés. Ils sont, comme les services à domicile, organisés selon différents modèles. Certains programmes sont offerts en milieu hospitalier, d'autres sont gérés par des organismes de soins à domicile, d'autres encore sont privés ou communautaires. Il existe aussi des programmes intensifs. Quoi qu'il en soit, tous ces programmes fournissent des soins axés sur le confort et non des soins curatifs.

L'admission à un tel programme est volontaire et repose sur les besoins du client et de ses proches. Les personnes en phase terminale atteintes d'affections telles que le cancer, le SIDA, la BPCO, les maladies cardiovasculaires et les néphropathies de dernier stade peuvent recevoir des soins palliatifs. Ces soins sont offerts le plus souvent à domicile ou en centre d'hébergement spécialisé, le milieu hospitalier n'étant habituellement envisagé que pour le soulagement de la douleur aiguë ou pour donner un répit aux familles et aux intervenants. Les services à domicile sont offerts à temps partiel, de façon intermittente, sur appel, de façon régulière ou continue. Les services de soins palliatifs sont offerts 24 heures sur 24 et 7 jours sur 7 pour assurer aux clients et à leurs proches une assistance à domicile. Au service des soins palliatifs, le cadre hospitalier est habituellement modifié pour créer une atmosphère aussi détendue et chaleureuse que possible, comparable au cadre domestique. Le personnel et des bénévoles se tiennent à la disposition de la clientèle et de la famille. Une équipe multidisciplinaire fournit généralement les soins holistiques.

Prise en charge des clients en soins palliatifs. Toute maladie terminale comporte un stade pour lequel les soins curatifs sont inutiles. C'est à ce moment-là que la promotion du confort du client et la prestation de soins palliatifs prennent tout leur sens. Les services de soins palliatifs permettent aux mourants de recevoir à la fin de leur vie un soutien physique, affectif et spirituel et leur accordent, à eux et à leurs proches, l'attention désirée en plaçant leurs besoins en priorité.

Les soins palliatifs ne sont pas des soins qui reposent sur la technologie. Ce sont plutôt des soins personnels intensifs qui assurent au client une prise en charge clinique axée sur sa vie affective, sociale, spirituelle et familiale. Ces soins donnent l'occasion au personnel de collaborer avec les clients et leur famille pour atteindre des objectifs communs.

Normalement, la souffrance préoccupe les malades en phase terminale. Dans le domaine des soins palliatifs, la souffrance est considérée comme une expérience globale et non comme un phénomène strictement physiologique. Les médicaments nécessaires et des traitements adjuvants sont administrés pour soulager la douleur. L'expression « prn » (au besoin) qui figure dans les ordonnances ne s'applique pas aux soins palliatifs. Dans ce domaine, les analgésiques sont administrés fréquemment, afin de soulager la douleur, d'en effacer le souvenir et, surtout, pour éviter sa réapparition. On prend également en compte d'autres facteurs susceptibles de provoquer la douleur, tels que la peur, la solitude, l'anxiété, l'insomnie, l'angoisse spirituelle, les soucis financiers et la dépression (voir chapitre 5).

Équipe de soins palliatifs. Les services de soins palliatifs sont dispensés par une équipe interdisciplinaire de professionnels et de bénévoles travaillant sous l'autorité d'un médecin. Les infirmières en soins palliatifs sont membres à part entière de cette équipe et collaborent avec des médecins spécialisés en soins palliatifs, des travailleurs sociaux, des préposés aux bénéficiaires, des ministres de culte et des bénévoles pour offrir soins et soutien au client et à sa famille. Les infirmières de soins palliatifs sont particulièrement formées pour soulager la douleur et atténuer les symptômes ressentis par le client. Tout comme les infirmières à domicile, les infirmières en soins palliatifs doivent avoir d'excellentes habiletés pour l'enseignement à la clientèle, être capables d'écouter, de soutenir le client et sa famille, d'éprouver de la compassion et de faire preuve de souplesse.

L'aide psychologique fournie pendant le deuil est un autre volet des programmes de soins palliatifs. Les soins palliatifs étant axés sur le client et sur sa famille, l'accompagnement des membres de la famille et des proches en deuil, aussi bien après la mort du client que pendant la maladie, fait partie intégrante de l'organisation des soins et du plan de traitement. L'objectif des programmes de soutien aux personnes en deuil est d'aider les survivants à vivre la transition qui suit la disparition de l'être cher.

Des groupes d'entraide peuvent également assister les professionnels des soins palliatifs et les bénévoles. Les crises et le deuil sont pour les intervenants une source de stress qui se manifeste sous différentes formes. C'est pourquoi il est nécessaire que les professionnels et les bénévoles disposent de moyens de récupérer et de se ressourcer. Différentes méthodes de gestion du stress peuvent donc être utilisées, notamment des groupes de soutien entre professionnels, des séances de discussions informelles, l'établissement d'horaires de travail souples et de périodes de repos supplémentaires (voir chapitre 4). Pour que les besoins des bénéficiaires soient entièrement pris en charge, il est nécessaire de ne pas négliger les besoins des intervenants.

1.4 ENSEIGNEMENT À LA CLIENTÈLE

Pour assurer les soins à la clientèle et favoriser leur prise en charge par le client et sa famille, l'infirmière possède plusieurs outils. Cependant, l'acquisition de connaissances théoriques et pratiques constitue la base essentielle pour que le client et sa famille puissent gérer leur état de santé. Dans les pages qui suivent, nous verrons les éléments qui entrent en jeu dans la transmission de ces connaissances au client et à sa famille par l'infirmière, ainsi que les modalités des processus d'apprentissage et d'enseignement.

1.4.1 Survol

L'enseignement à la clientèle est une démarche planifiée recourant à des moyens comme l'exposé, la consultation, la recommandation, la démonstration et la discussion dans le but de faciliter la poursuite des objectifs de soins. L'enseignement à la clientèle est une activité indispensable des soins infirmiers. Dans le cadre de l'exercice de sa profession, « l'infirmière prodigue de l'enseignement au client et lui fournit le soutien requis au cours des activités d'apprentissage » (OIIQ, 1996, 2000). L'Ordre des infirmières et infirmiers du Québec mentionne aussi que l'infirmière doit développer des compétences en enseignement dans les domaines de la promotion de la santé, de la prévention de la maladie, du processus thérapeutique, de la réadaptation fonctionnelle et de la qualité de vie (OIIQ, 2001). En plus de déterminer les besoins, l'infirmière dresse un plan d'enseignement, enseigne et vérifie l'efficacité de son enseignement.

L'enseignement à la clientèle se dispense en plusieurs étapes. En plus de décrire ces étapes, les sections suivantes mettent en évidence les facteurs qui contribuent au succès de l'enseignement et indiquent comment dresser un plan d'enseignement pour le client et sa famille.

1.4.2 Objectifs de l'enseignement à la clientèle

Le but de l'enseignement à la clientèle est d'aider le client et sa famille à s'adapter aux problèmes de santé aigus et chroniques. Plus spécifiquement, les objectifs visent à maintenir la santé, à prévenir la maladie, à apprendre à vivre avec un problème de santé. Avec l'enseignement, l'infirmière a la capacité d'influencer considérablement la vie du client et de sa famille. L'infirmière peut enseigner dans divers secteurs, dont les milieux communautaire, scolaire et industriel ; aux soins ambulatoires, aux consultations externes ; en milieu hospitalier et à domicile. Toute interaction de l'infirmière avec un client ou un membre de sa famille peut être considérée comme une occasion de fournir des renseignements qui peuvent favoriser l'adaptation du client à son état de santé.

1.5 PROCESSUS D'APPRENTISSAGE

Dans la profession infirmière, l'enseignement à la clientèle est guidé par des approches qui visent à modifier le comportement. On distingue deux approches courantes. L'**approche axée sur la conformité**, qui est traditionnelle en matière d'enseignement à la clientèle, soutient que l'infirmière établit, exécute et évalue indépendamment le plan d'enseignement. Le client est perçu comme un bénéficiaire passif de l'enseignement. En revanche, l'**approche axée sur l'autonomie** encourage le client et sa famille à établir des objectifs de santé personnels de manière articulée. Cette approche s'avère particulièrement efficace lorsque le client est aux prises avec une maladie chronique, comme le diabète, l'insuffisance cardiaque ou l'arthrite. L'infirmière établit un plan qui permettra au client d'atteindre ses propres objectifs. L'approche axée sur l'autonomie cherche à maximiser l'autonomie du client et à développer ses connaissances relatives à son problème de santé. Peu importe l'approche employée, le succès se mesure par un changement de comportement que l'on évalue par des données objectives (p. ex. décompte des pilules, taux de glycémie, désaccoutumance du tabac).

L'enseignant, en l'occurrence l'infirmière, le client, sa famille et le réseau de soutien social doivent participer à l'enseignement. La nature complexe de chacune de ces variables doit être prise en considération lors de la planification et de l'enseignement.

1.5.1 Infirmière

Afin d'être une enseignante efficace, l'infirmière doit développer les habiletés qui seront traitées dans la section suivante.

Connaissance de la matière. Bien qu'il soit impossible d'être expert dans tous les domaines, l'infirmière possède la formation pour comprendre maints aspects de la santé et des problèmes de santé. Le manque de confiance en ses propres connaissances peut expliquer pourquoi certaines infirmières évitent de faire de l'enseignement. La plupart des établissements ont des brochures traitant des problèmes de santé courants, des examens de diagnostic ou des traitements. L'infirmière doit donc d'abord lire la documentation qui est remise au client ou à sa famille. Si le client pose une question et que l'infirmière n'est pas certaine de la réponse, elle doit en informer le client et poursuivre des recherches.

Habiletés à communiquer. L'enseignement à la clientèle est un processus interactif. Il dépend de la communication entre l'infirmière et le client ou le membre de la famille. Les deux parties s'influencent mutuellement. La communication englobe à la fois l'aspect verbal et non verbal.

Communication verbale. Pour communiquer les renseignements, l'infirmière doit choisir soigneusement les mots. Livrer une information simple et factuelle est le moyen le plus efficace de communiquer. La plupart des renseignements écrits sur les soins de santé sont destinés aux personnes ayant une capacité de lecture. La communication verbale doit tenir compte du degré de compréhension.

Le jargon médical est intimidant et effrayant pour la plupart des clients et leur famille. L'infirmière doit d'abord définir le vocabulaire médical nécessaire à la compréhension de l'enseignement dispensé. À titre d'exemple, si le client apprend qu'il souffre de myocardiopathie dilatée idiopathique, il aura sans doute besoin que l'infirmière lui explique son diagnostic avec des mots familiers. L'infirmière pourrait expliquer que le terme *idiopathique* est une façon scientifique de dire « de cause inconnue », que *dilatée* signifie « agrandie » et que *myocardiopathie* se rapporte à un muscle cardiaque qui ne pompe pas avec toute sa force. Le client a donc un cœur de plus grande taille qui ne fonctionne pas adéquatement pour une raison inconnue. Ainsi, par cette explication, l'infirmière est parvenue à accroître les connaissances du client.

La rapidité de l'élocution, le ton et la modulation de la voix sont également des aspects importants à considérer. Après un entretien, il est important de laisser suffisamment de temps pour les questions. L'infirmière doit toujours vérifier si le client a bien compris les mots qu'elle a utilisés.

Communication non verbale. L'importance de la communication non verbale doit également être prise en compte. On estime que le sens d'un message est véhiculé jusqu'à une proportion de 65 % par les signes non verbaux. Certains signes non verbaux sont évidents, comme le ton de la voix, la vitesse d'élocution, la fréquence des gestes et le type de gestuelle, le toucher et la proximité. Il existe d'autres signes non verbaux, comme la façon d'entrer dans la chambre du client, l'endroit que l'infirmière choisit pour s'asseoir ou se tenir debout et si elle se croise les jambes ou les bras. Ces signes non verbaux peuvent modifier l'interprétation du message.

Afin de véhiculer des messages non verbaux positifs, il est important que l'infirmière s'assoie de manière à faire face au client. Il est préférable qu'elle relève le lit ou qu'elle s'assoie sur une chaise pour pouvoir regarder le client et lui parler à la hauteur de ses yeux. Les gestes ouverts communiquent un intérêt et une volonté de partager. L'infirmière doit informer le client du temps dont elle dispose au début de la séance. Ceci permettra à la fois à l'infirmière et au client d'établir les priorités de l'enseignement.

Écoute active. L'infirmière doit développer l'art de l'écoute active. En d'autres mots, elle doit prêter attention à ce qui est dit et observer les signes non verbaux du client. Elle doit être prête tant physiquement que mentalement à écouter, ce qui signifie s'asseoir directement en face du client, ne pas se laisser distraire et faire abstraction de ses propres inquiétudes. Elle doit se concentrer sur les renseignements importants que lui transmet le client et prêter une oreille attentive en veillant à ne pas l'interrompre. Le client peut mal interpréter le comportement d'une infirmière qui semble impatiente, ce qui peut conduire à des malentendus. Accorder du temps d'écoute sans avoir l'air pressée demande une organisation et une planification attentionnées de la part de l'infirmière. L'écoute attentive lui permet d'obtenir des renseignements importants au cours de la phase d'évaluation.

Empathie. L'empathie se définit comme la capacité de comprendre le vécu d'une autre personne sans le juger. L'empathie implique mettre de côté sa propre personne pour se mettre temporairement à la place du client. En matière d'enseignement, l'empathie permet à l'infirmière d'évaluer les besoins du client avant de dresser un plan d'enseignement.

Facteurs de stress. Le manque de temps et l'insécurité générée par un manque de connaissances ou de compétences sont deux agents stressants qui peuvent nuire à l'enseignement. Un troisième agent stressant potentiel est la divergence qui sépare l'infirmière et le client quant aux attentes de l'enseignement.

Accepter que certains clients ou leur famille puissent hésiter à parler du problème de santé ou de ses conséquences est la plus grande difficulté à laquelle est confrontée l'infirmière. Le client et la famille peuvent avoir des idées préconçues qui neutralisent les efforts de l'infirmière. Il peut arriver que l'infirmière rencontre de l'hostilité, du ressentiment ou soit même victime d'abus verbal.

Les contraintes du système de santé actuel sont d'autres agents stressants importants pour l'infirmière qui essaie de dispenser un enseignement. Les séjours écourtés des clients hospitalisés ont pour effet de retourner les clients à domicile plus rapidement avec un minimum d'information. Pourtant, étant donné la complexité grandissante de la médecine, les besoins éducationnels des clients et de la famille ne cessent de croître. L'infirmière doit être consciente que le système de soins de santé peut également avoir des répercussions sur les capacités du client ou de la famille à utiliser les ressources. Les stratégies auxquelles on peut avoir recours pour gérer ou surmonter ces facteurs de stress sont présentées au tableau 1.2.

1.5.2 Client

Le plan et les objectifs d'apprentissage dépendent des caractéristiques individuelles du client et de la nature de ses problèmes de santé. Parmi les variables importantes figurent l'âge, la culture, le niveau d'instruction, la pro-

TABLEAU 1.2	Stratégies recommandées pour aider l'infirmière à surmonter les facteurs de stress liés à son rôle d'enseignante
Manque de temps	Planifier. Établir des objectifs réalistes. Utiliser efficacement le temps avec le client. Répartir les périodes d'enseignement et de pratique en courtes séances.
Manque de connaissances	Accroître les connaissances. Lire, étudier, poser des questions. Sélectionner le matériel d'enseignement, participer à d'autres séances d'enseignement, observer des infirmières-éducatrices plus expérimentées, assister à des cours.
Désaccord avec le client	Établir des objectifs écrits avec la participation du client. Établir un plan et en discuter avec le client avant de commencer l'enseignement. Illustrer les comportements attendus. Demander l'aide des proches. Réviser les attentes ; apprendre à apprécier les petites réalisations.
Impuissance, frustration	Reconnaître ses réactions au stress. Développer un réseau de soutien. S'appuyer sur l'encouragement des amis et de la famille. Joindre un groupe de soutien pour les infirmières. Exprimer ses sentiments, en évitant les plaintes et autres interactions négatives. Améliorer la communication avec les autres professionnels.

fession, la confiance en ses moyens et l'état psychologique.

Âge. L'âge du client influe sur le plan d'enseignement. Par exemple, un homme dans la vingtaine qui n'a jamais pris conscience de sa condition de mortel est parfois incapable d'imaginer les conséquences à long terme d'une habitude malsaine (p. ex. fumer). Il risque de vouloir agir uniquement sur les effets immédiats (p. ex. l'asthme). Une personne âgée aux prises avec des capacités cognitives restreintes peut avoir besoin d'explications simples suivies d'un enseignement spécifique. Bien que l'âge du client soit une information utile lors de la planification de l'enseignement, l'infirmière ne doit pas s'appuyer uniquement sur ce facteur pour orienter son approche. Même si les troubles de l'ouïe et de la vue augmentent avec l'âge, on ne peut pas présumer pour autant que toutes les personnes âgées en sont victimes. C'est pourquoi il est important de considérer les capacités et les besoins cognitifs et physiques de chacun des clients.

Culture. La culture se définit comme un concept de vie « que l'on apprend, partage et transmet symboliquement ». La culture procure un sens et des valeurs à la vie. De nombreux groupes culturels ont des croyances spécifiques reliées à la santé qui peuvent avoir des conséquences sur le plan d'enseignement. La culture étant une chose acquise, on ne peut pas présumer que tous les membres d'un groupe ethnique partageront exactement la même culture. Il est important de ne pas stéréotyper le client ou sa famille.

L'infirmière doit tenir compte de plusieurs éléments. En premier lieu, elle doit bien se connaître et considérer ses connaissances en regard de la culture du client. Si l'infirmière n'est pas sûre du passé culturel d'un client, il est important qu'elle vérifie si ce dernier s'identifie à un groupe culturel. Elle peut également lui demander de partager des croyances que sa culture attribue à la santé et à la maladie. En second lieu, l'infirmière doit être consciente de ses préjugés lorsqu'elle prodigue des soins à un client d'une autre culture. Il peut arriver que l'ethnocentrisme, la tendance à privilégier le groupe social auquel on appartient et à en faire le seul modèle de référence, soit difficile à éviter. L'infirmière doit notamment s'empêcher de se mettre en colère, de rire ou de manifester son étonnement lorsqu'elle est confrontée à des valeurs et à des croyances différentes. En troisième lieu, l'infirmière doit être consciente de l'importance du respect mutuel, qui est fondé sur la connaissance réciproque et qui représente un élément de base de la négociation. Ce respect repose sur l'acceptation de notre condition humaine commune. Il est fort possible que l'infirmière rencontre des clients dont elle n'approuve pas ou ne comprend pas les comportements reliés à la santé. En quatrième lieu, le client a plus de chances de collaborer avec l'infirmière si le plan est approuvé par les deux parties et que ce dernier prend en compte ses valeurs et ses croyances. Toutefois, deux perspectives peuvent s'opposer : celle de l'infirmière, qui a une compréhension de la santé et du problème de santé basée sur la physiologie, et celle du client, dont la compréhension peut être considérablement différente.

Niveau d'instruction. L'infirmière doit favoriser la compréhension du client. Le niveau d'instruction d'une personne peut aider l'infirmière à choisir la documentation appropriée et le vocabulaire à employer. Toutefois, ce choix sous-entend que le client possède un niveau de lecture ou de compréhension comparable à celui de son niveau d'instruction. Il peut être utile d'interroger le client sur son niveau de scolarité, même si ce dernier ne reflète pas toujours les connaissances et la compréhension qu'il possède. Par conséquent, chaque client doit être évalué sur sa capacité de comprendre la documentation fournie.

Capacité de lecture. La documentation écrite est largement utilisée pour renseigner le client et sa famille. Si les documents écrits constituent le principal moyen d'enseignement, la capacité de lecture du client doit être évaluée. Lors d'une étude récente menée auprès de 202 personnes traitées à l'urgence ou dans une clinique sans rendez-vous d'un grand hôpital publique du sud-est des États-Unis, il a été démontré qu'environ 42 % des clients interrogés possédaient un taux d'alphabétisation fonctionnelle précaire. Dans cette étude, le faible taux d'alphabétisation était associé à un sentiment de honte. Ce sentiment de honte diminuait la probabilité que la personne admette ses problèmes de lecture ou qu'elle veuille suivre un cours. D'autres facteurs peuvent diminuer la capacité de lecture, comme une acuité visuelle faible, une vue qui se détériore et le fait de refuser de porter des lunettes ou des verres de contact. Lorsqu'un client possède un faible niveau d'alphabétisation ou est incapable de lire, un membre de la famille ou une personne de soutien peut l'aider.

Capacités cognitives. Une fonction cognitive altérée peut réduire la capacité de lire et de comprendre les instructions verbales. Certaines personnes peuvent être tout simplement trop malades ou éprouver une trop grande douleur pour se concentrer. L'infirmière peut en juger en posant une question comme « Aimez-vous lire ? » et en obtenant une réponse comme « Oui, mais j'ai si mal à la tête aujourd'hui que je n'arrive pas à me concentrer sur la page » ou « Non, vraiment pas. »

Profession. Le fait de connaître la profession actuelle ou antérieure d'un client peut aider l'infirmière dans le choix de son vocabulaire au cours de l'enseignement. Par exemple, un mécanicien automobile peut comprendre la surcharge de volume associée à l'insuffisance cardiaque si l'infirmière fait une analogie avec un moteur noyé qui ne peut pas fonctionner à sa pleine capacité. Bien qu'elle requiert de la créativité de la part de l'infirmière, cette technique d'enseignement peut faciliter la compréhension du client lorsque l'enseignement porte sur des notions de physiopathologie avancées.

Sentiment d'autoefficacité. La maladie pose de nombreux défis pour le client. Adopter de nouveaux comportements sains et abandonner ceux qui sont malsains représentent des tâches difficiles pour la plupart des clients. Le sentiment d'autoefficacité que le client éprouve joue un rôle crucial dans l'adoption de nouveaux comportements. L'**autoefficacité** correspond à la croyance qu'une personne a en sa capacité de comprendre et de suivre un traitement, un conseil ou une recommandation. Il a été démontré que des sujets atteints de coronaropathie et ayant un sentiment puissant d'autoefficacité observaient leur traitement et leur programme d'exercices. Il est possible d'améliorer l'autoefficacité chez certains clients au moyen de techniques comme la répétition de nouveaux comportements (jeu de rôle) et l'apprentissage avec des pairs.

État psychologique. L'anxiété et la dépression sont des réactions courantes à la maladie. L'anxiété peut être causée par une sensation de perte de maîtrise ou par les perturbations potentielles qu'entraînera la maladie. Il est bien connu que l'anxiété et la dépression engendrent une incapacité fonctionnelle et une diminution de la qualité de vie du client. La dépression à court ou à long terme peut aussi entraver la capacité fonctionnelle. En fait, on a remarqué que la dépression était un facteur de risque indépendant expliquant les mauvais résultats des personnes âgées hospitalisées. Tant l'anxiété que la dépression peut avoir des conséquences néfastes sur la motivation du client et sa réceptivité à apprendre. Par exemple, un client diabétique qui a récemment appris son diagnostic et qui est déprimé n'est pas toujours apte à apprendre à mesurer son taux de glycémie. Des discussions avec le client ou une mise en contact avec un groupe de soutien sont des mesures utilisées pour améliorer la capacité d'apprentissage. L'espoir est un autre facteur psychologique qui influe sur l'enseignement. L'espoir peut avoir un effet positif sur la réceptivité du client à apprendre et à se conformer aux consignes. L'infirmière doit donc promouvoir ce sentiment au moyen de la communication verbale et non verbale et de l'écoute empathique et en encourageant la confiance en ses capacités.

Le déni est un mécanisme de défense simple et courant utilisé pour s'adapter au stress. En situation de stress, ce sentiment déforme ce que la personne voit, pense, sent ou perçoit. Par exemple, le client qui nie avoir un cancer ne sera pas réceptif à l'information relative aux choix de traitement.

La rationalisation est une autre réaction psychologique au stress qui peut modifier l'apprentissage. Le client trouve nombre de raisons qui justifient son rejet du changement ou son refus des conseils. Par exemple, un client qui veut continuer de manger des aliments à haute teneur en gras saturés racontera qu'il connaît des personnes qui ont mangé des œufs et du bacon tous les matins pendant des années et qui ont vécu jusqu'à cent ans.

Certains clients se servent de l'humour pour filtrer ou fuir la réalité. Traiter une situation à la légère empêche de voir la réalité. Le rire est parfois employé pour échapper aux situations menaçantes ou dissimuler l'anxiété qu'elles génèrent. Bien que l'humour soit nécessaire, l'infirmière doit être consciente que cette forme d'esprit peut parfois masquer les inquiétudes du client ou de la famille relatives au problème de santé.

1.5.3 Soutien familial et social

Qu'est-ce qui définit une famille ? Traditionnellement, la famille consistait en un foyer dans lequel une mère, un père et des enfants vivaient ensemble. Aujourd'hui, les variations autour de cette structure sont nombreuses et comprennent les foyers monoparentaux, les couples sans enfants, les enfants vivant avec les grands-parents et les couples de même sexe. Le dénominateur commun à tous ces groupes est le lien étroit de parenté, qu'il soit d'origine biologique ou psychologique, qui unit les membres de la famille. La famille revêt un rôle crucial pour le bien-être physique, psychologique et spirituel du client. Les plans d'enseignement font souvent appel aux membres spécifiques de la famille.

Dans le modèle de soutien familial (voir figure 1.5), le bien-être ultime du client réside dans sa capacité à prendre soin de lui-même à l'intérieur de structures de soutien formelles et informelles. Le bien-être de la personne dépend du soutien de la famille, des ressources communautaires et du système de soins de santé. Le soutien procuré par la cellule familiale influe grandement sur la santé du client. Des études ont montré que le fait d'avoir peu de soutien affectif ou de vivre seul augmente le taux de mortalité au cours des six mois suivant un infarctus du myocarde. Il est donc possible d'améliorer les résultats à long terme en décelant les clients qui bénéficient de peu de soutien familial et en établissant des réseaux de soutien en collaboration avec d'autres professionnels de la santé.

Les besoins d'apprentissage du client et de sa famille peuvent différer et l'infirmière doit en tenir compte lors de la collecte de données. Par exemple, la priorité pour

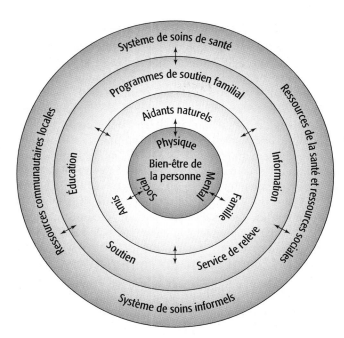

FIGURE 1.5 Modèle de soutien familial

un client diabétique âgé ayant un ulcère majeur derrière la jambe serait d'apprendre à se lever d'une chaise en éprouvant le moins de douleur possible. Par contre, pour les membres de la famille, la priorité serait d'apprendre la technique adéquate de changement des pansements. Les besoins d'apprentissage du client, de même que ceux de la famille sont importants. Le client et la famille peuvent avoir des points de vue différents ou conflictuels quant à la maladie et aux choix de traitement. Il arrive souvent que le problème de santé ait des répercussions sur les rôles et les fonctions de la famille. L'infirmière doit cibler les besoins du client dans le contexte des besoins de la famille. Par exemple, même si l'infirmière renseigne une cliente atteinte d'insuffisance rénale sur la façon de préparer un repas à faible teneur en potassium, elle peut l'accueillir à l'urgence trois jours après son départ de l'hôpital avec un taux de potassium sérique dangereusement élevé. Par le biais du questionnaire d'admission, l'infirmière apprend que c'est principalement son mari qui fait la cuisine et qu'il n'a pas reçu l'information.

1.6 FACTEURS CONTRIBUANT À FAVORISER L'APPRENTISSAGE CHEZ LES ADULTES

1.6.1 Respect

Le respect est un élément fondamental de l'apprentissage des adultes. L'adulte prend les décisions qui le concernent. L'apprentissage est renforcé lorsque l'infirmière établit une relation de confiance avec le client. Le client se sentira valorisé et sera davantage disposé à apprendre. Le respect envers le client peut se démontrer en posant la question suivante : « Que croyez-vous avoir besoin d'apprendre sur ce sujet ? » En agissant ainsi, l'infirmière prend en considération les commentaires du client et le fait intervenir.

L'infirmière, le client et la famille doivent discuter des résultats escomptés et s'entendre sur ces derniers. Par exemple, l'infirmière qui prodigue des soins postopératoires à un client ayant subi une résection du colon et une colostomie pourrait demander au client ce qu'il croit avoir besoin de savoir avant de quitter l'hôpital. Elle peut également demander au client à quel moment de la journée il préférerait recevoir l'enseignement et quels membres de sa famille il aimerait avoir à ses côtés. En offrant ainsi au client un certain contrôle, l'infirmière accroît le sentiment de responsabilité du client et favorise sa participation à l'enseignement.

Le processus d'apprentissage sera renforcé si l'enseignement repose sur l'expérience de vie du client. Le client sera davantage motivé à apprendre s'il sent qu'il connaît déjà quelque chose sur le sujet. L'infirmière doit se rappeler que les nouvelles expériences peuvent être menaçantes. En trouvant un sujet familier, l'infirmière contribue à établir un sentiment de confiance chez le client.

1.6.2 Pertinence

Le deuxième facteur qui contribue au succès de l'enseignement est la pertinence du contenu. L'adulte apprend et se souvient de ce qu'il perçoit être utile et pertinent. L'infirmière doit donc choisir la documentation qui est directement reliée aux besoins du client ou de la famille.

Il y aura des moments où le client critiquera la pertinence d'un sujet. Cette réaction pourra alors faire l'objet d'une discussion entre l'infirmière et le client. Par exemple, enseigner avant l'intervention chirurgicale comment utiliser un appareil de spirométrie pour réduire les risques de pneumonie postopératoire peut sembler superflu au client. De nombreux clients ne comprennent pas que l'immobilité après une intervention chirurgicale peut les prédisposer à l'atélectasie ou à une pneumonie. Les éléments suivants peuvent aider l'infirmière à renforcer la pertinence d'un sujet : axer l'enseignement sur des connaissances antérieures ; organiser le contenu et le présenter dans un ordre logique, c'est-à-dire du plus simple au plus complexe ; présenter une image chaleureuse, attentionnée et non menaçante au client ; utiliser une communication verbale et non verbale positive et qui manifeste du soutien ; procurer fréquemment des occasions de valoriser le client. Le client qui se rend compte qu'il apprend et qu'il réussit est très motivé à apprendre davantage. Une expérience positive aide à surmonter la peur de l'échec, laquelle constitue un blocage à l'apprentissage chez de nombreux adultes.

L'infirmière doit utiliser de la documentation écrite ou audiovisuelle ciblant des circonstances ou des problèmes particuliers. L'information et les démonstrations doivent être simplifiées et se limiter aux éléments nécessaires. Même si l'infirmière est experte en matière de santé et de problèmes de santé, elle doit s'abstenir d'accabler le client avec une surcharge d'information sur un sujet. Autrement, le client risque d'être incapable de discerner l'information essentielle à sa situation.

1.6.3 Immédiateté

Le troisième facteur qui contribue à la réussite de l'enseignement chez l'adulte est le besoin de concrétiser l'apprentissage dans l'immédiat. Les objectifs à long terme peuvent avoir peu d'attrait. L'infirmière doit donc élaborer des objectifs réalistes atteignables à court terme. Par exemple, le client atteint d'insuffisance cardiaque doit suivre l'évolution de son poids en se pesant tous les jours et prendre les diurétiques prescrits. Ces comportements ont pour conséquence de prévenir l'essoufflement et de réduire les risques d'hospitalisation en cas d'insuffisance cardiaque. L'infirmière doit renseigner le client de façon à ce que celui-ci puisse apprécier la pertinence de l'information. En général, l'adulte apprend davantage lorsque la matière enseignée est accompagnée d'explications fournies de manière persuasive plutôt que directive.

1.6.4 Milieu d'apprentissage

Le milieu joue également un rôle dans l'apprentissage. À partir de son admission à l'hôpital jusqu'à son départ, parfois avant même d'avoir terminé la collecte de données initiale, l'infirmière doit établir un sentiment de confiance, de respect et de soutien. Le client apprend davantage dans un milieu chaleureux et confortable et lorsque la relation dégage de l'empathie. L'infirmière doit également tenir compte du milieu physique. Comme les distractions peuvent réduire l'efficacité de l'enseignement et de l'apprentissage, l'infirmière doit éliminer ou régler le bruit, l'éclairage, l'aération et atténuer les odeurs et éviter les distractions visuelles causées par les passants, le téléviseur et la radio.

1.6.5 Changement de comportement

Il est possible que le client et sa famille doivent franchir plusieurs étapes avant de pouvoir ou de vouloir accepter de modifier un comportement en matière de santé. Le changement de comportement suit une évolution qui comporte six étapes (**préréflexion, réflexion, préparation, action, consolidation, rechute**) décrites au tableau 1.3. Il est important de noter que chaque personne franchit ces étapes à son propre rythme. Certains clients peuvent bloquer lors des premières étapes et avoir besoin d'aide pour progresser. La récidive, ou rechute, est un autre problème lié au changement de comportement en matière de santé. Le fait de comprendre ces étapes permettra à l'infirmière de mieux orienter le client qui désire modifier un comportement.

TABLEAU 1.3	Étapes du changement	
Étape	**Comportements du client**	**Interventions de l'infirmière**
Préréflexion	Refuse de voir qu'il doit faire un changement.	Procure un soutien au client. Ne harcèle pas le client. Explore les besoins liés au comportement à modifier (p. ex. besoins liés à l'usage du tabac)
Réflexion	Songe à changer un comportement.	Décrit les résultats positifs. Procure de l'encouragement, de l'information et du soutien.
Préparation	Montre un intérêt actif, recueille de l'information. Ouvert aux conseils et réfléchit à la façon d'opérer un changement.	Aide le client ou la famille en l'encourageant, en exprimant sa confiance, en soulignant les progrès accomplis. Conçoit avec le client des stratégies pour parvenir au changement.
Action	Met en application de nouveaux comportements. Doit surmonter les situations à risque de rechute.	Encourage et procure de l'information. Établit un plan visant à aborder les rechutes possibles.
Consolidation	Incorpore le nouveau comportement dans sa vie.	Procure un soutien, renforce les acquis.
Rechute	Se sent coupable et découragé, ressent une baisse de motivation.	Félicite le client pour les périodes où les comportements désirés ont été maintenus, soutient et rassure le client, explore les facteurs de rechute et les solutions possibles.

Tiré de Levasseur et Lommy (2003) d'après le modèle de Prochaska J. et autres. *Changing for good*, New York, William Morrow, © 1994. Reproduit avec la permission de William Morrow & Co., Inc.

1.7 PROCESSUS D'ENSEIGNEMENT

Le processus d'enseignement se compare à l'assemblage d'un très grand casse-tête. On examine d'abord chacun des morceaux (collecte de données), on planifie sa réalisation (plan d'enseignement), puis on positionne les morceaux (exécution de l'enseignement) et, finalement, on évalue le résultat.

1.7.1 Collecte de données

La collecte de données est un processus au cours duquel l'infirmière recueille les renseignements pertinents sur le client dans le but de dresser un plan d'enseignement. La collecte comprend l'information concernant la réceptivité du client (face à l'apprentissage), ainsi que ses caractéristiques physiques, psychologiques, socioéconomiques et socioculturelles. Cette étape peut également servir à vérifier les capacités d'un membre de la famille ou d'un aidant naturel qui dispensera des soins à domicile. Plus l'information recueillie par l'infirmière est complète, plus son plan d'enseignement aura des chances d'être efficace. Le tableau 1.4 énumère des questions susceptibles de servir à recueillir l'information pertinente en vue d'une planification de l'enseignement. Puisqu'un changement se déroule en plusieurs étapes ou phases (voir tableau 1.3), l'infirmière doit d'abord déterminer dans quelle phase se situe le client. Une telle information aide l'infirmière à cibler le plan d'enseignement qui convient le mieux au client.

Caractéristiques physiques. L'infirmière évalue d'abord l'état de santé physique et mentale du client. Les réponses du client serviront à élaborer le plan d'enseignement et à déterminer le moment opportun de son exécution. Par exemple, un client handicapé visuel qui reçoit uniquement des directives écrites quant à sa pharmacothérapie risque de ne pas les comprendre et de ne pas se conformer à la posologie.

Les troubles sensoriels, comme une perte auditive ou visuelle, altèrent la réceptivité sensorielle et peuvent limiter les capacités du client à apprendre. L'apprentissage requiert un fonctionnement adéquat du système nerveux central (SNC). Par conséquent, le client chez qui le fonctionnement du SNC est perturbé par un état pathologique, comme un accident vasculaire cérébral ou un traumatisme du système nerveux, peut avoir besoin qu'on répète fréquemment l'information, même si elle est donnée en petite quantité. Il est important de reconnaître les capacités et les limites physiques du client.

TABLEAU 1.4	Évaluation des caractéristiques qui influent sur l'enseignement à la clientèle
Caractéristiques	**Questions clés**
Réceptivité à apprendre	Que vous a dit votre médecin ou l'infirmière sur votre problème de santé? Quels comportements pourraient améliorer ou aggraver votre problème?
Physiques	Quel est le diagnostic principal? Y a-t-il des diagnostics secondaires? Le client est-il gravement malade? Quel est l'âge du client? Quel est l'état de santé mentale actuel du client? Quelles sont les capacités auditive, visuelle et motrice du client? Le client souffre-t-il d'épuisement? de douleurs? Quels médicaments le client prend-il? De quelle manière ceux-ci peuvent-ils modifier l'apprentissage?
Psychologiques	Le client semble-t-il anxieux, craintif, déprimé, sur la défensive? Le client est-il dans un état de déni?
Socioculturelles	Le client a-t-il une famille ou de bons amis? Quelles sont les croyances du client en ce qui a trait à sa maladie ou à son traitement? Le changement proposé est-il compatible avec les valeurs culturelles du client?
Socioéconomiques	Le client travaille-t-il? Quelle est la profession du client? Quelles sont les conditions de logement du client?
Mode d'apprentissage	Le client apprend-il mieux par des stimuli visuels (lecture), auditifs (audiocassette ou exposé) ou kinesthésiques (démonstration)? Quel est le milieu qui convient le mieux à l'apprentissage du client? Classe formelle, milieu informel, comme à la maison ou au bureau, seul ou avec des pairs? Quelles sont les expériences d'apprentissage qui se sont avérées utiles?

La douleur et la fatigue influent également sur la capacité d'apprentissage du client. Personne ne peut apprendre efficacement en présence de grande douleur. Lorsque le client souffre, l'infirmière doit d'abord tenter de soulager sa douleur, abréger les explications et poursuivre par la suite. La quantité d'énergie du client est également une variable importante. Incapable de se concentrer, un client fatigué et faible ne peut pas apprendre efficacement. Le client hospitalisé ou aux prises avec un problème de santé grave a souvent le sommeil perturbé, ce qui peut nuire à sa capacité de concentration. Autrefois, les séjours à l'hôpital étaient longs si bien que le client pouvait mieux se rétablir et retrouver ses forces avant de rentrer chez lui. Or, il n'en est plus ainsi. Les séjours de courte durée étant de plus en plus courants, il arrive que le client se trouve encore fatigué et épuisé au moment de quitter l'hôpital. L'infirmière doit donc tenir compte de ce facteur dans son plan d'enseignement et établir des objectifs réalistes fondés sur les besoins du client.

Les médicaments peuvent également avoir des effets sur la capacité du client à retenir l'information. Par exemple, les barbituriques, les tranquillisants et les analgésiques narcotiques entraînent de la somnolence et une diminution générale de la vivacité d'esprit. De nombreux agents chimiothérapeutiques provoquent des nausées, des vomissements et des céphalées, qui peuvent perturber la capacité du client à assimiler la nouvelle information.

L'évaluation de l'état physiologique du client comprend une vérification du dossier actuel ou antérieur afin de connaître les antécédents médicaux, les diagnostics médicaux actuels, le plan de soins, les médicaments et les résultats escomptés. Le dossier peut également décrire l'état fonctionnel du client. Les autres personnes soignantes et les membres de la famille sont aussi des sources d'information.

Il est également important d'évaluer les connaissances du client par rapport au sujet qui fera l'objet d'un enseignement. On évalue le client en posant des questions sur son problème, ses traitements et ses médicaments, l'origine de l'information qu'il détient déjà et les ressources qui pourront le renseigner.

Caractéristiques psychologiques. La dimension psychologique du client doit être étudiée. L'infirmière doit évaluer l'humeur du client. Bien qu'une légère anxiété puisse accroître les capacités sensorielles du client, l'anxiété grave diminue toutefois les capacités d'apprentissage.

D'autres variables psychologiques telles que le sentiment d'autoefficacité, l'espoir, le déni et la rationalisation (voir section 1.5.2 sous État psychologique) peuvent influencer l'apprentissage. Les traits de personnalité peuvent également avoir des conséquences sur l'apprentissage. Certaines personnes s'acclimateront facilement

à la maladie et au traitement dans un système de soins de santé complexe, structuré et multidisciplinaire, alors qu'il en sera autrement pour d'autres.

Caractéristiques socioculturelles et socioéconomiques. Le réseau social et culturel du client doit également être évalué puisqu'il modifie la perception que le client a de la santé, des problèmes de santé, du système de soins de santé, de la vie et de la mort. Par le fait même, le réseau social et culturel influe donc sur l'apprentissage. Les éléments socioéconomiques de cette influence comprennent la profession, le niveau d'instruction, le revenu, les conditions de logement et le lieu d'habitation (rural, urbain, etc.). Les éléments socioculturels comprennent les habitudes alimentaires, les habitudes de sommeil, l'exercice, la sexualité, la langue, les valeurs et les croyances. Toutes ces variables façonnent en partie la façon dont le client réagit à l'enseignement. Par exemple, on peut suggérer à une cliente qui valorise une taille svelte de suivre un régime et un programme d'exercice afin de conserver sa taille tout en réduisant sa tension artérielle. Par contre, il existe des cultures pour lesquelles être « plantureuse » est sexuellement attirant, en plus d'être un signe de richesse. Un client influencé par une telle culture pourrait éprouver davantage de difficulté à accepter un régime et un programme d'exercice.

L'apprentissage est étroitement lié à la culture générale du client et à la culture à laquelle il appartient. L'hygiène de vie, les croyances et les comportements varient selon l'appartenance religieuse, ethnique et familiale. Au moment d'élaborer le plan d'enseignement, l'infirmière doit être en mesure de tenir compte du passé culturel d'un client, bien que cette information ne soit pas toujours accessible. Les influences sociales et culturelles sur la santé et la maladie sont souvent subtiles. En observant les interactions verbales et non verbales entre le client, les membres de la famille et ses amis, l'infirmière est parfois en mesure de déceler des indices sur ses pratiques et ses croyances. Par exemple, une femme d'âge moyen, ayant un revenu supérieur, peut appartenir à un groupe culturel pour lequel la prise de médicaments est bien perçue ; par contre, elle peut refuser d'apprendre à s'autoadministrer une injection. L'infirmière sera donc tenue d'adopter une approche holistique lorsqu'elle évalue l'attitude de cette cliente vis-à-vis de la situation. Le plan d'enseignement devrait viser un changement d'attitude de la cliente et comprendre des mesures qui l'aideront à intégrer l'autoadministration de l'injection à son mode de vie.

Mode d'apprentissage. L'infirmière doit évaluer le **mode d'apprentissage** du client. Chacun possède son propre mode d'apprentissage. La façon dont les gens apprennent est catégorisée en trois modes : visuel (regarder); auditif (écouter); kinesthésique (apprentissage actif). Il est fréquent qu'une personne fasse appel à plus d'un mode d'apprentissage.

En s'appuyant sur l'information de la collecte de données, l'infirmière peut, par exemple, cerner le diagnostic infirmier « connaissances insuffisantes ». Un client dans cette situation manque d'information ou se montre incapable d'expliquer ses connaissances sur un sujet donné. Lorsqu'un problème semblable est décelé, il est important d'en spécifier la nature exacte de manière à modifier les objectifs, les stratégies, l'enseignement et l'évaluation en conséquence. Par exemple, des connaissances insuffisantes et des troubles de mémoire reliés à un symptôme de surdose de médicaments ralentissent l'apprentissage du client et orientent, par conséquent, l'enseignement de l'infirmière.

1.7.2 Planification

Après la collecte de renseignements détaillés sur le client, la deuxième étape du processus d'enseignement consiste à établir les objectifs pour l'apprenant et à planifier l'enseignement. On compare ce que le client sait, croit et est capable de faire à ce qu'il a besoin de savoir, de comprendre et de pouvoir faire. En distinguant ce qui est connu de ce qui ne l'est pas, l'infirmière sera en mesure de mieux circonscrire son enseignement.

Généralement, les personnes semblent davantage s'engager dans une activité et prennent plus facilement une décision lorsqu'elles y prennent une part active. Le client et l'infirmière doivent donc convenir mutuellement des objectifs d'apprentissage. Si l'état physique ou psychologique du client est tel qu'il ne peut participer activement, l'infirmière peut faire appel à un membre de la famille ou à un proche pour l'aider dans la planification.

Il est important d'écrire des objectifs d'apprentissage clairs, précis et mesurables. Les objectifs d'apprentissage doivent décrire le résultat escompté, orienter le choix des stratégies et du matériel d'enseignement et permettre d'évaluer les progrès du client et de l'enseignant. Les objectifs doivent être écrits et facilement accessibles à tous les membres de l'équipe soignante.

Rédaction d'objectifs d'apprentissage spécifiques. Les objectifs d'apprentissage sont des déclarations écrites définissant exactement ce que le client doit être capable de faire pour démontrer sa maîtrise des connaissances apprises. Un objectif d'apprentissage doit comprendre les quatre éléments suivants :
- Qui exécutera l'activité ou acquerra le comportement désiré.
  Exemples : Le client expliquera...
  Le conjoint de Mme Denis nommera...
  La famille de M. Foucault décrira...

- Le comportement dont l'apprenant fera preuve afin de démontrer la maîtrise de l'objectif.
  Exemples : Énumérer les symptômes
  S'auto-injecter de l'insuline
  Choisir des aliments sur un menu d'hôpital
- Les conditions dans lesquelles le comportement doit être démontré.
  Exemples : Devant l'infirmière
  Au centre d'accueil
  À partir d'une liste aléatoire
  À partir d'un menu de restaurant
- Les critères spécifiques auxquels on fera appel pour mesurer la réussite du client, tels que le temps et le degré de précision.
  Exemples : Avec une précision de 100 %
  En démontrant une technique appropriée
  D'ici deux jours

Il est à noter que les objectifs d'apprentissage bien rédigés sont précis et laissent peu de place à l'interprétation. Lorsqu'elle rédige les objectifs, l'infirmière doit utiliser des verbes d'action comme « établir », « énumérer », « décrire », « démontrer », « nommer », « reconnaître » et « comparer et différencier » et éviter les termes qui ont un sens vague et ambigu comme « apprécier », « apprendre », « comprendre », « goûter », « sentir » ou « valoriser ».

Un exemple d'un objectif d'apprentissage mal rédigé serait « Le client appréciera l'importance des soins des pieds ». Cet objectif ne rend pas clairement la manière dont le client démontrera son « appréciation » de l'importance des soins des pieds, quand et à qui il fera la démonstration de ce comportement ni le critère selon lequel on déterminera si l'objectif a été atteint.

Les énoncés suivants sont des exemples d'objectifs bien rédigés.
- Le client fera la démonstration de la technique adéquate pour changer le sac de colostomie en présence de l'infirmière.
- Le client s'autoadministrera une injection d'insuline sous-cutanée devant l'infirmière en utilisant la technique appropriée.
- Le client choisira, sur le menu de l'hôpital, des aliments lui assurant un apport alimentaire de 2000 mg de sodium pour le déjeuner, le dîner et le souper pendant trois jours consécutifs avec une précision de 90 %.
- À partir d'une liste des symptômes d'insuffisance cardiaque, le client reconnaîtra les premiers symptômes d'insuffisance cardiaque avec une précision de 80 % avant de quitter l'hôpital.

Une fois les objectifs clairement énoncés, le client et l'infirmière dressent le plan d'enseignement. La section suivante expose les grandes lignes de plusieurs stratégies d'enseignement.

1.7.3 Stratégies d'enseignement

L'infirmière, le client et la famille du client doivent choisir la ou les stratégies qui semblent les plus bénéfiques et pertinentes à l'atteinte des objectifs d'apprentissage. Le choix d'une stratégie donnée est déterminé par au moins trois facteurs : les caractéristiques du client (c.-à-d. l'âge, le niveau d'instruction, l'évolution de la maladie, la culture) ; le contenu à enseigner ; les ressources offertes. Le tableau 1.5 présente des stratégies d'enseignement auxquelles l'infirmière pourra recourir pour atteindre les objectifs d'apprentissage du client. Chacune d'entre elles comporte des avantages et des inconvénients selon la situation d'apprentissage donnée. La figure 1.6 présente un exemple de choix de stratégies d'enseignement en fonction du mode d'apprentissage, du niveau d'instruction, de la matière à transmettre et du milieu d'exécution.

La documentation écrite et les logiciels doivent être révisés par l'infirmière avant leur utilisation. Les critères de révision proposés sont les suivants : précision ; intégralité ; concordance avec les objectifs d'apprentissage spécifiques ; vocabulaire et longueur des phrases en fonction de la capacité de lecture du client ; présence d'images et de diagrammes pour stimuler l'intérêt ; présence d'une seule idée maîtresse ou d'un seul concept par brochure ou graphique ; terminologie compréhensible pour le client ; matériel jugé intéressant par le client ; matériel approprié à la culture et au sexe du client. L'infirmière doit se rappeler que le client peut avoir une capacité visuelle réduite et doit, par conséquent, procurer un environnement propice à la lecture (éclairage adéquat, gros caractères, éblouissement minimal) et à l'écoute (parler clairement, faire face au client, augmenter légèrement le volume de la voix).

FIGURE 1.7 L'infirmière agit à titre de facilitatrice au sein d'un petit groupe de discussion.

La figure 1.8 illustre une infirmière qui choisit les activités et le matériel d'apprentissage conjointement avec le client.

1.7.4 Exécution

C'est à la phase de l'exécution que le matériel d'apprentissage est présenté. L'infirmière exploite ses capacités de communication verbales et non verbales pour présenter le contenu. L'écoute active, l'empathie et le respect sont des parties intégrantes du processus. L'infirmière est en mesure d'évaluer la participation du client en se basant sur son état physique et psychologique.

Il est important que l'infirmière se souvienne des facteurs qui favorisent la réussite de l'apprentissage chez l'adulte, soit le respect, la pertinence et l'immédiateté. L'encadré 1.5 présente des moyens visant à favoriser de bonnes conditions d'apprentissage.

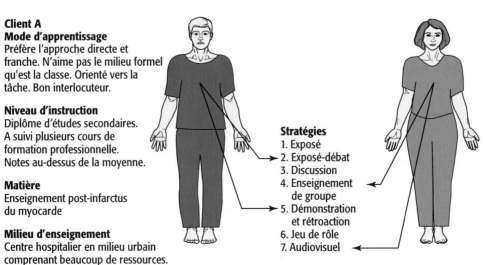

Client A
Mode d'apprentissage
Préfère l'approche directe et franche. N'aime pas le milieu formel qu'est la classe. Orienté vers la tâche. Bon interlocuteur.

Niveau d'instruction
Diplôme d'études secondaires. A suivi plusieurs cours de formation professionnelle. Notes au-dessus de la moyenne.

Matière
Enseignement post-infarctus du myocarde

Milieu d'enseignement
Centre hospitalier en milieu urbain comprenant beaucoup de ressources.

Stratégies
1. Exposé
2. Exposé-débat
3. Discussion
4. Enseignement de groupe
5. Démonstration et rétroaction
6. Jeu de rôle
7. Audiovisuel

Client B
Mode d'apprentissage
Travaille bien avec d'autres adultes. Aime échanger des idées. Aime regarder les infovariétés.

Niveau d'instruction
Un an d'études universitaires. Spécialisée en enseignement primaire.

Matière
Auto-examen des seins. La cliente a peur et est déprimée.

Milieu d'enseignement
Salle de réunion dans un centre de ressources communautaires pour les femmes.

FIGURE 1.6 Choix des stratégies d'enseignement

TABLEAU 1.5	Stratégies d'enseignement		
Stratégies	**Particularités**	**Avantages**	**Inconvénients**
Exposé	Présentation des thèmes à une personne ou à un groupe Courte durée (de 15 à 20 minutes) Renforcement visuel souhaitable (tableau, diagramme…)	Efficace, polyvalent, économique	Connotation négative « d'apprentissage scolaire » Apprentissages difficiles à évaluer Passivité du client
Exposé-discussion	Échange de points de vue Prise de décision ou recherche de solution	Participation du client favorisée Atmosphère informelle	
Discussion	Échange de points de vue Prise de décision ou recherche de solution En groupe ou individuel Connaissances préalables souhaitables chez le client	Clarification possible de l'information Participation active du client ou de la famille Apport des expériences et observations personnelles par les clients	Exige du temps Risque d'échec pour certains objectifs
Enseignement de groupe	Échanges libres sur un problème commun (voir figure 1.7) ou Enseignement mutuel comme dans les groupes de soutien : information, partage d'expériences, acceptation des situations, compréhension et conseils utiles sur des problèmes tels le suicide, le cancer…	Efficacité souvent démontrée	
Démonstration et rétroaction	Couramment utilisée pour démontrer le fonctionnement, la procédure, la technique, des solutions ou des habiletés motrices Durée souhaitée : de 15 à 20 minutes	Présentation informelle permettant de définir les termes, de surveiller les réactions du client, de clarifier et de répéter l'information. Démonstration *in situ* de l'apprentissage du client	
Jeu de rôle	Maturité, confiance et souplesse des participants requises Importance de déterminer précisément les situations et les rôles et de créer l'atmosphère requise par les objectifs poursuivis	Exploration des attitudes et des comportements par le client Compréhension des autres personnes et pratique d'habiletés relationnelles Stimulant pour l'infirmière Possibilité de rétroaction et d'évaluation dans l'immédiat	Exige du temps
Matériel audiovisuel (film, affiche…)	Connaissance du matériel requise Conformité nécessaire avec les objectifs visés	Intérêt suscité Sollicitation de plusieurs sens	Entretien des appareils
Documents imprimés	Appoint à d'autres stratégies Style d'apprentissage à considérer Facteurs influençant l'interprétation des documents écrits : niveau d'alphabétisation, culture, expériences antérieures	Abondance des documents	Risque d'incompréhension et d'un manque de pertinence

1

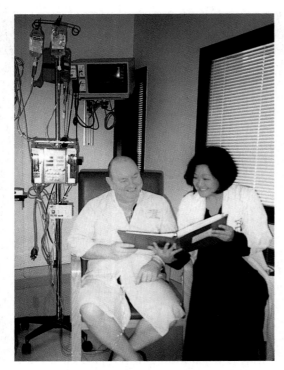

FIGURE 1.8 L'infirmière choisit les activités et le matériel d'apprentissage avec le client.

ENCADRÉ 1.3

Moyens visant à favoriser de bonnes conditions d'apprentissage

- Créer un environnement détendu et non menaçant.
- Déterminer d'abord ce que le client veut apprendre afin d'orienter les activités d'apprentissage.
- Maintenir une attitude respectueuse, chaleureuse et enthousiaste.
- Faire participer le client et la famille au processus ; insister sur la participation active.
- Se servir de l'expérience antérieure du client.
- S'assurer que la matière apprise est pertinente au mode de vie du client et proposer une solution immédiate à un problème.
- Synchroniser les séances d'enseignement en fonction des besoins du client.
- Personnaliser le plan d'enseignement, même si un plan normalisé est utilisé.
- S'efforcer d'aider le client à apprendre au lieu de seulement transmettre la matière. Ne pas raconter, mais expliquer.
- Permettre au client et à la famille de suivre leur propre rythme d'apprentissage.

1.7.5 Évaluation

L'évaluation constitue l'étape finale du processus d'enseignement et sert à mesurer le degré de maîtrise des objectifs d'apprentissage par le client. L'infirmière observe le rendement du client afin d'apporter des modifications au besoin. Elle peut conclure que le client a atteint les objectifs. Cependant, il est possible qu'elle doive remanier le plan d'enseignement si certains objectifs n'ont pas été atteints. Lorsque le client manifeste de nouveaux besoins, l'infirmière doit planifier de nouveaux objectifs, un nouveau contenu et de nouvelles stratégies.

L'évaluation peut être faite à court ou à long terme. L'évaluation à court terme permet d'établir rapidement si le client maîtrise le concept, l'habileté ou le changement de comportement. L'évaluation peut se faire à l'aide d'une des méthodes suivantes :

- Observer le client directement. « Montrez-moi comment vous changez votre pansement. » « Montrez-moi comment vous vous administrez une injection. » Une fois qu'une tâche est maîtrisée, il est très important que l'infirmière confirme l'acquisition de l'habileté au client, puisque c'est une source de motivation.
- Observer les manifestations verbales et non verbales. S'il demande à l'infirmière de répéter les directives, pose des questions, hoche la tête, perd le contact visuel, s'affaisse ou se laisse tomber dans le fauteuil ou dans le lit, devient nerveux ou agité ou encore exprime un doute quant à la compréhension, le client indique qu'il a besoin de directives supplémentaires ou d'une autre approche.
- Poser des questions directes. « Quels sont les principaux groupes alimentaires ? » « À quel intervalle devez-vous changer votre pansement ? » « Que devez-vous faire si vous ressentez une douleur à la poitrine après le retour à la maison ? » Les questions ouvertes permettent davantage de vérifier la compréhension du client.
- Utiliser un outil de mesure écrit. Les tests écrits peuvent accroître l'anxiété du client. Certains adultes figent lorsqu'on leur demande de faire un test ou ont un trou de mémoire lorsqu'on leur demande d'écrire quelque chose qui sera noté. C'est la raison pour laquelle il est important d'évaluer l'aisance du client ou son mode d'apprentissage avant d'utiliser cette méthode d'évaluation.
- Parler avec un membre de la famille du client ou du réseau de soutien. « Mange-t-il régulièrement ? » « Comment manipule-t-il le déambulateur ? » « À quel moment prend-il ses médicaments ? » Comme l'infirmière n'est pas au chevet du client 24 heures sur 24, elle peut questionner les autres personnes qui sont en contact avec le client.
- Demander au client de faire sa propre évaluation des progrès accomplis. Quels comportements indiquent

au client que les objectifs sont atteints ? Comment le client se sent-il ? Confiant ou incertain ? Craintif ou prêt à aborder une nouvelle matière ? L'infirmière ne doit pas oublier que le sentiment d'être maître de la situation est un facteur crucial dans l'apprentissage des adultes. En demandant l'avis du client, l'infirmière lui permet ainsi de participer à l'évaluation.

Ces méthodes d'évaluation à court terme sont interchangeables et peuvent être employées fréquemment. L'évaluation à long terme exige un suivi de la part de l'infirmière. L'infirmière doit convenir d'une série de rendez-vous avec le client avant qu'il ne quitte l'hôpital ou la clinique ; sinon, elle doit l'orienter vers l'organisme approprié. Elle doit conserver la documentation écrite des suivis d'appels téléphoniques ou de rappels acheminés par courrier, qui remémorent au client ses visites de suivi. La famille du client ou la personne de soutien doit être au courant du plan de suivi afin qu'elle puisse participer au progrès à long terme du client.

L'infirmière doit prendre l'initiative de contacter les personnes ou les organismes qui participent au suivi à long terme du client. Elle doit communiquer avec ces professionnels de la santé et leur fournir le plan d'enseignement, incluant les objectifs d'apprentissages, les stratégies d'enseignement et les mesures d'évaluation à court terme. Ces renseignements doivent être notés dans le dossier médical du client pour un usage ultérieur.

La documentation est une composante essentielle du processus d'enseignement. L'infirmière doit noter toute l'information, à partir de la collecte de données jusqu'aux résultats d'évaluation à court terme et à long terme. Cette documentation doit être acheminée à l'établissement de santé ou au professionnel de la santé qui sera chargé du suivi à long terme.

Le plan d'enseignement normalisé, souvent compris dans les plans d'intervention et les suivis systématiques, ou le plan de traitement représente de nos jours une méthode reconnue pour établir un plan d'enseignement. Ces plans renferment les connaissances fondamentales que le client et la famille doivent maîtriser relativement à un diagnostic ou à une intervention spécifique, ainsi que la compréhension qu'ils doivent atteindre et les habiletés dont ils doivent faire preuve. L'infirmière doit personnaliser ces plans afin de satisfaire les besoins spécifiques de chaque client.

MOTS CLÉS

Populations vulnérables 7
États chroniques 9
Prise en charge 10
Participation du client. 10
Partenariat. 10
Continuum de soins 11
Soins de courte durée 12
Soins critiques. 12
Soins intermédiaires 12
Soins généraux 12
Réadaptation fonctionnelle intensive 12
Soins de longue durée 13
Soins à domicile 14
Soins ambulatoires 18
Soins palliatifs 19
Approche axée sur la conformité 21
Approche axée sur l'autonomie. 21
Autoefficacité 24
Préréflexion 26
Réflexion 26
Préparation 26
Action 26
Consolidation 26
Rechute 26
Mode d'apprentissage 28

BIBLIOGRAPHIE
Version originale

1. Zander K: Responsive restructuring. IV. Care management and case management, *New Definition* 9:1, 1994.
2. *Standards of home health nursing practice,* Kansas City, Mo, 1986, American Nurses' Association.
3. Molloy SP: Defining case management, *Home Health Nurse* 12:51, 1994.
4. Stanhope M, Lancaster J: *Community health nursing: process and practice for promoting health,* ed 4, St. Louis, 1996, Mosby.
5. Jones AM, Foster N: Transitional care: bridging the gap, *Medsurg Nurs* 6:32, 1997.
6. American Health Care Association: Consumer information. In the American Health Care Association, 1997. Available Internet http://www.ahca.org
7. American Association of Homes and Services for the Aging: Consumer information. In the American Association of Homes and Services for the Aging, 1997. Available Internet http://www.aahsa.org
8. National Association for Home Care: Basic statistics about home care 1996. In the National Association for Home Care Consumer Information, 1997. Available Internet http://www.nahc.org
9. National Association for Home Health Care: *A providers guide to a Medicare home health certification process,* ed 3, Washington, DC, 1994, National Association for Home Health Care.
10. Marosy JP: Assisted living: opportunities for partnerships in caring, *Caring* 16:72, 1997.
11. Mosby: *Mosby's home health nursing pocket consultant,* St. Louis, 1995, Mosby.
12. Zang SM, Bailey NC: *Home care manual: making the transition,* Philadelphia, 1997, Lippincott.
13. United States Department of Health and Human Services: Health United States 1995, Hyattsville, Md, 1996, Public Health Service.
14. Humphrey CJ, Milone-Nuzzo P: *Home care nursing. An orientation to practice,* Norwalk, Conn, 1991, Appleton & Lange.
15. Allen S: Medicare case management, *Home Healthc Nurse* 12:21, 1994.
16. Benefield LE: Making the transitions to home care nursing, *AJN* 96:47, 1996.
17. O'Neill ES, Pennington EA: Preparing acute care nurses for community-based care, *NSHC: Perspectives on Community* 17:62, 1996.
18. Rice R: *Home health nursing practice: concepts and application,* ed 2, St. Louis, 1996, Mosby.
19. United States Department of Health and Human Services, Health Care Financing Administration: Medicare and Medicaid programs; review of the conditions of participation for home health agencies and the use of the outcomes and assessment information set (OASIS) as part of the revised conditions of participation for home health agencies, *Federal Register* (62)46:11004, 1997.

20. National Hospice Organization: Hospice facts sheet. In the National Hospice Organization, 1997. Available Internet http://www.nho.org
21. National Association for Home Care. Hospice facts and statistics 1996. In the National Association for Home Care Consumer Information, 1997. Available Internet http://www.nahc.org
22. *Comprehensive accreditation manual for hospitals,* Oakbrook Terrace, Ill, 1997, Joint Commission on Accreditation of Healthcare Organizations.
23. Feste C, Anderson RM: Empowerment: from philosophy to practice, *Patient Educ Couns* 26:139, 1995.
24. Winthrop E: *Patient teaching tips,* St Louis, 1995, Mosby.
25. Stewart J: *Bridges not walls,* Mass, 1982, Addison-Wesley.
26. Chrisman N: The multicultural challenge, *J Multicult Nurs Health* 1:6, 1995.
27. Chachkes E, Christ G: Cross cultural issues in patient education, *Patient Educ Couns* 27:13, 1996.
28. Parikh NS and others: Shame and health literacy: the unspoken connection, *Patient Educ Couns* 27:33, 1996.
29. Platnikoff RC, Higgenbotham N: Predicting low-fat intentions and behaviors for the prevention of coronary artery disease, *Psychol Health* 10:397, 1995.
30. Ewart CK and others: Self-efficacy mediates strength gains during circuit training in men with coronary artery disease, *Med Sci Sports Exer* 18:531, 1986.
31. Covinsky KE and others: Relation between symptoms of depression and health status outcomes in acutely ill hospitalized older persons, *Ann Intern Med,* 126:417, 1997.
32. Grieco AJ: The importance of the family in patient education and care, *Patient Educ Couns* 27:1, 1996.
33. Bailey KG, Wood HE, Nava GR: What do clients want? Role of psychological kinship in professional helping, *Patient Educ Couns* 2:125, 1992.
34. Boise L, Heagerty B, Eskenazi: Facing chronic illness: The family support model and its benefits, *Patient Educ Couns* 27:75, 1996.
35. Berkman LF, Leo-Summers L, Hoewitz RI: Emotional support and survival after myocardial infarction, *Ann Intern Med,* 117:1003, 1992.
36. Case RB, Modd AJ, Case N, McDemott M, Eberly S: Living alone after myocardial infarction, *JAMA* 267:515, 1992.
37. Vella J: *Learning to listen, learning to teach,* San Francisco, 1994, Jossey-Bass.
38. Prochaska J, Norcross J, Declemente C: *Changing for good,* New York, 1994, William Morrow.
39. Katz JR: Providing effective patient teaching, *AJN* 97:33, 1997.
40. Hussey LC: Strategies for effective patient education material design, *J Cardiovasc Nurs* 11:37, 1997
41. Redman BK: *The practice of patient education,* St Louis, 1997, Mosby.

Édition de langue française

1. ANADI. *Diagnostics infirmiers. Définition et classification 2001-2002,* Paris, Masson, 2002, 298 p.
2. LEVASSEUR, Carole et LAMY Odile. « La santé sans fumée », *L'Infirmière du Québec,* vol. 10, n° 3 (janvier/février 2003), p. 31-44.
3. Ordre des infirmières et infirmiers du Québec. *Perspectives de l'exercice de la profession d'infirmière,* Montréal, OIIQ, 1996, réimpression juin 2000, 30 p.
4. Ordre des infirmières et infirmiers du Québec. *Mosaïque des compétences cliniques de l'infirmière. Compétences initiales,* Montréal, OIIQ, 2001, 43 p.

5. PENDER, N. *Health Promotion in nursing practice,* 3e éd., Stamford, Conn. Appleton et Lange, 1996.
6. ASSOCIATION CANADIENNE DE SANTÉ PUBLIQUE (ACSP). *Violence in society: A public health perspective,* Ottawa, ACSP, 1994.
7. BIRCHFIELD, P.C. Elder health. Dans STANHOPE, M. et J. LANCASTER (éd.), *Community health nursing: Process and practice for promoting health,* 4e éd., St. Louis, Mosby, 1996.
8. CRAIG, D.M. « Health promotion with older adults ». Dans STEWART, M.J. (éd.), *Communitiy nursing: Promoting Canadians' health,* 2e éd., Toronto, W.B. Saunders, 2000.
9. DICENSO, A. et L. VAN DOVER. « Prevention of adolescent pregnancy ». Dans STEWART, M.J. (éd.): *Communitiy nursing: Promoting Canadians' health,* 2e éd., Toronto, W.B. Saunders, 2000.
10. GILLIS, A.J. « Adolescent health promotion: An evolving opportunity for community health nurses ». Dans STEWART, M.J. (éd.), *Communitiy nursing: Promoting Canadians' health,* 2e éd., Toronto, W.B. Saunders, 2000.
11. GORDON, Marjory. *Diagnostic infirmier. Méthodes et applications,* traduction de la 2e éd., Paris, MEDSI/McGraw-Hill, 1991, 589 p.
12. LEIPERT, B. « Women's health and the practice of public health nurses in Northern British Columbia », *Public Health Nurs,* vol. 16, n° 4, 1999, p. 280.
13. LEIPERT, B. et L.I. REUTTER. « Women's health and community health nursing practice in geographically isolated settings: A Canadian perspective », *Health Care for Women International,* vol. 19, 1998, p. 575.
14. NEUFELD, A. et M.J. HARRISON. « Nursing diagnosis for aggregates and groups ». Dans STEWART, M.J. (éd.): *Community nursing: Promoting Canadians' health,* 2e éd., Toronto, W.B. Saunders, 2000.
15. NICHOLS, J. et coll. « A proposal for tracking health care for the homeless », *J Community Health,* vol. 11, n° 3, 1986, p. 204.
16. OGDEN BURKE, S. et autres. « Children with chronic conditions and their families in the community ». Dans STEWART, M.J. (éd.), *Communitiy nursing: Promoting Canadians' health,* 2e éd., Toronto, W.B. Saunders, 2000.
17. SANTÉ CANADA. *Toward a healthy future,* Ottawa, Santé Canada, 1999.
18. SEBASTIAN, J.G. « Vulnerability and vulnerable populations: An introduction ». Dans STANHOPE, M. et J. LANCASTER (éd.), *Community health nursing: Process and practice for promoting health,* 5e éd., St. Louis, Mosby, 2000.
19. SHAH, C.P. *Public health and preventive medicine in Canada,* 3e éd., Toronto, University of Toronto Press, 1994.
20. SULLIVAN, E.J. *Creating nursing's future: Issues, opportunities, and challenges,* St. Louis, Mosby, 1999.
21. THIBAUDEAU, M.F. et H. DENONCOURT. « Nursing practice in outreach clinics for the homeless in Montreal ». Dans STEWART, M.J. (éd.): *Community nursing: Promoting Canadians' health,* 2e éd., Toronto, W.B. Saunders, 2000.
22. TROVATO, F. « Immigrant mortality trends and differentials ». Dans HALLI, I. et autres (éd.), *Ethnic demography: Canadian immigrant, racial and cultural variations,* Ottawa, Carleton University Press, 1990.
23. WALLERSTEIN, N. « Powerlessness, empowerment, and health: Implications for health promotion programs », *Am J Health Promotion,* vol. 6, n° 3, 1992, p. 197.
24. POTTER, Patricia A. et Anne G. PERRY. *Soins infirmiers,* Tome I, Laval, Groupe Beauchemin, 2002, 600 p.

Chapitre

2

Pauline Audet
M. Sc. inf.
Cégep de Limoilou

Claire Thibaudeau
B. Sc. inf.
Cégep de Limoilou

DÉVELOPPEMENT DE L'ADULTE

OBJECTIFS D'APPRENTISSAGE

APRÈS AVOIR LU CE CHAPITRE, VOUS DEVRIEZ ÊTRE EN MESURE :

- D'EXPLIQUER LES CONCEPTS FONDAMENTAUX DES THÉORIES BIOLOGIQUES ET PSYCHO-LOGIQUES DU VIEILLISSEMENT ;

- D'EXPLIQUER LES CONCEPTS FONDAMENTAUX DES THÉORIES DU DÉVELOPPEMENT DE L'ADULTE PROPOSÉES PAR ERIKSON, PECK, HAVIGHURST ET LEVINSON ;

- DE DÉCRIRE LES PRINCIPALES DIMENSIONS PSYCHODYNAMIQUES CONCERNANT LES JEUNES ADULTES, LES ADULTES D'ÂGE MOYEN ET LES PERSONNES ÂGÉES EN CE QUI A TRAIT AU CONCEPT DE SOI, À LA MORT, AU DÉVELOPPEMENT INTELLECTUEL ET À LA SEXUALITÉ ;

- D'ÉNUMÉRER LES TÂCHES ESSENTIELLES DU DÉVELOPPEMENT FAMILIAL CHEZ LES JEUNES ADULTES, LES ADULTES D'ÂGE MOYEN ET LES PERSONNES ÂGÉES ;

- DE DÉCRIRE DES PROBLÈMES RELIÉS À LA PROMOTION DE LA SANTÉ QUI RÉSULTENT DU PROCESSUS DE VIEILLISSEMENT CHEZ LES JEUNES ADULTES, LES ADULTES D'ÂGE MOYEN ET LES PERSONNES ÂGÉES ;

- DE DÉCRIRE L'IMPACT DE LA MALADIE SUR LES JEUNES ADULTES, LES ADULTES D'ÂGE MOYEN ET LES PERSONNES ÂGÉES RELATIVEMENT À LEUR DÉVELOPPEMENT.

PLAN DU CHAPITRE

2.1 VIEILLISSEMENT 36
    2.1.1 Théories du vieillissement biologique 36
    2.1.2 Théories psychologiques du vieillissement 38

2.2 APPROCHES CONCEPTUELLES DU DÉVELOPPEMENT DE L'ADULTE . . . 38
    2.2.1 Théorie d'Erikson : crises du développement psychologique 38
    2.2.2 Théorie de Peck : tâches de développement 40
    2.2.3 Théorie de Havighurst : tâches développementales 40
    2.2.4 Théorie de Levinson : évolution des structures de vie 40
    2.2.5 Autres théories du développement 41

2.3 DIMENSIONS PSYCHODYNAMIQUES DE L'ÂGE ADULTE 41
    2.3.1 Concept de soi et estime de soi 41
    2.3.2 Passage de la vie à la mort . . 42
    2.3.3 Fonctionnement mental 43
    2.3.4 Sexualité 44

2.4 PROCESSUS SOCIAUX À L'ÂGE ADULTE 46
    2.4.1 Développement familial et développement de l'adulte . . 46

2.5 PROCESSUS PHYSIOLOGIQUES À L'ÂGE ADULTE 48
    2.5.1 Changements physiologiques à l'âge adulte 48
    2.5.2 Facteurs à considérer dans la promotion de la santé . . . 48
    2.5.3 Stress relatif à la maladie à l'âge adulte 50

Toute la durée de la vie humaine est un processus dynamique constitué de changements prévisibles de nature chronologique, fonctionnelle, biologique, psychologique et sociale. La connaissance des étapes de croissance et de développement est un élément crucial dans la planification de soins infirmiers appropriés tant pour l'adulte que pour l'enfant. Faire abstraction du vécu du client dans son expérience de la maladie peut entraîner des soins infirmiers incomplets. Tenir compte des principes de croissance et de développement de l'adulte dans la collecte de données donne à l'infirmière un aperçu de ce qui peut se dérouler dans la vie d'un client à certaines périodes de son cycle de vie. Tout comme l'enfance, l'âge adulte peut être divisé en **stades de développement**, bien que les stades de l'âge adulte ne soient pas décrits ou étudiés d'une manière aussi exhaustive.

2.1 VIEILLISSEMENT

Le développement de l'adulte s'intègre dans le cadre plus large du vieillissement. Comme l'âge adulte est le prolongement de l'enfance, on pense souvent au développement de l'adulte en terme de vieillissement sur le plan chronologique. L'âge correspond simplement au nombre d'années qu'une personne a vécu. On l'utilise comme point de repère pour indiquer le moment où un changement se produit, comme lorsqu'on atteint la majorité à 18 ans. On appelle âge fonctionnel la capacité d'une personne à agir de façon efficace dans son environnement ou dans la société. Par exemple, ce concept peut s'appliquer lorsqu'on veut déterminer si une personne peut vivre de manière autonome sans avoir besoin d'aide pour se déplacer ou pour vaquer à ses activités quotidiennes.

Jusqu'à maintenant, les recherches se sont concentrées sur les facteurs biologiques et psychologiques qui contribuent aux changements physiques et mentaux associés au vieillissement. Pourtant, il faut souligner qu'il est difficile, voire impossible, de séparer ou d'isoler les facteurs physiques, socioculturels et psychologiques lorsqu'on étudie le développement de l'adulte. C'est donc dire que l'âge adulte reflète l'interdépendance de tous ces facteurs. Bien que ce chapitre mette l'accent sur le développement de l'adulte, les facteurs qui peuvent influer sur le vieillissement biologique et psychologique doivent être étudiés, en raison de leur l'impact sur le développement.

2.1.1 Théories du vieillissement biologique

Le vieillissement biologique affecte tous les systèmes de l'organisme. En dépit de cette généralisation, l'étiologie exacte du vieillissement biologique reste à déterminer. À l'heure actuelle, on propose plusieurs théories pour expliquer ce phénomène. Une façon de catégoriser les théories sur le vieillissement biologique consiste à désigner celles qui suggèrent que le vieillissement soit de nature aléatoire (**théorie stochastique**) et celles qui suggèrent que le vieillissement soit programmé (**théorie non stochastique**). Une théorie non stochastique émet comme hypothèse que les événements qui se produisent du côté des molécules et des cellules sont déterminés par les gènes. Les théories biologiques du vieillissement sont présentées au tableau 2.1.

Théories stochastiques. Les théories de la mutation somatique et de la mutagenèse intrinsèque posent comme principe que le vieillissement est le résultat de dommages génétiques continus. Ces dommages peuvent comprendre l'accumulation progressive de copies défectueuses dans la division des cellules ou l'accumulation d'erreurs dans les molécules qui renferment des informations. Selon la théorie de la mutation somatique, les cellules somatiques développent des mutations spontanées de la même façon que les cellules germinales. On présume que ces mutations sont le résultat d'une radioactivité naturelle continue provenant de diverses sources. Les divisions cellulaires subséquentes ont pour effet de perpétuer les mutations jusqu'à ce que les organes deviennent inefficaces pour finalement cesser de fonctionner. La théorie de la mutagenèse intrinsèque avance que l'augmentation du nombre de cellules en mutation est causée par une défaillance des mécanismes de régulation génétique. Le principe fondamental veut que la capacité de régulation de la constitution génétique de l'être humain diminue tout au long de sa vie. Cela implique que le vieillissement produit davantage de mutations qui vont finir par provoquer une défaillance fonctionnelle. Bien que ces deux théories soient attrayantes, on dispose de peu de preuves qui puissent les appuyer ou les réfuter.

La théorie des radicaux libres a d'abord été proposée par Harman en 1956, mais elle a fait l'objet de nouvelles recherches au cours des dernières années. Un radical libre est une molécule ou un atome hautement réactif qui renferme un électron non apparié ; l'électron cherche donc à se combiner à une autre molécule, ce qui engendre un processus d'oxydation. Ce processus peut éventuellement perturber les membranes cellulaires et altérer l'ADN ainsi que la synthèse des protéines. Par conséquent, l'intégrité, les fonctions et les mécanismes de régénération des cellules se détériorent. Les radicaux libres sont les sous-produits naturels d'un grand nombre de processus cellulaires normaux et sont également créés par des facteurs environnementaux, tels que le smog, la fumée du tabac et la radiation. Des recherches récentes ont porté plus précisément sur le rôle que

TABLEAU 2.1	Résumé des théories biologiques du vieillissement
Théories	**Dynamique**
Théories stochastiques Erreur (aléatoire)	Synthèse défectueuse de l'ADN, de l'ARN ou des deux.
Somatique	Altération de l'ARN ou de l'ADN; la synthèse des protéines ou des enzymes produit des structures ou des fonctions défectueuses.
Régulation	Défaillance de transcription ou de traduction entre les cellules; défaillance de l'ARN ou d'enzymes apparentées.
Radicaux libres	L'oxydation des lipides, des protéines et des glucides crée des électrons libres qui s'attachent à d'autres molécules, ce qui cause une altération du fonctionnement cellulaire.
Double liaison	Les lipides, les protéines, les glucides et l'acide nucléique réagissent à des produits chimiques ou des radiations et forment des liens qui augmentent la rigidité et l'instabilité cellulaire.
Théories non stochastiques Programmée	L'horloge biologique provoque des comportements cellulaires liés à des périodes spécifiques. L'organisme est capable d'un nombre limité de divisions cellulaires et dispose d'une durée de vie prédéterminé.
Neuroendocrinienne	Les mécanismes de contrôle (hypophyse et hypothalamus) règlent les actions réciproques entre divers organes et tissus; l'efficacité des signaux entre les mécanismes est altérée ou perdue.
Immunologique/Auto-immune	L'altération des cellules B et des lymphocytes T provoque une perte de la capacité d'autorégulation; les cellules normales ou liées à l'âge sont reconnues comme des corps étrangers; le système réagit en créant des anticorps pour détruire ces cellules.
Hypothèse du télomère et de la télomérase	Le vieillissement provoque une perte des télomères (séquences répétées situées aux extrémités des brins d'ADN). Cette perte a pour effet de limiter le nombre de fois qu'une cellule peut se diviser.

jouent divers antioxydants, notamment les vitamines C et E, la niacine, le bêta-carotène et le sélénium, dans le ralentissement du processus d'oxydation et, conséquemment, du processus du vieillissement. Toutefois, les doses optimales de ces substances n'ont pas encore été établies. On évalue actuellement l'utilité de ces substances dans la prévention des maladies liées au vieillissement, telles que les cancers de la bouche, de l'œsophage, de l'appareil génital, ainsi que les coronaropathies et les cataractes.

Une autre théorie stochastique, la théorie de la double liaison, pose comme principe qu'une exposition continue à des produits chimiques et à des radiations se trouvant dans l'environnement entraîne la formation de liaisons doubles entre les lipides, les protéines, les hydrocarbures et les acides nucléiques. Ces doubles liaisons provoquent une diminution de la flexibilité et de l'élasticité des tissus, ce qui a pour effet d'augmenter leur rigidité. De telles modifications dans la structure cellulaire pourraient expliquer les changements esthétiques observables associés au vieillissement, tels que les rides. Toutefois, il est peu probable que ces modifications soient la cause de toutes les manifestations physiques néfastes du vieillissement.

Théories non stochastiques. On a cru pendant de nombreuses années que les cellules avaient la capacité de se reproduire à l'infini. Cependant, dans les années 1950, Hayflick a démontré au cours d'une série d'expériences classiques que des fibroblastes épidermiques cultivés ne pouvaient se reproduire ou se diviser qu'un nombre limité de fois. C'est à partir de ces observations qu'est née la théorie de la mort cellulaire programmée. Cette théorie prétend que la division cellulaire se dégrade avec le temps. Selon d'autres théories, il n'y aurait pas une « horloge biologique » dans chaque cellule, mais celle-ci serait plutôt centralisée, par exemple dans le système nerveux central ou dans le système immunitaire, là où de nombreux organes peuvent être touchés.

La théorie neuroendocrinienne suppose que le vieillissement est causé par une décroissance fonctionnelle dans les neurones et les hormones qui leur sont associées. Les changements neurologiques et endocriniens pourraient ainsi stimuler un grand nombre d'aspects touchant le vieillissement cellulaire et physiologique. Cette théorie établit un rapport entre le vieillissement et la perte de réceptivité à divers signaux par le tissu neuroendocrinien. Dans certains cas, cette perte résulte de la perte de récepteurs, mais dans d'autres cas, elle est causée par des changements dans la neurotransmission au-delà des récepteurs. Les changements fonctionnels du système hypothalamique-hypophysaire, accompagnés d'une diminution de la capacité fonctionnelle d'autres organes endocriniens, tels que les glandes surrénales et thyroïdienne, les ovaires et les testicules, constituent un aspect important de cette théorie.

Selon la théorie immunologique, le déclin des fonctions du système immunitaire constitue la base du processus du vieillissement. Le vieillissement n'est pas un épuisement passif des systèmes, mais une autodestruction active arbitrée par le système immunitaire. Cette théorie s'appuie sur l'observation d'un déclin du fonctionnement des lymphocytes T lié au vieillissement, suivi d'une diminution de la résistance et d'une augmentation des maladies auto-immunes avec le vieillissement. Il reste à déterminer si les changements immunologiques sont programmés génétiquement, réglés par l'environnement ou influencés par des facteurs endocriniens. Toutefois, certaines études portant sur la division cellulaire donnent à penser que les cellules du système immunitaire se diversifient davantage avec l'âge et qu'elles perdent progressivement leur comportement d'autorégulation. Cela entraîne un phénomène auto-immun au cours duquel les cellules normales du corps sont prises pour des corps étrangers et attaquées par le système immunitaire de la personne.

L'hypothèse du télomère et de la télomérase est une théorie du vieillissement plus récente. Les télomères sont des séquences répétées spécialisées qu'on retrouve aux extrémités des brins d'ADN. La télomérase est l'enzyme qui synthétise ces séquences répétées. Le vieillissement cause une perte de brins et entraîne la diminution de l'activité de la télomérase, ce qui a une incidence sur le nombre de divisions cellulaires possibles.

2.1.2 Théories psychologiques du vieillissement

On a élaboré plusieurs théories afin de définir et de décrire le développement de l'adulte d'un point de vue psychologique. Ces théories proposent des modèles séquentiels en tenant compte de l'âge et des stades de développement, des événements de la vie et des étapes de transition, de même que des comportements et des variantes personnelles. La création de ces modèles théoriques est basée sur le développement personnel, notamment les théories du développement du moi, du développement de la personnalité, du développement moral et du développement de la foi.

Quoiqu'il existe des modèles de développement prévisibles, on doit éviter de nier l'unicité du développement d'un client en le classant, sans vérification, dans un modèle donné. L'infirmière doit également être sensible à l'impact de la culture sur les attentes et les normes de développement du client. Bien que des hypothèses courantes puissent s'appliquer à la plupart des sociétés occidentales, l'infirmière ne doit pas supposer que les théories de développement conviennent de manière universelle à toutes les cultures. Les perturbations sociétales causées par la guerre, la famine ou la pauvreté peuvent altérer gravement les schémas et le développement de la vie adulte.

2.2 APPROCHES CONCEPTUELLES DU DÉVELOPPEMENT DE L'ADULTE

On a tenté d'expliquer le développement et la croissance à l'âge adulte de plusieurs façons, mais malgré des tentatives rigoureuses, aucune théorie n'a fait l'unanimité. En fait, il est impossible d'isoler les facteurs physiques, socioculturels et psychologiques dans l'étude du développement de l'adulte : l'âge adulte reflète les interrelations de tous ces facteurs. Les aspects biologique, psychologique et spirituel sont compris dans l'approche de soins holistiques destinées à une personne, considérée comme un être unique. Les théoriciens ont expliqué le développement de l'adulte en s'appuyant sur les principes suivants :
- le développement de l'adulte s'opère en schémas définissables, prévisibles et séquentiels ;
- les périodes critiques surviennent tout au long de la vie lorsque la croissance physique et psychologique subit une réorganisation ;
- dans chacun des stades du développement, il existe certaines activités ou tâches normatives qui doivent être accomplies ;
- la maîtrise des tâches des stades précédents est essentielle à la transition vers les stades suivants et à la maîtrise des tâches qui s'y rapportent.

Les modèles de développement de l'adulte d'Erikson, de Peck, de Levinson et de Havighurst sont résumés au tableau 2.2.

2.2.1 Théorie d'Erikson : crises du développement psychologique

Erikson voit le développement de la personnalité comme le résultat des confrontations entre le moi et le milieu social. Il relève dans le cycle de vie, des moments où les crises de développement deviennent importantes parce que les capacités ou les expériences d'une personne l'obligent à une adaptation majeure en fonction du moi et de l'environnement. Durant ce processus d'adaptation, l'individu se rapproche d'un pôle plutôt que d'un autre, comme celui de l'intimité ou de l'isolement. Même lorsqu'une personne parvient à développer ses capacités d'intimité, le pôle « opposé », soit l'isolement, demeure dynamique et peut surgir dans des situations nouvelles. Ce conflit doit être maîtrisé à nouveau, cette fois à un niveau plus élevé. Bien qu'il existe des périodes

TABLEAU 2.2	Théories des stades du développement de l'adulte		
Théoriciens	**Jeunes adultes**	**Adultes d'âge moyen**	**Personnes âgées**
Erikson Peck	Intimité ou isolement	Générativité ou repli sur soi Importance accordée à la sagesse plutôt qu'à la force physique Relations sociales ou relations sexuelles Souplesse émotionnelle ou appauvrissement émotionnel Souplesse mentale ou rigidité mentale	Intégrité du moi ou désespoir Différenciation du moi ou préoccupations au sujet du rôle professionnel Transcendance du corps ou préoccupations au sujet du corps Transcendance du moi ou préoccupations au sujet du moi
Havighurst	Choix du partenaire et adaptation à la vie de couple Création de la famille et éducation des enfants Entretien domestique Début de la carrière Début des responsabilités civiques	Départ des enfants à l'adolescence Maturité dans la relation avec le conjoint Adaptation aux parents qui vieillissent Maturité sur le plan professionnel Responsabilités sociales et civiques Loisirs Adaptation aux changements physiologiques	Adaptation au déclin de la santé Adaptation à la retraite Adaptation aux changements des rôles sociaux Établissement d'un mode de vie satisfaisant Adaptation à la suite du décès du conjoint
Levinson	Début de la transition vers l'âge adulte Entrée dans le monde adulte Transition de la trentaine Vie stable	Transition de l'âge moyen Années de récompense	

critiques pour maîtriser chaque **crise développementale**, les conflits demeurent présents pendant toute la durée de la vie. Par exemple, l'autonomie est particulièrement importante pour les enfants qui commencent à marcher ; les adolescents en quête d'identité ont besoin d'indépendance, et les personnes âgées sont fréquemment sujettes à des pertes d'autonomie lorsque leur capacité à prendre des décisions est restreinte.

Intimité ou isolement. Dans le modèle d'Erikson, la tâche du jeune adulte est l'intimité (voir figure 2.1). Cela implique de rapprocher sa propre identité de celles d'autres personnes par l'entremise d'amitiés, de causes ou d'efforts créatifs, ou encore de relations personnelles intimes, notamment les relations sexuelles. L'intimité requiert un degré d'engagement qui nécessite des sacrifices, des compromis et un abandon de soi au bénéfice des autres. Le jeune adulte qui évite cet engagement envers les autres par crainte de perdre sa propre identité connaîtra l'isolement et conséquemment, se repliera sur lui-même.

Générativité ou stagnation. Chez les adultes d'âge moyen, la tâche principale est la générativité. Les adultes génératifs tiennent à former la génération qui les suit en guidant et en éduquant leurs propres enfants ou d'autres jeunes gens. La productivité au travail et la créativité dans la vie font aussi partie intégrante de cette tâche. La générativité résulte probablement d'un besoin altruiste de laisser une marque qui va permettre aux générations futures de vivre dans un monde meilleur. Dans le cas

contraire, l'adulte éprouve un sentiment de stagnation et se replie sur lui-même ; il se préoccupe essentiellement des besoins de sa santé physique et psychologique. Chez les gens repliés sur eux-mêmes, l'obsession des changements physiques qui surviennent à l'âge moyen peut entraîner une invalidité ou une recherche de jeunesse factice. Un besoin obsessionnel de pseudo-intimité peut entraîner des comportements de régression, s'illustrant par des aventures avec des personnes du sexe opposé beaucoup plus jeunes.

FIGURE 2.1 Se faire des amis constitue une tâche importante pour les jeunes adultes.

Intégrité personnelle ou désespoir. Le troisième âge est une période où on fait un bilan du passé et où on réorganise « le film de sa vie ». Selon Erikson, ce rassemblement de tous les stades antérieurs devrait entraîner un sentiment de complétude, l'impression d'avoir atteint son but et d'avoir eu une vie bien remplie, ou encore un sentiment d'intégrité du moi. Lorsqu'une personne accepte de vivre son unicité et qu'elle approuve ce fait, la mort peut également être acceptée comme une partie intégrante de la vie. Cependant, si le bilan de la vie est rempli d'occasions manquées ou de mauvaises décisions, un sentiment de désespoir survient. À ce stade, l'individu sait que la vie est trop courte pour lui permettre de réparer ses erreurs. La mort est envisagée avec anxiété parce qu'elle empêche l'individu de changer les choses. Au cours de ce dernier stade d'acquisition de l'intégrité du moi ou du désespoir, chaque personne doit s'adapter et en arriver à une résolution de la crise finale, produit de toutes les résolutions des crises de développement antérieures.

2.2.2 Théorie de Peck : tâches de développement

En s'appuyant sur les travaux d'Erikson, Peck a défini davantage les tâches de l'adulte d'âge moyen et de la personne âgée. L'estime de soi de l'adulte d'âge moyen peut être affectée par un affaiblissement général des fonctions physiques et sexuelles. Cependant, les habiletés rationnelles ont tendance à augmenter avec l'expérience. Apprécier de se servir de sa « tête » peut donc devenir une alternative positive au maintien de l'estime de soi. Les gens ont besoin de flexibilité pour réinvestir leurs émotions dans d'autres personnes et d'autres buts et pour s'y attacher à nouveau. Ils ont aussi besoin de la flexibilité mentale nécessaire pour trouver d'autres solutions aux problèmes de la vie, plutôt que d'être dogmatiques et gouvernés par des expériences antérieures.

2.2.3 Théorie de Havighurst : tâches développementales

Havighurst a également proposé des tâches de développement spécifiques pour chacun des stades de la vie. Comme Erikson, il prétend qu'il existe dans la vie des moments optimaux pour maîtriser ces tâches et que le degré de maîtrise dépend du succès des stades antérieurs de la vie. Il inclut notamment les tâches centrées sur la famille qui sont pertinentes au développement individuel : les **tâches de développement familiales**. De plus, Havighurst propose que « l'accomplissement [d'une tâche] conduit au bonheur et à la réussite des tâches suivantes, tandis que l'échec conduit à la tristesse, à la désapprobation de la société et rend les tâches suivantes plus difficiles ».

2.2.4 Théorie de Levinson : évolution des structures de vie

La théorie de Levinson décrit l'évolution des structures de vie. La structure de vie individuelle, concept fondamental de Levinson, représente le schéma d'une vie donnée à n'importe quel moment. Tout changement dans le système de l'individu (p. ex. jugements, motifs, valeurs), dans ses interactions avec d'autres systèmes (tels que le contexte de vie sociale et culturelle dans la famille, l'appartenance ethnique, la religion, la profession et les événements sociaux) et dans l'ensemble particulier de rôles qu'il assume aura pour effet de perturber les composantes du schéma de vie. Par exemple, bien que l'homme et la femme passent par les mêmes stades de développement, la femme peut avoir plus de difficulté à planifier sa vie si elle perçoit la famille et la carrière comme des choix incompatibles. De telles perturbations nécessitent une réorganisation de la structure de vie (voir figure 2.2)

La structure de vie est dynamique et des changements prévisibles s'y produisent à mesure que l'individu vieillit. Les quatre périodes principales de l'âge adulte

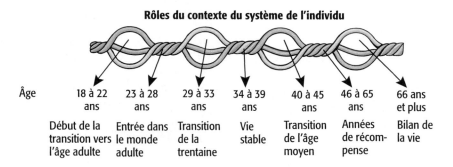

Rôles du contexte du système de l'individu

Âge	18 à 22 ans	23 à 28 ans	29 à 33 ans	34 à 39 ans	40 à 45 ans	46 à 65 ans	66 ans et plus
	Début de la transition vers l'âge adulte	Entrée dans le monde adulte	Transition de la trentaine	Vie stable	Transition de l'âge moyen	Années de récompense	Bilan de la vie

FIGURE 2.2 Structure de vie de l'individu. Selon la théorie de Levinson, la structure de vie peut être vue comme une « torsade » dont les brins interdépendants sont évalués séparément au cours des phases de transition, pour s'entrelacer à nouveau dans les périodes stables.

sont les jeunes adultes (21 à 40 ans), les adultes d'âge moyen (41 à 60 ans), les personnes du troisième âge (61 à 85 ans) et les personnes du quatrième âge (plus de 85 ans). Dans chacun des quatre stades de l'âge adulte, l'individu vit des périodes de transition et de stabilité (voir figure 2.3). Les périodes de transition sont propices aux changements et à la réorientation vers des buts et des objectifs personnels. Les périodes de stabilité sont une occasion de bâtir une structure de vie et de la maintenir intacte, ce qui est essentiel à la poursuite de ces buts et objectifs.

2.2.5 Autres théories du développement

D'autres théoriciens ont utilisé les événements de la vie et les perspectives de transition pour décrire le développement de l'adulte. Pour ces théoriciens, les événements majeurs de la vie sont plus importants que l'âge chronologique dans l'évaluation et la compréhension des comportements de l'adulte. Un mariage récent, un nouvel emploi, être un parent d'âge moyen, un divorce, la retraite, la maladie, les pressions liées à la carrière, des enfants adolescents ou la prise en charge de ses parents, tous ces événements provoquent un stress dont l'intensité peut varier et qui n'est pas toujours associé à un âge précis.

Une autre composante du développement est la réaction de l'individu aux événements prévus ou imprévus de la vie et au processus du vieillissement et la perception qu'il en a. Dans ce modèle, les expériences de vie de l'individu sont regroupées dans le contexte temporel approprié : le temps historique (calendrier), la durée de vie (âge chronologique) et le temps socialement défini (relativement aux normes et aux attentes liées à l'âge).

Courtenay a examiné des modèles du développement de l'adulte et relevé quatre caractéristiques qu'on

FIGURE 2.3 Le départ de la maison pour aller vivre en résidence universitaire est un signe extérieur du début de la transition à l'âge adulte.

retrouve dans chacun des modèles. Tous les modèles sont axés sur l'actualisation de soi et la croissance par les tâches développementales. L'identité psychologique de l'individu est étroitement liée à la croissance personnelle et à l'accomplissement de tâches qui accroissent ses capacités. Une autre caractéristique qu'on retrouve couramment dans les modèles veut que les individus parcourent des stades hiérarchiques qui s'étendent du simple au complexe, de la rigidité à la flexibilité et des perspectives étroites aux perspectives très vastes.

La croyance selon laquelle le développement humain se poursuit tout au long de la vie constitue la troisième caractéristique. La grande variété et la complexité des compétences que les adultes doivent maîtriser nécessitent une évolution constante et une recherche continue. De nos jours, la longévité croissante offre aux adultes de nombreuses occasions de poursuivre leur développement. La quatrième caractéristique de ces modèles est le fait que le but ultime du développement de l'adulte est d'atteindre l'autonomie, le sentiment d'unicité et l'indépendance.

On a fait davantage de recherches afin de trouver une réponse aux questions des différences entre les sexes et pour mesurer les effets des facteurs socioculturels et environnementaux sur l'âge adulte. Comme les premières recherches ont principalement été menées auprès d'hommes, on dispose de moins de renseignements sur les femmes. Gilligan a remarqué que les femmes ont tendance à accorder plus d'importance aux relations, à l'attachement et à l'interdépendance que les hommes.

2.3 DIMENSIONS PSYCHODYNAMIQUES DE L'ÂGE ADULTE

Les dimensions psychodynamiques propres à l'âge adulte résultent de la confrontation entre le développement personnel et les exigences de la société. L'individu essaie continuellement de trouver un compromis confortable entre son monde et lui-même et il tente d'intégrer la personne qu'il est et la personne qu'il est en train de devenir.

2.3.1 Concept de soi et estime de soi

Le concept de soi et l'estime de soi sont des concepts interdépendants. On peut définir le concept de soi comme la totalité des idées que les gens ont d'eux-mêmes et l'estime de soi comme leur accord ou leur désaccord avec ces idées.

Jeunes adultes. Pour le jeune adulte, un thème important du concept de soi est « je peux m'en charger ». Un sentiment de maîtrise de soi, des événements de la vie et de l'environnement prédomine. Les actions posées par le jeune adulte traduisent son attitude selon laquelle la volonté inébranlable et l'audace sont les éléments de la réussite. Cette confiance reflète le haut degré d'énergie ainsi que le pouvoir et le contrôle croissants que le jeune adulte exerce sur la vie à la sortie de l'adolescence.

Adultes d'âge moyen. Pour l'adulte d'âge moyen, le concept de soi peut varier de manière considérable, en fonction de la perception de l'équilibre entre les aspects positifs et négatifs de l'âge moyen. Ce stade est en partie déterminé par la culture, la classe sociale, la personnalité et l'état de santé. Dans certaines cultures, les gens sont programmés à se considérer comme « vieux » à 40 ans ; dans d'autres groupes, les gens ont simplement « atteint » cet âge. Par exemple, un col bleu pourrait se considérer comme vieux à 40 ans, tandis qu'un col blanc pourrait penser qu'on est vieux à 70 ans. Certains individus d'âge moyen vivent les « plus belles années de leur vie » ; ils éprouvent un sentiment accru d'estime de soi, car c'est à ce moment qu'ils investissent le plus dans leur vie familiale et dans leur carrière sur le plan du pouvoir, du prestige, du revenu et du maintien d'un bon état de santé. D'un autre côté, s'il se produit un déclin dans la carrière ou dans la santé de l'individu, l'estime de soi de ce dernier peut également diminuer.

Le sentiment de maîtrise de soi est toujours présent à l'âge moyen. Cependant, c'est durant cette période que l'individu reconnaît que la durée de la vie est fixée dans le temps et qu'il évalue de façon plus réaliste ses limites. S'apercevant que la seule volonté ne peut triompher de tous les problèmes, l'individu se rend compte que l'aide et les conseils des autres peuvent être utiles. Dans cette nouvelle perspective, l'adulte d'âge moyen peut aussi réévaluer sa position spirituelle personnelle en participant à des activités spirituelles (voir figure 2.4).

Personnes âgées. Bien que le concept de soi demeure stable de l'âge moyen jusqu'au troisième âge, il n'est pas statique pour autant. Des événements de la vie qui peuvent accompagner le vieillissement (problèmes de santé, perte de revenu, perte des rôles, isolement, déménagement et placement en établissement) contribuent à affaiblir le sentiment de maîtrise de la personne âgée et peuvent menacer son estime de soi. Toutefois, on a découvert que les personnes âgées disposent de mécanismes qui leur permettent de compenser les menaces qui accompagnent les changements liés au vieillissement. Il existe un paradoxe voulant que la perception de l'âge diminue à mesure qu'on vieillit. Ainsi, une personne de 82 ans s'exprime ainsi : « Je n'irai pas à ces rencontres, c'est plein de petits vieux ! » Les personnes âgées peuvent considérer leurs pairs comme étant vieux selon les stéréotypes sociaux attribués aux personnes âgées. Cependant, il est possible qu'elles ne se perçoivent pas comme étant elles-mêmes âgées et qu'elles refusent de reconnaître qu'elles vieillissent et qu'elles

FIGURE 2.4 C'est souvent à l'âge moyen que les adultes deviennent plus conscients de leurs besoins spirituels.

ont besoin d'aide ou de soins. Un autre mécanisme compensatoire veut qu'un grand nombre de personnes âgées conservent le concept de soi qu'elles avaient à l'âge moyen en s'identifiant au rôle qu'elles avaient au cours de cette période. Un agriculteur à la retraite pourrait toujours se considérer comme un agriculteur, ou une enseignante comme une enseignante. Maintenir un sens cohérent du moi, prendre des décisions et gérer sa vie sont des facteurs qui contribuent d'une manière importante au bien-être à ce stade de la vie. L'autonomie et la dignité sont des éléments essentiels à l'estime de soi positive de la personne âgée.

2.3.2 Passage de la vie à la mort

La mort est plus qu'un événement biologique ; c'est aussi un phénomène social. Enracinée dans des contextes religieux, culturels et sociétaux, la mort est perçue de différentes manières. On l'a conceptualisée comme faisant partie de la vie, comprenant une phase sociale et une phase terminale. Selon le degré de maturité de l'individu, la mort peut être perçue de diverses façons, notamment comme un sommeil prolongé, comme ne faisant pas partie de l'avenir d'une personne, comme la punition des actions qu'une personne a posées dans sa vie, comme un soulagement souhaité de la maladie ou comme la porte menant à une vie spirituelle.

La phase sociale de la mort peut commencer tôt avec la prise de conscience que la vie comporte des limites. Cependant, pour la plupart des gens, cette prise de conscience n'est pas réelle jusqu'à un stade plus avancé de la vie. (La plupart des théoriciens mentionnent qu'elle survient à l'âge moyen ou plus tard.) Une conscience accrue de la mortalité est associée à des expériences sociétales de la mort, telles que la mort de pairs du même âge, l'atteinte de l'âge auquel les parents sont décédés, des expériences ou des rencontres personnelles ainsi qu'une détérioration sur le plan des activités sociales, de la mobilité et du fonctionnement physique et mental. La conscience de sa condition « d'être mortel » ne vient pas seulement de l'intérieur, mais également de la société par des messages, plus ou moins subtils, voulant que les personnes âgées jouent un rôle moins important que les adultes plus jeunes.

Les pertes associées à la mort ne comprennent pas seulement la cessation des relations, mais aussi la perte de l'avenir et de la capacité de mener des projets à terme. Des études ont montré que, lorsqu'on demande aux personnes âgées de parler d'événements futurs importants dans leur vie, leur échéancier est plus court que celui de personnes plus jeunes. Elles ont aussi moins tendance à dire que leurs activités changeraient si elles apprenaient qu'elles mourraient dans six mois. À cause de la conscience accrue qu'elles ont de leurs limites, les personnes âgées évoquent souvent des souvenirs entre amis. Ces discussions sur le passé ont pour effet de relier le passé et le présent pour en faire une intégration. Le fait de réussir à légitimer la vie et la mort conduit à la satisfaction et amène l'individu à trouver un sens à la mort.

La phase terminale de la mort débute avec l'annonce que la personne « est mourante ». Les gens confrontés à la mort ont la tâche de trouver un sens à la mort elle-même. Des facteurs tels que la culture, la religion, la race et le statut socioéconomique sont importants quand vient le temps de déterminer le sens de la mort. Kübler-Ross a décrit les cinq stades d'acceptation de la mort : le déni, la colère, la négociation, la dépression et l'acceptation. Il n'a pas été démontré de manière empirique que ces stades se produisent dans cet ordre ou que tous les individus réagissent de cette façon. Étant donné que ses échantillons représentaient pour la plupart des jeunes adultes et des adultes d'âge moyen, ses résultats peuvent ne pas s'appliquer de manière générale aux personnes âgées. L'hypothèse selon laquelle les gens ont une peur instinctive de la mort et y réagissent en se mettant en colère ou en tentant de négocier peut

constituer une réaction plus courante chez les gens plus jeunes que chez les personnes âgées. Des données comparatives fournissent la preuve croissante que la peur de la mort diminue à mesure qu'on vieillit. Shneidman a découvert que certaines personnes régressent dans les stades décrits par Kübler-Ross. Les centres d'accueil, les CHSLD (centre d'hébergement et de soins de longue durée) et les autres endroits où les personnes âgées vivent en commun, là où la mort est omniprésente, facilitent le développement de conventions sociales qui aident à considérer la mort comme un événement acceptable.

2.3.3 Fonctionnement mental

Intelligence. Pendant longtemps, on a cru que l'intelligence commençait à décliner après l'âge de 30 ans. Cependant, des études longitudinales ont montré que les capacités intellectuelles peuvent être améliorées, ou à tout le moins maintenues, jusqu'au troisième âge. Une grande partie des pertes intellectuelles observées chez des personnes âgées de 80 ou même de 90 ans se produisent dans des situations inconnues, complexes ou stressantes. Au cours des mois précédant sa mort, les capacités intellectuelles d'une personne âgée peuvent subir une forte diminution. Ce changement fait partie d'un phénomène complexe appelé chute finale ou chute terminale.

L'intelligence adulte varie selon les capacités mentales mesurées (voir tableau 2.3). Cattell a conceptualisé l'intelligence de deux façons, chacune ayant une origine différente : l'intelligence fluide et l'intelligence cristallisée. L'intelligence fluide comprend les aptitudes reliées au développement neurologique, notamment le pouvoir associatif, la mémoire, les liens entre les images et la flexibilité oculomotrice. À la suite de changements neurologiques dégénératifs, l'intelligence fluide peut décliner au cours de l'âge moyen. L'intelligence cristallisée comprend les aptitudes qui proviennent de l'expérience et de l'accumulation de connaissances, notamment la compréhension verbale, le raisonnement formel et les informations générales. L'intelligence cristallisée s'améliore avec l'âge.

Plusieurs variables environnementales et individuelles, telles que l'éducation, la classe sociale, la maladie, la personnalité et les motivations affectent l'intelligence adulte. En général, l'individu qui était doté d'une intelligence au-dessus de la moyenne lorsqu'il était un jeune adulte, qui a un niveau de scolarité plus élevé que la moyenne et qui a continué à utiliser son intelligence présente une amélioration plus importante de cette dernière au cours de l'âge adulte. De plus, ceux qui demeurent mentalement actifs en se livrant à une variété d'efforts et d'exercices de réflexion (tels que les mots croisés et les jeux de vocabulaire) ont plus de chances

TABLEAU 2.3	Conséquences du vieillissement sur le fonctionnement mental des adultes
Fonction	**Effet du vieillissement**
Intelligence fluide	Décline à l'âge moyen
Intelligence cristallisée	S'améliore
Vocabulaire et raisonnement verbal	S'améliore
Perception spatiale	Demeure stable ou s'améliore
Synthèse des nouvelles informations	Décline à l'âge moyen
Vitesse du processus mental	Décline à l'âge moyen
Mémoire à court terme	Décline au troisième âge
Mémoire à long terme	Demeure stable

de ne pas subir de changements dégénératifs. L'infirmière doit reconnaître que la vitesse du fonctionnement mental peut représenter un problème majeur chez les personnes âgées. Certaines personnes âgées éprouvent des difficultés à réfléchir rapidement et à agir spontanément à cause d'une dégénérescence du système nerveux central et de déficits sensoriels, comme une vue déficiente. Dans les cas où la rapidité n'est pas nécessaire, les personnes âgées réussissent aussi bien que les gens plus jeunes. C'est pourquoi tout enseignement ou pratique d'une habileté doit être planifié avec soin afin de donner au client âgé le temps nécessaire pour comprendre la tâche et l'accomplir sans subir de pression.

Mémoire. Quoiqu'un grand nombre d'adultes d'âge moyen craignent de perdre la mémoire, on a démontré qu'aucune diminution réelle de la mémoire ne survient avant le troisième âge. C'est la mémoire à court terme qui se détériore en premier. On a recours à la mémoire à court terme pour se rappeler les événements immédiats, ce qui nécessite la rétention d'informations pendant une période pouvant aller de quelques secondes à quelques minutes. Le fait de se rappeler d'un numéro de téléphone inconnu après l'avoir lu dans l'annuaire téléphonique est un bon exemple. Le déclin de la mémoire à court terme peut être relié à des interférences dans les neurotransmissions ou à des problèmes temporaires d'intégration des informations. Puisque les neurotransmissions sont plus lentes, les personnes âgées deviennent vulnérables aux interférences causées par d'autres stimuli qui gênent l'acquisition et l'emmagasinage d'informations. Plus tard, l'information ne peut donc pas être retrouvée, parce qu'elle a été enregistrée de façon inadéquate. Ce problème de la mémoire à court terme a des conséquences importantes sur le processus d'apprentissage, puisque le fait d'apprendre de nouvelles choses nécessite souvent d'acquérir, de comprendre et d'enregistrer rapidement.

La mémoire à long terme semble très résistante aux effets du vieillissement. On remarque souvent que les personnes âgées peuvent décrire des événements passés dans les moindres détails, mais oublier des événements récents. Cette capacité de se rappeler des événements passés peut être attribuée au fait qu'une fois que les informations sont enregistrées, les gens en conservent un souvenir intact. Il est aussi probable que le souvenir d'événements passés est enraciné dans la mémoire parce que l'individu s'est déjà rappelé les détails et les a évoqués.

Chez les personnes âgées, l'incapacité de se rappeler des détails après avoir reconnu une personne ou un endroit est une autre difficulté reliée à la mémoire. Par exemple, une grand-mère pourrait reconnaître son petit-fils, mais elle pourrait l'appeler par le nom d'un autre membre de la famille. Dans ce cas-ci, elle situe l'enfant dans la famille, elle reconnaît la personne, mais elle ne se souvient pas de son nom. Ce problème semble être lié au processus d'évocation plutôt qu'à l'enregistrement des informations.

En plus des changements causés par le vieillissement, la mémoire d'une personne âgée est affectée par son état de santé, son éducation, les stimulations qu'elle perçoit, sa motivation et l'importance des choses à se rappeler.

2.3.4 Sexualité

La sexualité est un concept large qui englobe les caractéristiques physiologiques, les attitudes, les valeurs et les comportements reliés aux perceptions des sexes. La tâche de développer l'identité sexuelle et de remplir les rôles assignés à chacun des sexes est vitale à l'intégration du concept de soi à l'âge adulte. C'est une tâche continue qui influence presque tous les aspects de la vie adulte, dont la sélection du partenaire, ainsi que les choix de carrière et d'amitiés.

Jeunes adultes. Pour le jeune adulte, l'identité sexuelle et les relations sexuelles sont d'un intérêt primordial dans la formation du concept de soi sexuel et la capacité d'intimité. Bien qu'elle dépasse la relation sexuelle pour inclure un attachement mutuel, l'intimité est généralement établie, chez le jeune adulte, par un engagement dans une relation qui comprend l'expression d'une affection et d'une sexualité physique. Chez un couple, la sexualité représente plus que le plaisir physique. Elle devient une expression d'affection et de rapprochement qui aide le couple à trouver de la satisfaction en partageant les activités reliées au travail, aux loisirs, à la maternité et à l'éducation des enfants. On a découvert que les jeunes couples qui sont satisfaits de leurs relations sexuelles sont souvent plus heureux dans leur vie conjugale, et l'inverse semble vrai. Pour certaines personnes, une relation homosexuelle procure un sentiment d'intimité et de bien-être. Tout comme les individus hétérosexuels, l'adaptation sociale et émotionnelle des hommes et des femmes homosexuels peut varier sensiblement.

Les jeunes adultes se trouvent à l'apogée en ce qui a trait à l'activité physique et reproductive. Un grand nombre de leurs intérêts biosociaux touchent les activités sexuelles, notamment les changements cycliques qui affectent l'excitation sexuelle et l'orgasme, l'utilisation et le choix de méthodes contraceptives, les changements d'ordre sexuel causés par la grossesse et le post-partum, l'avortement, l'infertilité et les maladies transmissibles sexuellement. On a découvert que l'apogée des pulsions et de la réactivité sexuelle a lieu chez l'homme à la fin de l'adolescence et au début de la vingtaine, tandis qu'elle a lieu entre 30 et 40 ans chez la femme. Cependant, la plupart des adultes en bonne santé maintiennent une forte énergie sexuelle au-delà de 70 ans.

Adultes d'âge moyen.
Les hommes et les femmes d'âge moyen vivent des déclins hormonaux qui produisent des changements physiologiques susceptibles d'affecter le désir et la réaction sexuels. Ces changements physiologiques sont toutefois moins importants que les attentes psychologiques qui y sont reliées. On a découvert que les femmes ménopausées et postménopausées ressentent moins de crainte et de sentiments négatifs à l'égard des effets de la ménopause que les jeunes femmes. Au lieu de voir leur capacité sexuelle décliner, les femmes postménopausées ont une libido plus forte et ont davantage de plaisir. Chez l'homme, la diminution de testostérone causée par le climatère peut faire en sorte que la libido décline et que l'excitation sexuelle et l'orgasme demandent plus de temps, mais ces changements ne diminuent pas nécessairement le plaisir dans la relation sexuelle.

Probablement plus importants que les changements hormonaux, les facteurs qui influencent les activités sexuelles des adultes d'âge moyen de façon négative comprennent la monotonie causée par des habitudes sexuelles répétées, l'ennui dans une relation, les préoccupations au sujet de la carrière et de l'argent, la fatigue physique et mentale, le fait de manger ou de boire de façon excessive et la crainte d'une défaillance sexuelle. Le fait de devenir une victime du mythe qui veut qu'un corps jeune signifie nécessairement attrait et puissance sexuelle influence aussi les activités sexuelles d'une manière défavorable. Les adultes d'âge moyen risquent d'être atteints d'un problème de santé chronique qui pourrait affecter leur libido et leurs performances. La prise de certains médicaments peut aussi réduire l'intérêt et la réaction sexuels.

Personnes âgées.
Bien que notre société considère que les personnes âgées n'ont pas de rapports sexuels, les gens demeurent des êtres sexuels durant toute leur vie. La plupart des études attestent que les gens qui ont été sexuellement actifs en tant que jeunes adultes et adultes d'âge moyen le demeurent au cours des dernières décennies de leur vie. Les changements physiques des organes sexuels ne doivent pas être considérés comme des restrictions biologiques aux activités sexuelles, ni ne doivent réduire la satisfaction des partenaires sexuels. Un partenaire réceptif, une condition physique raisonnable et une attitude positive à l'égard des activités sexuelles constituent les critères les plus importants pour demeurer sexuellement actif au troisième âge.

Puisqu'il a fallu beaucoup de temps à la société pour reconnaître les besoins sexuels des personnes âgées et que ces dernières, pour la plupart, ont appris à ne pas parler de sexualité, il est difficile pour les personnes soignantes de déceler les problèmes liés à la sexualité et d'intervenir. Des programmes d'éducation sexuelle conçus pour les personnes âgées visent à les informer des changements normaux de leur vie sexuelle, ce qui les aide à s'adapter à leurs besoins sexuels insatisfaits et aux attitudes familiales et sociales à l'égard des activités sexuelles prolongées.

Intimité.
Au sens large, l'intimité comprend le concept de l'attachement ou de la recherche d'une relation dans laquelle un individu peut maintenir un contact ou un rapprochement avec l'objet de son attachement. Durant toute la vie, le toucher joue un rôle important dans la réception et l'expression de l'intimité. Cependant, comme l'ouïe et la vue déclinent avec l'âge, le toucher devient une façon encore plus importante d'établir un contact physique intime (voir figure 2.5). Les personnes âgées tentent souvent de toucher les autres et d'être touchées afin d'éprouver un sentiment de proximité physique. La réaction de l'entourage à leur toucher communique un message d'acceptation ou de non-acceptation qui n'aurait peut-être jamais été exprimé verbalement.

Le besoin des personnes âgées d'exprimer leur intimité physique par des comportements à connotations sexuelles est souvent méconnu. Bien qu'on considère ces expressions comme étant normales chez les adultes plus jeunes, elles peuvent être perçues avec dédain et désapprobation, ou comme un comportement amusant et enfantin, lorsqu'elles viennent des personnes âgées. On peut observer ce dédain dans certaines structures et politiques institutionnelles. Un grand nombre de centres de soins fournissent peu d'occasions aux personnes âgées d'exprimer leurs besoins sexuels. Souvent, on ne

FIGURE 2.5 L'intimité et les contacts physiques sont importants pour les personnes âgées.

fournit pas de chambres privées avec des portes fermées à clé, ou alors on ne respecte pas le besoins d'intimité. Les couples de personnes âgées peuvent être séparés et placés dans des unités distinctes pour les hommes et les femmes ou, s'ils partagent la même chambre, celle-ci peut être munie de lits jumeaux. Cela peut expliquer pourquoi une personne âgée qui a partagé son lit avec son conjoint pendant des années devient désorienté la nuit venue et erre sans but ou se retrouve dans le lit de quelqu'un d'autre.

2.4 PROCESSUS SOCIAUX À L'ÂGE ADULTE

L'âge adulte est vécu dans un contexte social où les tâches développementales sont déterminées par l'interaction des individus et de leurs systèmes sociaux. Les champs d'intérêt de l'adulte comprennent principalement la famille, le travail, les loisirs et les responsabilités communautaires.

2.4.1 Développement familial et développement de l'adulte

Durant toute la vie, la famille demeure une institution de relations sociales majeure pour ses membres. Une enquête réalisée à l'échelle mondiale auprès de personnes représentant 70 pays a révélé que la vie familiale est en très grande majorité la source la plus importante de satisfaction et de bonheur pour la plupart des gens. La famille est un point de convergence qui répond aux besoins de l'adulte en ce qui a trait à la sécurité émotionnelle, au sentiment d'appartenance, à l'amour, à la camaraderie, à l'estime et à l'acceptation des autres. Le développement familial reflète les changements qui s'opèrent chez les adultes de la famille (voir tableau 2.4).

Jeunes adultes. L'émancipation du jeune adulte de sa famille d'origine est la première tâche familiale qu'il aura à accomplir. Il s'agit généralement d'un processus graduel qui comprend l'autonomie physique, économique et émotionnelle du jeune adulte à l'égard de ses parents. Cependant, l'émancipation ne marque pas la fin du rapport entre le jeune adulte et ses parents. À la suite de son émancipation, le jeune adulte établit souvent un nouveau système familial dans lequel les rôles, les relations et les attentes sont déterminées, ce qui comprend généralement une adaptation à une relation intime et à des crises prévisibles associées à la maternité. Dans les nouvelles familles de jeunes adultes, on retrouve fréquemment un haut taux de stress causé par les changements dans les relations et les structures de soutien. De plus, c'est souvent au cours de cette période que les carrières des deux partenaires débutent, ce qui implique des exigences supplémentaires auxquelles les jeunes adultes doivent répondre. Le stress causé par ces

TABLEAU 2.4 Tâches familiales durant le développement de l'adulte		
Jeunes adultes	**Adultes d'âge moyen**	**Personnes âgées**
Émancipation du jeune adulte de sa famille d'origine	Aide aux adolescents pour devenir des adultes responsables	Établissement d'un mode de vie satisfaisant avec un revenu limité
Établissement de rapports interdépendants avec les parents	Restructuration de la relation avec le conjoint après le départ des enfants	Restructuration des rôles familiaux et des responsabilités à la suite de la retraite
Choix du partenaire et adaptation à une relation d'intimité	Restructuration de la relation avec les parents vieillissants	Adaptation des conditions locatives pour résoudre les problèmes causés par le déclin physique
Adaptation du système familial aux exigences de la maternité	Adaptation au décès des parents	Adaptation au décès du conjoint
Recherche d'équilibre entre la famille, la carrière et les exigences sociales	Définition des rôles et des responsabilités des grands-parents	

exigences se reflète dans le taux de divorce. C'est après 3 à 5 ans de mariage chez les jeunes adultes de moins de 30 ans qu'on note le taux de divorce le plus élevé.

Adultes d'âge moyen. Les adultes d'âge moyen sont la génération « sandwich », partagés entre les besoins de leurs enfants et ceux de leurs parents vieillissants. La vie familiale peut être stressante parce qu'elle représente une corvée complexe qui exige simultanément d'assumer la transition d'identité qui survient à l'âge moyen, la confusion d'identité des adolescents et la redéfinition des rôles familiaux et des relations aussi bien dans la famille d'origine que dans la vie conjugale et la condition parentale.

Les adultes d'âge moyen vivent fréquemment un désenchantement dans leurs relations conjugales. Les couples mariés sont moins satisfaits l'un par l'autre entre 40 et 50 ans. Il existe de nombreux facteurs qui contribuent à cette insatisfaction, notamment les préoccupations relatives aux objectifs de carrière ainsi que le fardeau financier et émotionnel associé à la présence d'adolescents. Bien que le taux de divorce ne soit pas aussi élevé chez les adultes d'âge moyen que chez les jeunes adultes, il augmente à nouveau au cours des quelques années qui suivent le départ des enfants de la maison.

Les couples d'âge moyen qui renouvellent leur engagement l'un envers l'autre et qui poursuivent leur vie conjugale découvrent souvent que leur satisfaction conjugale atteint un degré inégalé. Bien qu'on ait beaucoup entendu parler de la crise « du nid vide », un grand nombre d'hommes et de femmes d'âge moyen éprouvent une renaissance de leur identité personnelle et conjugale après le départ des enfants. Ils redéfinissent leur relation comme des amoureux et des compagnons plutôt que comme des parents.

Au cours de l'âge moyen, l'adulte commence souvent à apprécier ses parents et à comprendre les problèmes des personnes âgées d'une nouvelle manière. Si les parents vieillissants sont en bonne santé et pratiquement autonomes, la relation parents-enfants est généralement caractérisée par une amitié qui est satisfaisante pour tous. Dans le cas où les parents vieillissants sont confrontés à des problèmes qui les empêchent d'être indépendants, tels qu'une situation financière précaire, un mauvais état de santé ou le décès du conjoint, la relation parents-enfants et les rôles qui y sont associés peuvent être restructurés. Un renversement des rôles difficile, mais parfois nécessaire, se produit lorsqu'un adulte d'âge moyen devient le « parent » de son père ou de sa mère. Cela exige d'abandonner le sentiment de dépendance envers ses parents et souvent d'assumer un rôle autoritaire inconfortable que le parent âgé peut trouver difficile à accepter. La façon dont l'adulte d'âge moyen répond à la dépendance du parent doit être déterminée par leur relation antérieure, les ressources disponibles et les autres responsabilités de l'adulte d'âge moyen. Un grand nombre d'adultes d'âge moyen doivent éventuellement faire face aux sentiments provoqués par le décès de leurs parents. Bien que les changements familiaux qui se produisent au cours de cette période ont fait l'objet de peu d'études, le fait de devenir un membre de la génération la plus âgée de la famille après le décès de ses parents constitue une phase importante de la vie familiale.

Être grands-parents. De nombreux adultes deviennent grands-parents à l'âge moyen (voir figure 2.6). Ce rôle social peut avoir un impact positif ou négatif sur l'estime de soi des nouveaux grands-parents. Certains l'attendent avec excitation; pour d'autres, ce rôle est synonyme de « vieillir », ce qui crée un conflit dans les sentiments qu'ils éprouvent. Le fait que les nouveaux parents soient adolescents peut également provoquer des réactions pénibles. Souvent, parce que les parents adolescents ne veulent ou ne peuvent pas assumer les responsabilités qui accompagnent le rôle de parents, de nombreux grands-parents deviennent les parents substituts de leurs petits-enfants. Cette entente familiale peut causer un stress physique et émotionnel important aux grands-parents d'âge moyen.

Personnes âgées. On considère que la fin de la vie familiale est souvent marquée par la retraite et qu'elle s'accompagne de tâches développementales propres à la famille vieillissante. La première tâche est d'établir un mode de vie satisfaisant avec un revenu limité, étant

FIGURE 2.6 Les grands-parents actifs jouent un rôle positif dans la vie de leurs enfants et de leurs petits-enfants.

donné les changements de rôles provoqués par la retraite et les limitations physiques reliées au vieillissement. Pour ce qui est du mode de vie, la plupart des personnes âgées vivent à domicile, plutôt qu'en centre d'hébergement. Selon un étude menée par Statistique Canada (1991), 92 % des personnes âgées de 65 ans et plus vivaient dans un ménage privé, mais une portion importante vivaient seules. Les femmes âgées, surtout dans les groupes d'âge très avancé, ont particulièrement tendance à vivre seules (Statistique Canada, 2003). Pour les personnes âgées qui sont en bonne santé et qui ont un revenu suffisant, le fait de vivre dans leur propre maison plutôt qu'avec des membres de leur famille leur permet d'avoir une vie privée et de conserver un sentiment de compétence et d'indépendance.

Le réajustement des responsabilités et des habitudes familiales devient une partie importante de l'adaptation qu'un couple doit faire à la retraite. Les horaires et les activités sont réorganisés et c'est fréquemment les membres de la famille qui comblent les besoins d'estime de soi du retraité, rôle qui était joué auparavant par le groupe de travail.

Perte du conjoint. La perte du conjoint constitue une crise majeure, et ce, à n'importe quel stade de la vie. De nos jours, il est plus probable que le décès de l'homme survienne avant celui de la femme. À la suite du décès du conjoint, la réaction peut varier selon la qualité de la relation, les circonstances du décès, les réseaux de soutien disponibles, notamment la famille et les croyances religieuses, l'autonomie physique du survivant et les ressources financières. Bien que le degré de bonheur conjugal varie chez les personnes âgées, les couples mariés depuis longtemps ont généralement établi une relation symbiotique d'interdépendance qui leur procure beaucoup de plaisir au cours des dernières années de leur vie.

La création d'une nouvelle identité sociale et l'adaptation à un nouveau mode de vie constituent des tâches majeures après la perte du conjoint. Pour un grand nombre de gens, il s'agit d'une période d'isolement, à moins qu'ils ne recherchent activement des activités auxquelles ils peuvent s'adonner seuls. Certaines personnes âgées choisissent de s'installer chez des membres de leur famille ; d'autres emménagent dans un appartement plus petit, un condominium ou un centre pour personnes âgées. Dans tous les cas, un déménagement peut causer un traumatisme supplémentaire.

Le remariage devient une alternative à la solitude ou à la vie avec les enfants ou les amis. La plupart des personnes âgées se remarient pour avoir de la compagnie, et quoiqu'il existe un danger d'idéaliser le conjoint décédé et de le comparer de façon irréaliste au nouveau conjoint, la plupart des gens remariés sont heureux.

2.5 PROCESSUS PHYSIOLOGIQUES À L'ÂGE ADULTE

2.5.1 Changements physiologiques à l'âge adulte

Le corps du jeune adulte est généralement à un niveau de santé optimal. Au cours de cette période, les changements physiques associés au vieillissement ne font que commencer. Des facteurs extrinsèques comme des accidents et des agents stressants physiques, tels qu'un manque de sommeil et l'abus d'alcool et de drogues, sont les sources les plus courantes de problèmes de santé qui affectent les jeunes adultes.

Les changements dans la structure et le fonctionnement de l'organisme qui n'ont pas été perçus par le jeune adulte peuvent devenir apparents à l'âge moyen. La vitesse des changements physiologiques liés au vieillissement et la façon dont ils se manifestent peuvent être très différentes d'un individu à un autre. Les changements de l'apparence physique, comme l'assèchement de la peau, l'apparition de rides, la perte des cheveux et leur grisonnement, ainsi que les quelques centimètres de plus à la taille et aux hanches, constituent fréquemment les premiers signes perceptibles du vieillissement. Durant l'âge moyen, la plupart des adultes remarquent que leur force et leur agilité musculaire diminuent. Comme les changements liés à l'âge sont causés par le vieillissement plutôt que par un processus pathologique, ils débutent insidieusement chez le jeune adulte et deviennent plus apparents à l'âge moyen.

Bien qu'un grand nombre de personnes âgées demeurent vigoureuses après l'âge de 80 ans, la dégénérescence qui s'opère dans tous les systèmes et la diminution du nombre de cellules fonctionnelles résultant du vieillissement réduisent leur capacité à résister au stress physique et à s'adapter au stress émotionnel. Lorsqu'un système subit un stress, une réaction en chaîne se produit. Sans la capacité de résister ou de gérer ce stress, tous les systèmes peuvent s'effondrer. Chez une personne âgée, l'intégrité physique et émotionnelle peut donc être précaire. Cependant, des exercices physiques réguliers, une alimentation équilibrée et des passe-temps qui stimulent l'intelligence ont plusieurs effets positifs (voir figure 2.7). Une description plus détaillée des changements physiologiques liés au processus du vieillissement est présentée au tableau 3.1.

2.5.2 Facteurs à considérer dans la promotion de la santé

Jeunes adultes. Bien que la première phase de l'âge adulte soit une période où la santé physique et émotionnelle est généralement bonne, le mode de vie du

FIGURE 2.7 Les jeunes adultes et les adultes d'âge moyen sont sujets à des lésions associées à l'activité physique sporadique.

l'âge moyen et, pour s'en sortir, l'individu peut consommer diverses substances, notamment la cigarette, l'alcool, la nourriture et les tranquillisants et même en abuser (voir figure 2.8). Plutôt que de dépendre de ces substances, l'individu peut avoir besoin d'aide pour affronter les sources du stress.

Les adultes d'âge moyen doivent être encouragés à passer des examens médicaux et dentaires réguliers, orientés vers la prévention des maladies et leur traitement précoce. Il est recommandé que les adultes d'âge moyen en santé passent un examen dentaire annuel et un examen médical deux fois par année. Toute femme sexuellement active, quel que soit son âge, devrait passer un test de Papanicolaou et un examen pelvien annuellement ou aux trois ans, selon ses antécédents de santé. Le test de Papanicolaou fait partie de l'examen physique complet d'une femme (Santé Canada, 1999).

En ce qui a trait au dépistage précoce du cancer du sein, la mammographie chez les femmes de 50 à 69 ans est présentement la seule méthode reconnue comme efficace pour diminuer le taux de mortalité de cette maladie. Il est de plus en plus recommandé de faire

jeune adulte peut représenter certains dangers pour sa santé. Les accidents, l'infection au virus de l'immunodéficience humaine (VIH), le syndrome d'immunodéficience acquis (SIDA), les maladies transmissibles sexuellement (MTS), l'abus d'alcool ou de drogues, le manque de sommeil, l'inactivité, l'obésité, l'exposition à des risques environnementaux et professionnels et les maladies liées au stress, telles que les ulcères gastriques ainsi que les dépressions qui peuvent mener au suicide, sont des problèmes de santé importants qui peuvent survenir au cours de cette période de la vie. Des problèmes de santé chroniques, telles que le diabète, l'hypertension artérielle et les coronaropathies, peuvent débuter au cours de cette période, sans que le jeune adulte le sache, et elles peuvent devenir de graves problèmes de santé plus tard dans la vie.

Adultes d'âge moyen. L'adulte d'âge moyen évalue les facteurs liés à son mode de vie qui sont nuisibles pour sa santé. Comme cette période est caractérisée par une diminution de la force et de l'endurance, l'activité physique quotidienne est essentielle. Des activités physiques sporadiques pratiquées la fin de semaine ou un effort physique intense lors d'une compétition peuvent causer des lésions. Il est souvent nécessaire de réduire son apport calorique pour éviter de prendre du poids. Cela peut s'avérer particulièrement difficile pour les adultes d'âge moyen dont le mode de vie social et professionnel donne lieu à un grand nombre de soupers et de fêtes. Les pressions de la vie augmentent fréquemment à

FIGURE 2.8 Les femmes d'âge moyen peuvent subir les mêmes pressions liées au travail que les hommes en raison des soucis financiers et du grand nombre de décisions qu'elles doivent prendre.

examiner ses seins tous les ans par un médecin, et de procéder à un auto-examen des seins tous les mois (Programme québécois de dépistage de cancer du sein). L'encadré 2.1 présente les recommandations de la Société canadienne du cancer concernant les mesures préventives du cancer du sein. L'infirmière joue un rôle fondamental dans la promotion de la santé en encourageant l'autogestion des soins chez les adultes d'âge moyen et en l'enseignant à ces derniers.

Bien qu'un grand nombre d'adultes d'âge moyen sentent qu'ils sont dans la fleur de l'âge, une incidence croissante de problèmes de santé chroniques est associée à cet âge. Parmi les préoccupations principales qui ont trait à la santé, on retrouve les maladies cardiovasculaires, le cancer, la cirrhose du foie, le diabète et le dysfonctionnement sexuel.

Personnes âgées. On estime que 86 % des personnes âgées de plus de 65 ans souffrent d'au moins un problème de santé chronique avec des degrés d'incapacités variables. Les problèmes de santé des personnes âgées reflètent leur état de santé antérieur et les influences de leur mode de vie. Les problèmes les plus importants sont les affections chroniques ou répétitives contractées antérieurement, le syndrome cérébral chronique, les troubles dégénératifs des os et des articulations, la malnutrition, les maladies respiratoires aiguës ou chroniques, les maladies rénales, les problèmes dus aux drogues ou à la surconsommation de médicaments et les troubles mentaux.

L'état de santé des personnes âgées n'est pas seulement influencé par les processus morbides, mais aussi par le processus de vieillissement. Bien que celui-ci ne puisse être freiné, ses conséquences peuvent être réduites par l'adoption de bonnes habitudes de vie, notamment par une alimentation équilibrée, la pratique d'activités physiques régulières, beaucoup de repos, un mode de vie sécuritaire et une utilisation adéquate des médicaments.

2.5.3 Stress relatif à la maladie à l'âge adulte

La maladie est une crise situationnelle qui peut perturber la vie de l'adulte à tout moment. La portée de cette perturbation peut aller d'une contrariété mineure à un changement complet du mode de vie. Pour l'individu, la signification « d'être malade » est déterminée par plusieurs variables : le type de maladie et la menace qu'elle constitue, la personnalité de l'individu, ses ressources socio-économiques, sa famille ou ses proches et les restrictions possibles du mode ou de la structure de sa vie.

Selon le modèle de Levinson, l'impact de la maladie diffère en fonction de la période de développement de l'individu, laquelle peut être transitoire ou stable. Au cours des périodes stables, qui sont généralement tranquilles, l'individu dispose de beaucoup d'énergie pour affronter la maladie. À l'opposé, les changements qui affectent la structure globale de la vie au cours des phases de transition laissent peu d'énergie à l'individu pour affronter la maladie. La maladie et ses conséquences possibles ajoutent alors des variables supplémentaires qui doivent être considérées dans le processus de restructuration. Comme les phases de transition représentent des périodes d'incertitude, de changement de rôles et d'anxiété, l'individu est également plus vulnérable à la maladie. Inversement, les périodes stables, qui sont typiquement des périodes d'engagement, de confiance et de réussite, favorisent une bonne santé. La présence de la maladie, qu'elle atteigne l'individu ou un proche, peut aussi faire passer l'individu d'une période stable à une phase transitoire. On peut habituellement observer cette situation pendant la transition qui survient dans la cinquantaine, au cours de laquelle un problème de santé peut amener l'individu à penser au « temps qu'il lui reste », ce qui est essentiel pour une réévaluation profonde du sens de la vie à cette période.

La maladie d'un individu peut aussi constituer une menace pour le développement de l'intégrité de sa famille. L'infirmière doit considérer la famille comme une unité, déceler ses besoins et soutenir ses forces et ses mécanismes d'adaptation positifs.

Jeunes adultes. Chez le jeune adulte, les problèmes de santé aigus les plus courants sont les accidents mineurs, l'abus de drogues, les problèmes respiratoires, la grippe, la gastro-entérite, les infections urinaires et les chirurgies mineures. Ces problèmes de santé peuvent influer sur le développement du jeune adulte, et ce, pour plusieurs raisons. D'abord, l'horaire très chargé du jeune adulte peut être dérangé par une maladie mineure. Le

---

Prévention du cancer du sein   **ENCADRÉ 2.1**

Si vous êtes âgée de 40 à 49 ans
- Faites examiner vos seins par un professionnel de la santé qualifié au moins tous les 2 ans.
- Pratiquez régulièrement l'auto-examen des seins.
- Discutez avec votre médecin du risque que vous courez de développer un cancer du sein ainsi que des avantages et inconvénients de la mammographie.

Si vous êtes âgée de 50 à 69 ans
- Passez une mammographie tous les 2 ans.
- Faites examiner vos seins par un professionnel de la santé qualifié au moins tous les 2 ans.
- Pratiquez régulièrement l'auto-examen des seins.
- Signalez tout changement à votre médecin.

jeune adulte peut savoir que les conséquences d'une incapacité aiguë sont de courte durée ; cependant, il peut s'impatienter, trouver la guérison lente et craindre que des problèmes à long terme ne surviennent. Les réorganisations familiales peuvent être stressantes, surtout lorsque l'individu doit être hospitalisé. L'hospitalisation peut également être frustrante à cause de la dépendance forcée et des restrictions qui accompagnent les traitements. Pour le jeune adulte, il est important de maîtriser la situation ; il a donc besoin d'être informé des décisions qui concernent les soins et d'y participer. Les jeunes adultes ont généralement une grande motivation à guérir afin de reprendre leurs activités quotidiennes.

Bien que rares, les problèmes de santé chroniques peuvent survenir chez les jeunes adultes. Les incapacités causées par les accidents, la sclérose en plaques, la polyarthrite rhumatoïde, le SIDA et le cancer constituent les affections à long terme les plus courantes chez les jeunes adultes. Les maladies et les incapacités chroniques qui affectent le jeune adulte peuvent retarder son développement. La menace d'une maladie ou d'une incapacité chronique confronte le jeune adulte à une perte d'indépendance et peut engendrer plusieurs crises, surtout s'il doit modifier ses objectifs personnels, familiaux et professionnels. L'infirmière doit diriger ses interventions vers les problèmes développementaux possibles concernant la réorganisation de l'identité, le rétablissement de l'autonomie, la redéfinition des relations intimes et de la structure familiale, ainsi que le début de la carrière choisie par l'individu.

Adultes d'âge moyen. Les caractéristiques des problèmes de santé aigus sont très semblables chez les adultes d'âge moyen et les jeunes adultes. Cependant, la faculté de récupération diminue à l'âge moyen. Les lésions et les maladies aiguës qui guérissent rapidement chez le jeune adulte peuvent prendre plus de temps à guérir et sont plus susceptibles de devenir des problèmes chroniques.

Les problèmes de santé chroniques perturbent la générativité chez l'adulte d'âge moyen. Une maladie récurrente à long terme provoque souvent chez l'individu un sentiment d'infériorité qui peut le mener à se replier sur lui-même, physiquement ou psychologiquement. L'adulte d'âge moyen qui présente un problème de santé ou une incapacité chronique peut se sentir incapable d'influencer sa propre destinée, et encore moins d'influencer et d'aider les autres. Les conséquences sur la générativité comprennent des changements familiaux, professionnels et communautaires.

Lorsqu'un problème de santé chronique se déclare chez un adulte d'âge moyen, les rôles familiaux établis subissent parfois des changements forcés. Le traumatisme psychologique provoqué par ces changements est causé par les composantes émotionnelles de ces rôles, dont la valeur est liée à l'identité personnelle et au pouvoir qui leur sont attribués. L'infirmière doit être attentive à la possibilité d'un dysfonctionnement familial. Elle doit jouer le rôle de personne-ressource auprès de tous les membres de la famille, les encourager à avoir recours à une aide psychologique et à suivre une thérapie, au besoin.

Lorsqu'un problème de santé chronique se déclare, il peut être nécessaire de modifier ses objectifs professionnels. Cela peut être particulièrement stressant pour l'adulte d'âge moyen, parce qu'il peut alors confondre l'organisation de sa carrière et le réajustement des objectifs nécessaires à une situation de crise professionnelle. Lorsque la maladie le perturbe fortement, l'individu peut avoir besoin de changer de profession, de trouver un autre emploi, ou il peut n'avoir d'autre choix que de prendre une retraite anticipée. Ces deux dernières options peuvent représenter une source importante de stress et une menace à la générativité. La régression professionnelle peut amener l'individu à se voir privé de la satisfaction d'avoir terminé sa carrière et du sentiment du travail bien fait.

Personnes âgées. Chez les personnes âgées, la distinction entre un problème de santé aigu ou chronique est moins précise puisque des maladies aiguës peuvent devenir chroniques, ou peuvent être l'exacerbation de problèmes chroniques. Cependant, les problèmes aigus, tels que la gastro-entérite, la pneumonie, les tumeurs et les lésions accidentelles sans complications, peuvent être de courte durée et disparaître complètement. Le problème que représentent de telles maladies pour les personnes âgées est le suivant : cela ajoute un stress supplémentaire à un organisme dont les capacités physiologiques et psychologiques à neutraliser le stress ont diminué. Lorsqu'un problème de santé aigu se déclare, la capacité d'autogestion constitue un problème important pour les personnes âgées (voir figure 2.9). Si la personne vit seule, ou encore avec un conjoint ou une autre personne de santé fragile, et qu'elle ne dispose pas de structures de soutien suffisantes, une maladie aiguë peut exiger une réorganisation de la vie, entraînant un déménagement et une perte d'autonomie.

Lorsqu'une personne âgée est hospitalisée, de nombreuses situations menacent son intégrité personnelle et l'hospitalisation peut être une expérience très perturbante. En temps normal, les situations et les environnements nouveaux sont une source d'anxiété et, si on ajoute le stress causé par la maladie, l'inconnu devient déroutant. Lorsqu'elle soigne une personne âgée, l'infirmière doit posément l'orienter et la réorienter dans l'environnement hospitalier. Le fait de permettre à la personne âgée de garder des objets personnels bien visibles et à portée de la main l'aide aussi à conserver son sens de

FIGURE 2.9 De bons amis et des activités agréables aident à combler la vie des personnes âgées actives.

l'orientation et permet de diminuer le sentiment de dépersonnalisation qui accompagne l'hospitalisation. Le rythme des soins infirmiers doit permettre à la personne âgée d'y participer sans se presser, afin qu'elle garde le contrôle et qu'elle ait le temps de comprendre ce qui se passe et puisse coopérer.

La situation familiale est un élément important dont on doit tenir compte dans les soins prodigués à la personne âgée. L'infirmière doit être capable de reconnaître un renversement des rôles entre le parent âgé et ses enfants. Les enfants qui éprouvent des problèmes à la suite de ce renversement peuvent réagir en se retirant ou en devenant protecteurs à l'excès ou étouffants. Dans les deux cas, l'estime de soi du parent est menacée. L'infirmière doit également être consciente des autres soucis familiaux des personnes âgées hospitalisées, tels que l'inquiétude au sujet du conjoint seul à la maison, des animaux de compagnie, des plantes ou de l'entretien ménager, si le client vit seul.

Les affections chroniques sont des problèmes de santé courants avec lesquels les personnes âgées peuvent apprendre à se débrouiller. L'utilisation d'appareils de soutien, comme une canne, un fauteuil roulant, une prothèse et un appareil auditif, peut rehausser l'estime de soi. Les maladies chroniques ont aussi des implications sociales si le problème de santé impose un proces-

sus de désengagement involontaire. Lorsque qu'un tel processus se produit, il est encore plus difficile de transcender les problèmes physiques. L'isolement social vécu par l'individu peut avoir pour effet de réduire son estime de soi, ainsi que la force physique et émotionnelle dont il a besoin pour affronter le stress provoqué par la maladie et le vieillissement.

MOTS CLÉS

Stade de développement 36
Théorie stochastique 36
Théorie non stochastique 36
Crise développementale 39
Tâches de développement familiales 40

BIBLIOGRAPHIE
Version originale
1. Ebersole P, Hess P: *Toward healthy aging,* ed 5, St Louis, 1998, Mosby.
2. Hampton J, Craven R, Heitkemper M: *The biology of human aging,* ed 2, Chicago, 1997, Wm C Brown.
3. Birren JE, Bengston V: *Emergent theories of aging,* New York, 1988, Springer.
4. Harman D: Aging: a theory based on free radical and radiation chemistry, *J Gerontol* 11:298, 1956.
5. Byers T, Perry G: Dietary carotenes, vitamin C, and vitamin E as protective antioxidants in human cancers, *Annu Rev Nutr* 12:139, 1992.
6. Hayflick L: *How and why we age,* New York, 1994, Ballantine Books.
7. Cristofalo VJ: An overview of the theories of biological aging. In Birren JE, Bengston VL, editors: *Emergent theories of aging,* New York, 1988, Springer.
8. Shay JW: Telomerase in human development and cancer, *J Cell Phys* 173:266, 1997.
9. Schlossberg NK: *Counseling adults in transition,* New York, 1984, Springer.
10. Erikson EH: *Childhood and society,* ed 2, New York, 1963, Norton.
11. Loevinger J: *Ego development: conceptions and theories,* San Francisco, 1976, Jossey-Bass.
12. Vaillant GE: *Adaptation to life,* Boston, 1984, Little, Brown.
13. Gould R: *Transformations: growth and change in adult life,* New York, 1978, Simon & Schuster.
14. Levinson DH and others: *The season's of a man's life,* New York, 1978, Knopf.
15. Kohlberg L: Continuities in childhood and adult moral development. In Baltes P, Schaie K, editors: *Life-span developmental psychology: personality and socialization,* New York, 1973, Academic Press.
16. Fowler J: *Stages of faith: the psychology of human development and the quest for meaning,* New York, 1981, Harper & Row.
17. Peck TA: Women's self-definition in adulthood: from a different model, *Psychology of Women Quarterly* 10:274, 1986.
18. Havighurst RJ: *Developmental tasks and education,* ed 3, New York, 1972, McKay.
19. Lowenthal MF, Thurnher M, Chiriboga D: *Four stages of life: a comparative study of men and women facing transitions,* San Francisco, 1975, Jossey-Bass.
20. Neugarten B: Adaptation and the life cycle, *Counseling Psychologist* 6:16, 1976.
21. Courtenay B: Are psychological models of adult development still important? *Adult Education Quarterly* 44:145, 1994.
22. Gilligan C: *In a different voice: psychological theory and women's development,* Cambridge, Mass, 1982, Harvard University Press.
23. Kart CS, Metress ES: Death and dying. In Kart CS, editor: *The realities of aging: an introduction to gerontology,* ed 3, Boston, 1990, Allyn & Bacon.
24. Kubler-Ross E: *On death and dying,* New York, 1969, Macmillan.
25. Marshall V, Levy J: Aging and dying. In Binstock RH, George LK, editors: *Handbook of aging and the social sciences,* ed 3, San Diego, 1990, Academic Press.
26. Shneidman E: *Death: current perspectives,* ed 3, Mountain View, Calif, 1976, Mayfield.
27. Schaie KW: Intellectual development in adulthood. In Birren J, Schaie KW, editors: *Handbook of the psychology of aging,* ed 3, San Diego, 1990, Academic Press.

28. Cattell RB: Theory of fluid and crystallized intelligence: a critical approach, *Journal of Educational Psychology* 54:1, 1986.

29. Gallup GH: Human needs and satisfaction: a global survey, *Public Opinion Quarterly* 40:459, 1976.

30. American Association of Retired Persons: *Home equity conversion for the elderly: an analysis for lenders,* Washington, DC, 1989, The Association.

31. US Department of Health and Human Services, Office of Disease Prevention and Health Promotion: *Healthy People 2000: national health promotion and disease promotion objectives,* pub no 017-001-00473, Washington, DC, 1990, US Government Printing Office.

32. Rybash JM, Roodin PA, Hoyer WJ: *Adult development and aging,* ed 3, Chicago, 1995, Brown & Benchmark.

Édition de langue française

1. SOCIÉTÉ CANADIENNE DU CANCER. *Dépistage précoce du cancer du sein,* [en ligne], [http://www.cancer.ca/ccs/internet/standard/0,2939,3649_428237__langId-fr,00.html] (Page consultée le 20 mars 2003).

2. SOCIÉTÉ CANADIENNE DU CANCER. *Dépistage du cancer du col utérin,* [en ligne], [http://www.cancer.ca/ccs/internet/standard/0,3182,3649_428564__langId-fr,00.html] (Page consultée le 20 mars 2003).

3. DIRECTION DE LA SANTÉ PUBLIQUE DE MONTRÉAL-CENTRE. *Cancer Programme de dépistage,* [en ligne], [http://www.santepub-mtl.qc.ca/cancer/cancersein/depistage.html] (Page consultée le 20 mars 2003)

4. STATISTIQUE CANADA. *Un portrait des aînés au Canada,* [en ligne], [http://www.statcan.ca/français/ads/89-519-XPF/link_f.htm] (Page consultée le 20 mars 2003).

5. SANTÉ CANADA. *Réseau canadien pour la santé des femmes,* [en ligne], [http://www.reseau-canadien-sante.ca/faq-faq/women-femmes/10f.html1/4] (Page consultée le 20 mars 2003).

Chapitre **3**

GÉRONTOLOGIE

Pauline Audet
M. Sc. inf
Cégep de Limoilou

Claire Thibaudeau
B. Sc. inf
Cégep de Limoilou

PLAN DU CHAPITRE

3.1 ATTITUDE FACE AU VIEILLISSEMENT . . 55

3.2 CHANGEMENTS PHYSIOLOGIQUES LIÉS À L'ÂGE 56

3.3 POPULATIONS PARTICULIÈRES 56

3.4 ETHNICITÉ ET VIEILLISSEMENT 62

3.5 DÉMARCHE DE SOINS INFIRMIERS AUPRÈS DES PERSONNES ÂGÉES 64

3.6 ENSEIGNEMENT AUX PERSONNES ÂGÉES 66

3.7 PROMOTION DE LA SANTÉ ET DÉPISTAGE 66

3.8 PROBLÈMES DE SANTÉ CHRONIQUES . . 67

3.9 RÉADAPTATION DES PERSONNES ÂGÉES 68

3.10 HOSPITALISATION ET PROBLÈME DE SANTÉ AIGU 68

3.11 SOINS GÉRONTOLOGIQUES 70

3.12 PERSONNES ÂGÉES ET SOUTIEN SOCIAL 74

3.13 POSSIBILITÉS DE SOINS POUR LES PERSONNES ÂGÉES 76

3.14 CONSIDÉRATIONS JURIDIQUES ET ÉTHIQUES. 78

OBJECTIFS D'APPRENTISSAGE

APRÈS AVOIR LU CE CHAPITRE, VOUS DEVRIEZ ÊTRE EN MESURE :

- DE DÉCRIRE LES CONSÉQUENCES DE L'AUGMENTATION DU NOMBRE DES PERSONNES ÂGÉES SUR LE SYSTÈME DE SOINS DE SANTÉ ;

- D'ADAPTER LES SOINS AUX PERSONNES ÂGÉES EN PRENANT EN COMPTE LES EFFETS DU VIEILLISSEMENT ;

- DE DÉCRIRE LES MANIFESTATIONS CLINIQUES PROVOQUÉES PAR LES CHANGEMENTS PHYSIOLOGIQUES LIÉS À L'ÂGE ;

- DE DÉCRIRE LES INTERVENTIONS SPÉCIFIQUES DU PERSONNEL INFIRMIER PERMETTANT DE RÉPONDRE AUX BESOINS PARTICULIERS DES PERSONNES ÂGÉES ;

- DE DÉCRIRE LES EFFETS DU VIEILLISSEMENT EN FONCTION DE LA CULTURE ;

- DE DÉTERMINER EN QUOI L'ÉTAT DE SANTÉ ET LES MANIFESTATIONS DES PROBLÈMES DE SANTÉ DES PERSONNES ÂGÉES DIFFÈRENT DE CEUX DES JEUNES ADULTES ;

- DE DÉTERMINER LE RÔLE DU PERSONNEL INFIRMIER AUPRÈS DES PERSONNES ÂGÉES, EN MATIÈRE DE DÉPISTAGE, DE PROMOTION DE LA SANTÉ ET DE PRÉVENTION DES MALADIES ;

- DE DÉCRIRE LES ACTIVITÉS DE LA VIE QUOTIDIENNE (AVQ) DES PERSONNES ÂGÉES ATTEINTES DE PROBLÈMES DE SANTÉ CHRONIQUES ET DE DÉTERMINER LES INTERVENTIONS DU PERSONNEL INFIRMIER QUI PEUVENT LES AIDER À ACCOMPLIR CES ACTIVITÉS ;

- DE DÉCRIRE LES PROBLÈMES COURANTS RENCONTRÉS PAR LES PERSONNES ÂGÉES HOSPITALISÉES SUITE À DES PROBLÈMES DE SANTÉ AIGUS, ET DE DÉTERMINER LES INTERVENTIONS ADÉQUATES DU PERSONNEL INFIRMIER ;

- DE DÉCRIRE LES DIFFÉRENTES SOLUTIONS D'AIDE SOCIALE QUI S'OFFRENT AUX PERSONNES ÂGÉES ;

- DE DÉTERMINER LES SOINS QUI RÉPONDENT AUX BESOINS SPÉCIFIQUES DES CLIENTS ÂGÉS ;

- DE RECONNAÎTRE LES QUESTIONS D'ORDRE ÉTHIQUE ET JURIDIQUE TOUCHANT LES PERSONNES ÂGÉES.

*L*es soins aux personnes âgées font appel à l'ensemble des connaissances spécifiques des soins infirmiers en gérontologie. L'infirmière adopte une approche individuelle et traite la personne dans son ensemble (biopsychsocioculturelle). Le présent chapitre porte sur les soins infirmiers spécifiques adaptés à différents groupes de personnes âgées. Les questions liées au développement des personnes âgées sont traitées plus en détail au chapitre 2. La gérontologie pose des difficultés aux infirmières, qui doivent recueillir des données complexes et faire preuve de créativité pour adapter leurs interventions.

Les personnes âgées appartiennent à l'un des segments de la population dont la croissance est la plus rapide au Canada. En 2000, on estime à 3,8 millions le nombre de Canadiens âgés de 65 ans et plus, ce qui représente une hausse de plus de 62 % par rapport aux 2,4 millions recensés en 1981 (Santé Canada, 2003). Au Québec, la proportion de personnes âgées de 65 ans et plus est également en progression constante. En 1961, ces personnes ne représentaient que 6 % de la population totale ; en 1996, la proportion de ce groupe d'âge, en forte hausse, était de 12 % de la population. On estime qu'en 2031, les personnes âgées de 65 ans et plus représenteront 25 % (soit le quart) de la population. On s'attend à ce que cette tendance démographique se poursuive encore (voir figure 3.1). En 2001, les personnes âgées de 65 ans et plus représentaient 12,9 % du total de la population. Selon les projections démographiques, elles pourraient représenter près de 30 % de la population totale du Québec en 2041 (Gouvernement du Québec, 2003).

En 1991, une personne âgée de 65 ans avait une espérance de vie moyenne de 18 ans, soit une année de plus qu'en 1981 et près de cinq années de plus que pendant la période allant de 1921 à 1941. Les femmes âgées ont cependant une espérance de vie de beaucoup supérieure à celle des hommes. En 1991, une femme de 65 ans pouvait espérer vivre en moyenne encore 20 ans, soit quatre ans de plus qu'un homme du même âge.

Plusieurs facteurs expliquent cet accroissement de l'espérance de vie, parmi lesquels la baisse du nombre des décès attribuables aux maladies cardiovasculaires et aux accidents vasculaires cérébraux.

La classe d'âge dont la proportion croît le plus rapidement est celle des personnes âgées de 85 ans et plus. Les termes adultes du 3e âge (de 55 à 75 ans) et adultes du 4e âge (75 ans et plus) sont utilisés pour désigner ces deux groupes de personnes âgées, qui présentent souvent des caractéristiques et des besoins

différents. Le terme personnes âgées vulnérables désigne les personnes âgées de plus de 75 ans, de plus en plus nombreuses, qui éprouvent de façon permanente divers problèmes de santé.

3.1 ATTITUDE FACE AU VIEILLISSEMENT

Qui est vieux ? La réponse à cette question dépend souvent de l'âge et de l'attitude de la personne à laquelle elle est posée. L'infirmière doit considérer que le vieillissement est normal et qu'il n'est pas associé nécessairement à des problèmes de santé. Le vieillissement est un phénomène inéluctable influencé par différents facteurs, parmi lesquels la santé physique et mentale, les stades du développement, la situation socio-économique, la culture et l'origine ethnique.

En vieillissant, les personnes vivent des expériences de vie de plus en plus nombreuses et variées. L'accumulation de ces différentes expériences fait que les personnes âgées forment le groupe d'âges le plus diversifié dans l'ensemble de la population. L'infirmière qui évalue une personne âgée doit tenir compte de cette diversité. Elle doit considérer comment la personne perçoit son âge. Les personnes âgées qui sont en mauvaise santé se sentent vieilles et éprouvent un bien-être psychologique précaire. L'âge n'est pas la donnée la plus pertinente pour décider des soins à prodiguer au client.

Les mythes et les stéréotypes sur le vieillissement, véhiculés par les médias, présentent les personnes âgées

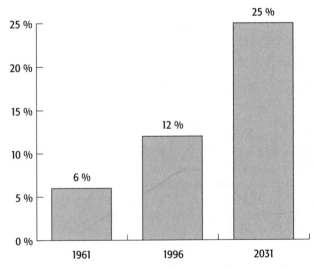

Proportion des personnes âgées

FIGURE 3.1 Progression de la population âgée de 65 ans et plus au Québec

Gouvernement du Québec. Le vieillissement de la population, 2003. Reproduction autorisée par Les Publications du Québec.

comme des personnes dépendantes et comme étant sources de problèmes. Ils sont à l'origine d'idées fausses pouvant entraîner des erreurs dans la détermination des soins nécessaires et le choix des interventions. Si l'infirmière croit que toutes les personnes âgées ont l'esprit étroit, par exemple, elle ne proposera pas d'idées nouvelles au client.

L'âgisme est une attitude négative fondée sur l'âge qui entraîne de la discrimination dans les soins qui sont prodigués aux personnes âgées. L'infirmière qui adopte des attitudes négatives peut appréhender son propre vieillissement, ou être mal informée sur le vieillissement et les besoins des personnes âgées en matière de soins. Il peut être profitable à l'infirmière d'acquérir des connaissances sur le processus normal du vieillissement, d'augmenter le nombre de ses contacts avec des personnes âgées autonomes et en bonne santé et de participer à des mises en situation représentatives de la vie des personnes âgées.

3.2 CHANGEMENTS PHYSIOLOGIQUES LIÉS À L'ÂGE

Les changements liés à l'âge touchent tous les systèmes du corps humain. Ces changements sont normaux et surviennent au fil du temps. Toutefois, l'âge auquel chacun de ces changements apparaît varie d'une personne à l'autre. Par exemple, une personne peut avoir les cheveux gris à 45 ans sans avoir beaucoup de rides à 80 ans. L'infirmière doit reconnaître ces changements liés à l'âge. Le tableau 3.1 présente les changements liés à l'âge et les manifestations cliniques qui y sont associées.

3.3 POPULATIONS PARTICULIÈRES

3.3.1 Femmes âgées

Pour la femme âgée, le fait d'être une femme et de vivre avec un corps vieillissant est ressenti comme une double épreuve. Les femmes sont souvent victimes de discrimination pour deux motifs : leur sexe et leur âge avancé. L'encadré 3.1 présente une liste des nombreux facteurs qui ont un effet négatif sur la santé des femmes âgées. L'infirmière est très bien placée pour préconiser l'équité des soins de santé pour les femmes âgées dans le système de soins de santé.

3.3.2 Personnes âgées atteintes de déficit cognitif

La majorité des personnes âgées en bonne santé ne subissent pas de baisse observable de leurs capacités

| Facteurs ayant des répercussions négatives sur la santé des femmes âgées | ENCADRÉ 3.1 |

- Les femmes qui vivent dans la pauvreté sont proportionnellement plus nombreuses que les hommes.
- Les femmes appartenant aux minorités visibles présentent les taux de pauvreté les plus élevés.
- Les femmes âgées, qui n'ont pas eu d'emplois rémunérés, ont un faible revenu.
- Un plus grand nombre de femmes âgées que d'hommes âgés dépendent de prestations de sécurité de la vieillesse (Régime de pensions du Canada) comme principale source de revenu.
- Les femmes âgées vivent plus souvent dans la solitude que les hommes âgés.
- Les rôles traditionnellement associés à l'entretien de la maison et à l'organisation des soins augmentent l'insécurité économique des femmes.
- Les femmes âgées présentent un plus haut taux de problèmes de santé chroniques, comme l'arthrite, l'hypertension, l'AVC et le diabète, que les hommes âgés.
- Les femmes âgées qui sont mariées prennent souvent soin de leur mari malade.

Tiré de Hooyman NR, Kiyak HA : *Social gerontology : a multidisciplinary perspective*, 4ᵉ éd., Boston, 1996, Allyn and Bacon.

intellectuelles. Les personnes âgées peuvent avoir des pertes de mémoire, symptômes qui n'ont rien à voir avec un déficit cognitif (voir tableau 3.2).

Il faut encourager les personnes âgées qui ont des pertes de mémoire à utiliser des aide-mémoire, dans un environnement calme, afin qu'elles se souviennent de ce qu'elles ont oublié, et à mettre en pratique des techniques de mémorisation. Les aide-mémoire comprennent notamment les horloges, les calendriers, les notes, les contenants de pilules bien identifiés, les dosettes, les alarmes de sécurité sur les cuisinières et les bracelets ou les chaînes d'identification. Les techniques de mémorisation comprennent les associations de mots, l'imagerie mentale et les moyens mnémotechniques.

La dégradation de la santé physique est un facteur important dans l'apparition de problèmes cognitifs. Les personnes âgées qui souffrent de pertes sensorielles, qui sont atteintes de maladies cardio-vasculaires ou qui souffrent d'hypertension subissent une dégradation de leur fonctions cognitives. Bien que la valeur du quotient intellectuel (QI) soit importante, l'infirmière doit mesurer la capacité d'utilisation de l'information. Un bon examen des fonctions cognitives doit tenir compte des aspects suivants : capacité fonctionnelle, mémoire, orientation, jugement et état émotionnel. Les données recueillies lors de l'examen de l'état mental et des descriptions comportementales normales servent à déterminer les fonctions cognitives. Les trois problèmes cognitifs les plus courants chez les personnes âgées sont présentés de façon comparative dans le tableau 3.3

EXAMEN CLINIQUE ET GÉRONTOLOGIQUE

TABLEAU 3.1 Changements liés à l'âge et manifestations cliniques		
Système ou appareil	**Changements dus au vieillissement**	**Manifestations cliniques**
Appareil cardiovasculaire Débit cardiaque	Diminution de la force de contraction Augmentation des tissus adipeux et du collagène Réduction de la taille du muscle cardiaque Épaississement de la paroi ventriculaire	Augmentation des besoins en oxygène du myocarde Réduction du débit systolique et cardiaque Risque de fatigue, de dyspnée et de tachycardie Diminution du débit sanguin vers les organes vitaux et en périphérie
Fréquence et rythme cardiaque	Diminution de la conduction auriculo-ventriculaire Perte de fibres du faisceau de His Étirement de la valve bicuspide Ralentissement de la dépolarisation ventriculaire Diminution du nombre de cellules au centre rythmogène du nœud sino-auriculaire	La FC augmente avec le stress Diminution de la FC maximale (p. ex. personne de 80 ans : 120 bpm ; personne de 20 ans : 200 bpm) Risque de blocage auriculo-ventriculaire FC stable au repos Prolongement du temps de récupération après tachycardie Augmentation des extrasystoles
Changements structurels	Calcification et sclérose des valves aortiques Diminution de la sensibilité des barorécepteurs Légère fibrose et calcification des valves	Présence de souffle diastolique chez 50 % des clients âgés Déplacement des repères de la position cardiaque
Circulation artérielle	Diminution de l'élastine et du muscle lisse Augmentation de la rigidité des vaisseaux Augmentation de la résistance vasculaire Dilatation de l'aorte	Légère augmentation de la pression artérielle systolique (p. ex. 160/90) Rigidité des artères entraînant coronaropathie et maladies vasculaires périphériques
Circulation veineuse	Augmentation de la sinuosité	Varicosités irritées, douloureuses ou ressemblant à un cordon
Pouls périphérique	Rigidité des artères	Pouls plus faible, mais constant Ralentissement de la circulation en périphérie Mains et pieds froids
Appareil respiratoire Structures	Dégénérescence du cartilage Rigidité des vertèbres Diminution de la force musculaire Atrophie des muscles respiratoires Augmentation de la rigidité de la cage thoracique Réduction de l'activité ciliaire	Cyphose Augmentation du diamètre antéro-postérieur Utilisation réduite des muscles respiratoires accessoires Rigidité de la cage thoracique et thorax en tonneau Affaiblissement du mouvement respiratoire Diminution de la toux et des inspirations profondes
Changement au niveau de la ventilation et de la perfusion	Diminution du lit vasculaire pulmonaire Réduction de la taille des alvéoles Épaississement des parois alvéolaires Affaiblissement de l'élasticité pulmonaire	Affaiblissement de la compliance pulmonaire Volume pulmonaire total inchangé Diminution de la capacité vitale Augmentation du volume pulmonaire résiduel Épaississement du mucus Diminution de la PaO_2 et de la saturation en oxygène Hypersonorité
Contrôle de la ventilation	Diminution de la réaction à l'hypoxie et à l'hypercapnie	Capacité réduite à maintenir l'équilibre acido-basique Fréquence respiratoire 12-24 /min
Système tégumentaire Peau	Diminution du collagène et du tissu adipeux sous-cutané Diminution de la taille des glandes sudoripares Ralentissement du renouvellement des cellules épidermiques Réduction du liquide interstitiel Augmentation de la fragilité capillaire Diminution des cellules pigmentaires Diminution de l'activité des glandes sébacées Diminution des récepteurs sensoriels Augmentation du seuil de douleur, de chaleur, de sensibilité et de vibration	Diminution de l'élasticité de la peau Augmentation des rides et des plis Perte de tissu adipeux aux extrémités et gain de gras au tronc Ralentissement de la cicatrisation Peau sèche Fragilité de la peau aux coupures et aux ecchymoses Couleur de la peau non uniforme Lentigos séniles multiples Augmentation des lésions cutanées normales Diminution de la réaction à la chaleur et au froid Diminution de la sensibilité au toucher léger Diminution de la sensibilité à la douleur cutanée

3

TABLEAU 3.1   Changements liés à l'âge et manifestations cliniques (*suite*)

Système ou appareil	Changements dus au vieillissement	Manifestations cliniques
Cheveux	Diminution de la mélanine Réduction du bulbe et du follicule pileux	Grisonnement ou blanchiment des cheveux Éclaircissement et amincissement des cheveux Réduction de la chevelure, de la pilosité axillaire et pubienne Diminution de la pilosité du visage chez l'homme Augmentation de la pilosité du visage chez la femme
Ongles	Diminution de l'apport sanguin vers le lit unguéal Augmentation des stries longitudinales	Ralentissement de la pousse Ongles plus épais et plus cassants Fendillement facile des ongles (cannelures) Augmentation du risque d'infection fongique
Appareil urinaire Reins	Diminution de la masse rénale Réduction du nombre de néphrons fonctionnels Diminution du débit de filtration glomérulaire Diminution du débit plasmatique rénal	Augmentation de la quantité de protéines dans l'urine Augmentation du risque de déshydratation Diminution de la clairance de la créatinine Augmentation de la créatinine sérique et du BUN (azotémie) Diminution de l'excrétion de toxines et de médicaments Augmentation de la polyurie nocturne
Vessie	Diminution du tissu élastique et du muscle lisse de la vessie	Capacité réduite Perte de contrôle, incontinence à l'effort
Miction	Diminution du contrôle du sphincter	Augmentation de nycturie, de la fréquence et de l'urgence de la miction
Appareil reproducteur Organes masculins	Hypertrophie de la prostate Réduction du volume des testicules Diminution du nombre de spermatozoïdes Atrophie de la vésicule séminale Stabilité du niveau de testostérone sérique Augmentation du niveau d'œstrogène	Diminution de la réponse sexuelle Lenteur à initier l'érection Maintien de l'érection sans éjaculation Diminution de la puissance de l'éjaculation
Organes féminins	Diminution de l'estradiol, de la prolactine et de la progestérone. Diminution de la taille des ovaires, de l'utérus, du col de l'utérus, des trompes de Fallope et des lèvres Atrophie des glandes connexes et de l'épithélium Diminution de l'élasticité de la région pelvienne Diminution des tissus mammaires Alcalinisation du pH vaginal	Modification des réactions au taux d'hormones variables Diminution des secrétions vaginales et cervicales Diminution graduelle de l'intensité de la réponse sexuelle Augmentation du risque d'infections vaginales Augmentation du risque de prolapsus utérin et de colpocèle
Appareil gastro-intestinal Cavité buccale	Diminution de la dentine Affaiblissement des gencives Perte de densité osseuse Diminution du nombre de papilles gustatives Augmentation du seuil gustatif du salé et du sucré Diminution des secrétions salivaires	Variation du goût Possibilité de perte de dents Gingivite Bouche sèche et saignement des gencives Muqueuse buccale sèche
Œsophage	Baisse de la pression du sphincter œsophagien Réduction de la motilité	Détresse épigastrique Dysphagie Risque de hernie hiatale et d'aspiration
Estomac	Atrophie de la muqueuse gastrique Diminution du débit sanguin	Intolérance alimentaire Diminution de la vidange gastrique
Intestin grêle	Diminution des villosités intestinales Diminution de la sécrétion d'enzymes Réduction de la motilité	Diminution de l'absorption des nutriments Ralentissement de l'absorption des vitamines liposolubles

EXAMEN CLINIQUE ET GÉRONTOLOGIQUE

TABLEAU 3.1	Changements liés à l'âge et manifestations cliniques (*suite*)	
Système ou appareil	**Changements dus au vieillissement**	**Manifestations cliniques**
Gros intestin	Diminution du débit sanguin Réduction de la motilité Diminution de la sensibilité à la défécation	Augmentation du risque de constipation et d'incontinence fécale
Pancréas	Distension des canaux pancréatiques Diminution de la production de lipase Altération de la réserve pancréatique	Mauvaise absorption des graisses Diminution de la tolérance au glucose
Foie	Diminution de la taille et du nombre des cellules Altération de la synthèse des protéines hépatiques Réduction de la capacité de régénération	Étirement de l'extrémité inférieure jusqu'au rebord costal Ralentissement du métabolisme médicamenteux
Appareil locomoteur Squelette	Rétrécissement des disques intervertébraux Augmentation du cartilage du nez et des oreilles	Diminution de la taille (entre 2,5 cm et 10 cm) Allongement du nez et des oreilles Cyphose Élargissement du bassin
Os	Diminution de l'os cortical et de l'os trabéculaire	Résorption osseuse plus importante que la formation osseuse Risque de fractures ostéoporotiques
Muscles	Diminution de la quantité de fibres musculaires Atrophie des fibres musculaires Ralentissement de la régénération des muscles Augmentation de la durée de contraction et de la période de latence Augmentation de la flexion des articulations Rigidité des ligaments Sclérose des tendons Diminution des réflexes des fléchisseurs des tendons	Diminution de la force Diminution de l'agilité Raideur accrue du cou, des épaules, des hanches et des genoux Possibilité de syndrome des jambes sans repos
Articulations	Érosion cartilagineuse Augmentation des dépôts calcaires Diminution de la quantité d'eau dans le cartilage	Mobilité réduite Amplitude de mouvement restreinte Arthrose
Système nerveux Structure	Réduction du nombre de neurones cérébraux et spinaux Réduction de la taille du cerveau Atrophie des dendrites Diminution des principaux neurotransmetteurs Augmentation de la taille des ventricules	Ralentissement de l'influx nerveux Perte de fonction des nerfs périphériques Diminution du temps de réaction Temps de réaction précis et ralenti Possibilité de déséquilibre, de vertige et de syncope Augmentation de l'hypotension orthostatique Diminution de la proprioception Diminution de l'apport sensoriel Diminution des ondes alpha EEG
Sommeil	Diminution du sommeil profond Diminution du sommeil paradoxal	Difficulté à se souvenir des rêves Difficulté à s'endormir Augmentation des périodes d'insomnie Moyenne de six heures de sommeil par nuit
Appareil visuel Structure des yeux	Perte de gras orbital Grisonnement des cils et des sourcils Diminution de l'élasticité des muscles de la paupière Réduction de la production de larmes	Enfoncement des yeux Sécheresse des yeux Risque d'ectropion et d'entropion Risque de conjonctivite
Cornée	Diminution de la sensibilité de la cornée Atténuation des réflexes de la cornée Arc sénile	Risque d'érosion cornéenne

EXAMEN CLINIQUE ET GÉRONTOLOGIQUE

TABLEAU 3.1   Changements liés à l'âge et manifestations cliniques (*suite*)

Système ou appareil	Changements dus au vieillissement	Manifestations cliniques
Zone ciliaire	Diminution des secrétions de l'humeur aqueuse Atrophie du muscle ciliaire	Réduction de la capacité d'accommodation du cristallin Possibilité de presbytie Diminution de la vision périphérique
Cristallin	Perte d'élasticité, augmentation de la densité Distinction difficile entre le bleu et le vert	Cristallin jaune et opaque Réduction de la capacité d'adaptation à la noirceur et à la lumière Tolérance à l'éblouissement réduite Augmentation du taux de cataractes Affaiblissement de la vision nocturne
Iris et pupille	Perte de pigmentation Réduction de la taille de la pupille Augmentation des débris dans le corps vitré	Diminution de l'acuité visuelle Pupilles semblent moins mobiles Corps flottants
Appareil auditif Structure	Augmentation de la pilosité dans les conduits auditifs externes chez l'homme Diminution des glandes cérumineuses	Baisse possible de l'ouïe Assèchement du cérumen
Oreille moyenne	Détérioration des articulations liant les osselets de l'oreille moyenne Épaississement du tympan	Mauvaise conduction du son
Oreille interne	Détérioration des structures vestibulaires Perte de cellules de pilosité Atrophie de la cochlée Atrophie de l'organe de Corti	Diminution de la sensibilité aux sons aigus Difficulté à comprendre lorsque quelqu'un parle Mauvaise perception des voix ambiantes Troubles d'équilibre Risque d'acouphène
Système immunitaire	Diminution de l'immunoglobuline (IgA) sécrétoire Involution du thymus Diminution de la thymopoïétine Diminution du tissu lymphoïde Réduction de la production d'anticorps Diminution des lymphocytes T Augmentation des auto-anticorps	Augmentation du risque d'infection des muqueuses Diminution de la médiation cellulaire immunitaire Augmentation du taux de malignité Affaiblissement de la réaction aux infections aiguës Risque de récurrence de zona et de tuberculose latents Augmentation des maladies auto-immunes

(voir chapitre 55 qui comprend une section sur la maladie d'Alzheimer).

3.3.3 Personnes âgées vulnérables

Le nombre des personnes du 4e âge (75 ans et plus) est en augmentation constante. Les personnes âgées de 85 ans et plus forment le segment de la population aînée à la croissance la plus rapide au Canada (Santé Canada, 2003). La personne du 4e âge correspond habituellement au profil suivant : veuf ou veuve, dépendant de l'aide de sa famille. Pour beaucoup d'entre elles, les enfants, conjoints ou frères et sœurs sont décédés. On la décrit souvent comme une grande survivante. À cause de sa longue vie, la personne âgée de plus de 75 ans peut être perçue au sein de la famille comme une figure symbolique, détentrice de la tradition et de l'héritage. Dans ce groupe d'âges, environ une personne sur quatre vit dans un centre de soins prolongés ou dans un autre type d'établissement. Parmi les personnes du 4e âge, les membres de minorités ethniques vivent souvent avec des membres de leur famille élargie où la langue couramment utilisée est leur langue maternelle.

La personne du 4e âge accepte difficilement la détérioration de ses capacités fonctionnelles et la diminution de son énergie quotidienne. Lorsque surviennent des événements éprouvants de la vie (p. ex. décès d'un animal domestique) ou des événements quotidiens épuisants (p. ex. prendre soin d'un conjoint malade), il arrive souvent qu'elle ne parvienne pas à atténuer les effets du stress et, par conséquent, qu'elle tombe malade. Les problèmes de santé qui touchent le plus souvent les personnes âgées vulnérables sont une réduction de la mobilité, une déficience sensorielle, une dégradation cognitive, des chutes et une fragilité grandissante.

Les personnes âgées vulnérables sont particulièrement exposées à la malnutrition. Celle-ci est liée à des

TABLEAU 3.2   Comparaison entre la perte de mémoire et la déficience cognitive

Affection bénigne – Perte de mémoire	Affection pathologique – Déficience cognitive
La personne : oublie, puis se souvient ; reconstitue le cours des événements passés lorsqu'elle égare un objet ; oublie des événements sans importance ; oublie des événements depuis longtemps passés ; utilise des notes et des aide-mémoire ; est orientée par rapport à elle-même ; peut raconter les mêmes histoires plus d'une fois.	La personne : oublie des personnes importantes ; est incapable de reconstituer des événements dans sa tête ; oublie des événements récents entiers ; oublie des événements qui se sont produits dans les minutes précédentes ; est incapable d'utiliser des aide-mémoire de façon cohérente ; peut être désorientée par rapport à elle-même ; pose les mêmes questions plusieurs fois dans un court intervalle.

TABLEAU 3.3   Tableau comparatif des aspects cliniques de la confusion aiguë, de la démence et de la dépression

Aspect	Confusion aiguë (délire)	Démence	Dépression
Apparition	Rapide, souvent pendant la nuit	Habituellement insidieuse	Coïncide avec des changements importants dans la vie ; souvent abrupte
Déroulement	Fluctue, pire la nuit ; moments de lucidité	Long ; apparition progressive des symptômes, stabilisation par la suite	Effets pendant le jour, s'intensifient typiquement le matin ; fluctuation circonstancielle
Évolution	Abrupte	Lente, mais constante	Variable, inconstante
Durée	De quelques heures à moins d'un mois	De quelques mois à des années	Au moins deux semaines, mais peut durer de plusieurs mois à plusieurs années
Conscience	Réduite	Claire	Claire
Vigilance	Fluctue, état léthargique ou hypervigilant	Généralement normale	Normale
Orientation	Variable ; généralement déficiente	Peut être déficiente	Désorientation sélective
Mémoire	Mémoire immédiate et mémoire récente déficientes	Mémoire récente et mémoire pour les faits anciens déficientes	Déficiences sélectives, « îlots » de mémoire intacte
Pensée	Pensée désorganisée, déformée, fragmentée ; élocution incohérente qu'elle soit lente ou rapide	Difficulté avec l'abstraction, appauvrissement de la pensée, jugement déficient, difficulté à trouver ses mots	Pensée intacte, mais récurrence des thèmes de désespoir, de détresse et de dévalorisation
Perception	Perception déformée ; illusions, délire et hallucinations	Perception souvent erronée ; absence de délire et d'hallucinations sauf dans les cas graves	
Comportement psychomoteur	Variable ; hypokinétique, hyperkinétique ou mixte	Normal ; apraxie possible	Variable ; ralentissement psychomoteur ou agitation
Cycle sommeil et éveil	Troublé ; cycle inversé	Fragmenté	Troublé, fréquents réveils très tôt le matin
Vérification de la santé mentale	Client déconcentré ; faible résultat qui s'améliore avec le rétablissement du client	Réponses à demi manquées fréquentes ; le client se force pour faire le test et fournit de gros efforts pour trouver la bonne réponse ; ses résultats sont constamment faibles	Répond souvent « Je ne sais pas », fait peu d'effort pour répondre, donne souvent sa langue au chat, est indifférent

facteurs sociopsychologiques comme la solitude, la dépression et un faible revenu. Les facteurs physiques, quant à eux, comprennent : la dégradation de l'état cognitif, des soins dentaires insuffisants, une déficience sensorielle, la fatigue physique, une mobilité réduite. Ces facteurs augmentent le risque de malnutrition. Étant donné que beaucoup de ces personnes âgées suivent un régime et doivent prendre de nombreux médicaments, leur état nutritionnel peut être modifié. Il est important que l'infirmière vérifie si cette personne âgée vulnérable absorbe les apports de calories, de protéines, de fer, de calcium et de vitamine D recommandés.

L'infirmière doit surveiller attentivement certains indicateurs de l'état nutritif :
- tristesse ;
- hypercholestérolémie ;
- hypoalbuminurie ;
- gain ou perte de poids ;
- troubles de l'alimentation ;
- difficultés à faire les courses et à préparer les repas.

Les interventions suivantes peuvent servir à satisfaire les besoins nutritionnels de la personne âgée, une fois qu'ils ont été déterminés : repas livrés, suppléments alimentaires, visite d'un spécialiste des soins dentaires, suppléments vitaminiques.

L'infirmière doit garder en mémoire que la personne âgée vulnérable se fatigue facilement, qu'elle a de faibles réserves d'énergie, qu'elle peut être atteinte d'incapacité, être victime de violence et de négligence, ou être placée en établissement. La personne âgée vulnérable dépend d'un réseau fragile pour lui apporter un soutien familial, personnel et social ; ce réseau doit être respecté et soutenu.

3.3.4 Personnes âgées malades

La population de personnes âgées malades présente un taux d'hospitalisation, d'admission en chirurgie d'un jour et de visites médicales plus élevé que tout autre groupe d'âges de population. Ce sont les personnes âgées de 65 ans et plus qui signalent davantage de problèmes de santé chroniques. En 1998, près de quatre personnes âgées sur dix déclaraient souffrir d'arthrite et de rhumatisme, ou de problèmes d'hypertension. Environ une personne sur quatre avait un problème cardiaque, et 11 % des membres de ce groupe d'âges se déclaraient diabétiques. Le diabète, l'hypertension et les maladies cardiaques progressent de façon importante depuis 1987 dans ce groupe (Gouvernement du Québec, 2002).

Les personnes âgées sont plus susceptibles que les adultes appartenant à un groupe d'âges plus jeune de voir leurs activités restreintes à la suite d'une maladie aiguë. L'état de santé dépend non seulement des problèmes de santé aigus et chroniques, mais également du fonctionnement quotidien de la personne. Le fonctionnement quotidien comprend les activités de la vie quotidienne (AVQ) comme se laver, s'habiller, manger, aller aux toilettes et se déplacer. Les activités de la vie domestique (AVD), comme se servir du téléphone, faire les courses, cuisiner, faire le ménage et le lavage, organiser le transport, prendre des médicaments et faire les comptes, font aussi partie du fonctionnement.

Au fil du vieillissement, le fonctionnement se dégrade et l'invalidité augmente suivant des étapes précises. L'infirmière qui prend soin d'une personne âgée peut recommander une évaluation détaillée et complète qui permettra de déterminer précisément l'état de santé de la personne et de diagnostiquer toute maladie présente ; elle peut également enseigner au client des stratégies destinées à améliorer sa santé.

Il est souvent difficile de diagnostiquer avec précision les problèmes de santé chez les personnes âgées, car elles ont tendance à cacher leurs symptômes et à les atténuer en modifiant leur capacité fonctionnelle. Les personnes âgées mangent moins, dorment plus ou « attendent que ça passe ». Souvent, elles attribuent un nouveau symptôme à leur grand âge et n'en tiennent pas compte.

Les problèmes de santé peuvent varier beaucoup chez les personnes âgées. Pendant le traitement d'une première maladie, une deuxième peut apparaître. Par exemple, l'utilisation de médicaments anticholinergiques peut entraîner de la rétention urinaire. Chez la personne âgée, les symptômes sont atypiques, et une personne qui présente une douleur à une articulation peut en fait souffrir d'une fracture. Les problèmes de santé asymptomatiques sont fréquents. Une maladie cardiaque peut être diagnostiquée au moment où le client consulte pour une infection urinaire. Il arrive souvent que des problèmes de santé aux symptômes similaires soient confondus. La dépression peut être traitée à tort comme de la démence. Une maladie en cascade peut apparaître. Par exemple, une personne souffrant d'insomnie peut prendre un somnifère, devenir léthargique et désorientée, tomber et se fracturer la hanche.

3.4 ETHNICITÉ ET VIEILLISSEMENT

La personne âgée qui appartient à un groupe ethnique non majoritaire présente des difficultés particulières pour l'infirmière (voir figure 3.2). Les questions suivantes peuvent aider à reconnaître l'appartenance d'une personne à un groupe ethnique :
- cette personne déclare-t-elle qu'elle appartient à un groupe ethnique ou racial ?
- son entourage dit-il que cette personne appartient à un groupe ethnique ou racial ?

- cette personne affiche-t-elle des comportements qui sont propres à un groupe ethnique particulier?

L'identité ethnique s'exprime souvent au sein de groupes religieux, de nations et de minorités. Avec les changements sociaux, les institutions ethniques et les quartiers peuvent se modifier. Pour la personne âgée solidement enracinée dans sa culture, la perte d'amis parlant sa langue maternelle et l'impossibilité de se rendre dans les lieux de culte encourageant les activités culturelles et dans les magasins qui vendent des aliments consommés par son groupe ethnique peuvent provoquer des crises circonstancielles qui affectent le sentiment de valeur personnelle et d'identité individuelle. Ce sentiment de perte d'identité augmente lorsque les enfants et les personnes de l'entourage nient ou négligent les pratiques et les comportements propres à leur groupe ethnique. Les personnes âgées appartenant à une minorité ethnique trouvent le plus souvent de l'aide auprès de leur famille, dans les pratiques religieuses et au sein de regroupements géographiques isolés ou de regroupements ethniques communautaires.

Les personnes âgées appartenant à une minorité ethnique ont à résoudre des problèmes particuliers. Comme elles vivent souvent dans de vieux quartiers aux taux élevés de criminalité, elles ont le sentiment que leur sécurité physique est menacée. Pour que son intervention soit efficace, l'infirmière doit faire preuve de beaucoup de respect et communiquer clairement avec la personne âgée appartenant à une minorité ethnique. L'infirmière doit éviter les comportements qui pourraient être interprétés comme une preuve d'irrespect ou d'intolérance ; par exemple, le fait de refuser que le client expose un objet qu'il considère important à sa guérison. Les interventions infirmières qui peuvent aider à répondre aux besoins des personnes âgées appartenant à des minorités ethniques sont décrites dans l'encadré 3.2. Voici des questions à poser à la personne âgée appartenant à une minorité ethnique, pour comprendre sa perception des pratiques de soins de santé :

- qu'est-ce qui rend les gens malades ?
- comment sait-on que quelqu'un est malade ?
- qu'est-ce qui aide les gens à guérir ?
- qui peut aider les gens à se sentir mieux ?
- croyez-vous que ceci pourrait vous aider à vous sentir mieux ?

L'infirmière doit considérer que l'identité ethnique est importante pour le client et sa famille. Elle doit connaître l'appartenance ethnique de chaque client âgé.

FIGURE 3.2 Les personnes âgées qui appartiennent à une minorité ethnique doivent faire l'objet d'une attention spéciale.

Interventions infirmières permettant de répondre aux besoins des personnes âgées appartenant à une minorité ethnique — ENCADRÉ 3.2

- Déterminer les habitudes de santé, les rituels et les régimes alimentaires qui sont propres à une ethnie.
- Déterminer, parmi les attitudes stéréotypées observées chez les personnes âgées appartenant à une minorité ethnique, lesquelles vont à l'encontre de la participation aux activités de groupes multiethniques.
- Informer le client des services offerts.
- Encourager le client à sortir de son quartier pour recevoir des services.
- Insister pour que ces personnes âgées reçoivent des services spécialement adaptés à leur connaissance de la langue et aux habitudes de santé de leur culture.

- Utiliser différentes stratégies selon la culture du client. Par exemple, les gens de race noire seront touchés par des paroles comme « faites-le pour ceux que vous aimez ». Les personnes asiatiques réagiront à des thèmes liés à la peur de la dépendance.
- Obtenir de l'information sur les services et les programmes spécialement conçus pour les différents groupes ethniques. Par exemple, des services de livraison à domicile de repas propres à une culture, ou des centres de soins qui offrent diverses possibilités selon les différences culturelles ou religieuses.

3.5 DÉMARCHE DE SOINS INFIRMIERS AUPRÈS DES PERSONNES ÂGÉES

3.5.1 Création d'un environnement thérapeutique

L'apparition d'un problème de santé peut causer de la peur et de l'anxiété chez la personne âgée. Si les travailleurs de la santé peuvent être perçus comme un élément rassurant, les personnes âgées appréhendent parfois le placement dans des établissements de santé, qu'ils considèrent comme des endroits possiblement dangereux. L'infirmière peut rassurer le client par des phrases simples et directes, un bon contact visuel, contact physique empreint de douceur, afin d'aider la personne âgée à se détendre malgré les circonstances angoissantes.

Avant de commencer l'entrevue, l'infirmière doit veiller à satisfaire les besoins de base du client, c'est-à-dire à s'assurer que le client n'est pas souffrant et qu'il n'a pas envie d'uriner. Le client doit porter tous ses accessoires (p. ex. lunettes et appareil auditif). L'entrevue doit être courte, car le client se fatigue rapidement. La personne qui fait l'entrevue doit laisser suffisamment de temps au client pour répondre aux questions. Le client et la personne soignante doivent être interrogés séparément, à moins que le client ait un déficit cognitif ou qu'il insiste pour que la personne soignante reste avec lui. La description des antécédents médicaux peut exiger beaucoup de temps. L'infirmière doit reconnaître les informations pertinentes. Les dossiers médicaux antérieurs du client doivent être transférés, et il doit être possible de les consulter.

3.5.2 Collecte de données

La collecte de données permet de recueillir les informations qui serviront tout au long du processus infirmier. Chez la personne âgée, cette phase vise d'abord et avant tout à déterminer les interventions adéquates, qui permettront de stabiliser et d'améliorer ses capacités fonctionnelles. La guérison n'est souvent pas possible à cause de la complexité et de la chronicité des problèmes de santé qui touchent généralement les personnes âgées. Par conséquent, l'infirmière dirige la planification et l'exécution des interventions qui aideront la personne âgée à demeurer le plus autonome possible dans son fonctionnement.

Lors d'une évaluation complète, il convient de relever les antécédents en matière de santé (suivant les modes fonctionnels de santé), de procéder à un examen physique, de recenser les AVQ et les AVD, d'évaluer l'état cognitif et la situation socio-environnementale. L'évaluation de l'état cognitif est particulièrement importante chez les personnes âgées, car les résultats de cet examen sont souvent de bons indicateurs de l'autonomie du client. Grâce à l'analyse des résultats de la collecte de données, il est possible de déterminer les besoins du client âgé en matière de services et d'admission. La collecte de données gériatrique doit principalement viser à faire coïncider les besoins et les services.

L'évaluation clinique doit prendre en compte les paramètres spécifiques des personnes âgées (voir tableau 3.4). L'analyse des résultats peut présenter des difficultés, car beaucoup de valeurs changent avec l'âge, et les paramètres ne sont pas bien définis pour la personne âgée, encore moins pour celle du 4e âge. Une personne adulte en bonne santé peut présenter des changements liés à l'âge susceptibles d'être considérés comme anormaux dans un groupe d'âges plus jeune, mais qui sont par ailleurs normaux pour une personne plus âgée. Il est important de connaître les valeurs acceptables pour la personne âgée. L'infirmière est bien placée pour reconnaître et corriger les interprétations erronées qui sont faites des résultats des épreuves diagnostiques.

L'examen gériatrique complet est généralement effectué dans une unité gériatrique, par une équipe interdisciplinaire en soins gériatriques. Plusieurs disciplines peuvent être représentées dans l'équipe, mais l'infirmière, le médecin et le travailleur social doivent absolument en faire partie. Une fois l'examen terminé, l'équipe interdisciplinaire se réunit avec le client et sa famille pour discuter des résultats et des recommandations que propose l'équipe. Ces unités sont souvent reliées à d'importants établissements de soins de santé.

3.5.3 Diagnostics infirmiers

Sauf dans de rares cas, les diagnostics infirmiers sont les mêmes pour les personnes de tous les groupes d'âge. Cependant, il arrive souvent que l'étiologie et les caractéristiques déterminantes varient avec l'âge et qu'elles soient différentes pour les personnes âgées. L'encadré 3.3 présente une liste de diagnostics infirmiers couramment associés à des changements spécifiques liés à l'âge. Grâce à l'identification et à la résolution des diagnostics infirmiers, les capacités du client âgé s'améliorent et les soins qu'il reçoit sont meilleurs.

3.5.4 Planification

Pour fixer des objectifs avec le client, il est utile de déterminer les forces et les capacités dont le client fait preuve. Des traits de personnalité comme la rigueur, la persévérance, le sens de l'humour et le désir d'apprendre sont des facteurs positifs dans l'établissement d'objectifs. Les personnes soignantes doivent participer à l'établissement des objectifs. Les personnes âgées qui

EXAMEN CLINIQUE ET GÉRONTOLOGIQUE

TABLEAU 3.4   Instruments d'évaluation gériatrique

Aspect	Exemple d'instrument d'évaluation	Éléments évalués
État cognitif	Test de Folstein[1]	Évalue l'orientation, la mémoire, l'attention, le langage et la mémoire d'évocation. Faible résultat = déficience intellectuelle – résultat général
Humeur	Échelle de dépression gériatrique[2]	30 points touchant le domaine affectif permettent d'évaluer l'état dépressif
Capacité fonctionnelle	Index des activités de la vie quotidienne de Katz[3]	Évalue la capacité à se laver, à s'habiller, à aller à la toilette, à se déplacer, à se nourrir et à être continent Codé indépendance – assistance – dépendance
	Activités de la vie domestique de Lawton[4]	Évalue la capacité à se servir du téléphone, à se déplacer, à faire les courses, à cuisiner, à entretenir la maison, à prendre ses médicaments, à gérer les finances Codé indépendance – assistance – dépendance
	Système de mesure d'autonomie fonctionnelle (SMAF)[9]	Évalue l'autonomie : AVD, AVQ, fonctions cognitives, réseau social, communication, conditions économiques, environnement physique, suivi psychosocial, etc. (services de soins à domicile)
Indicateurs de démence	Test de l'horloge d'habiletés[5]	Évalue la capacité à nommer jusqu'à 10 objets dans 4 catégories : fruits, animaux, couleurs, villes ; résultat maximum : 40 Mémoire, langage, capacités visuo-spatiales et de concentration Décèle 70 % des cas de démence Résultat <3 = normal. 4 et plus = suggère la démence
Soutien social	Entrevue sur le sentiment d'épuisement de Zarit[6]	Évalue le sentiment d'épuisement face aux soins à donner
Consommation d'alcool	CAGE[7]	Évalue la consommation d'alcool. 4 questions : une réponse affirmative à 2 questions ou plus = problème
	Test de dépistage de consommation d'alcool du Michigan - version gériatrique[8]	Évalue la consommation d'alcool
Évaluation de l'équilibre	Test de Romberg	Évalue l'équilibre. Une oscillation légère n'est pas dangereuse pour les chutes

1. Folstein MF, Folstein SE, McHugh PR : Mini-mental state: a practical method for grading the cognitive state of patients for the clinician, *J Psychiatr Res* 12:189, 1975.
2. Yesavage JA, Brink TL : Development and validation of a geriatric depression screening scale: a preliminary paper, *J psychiatr Res* 17:41, 1983.
3. Katz S and others : Studies of illness in the aged. The index of ADL: a standardized measure of biological and psychological function, *JAMA* 185:914, 1963.
4. Lawton H, Brody E: Assessment of older people: self-maintaining and instrumental activities of daily living, *Gerontologist* 9:179, 1969.
5. Isaac B, Kennie AT: The Set Test as an aid to the detection of dementia in old people, *Br J Psychiatry* 123:467, 1973.
6. Zarit SH: Relatives of impaired elderly: correlates of feeling of burden, *Gerontologist* 20:699, 1980.
7. Mayfied D, McLeod G, Hall P: The CAGE questionnaire: validation of a new alcoholism screening instrument, *Am J Psychiatry* 131:10, 1974.
8. Gurnedi AM: *Older adults' measure of alcohol, medicines, and other drugs*, New York, 1997, Springer.
9. Hébert R., Desrosiers J., Dubuc N., Tousignant M., Guilbeault J., Pinsonnault E. « Le système de mesure de l'autonomie fonctionnelle (SMAF) », *La Revue de Gériatrie*, vol. 28, n° 4, 2003.

considèrent l'augmentation de la dépendance et de la détresse acquise comme une réaction normale peuvent être réticentes à se prendre en main. La personne âgée doit d'abord viser à acquérir un sentiment de maîtrise de soi et de sécurité et à réduire son stress.

3.5.5 Exécution

Au moment de mettre le plan à exécution, l'infirmière peut devoir réajuster l'approche et les techniques, selon l'état de santé mentale et physique de la personne âgée. Un corps grêle, que présentent beaucoup de personnes âgées vulnérables, peut exiger l'utilisation de matériel pédiatrique. Les personnes souffrant de troubles ostéo-articulaires ont souvent besoin d'aide pour se déplacer ou être changées de position, et l'utilisation d'une ceinture de mobilisation et d'un lève-personne peut être nécessaire. La personne âgée dont les réserves d'énergie s'amenuisent a besoin de plus en plus de périodes de repos entre les courtes périodes d'effort. Il peut être nécessaire de s'y prendre plus lentement, de limiter la durée de l'effort et de placer une chaise d'aisance à côté du lit.

Si le client a un déficit cognitif, l'infirmière doit lui donner des explications avec calme et douceur pour éviter qu'il ne devienne anxieux et réticent. L'apathie et la mauvaise coopération de la part du client à l'égard du plan de traitement peuvent entraîner la dépression.

Diagnostics infirmiers associés à des changements liés à l'âge   ENCADRÉ 3.3

Appareil cardiovasculaire
- Débit cardiaque diminué
- Intolérance à l'activité
- Fatigue

Appareil respiratoire
- Mode de respiration inefficace
- Échanges gazeux perturbés
- Dégagement inefficace des voies respiratoires
- Risque d'infection
- Risque de fausse route (aspiration)

Appareil tégumentaire
- Atteinte à l'intégrité de la peau

Appareil urinaire
- Déficit de volume liquidien
- Élimination urinaire altérée

Appareil reproducteur
- Habitudes sexuelles perturbées
- Image corporelle perturbée
- Dysfonctionnement sexuel

Appareil gastro-intestinal
- Alimentation déficiente
- Constipation
- Atteinte à l'intégrité de la muqueuse buccale

Appareil locomoteur
- Risque de trauma
- Déficit des soins personnels : se laver, effectuer ses soins d'hygiène
- Douleur aiguë ou chronique
- Mobilité physique réduite

Système nerveux
- Opérations de la pensée perturbées
- Trouble de la perception sensorielle
- Habitudes de sommeil perturbées
- Hypothermie
- Hyperthermie

Sens
- Image corporelle perturbée
- Communication verbale altérée
- Isolement social

Système immunitaire
- Risques d'infection

3.5.6 Évaluation

La phase d'évaluation qui fait partie de la démarche de soins infirmiers est sensiblement la même pour tous les clients. L'évaluation se fait tout au long de la démarche. Les résultats de l'évaluation orientent l'infirmière dans sa décision de suivre le plan de soins infirmiers, tel qu'élaboré, ou de le modifier. Souvent, l'amélioration de l'état de santé n'est pas aussi évidente que chez la clientèle plus jeune. C'est pourquoi l'infirmière doit éviter de modifier le plan trop rapidement.

L'évaluation des soins infirmiers prodigués à la personne âgée a pour critère principal l'amélioration de la capacité fonctionnelle plutôt que la guérison du client.

3.6 ENSEIGNEMENT AUX PERSONNES ÂGÉES

L'infirmière joue un rôle d'enseignante auprès de la personne âgée, à qui elle doit apprendre à appliquer elle-même ses soins en vue d'améliorer son état de santé et d'enrayer le processus morbide (voir figure 3.3). La personne âgée a de la difficulté à acquérir de nouvelles connaissances pour les raisons suivantes : il lui faut plus de temps qu'avant pour assimiler une notion ; toute nouvelle connaissance doit être liée à l'expérience actuelle du client ; l'anxiété et les distractions ralentissent l'apprentissage ; la crainte du risque et le besoin de précautions démotivent le client à apprendre ; les altérations des perceptions sensorielles et l'affaiblissement des capacités intellectuelles nécessitent le recours à des techniques adaptées.

Il existe différentes façons d'accroître la capacité d'apprentissage de la personne âgée, notamment favoriser l'enseignement des personnes âgées entre elles ; utiliser des termes simples et répéter souvent ; insister sur le fait qu'un changement de comportement aura un effet positif et que l'effort en vaut la peine.

3.7 PROMOTION DE LA SANTÉ ET DÉPISTAGE

L'infirmière doit accorder une grande importance à la promotion de la santé et aux comportements positifs à

FIGURE 3.3 Grâce aux conseils de l'infirmière, la personne âgée pourra rentrer chez elle plus rapidement.

l'égard de la santé (voir figure 3.4). Différentes mesures sont mises en place pour atteindre les objectifs touchant la santé des personnes âgées.

En septembre 2001, un premier plan d'action gouvernemental pour répondre aux besoins des personnes âgées regroupait des mesures générales et des mesures spécifiques aux ministères et aux organismes qui ont participé à l'élaboration de ce plan sous la coordination du Secrétariat aux aînés.

Les mesures gouvernementales générales prévoyaient la mise en œuvre de trois grands projets, dits « mobilisateurs » parce que leur but est de susciter des interventions multiples auxquelles participeraient plusieurs organismes et ministères dans un domaine donné. Il s'agit des projets mobilisateurs sur : les résidences privées pour personnes âgées avec services, la lutte contre les abus envers les personnes âgées ainsi que l'harmonisation et la simplification des modes de soutien financier aux personnes âgées.

Enfin, le plan d'action interministériel contient un certain nombre de mesures dans les domaines suivants :
- santé et services sociaux : par exemple des mesures de soutien et de maintien à domicile, d'aide aux personnes atteintes de la maladie d'Alzheimer et à leurs proches et des mesures d'amélioration des services rendus dans les centres d'hébergement de soins de longue durée (CHSLD) ;
- adaptation des milieux de vie : par exemple simplification des procédures du programme de crédit d'impôt pour le maintien à domicile, signature d'ententes de partenariat visant à la mise en commun des moyens de transport (particulièrement en région), et sensibilisation des communautés et des municipalités aux besoins d'une population vieillissante ;
- lutte contre les abus, la négligence et l'exploitation : par exemple augmentation de la collaboration entre le Curateur public et les intervenants du réseau de la santé (notamment en ce qui concerne le signalement des abus) et formation des intervenants auprès des personnes âgées en vue de dépister et d'accompagner les personnes âgées victimes d'abus ou de négligence ;
- engagement dans la vie collective et participation à celle-ci : par exemple mise en œuvre de projets pilotes de maintien ou de retour au travail de travailleurs âgés qui souhaitent réintégrer le monde du travail, accentuation des moyens visant au renforcement des relations entre les générations (notamment par divers programmes éducatifs) et développement d'un portail Internet destiné aux personnes âgées du Québec (Gouvernement du Québec, 2003).

L'infirmière peut aider la personne âgée à préciser ses besoins de services particuliers. La prévention et la promotion de la santé peuvent se faire pendant les interventions du personnel infirmier, peu importe le lieu et le type d'intervention, pourvu que l'infirmière et le client communiquent. L'infirmière peut encourager le client à faire des activités de promotion de la santé afin de favoriser la prise en charge des soins, de renforcer la responsabilité personnelle, d'accroître l'autonomie et d'améliorer le bien-être de la personne âgée.

FIGURE 3.4 Le jardinage est un bon exemple d'activité de promotion de la santé.

3.8 PROBLÈMES DE SANTÉ CHRONIQUES

Un grand nombre de personnes âgées vivent au quotidien avec une maladie chronique et, bien que des personnes de tous les groupes d'âges aient des problèmes de santé chroniques, ces problèmes touchent davantage les personnes âgées. Ce sont les personnes âgées de 65 ans et plus qui signalent le plus de problèmes de santé chroniques. En 1998, près de quatre personnes âgées sur dix déclaraient souffrir d'arthrite et de rhumatismes ou de problèmes d'hypertension. Environ une personne sur quatre avait un problème cardiaque, et chez 11 % des membres de ce groupe d'âges un diabète s'était déclaré. Enfin, le diabète, l'hypertension et les maladies cardiaques progressent de façon importante depuis 1987 dans ce groupe (Gouvernement du Québec, 2002).

D'autres problèmes de santé sont fréquents chez les personnes âgées, parmi lesquels la déficience visuelle, la maladie d'Alzheimer, l'ostéoporose, la fracture de la hanche, l'incontinence urinaire, l'AVC, la maladie de Parkinson et la dépression.

Souvent, la maladie chronique se manifeste par de nombreux problèmes de santé dont l'évolution est lente et imprévisible. Le diagnostic et le traitement de la phase aiguë de la maladie chronique s'effectuent souvent dans un centre hospitalier. Toutes les autres phases de la maladie chronique sont habituellement traitées à la maison. L'existence d'une maladie chronique peut affecter profondément la vie et l'identité du client, de sa famille et de l'aidant naturel.

Vivre au quotidien avec une maladie chronique entraîne certaines responsabilités, notamment : la prévention et le règlement des crises, le respect de la posologie médicamenteuse, l'atténuation des symptômes, la réorganisation du temps, l'adaptation en fonction de l'évolution de la maladie, la prévention de l'isolement social, le maintien des interactions avec l'entourage. Le client et l'infirmière doivent adopter des comportements différents de ceux requis en cas de problème de santé aiguë si le client est responsable des tâches associées à une maladie chronique.

3.9 RÉADAPTATION DES PERSONNES ÂGÉES

Les personnes âgées sont les représentants les plus nombreux de la population invalide. Or ce ne sont pas elles, qui reçoivent la part la plus importante de tous les services. Les interventions de réadaptation ont pour objectif principal l'adaptation à une incapacité ou son élimination. Grâce à des exercices appropriés, du matériel fonctionnel et des soins adéquats, le client atteint d'incapacité peut souvent vivre de façon autonome. L'infirmière doit comprendre la nature de l'incapacité physique qui touche le client âgé. La personne âgée qui est atteinte de congestion (hyperémie) cérébrale, d'arthrite ou de coronaropathies risque de devenir fonctionnellement limitée en l'espace de quatre ans. La fracture de la hanche, l'amputation et l'AVC sont fréquents chez les personnes âgées. Ces incapacités augmentent les taux d'hospitalisation et de mortalité, et réduisent la durée de vie. Il est important, si l'on veut améliorer la qualité de vie des personnes âgées, de réduire l'incapacité résiduelle grâce à la réadaptation gériatrique.

Plusieurs facteurs ont une incidence sur la réadaptation des personnes âgées. D'abord, le client âgé présente des capacités fonctionnelles initiales très variables par rapport à une personne appartenant à un groupe d'âges plus jeune. Les problèmes existants associés au temps de réaction, à l'acuité visuelle, à la capacité motrice fine, à la force physique, à la fonction cognitive et à la motivation ont une incidence sur le potentiel de réadaptation du client âgé.

Ensuite, la fonctionnalité du client âgé se détériore souvent à cause de l'inactivité et de l'immobilité. Cela peut être la conséquence de problèmes de santé aigus instables, d'obstacles présents dans l'environnement qui restreignent la mobilité et d'un manque de motivation à se garder en forme. L'inactivité mène sans contredit à une impasse : un corps qui n'est pas utilisé devient inutilisable. La personne âgée peut améliorer sa souplesse, sa force et sa capacité aérobique même à un âge très avancé. L'infirmière doit enseigner à toutes les personnes âgées des exercices passifs et actifs qui permettront l'augmentation de l'amplitude articulaire, afin de prévenir une éventuelle dégradation fonctionnelle.

Enfin, la réadaptation gériatrique vise à donner au client la plus grande capacité fonctionnelle et physique possible en fonction de son état de santé. Lorsqu'un client fait preuve d'un état de santé affaibli, l'infirmière doit évaluer les risques liés à ses incapacités. Elle devra, par exemple, mesurer les risques de chute d'une femme ayant des antécédents d'ostéoporose, et examiner les pieds d'une personne âgée diabétique.

La réadaptation vise à prévenir les incapacités permanentes. Les interventions de réadaptation s'articulent autour de quatre axes principaux : l'activité fonctionnelle, en vue d'augmenter la capacité et la mobilité ; l'amélioration de l'équilibre ; une saine alimentation ; le soutien affectif et social.

Souvent, la personne âgée a peur de se fatiguer et de tomber. La réadaptation de la personne âgée est limitée à cause d'altérations des perceptions sensorielles, d'autres problèmes de santé, d'un ralentissement cognitif, d'une mauvaise alimentation ou de problèmes financiers. Toute incapacité peut être amoindrie grâce à des accessoires et des appareils fonctionnels et l'adaptation de l'environnement du client. La présence de personnes soignantes motivantes et attentionnées est essentielle pour que cette modification de l'environnement soit efficace. Des expressions d'encouragement, de soutien et d'acceptation de la part de l'infirmière et de l'aidant naturel favorisent la motivation de la personne âgée tout au long du difficile processus de réadaptation.

3.10 HOSPITALISATION ET PROBLÈME DE SANTÉ AIGU

Dans bien des cas, c'est à l'hôpital que la personne âgée entre en contact avec le système de soins de santé formel.

La personne âgée hospitalisée présente souvent des déficiences à plusieurs niveaux. Les problèmes de santé qui entraînent le plus couramment l'hospitalisation du client comprennent l'arythmie, l'insuffisance cardiaque, les AVC, les déséquilibres hydroélectrolytiques, la déshydratation, l'hyponatrémie, la pneumonie et la fracture de la hanche. La complexité de la situation aiguë donne souvent lieu à une évaluation ciblée, et les soins sont alors orientés seulement vers le problème de santé du moment. La personne âgée recevra des soins complets, personnalisés et efficaces grâce à l'approche globale de l'infirmière.

Le résultat de l'hospitalisation varie d'une personne âgée à l'autre. Les problèmes à prendre en considération sont ceux liés au risque chirurgical élevé, à l'état confusionnel aigu, aux infections nosocomiales et à la sortie prématurée du centre hospitalier alors que l'état de la personne est instable.

3.10.1 Risque chirurgical élevé

Les changements physiques liés à l'âge, la maladie chronique et la diminution des réserves d'énergie font que la personne âgée est exposée à un risque chirurgical élevé. D'autres éléments importants augmentent le risque chirurgical, notamment l'appartenance au 4e âge (personnes âgées de plus de 75 ans), les opérations d'urgence, l'anesthésie rachidienne et les complications thrombolytiques. Il convient d'évaluer le risque chirurgical par rapport aux avantages et à la pertinence de l'intervention chirurgicale chez la personne âgée (voir chapitres 9, 10 et 11 pour plus d'informations sur les soins chirurgicaux offerts aux personnes âgées).

3.10.2 État confusionnel aigu

Un état confusionnel aigu (délirium) survient soudainement chez 18 à 38 % des personnes âgées hospitalisées. Bien que le délirium soit habituellement un état transitoire qui dure d'un à sept jours, les études indiquent que certains symptômes liés au délirium peuvent durer jusqu'à la sortie de l'hôpital. Le délirium est l'une des conséquences les plus fréquentes de l'intervention chirurgicale non planifiée ; la personne âgée n'a pas le temps d'atteindre un état physique stable et d'être préparée émotionnellement. Ce client est moins disposé à effectuer les AVQ.

3.10.3 Infections nosocomiales

Les infections nosocomiales (contaminations en milieu hospitalier) sont plus fréquentes chez les personnes âgées que chez les personnes appartenant aux autres groupes d'âges. Chez le client du 4e âge, le taux d'infection est de deux à cinq fois plus élevé que chez celui d'un groupe d'âges plus jeune. Les changements liés à

l'âge et à la diminution de l'efficacité du système immunitaire, la présence d'affections pathologiques et l'augmentation de l'incapacité contribuent à l'augmentation des taux d'infection. Les infections courantes chez les personnes âgées comprennent la pneumonie et les infections urinaire et cutanée. Une proportion très élevée de personnes âgées sont atteintes de tuberculose, par rapport au reste de la population. Les infections nosocomiales présentent des symptômes atypiques et se traduisent par des changements cognitifs et comportementaux avant toute variation des données de laboratoire ou de température.

3.10.4 Sortie du centre hospitalier

Au moment où la sortie du centre hospitalier leur est accordée, entre 17 et 38 % des personnes âgées sont, selon les évaluations, dans un état instable. La personne âgée vulnérable et celle du 4e âge sont particulièrement exposées. La date de sortie prévue doit être reconsidérée à intervalles réguliers, et la personne soignante comme le client doivent être conseillés afin de préparer le client aux soins à domicile.

L'infirmière peut utiliser des questionnaires d'évaluation pour détecter les clients à risque. Les clients à risque auront besoin d'assistance, une fois sortis de l'hôpital, pour les activités suivantes : hygiène corporelle, prise des médicaments, entretien ménager, emplettes, préparation des repas et organisation satisfaisante des déplacements. Le client qui fait de longs séjours à l'hôpital et qui n'est pas autonome pour la préparation de ses repas est plus susceptible de sortir de l'hôpital dans un état instable. La sortie prématurée est mieux vécue chez les clients dont la capacité fonctionnelle n'a pas beaucoup changé ou qui retournent vivre dans un endroit offrant beaucoup d'assistance, comme un centre de convalescence, par exemple.

3.10.5 Rôle de l'infirmière en milieu hospitalier

Pendant l'hospitalisation de la personne âgée, l'infirmière assurera les fonctions suivantes :

- reconnaître les clients du 4e âge et les clients vulnérables, qui sont exposés aux effets iatrogéniques de l'hospitalisation ;
- évaluer, dès le début de l'hospitalisation, quels seront les besoins du client lorsqu'il sortira de l'hôpital, surtout en matière d'assistance pour effectuer les AVQ et les AVD, et pour la prise de médicaments ;
- encourager la formation d'équipes interdisciplinaires, d'unités de soins spéciaux et de personnes spécialisées dans les besoins particuliers des clients âgés ;
- élaborer des protocoles standardisés pour dépister les affections à risque couramment observées chez

les personnes âgées hospitalisées : l'infection urinaire et le délirium, par exemple ;
- recommander les services de soins à domicile appropriés au client.

3.11 SOINS GÉRONTOLOGIQUES

3.11.1 Facteurs environnementaux

L'environnement des personnes qui vieillissent peut être adapté afin d'augmenter leur sécurité et leur confort. Il est très simple, par exemple, de débarrasser les planchers de tout objet superflu, d'augmenter l'éclairage et le nombre de veilleuses et de rendre les extrémités des escaliers très visibles.

La personne âgée hospitalisée ou admise dans un établissement de soins de longue durée a besoin de temps pour s'adapter à son nouvel environnement. L'infirmière doit répéter au client qu'il est en sécurité et tenter de répondre à toutes ses questions pour le rassurer. L'établissement doit faciliter l'orientation des clients en accrochant des horloges à gros caractères, en privilégiant les constructions simples où l'on se repère facilement, en indiquant clairement les sorties et en offrant des systèmes d'ajustement des lits et de cloches d'appel faciles à utiliser. L'éclairage doit être suffisant sans pour autant être éblouissant. Les lits doivent être placés en position basse et être munis de ridelles pouvant s'ajuster selon les besoins de chacun. Les milieux qui offrent des soins constants avec une routine préétablie favorisent le bien-être du client âgé.

3.11.2 Appareils et accessoires fonctionnels

Des appareils et des accessoires fonctionnels doivent être mis au service de la personne âgée. Bien des personnes âgées peuvent profiter de ces appareils, qu'il s'agisse d'une prothèse dentaire, de lunettes, d'une aide auditive, d'un déambulateur, d'un fauteuil roulant, de sous-vêtements ou de protections pour adulte, d'ustensiles adaptés, d'un siège de toilette ou d'accessoires de protection cutanée. L'infirmière est bien placée pour s'assurer de l'usage pertinent et constant de ces appareils.

3.11.3 Soulagement de la douleur

Les personnes âgées ne signalent pas toujours qu'elles éprouvent de la douleur. Lorsque la douleur est causée par une affection connue, l'infirmière doit offrir des analgésiques à intervalles réguliers. Il peut être difficile d'évaluer la douleur chez les personnes âgées à cause des pertes cognitives, d'altérations des perceptions sensorielles et de changements liés à l'âge. Il peut être utile d'utiliser des échelles de douleur verbales et visuelles pour évaluer correctement l'intensité et la qualité de la douleur. Le client qui ressent une douleur persistante peut tenir un journal afin de découvrir les activités qui apaisent ou qui augmentent la douleur. Des méthodes faisant appel à la créativité peuvent être conçues pour traiter la personne âgée qui croit que la douleur est un mal qu'on doit endurer. L'infirmière peut demander au client de lui décrire les techniques qu'il utilise pour soulager la douleur. Le changement de position, l'application de chaleur ou de froid, les exercices physiques, les distractions et le repos peuvent aider à atténuer la douleur. L'imagerie mentale, la pensée positive, la prière et d'autres techniques spirituelles peuvent également être mises en pratique. Un soulagement insuffisant de la douleur peut affecter négativement les interactions sociales, réduire la mobilité, modifier la posture, troubler le sommeil ou causer des états anxieux ou dépressifs, et causer la constipation (voir chapitre 5 pour plus d'informations sur la douleur).

3.11.4 Consommation de médicaments

La consommation de médicaments de la personne âgée doit être rigoureusement planifiée et régulièrement réajustée. Voici quelques faits liés à la consommation normale et à la consommation excessive de médicaments chez la personne âgée :
- la femme âgée peut prendre jusqu'à cinq médicaments d'ordonnance en plus de trois médicaments ou plus en vente libre ;
- le client du 4e âge prend en moyenne 12 médicaments d'ordonnance ;
- la fréquence des réactions indésirables à un médicament augmente avec le nombre de médicaments d'ordonnance consommés ;
- 12 % des admissions de personnes âgées en centre hospitalier (CH) sont dues à une réaction indésirable à un médicament ;
- une fois que la personne âgée est sortie du CH, un seul médicament superflu peut la rendre vulnérable à une réaction indésirable.

Les changements liés à l'âge modifient la pharmacodynamique et la pharmacocinétique des médicaments. Les interactions médicamenteuses, celles entre les médicaments et les aliments, ou celles entre les médicaments et les problèmes de santé affectent toutes l'absorption, la distribution, le métabolisme et l'élimination des médicaments. La figure 3.5 illustre les effets du vieillissement sur le métabolisme des médicaments.

Si les changements dans le métabolisme des médicaments rendent difficile leur consommation par la personne âgée, d'autres difficultés peuvent s'ajouter,

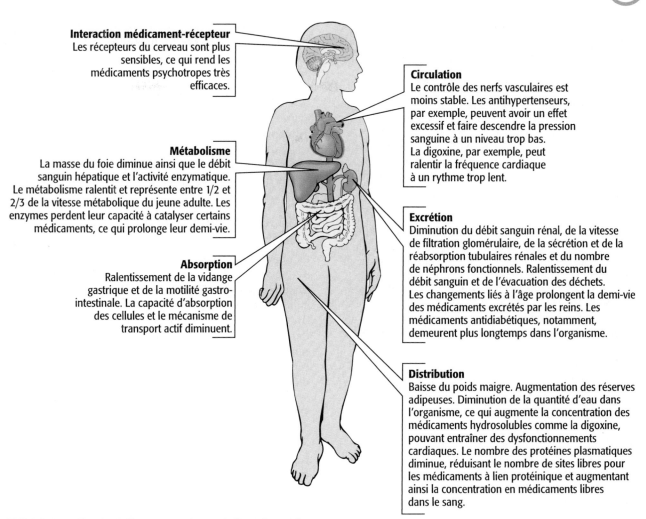

Interaction médicament-récepteur
Les récepteurs du cerveau sont plus sensibles, ce qui rend les médicaments psychotropes très efficaces.

Circulation
Le contrôle des nerfs vasculaires est moins stable. Les antihypertenseurs, par exemple, peuvent avoir un effet excessif et faire descendre la pression sanguine à un niveau trop bas. La digoxine, par exemple, peut ralentir la fréquence cardiaque à un rythme trop lent.

Métabolisme
La masse du foie diminue ainsi que le débit sanguin hépatique et l'activité enzymatique. Le métabolisme ralentit et représente entre 1/2 et 2/3 de la vitesse métabolique du jeune adulte. Les enzymes perdent leur capacité à catalyser certains médicaments, ce qui prolonge leur demi-vie.

Excrétion
Diminution du débit sanguin rénal, de la vitesse de filtration glomérulaire, de la sécrétion et de la réabsorption tubulaires rénales et du nombre de néphrons fonctionnels. Ralentissement du débit sanguin et de l'évacuation des déchets. Les changements liés à l'âge prolongent la demi-vie des médicaments excrétés par les reins. Les médicaments antidiabétiques, notamment, demeurent plus longtemps dans l'organisme.

Absorption
Ralentissement de la vidange gastrique et de la motilité gastro-intestinale. La capacité d'absorption des cellules et le mécanisme de transport actif diminuent.

Distribution
Baisse du poids maigre. Augmentation des réserves adipeuses. Diminution de la quantité d'eau dans l'organisme, ce qui augmente la concentration des médicaments hydrosolubles comme la digoxine, pouvant entraîner des dysfonctionnements cardiaques. Le nombre des protéines plasmatiques diminue, réduisant le nombre de sites libres pour les médicaments à lien protéinique et augmentant ainsi la concentration en médicaments libres dans le sang.

FIGURE 3.5 Effets du vieillissement sur le métabolisme des médicaments

notamment la diminution de la fonction cognitive, les altérations des perceptions sensorielles, la réduction de la mobilité manuelle et le coût plus élevé de la franchise de l'assurance médicaments. Les personnes âgées font souvent les mêmes erreurs. Par exemple : elles oublient de prendre leurs médicaments ; elles ne comprennent pas les instructions ou ne saisissent pas l'importance du traitement médicamenteux ; elles pratiquent l'automédication à l'aide de médicaments en vente libre ; elles consomment des médicaments périmés ; elles prennent les médicaments prescrits à une autre personne ; elles refusent de prendre un médicament à cause des effets secondaires comme les nausées ou l'impuissance. La polypharmacologie, la surdose et la dépendance aux médicaments d'ordonnance sont reconnues comme étant des causes importantes de problèmes de santé chez la personne âgée.

Pour bien évaluer la connaissance des médicaments et leur consommation, les infirmières demandent souvent à leurs clients âgés d'apporter avec eux, lors de leur visite de suivi de santé, tous les médicaments (d'ordonnance et en vente libre) qu'ils consomment régulièrement ou occasionnellement. L'infirmière peut alors dénombrer correctement tous les médicaments que la personne âgée consomme, en tenant compte des médicaments qu'elle oublie de prendre ou qu'elle considère comme étant inutiles. L'encadré 3.4 présente d'autres interventions du personnel infirmier qui aident la personne âgée à adopter de bonnes habitudes à l'égard des médicaments.

3.11.5 Dépression

La dépression, qui touche 11 % (Brousseau et coll., 2001) des personnes âgées recevant des soins de santé communautaires, est le problème affectif le plus courant chez les personnes âgées. Les adultes vivant en établissement (environ 50 %) présentent des symptômes dépressifs. Mais bien que les symptômes de dépression apparaissent fréquemment, les variations

Interventions infirmières liées à la consommation de médicaments chez les personnes âgées   ENCADRÉ 3.4

- Insister sur la consommation des médicaments qui sont essentiels
- Tenter de réduire la consommation de médicaments qui ne sont pas essentiels au soulagement, dans le cas de symptômes d'importance mineure
- Évaluer la consommation de médicaments à l'aide d'un instrument d'évaluation standard, en tenant compte de tous les médicaments, y compris ceux en vente libre, les gouttes ophtalmologiques et nasales, les antihistamines et les sirops contre la toux
- Évaluer la consommation d'alcool
- Préconiser l'utilisation d'un aide-mémoire ou d'une dosette
- Vérifier la posologie des médicaments: normalement, la posologie doit être de 30 à 50 % plus faible que celle indiquée pour un adulte plus jeune
- Préconiser l'achat des médicaments dans une seule et même pharmacie
- Travailler avec les médecins et les pharmaciens à la tenue d'un carnet de médicaments pour tous les clients âgés
- Recommander auprès des fabricants de produits pharmaceutiques la mise en place de programmes d'aide aux personnes à faible revenu et l'utilisation de posologies simples, comme les médicaments à libération prolongée que le client ne prend qu'une fois par jour

d'humeurs marquées sont rares. Chez la personne âgée, la dépression naît souvent d'une perte de l'estime de soi et peut apparaître à la suite d'événements importants de la vie, par exemple la perte du conjoint ou la retraite. L'hypocondrie, l'insomnie, la léthargie, l'agitation, les troubles de la mémoire et la difficulté à se concentrer sont des problèmes courants. La dépression est rarement accompagnée d'un sentiment de culpabilité chez la personne âgée.

La dépression chez les personnes âgées survient souvent en même temps que la maladie physique. Il est important que l'évaluation du client comprenne des épreuves diagnostiques et un examen physique qui permettront de déceler des troubles physiques dont les symptômes ressemblent beaucoup à ceux de la dépression. Ces problèmes de santé à surveiller sont les problèmes de la glande thyroïde et les carences vitaminiques. On doit encourager la personne âgée qui montre des symptômes de dépression à consulter un médecin.

Comme il arrive souvent que le client se sente inutile et qu'il s'isole, l'infirmière devra faire appel aux membres de la famille du client pour convaincre ce dernier de se faire soigner. La personne âgée déprimée qui doit elle-même donner des soins devrait chercher quelqu'un pour la remplacer et reconsidérer son rôle d'aidant naturel.

Le nombre de suicides chez les personnes âgées représente 12,4 % de l'ensemble des suicides au Canada et 20,6 % aux États-Unis. L'infirmière doit prendre au sérieux les commentaires du genre « en finir avec cette vie », car six personnes sur dix en avaient parlé à leur entourage avant de commettre l'acte fatal. Des mesures de prévention du suicide doivent être prises. L'homme âgé qui a un faible revenu, qui est divorcé ou veuf et qui a des antécédents de consommation excessive d'alcool est la personne qui présente le plus fort risque de suicide.

3.11.6 Recommandations nutritionnelles

La personne âgée peut avoir de la difficulté à conserver de bonnes habitudes alimentaires, et ce, pour des raisons physiques et sociales. D'un point de vue physiologique, l'atténuation du goût et de l'odorat peut rendre la nourriture moins attirante, et une prothèse dentaire mal ajustée ou des dents manquantes peuvent rendre la mastication difficile. Des troubles de déglutition et de digestion peuvent également survenir à cause d'une diminution de la production d'enzymes et de salive et d'un affaiblissement de la motilité gastrique. D'un point de vue social, la personne qui prend ses repas seule peut trouver qu'il est plus facile de manger des repas-minute (*fast food*) que de se préparer des repas complets. D'autres difficultés contribuent à la mauvaise alimentation, comme le manque de moyen de transport pour se rendre à l'épicerie, la difficulté à voir les produits sur les tablettes et la pauvreté. L'obésité peut être un problème pour les personnes âgées. Habituellement, ce problème existe depuis longtemps et n'est pas éliminé en raison de la difficulté persistante à changer les habitudes alimentaires. L'infirmière peut demander au client de noter pendant trois jours tout ce qu'il mange. L'analyse de ces données aide à déterminer si la personne s'alimente bien ou non. Lorsque c'est nécessaire, l'infirmière peut orienter la personne vers des ressources communautaires proposant des services comme la livraison de repas à la maison (popote roulante). Il incombe à l'infirmière de comprendre pourquoi la personne âgée s'alimente mal et de prendre les mesures nécessaires pour corriger la situation.

3.11.7 Sommeil

Les personnes âgées sont souvent préoccupées par la qualité de leur sommeil, troublé par des changements dans les habitudes. Elles connaissent une diminution marquée de la durée du stade 4 du sommeil lent ou paradoxal, et elles se réveillent facilement. Même si les besoins de sommeil diminuent avec l'âge, les personnes âgées peuvent souffrir d'insomnie et se plaindre que même si elles restent au lit plus longtemps qu'avant, elles se sentent toujours fatiguées. Il est fréquent que la personne âgée préfère répartir ses heures de sommeil sur une période de 24 heures et faire de courtes siestes qui lui permettent de se reposer. Souvent, il suffit que l'infirmière confirme à la personne âgée que ses habitudes de sommeil sont tout à fait appropriées et normales pour que disparaisse l'anxiété relative au sommeil. Souvent, retarder l'heure du coucher procurera une meilleure nuit de sommeil et une sensation de repos au réveil.

3.11.8 Sécurité

La sécurité de l'environnement est cruciale pour le maintien de la santé de la personne âgée. En raison des altérations sensorielles, du ralentissement du temps de réaction, de la réduction de la sensibilité à la chaleur et à la douleur, des changements dans la démarche et l'équilibre et des effets des médicaments, la personne âgée est très vulnérable aux accidents. La plupart des accidents surviennent dans la maison ou à proximité de celle-ci. Les chutes, les accidents de véhicules motorisés et les incendies sont les causes les plus fréquentes d'accidents mortels chez les personnes âgées. Un autre problème lié à l'environnement vient des altérations du système thermorégulateur, qui ne réussit pas à s'adapter aux températures extrêmes. Le corps de la personne âgée ne peut ni conserver la chaleur ni l'évacuer efficacement. Par conséquent, l'hypothermie et l'épuisement, lors de canicule, guettent les personnes âgées et surviennent rapidement. La majorité des décès survenant au cours des épisodes de grippe et de vagues de chaleur sont observés dans ce groupe d'âges.

L'infirmière peut donner de précieux conseils sur les changements à apporter à l'environnement afin d'améliorer la sécurité de la personne âgée. Un meilleur éclairage, la coloration de la bordure des marches d'escalier, des barres d'appui près de la baignoire (et à côté des toilettes) et des rampes d'escalier sont des moyens qui peuvent rendre sûr le cadre de vie de la personne âgée. L'infirmière peut également encourager les personnes âgées à se munir de systèmes d'alarmes d'incendie et de sécurité.

3.11.9 Problèmes de comportement

Lorsque les comportements du client deviennent problématiques (agitation, anxiété, négativisme face aux soins et errance), l'infirmière doit planifier soigneusement ses interventions. La santé physique du client doit d'abord être examinée. On doit vérifier s'il présente des changements dans ses signes vitaux et ses habitudes d'élimination urinaire, et s'il est constipé, car ces changements pourraient être la cause de troubles comporte-

mentaux. Les comportements perturbateurs peuvent être interrompus et l'énergie redirigée vers des activités ; par exemple, l'infirmière peut encourager le client à empiler des feuilles de papier, à chanter, à jouer de la musique, à faire de l'exercice ou à marcher avec elle.

Lorsque le client est désorienté par son environnement, on doit supprimer le stimulus ou encore déplacer le client. L'infirmière peut aider le client à téléphoner à sa famille, si cela peut le rassurer. S'il refuse qu'on lui installe une sonde vésicale ou qu'on lui applique des pansements, ou encore s'il tente de les arracher, on peut recouvrir ces éléments de gaze élastique ou les placer hors de sa vue. La personne âgée qui présente des troubles comportementaux doit être rassurée par la présence de l'infirmière, qui veille à sa sécurité. L'infirmière peut employer des méthodes d'orientation vers la réalité afin de situer le client dans le temps et l'espace et par rapport aux personnes qui l'entourent. Il faut éviter de poser des questions, comme « pourquoi ? », au client qui est agité ou désorienté. S'il n'arrive pas à verbaliser sa détresse, il faut explorer les motifs de son état affectif. Les paroles du client peuvent être reformulées afin d'en confirmer la signification.

L'infirmière doit admettre sa frustration lorsqu'elle traite un client perturbé. Elle doit éviter de le menacer en lui disant qu'elle l'immobilisera ou appellera le médecin. Elle peut demander à un membre de la famille de venir et de demeurer avec le client jusqu'à ce qu'il se soit calmé. L'infirmière examine le client régulièrement, et toutes les interventions sont inscrites au dossier. Appliquer des soins préventifs peut réduire l'utilisation de moyens de contention physiques ou chimiques (pharmacothérapie).

3.11.10 Utilisation de moyens de contention

Les moyens de contention physiques et chimiques doivent être utilisés avec le client âgé en dernier recours, selon les règles de l'institution. L'infirmière doit rédiger des notes claires et précises sur l'utilisation de ces mesures et sur les comportements qui ont entraîné cette intervention. Les études indiquent que les infirmières ne savent pas vraiment quand elles doivent utiliser les moyens de contention. Il n'est pas opportun de les utiliser si l'infirmière considère que le client risque de tomber ou s'il adopte des comportements désagréables pour l'entourage, s'il crie, par exemple. L'utilisation de moyens de contention prolonge la durée des soins et les rend plus difficiles. Ils ne réduisent pas les risques de chute, mais augmentent au contraire le risque de confusion du client et la gravité des blessures en cas de chute. À défaut d'immobiliser le client, l'infirmière doit prodiguer des soins empreints de vigilance et de créativité. Les moyens de contention peuvent être remplacés par des coussins en coin, des lits bas. L'infirmière peut éviter l'utilisation de moyens de contention chimiques en intervenant dès les premières manifestions de comportements perturbateurs. L'utilisation de moyens de contention doit se faire suivant des critères rigoureux et explicites. L'engouement pour les milieux « sans moyens de contention » favorise la diminution du recours aux moyens de contention.

3.11.11 Violence et négligence à l'égard des personnes âgées

Environ 2 % de toute la population des personnes âgées subit la violence et la négligence. La violence et la négligence sont rarement dénoncées aux autorités, même si elles sont subies de façon répétitive. La victime est le plus souvent une femme âgée présentant au moins une incapacité relativement aux AVQ. La plupart de ces femmes sont veuves, de race blanche, ont un faible revenu et dépendent de leur agresseur pour certains aspects de leurs soins. Les mauvais traitements aux personnes âgées sont souvent associés à la toxicomanie, à l'épuisement de l'aidant naturel et à la dépression. Le faible taux de dénonciation peut être lié au sentiment de vulnérabilité de la personne âgée, à sa faible estime de soi, à ses capacités cognitives affaiblies et à son isolement.

La violence et la négligence à l'égard des personnes âgées se manifestent de différentes façons (voir tableau 3.5). La négligence est une forme de mauvais traitements à l'égard des personnes âgées lorsqu'elles n'arrivent plus à prendre soin d'elles-mêmes ou qu'elles présentent de graves troubles psychologiques.

TABLEAU 3.5	Formes de violence et de négligence à l'égard des personnes âgées
Forme	**Exemple**
Violation des droits de la personne	Brimer l'intimité de la personne, lui imposer la présence de visiteurs non désirés
Exploitation	S'emparer d'un chèque de l'aide sociale ou d'un bien personnel
Mauvais traitements	Secouer ou frapper la personne
Négligence psychologique	Isoler une personne ou l'enfermer dans une pièce
Violence psychologique	Injurier la personne, afficher des comportements menaçants
Négligence physique	Ne pas donner les médicaments prescrits ou les soins physiques nécessaires

Lors de son évaluation, l'infirmière doit connaître les limites juridiques de ses actes. L'intervention de l'infirmière auprès d'une personne âgée ayant toutes ses facultés peut être limitée si cette personne refuse qu'on l'aide. Dans certaines situations, les travailleurs de la santé sont perçus comme des intrus et des opportunistes. Il existe plusieurs moyens d'établir la violence et la négligence à l'égard des personnes âgées, moyens grâce auxquels il est notamment possible d'obtenir des informations préliminaires, de détecter les signes de mauvais traitements, de déterminer la gravité des signes et d'évaluer la réaction de l'agresseur. Si l'infirmière soupçonne que la personne âgée subit de mauvais traitements, elle doit suivre un protocole adéquat et le client doit pouvoir bénéficier de services de consultation, déterminés par la politique de l'établissement. En matière de suivi, l'infirmière peut être appelée à consulter des spécialistes de la protection des personnes âgées et à témoigner au tribunal. Dans tous les cas, les infirmières doivent dénoncer les mauvais traitements.

3.12 PERSONNES ÂGÉES ET SOUTIEN SOCIAL

3.12.1 Aidants naturels

Plus de 80 % des soins sont fournis par un membre de la famille qui vit avec le client. L'aidant naturel est, dans bien des cas, une femme mariée qui est elle-même âgée, qui a des problèmes de santé et des incapacités chroniques et qui est pauvre. Le réseau des aidants naturels varie avec l'origine ethnique. Les Italiens, les Polonais, les Irlandais et les gens de race noire tissent des réseaux familiaux étendus d'aidants naturels. Un aidant naturel est une personne qui assure la supervision des soins, donne des soins directs et coordonne les services. L'aidant naturel doit notamment aider la personne âgée à effectuer les AVQ et les AVD ; fournir un soutien affectif et social ; gérer les soins de santé.

Problèmes vécus par les aidants naturels. Les difficultés vécues par l'aidant naturel varient avec les exigences de son rôle. Un aidant naturel peut, par exemple, devoir ajuster son horaire de travail en fonction des rendez-vous du client pour ses soins de santé, ou devoir être présent 24 heures sur 24 pour veiller à la sécurité du client qui a des troubles cognitifs.

L'aidant naturel devra souvent faire face aux problèmes suivants : le manque de compréhension des gens à l'égard des exigences de temps et d'énergie que représentent ses responsabilités ; le manque d'information sur les tâches précises liées aux soins, le bain ou l'administration de médicaments, par exemple ; le manque de répit ; l'impossibilité de répondre à ses propres besoins, comme le besoin de contacts sociaux ou de repos ; les conflits avec le noyau familial autour des décisions portant sur les soins ; la diminution des ressources financières causée par l'impossibilité de l'aidant naturel de travailler et par l'augmentation des coûts liés aux soins de santé.

L'intensité et la complexité des soins exposent l'aidant naturel à de fortes doses de stress. À la longue, il peut crouler sous le poids des sentiments d'incompétence, d'impuissance et de dépression. Bien que la plupart des personnes âgées nient leur solitude, même lorsqu'elles passent beaucoup de temps seules, l'aidant naturel souffre souvent d'interactions sociales limitées. Il risque souvent de souffrir d'isolement ; le fardeau que représente la prestation des soins prive la personne des contacts avec les autres, des contacts qui sont censés lui permettre de participer à la vie sociale. Les exigences en temps, la fatigue et, parfois, les comportements socialement inappropriés de la personne âgée dépendante entraînent l'isolement social. Il est important de reconnaître l'aidant naturel isolé et de prévoir des moyens afin de répondre à ses besoins d'interaction et de soutien social.

La lourdeur des soins peut entraîner l'épuisement de l'aidant naturel. Le fardeau des soins ouvre la voie à l'augmentation des actes de violence et de négligence à l'égard des personnes âgées. Les cas de violence ou de négligence physique, financière, psychologique et sexuelle peuvent se produire dans les familles mal organisées pour prodiguer les soins nécessaires. L'infirmière doit observer le client et son aidant naturel pour reconnaître les cas d'épuisement, de violence et de négligence à l'égard des personnes âgées.

Problèmes émotionnels de l'aidant naturel. Le stress engendré par la prestation de soins peut entraîner des problèmes émotionnels comme la dépression, la colère et le ressentiment, de même que des sentiments de désespoir et d'impuissance. L'infirmière doit traiter l'aidant naturel comme un client et adopter un comportement qui améliorera son état d'épuisement. L'infirmière doit manifester de la sympathie à son égard et favoriser les discussions sur les difficultés et les joies de son rôle. Elle peut lui parler des changements et des problèmes de santé liés à l'âge et lui enseigner des techniques précises de soins. L'infirmière doit l'inciter à se joindre à un groupe de soutien. Elle peut également l'aider à aller chercher, auprès du système formel de soutien social, de l'aide en matière de répit, d'habitat et de ressources financières. Enfin, l'infirmière doit surveiller chez l'aidant naturel les signes de détérioration de la santé, de détresse émotionnelle et d'épuisement.

3.12.2 Réseaux de soutien pour personnes âgées

Les personnes âgées peuvent se prévaloir des avantages offerts pour elles par le réseau de services, auprès des Centres locaux de services communautaires (CLSC) comme dans les établissements de soins de santé. La plupart des personnes âgées, au Canada et aux États-Unis, bénéficient d'au moins un des services offerts. Au Québec, les CLSC offrent des services et des programmes qui facilitent le maintien à domicile des personnes âgées. Les soins à domicile comportent deux volets : les soins de santé et les services de soutien. Ces services donnent accès aux soins d'infirmiers et d'infirmières, d'ergothérapeutes, de physiothérapeutes, de travailleurs sociaux, de thérapeutes en réadaptation et d'auxiliaires familiales. Des programmes permettant aux personnes âgées de briser leur isolement, de s'adapter à une maladie chronique ou à la perte d'un être cher ont également été instaurés. Ces services sont entièrement couverts par l'assurance santé du Québec. Toute personne, âgée de 65 ans ou plus, ayant besoin de services de soutien peut bénéficier, avec l'approbation du CLSC, d'une aide monétaire pouvant atteindre 10 $ de l'heure pour la défrayer des services d'auxiliaires familiales assurant les AVQ et AVD, comme le bain, la préparation des repas, l'entretien ménager et les courses. Au Canada, le ministère fédéral de la Santé nationale et du Bien-être social administre nombre de programmes destinés aux personnes âgées. Les politiques des gouvernements fédéral et provinciaux ne peuvent être distinguées facilement, les compétences et les coûts étant partagés. Cette répartition des rôles a changé au cours des 30 dernières années. Auparavant, la responsabilité du gouvernement se limitait à aider les personnes âgées vivant dans la pauvreté. Depuis, un vaste éventail de programmes fédéraux et provinciaux ont été mis sur pied. Le rôle du gouvernement a changé : d'organisme de réglementation, il est devenu fournisseur de services.

Au Québec, le régime d'assurance maladie est en vigueur depuis le 1er janvier 1970 et permet aux personnes admissibles et inscrites à la Régie de l'assurance maladie du Québec de bénéficier d'un régime de soins universels. Les frais médicaux relatifs à une consultation médicale, à une hospitalisation de courte durée, à un séjour dans des centres ou des unités de réadaptation pour une période de 45 jours et moins, à un examen de la vue, à l'achat d'appareils suppléant à une déficience physique sont entièrement couverts. De plus, les adultes en centre d'hébergement ont droit à une contribution financière. Depuis 1997 s'est ajouté le programme universel d'assurance médicaments qui couvre les médicaments prescrits, achetés au Québec et inscrits sur la liste de la Régie d'assurance-maladie. Les personnes âgées de 65 ans et plus y sont automatiquement inscrites. Cependant, une franchise mensuelle est exigée et la personne doit débourser un montant mensuel dont le maximum varie entre 16,66 $ et 45,67 $, selon que la personne bénéficie ou non du supplément de revenu garanti.

Le régime d'assurance maladie ne couvre pas (ou couvre de façon partielle) les soins suivants : soins infirmiers à domicile de longue durée, soins d'assistance pour les AVQ ou les AVD, soins dentaires ou pose de prothèses dentaires, soins préventifs, médicaments d'ordonnance, soins courants des pieds et achat d'aides auditives ou de lunettes. Le coût de ces soins, ajouté aux frais de franchise de l'assurance médicaments, entraîne le fait que la plupart des personnes âgées paient une partie des soins de santé qu'elles reçoivent chaque année. L'adhésion à un régime d'assurance maladie individuel ou collectif permet de couvrir une partie de ces soins. Cela permet de bénéficier, entre autres, d'une chambre privée ou semi-privée lors d'une hospitalisation ou d'un séjour dans un centre de convalescence (p. ex. Régime d'assurance-maladie Croix Bleue).

Au Canada et au Québec, les services aux personnes âgées comprennent d'autres services, comme l'aide aux locataires, le transport, les programmes d'emploi, de même que le maintien et la sécurité du revenu. Ces services sont divers et complexes, et il est nécessaire d'en connaître les règles. Souvent, la personne âgée est trop vulnérable, elle manque d'instruction ou elle n'a pas assez d'informations sur ces services pour déterminer si elle y a droit.

L'infirmière peut aider le client âgé et la personne soignante en reconnaissant la complexité du système de soins de santé et en sympathisant avec les personnes qui expriment leur colère ou leur frustration envers des règles qui semblent injustes ou inadéquates. L'infirmière peut aider la personne âgée à demander les services auxquels elle a droit, ou l'adresser aux personnes responsables, à l'infirmière de liaison ou à un spécialiste des soins de santé.

3.13 POSSIBILITÉS DE SOINS POUR LES PERSONNES ÂGÉES

3.13.1 Habitation

La plupart des personnes âgées vieillissent là où elles demeurent. Pour la personne âgée, la collectivité est importante et doit être un environnement sûr, à l'abri de la criminalité et des accidents. La personne âgée a besoin d'intimité et de compagnie, et elle doit avoir un sentiment d'appartenance (voir figure 3.6). La collectivité doit être accessible. La personne âgée peut avoir besoin d'aide au logement et bénéficier ainsi de l'allège-

ment de la taxe foncière, des services d'entretien de la maison et du remboursement des frais de chauffage. Il existe diverses possibilités de logement pour les personnes âgées à faible revenu admissibles aux subventions.

La personne âgée qui choisit de rester chez elle, même lorsque ses capacités fonctionnelles diminuent, peut faire modifier ou adapter sa demeure. On peut rendre l'habitation accessible en fauteuil roulant, augmenter et ajuster l'éclairage, installer des dispositifs de sécurité dans la salle de bain et dans la cuisine et poser des dispositifs d'alarme et d'amplification sonore.

Les résidences collectives offrent deux types de services aux personnes âgées : le logement pour personnes semi-autonomes et celui pour personnes autonomes. Les établissements pour personnes autonomes fournissent le logement et les repas collectifs, mais aucune supervision. Ils proposent aussi, moyennant des frais, des services d'entretien ménager et de soins. Les résidences privées pour personnes âgées fournissent le logement et les repas dans des petits établissements d'hébergement en commun.

Certaines résidences sont conçues pour offrir des services de soins personnalisés. Beaucoup de personnes âgées ont besoin d'aide pour accomplir leurs AVQ et leurs AVD, dans ce genre d'établissement. Les infirmières, dans ces résidences, peuvent prodiguer les soins et les services, ou les superviser. La plus grande difficulté pour les infirmières réside dans les questions liées à la réglementation, à l'évaluation de la sécurité des

FIGURE 3.6 Ces deux personnes âgées s'organisent et travaillent en équipe pour rester dans leur maison.

résidents et à la prise de décisions partagée entre les résidents.

La créativité est mise à profit à travers le partage de logements colocatifs, la construction de maisons bi-générationnelles ou la location d'appartements dans des maisons existantes pour personnes âgées. L'infirmière peut aider à la satisfaction des besoins de la personne âgée en l'aidant à établir ses critères de logement et en encourageant la mise en place de mesures sécuritaires dans ces habitations communautaires.

3.13.2 Personnes âgées bénéficiant des soins de santé communautaires et présentant des besoins particuliers

Les personnes âgées qui ont des besoins particuliers en matière de soins sont les sans-abri, les personnes qui ont constamment besoin d'aide pour faire leurs AVQ et leurs AVD, les personnes qui sont confinées chez elles et celles qui ne peuvent plus y vivre. La personne âgée peut profiter des centres de jour pour adultes, des soins à domicile et des soins offerts dans les résidences pour personnes âgées.

Personnes âgées sans logement. Les personnes âgées qui vivent dans les régions où les sans-abri sont de plus en plus nombreux sont encore plus vulnérables que les autres, car bien des services offerts par les réseaux pour personnes âgées ne sont pas conçus pour les sans-abri. On estime qu'entre 14 et 50 % des sans-abri sont des personnes âgées (voir figure 3.7). Les sondages menés dans la rue indiquent que la plupart des personnes âgées sans abri sont des hommes nomades. La personne âgée sans abri ne fréquente pas beaucoup les endroits où on sert les repas collectifs et ne dort pas souvent dans les refuges. La personne âgée à faible revenu se retrouve souvent sans abri à cause de la pénurie de logements à prix abordable. Les sans-abri présentent trois caractéristiques communes principales : ils ont un faible revenu ; leur capacité cognitive est réduite ; ils vivent seuls. L'admission dans un centre de soins est souvent une solution pour les sans-abri. Si les personnes âgées sans abri ne profitent pas des services de repas collectifs et d'hébergement, c'est souvent parce qu'elles craignent d'être placées dans un établissement.

La personne âgée sans abri a besoin d'un logement à prix abordable. Si elle souffre de troubles cognitifs et qu'elle est seule, elle a aussi besoin d'aide pour la gestion de ses finances. Le problème des personnes âgées sans abri doit faire l'objet d'études et d'essais sur le terrain.

Centres de jour pour adultes. Les centres de jour pour adultes (CJA) assurent une surveillance pendant la journée et offrent des activités sociales et de l'assistance pour les AVQ à deux grandes catégories de personnes

FIGURE 3.7 **Personne âgée sans abri**

âgées : les personnes qui ont des troubles cognitifs et les personnes qui ont des problèmes pour accomplir leurs AVQ. Les services offerts dans le cadre des centres de jour sont conçus en fonction des besoins du client. Les programmes destinés aux personnes ayant des problèmes pour accomplir leurs AVQ offrent des services de surveillance de l'état de santé, des activités thérapeutiques, de la formation individuelle sur les AVQ, de l'aide personnalisée à la planification des soins et des services de soins personnels. Les programmes destinés aux personnes qui ont des troubles cognitifs offrent des activités récréatives thérapeutiques, du soutien à la famille et des services de consultation familiale, et permettent au client de participer à la vie sociale. Le groupe des personnes qui ont des troubles cognitifs comprend un grand nombre de clients qui sont atteints de la maladie d'Alzheimer, et l'incontinence est un problème pour les clients de ce groupe.

Non seulement les centres de jour permettent à l'aidant naturel de disposer de quelques heures de répit et de conserver son emploi, mais encore ils permettent de retarder le placement de la personne âgée dans un établissement. Il est important de trouver un centre de jour qui réponde aux besoins du client. L'infirmière peut aider le client à cet égard par sa connaissance des services offerts dans les différents centres et sa capacité à déceler les besoins du client. L'infirmière se trouve ainsi bien placée pour aider le client et sa famille à prendre une décision éclairée quant au placement du client. Le client et l'aidant naturel ignorent souvent l'existence des centres de jour et des services qui y sont offerts.

Soins à domicile. Les soins à domicile représentent un service efficace pour la personne âgée qui est confinée chez elle, qui a des besoins intermittents ou exigeants, et qui jouit de la présence d'un aidant naturel dévoué. Les services de soins à domicile ne doivent pas être envisagés par le client qui a besoin d'assistance 24 h sur 24 pour faire ses AVQ ou d'une surveillance permanente pour assurer sa sécurité.

3.13.3 Soins offerts dans les centres de soins de longue durée

Le placement dans un centre de soins de longue durée est une solution envisageable pour la personne âgée qui ne peut plus vivre seule, qui a besoin de surveillance permanente, qui a des incapacités en matière d'AVQ ou qui est vulnérable.

Questions liées au placement. Trois facteurs précipitent le placement d'un client dans un centre de soins de longue durée : la détérioration rapide de l'état du client ; l'incapacité de l'aidant naturel d'assurer les soins à cause d'un « épuisement » (trop de soins, pendant trop longtemps) ; un changement dans la dynamique familiale de soutien ou la perte d'un membre de la famille. Les changements physiques, comme la confusion et l'incontinence, ou un problème de santé grave (un AVC, par exemple), peuvent accélérer le placement du client dans un établissement.

Les appréhensions et les conflits vécus par le client et sa famille font de son placement une période de transition. L'aidant naturel entretient souvent les craintes suivantes : le client s'opposera à son placement ; les soins donnés par le personnel ne seront pas suffisants ; le client se sentira seul. Les difficultés de ce moment sont augmentées par le déplacement physique du client. Les études montrent que le déménagement du client a des effets indésirables sur la santé de la personne âgée. L'infirmière doit anticiper la crise déclenchée par le changement de demeure et employer des moyens qui en atténueront les effets. La personne âgée doit, dans la mesure du possible, participer à la décision de déménager, et être bien informée de l'endroit où elle ira. L'aidant naturel peut donner au client des informations sur le nouvel endroit, lui montrer des photos ou une vidéocassette par exemple. Le personnel du nouvel endroit peut envoyer un mot de bienvenue. À son arrivée, le client peut être accueilli par un membre du personnel qui le guidera. Pour faciliter son adaptation, le client peut être associé à un client qui connaît bien l'endroit.

Le client qui est heureux dans son centre de soins adopte des comportements qui indiquent qu'il s'est bien adapté (voir figure 3.8) : il est sûr de lui et indépendant, il n'est pas désœuvré, il observe une routine et se garde mentalement actif, il est sociable, il entretient des liens avec sa famille, il fait preuve d'un certain degré d'acceptation. Le client qui est satisfait s'exprime également

selon un point de vue positif et déterminé. Il utilise des stratégies d'adaptation qui lui permettent d'avoir une meilleure maîtrise de sa vie et des événements qui le touchent. L'infirmière peut encourager le client qui vit dans un centre de soins de longue durée à mettre ces stratégies en pratique et l'aider à cet égard.

3.13.4 Prise en charge

Choisir des services de soutien social pour personnes âgées qui répondent aux besoins de la personne âgée n'est pas une tâche facile. Un gestionnaire de cas peut aider les familles dont les membres vivent loin de la personne âgée et ne peuvent prodiguer personnellement des soins. Le rôle de gestionnaire de cas est nouveau et n'est pas encore clairement défini, mais l'infirmière est bien placée pour l'assurer. Le gestionnaire de cas supervise et organise les soins à la personne âgée de façon à en assurer le suivi.

3.14 CONSIDÉRATIONS JURIDIQUES ET ÉTHIQUES

3.14.1 Préoccupations du client

Beaucoup de personnes âgées sont préoccupées par les questions d'assistance juridique. Elles auront besoin de ce service pour des questions de directives préalables, de planification successorale, de fiscalité et d'appel pour refus de services.

Il existe deux types de directives : le testament biologique et la procuration permanente pour soins de santé. Dans le testament biologique, le client indique ses volontés en cas de maladie terminale ou de détérioration irréversible de son état de santé. Dans la plupart

FIGURE 3.8 L'acceptation et l'interaction sociale doivent être mises en valeur dans les centres d'hébergement pour personnes âgées.

FIGURE 3.9 Annonce de services d'aide juridique affichée dans un centre pour personnes âgées

des cas, le client indique qu'en cas de maladie terminale, aucun moyen médical extraordinaire ne doit être utilisé sur lui, ou tout moyen médical extraordinaire doit cesser d'être utilisé de façon à ce que l'agonie ne soit pas artificiellement prolongée. Le testament biologique constitue une directive, mais n'a aucune valeur juridique. La procuration permanente pour soins de santé est une autre forme de directive préalable par laquelle le client désigne une personne qui prendra les décisions relatives à ses soins de santé lorsque le client ne sera plus capable de le faire. La procuration permanente pour soins de santé constitue une directive et est obligatoire en droit. On y trouve le nom d'une personne qui suivra les directives lorsque le client ne sera plus apte à faire des choix. Les questions de directives préalables, de planification successorale, de fiscalité et d'appel pour refus de services dépassent le cadre de ce volume.

3.14.2 Considérations éthiques

Certains aspects déontologiques préoccupent l'infirmière travaillant avec les personnes âgées et ont une incidence sur la pratique de sa profession. À ce sujet, l'infirmière peut trouver qu'il est difficile : de décider si elle doit immobiliser un client avec des moyens de contention ; d'évaluer la capacité du client à prendre des décisions. D'autres préoccupations d'ordre éthique relatives : à la réanimation ; au traitement des infections ; aux questions de nutrition et d'hydratation ; au transfert du client vers une unité de soins plus spécialisés, sont soulevées dans le cas de soins de longue durée.

Ces situations sont souvent complexes et causent de vives émotions. L'infirmière peut aider le client, sa famille et les autres travailleurs de la santé en les informant de la situation lorsqu'une décision d'ordre éthique doit être prise. Elle doit s'informer des questions éthiques soulevées par les nouvelles biotechnologies et insister pour qu'un comité d'éthique relevant de l'établissement participe à la prise de décisions.

BIBLIOGRAPHIE
Version originale

1. Edmondson B: The facts of death, *American Demographics* 19:46, 1997.
2. *Statistics Canada. A portrait of seniors in Canada, target group project,* Ottawa, 1990, Ministry of Supply and Services, Canada.
3. Neugarten B: The future and the young-old. In Jarvik LF, editor: *Aging into the 21st century: middle ages today,* New York, 1978, Gardner Press.
4. Burke M, Walsh M: *Gerontologic nursing: wholistic care of the older adult,* ed 2, St Louis, 1997, Mosby.
5. Neugarten BL, editor: *The meaning of age: selected papers of Bernice L. Neugarten,* Chicago, 1996, University of Chicago Press.
6. Smith MA and others: Age and health perception among elderly blacks, *J Gerontol Nurs* 17:13, 1991.
7. Ebersole B: Aging and gender issues, *Geriatr Nurs* 17:149, 1996.
8. Coward RT and others: An overview of health and aging in rural America. In Coward RT and others, editors: *Health services for rural elders,* New York, 1994, Springer.
9. Vrabec N: Implications of U.S. health care reform for the rural elderly, *Nursing Outlook* 43:260, 1995.
10. Armer J: An exploration of factors influencing adjustment among relocating rural elders, *Image J Nurs Sch* 28:35, 1996.
11. Gelfand A: *Aging and ethnicity,* New York, 1994, Springer.
12. White EC: *The black women's health book,* Seattle, 1994, Seal.
13. Lueckenotte A: Laboratory and diagnostic tests. In Lueckenotte A, editor: *Textbook of gerontologic nursing,* St Louis, 1996, Mosby.
14. Martin J and others: Interpreting laboratory values in elderly surgical patients, *AORN* 65:621, 1997.
15. Dellasya C and others: Nursing process: teaching elderly clients, *J Gerontol Nurs* 20:31, 1994.
16. US Department of Health and Human Services, Office of Disease Prevention and Health Promotion: *Healthy People 2000: national health promotion and disease prevention objectives,* pub no 017-001-00473, Washington, DC, 1990, US Government Printing Office.
17. *Report of nutrition screening I: toward a common view,* Washington, DC, 1991, Nutrition Screening Initiative.
18. Daly D, Mitchell R: Case management in the community setting, *Nurs Clin North Am* 31:527, 1996.
19. *Putting aging on hold: delaying the diseases of old age,* Washington, DC, 1995, American Federation for Aging Research and the Alliance for Aging Research.
20. Robinson LA and others: Operationalizing the Corbin and Strauss trajectory model for elderly clients with chronic illness, *Sch Inq Nurs Pract* 7:253, 1993.
21. Lohr KN: Improving health care outcomes through geriatric rehabilitation. Conference summary, *Med Care* 35:JS/21, 1997.
22. Bottomley JM: Principles and practice in geriatric rehabilitation. In Satin DG, editor: *The clinical care of the aged person,* New York, 1994, Oxford University Press.
23. Kelly M: Surgery, anesthesia, and the geriatric patient, *Geriatr Nurs* 16:213, 1995.
24. Shedd P and others: Confused patients in the acute care setting: prevalence, interventions and outcomes, *J Gerontol Nurs* 21:5, 1995.
25. Simon L and others: Management of acute delirium in hospitalized elderly: a process improvement project, *Geriatr Nurs* 18:150, 1997.
26. Hofland SL, Mort J: Infections in long-term care facilities: issues for practice, *Geriatr Nurs* 15:260, 1994.
27. Tuberculosis morbidity—United States, 1996, *MMWR Morb Mortal Wkly Rep* 46:695, 1997.
28. Holloway C, Pokorny M: Early hospital discharge and independence: what happens to the elderly, *Geriatr Nurs* 15:24, 1994.
29. Hester L: Coordinating a successful discharge plan, *AJN* 6:35, 1996.
30. Hammer B: Improved coordination of care for elderly patients, *Geriatr Nurs* 17:286, 1996.
31. Rock BD and others: Research changes a health care delivery system: a biopsychosocial approach to predicting resource reutilization in hospital care of the frail elderly, *Soc Work Health Care* 22:21, 1996.
32. Dubin S: Geriatric assessment, *AJN* 5:49, 1996.
33. Fulmer T and others: Pain management protocol, *Geriatr Nurs* 17:222, 1996.
34. DeMaajd G: High-risk drugs in the elderly population, *Geriatr Nurs* 16:198, 1995.
35. Roberts RE and others: Prevalence and correlates of depression in an aging cohort: the Alameda County study, *J Geront B Psychol Sci Soc Sci* 52:S252, 1997.
36. Adamek ME, Kaplan M: Managing elder suicides: a profile of American and Canadian preventive centers, *Suicide Life Threat Behav* 26:122, 1996.
37. Lange M: The challenge of fall prevention in home care: a review of the literature, *Home Healthc Nurse* 14:198, 1996.
38. Special issue: disruptive behavior, *J Gerontol Nurs* 22:5, 1996.
39. Garrad J: The impact of the 1987 federal regulation on the use of psychotropic drugs in Minnesota nursing homes, *Am J Public Health* 85:771, 1995.

40. Bryant H, Fernald L: Nursing knowledge and use of restraint alternatives: acute and chronic care, *Geriatr Nurs* 18:57, 1997.
41. Burke M, Walsh M: *Gerontologic nursing: wholistic care of the older adult*, ed 2, St Louis, 1997, Mosby.
42. Stolley J: Freeing your patients from restraints, *AJN* 2:27, 1995.
43. Lachs MS and others: Risk factors for reported elder abuse and neglect: a nine-year observational cohort study, *Gerontologist* 37:460, 1997.
44. Special issue: elder abuse, *Aging* 367:4, 1996.
45. Nielsen J and others: Characteristics of caregivers and factors contributing to institutionalization, *Geriatr Nurs* 17:24, 1996.
46. Kelechi T, Lukas K: Meeting the needs of home care givers: a family caregiver checklist, *J Gerontol Nurs* 2:50, 1995.
47. Wykle M: The physical and mental health of women caregivers of older adults, *J Gerontol Nurs* 3:48, 1994.
48. Kroch P, Brooks J: Identifying the responsibilities and needs of working adults who are primary caregivers, *J Gerontol Nurs* 10:41, 1995.
49. Calkins M and others: *Key elements of dementia care*, Chicago, 1997, Alzheimer's Disease and Related Disorders Association.
50. Welch WP and others: A detailed comparison of physician services for the elderly in the United States and Canada, *JAMA* 275:1410, 1996.
51. *Chronic care in America: a 21st century challenge*, Princeton, NJ, 1996, The Robert Wood Johnson Foundation.
52. Just G and others: Assisted living: challenges for nursing practice, *Geriatr Nurs* 16:165, 1995.
53. Payne D, Coombes R: Old, down and out, *Nurs Times* 93:16, 1997.
54. Scruggs D: *Operating in a managed care environment*, Washington, DC, 1995, American Association of Homes and Services for the Aging.
55. Montgomery R, Kosloski, K: A longitudinal analysis of nursing home placement for dependent elders cared for by spouses vs adult children, *J Gerontol* 49:562, 1994.
56. Kaisik B, Ceslowitz S: Easing the fear of nursing home placement: the value of stress inoculation, *Geriatr Nurs* 17:182, 1996.
57. Johnson RA, Hlava C: Translocation of elders: maintaining the spirit. Nurses can build interventions into translocation plans to minimize the negative effects, *Geriatr Nurs* 15:209, 1994.
58. Allen L, Coeling H: Quality of life: its meaning to the long-term care resident, *J Gerontol Nurs* 2:20, 1995.
59. Mezey M and others: Advance directives protocol: nurses helping to protect patient's rights, *Geriatr Nurs* 17:204, 1996.
60. Special Issue: End-of-life decisions, *J Gerontol Nurs* 23:7, 1997.

Édition de langue française

1. Gouvernement du Québec. *Le vieillissement de la population,*[En ligne]. [http://www.gouv.qc.ca/Vision/Societe/PortraitSocial_fr.html] [http://www.mfe.gouv.qc.ca/aine/aines/vieillissement_pop.asp] (Page consultée le 25 mars 2003).
2. Santé Canada. *Personnes âgées de 65 ans et plus. Une population en Croissance,* [En ligne]. [http://www.hc-sc.gc.ca/seniors-aines/pubs/factoids/2001/no01_f.htm] (Page consultée le 25 mars 2003).
3. Santé Canada. *Division du vieillissement et des aînés ; les aînés au Canada. Une population en croissance,* [En ligne]. [http://www.hc-sc.gc.ca/seniors-aines/pubs/factoids/2001/no01_f.htm] (Page consultée le 25 mars 2003).
4. Gouvernement du Québec. *Les problèmes de santé chroniques* [En ligne]. [http://www.infocentres_rsss.gouv.qc.ca/appl/h33/H33ProbChro.asp<html>] (Page consultée le 25 mars 2003).
5. Gouvernement du Québec. *Aînés. L'action gouvernementale. Plan d'action 2001-2004,* [En ligne]. [http://www.mfe.gouv.qc.ca/aine/actions_gouv/repondre_aux_besoins.asp] (Page consultée le 26 mars 2003).
6. Gouvernement du Québec. *Les problèmes de santé chroniques,* [En ligne], 2002, (Page consultée le 26 mars 2003). [http://www.infocentres_rsss.gouv.qc.ca/appl/h33/H33ProbChro.asp<html>].
7. Brousseau, H., Gervais, M., Jobidon, J. et Panych, P. *Aînées en herbe- L'alphabétisation des personnes âgées,* [En ligne], 2001. [http://www.nald.ca/FTEXT/ainees/cover.htm] (Page consultée le 7 avril 2003).
8. Fondation québécoise de la maladie mentale. *Le suicide,* [En ligne]. [http://www.fqmm.qc.ca/fr/maladies/problematiques/suicide] (Page consultée le 7 avril 2003).
9. Gouvernement du Québec. *Pour les 55 ans et plus,* [En ligne], 2003. [http://www.55ans.info.gouv.qc.ca/fr/index.asp] (Page consulté le 8 avril 2003).
10. Régie de l'assurance-maladie du Québec. *Le régime d'assurance-maladie du Québec,* [En ligne]. [http://www.ramq.gouv.qc.ca/crc/citoyen/regassmaladie/admissible. shtml],(le 8 avril 2003).
11. Régie de l'assurance-maladie du Québec, dépliant, [En ligne], [http://www.ramq.gouv.qc.ca/crc/citoyen/depliant/assmala.pdf] (le 8 avril 2002).
12. Brulé M., Cloutier L. *L'examen clinique dans la pratique infirmière.* St-Laurent: ERPI, 2002.
13. Hébert R., Desrosiers J., Dubuc N., Tousignant M., Guilbeault J., Pinsonnault E. « Le système de mesure de l'autonomie fonctionnelle (SMAF) », *La Revue de Gériatrie*, vol. 28, nᵒ 4, 2003, p.323-336.

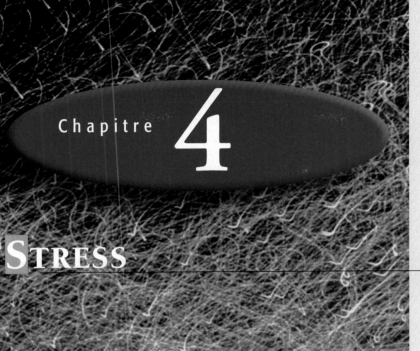

Chapitre 4

STRESS

Claire Thibaudeau
B. Sc. inf.
Cégep de Limoilou

Pauline Audet
M. Sc. inf.
Cégep de Limoilou

OBJECTIFS D'APPRENTISSAGE

APRÈS AVOIR LU CE CHAPITRE, VOUS DEVRIEZ ÊTRE EN MESURE :

DE DÉFINIR LES TERMES AGENT STRESSANT, STRESS, ÉVALUATION PRIMAIRE, ÉVALUATION SECONDAIRE ET ADAPTATION ;

DE DÉCRIRE LES TROIS PHASES DU SYNDROME GÉNÉRAL D'ADAPTATION DE SELYE ;

DE DÉCRIRE LE RÔLE JOUÉ PAR L'ÉVALUATION COGNITIVE DANS LA RÉPONSE AU STRESS ;

DE DÉCRIRE LE RÔLE JOUÉ PAR LES SYSTÈMES NERVEUX ET ENDOCRINIEN DANS LE STRESS ;

DE DÉCRIRE LES EFFETS DU STRESS SUR LE SYSTÈME IMMUNITAIRE ;

DE DÉCRIRE LES STRATÉGIES D'ADAPTATION UTILISÉES PAR LE CLIENT EN SITUATION DE STRESS ;

D'ÉNUMÉRER LES VARIABLES QUI PEUVENT AVOIR UNE INCIDENCE SUR LA RÉACTION DU CLIENT À L'ÉGARD DU STRESS ;

DE DÉTERMINER LES DONNÉES À RECUEILLIR ET DE DÉCRIRE LES SOINS INFIRMIERS À DISPENSER À UN CLIENT QUI SUBIT UN STRESS.

PLAN DU CHAPITRE

4.1 THÉORIES DU STRESS 82

4.2 LE STRESS EN TANT QUE RÉACTION . . 83
    4.2.1 Réaction d'alarme 83
    4.2.2 Phase de résistance 83
    4.2.3 Phase d'épuisement 84
    4.2.4 Raffinements de la théorie du
        stress de Selye 84

4.3 LE STRESS EN TANT QUE STIMULUS . . 85
    4.3.1 Événements de la vie 85
    4.3.2 Raffinements de la théorie du
        stress en tant que stimulus . . 85

4.4 LE STRESS EN TANT QUE PROCESSUS
    TRANSACTIONNEL 86
    4.4.1 Évaluation 86
    4.4.2 Résumé théorique 87

4.5 RÉACTION PHYSIOLOGIQUE
    AU STRESS 87
    4.5.1 Système nerveux 88
    4.5.2 Système endocrinien 89
    4.5.3 Système immunitaire 91

4.6 IDENTIFICATION DES
    AGENTS STRESSANTS 92
    4.6.1 Agents stressants liés
        au travail 92
    4.6.2 Agents stressants liés
        à la maladie 93

4.7 ADAPTATION 93

4.8 SOINS INFIRMIERS : STRESS 95
    4.8.1 Collecte de données 95
    4.8.2 Diagnostics infirmiers 96
    4.8.3 Exécution 96

4.1 THÉORIES DU STRESS

Le stress a suscité un intérêt grandissant depuis que les chercheurs ont reconnu ses effets sur la santé physique et émotionnelle. La plupart des approches contemporaines de l'étude du stress ont été influencées par trois théories différentes, mais complémentaires. La première théorie précise que le stress est une réaction à un agent stressant du milieu. Cette théorie a été proposée par Selye, qui a défini le stress comme une réaction non spécifique de l'organisme aux exigences qui lui sont présentées. Selon les termes de Selye, les exigences qui provoquent le stress sont des **agents stressants**. Les

TABLEAU 4.1	Exemples d'agents stressants
Agent physique	**Agent émotionnel**
Bruit	Diagnostic de cancer
Amphétamines	Promotion au travail
Brûlures	Perte d'un être cher
Courir un marathon	Échec à un examen
Maladies infectieuses	Perte financière
Douleur	Remporter un championnat

TABLEAU 4.2 — Échelle d'évaluation de l'ajustement social	
Événement	**Valeur moyenne**
Décès du conjoint	100
Divorce	73
Séparation	65
Emprisonnement ou institutionnalisation	63
Décès d'un parent proche	63
Problème de santé ou blessure grave	53
Mariage	50
Congédiement	47
Réconciliation avec conjoint	45
Départ à la retraite	45
Changement important de l'état de santé d'un membre de la famille	44
Grossesse	40
Problèmes d'ordre sexuel	39
Arrivée d'un nouveau membre de la famille (p. ex. naissance, adoption, déménagement)	39
Réorganisation professionnelle (p. ex. fusion, remaniement, faillite)	39
Changement important dans la situation financière (p. ex. perte ou gain)	38
Décès d'un ami proche	37
Changement de travail	36
Discorde accrue avec le conjoint (p. ex. disputes plus nombreuses, portant sur l'éducation des enfants ou les habitudes personnelles)	35
Hypothèque ou emprunt pour un achat majeur (maison, commerce)	31
Saisie d'un bien (hypothèque ou résiliation d'un emprunt)	30
Modification des responsabilités au travail (promotion, rétrogradation, transfert)	29
Départ d'un enfant de la maison (mariage, université)	29
Difficultés avec la belle-famille	29
Réussite majeure sur le plan personnel	28
Début ou cessation du travail du conjoint	26
Rentrée ou fin des classes	26
Changement important dans les conditions de vie (p. ex. construction d'une nouvelle maison, rénovations, détérioration de la maison ou du quartier)	25
Changement des habitudes personnelles (p. ex. habillement, manières, connaissances)	24
Problèmes avec le patron	23
Changement important dans les heures ou les conditions de travail	20
Déménagement	20
Changement d'école	20
Changement important dans la quantité ou le type de loisirs	19
Changement important dans les activités d'ordre spirituel (p. ex. augmentation ou diminution des activités)	19
Changement important dans les activités sociales (p. ex. sorties dans les bars, au cinéma, danse, visites)	18
Hypothèque ou emprunt pour un achat moins important (p. ex. voiture, télévision, réfrigérateur)	17
Changement important dans les habitudes de sommeil (p. ex. hypersomnie, insomnie)	16
Changement important dans le nombre de réunions de famille (p. ex. plus de réunions ou moins)	15
Modification des habitudes alimentaires (p. ex. apport alimentaire supérieur ou inférieur, heures ou lieux de repas très différents)	15
Vacances	13
Noël	12
Infraction mineure à la loi (p. ex. contraventions, traversée illégale d'une chaussée, troubler l'ordre public)	11

Source : HOLMES, T.H., RAHE, R.H. « The social readjustment rating scale », *J Psychosom Res*, n° 11, 1967, p. 216.

agents stressants peuvent être physiques ou émotionnels et agréables ou désagréables, obligeant la personne à s'adapter (voir tableau 4.1). Une série de changements physiologiques surviennent en réaction à des agents stressants physiques (p. ex. une brûlure) ou psychologiques (p. ex. la mort d'un être cher). Ce modèle de réactions fut nommé syndrome général d'adaptation (SGA) par Selye.

La deuxième théorie perçoit le stress comme un stimulus qui entraîne une réaction. Holmes, Rahe et Masuda, les auteurs de cette théorie, ont créé un outil (voir tableau 4.2) pour évaluer les effets de certains événements de la vie sur la santé. Ces événements vont d'une infraction mineure à la loi jusqu'à la mort d'un être cher. Cette théorie repose sur l'hypothèse que les personnes sont davantage prédisposées à la maladie lorsqu'elles vivent fréquemment des événements stressants (voir tableau 4.3).

La troisième théorie du stress, la théorie transactionnelle d'adaptation au stress, est axée sur les interactions entre la personne et son milieu. L'un des principaux adeptes de cette théorie est Lazarus, qui insistait sur le rôle de l'évaluation cognitive en présence de situations stressantes et du choix des stratégies d'adaptation. Lazarus et Folkman ont défini le **stress psychologique** comme une relation particulière entre la personne et son environnement, considérée comme éprouvante ou dépassant ses ressources adaptatives et donc dangereuse pour son bien-être. Ces trois théories du stress seront traitées en profondeur dans le présent chapitre.

4.2 LE STRESS EN TANT QUE RÉACTION

La théorie de Selye a été étayée par ses premières recherches effectuées avec des animaux. En effet, il a démontré que les agents stressants provoquent des réactions physiques semblables peu importe leur source. Il nomma ces réactions au stress **syndrome**

TABLEAU 4.3	Unités de changement de vie et incidence de maladie grave*	
Nombre	Degré de changement	Incidence de maladie grave
0 - 149	Insignifiant	Minime
150 - 199	Léger	33 %
200 - 299	Moyen	50 %
300+	Important	80 %

Source : HOLMES, T., RAHE, E. « The social readjustment rating scale », *J Psychosom Res*, n° 11, 1967, p. 213.
*Ce tableau illustre la quantité de stress mesurée par les unités de changement de vie (UCV), suivie de l'incidence statistique de maladie selon le nombre d'UCV. La maladie se déclare selon le nombre d'UCV cumulées pendant une ou deux années.

général d'adaptation (SGA). Le SGA comporte trois phases : la réaction d'alarme, la phase de résistance et la phase d'épuisement. Après avoir perçu l'agent stressant ou le stimulus, le système nerveux central (SNC) déclenche plusieurs réactions à la suite de l'activation de l'axe hypothalamo-hypophyso-surrénalien et du système nerveux autonome. Il s'ensuit une cascade de réactions dans les systèmes nerveux, endocrinien et immunitaire. Comprendre la nature de ces réactions est fondamental à l'étude des changements physiologiques et comportementaux qui surviennent chez la personne stressée.

4.2.1 Réaction d'alarme

La première phase de la réaction au stress est la réaction d'alarme du SGA, où l'individu perçoit l'agent stressant physiquement ou mentalement et amorce la réaction de lutte ou de fuite. Lorsque la personne se sent menacée par un agent stressant suffisamment intense, son énergie doit être répartie différemment pour permettre l'adaptation. Cette situation abaisse temporairement la résistance de l'individu et peut même entraîner la maladie ou la mort si le stress est prolongé et grave.

Les signes et les symptômes physiques de la réaction d'alarme sont généralement ceux d'une stimulation du système nerveux sympathique. Ils comprennent notamment une élévation de la pression artérielle, une accélération des fréquences cardiaque et respiratoire, une diminution de la motilité gastro-intestinale (GI), la dilatation des pupilles et une augmentation de la diaphorèse. Il est possible que le client présente d'autres symptômes comme une plus grande anxiété, des nausées et de l'anorexie.

4.2.2 Phase de résistance

Idéalement, la réaction d'alarme est très courte et la personne passe rapidement à la phase de résistance, où des mécanismes physiologiques sont mobilisés afin d'augmenter la résistance au stress. L'adaptation est possible à partir de ce point. La résistance à l'agent stressant varie selon la personne et dépend de ses aptitudes physiques, de sa capacité d'adaptation, du nombre d'agents stressants en cause et de leur intensité. Par exemple, une personne qui fait de l'exercice de façon régulière et qui est en bonne forme physique pourra plus facilement s'adapter au stress d'une intervention chirurgicale d'urgence qu'une personne sédentaire qui n'est pas en bonne condition physique.

Même si cette phase ne comporte pas autant de signes et de symptômes physiques explicites que la phase d'alarme, le client dépense néanmoins de l'énergie en tentant de s'adapter. La quantité d'énergie disponible pour l'adaptation dépend des ressources de la personne. Ces ressources comprennent les mécanismes physiologiques et psychologiques, de même que les ressources externes comme le soutien de la famille, des amis et des professionnels de la santé. Avec des ressources adéquates, la personne peut très bien se remettre du stress subi, par exemple une intervention chirurgicale, et retrouver son état de santé antérieur. Sans adaptation, le client passe parfois à la phase suivante, soit la phase d'épuisement.

4.2.3 Phase d'épuisement

La phase d'épuisement, la dernière phase du SGA, se caractérise par l'épuisement de toute l'énergie de réserve. Certains symptômes physiques de la réaction d'alarme peuvent réapparaître brièvement, lors d'un dernier effort déployé par l'organisme dans le but de survivre. L'état alerte d'un malade en phase terminale et l'amélioration de ses signes vitaux en constitue un bon exemple. Habituellement, la personne en phase d'épuisement devient malade et peut mourir si elle ne reçoit pas d'aide. Cette phase peut souvent être renversée par un apport d'énergie, comme des médicaments, des transfusions sanguines ou de la psychothérapie.

4.2.4 Raffinements de la théorie du stress de Selye

Sur la base de ses travaux, Selye a souligné l'importance de facteurs de conditionnement, qui influent parfois sur la réaction au stress. Les facteurs de conditionnement internes sont, entre autres, l'âge, le patrimoine génétique et les expériences antérieures avec les agents stressants. Les facteurs de conditionnement externes comptent notamment le régime alimentaire et le climat. Selye a créé le terme eustress pour désigner le stress associé à un événement positif, gagner un match de tennis par exemple. Cependant, il n'a jamais expliqué en détail les conséquences de l'eustress sur la santé. Cette relation fait actuellement l'objet de recherches. Les études dans lesquelles les « contrariétés quotidiennes » et les événements positifs, ou « plaisirs », sont mesurés en sont de bons exemples.

Selye décrit la réaction à un agent stressant spécifique sous l'angle des changements physiologiques qui surviennent dans les systèmes nerveux, immunitaire, et endocrinien, de même que dans l'appareil gastro-intestinal. Dans ses premiers travaux, Selye a mis en évidence trois réactions qui entrent en jeu : l'activation corticosurrénale, l'involution thymique et l'ulcération de l'appareil GI. Ses travaux indiquent que les agents stressants engendrent un schème uniforme et prévisible de réactions physiologiques. Cette idée maîtresse découle en partie du fait que Selye a utilisé des animaux incapables de répondre de façon complexe à un agent stressant sur

le plan psychologique. Lorsque les chercheurs ont étudié les humains, les variations individuelles et la composante psychologique des réactions au stress sont devenues apparentes.

La recherche effectuée sur les humains a abouti à différents modèles de réactions physiologiques au stress. L'étude classique de Lacey et Lacey, parue en 1958, en représente un exemple. Ces chercheurs ont soumis 42 participants à quatre agents stressants bénins, soit le froid, dont l'épreuve consiste à plonger un bras dans l'eau glacée, l'anticipation du froid, un problème de calcul mental et un test qui mesure les compétences du langage. Après avoir évalué un certain nombre de réactions physiologiques au stress, les chercheurs ont découvert une grande variation individuelle des réactions à un même agent stressant, notamment en ce qui concerne la pression artérielle, la fréquence cardiaque et la pression différentielle. Plus récemment, on a montré qu'un grand stress psychologique entraînait une réponse immunitaire variable selon l'individu. Par conséquent, les agents stressants sont susceptibles d'occasionner une réponse hormonale et immunitaire complexe et variée. Ce phénomène pourrait expliquer l'existence de certaines maladies et de certains troubles associés à l'adaptation au stress (voir encadré 4.1), de même que les différences individuelles dans la prédisposition à certaines maladies liées au stress.

Les études de Selye ont fait appel à des agents stressants physiques aigus et intenses, comme le froid, les chocs électriques et l'injection de produits toxiques. Actuellement, les chercheurs constatent que l'intensité (légère, modérée ou grave) et la durée de l'exposition (aiguë ou chronique) à un agent stressant sont des facteurs qui engendrent des réactions d'adaptation

| Exemples de troubles et de maladies associés à l'adaptation | ENCADRÉ 4.1 |

- Angine
- Syndrome du canal carpien
- Dépression
- Dyspepsie
- Troubles de l'alimentation
- Fatigue
- Céphalées
- Hypertension
- Impuissance
- Insomnie
- Syndrome du côlon irritable
- Lombalgie
- Infarctus du myocarde
- Ulcère gastroduodénal
- Dysfonctionnement sexuel

physiologiques et comportementales variables. Par exemple, une personne qui souffre de stress chronique en raison des soins qu'elle doit dispenser à un être cher peut également être exposée à une multitude d'agents stressants aigus et épisodiques. En outre, les chercheurs ont observé que les mécanismes sous-jacents qui expliquent le stress aigu ne sont pas nécessairement les mêmes que ceux du stress chronique. La durée ou le caractère chronique de l'exposition à un agent stressant est donc une variable importante qui peut influer sur la réaction d'adaptation d'une personne.

4.3 LE STRESS EN TANT QUE STIMULUS

4.3.1 Événements de la vie

Le stress peut aussi être perçu comme un stimulus ou un événement qui perturbe l'équilibre homéostatique de la personne. Cette explication du stress s'apparente à la définition d'agent stressant de Selye. À l'origine, cette définition a été conçue dans le cadre de l'élaboration de questionnaires servant à mesurer le stress associé à certains événements de la vie. L'échelle d'évaluation de l'ajustement social (*Social Readjustment Rating Scale* [SRRS]) (voir tableau 4.2) et l'échelle des événements récents (*Schedule of Recent Experiences* [SRE]) sont deux de ces questionnaires. Ceux-ci ont été élaborés dans le but de mesurer de façon quantitative les conséquences (le stress) de divers événements stressants (la mort d'un conjoint ou un changement de la situation financière, par exemple) sur la vie. On considère qu'un événement est stressant s'il est associé à une stratégie d'adaptation. Selon cette théorie, la nature de l'événement, qu'il soit désirable ou non, est indicateur des perturbations qu'il entraîne dans le mode de vie.

Initialement, il a été avancé que le risque de maladie était proportionnel au nombre d'événements stressants vécus pendant une période donnée. Les études qui ont révélé un lien entre le nombre d'événements de vie stressants et la perturbation qu'ils engendrent ou la probabilité de troubles physiques et émotionnels consécutifs à cet événement sont particulièrement intéressantes (voir tableau 4.3). Même si certaines études ont démontré des liens étroits du point de vue statistique entre les événements de vie stressants et l'apparition de la maladie, ces rapports sont souvent ténus. L'échelle des événements stressants a soulevé plusieurs questions de méthodologie en raison des facteurs additionnels (p. ex. l'âge, la perception, les expériences antérieures, la santé) qui doivent être considérés. En outre, certains événements de vie peuvent avoir une plus grande influence sur l'évolution de la maladie que sur son apparition.

4.3.2 Raffinements de la théorie du stress en tant que stimulus

Les facteurs qui influent sur la réaction d'une personne à des événements de vie sont les influences culturelles, la personnalité, l'accumulation d'événements, les variables biologiques, le statut socioéconomique, le moment auquel l'événement survient et le soutien dont la personne bénéficie. Ces facteurs montrent l'importance d'utiliser une approche holistique lors de l'évaluation du client.

Hardiesse et sentiment de cohérence. Le fait que certaines personnes peuvent être confrontées à des événements de vie importants sans toutefois devenir malades est une découverte intéressante qui découle de la recherche axée sur les événements de vie. La **hardiesse**, facteur de médiation dans le rapport entre le stress et la maladie, est « une caractéristique de la personnalité se rapportant à des croyances, à des sentiments, à des valeurs et à des tendances psychologiques dans une perspective de développement... » (Kobasa et Maddi, 1977 ; Kobasa, 1979,1982, dans Viens, Lavoie-Tremblay et Mayrand Leclerc, 2002). La hardiesse s'exprime par l'interaction de trois dimensions, soit le sens de l'engagement, le sens de la maîtrise et le sens du défi.

Le sens de l'engagement se démontre par l'implication de la personne dans ses activités. Elle est enthousiaste, intéressée, capable de prendre plaisir à ses obligations sociales et professionnelles. Elle reconnaît les événements qui ont du sens pour elle.

La personne « hardie » est convaincue qu'elle peut influencer les événements et est confiante dans ses décisions. Son sens de la maîtrise s'exprime aussi par son sentiment de liberté et sa foi en l'atteinte de ses objectifs.

Le sens du défi fait appel à la capacité de s'ouvrir au changement et de le considérer comme un stimulus du développement personnel. La personne opte pour la réalisation d'elle-même aux dépens de la sécurité et de la stabilité.

Le sentiment de cohérence, un concept étroitement lié à la hardiesse, a été défini et élaboré par Antonovsky. Il a été démontré que le sentiment de cohérence est un médiateur plus fort que la hardiesse dans le rapport entre le stress et la maladie. Au sens général, le sentiment de cohérence correspond à la façon dont une personne perçoit le monde et le contexte dans lequel sa vie s'inscrit. Il s'agit davantage d'un trait de personnalité ou d'un mode d'adaptation que d'une réaction à une situation spécifique. Les trois composantes du sentiment de cohérence sont son intelligibilité (les stimuli dérivés des milieux internes et externes sont structurés, prévisibles et explicables), son caractère gérable (les ressources pour répondre aux exigences posées par ces stimuli existent) et son importance (les agents stressants entraînent des défis stimulants). Une personne dotée d'un fort sentiment de cohérence a une forte tendance à percevoir la vie comme ordonnée, prévisible et gérable.

La **résilience** sert aussi à modérer les effets néfastes du stress. « La résilience peut se définir comme la capacité pour un sujet confronté à des situations de stress important au cours de son existence de mettre en jeu des mécanismes adaptatifs lui permettant non seulement de " tenir le coup " mais de rebondir en tirant un certain profit d'un tel affrontement » (Lemay, 2000).

Selon Cyrulnik (2001), la résilience, c'est « l'art de naviguer dans les torrents ». La souffrance entraîne une sensation de manque et d'amoindrissement. L'hyperactivité constitue une tentative de réparer ce manque, de combler le vide. Mais, dès le moment où l'action cesse, on retrouve par la pensée la cause de sa souffrance. En fait, le plus sûr moyen de calmer l'angoisse induite par une sensation de manque consiste à remplir le vide avec des représentations ayant pour but de transposer cette souffrance. La « fantaisie artistique » serait un puissant outil pour affronter le malheur. Les processus créatifs permettent de supporter le réel désolé en apportant des compensations magiques. Beaucoup d'artistes et d'écrivains connus ont été marqués par des souffrances précoces. Cyrulnik mentionne aussi que l'on peut repérer des « flammèches » pour essayer de développer des processus de résilience. Même dans la maladie d'Alzheimer, il y a des « flammèches » : l'accès aux mots se perd, mais on peut encore communiquer avec des gestes illustratifs et démonstratifs, et la musique et la danse. Au lieu d'accentuer les blessures de ces malades et de les rejeter, on continue ainsi à les faire participer au monde des humains (Cyrulnik, 2001).

Une personne résiliente est ingénieuse et souple, et dispose d'une source accessible de stratégies pour régler les problèmes. Celle qui détient un haut degré de résilience a moins de risque de percevoir un événement comme stressant ou éprouvant.

Contrariétés et plaisirs. Pour prédire l'incidence d'un agent stressant sur la santé et la maladie, l'approche centrée sur les événements de vie doit tenir compte des **contrariétés quotidiennes**. Ces contrariétés sont des expériences et des conditions de la vie de tous les jours qui ont été évaluées comme dangereuses ou menaçantes pour le bien-être de la personne. La fréquence et l'intensité des contrariétés quotidiennes montrent un rapport plus étroit avec les maladies somatiques que l'échelle des événements. Les éléments que l'on trouve sur l'échelle des contrariétés peuvent être liés au travail, à la famille, aux activités sociales, au milieu, aux considérations pratiques, aux finances et à la santé (voir encadré 4.2). Des recherches récentes dans ce domaine ont démontré qu'une multiplication des contrariétés quotidiennes est associée à l'apparition de migraines.

Exemples de contrariétés quotidiennes   ENCADRÉ 4.2

- Perdre ou égarer des objets
- Fumée de cigarette
- Planification des repas
- Inquiétudes au sujet de la sécurité d'emploi
- Problèmes avec les amis
- Attente
- Douleurs chroniques
- Manque de ressources financières
- Insatisfaction au travail
- Soin d'un enfant handicapé
- Problèmes de couple

À l'opposé des contrariétés, les plaisirs sont définis comme des expériences positives susceptibles de se produire dans la vie de tous les jours. Ce concept semble comparable au terme eustress de Selye décrit précédemment. Il faudra poursuivre les recherches pour déterminer les effets des expériences positives sur la santé.

4.4 LE STRESS EN TANT QUE PROCESSUS TRANSACTIONNEL

4.4.1 Évaluation

Par opposition aux théories du stress en tant que réaction ou stimulus, la théorie de Lazarus est axée sur l'interaction entre la personne et le milieu, et l'évaluation cognitive des agents stressants et des stratégies d'adaptation. L'aire cognitive du système nerveux central reçoit une multitude de données internes et externes. Lazarus a avancé que ces données étaient interprétées au cours de l'évaluation cognitive. L'**évaluation** est un processus de jugement qui discerne le niveau de stress auquel est confronté une personne (voir figure 4.1). Les ressources ou les stratégies qui permettent de composer avec les agents stressants réels ou potentiels sont aussi évaluées.

Lors de l'évaluation primaire, les exigences ou agents stressants sont examinés selon leurs conséquences potentielles sur le bien-être de la personne (ce qui est en jeu). Les exigences (agents stressants) peuvent être jugées sans objet, positives bénignes ou stressantes. Lorsque les exigences sont considérées comme stressantes, elles peuvent être classées comme représentant un danger ou une perte, une menace ou un défi. Les exigences dans la catégorie « danger » ou « perte » mettent en cause un dommage réel, alors que celles qui sont dans la catégorie « menace » font intervenir un danger ou une perte anticipé. Les exigences dans la catégorie « défi » diffèrent des autres, car elles sont perçues comme des occasions de croissance ou de gain person-

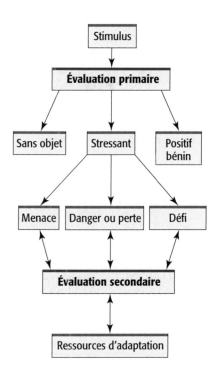

FIGURE 4.1 Processus d'évaluation cognitive

nel. Par exemple, une randonnée pédestre en forêt peut poser des exigences qui forceront la personne à s'évaluer et à démontrer de la force et de l'endurance. Le stress est donc une situation où les exigences peuvent dépasser les ressources d'adaptation de la personne. Si une réaction d'adaptation ne se produit pas, il y aura des conséquences néfastes.

L'évaluation secondaire se rapporte au processus de reconnaissance des ressources et des stratégies disponibles en vue de l'adaptation. Les évaluations primaire et secondaire se produisent souvent simultanément et interagissent entre elles pour déterminer le niveau de stress. Lors de la réévaluation cognitive, les résultats des évaluations cognitives antérieures sont évalués de nouveau et reclassés. Certains facteurs influent sur la classification des agents stressants. Ces facteurs situationnels comprennent l'intensité de la demande externe, l'immédiateté des incidences prévues et l'ambiguïté. Parmi les facteurs personnels, citons la motivation, les croyances, ainsi que les ressources intellectuelles et les capacités.

4.4.2 Résumé théorique

Connaître le rôle joué par la perception est essentiel à la compréhension des différences entre les trois théories du stress qui sont présentées. Dans la théorie du stress en tant que réaction, définie par Selye, toutes les exigences sont des agents stressants ayant la capacité de provoquer le SGA. Les facteurs de conditionnement

propres à chaque personne influent sur la réaction au stress. Dans la théorie des changements de la vie, le caractère stressant perçu pour chaque événement n'est pas pris en considération puisque chaque personne reçoit le même score pour un agent stressant donné. Dans le cadre de la théorie transactionnelle de Lazarus, c'est le processus d'évaluation cognitive qui dicte si l'exigence est considérée comme stressante ou non. Les personnes peuvent réagir différemment aux exigences ou agents stressants selon l'évaluation cognitive qu'elles en font. Non seulement la réaction des personnes soumises à une évaluation cognitive est influencée par les facteurs de conditionnement, mais elle l'est aussi par la perception et la classification de l'agent stressant. Un événement considéré comme stressant pour une personne peut ne pas l'être pour une autre.

4.5 RÉACTION PHYSIOLOGIQUE AU STRESS

Afin de simplifier la description de la réaction physiologique au stress, la section suivante traite tour à tour des rôles des systèmes nerveux, endocrinien et immunitaire. Cependant, il faut noter que la réaction finale de la personne à l'égard du stress englobe la réponse de chacun des systèmes puisqu'ils sont reliés entre eux (voir figure 4.2). De plus, l'activation de ces trois systèmes par des facteurs de stress induit des changements physiologiques dans les appareils cardiovasculaire, respiratoire, gastro-intestinal, rénal et reproducteur. Par conséquent, la réaction au stress d'une personne peut entraîner des troubles d'adaptation de n'importe quel système ou appareil biologique. La compréhension des changements physiologiques entraînés par le stress permettra donc à l'infirmière d'évaluer le client en proie au stress et de déterminer les conséquences du stress sur sa santé.

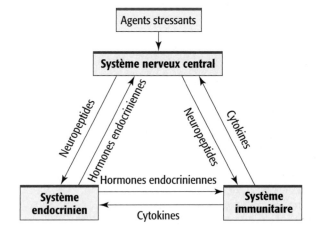

FIGURE 4.2 Liens neurochimiques entre les systèmes nerveux, endocrinien et immunitaire. La communication entre ces trois systèmes est bidirectionnelle.

4.5.1 Système nerveux

Les agents stressants ou les exigences peuvent être de nature physique, psychologique ou sociale. L'organisme réagira physiologiquement aux agents stressants réels et potentiels. Le processus complexe par lequel un événement est perçu comme un agent stressant par l'organisme qui y réagit n'est pas bien compris. L'hypothalamus participe aux réactions physiologiques et émotionnelles déclenchées par les agents stressants. Cette régulation est importante, car la plupart des agents stressants provoquent une réaction émotionnelle. En plus de l'hypothalamus, d'autres organes du SNC, comme le cortex cérébral, le système limbique et la formation réticulée, jouent un rôle dans la régulation des émotions et la réaction physiologique au stress (voir figures 4.3 et 4.4). Les fonctions de ces structures sont étroitement liées.

Cortex cérébral. Après un événement externe, les données afférentes sont transmises au cortex cérébral par des impulsions sensorielles provenant du système nerveux périphérique, notamment celles des yeux et des oreilles. Par exemple, la pression d'une poigne trop serrée sur un bras ou une jambe agira comme un agent stressant. Les impulsions afférentes transmises au cortex par la moelle épinière (voie spinothalamique) activent également la formation réticulée qui est située autour du tronc cérébral. La formation réticulée émet ensuite un signal qui se propage au thalamus et, de là, gagne le cortex cérébral. Ce réseau de neurones, qui intervient dans l'excitation et la conscience, est appelé le système réticulé activateur (SRA). Le SRA sert à rester éveillé et vigilant.

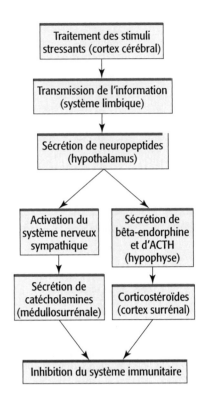

FIGURE 4.4 Le cortex cérébral traite les stimuli stressants et transmet cette information à l'hypothalamus par le système limbique. La CRH stimule la libération d'ACTH à partir de l'hypophyse. L'ACTH active le cortex surrénal, qui libère des corticostéroïdes. Le système nerveux sympathique est également stimulé et libère de l'adrénaline et de la noradrénaline.

Les aires somesthésique, auditive et visuelle du cortex cérébral reçoivent l'information des fibres sensorielles périphériques, puis l'interprètent. Le cortex préfrontal inhibe partiellement les fonctions associatives afin de laisser la personne évaluer l'information à la lumière des expériences antérieures et des conséquences à venir (évaluations primaire et secondaire), et établir un plan d'action. Toutes ces fonctions participent à la perception d'un agent stressant.

L'aire d'association auditive siège dans les lobes temporaux du cortex cérébral. Une fois activée, elle produit la sensation de peur. La stimulation des lobes temporaux peut faire paraître les sons plus intenses ou plus faibles, les images plus éloignées ou plus proches et les expériences familières ou étrangères. Ces effets modifient également la perception du stress.

Système limbique. Le système limbique, situé sur le bord interne du cerveau et sur le plancher du diencéphale, comprend les noyaux septaux, la circonvolution cingulaire (gyrus du cingulum), le corps amygdaloïde, l'hippocampe et le noyau antérieur du thalamus (l'hypothalamus est au centre de ces structures, mais ne

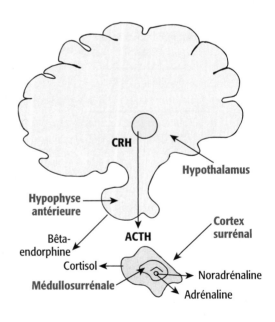

FIGURE 4.3 Axe hypothalamo-hypophyso-surrénalien (HHS)

fait pas partie du système limbique). On croit que la fonction du système limbique est principalement liée aux émotions et aux comportements. La stimulation de ces structures aboutit à des émotions, à des sentiments et à des comportements qui assurent la survie. L'alimentation, la sociabilité et la sexualité en sont des exemples. Le cortex cérébral et le système limbique interagissent pour permettre d'éprouver des émotions et d'y réagir. Des endorphines peuvent être décelées dans les structures du système limbique, le thalamus, le cerveau et la moelle épinière. Elles sont reconnues pour réduire la perception des stimuli douloureux. En absence de douleur, il a également été démontré que les opioïdes endogènes augmentent en réaction au stress.

Formation réticulée. La formation réticulée est située entre l'extrémité supérieure de la moelle épinière et le thalamus. Elle renferme le système réticulé activateur, qui émet des impulsions vers le système limbique, le thalamus et le cortex cérébral, et qui contribue à maintenir l'état de veille. En plus de recevoir des impulsions de la périphérie, le SRA en reçoit de l'hypothalamus. Après stimulation, le SRA augmente l'émission d'impulsions qui déclenchent le réveil. Le stress, qu'il soit physiologique ou perçu, accentue habituellement l'état d'éveil et peut entraîner des troubles du sommeil.

Hypothalamus. L'hypothalamus, situé juste au-dessus de la glande pituitaire (hypophyse), remplit plusieurs fonctions (voir encadré 4.3). Il analyse l'information se rapportant aux stimuli traumatiques par la voie spinothalamique, aux sensations de pression qui proviennent des barorécepteurs et qui transitent par la moelle épinière et aux stimuli émotionnels transmis par le système limbique. Étant donné qu'il sécrète des neuropeptides et d'autres facteurs qui régulent la sécrétion d'hormones de l'adénohypophyse (glande pituitaire

---

| **Fonctions hypothalamiques** | **ENCADRÉ 4.3** |

Coordination des impulsions
• Système nerveux autonome
• Régulation de la température corporelle
• Apport alimentaire
• Équilibre hydrique
• Production d'urine
• Fonction cardiovasculaire

Sécrétion des facteurs de libération
• Régulation des hormones adrénohypophysaires et neurohypophysaires

Effets sur le comportement
• Émotions
• Vigilance

---

antérieure), l'hypothalamus joue un rôle crucial de médiateur dans la relation entre les systèmes nerveux et endocrinien lors de la réaction au stress (voir figure 4.3).

De plus, l'hypothalamus contrôle les activités sympathique et parasympathique du système nerveux autonome. Ainsi, quand un agent stressant est perçu, l'hypothalamus stimule des réactions neurales et endocriniennes. Cet organe agit principalement en sécrétant l'hormone corticolibérine (CRH), qui amène l'hypophyse à libérer l'adrénocorticotrophine (ACTH) (voir chapitres 39 et 41). Le système nerveux parasympathique est activé pour réagir à certains états stressants. Cette stimulation peut se manifester par une motilité accrue de l'appareil gastro-intestinal, les bouffées congestives ou la constriction des bronches.

4.5.2 Système endocrinien

Une fois que l'hypothalamus est activé, le système endocrinien entre en jeu. Le système nerveux sympathique stimule la médullosurrénale, ce qui provoque la sécrétion d'adrénaline et de noradrénaline (catécholamines). L'action sympathicoadrénergique résulte de l'effet des catécholamines et du système nerveux sympathique, la médullosurrénale y compris. Ces hormones préparent l'organisme à la réaction de lutte ou de fuite (voir figure 4.5). Cette réaction est induite par des agents stressants physiques, tels que l'hypovolémie et l'hypoxie, et par des états émotionnels, notamment la colère, l'excitation et la peur. Les catécholamines peuvent être mesurées dans le sang ou l'urine ; ainsi, plusieurs études ont fait appel à ces liquides biologiques pour déterminer les effets de différents agents stressants.

L'axe hypothalamo-hypophyso-surrénalien (HHS) peut être activé par un stress situationnel aigu ou par un stress chronique. Cependant, il importe de noter que l'axe HHS est particulièrement sensible aux situations marquées par la nouveauté, l'incertitude, la frustration, le conflit et le manque de contrôle. En réaction à une perception de stress, l'hypothalamus sécrète de la CRH, qui pousse l'adénohypophyse à sécréter de la proopiomélanocortine (POMC). L'ACTH et la bêta-endorphine sont des dérivés de la POMC. Les endorphines ont un effet anesthésiant et atténuent la perception de la douleur dans les situations de stress. L'ACTH, de son côté, amène le cortex surrénal à synthétiser et à sécréter des glucocorticoïdes (p. ex. le cortisol) et, à un degré moindre, l'aldostérone. Les glucocorticoïdes sont essentiels à la réaction au stress. Le cortisol entraîne un certain nombre d'effets physiologiques, dont l'hyperglycémie, la potentialisation de l'action des catécholamines sur les vaisseaux sanguins et l'inhibition de la réaction inflammatoire. Les glucocorticoïdes jouent un rôle important dans le « blocage » ou l'atténuation

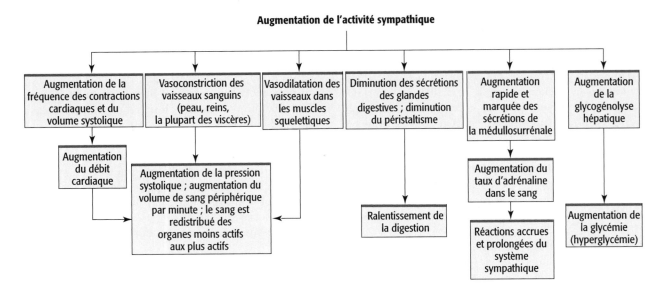

FIGURE 4.5 Réaction d'alarme découlant d'une augmentation de l'activité sympathique. Ces réactions sont généralement appelées réactions de lutte ou de fuite.

de certains aspects de la réaction au stress, qui peuvent devenir autodestructeurs. Le meilleur exemple est la capacité des glucocorticoïdes d'inhiber la sécrétion de médiateurs pro-inflammatoires, comme le facteur nécrosant des tumeurs (FNT) et l'interleukine-1 (IL-1). On croit que la sécrétion continue de tels médiateurs peut précipiter le dysfonctionnement des organes lors de certaines infections, la septicémie par exemple. Ainsi, les glucocorticoïdes ne contribuent pas uniquement à stimuler la réaction d'adaptation de l'organisme à un agent stressant, mais ils agissent également pour réprimer une réaction trop intense et potentiellement autodestructrice. Le cortisol, hormone souvent mesurée au cours des études de stress, se trouve dans le plasma, l'urine et la salive. L'aldostérone augmente la réabsorption sodique dans les tubules rénaux, ce qui a pour effet d'accroître la quantité de liquide extracellulaire (LEC). Pendant le stress, la stimulation nerveuse de la neurohypophyse (hypophyse postérieure) entraîne la sécrétion de l'hormone antidiurétique (ADH), qui favorise également la réabsorption hydrique par les tubules distaux et collecteurs des reins.

La sécrétion d'androgènes surrénaux (déhydroépiandrostérone [DHEA]), de même que d'androgènes testiculaires, subit généralement une baisse en présence de stress. Il a été démontré que le taux de testostérone chez l'homme chute radicalement en présence d'agents stressants physiques, comme une intervention chirurgicale, et en réaction à des agents psychologiques, comme l'anticipation d'un saut en parachute. Les effets du stress sur les hormones reproductrices féminines sont plus difficiles à mesurer ; cependant, un stress intense chez les femmes peut retarder l'ovulation et provoquer parfois l'aménorrhée.

La stimulation simultanée de la médullosurrénale et du cortex surrénal a pour conséquence d'augmenter le taux de glycémie. Cette hausse fournit le carburant nécessaire aux réactions métaboliques accélérées requises pour lutter ou fuir. Les réactions physiques qui s'ensuivent comprennent l'augmentation du débit cardiaque (consécutive à la hausse de la fréquence cardiaque et à un volume de liquide extracellulaire accru) et l'accélération du métabolisme. De plus, la dilatation des vaisseaux sanguins des muscles squelettiques et l'augmentation de l'apport sanguin vers les muscles plus volumineux et le cerveau permettent l'exécution de mouvements rapides et une plus grande vigilance. Le volume sanguin accru (consécutif à une augmentation du volume de LEC et à une dérivation du sang de l'appareil GI) et la prolongation du temps de coagulation assurent une circulation adéquate vers les organes vitaux en cas de choc hémorragique. Ces réactions au stress illustrent la complexité des processus concernés et le lien qui les unit (voir figure 4.6).

Il semble que les réactions physiologiques aux agents stressants sont plus visibles chez les individus des sociétés primitives que chez ceux des sociétés industrialisées actuelles. En raison des conventions sociales, plusieurs réactions physiologiques au stress sont intériorisées et usent l'organisme. Par conséquent, plusieurs problèmes de santé associés au stress sont considérés comme des troubles de l'adaptation.

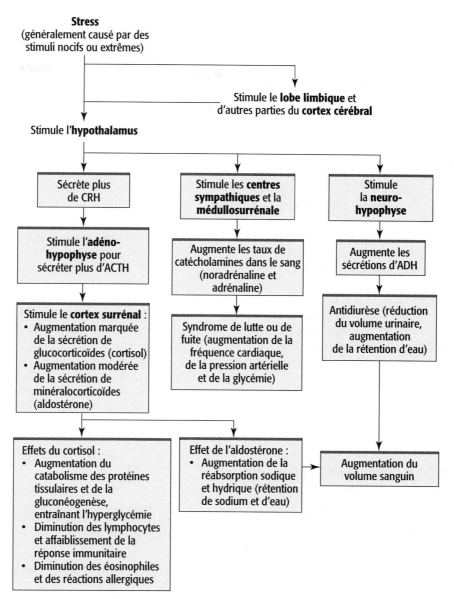

FIGURE 4.6 Processus reliés au syndrome du stress

4.5.3 Système immunitaire

Depuis quelques années, plusieurs chercheurs ont tenté de comprendre les conséquences potentielles du stress sur les fonctions immunitaires. Les agents stressants négatifs entraînent des altérations du système immunitaire mettant en cause l'axe HHS et le système nerveux autonome (voir figure 4.4). En retour, le système immunitaire entrave également les réactions endocriniennes et celles du SNC (voir figure 4.2). Les corticostéroïdes et les catécholamines sont reconnus pour avoir un effet de suppression de la fonction immunitaire. L'interleukine-1 (qui est sécrétée par des macrophages activés), un type de cytokine, peut stimuler directement la sécrétion d'ACTH et donc amorcer la réaction au stress. Il est maintenant connu qu'il existe plusieurs interactions complexes entre les systèmes endocrinien et immunitaire. Ceux-ci mettent non seulement en jeu les hormones corticosurrénales, mais également les endorphines, les hormones thyroïdiennes, les hormones reproductrices, les hormones de croissance et la prolactine. Même si la plupart des hormones liées au stress répriment le système immunitaire, certaines, comme la prolactine, stimulent des réactions immunitaires.

La littérature médicale a établi un lien entre le stress et les maladies immunitaires. En conséquence, ces découvertes ont mené à la naissance de la psychoneuro-immunologie (PNI), science interdisciplinaire qui tente de comprendre les relations entre le cerveau, le comportement et l'immunité. De nombreuses études ont démontré que le stress, qu'il soit aigu ou chronique, peut altérer les fonctions immunitaires, y compris diminuer le nombre de cellules tueuses naturelles et perturber leurs fonctions, nuire à la prolifération des lymphocytes et réduire la phagocytose effectuée par les neutrophiles et les monocytes. La plupart de ces études ont conclu que le stress entraîne une suppression du système immunitaire. Même si les scientifiques l'ont prouvé par des démonstrations *in vitro*, on ne connaît pas le niveau de stress requis pour causer ces changements, ni le seuil de tolérance du système immunitaire. Pour l'instant, la tâche des chercheurs dans le domaine de la PNI est d'établir un rapport entre les changements immunitaires causés par le stress et la maladie.

Une étude récente a montré un lien entre le stress psychologique et le rhume. Dans cette étude, des sujets en santé ont été inoculés d'une faible dose de virus du rhume par voie nasale. Les sujets ont subi des tests psychologiques pour déterminer la présence d'événements stressants dans leur vie et pour évaluer leurs réactions à ce stress. Les résultats ont indiqué que le taux d'infection virale (mesuré par culture virale et épreuve sérologique) et de rhume clinique (diagnostiqué par les signes et les symptômes) augmentait avec le niveau de stress psychologique. Le lien entre le stress et la prédisposition aux maladies infectieuses a également été mis en évidence dans une étude menée auprès de personnes âgées qui prenaient soin d'un conjoint souffrant de la maladie d'Alzheimer. Chez ces sujets, le stress chronique vécu par l'aidant naturel était associé à une réaction immunitaire plus faible en réponse au vaccin contre la grippe. Les résultats de cette étude indiquent que le stress peut augmenter la prédisposition d'une personne âgée à la grippe.

Le stress physique et psychologique est courant chez les clients en phase terminale. Des chercheurs ont découvert un rapport direct entre la gravité de la maladie ou l'intensité des mesures thérapeutiques et les changements neuroendocriniens causés par le stress chez ces clients. Étant donné que les dérèglements du système immunitaire sont bien connus dans le cas de clients blessés ou ayant subi une intervention chirurgicale, il existe une hypothèse voulant que le stress retarde la guérison des blessures et augmente le risque d'infection chez les clients en phase terminale. Au cours d'une étude portant sur les effets potentiels du stress lié aux soins d'un parent souffrant de la maladie d'Alzheimer sur la cicatrisation, les aidants naturels ont volontairement subi une biopsie à l'emporte-pièce de 3,5 mm. La cicatrisation était évaluée régulièrement, ainsi que le niveau de stress perçu. L'étude a révélé que la guérison était beaucoup plus longue chez les aidants naturels stressés que chez les sujets du groupe témoin.

De plus, le groupe des personnes stressées (les aidants naturels) produisait moins d'interleukine β, une cytokine qui favorise la cicatrisation. Même si cette étude ne comptait qu'un petit nombre de sujets (13 soignants et 13 sujets témoins), elle est importante, car elle dévoile l'existence d'un lien entre un agent stressant naturel, la réaction immunitaire et la cicatrisation. Ces résultats prouvent que les retards cicatriciels causés par le stress peuvent être notables après une chirurgie ou un traumatisme.

Des stratégies visant à améliorer l'immunocompétence ont été étudiées et ont abouti à des résultats encourageants. Ces stratégies comprenaient les techniques de relaxation et de visualisation, la détente par la rétroaction biologique, l'humour, les exercices et le soutien social. Une étude importante dans ce domaine a indiqué que les clientes souffrant d'un cancer du sein métastatique et faisant partie d'un groupe de soutien hebdomadaire vivaient plus longtemps (en moyenne, 18 mois de plus) que les clientes du groupe témoin. Récemment, ces chercheurs ont procédé à une évaluation finale des sujets de cette étude et ont montré que cette différence n'était pas attribuable à des traitements médicaux différents entre les deux groupes. Ce résultat renforce davantage l'importance de leur découverte. Même si peu d'études documentent l'influence des interventions psychologiques sur la durée de survie, la recherche dans ce domaine s'est intensifiée et s'est étendue aux personnes atteintes du virus de l'immunodéficience humaine (VIH).

4.6 IDENTIFICATION DES AGENTS STRESSANTS

4.6.1 Agents stressants liés au travail

L'infirmière doit se familiariser avec les divers agents stressants qui affectent les populations et les personnes dans des circonstances particulières. Par exemple, les agents stressants liés au travail sont courants. Certaines exigences font partie de l'emploi lui-même, comme les mauvaises conditions de travail, la surcharge de travail et les échéances. D'autres exigences sont associées au rôle de la personne dans l'organisme (conflit de rôles), à l'évolution de sa carrière (promotion ou rétrogradation), aux relations de travail (difficultés à déléguer des tâches) et au climat qui règne dans l'établissement (contrainte comportementale). Des résultats de recherche justifient l'inclusion de l'emploi et de l'expérience de travail dans les facteurs essentiels à évaluer.

Les infirmières, professionnelles ou en formation, ont fait l'objet d'études approfondies, puisque le niveau de stress et le taux d'épuisement sont particulièrement élevés dans la profession. Dans le cadre de diverses

Gestion du stress et infection par le VIH   ENCADRÉ 4.4

Article : McCAIN, NL, et coll. « The influence of stress management training in HIV disease », *Nurs Res,* vol. 45, n° 246, 1996.

Objectif : déterminer l'efficacité d'un programme cognitivo-comportemental, comparativement aux interventions usuelles en clinique externe, sur le stress, les modèles d'adaptation, la qualité de vie, la détresse psychologique, l'incertitude et les taux de lymphocytes CD4$^+$ chez les clients infectés par le VIH.

Méthodologie : des personnes infectées par le VIH (n = 30) ont fait partie d'un programme de gestion du stress d'une durée de six semaines. Le programme consistait en des rencontres hebdomadaires d'une durée d'une heure et comprenait la transmission d'information sur la relaxation, le yoga, les techniques de restructuration cognitive et les stratégies actives d'adaptation. Le stress perçu, la détresse psychologique, l'adaptation, l'incertitude et les paramètres immunitaires ont été mesurés avant et après le programme de gestion du stress. Les résultats ont été comparés à ceux d'un groupe témoin de personnes infectées par le VIH qui ont reçu les soins habituels en clinique externe.

Résultats et conclusions : après six semaines, les personnes qui ont participé au programme de gestion du stress ont vu leur bien-être affectif et leur qualité de vie s'améliorer ; toutefois, cette amélioration n'était plus visible lors de la visite de suivi après six mois. Cependant, les pensées intrusives (négatives) reliées au VIH étaient moins présentes chez ce groupe après six mois. Il n'y avait aucune différence perceptible entre les deux mesures portant sur le système immunitaire. Les programmes de gestion du stress peuvent réduire la détresse psychologique associée au vécu de la personne touchée par le VIH.

Incidences sur la pratique : les besoins psychologiques des personnes infectées par le VIH exigent une évaluation rigoureuse. Les interventions reliées à la gestion du stress peuvent être utilisées par les infirmières pour améliorer le bien-être psychologique des personnes infectées par le VIH. Cependant, ces personnes doivent être encouragées à pratiquer ces techniques par elles-mêmes. D'autres études sont nécessaires pour déterminer si un programme de formation plus intensif portant sur la gestion du stress permettrait d'améliorer le système immunitaire des personnes infectées par le VIH.

simulations, on a reconnu que la somme de travail, l'absence de marques de reconnaissance et le manque d'implication dans le processus décisionnel étaient des agents stressants. Savoir reconnaître ces agents est important si les infirmières veulent éviter de devenir des victimes du stress et de l'épuisement au travail.

4.6.2 Agents stressants liés à la maladie

La maladie dont souffre un client cause souvent autant de stress chez les membres de sa famille que chez lui. L'infirmière doit déterminer quels aspects de la maladie sont les plus stressants pour le client. En contexte de maladie, la santé physique, les responsabilités reliées à l'emploi, les finances et les enfants peuvent être générateurs de stress. Même si l'infirmière et le client s'entendent généralement sur les agents stressants qui affectent le client, l'infirmière les considère généralement beaucoup plus stressants que le client lui-même. Voilà pourquoi il est important de comprendre la perception du client.

Une échelle de stress en milieu hospitalier a été élaborée à partir d'agents stressants identifiés par les clients en consultation ou en phase préopératoire. Les cinq événements les plus stressants, en ordre décroissant, sont : la possibilité de perdre la vue, l'anticipation d'un diagnostic de cancer, la possibilité de perdre un rein ou un autre organe, l'annonce d'un diagnostic de maladie grave et la possibilité de perdre l'ouïe.

Une étude de cas intéressante concernant les perceptions d'une cliente gravement malade sous sédation (curarisée) aux soins intensifs a été effectuée au moyen d'une entrevue réalisée après sa guérison. Ces perceptions sont particulièrement émouvantes, car la cliente a déjà été infirmière aux soins intensifs. Elle raconta le stress intense qu'elle ressentit à cause du sentiment d'impuissance qui a accompagné sa paralysie, son désespoir dû à la gravité de sa maladie, son manque de contrôle et son incertitude à l'égard du pronostic. Fournir de l'information, surveiller et rassurer le client sont des interventions infirmières importantes qui peuvent avoir un effet considérable sur le client et atténuer le stress qu'il perçoit. Une autre étude a révélé quels étaient les agents stressants en milieu hospitalier pour les clients atteints du SIDA. Les principaux agents stressants pour ce groupe de clients étaient la perte de l'autonomie, la séparation d'un être cher et les problèmes reliés aux médicaments. La connaissance des agents stressants et des sentiments provoqués par ces derniers peut aider l'infirmière à déterminer les sources de stress, réelles ou potentielles, et à évaluer les conséquences de ces agents sur le client hospitalisé.

4.7 ADAPTATION

On a défini le terme **adaptation** comme l'ensemble des stratégies cognitives ou comportementales qu'une personne met constamment en œuvre afin de maîtriser les exigences externes ou internes qu'elle considère pénibles ou qui dépassent ses ressources. Les mécanismes de défense, comme le déni, font partie des processus d'adaptation. Les **ressources d'adaptation**, c'est-à-dire les habiletés dont on se sert ou les actions que l'on pose pour gérer le stress (voir encadré 4.5), regroupent des facteurs individuels ou environnementaux tels que la santé, l'énergie et le moral ; les croyances positives ; la capacité de résolution de problèmes ; les compétences sociales ; les réseaux sociaux ; les ressources matérielles.

En résumé, les stratégies d'adaptation visent la résolution des problèmes ou le contrôle des émotions (voir tableau 4.4). Lorsqu'une personne tente de répondre à des agents stressants (internes ou externes) ou de surmonter des obstacles à l'origine de ces agents, on dit que la personne fait des efforts d'adaptation axés sur les problèmes. Quand les efforts de la personne portent sur les moyens de contrôler la réaction émotionnelle, on dit que la personne opte pour une stratégie axée sur l'émotion. Par exemple, lorsqu'un client atteint de diabète apprend à se donner des injections, son comportement se concentre sur les problèmes. Par contre, ce client oriente sa stratégie vers les émotions si, lors de l'annonce du diagnostic de diabète, il atténue sa détresse par la pensée qu'il aurait pu avoir un cancer incurable. Il est possible qu'une personne allie des comportements axés sur les émotions et sur les problèmes pour s'adapter au même agent stressant. Une personne qui s'adapte rapidement ou qui est capable de modifier ses stratégies d'adaptation avec le temps et dans différentes circonstances est mieux équipée pour affronter des situations stressantes.

TABLEAU 4.4	Exemples d'agents stressants et de stratégies d'adaptation
Agents stressants	**Stratégies d'adaptation**
Diagnostic de diabète	Participer à des séances d'information sur le diabète (RP) Prendre des vacances (CE)
Échec à un examen	Engager un tuteur (RP) Souper avec des amis (CE)
Augmentation de la charge de travail	Apprendre à utiliser un traitement de texte (RP) Exprimer au conjoint les émotions vécues au travail (CE)
Convocation par le service des impôts	Réviser les dossiers financiers avec le comptable (RP) Prendre de grandes respirations (CE)
Premier discours en public	S'exercer devant des membres de la famille (RP) Jogger le matin du discours (CE)

CE : contrôle des émotions ; RP : résolution de problèmes.

Exemples de ressources favorisant l'adaptation — ENCADRÉ 4.5

Chez la personne
- Santé, énergie, moral
  - Bonne santé
  - Taux élevé d'énergie
  - Bon moral
- Croyances positives
  - Efficacité personnelle
  - Spiritualité
- Capacités de résolution de problèmes
  - Collecte d'information
  - Identification du problème
  - Élaboration de solutions
- Compétences sociales
  - Habiletés à communiquer
  - Compatibilité relationnelle

Dans le milieu
- Réseaux sociaux
  - Membres de la famille
  - Collègues
  - Contacts sociaux
- Ressources matérielles
  - Finances
  - Manuels éducatifs
  - Organismes sociaux

Les divers modes d'adaptation qu'une personne peut utiliser en situation de stress sont :
- la recherche d'information (rassembler des données sur le problème et des solutions possibles) ;
- les actions directes (gestes concrets pour modifier ses actions ou le milieu) ;
- l'inhibition de l'action (s'empêcher de faire quoi que ce soit) ;
- les processus intrapsychiques (réévaluation de la situation, amorce d'activités cognitives afin d'améliorer ses sentiments) ;
- le fait de se tourner vers les autres (obtention de soutien social) ;
- le fait de fuir ou d'éviter le problème.

Le choix de la stratégie d'adaptation dépend de nombreux facteurs. Parmi les variables qui régissent le choix des stratégies d'adaptation d'un individu, on compte les degrés d'incertitude, de menace ou d'impuissance, et la présence de conflit. Si l'incertitude est élevée, il est moins probable que l'action directe sera choisie comme stratégie d'adaptation. Lorsque le degré de menace est élevé, il est probable qu'un mode d'adaptation primaire, comme la panique, sera retenu. En présence de conflit, il est possible que la personne soit incapable d'action directe. L'impuissance favorise l'immobilité. La stratégie choisie peut également être influencée par le résultat de l'évaluation cognitive qui classe l'agent stressant comme un danger ou une perte, une menace ou un défi.

En étudiant des groupes de personnes que l'on supposait aux prises avec des agents stressants particuliers, des stratégies spécifiques, appelées **activités d'adaptation** ou **processus d'adaptation**, ont été mises en évidence. Lors d'une étude avec des femmes atteintes de cancer, quatre modes d'adaptation axés sur les problèmes ont été dégagés : la négociation, l'attitude positive, le soutien social et les efforts concentrés. Trois processus d'adaptation axés sur les émotions ont également été décelés : le fait de confondre ses désirs avec la réalité, le détachement et l'acceptation. Il a été démontré que le détachement, le fait de prendre ses désirs pour la réalité et l'attitude positive influençaient considérablement la détresse émotionnelle ressentie. Le détachement et l'attitude positive aidaient à atténuer la détresse, alors que la prise des désirs pour des réalités l'augmentait. Les stratégies « optimistes » d'adaptation étaient également perçues comme les plus efficaces chez les personnes souffrant de polyarthrite rhumatoïde, qui doivent composer avec des agents stressants comme la douleur et la réduction de la mobilité.

On a découvert que la spiritualité est bénéfique pour les personnes souffrant de maladies aiguës ou chroniques. Dans une étude menée auprès de personnes âgées atteintes de cancer, le bien-être spirituel était associé à l'espoir et aux états d'esprit positifs. La spiritualité peut atténuer l'anxiété, donner un sens à la maladie et à la mort prochaine. L'infirmière peut donc évaluer la place de la spiritualité dans la vie du client et soutenir cette stratégie d'adaptation si elle est jugée adéquate. De plus, il a été démontré que l'espoir peut permettre à une personne de s'adapter au stress, à la maladie chronique et à la douleur. De fait, les sentiments de désespoir et d'impuissance sont souvent caractéristiques de personnes accablées par le stress et le manque de contrôle. Les diverses stratégies que les infirmières peuvent utiliser pour maintenir l'espoir chez les personnes atteintes d'insuffisance cardiaque congestive ont été décrites récemment (Johnson, Dahlen, Roberts, 1997).

Jusqu'à maintenant, la plupart des recherches menées dans le domaine examinaient les types de stratégies d'adaptation. Malheureusement, les études qui tentent de déterminer la stratégie d'adaptation la plus efficace ne sont pas probantes.

4.8 SOINS INFIRMIERS : STRESS

4.8.1 Collecte de données

Le client doit affronter une multitude d'agents stressants potentiels ou d'exigences qui peuvent avoir des répercussions sur sa santé. L'infirmière doit être capable de reconnaître les situations qui risquent d'entraîner du stress et doit également évaluer la perception qu'a le client de la situation. En plus du stress lui-même, certaines stratégies d'adaptation peuvent avoir des conséquences sur la santé et doivent donc être incluses dans la collecte de données.

Même si les manifestations du stress peuvent varier d'une personne à l'autre, l'infirmière doit évaluer le client pour tenter de déceler les signes et les symptômes de réaction au stress déclenchés par les systèmes nerveux, endocrinien ou immunitaire (voir respectivement chapitres 52, 39 et 7).

L'évaluation du stress doit porter sur trois éléments cruciaux : les agents stressants, les réactions humaines au stress et l'adaptation. Ces éléments guident l'infirmière lors de la collecte de données.

Agents stressants. Les agents stressants, ou les exigences, qui affectent le client peuvent comprendre des situations ou des événements très importants dans la vie du client, comme une modification du noyau familial ou des contrariétés quotidiennes. Ces agents peuvent être externes (le milieu) ou internes (p. ex. les tâches perçues, les objectifs poursuivis et les engagements). Les contraintes physiques liées à la maladie ou aux lésions font partie des agents stressants internes. Le nombre d'agents stressants, la durée de l'exposition et les expériences antérieures avec les agents doivent être évalués. La perception des agents stressants doit faire l'objet d'une évaluation primaire. Les agents stressants peuvent être classés selon qu'ils sont un danger ou une perte, une menace ou un défi. Les réactions de la famille à l'égard des agents stressants auxquels le client est confronté doivent également être évaluées.

Réactions humaines au stress. Les effets physiologiques des agents considérés comme stressants sont principalement régis par le système nerveux sympathique et le système hypothalamo-hypophyso-surrénalien. Les réactions comme l'accélération de la fréquence cardiaque, l'augmentation de la pression artérielle, la perte d'appétit, la diaphorèse et la dilatation pupillaire figurent parmi ces effets. De plus, le client peut montrer des signes de maladies liées à l'adaptation (voir encadré 4.1).

Les réactions comportementales se rapportent aux actions et aux réponses cognitives observables chez le client. La difficulté de concentration, la prédisposition aux accidents, les troubles de la parole, l'anxiété, les pleurs et les cris sont des réponses comportementales possibles. Au travail par exemple, les comportements suivants peuvent se manifester : absentéisme ou retard, baisse de productivité et insatisfaction par rapport à l'emploi. Les réponses cognitives observables comprennent l'incapacité à prendre des décisions, les oublis et l'évocation par le client d'exigences excessives. Certaines de ces réactions peuvent également être apparentes chez les proches du client.

Adaptation. L'infirmière doit recueillir des renseignements sur l'évaluation cognitive faite par le client des ressources et des choix disponibles. Parmi les exemples de ressources adéquates, citons le soutien des membres de la famille, les ressources financières et la capacité de résoudre des problèmes (voir encadré 4.5).

Les stratégies d'adaptation regroupent les efforts cognitifs et les stratégies comportementales qui visent à répondre aux agents stressants. La mise en œuvre et l'efficacité des efforts d'adaptation axés sur les problèmes ou les émotions doivent être évaluées (voir tableau 4.4). Ces efforts peuvent être classés comme une action directe, un évitement, une recherche d'information, un mécanisme de défense et une recherche d'aide auprès d'autres personnes. La probabilité qu'une certaine stratégie d'adaptation entraîne le changement voulu est un autre aspect important à évaluer.

4.8.2 Diagnostics infirmiers

L'attention accordée au stress et à l'adaptation dans les listes de problèmes infirmiers confirme l'importance qu'ils doivent revêtir pour l'infirmière. Le mode adaptation et tolérance au stress constitue l'un des onze modes fonctionnels de santé. Ce mode comprend les diagnostics présentés dans l'encadré 4.6. L'évaluation du mode santé permet de décrire le mode adaptation et tolérance au stress du client. Les agents stressants peuvent être décelés chez le client ou sa famille.

Plusieurs diagnostics infirmiers se rapportent au stress, dont l'incapacité à s'adapter à une altération de l'état de santé, le déni non constructif, les stratégies d'adaptation inefficaces et défensives, et les stratégies d'adaptation familiale compromises et invalidantes. Une stratégie d'adaptation inefficace est définie comme l'incapacité d'évaluer correctement les facteurs de stress, de décider ou d'agir de manière appropriée ou de se servir des ressources offertes. Parmi les facteurs favorisants, on retrouve le manque de confiance en ses capacités, l'incertitude, le soutien social inadéquat, les ressources inadéquates et une menace importante. Le diagnostic infirmier « stratégies d'adaptation familiale compromises » est retenu lorsque « le soutien, le réconfort, l'aide et l'encouragement que fournit habituellement une personne effectivement importante (membre de la famille ou ami) sont compromis, inefficaces ou insuffisants. Le client n'a donc pas suffisamment de soutien pour prendre en charge le travail d'adaptation qu'exige son problème de santé » (ANADI, 2002).

4.8.3 Exécution

La première étape de la gestion du stress consiste à être conscient de la présence du stress dans sa vie, ce qui implique de reconnaître et d'exprimer les sentiments qui y sont reliés. Le rôle de l'infirmière est de favoriser les processus d'adaptation. Les interventions infirmières dépendent de la gravité de la situation porteuse de stress et des agents stressants en jeu. Après avoir subi des traumatismes multiples, le client dépense son énergie en tentant de survivre physiquement. Les interventions infirmières doivent donc être axées sur le soutien vital et les méthodes visant à réduire les agents stressants additionnels pour le client. Par exemple, le client polytraumatisé risque d'éprouver de la difficulté à s'adapter ou à récupérer s'il doit faire face à des agents stressants additionnels comme le manque de sommeil ou une infection.

Étant donné l'importance de l'évaluation cognitive, l'infirmière devrait évaluer la capacité du client de modifier sa façon de percevoir et de reconnaître les situations ou les événements particuliers (réévaluation cognitive). Certains experts proposent également que l'infirmière tienne compte des effets positifs provenant d'une réaction efficace aux agents stressants. On doit en outre insister davantage sur le rôle que jouent les valeurs et les croyances culturelles qui peuvent multiplier ou réduire les stratégies d'adaptation.

Puisque la réaction aux agents stressants physiques, sociaux et psychologiques fait partie intégrante des expériences quotidiennes, les comportements d'adaptation utilisés doivent être flexibles et ne pas devenir une source de stress additionnel. Généralement, on ne peut pas savoir quelles stratégies d'adaptation sont les plus flexibles. Cependant, lors de l'évaluation des comportements d'adaptation, l'infirmière doit observer les résultats à court terme (soit les conséquences de la stratégie sur la réduction ou la maîtrise des agents stressants et le contrôle de la réaction émotionnelle) et les résultats à long terme sur la santé, sur le moral et sur les comportements social et psychologique.

Les facteurs de conditionnement influencent la réaction aux agents stressants (voir encadré 4.7). La

---

Diagnostics infirmiers reliés au stress	**ENCADRÉ 4.6**

- Tension dans l'exercice du rôle de l'aidant naturel
- Stratégies d'adaptation inefficaces
- Stratégies d'adaptation défensives
- Déni non constructif
- Stratégies d'adaptation familiale compromises
- Stratégies d'adaptation familiale invalidantes
- Stratégies d'adaptation inefficaces d'une collectivité
- Stratégies d'adaptation familiale : motivation à s'améliorer
- Syndrome post-traumatique
- Syndrome du traumatisme de viol
- Syndrome d'inadaptation à un changement de milieu
- Risque d'automutilation
- Risque de violence envers soi ou envers les autres

Facteurs qui influencent
la réaction au stress   ENCADRÉ 4.7

- Âge
- Alimentation
- Hérédité
- Soutien social
- Santé
- Personnalité
- Rythmes circadiens
- Expériences antérieures
- Statut socioéconomique
- Ressources financières

résistance au stress peut s'améliorer grâce à un mode de vie sain. Les comportements suivants semblent favoriser et maintenir la santé :

- dormir régulièrement de sept à huit heures par nuit ;
- prendre un déjeuner ;
- manger des repas réguliers en réduisant ou en supprimant les collations ;
- manger de façon modérée pour maintenir un poids santé ;
- faire de l'exercice de façon modérée ;
- boire de l'alcool avec modération, s'il y a lieu ;
- éviter de fumer (mieux encore, n'avoir jamais fumé).

Ces comportements aident les personnes à rester en bonne santé, peu importe leur âge, leur sexe et leur statut économique. Leurs effets sont également cumulatifs ; autrement dit, plus une personne adhère à un plus grand nombre de ces comportements dans ses habitudes de vie, meilleure sera sa santé.

Il est également important d'avoir de bonnes habitudes de santé mentale. Ces habitudes conduisent principalement à un concept de soi réaliste et positif et améliorent la capacité de résoudre des problèmes. Les stratégies d'apprentissage pour la résolution de problèmes permettent aux personnes d'être en mesure de mieux réagir aux circonstances stressantes actuelles et futures.

Il est possible d'intégrer des activités visant à réduire le stress dans le cadre des soins infirmiers. Les activités suggérées, intégrées progressivement dans la vie quotidienne, peuvent également être perçues comme des facteurs de conditionnement, puisque le client acquiert un sentiment de contrôle tout en augmentant son estime de soi. Le sentiment de contrôle est un médiateur important dans le processus du stress.

L'infirmière peut jouer un rôle de premier plan dans la planification des interventions destinées à réduire le stress. Bien que certaines mesures puissent exiger une formation supplémentaire, les activités visant à réduire le stress dans le cadre des soins infirmiers comprennent les techniques de relaxation, la réévaluation cognitive, la musicothérapie, l'exercice, le contrôle décisionnel, les techniques d'affirmation de soi, le massage, la visualisation et l'humour (voir tableau 4.5). L'encadré 4.8 présente des techniques de relaxation spécifiques.

En résumé, une connaissance du stress et des théories d'adaptation fournit à l'infirmière des notions utiles qui sont applicables à toutes les étapes de la démarche de soins infirmiers. Se maintenir à jour dans ce domaine constitue un défi de taille. Les modèles et

TABLEAU 4.5	Exemples de stratégies de gestion du stress
Techniques	**Descriptions**
Relaxation progressive	Exercice qui consiste à contracter et à relâcher les muscles de façon systématique, en commençant par les muscles du visage et en terminant par les pieds. L'exercice peut être combiné à des exercices de respiration orientés sur le moi intérieur (voir encadré 4.8).
Visualisation	Utilisation dirigée de l'imagination pour atteindre la détente et le contrôle. La personne se concentre sur des images et s'imagine dans la scène.
Arrêt des pensées	Approche comportementale utilisée pour contrôler les pensées négatives. Lorsque ces pensées surviennent, la personne arrête le processus de la pensée et se concentre sur la relaxation consciente.
Exercice	L'exercice régulier, particulièrement les exercices aérobiques, permet d'améliorer la circulation, d'augmenter la quantité d'endorphines et d'accroître le sentiment de bien-être.
Humour	L'humour peut être bénéfique aussi bien pour l'infirmière que pour le client, soit sous forme de rires, de dessins animés, de comédies, de devinettes, d'audiocassettes, de bandes dessinées ou de recueils de blagues.
Affirmation de soi	Communication ouverte et honnête de sentiments, de désirs et d'opinions de manière contrôlée. La personne qui est maître de sa vie est généralement moins stressée.
Soutien social	Approche pouvant se manifester sous forme de soutien structuré et de groupes d'aide, de rapports avec les membres de la famille et les amis ou d'aide professionnelle.

Stratégies de relaxation   ENCADRÉ 4.8

Respiration rythmée*

- Créer un environnement calme.
- Aider le client à se mettre à l'aise en élevant ses jambes, les genoux pliés (ce qui détend les jambes, le dos et les muscles abdominaux), ou en soutenant son cou à l'aide d'un oreiller. S'assurer que les bras et les jambes ne sont pas croisés.
- Demander au client de fermer les yeux, puis d'inspirer et d'expirer lentement en répétant : « Inspirer, 2, 3, 4 ; expirer, 2, 3, 4. »
- Une fois la respiration rythmée établie, demander au client d'écouter vos paroles et, d'une voix basse et calme, lui demander :
  - Inspirez et expirez lentement et profondément.
  - Essayez de respirer à partir de l'abdomen.
  - Sentez-vous détendu au fil des expirations.
  - Essayez d'identifier votre propre sensation de relaxation (p. ex. sensation de légèreté, d'apesanteur ou de lourdeur).
  - Pendant que vous inspirez, laissez votre imagination vous transporter dans un endroit dont vous vous souvenez, qui était paisible et agréable ; regardez autour de vous, écoutez les sons, sentez l'air, notez les odeurs.
  - Lorsque vous êtes prêt à mettre fin à cet exercice de relaxation, comptez silencieusement de un à trois ; à un, bougez la partie inférieure de votre corps ; à deux, bougez la partie supérieure de votre corps ; à trois, inspirez profondément, ouvrez les yeux et pendant que vous expirez lentement, répétez silencieusement : « Je suis détendu et conscient. » Étirez-vous comme si vous veniez de vous réveiller.

Relaxation progressive*

- Suivre les étapes 1, 2 et 3 de la respiration rythmée.
- Une fois que le client respire lentement et confortablement, lui enseigner comment contracter et détendre une succession ordonnée de groupes musculaires, en *sentant* chaque partie détendue.
- Enseigner au client à tendre puis à détendre les mollets, les genoux, etc.

Relaxation par exploration sensorielle

- Suivre les étapes 1 et 2 de la respiration rythmée.
- Enseigner au client à répéter à voix basse ou intérieurement les phrases suivantes et à les compléter :

  Maintenant, je suis conscient de voir...
  Maintenant, je suis conscient de sentir...
  Maintenant, je suis conscient d'entendre...

  - Enseigner au client à répéter et à compléter chaque phrase quatre fois, puis trois fois, puis deux fois et, finalement, une fois.
- Demander au client de laisser ses yeux se fermer quand il a les paupières lourdes.

Relaxation par échange chromatique

- Suivre les étapes 1, 2 et 3 de la respiration rythmée.
- Demander au client de noter toute source de tension, de raideur, de mal ou de douleur touchant le corps et d'associer cette sensation à la première couleur qui lui vient à l'esprit.
- Inviter le client à inspirer une lumière blanche et pure de l'univers et à envoyer cette lumière vers la région tendue ou douloureuse, en laissant la lumière blanche envelopper la couleur du malaise.
- Demander au client d'expirer la couleur du malaise et de laisser la lumière blanche la remplacer.
- Demander au client de continuer d'inspirer la lumière blanche et d'expirer la couleur du malaise, en permettant à la lumière blanche d'envahir tout le corps et d'amener une sensation de paix, de bien-être et d'énergie.

Relaxation autogène modifiée

- Suivre les étapes 1, 2 et 3 de la respiration rythmée.
- Enseigner au client à répéter intérieurement chacune des phrases suivantes quatre fois ; il doit dire la première partie de la phrase en inspirant pendant 2 à 3 secondes, retenir son souffle pendant 2 à 3 secondes, puis dire la dernière partie de la phrase en expirant pendant 2 à 3 secondes :

Inspiration	*Expiration*
Je suis	détendu.
Mon bras et mes jambes	sont lourds et chauds.
Mes battements cardiaques	sont calmes et réguliers.
Ma respiration	est libre et facile.
Mon abdomen	est détendu et chaud.
Mon front	est frais.
Mon esprit	est calme et en paix.

Relaxation au moyen de la musique

- Fournir un magnétophone et un casque d'écoute au client.
- Demander au client de choisir sa cassette préférée de musique lente et calme.
- Inviter le client à prendre une position confortable (assise ou couchée, sans croiser les bras ni les jambes), à fermer les yeux et à écouter la musique avec les écouteurs.
- Enseigner au client à s'imaginer en train de flotter sur la musique ou de se laisser emporter par celle-ci pendant l'écoute.

Massage rythmique

- Masser près de la zone de tension de manière ferme et par mouvements circulaires.
- Ne pas masser les régions douloureuses au toucher, rouges ou œdématiées.

---

* Une « respiration-signal », exigeant une inspiration profonde par le nez et une puissante expiration par la bouche, est la clé du succès de la relaxation. La respiration-signal précède et suit chaque série pendant l'exercice.

les notions proposés permettent à l'infirmière de choisir des interventions basées sur la recherche et la théorie axées sur les liens entre le stress, l'adaptation et la santé. L'infirmière doit être en mesure de savoir à quel moment elle doit orienter le client ou la famille vers un professionnel spécialisé dans le domaine.

MOTS CLÉS

Agents stressants 82
Stress psychologique 83
Syndrome général d'adaptation (SGA) 83
Hardiesse 85
Résilience 86
Contrariétés quotidiennes 86
Évaluation 86
Adaptation 93
Ressources d'adaptation 94
Activités d'adaptation 95
Processus d'adaptation 95

BIBLIOGRAPHIE

Version originale

1. Selye H: The stress concept: past, present, and future. In Cooper CL, editor: Stress research: issues for the eighties, New York, 1983, Wiley.
2. Holmes T, Masuda M: Magnitude estimations of social readjustments, J Psychosom Res 11:219, 1966.
3. Holmes T, Rahe R: The social readjustment rating scale, J Psychosom Res 12:213, 1967.
4. Derogatis LR, Coons H: Self-report measures of stress. In Goldberger L, Breznitz S, editors: Handbook of stress: theoretical and clinical aspects, ed 2, New York, 1993, Free Press.
5. Lazarus R, Folkman S: Stress, appraisal, and coping, New York, 1984, Springer.
6. Selye H: The stress of life, New York, 1956, McGraw-Hill.
7. Lacey JI, Lacey BC: Verification and extension of the principle of autonomic response stereotype, Am J Psychol 71:50, 1958.
8. Marsland AL, Manuck SB, Fazzari TV, Stewart CJ, Rabin BS: Stability of individual differences in cellular immune responses to acute psychological stress, Psychosomatic Med 57:295, 1995.
9. O'Keefe MK, Baum A: Conceptual and methodological issues in the study of chronic stress, Stress Res 6:105, 1990.
10. Holmes TH, Masuda M: Life change and illness susceptibility. In Dohrenwend BA, Dohrenwend BP, editors: Stressful life events: their nature and effects, New York, 1974, Wiley.
11. Ouellette SC: Inquiries into hardiness. In Goldberger L, Breznitz S, editors: Handbook of stress: theoretical and clinical aspects, ed 2, New York, 1993, Free Press.
12. Antonovsky AA: Unraveling the mystery of health: how people manage stress and stay well, San Francisco, 1987, Jossey-Bass.
13. Williams SJ: The relationship among stress, hardiness, sense of coherence, and illness in critical care nurses, Medical Psychotherapy 3:171, 1990.
14. Wagnild GM, Young HM: Development and psychometric evaluation of the resilience scale, J Nurs Meas 1:165, 1993.
15. Kanner AD and others: Comparison of two modes of stress measurement: daily hassles and uplifts versus major life events, J Behav Med 4:1, 1981.
16. Sorbi MJ, Maassen GH, Spierings EL: A time series analysis of daily hassles and mood changes in the 3 days before the migraine attack, Behav Med 22:103, 1996.
17. Lazarus RS, Launier R: Stress-related transactions between person and environment. In Pervin LA, Lewis M, editors: Perspectives in international psychology, New York, 1978, Plenum.
18. Chatterton RT, Vogelsong KM, Lu YC, Hudgens GA: Hormonal responses to psychological stress in men preparing for skydiving, J Clin Endocrinol Metab 82:2503, 1997.
19. Magiakou MA, Mastorakos G, Webster E, Chrousos GP: The hypothalamic-pituitary-adrenal axis and the female reproductive system, Ann N Y Acad Sci 816:42, 1997.
20. Savino W, Dardenne M: Immune-neuroendocrine interactions, Immunol Today 16:318, 1995.
21. Andersen BL, Kiecolt-Glaser JK, Glaser R: A biobehavioral model of cancer stress and disease course, Am Psychol 49:389, 1994.
22. Kiecolt-Glaser JK, Glaser R: Psychoneuroimmunology and health consequences: data and shared mechanisms, Psychosom Med 57:269, 1995.
23. Cohen S, Herbert TB: Health psychology: psychological factors and physical disease from the perspective of human psychoneuroimmunology, Ann Rev Psychol 47:113, 1996.
24. Cohen S and others: Psychological stress and susceptibility to the common cold, N Engl J Med 325:606, 1991.
25. Kiecolt-Glaser JK, Glaser R, Gravenstein S, Malarkey WB, Sheridan J: Chronic stress alters the immune response to influenza virus vaccine in older adults, Proc Natl Acad Sci U S A 93:3043, 1996.
26. Witek-Janusek L, Cusack C, Mathews HL: Trauma-induced immune dysfunction: a challenge for critical care, DCCN 17:187, 1998.
27. Kiecolt-Glaser JK, Marucha PT, Malarky WB, Mercado AM, Glaser R: Slowing of wound healing by psychological stress, Lancet 346:1194, 1995.
28. Ironson G, Antoni M, Lutgendorf S: Can psychological interventions affect immunity and survival? Present findings and suggested targets with a focus on cancer and human immunodeficiency virus, Mind/Body Med 1:85, 1995.
29. Spiegel D and others: Effect of psychosocial treatment on survival of patients with metastatic breast cancer, Lancet 2:881, 1989.
30. Kogon MM, Biswas A, Pearl D, Carlson RW, Spiegel D: Effects of medical and psychotherapeutic treatment on the survival of women with metastatic breast carcinoma, Cancer 80:225, 1997.
31. Holt RR: Occupational stress. In Goldberger L, Breznitz S, editors: Handbook of stress: theoretical and clinical aspects, ed 2, New York, 1993, Free Press.
32. Repetti RL: The effects of work load and the social environment at work on health. In Goldberger L, Breznitz S, editors: Handbook of stress: theoretical and clinical aspects, ed 2, New York, 1993, Free Press.
33. Werner JS: Stressors and health outcomes: synthesis of nursing research, 1980-1990. In Barnfather JS, Lyon BL, editors: Stress and coping: state of the science and implications for nursing theory, research, and practice, Indianapolis, 1993, Sigma Theta Tau Center Press.
34. Volicer BJ, Bohannon MW: A hospital stress rating scale, Nurs Res 24:352, 1975.
35. Parker MM, Schubert W, Shelhamer JH, Parrillo JE: Perceptions of a critically ill patient experiencing therapeutic paralysis in an ICU, Crit Care Med 12:69, 1984.
36. Van Servellen G, Lewis CE, Leake B: The stresses of hospitalization among AIDS patients on integrated and special care units, Int J Nurs Stud 27:235, 1990.
37. Moos RH, Schaefer J: Coping resources and processes: current concepts and measures. In Goldberger L, Breznitz S, editors: Handbook of stress: theoretical and clinical aspects, ed 2, New York, 1993, Free Press.
38. Mishel MH, Sorenson D: Revision of the ways of coping checklist for a clinical population, West J Nurs Res 15:59, 1993.
39. Mahat G: Perceived stressors and coping strategies among individuals with rheumatoid arthritis, J Adv Nurs Sci 25:1144, 1997.
40. Fehring RJ, Miller JF, Snow C: Spiritual well-being, religiosity, hope, depression, and other mood states in elderly people coping with cancer, Oncol Nurs Forum 24:663, 1997.
41. Johnson LH, Dahlen R, Roberts SL: Supporting hope in congestive heart failure patients, DCCN 16:65, 1997.
42. Halm MA and others: Behavioral responses of family members during critical illness, Clin Nurs Res 2:414, 1993.
43. The Association: Nursing diagnoses: definitions and classifications 1999-2000, Philadelphia, 1999. North American Nursing Diagnoses Association.

Édition de langue française

1. CYRULNIK, Boris. « Dans notre culture, l'enfant blessé est encouragé à faire une carrière de victime » (propos recueillis par Pierre Boncenne), Le Monde de l'éducation, [En ligne], n° 292 ,mai 2001. [http://www.lemonde.fr/mde/ete2001/cyrulnik.html] (Page consultée le 13 avril 2003).
2. KOBASA et MADDI, 1977 ; KOBASA, 1979, 1982, dans VIENS, Chantal, LAVOIE-TREMBLAY, Mélanie et MAYRAND LECLERC, Martine (sous la direction de). Optimisez votre environnement de travail en Soins infirmiers, Presses Inter Universitaires, Cap-Rouge, 2002, 219 p.
3. ANADI. Diagnostics infirmiers. Définitions et classification 2001-2002. Nouvelle Taxinomie, Paris, Masson, 2002, 298 p.
4. LEMAY, Michel. « Qu'est-ce que la résilience ? » Virage, [En ligne], vol. 6, n° 2, hiver 2000. [http://www.acsm-ca.qc.ca/virage/dossiers/la-resilience.html] (Page consultée le 12 avril 2003).

Hélène Boissonneault
B. Sc. inf., D.A.P.
Cégep de Limoilou

Marlène Fortin
B. Sc. inf.
Cégep de Limoilou

Chapitre 5

DOULEUR

PLAN DU CHAPITRE

5.1   DÉFINITIONS DE LA DOULEUR. 101

5.2   AMPLEUR DU PROBLÈME
      DE LA DOULEUR. 101

5.3   DIMENSIONS DE LA DOULEUR. 102

5.4   ÉTIOLOGIE ET TYPES DE DOULEUR. . 109

5.5   ÉVALUATION DE LA DOULEUR 111

5.6   PHARMACOTHÉRAPIE
      ANALGÉSIQUE 118

5.7   TRAITEMENT NON PHARMACOLOGIQUE
      DE LA DOULEUR. 128

5.8   PROCESSUS THÉRAPEUTIQUE 134

5.9   BESOINS DU PERSONNEL
      SOIGNANT. 137

OBJECTIFS D'APPRENTISSAGE

APRÈS AVOIR LU CE CHAPITRE, VOUS DEVRIEZ ÊTRE EN MESURE :

- DE DÉCRIRE LES MÉCANISMES NEURAUX DE LA DOULEUR ET DE LA MODULATION DE CELLE-CI ;

- DE DISTINGUER LES TYPES DE DOULEUR NOCICEPTIVE ET NEUROPATHIQUE ;

- DE RECONNAÎTRE LES EFFETS PHYSIQUES ET PSYCHOLOGIQUES DE LA DOULEUR NON SOULAGÉE ;

- D'INTERPRÉTER LES DONNÉES SUBJECTIVES ET OBJECTIVES RECUEILLIES LORS DE L'ÉVALUATION DE LA DOULEUR ;

- DE DÉCRIRE LES TECHNIQUES UTILISÉES POUR SOULAGER LA DOULEUR DANS LE CADRE DU PROCESSUS THÉRAPEUTIQUE ;

- DE DÉCRIRE LES MÉTHODES PHARMACOLOGIQUES OU NON PHARMACOLOGIQUES DE SOULAGEMENT DE LA DOULEUR ;

- D'EXPLIQUER LE RÔLE ET LES RESPONSABILITÉS DE L'INFIRMIÈRE DANS LE SOULAGE-MENT DE LA DOULEUR ;

- DE DISCUTER DES PRÉOCCUPATIONS D'ORDRE ÉTHIQUE ET JURIDIQUE DANS LE SOULAGEMENT DE LA DOULEUR ;

- D'ÉVALUER L'INFLUENCE DE SES PROPRES CONNAISSANCES, CROYANCES ET ATTITUDES À L'ÉGARD DE L'ÉVALUATION ET DU SOULAGEMENT DE LA DOULEUR.

La douleur est un phénomène multidimensionnel complexe. La compréhension de ce phénomène évolue en fonction des recherches effectuées par des scientifiques œuvrant dans de nombreuses disciplines, dont les sciences infirmières. Une meilleure connaissance des mécanismes de la douleur fournit aux professionnels de la santé bon nombre de stratégies pour la soulager. Afin de choisir la stratégie qui sera la plus efficace, il est important d'aborder le client qui éprouve de la douleur d'un point de vue holistique. Ce chapitre présente les connaissances actuelles au sujet de la douleur et de son soulagement afin de permettre à l'infirmière de collaborer avec d'autres professionnels de la santé lors de l'évaluation de la douleur et de son soulagement.

5.1 DÉFINITIONS DE LA DOULEUR

La douleur est définie comme toute sensation décrite par la personne qui l'éprouve et se manifeste lorsque la personne signale cette douleur. Cette définition reconnaît donc la douleur comme une expérience personnelle et intime. Les chercheurs de l'Association internationale pour l'étude de la douleur (IASP) ont proposé une autre définition. Cette définition stipule que la douleur est une expérience sensorielle et émotionnelle désagréable, associée à une lésion tissulaire réelle ou potentielle, ou décrite dans des termes évoquant une telle lésion. Il est important de faire remarquer que les deux définitions présentent la douleur comme étant une expérience subjective.

Cependant, la première définition ne permet pas à l'infirmière de faire suffisamment la distinction entre l'affirmation « Je ressens une douleur au cœur » faite par une personne qui vient tout juste de perdre un être cher ou par une personne qui éprouve une douleur d'angine liée à une cardiopathie. Dans les deux cas, l'infirmière qui s'appuie sur la définition clinique diagnostiquerait une douleur thoracique ; cependant, elle aurait tort de fournir des analgésiques à la première personne sans examen approfondi. En recueillant davantage de données sur ces deux personnes, les interventions pertinentes seraient très différentes. L'infirmière risque moins de faire une mauvaise intervention auprès de ces deux personnes en s'appuyant sur la deuxième définition de la douleur proposée ci-haut pour se guider. L'infirmière examinerait alors l'affirmation du client et prendrait en considération la possibilité que le stimulus lèse le tissu. Par conséquent, cela entraînerait un examen plus poussé pour déterminer la cause du problème, et un traitement approprié serait entrepris à partir de ces renseignements.

En examinant la définition de l'IASP, il est également important de noter que ce ne sont pas tous les stimuli potentiellement dommageables pour les tissus (nocifs) qui provoquent une douleur. C'est pourquoi il est indispensable que l'infirmière puisse faire la distinction entre la douleur et la nociception. La **nociception** est l'activation des neurofibres nociceptrices primaires avec les terminaisons périphériques (les terminaisons nerveuses libres) qui réagissent différemment aux stimuli nocifs (dommageables pour les tissus). La fonction principale des nocicepteurs consiste à détecter et à transmettre les signaux de douleur. La nociception peut être perçue comme de la douleur ou non, selon l'interaction complexe à l'intérieur des cheminements nociceptifs. Lorsque les stimuli nociceptifs sont bloqués, la douleur est imperceptible.

Enfin, il est important de distinguer la douleur ou la nociception de la souffrance. La **souffrance** a été définie comme l'état de détresse grave associé à des événements qui menacent l'intégrité de la personne. La souffrance est une émotion qui évolue à partir de la signification attachée à un événement. La douleur et la souffrance ne sont pas issues des mêmes expériences. La personne qui dit ressentir une douleur au cœur en raison du décès d'un être cher éprouve une souffrance plutôt qu'une douleur, selon la définition de l'IASP. Par contre, les situations suivantes peuvent se produire : la souffrance peut survenir en présence de douleur ; la souffrance peut se produire en l'absence de douleur ; et la douleur peut survenir en l'absence de souffrance. Par exemple, une femme en attente d'une biopsie mammaire peut souffrir en raison de la perte anticipée de son sein. Après la biopsie, il est possible qu'elle éprouve une douleur sans souffrance si la biopsie est négative ou une douleur accompagnée de souffrance si la biopsie révèle la présence d'une tumeur maligne. Bien que les interventions visant à soulager la douleur et la souffrance puissent avoir certains points communs, il est clair que certaines interventions relatives à la souffrance seront insuffisantes pour soulager la douleur, tout comme d'autres interventions relatives à la douleur seront inefficaces pour soulager la souffrance. Par conséquent, il est crucial de diagnostiquer correctement les altérations du bien-être provoquées par la douleur et celles qui résultent de la souffrance. Le présent chapitre porte sur la douleur, et non sur la souffrance.

5.2 AMPLEUR DU PROBLÈME DE LA DOULEUR

La douleur est l'une des raisons les plus courantes pour lesquelles les clients consultent un médecin. Chaque année, de 15 à 20 % des quelque 270 millions d'Américains souffrent de douleurs aiguës, et environ 25 à 30 % éprouvent des douleurs chroniques. Plus de 23 millions de personnes subissent des opérations annuellement et éprouvent de la douleur. Des quelque 1,4 millions d'Américains chez qui on diagnostique chaque année un cancer, 70 % ressentent une douleur modérée à intense. Les Canadiens éprouvent ces divers types de douleur dans des proportions semblables. Selon l'Ipsos Reid National Canadian Pain study 2001, 31 % des Canadiennes et des Canadiens souffrent de douleur chronique ; pour 10 % d'entre eux, la douleur résiste à la prise de médicaments. (La douleur chronique se définit comme une douleur intermittente ou continue qui persiste plus de six mois.)

Un nombre considérable de personnes qui éprouvent de la douleur sont handicapées par celle-ci, ce qui entraîne un grave problème socioéconomique et des problèmes de santé majeurs. Par exemple, la plupart des employés (80 à 90 %) retournent au travail dans les trois semaines suivant une blessure, mais la douleur peut persister ou occasionner des absences prolongées. De plus, la prescription d'analgésiques en doses insuffisantes pour maîtriser la douleur vient aggraver le problème des clients souffrant de douleurs aiguës, notamment la douleur liée au cancer. Les infirmières ont souvent tendance à administrer la plus petite dose d'analgésique, lorsque différents dosages ou analgésiques sont prescrits. Ces pratiques ne parviennent pas à soulager la douleur constante et ne sont pas conformes aux lignes directrices actuelles en matière de soulagement de la douleur.

5.3 DIMENSIONS DE LA DOULEUR

En tant que phénomène multidimensionnel, la douleur est constituée de cinq composantes : affective, comportementale, cognitive, sensorielle et physiologique (voir figure 5.1). Ces composantes sont également appelées :

l'ABC de la douleur. Les émotions liées à la douleur (affective), les réactions comportementales à la douleur (comportementale) et les croyances, les attitudes, les évaluations et les objectifs relatifs à la douleur et à son soulagement (cognitive) altèrent la façon dont la douleur est perçue (sensorielle) en modifiant la transmission des stimuli nociceptifs au cerveau (physiologique). Par conséquent, chaque composante est importante dans l'évaluation et le soulagement de la douleur. La douleur résulte d'interactions complexes entre ces composantes. Il est possible de comprendre cette notion en examinant d'abord la composante physiologique, puis les composantes sensorielle, affective, comportementale et cognitive.

5.3.1 Composante physiologique

Comprendre la composante physiologique de la douleur exige une connaissance de l'anatomie et de la physiologie neurales (influx nerveux). Le mécanisme neural par lequel la douleur est perçue se divise en quatre étapes principales : la transduction, la transmission, la perception et la modulation. La transduction et la transmission s'appliquent au traitement de stimuli nociceptifs. Toutefois, selon le type et le degré de modulation, un stimulus nociceptif peut être perçu comme une douleur ou non. S'il n'y a pas de perception de nociception, il n'y a pas de douleur. La perception et la modulation sont essentielles pour que la douleur soit ressentie.

Transduction. La transduction, première étape du mécanisme de la douleur, se produit au niveau des nerfs périphériques. La transduction est la conversion d'un stimulus mécanique, thermique ou chimique en un potentiel d'action neural (voir figure 5.2). La pression, la chaleur ou les forces chimiques dommageables pour les tissus déclenchent un potentiel d'action, ce qui a pour effet d'activer la fibre nerveuse périphérique. Une fois qu'un potentiel d'action a été enclenché, les renseignements sont transmis au système nerveux central (SNC).

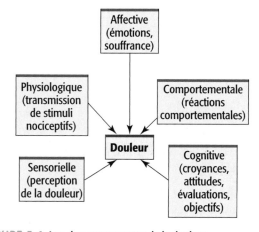

FIGURE 5.1 Les cinq composantes de la douleur

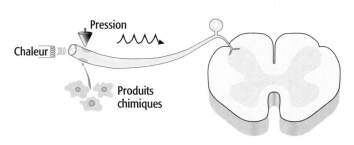

FIGURE 5.2 Les fibres nerveuses périphériques sont sensibles à la chaleur directe, à la pression mécanique et aux produits chimiques libérés pour réagir aux lésions tissulaires.

Activation chimique. Pour comprendre la transduction des stimuli nociceptifs chimiques, il est utile d'examiner le micro-environnement qui entoure chaque neurofibre nociceptive primaire. Lorsqu'un traumatisme tissulaire survient et que des cellules sont endommagées, divers produits chimiques sont libérés dans la région entourant les neurofibres nociceptives. Certains de ces produits chimiques activent (p. ex. la bradykinine, la sérotonine, l'histamine, le potassium, la norépinéphrine) ou sensibilisent (p. ex. les leucotriènes, les prostaglandines, la substance P) les neurofibres nociceptives pour transmettre un signal à la moelle épinière. En d'autres termes, les produits chimiques stimulent les neurofibres nociceptives et déclenchent un potentiel d'action vers la moelle épinière. Plusieurs détails sont résumés au tableau 5.1 afin de faciliter la compréhension de ce mécanisme.

Lorsqu'elles sont activées et déclenchent un potentiel d'action, les neurofibres nociceptives sont en mesure de libérer des produits chimiques dans les tissus

TABLEAU 5.1　Mécanismes neuraux de la douleur : facteurs stimulateurs et facteurs inhibiteurs

Structure anatomique	Neurotransmetteurs, produits neurochimiques ou récepteurs	Effet immunorégulateur sur la transmission : facilitant (F), inhibiteur (I)	Pharmacothérapie : effet stimulant (soulage la sensation de douleur)	Pharmacothérapie : effet inhibant (soulage la sensation de douleur)
SYSTÈME NERVEUX PÉRIPHÉRIQUE **Terminal de neurofibre nociceptive**		**Transduction**		
	Leucotriènes	F, sensibilise		Corticostéroïdes Kétoprophène
	Prostaglandines	F, sensibilise		AAS, AINS
	Potassium	F, active		ND
	Histamine, bradykinine	F, active		Antihistaminiques
	Sérotonine	F, active		ND
	Substance P	F, active		ND
	Endorphines	F, sensibilise I	Opiacés	Capsaïcine
Fibre		**Transmission**		
	Échange entre le Na+ et le K+ à travers la membrane	F, du potentiel d'action au SNC		Mexilétine (Mexitil) Tocaïnide, EMLA
SYSTÈME NERVEUX AUTONOME		**Transduction**		
	Norépinéphrine	F, sensibilise État nociceptif F, active État neuropathique		Anxiolytiques, relaxation
MOELLE ÉPINIÈRE		**Transmission**		
	Substance P, glutamate, autres	F, jusqu'à la cellule émettrice (neurone de deuxième ordre)		Opiacés
	NMDA	F, avec enroulement		Kétamine
	Sérotonine (5HT$_{1B}$ et 5HT$_2$)	I	ADT	
		I	ADT	
	Norépinéphrine	I	ADT, clonidine	
	μ	I	Opiacés agonistes (p. ex. morphine)	
	δ	I	Opiacés agonistes	
	κ	I	Opiacés antagonistes-agonistes	
	GABA$_A$		Baclophène	
	GABA$_B$	I	Benzodiazépines	
CERVEAU	Substance P, glutamate, autres	F, **transmission** vers le neurone de troisième ou de quatrième ordre		Opiacés

Tous droits réservés DJ Wilkie, 1998.
AAS : aspirine ; SNC : système nerveux central ; EMLA : préparation eutectique d'anesthésique local ; K+ : potassium ; ND : non disponible ; Na+ : sodium ; AINS, anti-inflammatoires non stéroïdiens ; NCP : nocicepteur centripète primaire ; ADT : antidépresseurs tricycliques ou autres médicaments inhibiteurs de recaptage ; NMDA : récepteur N-méthyl D-aspartate.

périphériques. La substance P est un type de produit chimique stocké dans les terminaux distaux des neurofibres nociceptives. Lorsqu'elle est libérée des neurofibres nociceptives, la substance P sensibilise celles-ci, dilate les vaisseaux sanguins avoisinants ayant pour conséquence la production d'œdème et la libération d'histamine en provenance des mastocytes.

Enfin, l'activation du système nerveux autonome (SNA) contribue à la transduction des neurofibres nociceptives en libérant de la norépinéphrine et en synthétisant des prostaglandines. La norépinéphrine, neurotransmetteur principal du système nerveux sympathique, permet d'activer une neurofibre nociceptive si cette dernière a été lésée.

Types de fibres nerveuses périphériques. Les nerfs sensoriels périphériques transmettent des signaux non douloureux ou nocifs (dommageables pour les tissus) à la moelle épinière. Les fibres A-δ et C émettent des signaux nocifs et sont connues sous le nom de neurofibres nociceptives. Les neurones qui s'étendent de la périphérie à la moelle épinière sont appelés neurones de premier ordre. Bon nombre de nocicepteurs ne réagissent pas aux stimuli nocifs jusqu'à ce qu'une réaction inflammatoire se produise dans le tissu environnant. Ces nocicepteurs « silencieux » ou « dormants » réagissent à la fois aux signaux nocifs et non douloureux lorsque le tissu est enflammé.

Les diverses fibres ont des caractéristiques différentes (voir tableau 5.2). Les fibres A-α et A-β sont larges et entourées d'une gaine de myéline, ce qui leur permet de transmettre rapidement des signaux. Les fibres A-δ sont des fibres plus petites qui comportent également une gaine de myéline. En raison de leur plus petite taille, ces fibres transmettent les signaux plus lentement que les fibres A-α et A-β. Cependant, parmi toutes les fibres, les fibres C sont celles qui transmettent l'influx nerveux le moins rapidement, car elles sont amyéliniques et de plus petite taille que les autres. Les vitesses de conduction sont importantes puisque les renseignements acheminés vers la moelle épinière par les fibres A-α et A-β sont transmis plus rapidement aux cellules de la corne dorsale que les renseignements acheminés par les fibres A-δ ou C. La vitesse de conduction a des répercussions importantes sur la modulation des renseignements dommageables fournis par les cellules A-δ et C. Ce sujet sera abordé plus loin dans le présent chapitre.

La stimulation des diverses fibres entraîne des sensations différentes. Une douleur touchant les fibres A-δ est décrite comme piquante, vive, bien localisée et de courte durée. Une douleur liée aux fibres C est décrite comme vague, douloureuse et intense, et est caractérisée par sa nature diffuse, son début lent et sa durée assez longue. Les fibres A-α (muscles) et A-β (peau) transmettent habituellement des sensations non douloureuses, telles qu'une légère pression aux muscles profonds, un léger toucher à la peau et une vibration. Toutes ces fibres se retrouvent dans les ganglions des racines dorsales pour atteindre la corne dorsale de la moelle épinière où diverses connexions sont établies (voir figure 5.3).

Les fibres A-β établissent des connexions (ou synapses) dans la corne dorsale spinale, tout près des synapses des fibres A-δ et C (voir figure 5.3). Ces connexions signifient que les données issues des fibres touchées peuvent entrer dans la moelle épinière et communiquer avec les cellules qui acheminent les données nociceptives. Cette notion est importante pour le soulagement non pharmacologique de la douleur qui sera abordé plus loin.

TABLEAU 5.2	Caractéristiques des fibres nerveuses périphériques		
Type de fibre	Taille	Myélinisation	Vitesse de conduction*
A-α	Large	Myélinisée	Rapide
A-β	Large	Myélinisée	Rapide
A-δ	Petite	Myélinisée	Moyenne
C	Plus petite	Non myélinisée	Lente

* La vitesse de conduction est importante puisque les informations transmises à la moelle épinière par les fibres nerveuses plus rapides communiqueront avec les cellules de la corne dorsale plus rapidement que si les informations sont transmises par les fibres plus lentes.

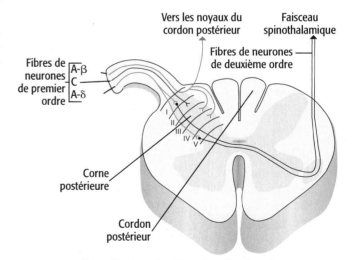

Neurofibres nociceptives de racine dorsale

FIGURE 5.3 Les neurones afférents primaires se diffusent vers la corne dorsale (lames I à IV) de la moelle épinière. Ces fibres se joignent par synapse aux cellules émettrices et aux interneurones.

Transmission. Une fois que les neurofibres nociceptives ont été captées, le potentiel d'action neural doit être transmis au SNC et le traverser avant que la douleur ne soit perçue. La transmission des signaux nociceptifs se fait en trois étapes : l'émission des signaux au SNC ; le traitement des données dans la corne dorsale de la moelle épinière ; et la transmission au cerveau (p. ex. à travers le tronc cérébral et le thalamus jusqu'au cortex). Chaque étape du processus de transmission est importante dans la perception de la douleur.

Mécanisme d'émission vers le système nerveux central. Une fois que le terminal des neurofibres nociceptives est capté, leur membrane se dépolarise, le sodium pénètre dans la cellule et le potassium est expulsé pour générer un potentiel d'action. Ce potentiel s'étend rapidement le long du neurone, plus rapidement pour les axones myélinisés que pour les axones amyéliniques. La transmission du potentiel d'action sur toute la longueur du neurone est nécessaire pour permettre à la cellule de livrer le signal nociceptif aux cellules de la moelle épinière.

Cependant, le potentiel d'action peut être inhibé si les canaux ioniques sont inactivés. Les médicaments connus sous le nom de stabilisateurs de membrane permettent d'inactiver les canaux sodiques et de perturber le potentiel d'action le long de l'axone des neurofibres nociceptives. Certains médicaments coanalgésiques, tels que les anesthésiques locaux (lidocaïne [Xylocaine], bupivacaïne [Marcaine] et mexilétine [Mexitil]) et les anticonvulsivants (gabapentine [Neurotin], phénytoïne [Dilantin], carbamazépine [Tegretol] et clonazépam [Rivotril]), empêchent la transmission par l'intermédiaire de ce mécanisme. Les anesthésiques locaux de concentration diluée sont efficaces pour bloquer la transmission de petites fibres, sans affecter la sensation non douloureuse ni la fonction motrice. Toutefois, une plus forte concentration d'anesthésiques locaux est nécessaire pour bloquer les fibres de plus gros calibre.

Il est important de comprendre qu'un neurone s'étend sur toute la distance à partir de la périphérie jusqu'à la corne dorsale de la moelle épinière sans synapse. Par exemple, une fibre nociceptive qui part de l'orteil pour atteindre la moelle épinière en passant par la cinquième racine nerveuse lombaire ne forme qu'une seule cellule. Une fois qu'un potentiel d'action est déclenché, il se rend jusqu'à la moelle épinière à moins d'être bloqué par un inhibiteur de canal sodique ou perturbé par une lésion dans la terminaison centrale de la fibre (p. ex. une lésion à la zone d'entrée de la racine dorsale). Ainsi, il est possible de prévenir le déclenchement du potentiel d'action en ayant recours à des traitements visant à modifier l'environnement et la sensibilité.

Les fibres A-α, A-β, A-δ et C s'étendent des tissus périphériques à la corne dorsale de la moelle épinière en passant par le ganglion de la racine dorsale (voir figure 5.3). La façon dont les fibres nerveuses pénètrent dans la moelle épinière joue un rôle important dans la notion de dermatomes dorsaux (voir figure 5.4). Chaque racine nerveuse innerve un segment précis du corps, pouvant parfois être très éloigné de la région où le nerf pénètre dans la moelle épinière. Même si les fibres entrent dans le segment spinal associé à la racine nerveuse par laquelle elles gagnent la moelle épinière, les fibres A-δ et C transmettent des dendrites vers le cerveau ou vers le bas pour deux à quatre segments spinaux. Par conséquent, il est possible qu'une fibre communique avec un maximum de neuf segments spinaux.

Traitement du message au niveau de la corne dorsale. Quand il atteint le SNC, le signal nociceptif est traité à l'intérieur de la corne dorsale de la moelle épinière. Ce traitement consiste à libérer des neurotransmetteurs des neurofibres nociceptives dans la fente synaptique. Ces neurotransmetteurs se fusionnent aux récepteurs qui se

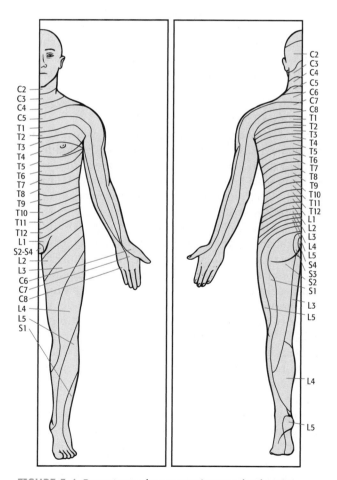

FIGURE 5.4 Dermatomes dorsaux représentant des données sensorielles acheminées par des racines rachidiennes spécifiques
C : cervical ; L : lombaire ; S : sacré ; T : thoracique.

trouvent sur les cellules avoisinantes et sur les dendrites pouvant se retrouver ailleurs dans la corne dorsale. Certains de ces neurotransmetteurs des neurofibres nociceptives déclenchent une activation, tandis que d'autres inhibent l'activation des cellules avoisinantes. Les cellules stimulées par les données des neurofibres nociceptives libèrent d'autres neurotransmetteurs. Les effets de la libération de neurotransmetteurs complexes peuvent faciliter ou inhiber la transmission de stimuli nociceptifs.

La plupart des axones des cellules nerveuses transmettent leur message au côté opposé du cerveau. Elles reçoivent des messages ayant un effet stimulateur ou inhibiteur, dont la somme totale détermine si le message des neurofibres nociceptives sera transmis au cerveau. Ces neurones émetteurs sont également appelés neurones de deuxième ordre.

Les interneurones peuvent aussi avoir un effet stimulateur ou inhibiteur. Il est important de comprendre ce concept puisqu'il permet d'expliquer pourquoi certains traitements non pharmacologiques sont efficaces. Bien que les mécanismes précis n'aient pas été déterminés, on sait que la stimulation des fibres sensorielles de gros calibre (A-β) peut avoir un effet inhibiteur sur les cellules qui émettent des signaux nociceptifs au cerveau.

Les neurones de large gamme dynamique reçoivent des données en provenance de stimuli nocifs, qui sont pricipalement acheminées par les fibres centripètes A-δ et C (surtout à partir de viscères), les stimuli non douloureux provenant de fibres A-β et les données indirectes issues d'émission de dendrites.

La découverte du fait que les neurones de large gamme dynamique reçoivent aussi bien des données de stimuli nocifs que non douloureux assez loin de leur lieu d'origine fournit une explication neurale à l'irradiation de la douleur. Les données provenant des fibres nociceptives et des fibres A-β convergent vers le neurone de large gamme dynamique, et il devient difficile de localiser le lieu d'origine de la douleur lorsque le message est transmis au cerveau. La douleur est donc perçue dans la partie du corps vraisemblablement innervée par la fibre A-β plutôt que par les fibres viscérales A-δ ou C. Il est donc indispensable de prendre en considération le concept de l'irradiation de la douleur, lorsqu'on doit déterminer la localisation de la douleur signalée par la personne souffrant d'une lésion ou d'une maladie touchant les organes viscéraux. Ainsi, le siège de la tumeur peut être loin de la localisation de la douleur signalée par le client (voir figure 5.5). Par exemple, la douleur provenant d'une maladie du foie est localisée à l'hypocondre droit, mais elle irradie souvent vers la région cervicale antérieure ou postérieure et vers le côté postérieur du corps. Par conséquent, un mauvais traitement pourrait être prescrit si on ne tient pas compte de cette irradiation au moment d'évaluer la localisation de la douleur.

Les récepteurs N-méthyle D-aspartate (NMDA) et non-NMDA sont impliqués dans le traitement du message au niveau de la corne dorsale. Les récepteurs NMDA entraînent des altérations dans le traitement neural des stimuli afférents qui peuvent persister pendant de longues périodes. Par conséquent, l'un des principaux objectifs du traitement sera de prévenir la douleur et la plasticité neurale défavorable. Bien que des recherches soient actuellement en cours pour développer des médicaments antagonistes NMDA à des fins cliniques, le seul antagoniste NMDA qui existe actuellement sur le marché est la kétamine (Ketalar), qui est un médicament parfois utilisé en anesthésie.

Voies de transmission de la douleur

Transmission au cerveau. Grâce à une addition suffisante de stimuli (effets stimulateurs nets) sur les cellules émettrices, les stimuli nociceptifs sont communiqués au neurone de troisième ordre, principalement dans le thalamus, et dans plusieurs autres régions du cerveau. Les fibres de cellules émettrices de la corne dorsale peuvent atteindre le cerveau par plusieurs voies, dont le faisceau spinothalamique (FST), le faisceau spinoréticulaire (FSR), le faisceau spinomésencéphalique (FSM), le faisceau spinocervical, le faisceau de colonne dorsale de second ordre (FCDSO) et le faisceau spinohypothalamique. Les voies nociceptives et les connexions synaptiques de chacune de ces voies sont résumées à la figure 5.6.

Des noyaux thalamiques distincts reçoivent des données nociceptives de la moelle épinière et les projettent vers le cortex cérébral, le cortex cingulaire antérieur ou

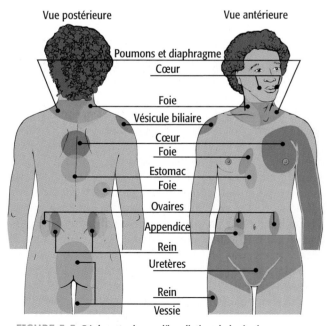

FIGURE 5.5 Régions typiques d'irradiation de la douleur

l'insula. Le cortex somatosensoriel primaire (S1) réagit de façon sélective aux données nociceptives. Des études récentes réalisées à l'aide de la tomographie par émission de positons démontrent que le cortex somatosensoriel est important pour déterminer la localisation, le cycle et l'intensité de la douleur. La tomographie par émission de positons permet de visualiser le cortex frontal, et notamment le cortex cingulaire antérieur, qui joue un rôle dans les éléments affectifs de la douleur. Il a été démontré que l'insula est associée à l'un des éléments des composantes de la douleur.

Perception de la douleur.

Les données nociceptives au niveau du cerveau sont perçues comme une douleur, mais il n'y a pas de région précise du cerveau où la perception de la douleur se produit. On considère plutôt que la perception de la douleur touche plusieurs structures cérébrales. On sait que le cerveau est essentiel à la perception de la douleur. Jusqu'à ce qu'on comprenne clairement où la douleur est perçue, la pratique de soins infirmiers consiste à traiter tout stimulus nocif comme potentiellement douloureux, même chez le client comateux qui ne semble pas réagir aux stimuli dommageables. L'absence de réaction comportementale à de tels stimuli n'indique pas pour autant que la personne ne perçoive pas la douleur. Il est donc important que l'infirmière offre des traitements analgésiques à une personne qui présente des données nociceptives, même si elle ne démontre aucun signe de perception de la douleur ni aucun comportement qui indique de la douleur.

Modulation.

Des mécanismes descendants (efférents) peuvent modifier la transmission de stimuli nociceptifs et la perception une douleur (voir figure 5.7). La modulation peut inclure à la fois l'inhibition et la facilitation des signaux nociceptifs. La modulation des signaux de douleur peut survenir aux niveaux périphérique, médullaire et cervical.

La figure 5.8 présente un résumé des mécanismes inhibiteurs efférents. Dès que les données nociceptives sont perçues comme une douleur, l'inhibition peut se produire au niveau de n'importe lequel des synapses des voies descendantes. Par exemple, les neurotransmetteurs libérés par les fibres descendantes dans la corne dorsale médullaire peuvent empêcher les neurofibres nociceptives de transmettre ses données relatives aux stimuli au neurone de deuxième ordre, ce qui a pour effet de freiner la douleur, même si les neurofibres nociceptives ont été captées et ont transmis un potentiel d'action à la moelle épinière.

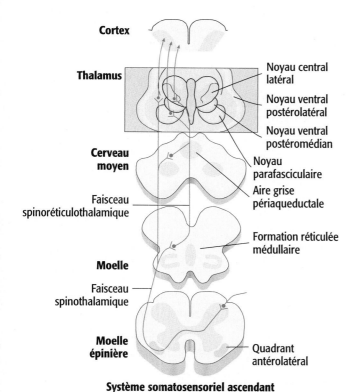

Système somatosensoriel ascendant

FIGURE 5.6 Voies nociceptives et connexions synaptiques de quelques-uns des trajets de la douleur

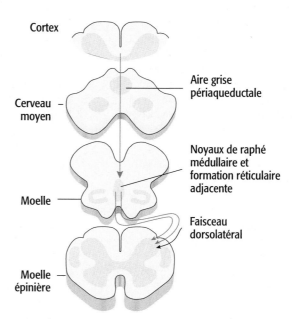

FIGURE 5.7 Schéma du système descendant de modulation de la douleur au niveau des récepteurs de la corne dorsale de la moelle épinière

5.3.2 Dimensions affective, comportementale et cognitive

La douleur est une expérience subjective qui varie d'une personne à l'autre. En raison des mécanismes neuraux complexes du traitement nociceptif, la douleur est perçue comme une expérience sensorielle et affective multidimensionnelle à laquelle sont associées des réactions cognitives et comportementales.

L'élément sensoriel est la reconnaissance d'une sensation comme étant douloureuse. Les éléments sensoriels de la douleur comprennent le mode, la région, l'intensité et la nature. Les renseignements relatifs à ces éléments et la connaissance du mécanisme de la douleur sont indispensables pour prendre les décisions cliniques qui entraîneront un traitement adéquat pour soulager la douleur. La personne qui éprouve de la douleur est considérée comme la spécialiste et la source la plus précise de renseignements au sujet de la sensation douloureuse. C'est également elle qui sait si le traitement prescrit pour moduler le mécanisme de la douleur et bloquer sa perception est efficace.

Par éléments affectifs de la douleur, on entend les sentiments et les émotions qui affectent l'expérience de la douleur. Un client dont la douleur n'est pas soulagée aura souvent des réactions émotives (p. ex. colère, peur, dépression ou anxiété), qui peuvent accroître la libération de norépinéphrine par le système nerveux sympathique et ainsi intensifier la sensation de douleur. À l'opposé, les sensations de joie peuvent diminuer la quantité de douleur perçue par les personnes souffrantes. L'évaluation des émotions qui activent ou contrôlent la décharge sympathique peut aider à déterminer le degré de souffrance qu'éprouvent les clients. Cette étape est importante puisque la souffrance ne sera pas traitée de la même façon que la douleur. Par exemple, les opiacés ne sont pas efficaces contre la souffrance, mais peuvent constituer le traitement privilégié contre la douleur. Les antidépresseurs et les médicaments anxiolytiques, ainsi que les techniques d'écoute active et de relaxation, peuvent être utiles dans le traitement de la souffrance.

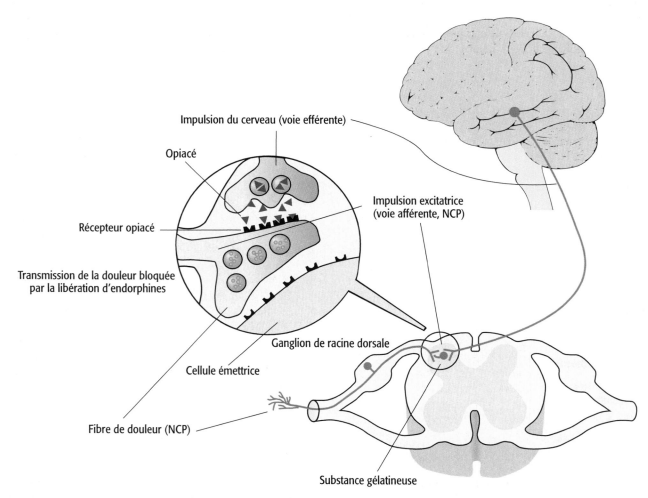

Impulsion du cerveau (voie efférente)

Opiacé

Récepteur opiacé

Transmission de la douleur bloquée par la libération d'endorphines

Cellule émettrice

Fibre de douleur (NCP)

Impulsion excitatrice (voie afférente, NCP)

Ganglion de racine dorsale

Substance gélatineuse

FIGURE 5.8 Voie descendante et réaction des endorphines. Les récepteurs biologiques des encéphalines et des endorphines sont situés près des neurofibres nociceptives et des voies ascendante et descendante de la douleur.

L'élément comportemental de la douleur désigne les gestes que pose le client et la position qu'il adopte pour exprimer ou maîtriser la douleur. Les comportements de soulagement de la douleur permettent au client de l'atténuer, d'en prévenir le déclenchement, d'en réduire la durée et de la tolérer. Par exemple, le fait de regarder la télévision ou de parler avec des amis, le personnel soignant ou des membres de sa famille peut aider le client à oublier sa douleur et être un moyen de soulagement efficace. La façon dont le client se conforme ou s'adapte aux plans de traitement analgésique constitue également un aspect important de son comportement face à la douleur. La douleur peut nuire aux comportements habituels qui apportent de la joie et de la satisfaction au client. L'incapacité de faire certaines activités à cause de la douleur a été associée à des émotions négatives accrues, comme l'anxiété.

L'élément cognitif de la douleur désigne les sens, les croyances, les attitudes, les expériences passées, les attentes face à une affection (p. ex. une chirurgie élective) ou une maladie (p. ex. un cancer), ainsi que la douleur qui influe sur la réaction du client au traitement de la douleur. Les objectifs et les attentes du client à l'égard du soulagement de la douleur et des résultats du traitement sont essentiels pour comprendre les aspects cognitifs de la douleur. Cependant, les objectifs du traitement doivent être réalistes et atteignables en fonction du client, du personnel soignant et de l'environnement. Le fait de déterminer l'objectif optimal (habituellement 0 douleur) et l'objectif qui satisfait le client (habituellement de 1 à 4 sur une échelle de 0 à 10) permet d'évaluer le progrès réalisé pour atteindre le soulagement de la douleur. L'état de conscience (niveau de sédation), la démence, le souvenir d'une douleur passée, la source de motivation (reconnaissance de contrôle interne par opposition à reconnaissance de contrôle externe) et les ressources cognitives offertes pour s'adapter à la douleur peuvent influencer considérablement la douleur éprouvée par la personne.

Résumé du mécanisme de la douleur. Le mécanisme de la douleur comprend les mécanismes neuraux liés à la transduction, la transmission, la perception et la modulation. Bien qu'ils représentent des systèmes complexes qui ne sont pas encore entièrement compris, ces mécanismes fournissent un début d'explication quant aux nombreux types de douleur signalés par des personnes présentant des lésions tissulaires comparables. Ces mécanismes ont déjà été décrits en 1965 dans la « théorie du portillon », qui précise que le résultat de l'activation des récepteurs nociceptifs n'est pas totalement prévisible. Le degré de douleur perçue par un client peut varier considérablement selon le contexte de la situation. Ce dernier peut comporter des variables physiologiques, sensorielles, affectives ou comportementales additionnelles, dont on ne peut actuellement mesurer les effets sur le plan physiologique.

5.4 ÉTIOLOGIE ET TYPES DE DOULEUR

Lorsqu'un client éprouve une douleur, on doit en chercher la cause afin de pouvoir l'éliminer dans la mesure du possible. L'infirmière doit observer le client afin de déceler les signes physiques de la source de la douleur, tels qu'un traumatisme, une inflammation, une ischémie, une distension ou la perforation d'un organe viscéral ou un spasme musculaire. Dans bien des cas, il peut y avoir une source de douleur secondaire. Par exemple, le client en période postopératoire peut avoir, en plus d'une incision chirurgicale (touchant les tissus somatiques), une vessie distendue. Il est particulièrement important de chercher la cause de la douleur dès le début d'un nouvel épisode ou d'un épisode récidivant de douleur aiguë. Il faut se rappeler que les personnes souffrant de douleur chronique non cancéreuse ou de douleur cancéreuse peuvent également ressentir une douleur aiguë reliée à l'affection ou non. Il est important de ne pas négliger les plaintes de douleur du client, s'il est impossible de déterminer l'étiologie de la douleur à partir de signes physiques et d'épreuves diagnostiques. La douleur doit faire l'objet d'une évaluation complète et elle doit être traitée.

5.4.1 Types de douleur

L'étiologie de la douleur peut influencer considérablement les réactions affectives, comportementales et cognitives, et par conséquent, la façon dont la douleur est ressentie. Le client peut éprouver une douleur causée par une affection aiguë, bénigne, chronique ou maligne. Les causes peuvent être regroupées en deux types de douleurs distinctes : les douleurs nociceptives et les douleurs neuropathiques (voir tableau 5.3). La douleur nociceptive est causée par une lésion du tissu somatique ou viscéral. La douleur neuropathique est causée par une lésion aux cellules nerveuses ou par une anomalie fonctionnelle de la moelle épinière. Certaines causes de douleur peuvent être traitées, car il est possible de déterminer et de réparer la lésion ou de la guérir. Par contre, il existe d'autres causes de douleur qui ne peuvent être traitées, mais qu'il est possible d'atténuer pour permettre au client de se sentir mieux.

Douleur aiguë. La douleur nociceptive aiguë survient subitement après une lésion ou une maladie ; elle persiste jusqu'à la cicatrisation et est souvent intensifiée par l'anxiété ou la peur. Par exemple, les entorses, les fractures, les brûlures, les crises douloureuses dépranocytaires, les céphalées de tension, l'angine instable et les

TABLEAU 5.3 Classification de la douleur d'après la pathologie	
Douleur nociceptive	**Douleur neuropathique**

I. *Douleur nociceptive*. Traitement normal des stimuli qui atteignent les tissus normaux ou ont le potentiel de le faire, si les stimuli se prolongent ; habituellement sensible aux narcotiques et aux non-narcotiques.
 	
A. Douleur somatique. Prend naissance dans l'os, l'articulation, le muscle, la peau ou le tissu conjonctif. Habituellement, elle est qualitativement douloureuse et lancinante et elle est localisée.
 	
B. Douleur viscérale. Prend naissance dans les viscères, tels que le tractus gastro-intestinal et le pancréas. Elle peut être subdivisée :
 	
   1. Implication d'une tumeur à la capsule de l'organe entraînant une douleur assez bien localisée ;
 	
   2. Obstruction des viscères, entraînant des crampes intermittentes et une douleur diffuse.
	II. *Douleur neuropathique*. Traitement anormal de l'entrée sensorielle par le système nerveux central ou périphérique ; le traitement comprend habituellement des analgésiques d'appoint.
	
	A. Douleur d'origine centrale
	
	   1. Douleur de désafférentation. Lésion au système nerveux périphérique ou au système nerveux central. *Par exemple* : la douleur fantôme (algohallucinose) peut refléter une lésion au système nerveux périphérique ; une douleur cuisante sous le niveau d'une lésion de la moelle épinière indique une lésion au système nerveux central.
	
	   2. Douleur maintenue par le système sympathique. Associée à la mauvaise régulation du système nerveux autonome. *Par exemple* : peut comprendre certaines douleurs associées à la dystrophie ou à la causalgie sympathique réflexe ou les deux (syndrome algodystrophique, de type I, II).
	
	B. Douleur d'origine périphérique
	
	   1. Polyneuropathies périphériques douloureuses. La douleur est ressentie le long de nombreux nerfs périphériques. *Par exemple* : neuropathies diabétiques, alcooliques ou nutritionnelles ou associées au syndrome de Guillain-Barré.
	
	   2. Mononeuropathies douloureuses. Habituellement associées à une blessure nerveuse périphérique connue ; la douleur est ressentie au moins partiellement le long du nerf atteint. *Par exemple* : compression de la racine nerveuse, compression chronique, névralgie faciale.

Modifié de McCaffery M, Pasero C : *Pain: Clinical Manual*, ed. 2, St. Louis, 1999, Mosby ; données tirées de Max MB, Portenoy RK: *Methodological Challenges for Clinical Trials of Cancer Pain Treatments.* Dans Chapman CR, Foley KM, editors : *Current and Emerging Issues in Cancer Pain: Research and Practice*, New York, 1993, Raven Press ; et Portenoy RK: *Neuropathic Pain.* Dans Portion RK, Kenner RM, editors: *Pain Management: Theory and Practice*, Philadelphia, 1996, FA Davis.

incisions sont des états qui provoquent une douleur nociceptive aiguë. Sans traitement préalable, la douleur aiguë augmente pendant les soins d'une plaie, la mobilisation d'un client, la marche, la toux et la respiration profonde. Une douleur aiguë qui n'est pas traitée efficacement peut se transformer en douleur neuropathique aiguë ou en douleur nociceptive chronique.

Douleur chronique non cancéreuse. Une douleur chronique non cancéreuse persiste pendant une longue période, et sa cause ne peut faire l'objet d'aucun traitement précis. Une douleur nociceptive chronique est associée à une affection tissulaire prolongée ou à une douleur qui persiste au-delà de la période normale de cicatrisation pour une lésion ou une maladie aiguë. L'angine, la goutte, la bursite, la diverticulite, la gastrite et la pancréatite sont au nombre des affections qui provoquent une douleur nociceptive chronique. La douleur neuropathique chronique est associée à des anomalies du système nerveux périphérique ou du SNC qui provoquent une douleur de longue durée après la guérison de la lésion initiale. La lombalgie, la neuropathie diabétique, la fibromyalgie et la douleur du membre fantôme sont des affections pouvant entraîner une douleur neuropathique chronique. Bien souvent, les anomalies

sont impossibles à déceler au moyen des méthodes de diagnostic usuelles. La dépression, la frustration, la colère et la peur liées à la douleur chronique sont courantes.

Douleur maligne. La douleur maligne est souvent un mécanisme complexe et progressif. Elle peut être de nature aiguë ou chronique, ou les deux à la fois. Les causes d'une douleur maligne résistent souvent au traitement. Par exemple, l'arthrite et le cancer sont des maladies qui produisent certains types de douleur maligne. L'atteinte tumorale d'une racine nerveuse ou d'un plexus (p. ex. brachial ou sacré) est une cause fréquente de douleur neuropathique maligne. La douleur nociceptive maligne réagit mieux aux traitements palliatifs que la douleur neuropathique maligne. Bien que tous les types de douleur maligne soient décrits comme non traitables, la douleur peut être soulagée. Le client qui souffre d'une douleur maligne non soulagée décrit souvent celle-ci comme étant épuisante et perturbante sur le plan de l'humeur, des relations familiales et de la qualité de vie.

Une douleur non soulagée causée par le mécanisme nociceptif ou neuropathique est potentiellement dangereuse pour le bien-être d'une personne. Une douleur non soulagée peut avoir de nombreuses répercussions physiques, psychologiques, sociales et économiques. Le tableau 5.4 répertorie certains des effets d'une douleur non soulagée. L'un des rôles importants de l'infirmière consiste à reconnaître les dangers de la douleur non soulagée qui menacent la vie du client, car il ne s'agit pas que d'une sensation agaçante et désagréable. L'infirmière aide à prévenir les conséquences de la douleur non soulagée en évaluant la douleur et en se servant des renseignements recueillis pour traiter la douleur.

5.5 ÉVALUATION DE LA DOULEUR

Les objectifs de l'évaluation de la douleur consistent à :
- identifier la cause de la douleur (étiologie) ;
- comprendre l'expérience sensorielle, affective, comportementale et cognitive de la douleur du client en vue d'appliquer les techniques de soulagement de la douleur ;
- établir des objectifs avec le client en ce qui a trait au traitement et aux ressources d'autogestion de la douleur.

C'est souvent l'infirmière qui est chargée de recueillir les données relatives à l'évaluation, de consigner les informations et de prendre des décisions avec le client et les autres professionnels de la santé à l'égard du soulagement de la douleur.

5.5.1 Spécialiste de la douleur

Le client qui éprouve de la douleur, et non les professionnels de la santé, est l'expert en matière du cycle, de la région, de l'intensité et de la nature de la douleur, ainsi que du degré de soulagement procuré par le traitement. Souvent, le client pense que les professionnels de la santé connaissent le degré de douleur qu'il éprouve. Cependant, l'infirmière doit lui expliquer qu'elle ne peut présumer de sa douleur et que c'est lui l'expert en cette matière. Le client doit reconnaître son expertise et partager ses connaissances avec les professionnels de la santé afin d'établir le meilleur traitement pour sa douleur. Responsabiliser le client à participer activement en signalant toute information sur sa douleur constitue une excellente intervention de soins infir-

TABLEAU 5.4	Dangers d'une douleur aiguë non soulagée	
Système ou appareil	Réactions physiopathologiques à la douleur aiguë non soulagée	Complications
Respiratoire	Les spasmes musculaires réflexes et les contractures musculaires antalgiques entraînent une diminution du volume courant, de la capacité vitale, de la capacité résiduelle fonctionnelle et de la ventilation alvéolaire.	L'atélectasie et la perturbation des échanges gazeux entraînent une hypoxémie et une pneumonie.
Cardiovasculaire	L'hyperactivité sympathique entraîne une augmentation de la fréquence cardiaque, de la résistance vasculaire périphérique, de la pression artérielle et du débit cardiaque, de même qu'une diminution du temps de remplissage diastolique et une vasoconstriction coronarienne.	L'augmentation du travail cardiaque, l'utilisation accrue d'oxygène myocardique et la diminution de l'apport en oxygène au myocarde augmentent le risque d'hypoxémie, d'ischémie myocardique et d'infarctus du myocarde.
Gastro-intestinal	Une augmentation de l'activité sympathique entraîne une augmentation des sécrétions intestinales et du tonus des muscles lisses des sphincters et une diminution de la motilité intestinale.	Stase gastrique, iléus paralytique.
Immunitaire	Réduction du nombre de cellules NK et de la fonction de ces cellules.	Diminution de la résistance de l'hôte, notamment au niveau de la métastase cancéreuse.
Neurologique	Hyperalgésie primaire et secondaire, accompagnée de changements dans les réactions des neurofibres nociceptives au terminal périphérique et dans les modes de communication des cellules du SNC.	Une douleur neuropathique peut se manifester et persister longtemps après la guérison.
Musculosquelettique	Les spasmes musculaires accroissent la douleur, qui par la suite augmente l'activité sympathique, puis la sensibilité des nocicepteurs.	Perturbation du métabolisme musculaire et atrophie musculaire.

Cousins M: Acute and postoperative pain. Tiré de Wall PD, Melzack, editors: *Textbook of pain*, ed 3, New York, 1994, Churchill Livingstone ; Page GG, Ben Eliyahu S: The immune-suppressive nature of pain, *Semin Oncol Nurs* 13:10, 1997 ; et Willis WD, Westlund KN: Neuroanatomy of the pain system and of the pathways that modulate pain, *J Clin Neurophysiol* 14:2, 1997.
NK (*natural killer*) : cellules tueuses normales.

miers. La quantité de douleur tolérée (tolérance à la douleur) varie considérablement d'une personne à l'autre, probablement à cause de la variabilité de la modulation de la douleur et aussi de la culture.

5.5.2 Processus d'évaluation

La nature de la douleur est évaluée efficacement à l'aide d'une démarche en trois étapes. Ces étapes fournissent une façon de trier les renseignements recueillis en fonction de l'état du client et de sa capacité à parler de sa douleur à l'infirmière.

Première étape : évaluation de l'élément sensoriel. La première étape consiste à évaluer les éléments sensoriels de la douleur. Le nombre d'éléments essentiels à l'évaluation varie en fonction du milieu de soins infirmiers. Dans les situations critiques, comme en salle d'urgence ou à l'unité de soins intensifs, chaque client est interrogé au sujet de la localisation et de l'intensité de la douleur, par exemple, avec la **méthode PQRST** (une méthode mnémotechnique d'évaluation de la douleur [voir tableau 5.5]).

Les signes vitaux et les activités motrices sont aussi utilisés pour évaluer la douleur. Cependant, les changements dans ces indicateurs sont difficiles à attribuer de façon précise à la douleur ou à son traitement parce qu'ils peuvent être influencés par d'autres traitements utilisés dans les situations critiques. Les signes vitaux utilisés en situations isolées ne sont pas des indicateurs fiables de la somme de douleur qu'éprouve un client. Des valeurs anormalement élevées peuvent être un indice de douleur accrue et des valeurs normales ou basses peuvent également être présentes lorsqu'un client ressent une douleur atroce. Le signalement de la douleur est, à lui seul, la meilleure mesure de la

douleur pour la personne qui est en mesure de communiquer. Même les clients qui éprouvent une souffrance extrême peuvent indiquer le site et l'intensité de leur douleur.

Dans les situations non critiques, les éléments sensoriels de toute évaluation de la douleur doivent comprendre la cause de la douleur, le temps écoulé depuis son apparition, la région ainsi que l'irradiation, la sévérité et la qualité de la douleur (voir tableau 5.6). Chaque élément est brièvement abordé ci-dessous en tenant compte du type de douleur et de la façon dont l'infirmière utilise les renseignements pour prendre des décisions cliniques au sujet du soulagement de la douleur.

Cycle de la douleur (temps écoulé depuis l'apparition de la douleur). Le début de la douleur (moment) et sa durée (temps) sont des éléments qui font partie du cycle de la douleur. Une douleur aiguë augmente de façon constante pendant les soins d'une plaie, la mobilisation, l'ambulation, la toux et la respiration profonde. Une douleur aiguë liée à une chirurgie ou une lésion a tendance à s'atténuer avec le temps et le rétablissement à mesure que les tissus se cicatrisent. À l'instar de la douleur chronique et cancéreuse, la douleur aiguë augmente souvent la nuit. Un client peut ressentir une douleur en tout temps (douleur constante, ininterrompue), une douleur incidente ou procédurale (douleur lors de gestes ou de certaines interventions comme une ponction lombaire) ou une douleur de percée (douleur qui revient avant la dose analgésique régulière). On peut utiliser ce cycle de douleur pour déterminer la posologie et la dose appropriée (médicament à libération immédiate ou prolongée). Le retour de la douleur avant la fin de l'effet analgésique d'un

TABLEAU 5.5	Évaluation de la douleur selon la méthode PQRST	
Acronyme	**Données cliniques**	**Questions**
P	Provoquée/palliée (facteurs déclenchants)	Comment votre douleur est-elle apparue ? Y a-t-il une activité ou une position qui aggrave ou soulage votre douleur ?
Q	Qualité (caractéristiques)	Décrivez-moi le genre de douleur que vous ressentez. À quoi ressemble votre douleur : à un pincement, à une brûlure, à un serrement ou à une oppression ?
R	Région (localisation)	Où ressentez-vous de la douleur : à la poitrine, à l'estomac, dans le dos ? Est-ce que votre douleur élance ou irradie vers d'autres parties du corps ?
S	Sévérité (degré d'intensité)	Indiquez-moi l'intensité de votre douleur sur une échelle de 0 à 10, 0 signifiant aucune douleur et 10 la pire douleur ressentie ou connue.
T	Temps (début, durée et progression)	Quand avez-vous commencé à ressentir cette douleur. Est-elle constante, intermittente ou progressive ?

Adaptation de GRÉGOIRE, J. GAMACHE, A. « Testez vos connaissances – intervenir auprès d'un client qui présente une douleur rétrosternale », *L'infirmière du Québec*, vol. 6, n° 4 (1999), p.12.

TABLEAU 5.6   Exemple de l'utilisation du PQRST pour différencier les signes et symptômes de divers malaises thoraciques

Malaise	P	Q	R	S	T
Angine de poitrine	*Provoquée par :* efforts physiques, température extrême, émotion, repas lourd *Palliée* habituellement par le repos N.B. : peut se produire au repos dans le cas de certaines variétés d'angine (angine instable, angine de Prinzmetal)	Brûlure, serrement, pesanteur, écrasement, opression, indigestion	Rétrosternale et irradiant dans tout le thorax Irradiation dans 1 ou les 2 bras, le cou et les mâchoires	Intensité légère à modérée Soulagement par la nitroglycérine	Douleur soudaine, graduelle De 5 à 15 minutes Durée : <30 minutes
Infractus	*Provoqué par :* facteurs semblables à ceux de l'angine Survient au repos et à l'effort	Caractéristiques semblables à celles de l'angine	Rétrosternale, précordiale ou dorsale Irradiation dans le thorax, les bras, l'épaule gauche, le cou, les mâchoires, les poignets et les doigts	Intensité variant d'absence de symptôme à forte Soulagement par la morphine plutôt que par la nitroglycérine	Douleur soudaine, constante (6 à 8 heures) Durée : >30 minutes
Musculo squelettique	*Provoqué par :* efforts physiques, pression ou mouvements de la paroi thoracique *Pallié* par des changements de position et une diminution de l'amplitude respiratoire	Sensibilité au toucher	Cartilages chondrocostaux, côtes, sternum Absence d'irradiation	Intensité moyenne à forte Soulagement par les anti-inflammatoires	Douleur soudaine, constante Pouvant durer quelques semaines
Pulmonaire (ex. : embolie pulmonaire)	*Provoqué par :* mouvements respiratoires, inspiration profonde et toux *Pallié* par une diminution de l'amplitude respiratoire	Coup de poignard	Thoracique Irradiation dans le dos, le cou, les rebords costaux et l'épaule du côté affecté	Intensité forte à aiguë Soulagement par des analgésiques	Douleur soudaine, constante Pouvant durer entre 5 à 10 jours
Epigastrique (ulcère)	*Provoqué par :* stress, tabagisme, repas épicé, anti-inflammatoires *Pallié* par la prise d'aliments	Brûlure Lourdeur	Épigastrique gauche Absence d'irradiation	Intensité légère à modérée Soulagement par les antiacides	Douleur graduelle Durée variable
Anxiété	*Provoquée par :* fatigue, stress, émotion intense *Palliée* par le repos et la détente	Coup de poignard Engourdissement et picotement dans les mains	Thoracique gauche Absence d'irradiation	Intensité variable à aiguë Soulagement par les anxiolytiques	Douleur soudaine, graduelle De quelques minutes à quelques jours, selon l'événement déclencheur

GRÉGOIRE, J. GAMACHE, A. « Testez vos connaissances – intervenir auprès d'un client qui présente une douleur rétrosternale », *L'infirmière du Québec*, vol. 6, n° 4 (1999), p.13.

médicament laisse supposer qu'on doit augmenter la dose ou prévoir des doses plus fréquentes (réduire les intervalles entre les doses). Il est possible pour l'infirmière de prendre de nombreuses décisions grâce à ses connaissances portant sur le cycle de douleur.

Région de la douleur. Lorsqu'une personne présente une douleur aiguë, la région de la douleur ainsi que celle de son irradiation doivent attirer l'attention vers une nouvelle lésion ou un nouveau mécanisme indiquant des lésions aux structures profondes. Un client qui souffre d'une douleur chronique peut être en mesure de localiser la douleur avec précision. Cependant, il est fréquent que ce type de client localise la douleur à plusieurs endroits. Un client souffrant de douleur cancéreuse peut ressentir de la douleur dans plusieurs régions du corps, habituellement 2 à 4; toutefois, 14 zones de douleur ont déjà été signalées chez une personne. La région de la douleur permet d'identifier le site et le dermatome d'une lésion ou d'une tumeur. Par exemple, le client atteint de cancer éprouve souvent des maux de dos plusieurs mois avant qu'un dysfonctionnement sensoriel ou vésical n'indique que la croissance tumorale a provoqué une compression de la moelle épinière.

Intensité de la douleur (sévérité). On doit exclure un nouvel état pathologique, lorsque l'intensité de la douleur augmente de façon soudaine. Cependant, on ne doit pas s'abstenir de traiter la douleur jusqu'à ce qu'une évaluation complète du client ait été effectuée. L'infirmière doit se poser la question suivante : « Le diagnostic différentiel ou le traitement médical actuel sera-t-il modifié si la douleur est masquée par le traitement analgésique ? » Si la réponse est négative, il n'y a aucune raison éthique de ne pas offrir un traitement contre la douleur. Il est également important d'évaluer le degré d'intensité de la douleur, lorsqu'elle est moindre (à sa plus faible intensité : 0) et lorsqu'elle est à son paroxysme (à son intensité la plus élevée : 10). Il peut exister une grande variation dans l'intensité de la douleur et les besoins analgésiques entre les clients, même si les lésions tissulaires, les blessures, les interventions ou les processus morbides sont semblables.

Tout comme celle d'une douleur aiguë ou cancéreuse, l'intensité d'une douleur chronique peut varier de 0 à 10. Il est possible que les clients qui éprouvent de la douleur n'utilisent pas le mot *douleur* pour désigner une intensité moyenne ou faible de douleur, mais qu'ils préfèrent plutôt en réserver l'usage pour parler d'une sensation forte ou vraiment intense. Le degré d'intensité de la douleur peut être utile pour choisir les médicaments analgésiques appropriés et accroître les posologies jusqu'au soulagement de la douleur. L'infirmière évalue et note l'intensité de la douleur avant et après chaque traitement analgésique. Elle s'appuie également sur l'intensité de la douleur pour prendre des décisions sur les soins à donner au client pour soulager sa douleur.

Nature de la douleur (qualité). La nature de la douleur est la façon dont le client la ressent. Les clients à qui l'on donne des listes de descripteurs de la douleur utilisent souvent les mots suivants pour la décrire : constante, sensation de brûlure, tiraillement, lourde, vive, fulgurante, en coup de poignard, sensible au toucher, pulsatile, épuisante, agaçante, terrifiante, fatigante, intense, insupportable, harcelante, serrement ou torturante. La nature d'une douleur aiguë et chronique fournit des renseignements sur le type de douleur. Par exemple, une région brûlante et hypersensible ou une douleur vive et fulgurante peuvent indiquer une douleur neuropathique en raison d'une lésion nerveuse. La nature et l'emplacement de la douleur peuvent servir à choisir les analgésiques complémentaires (coanalgésiques) qui permettront de soulager la douleur. Certains types de douleur réagissent mieux au traitement avec certains médicaments que d'autres. Par exemple, une douleur sous forme de sensation de brûlure réagit bien aux antidépresseurs tricycliques comme l'amitriptyline (Elavil), alors qu'une douleur fulgurante réagit souvent au gabapentine (Neurontin) ou à la carbamazépine (Tegretol). L'infirmière aide le client à trouver les mots pour décrire la nature de la douleur, elle les enregistre dans ses notes d'observation pour la continuité des soins et elle prend des décisions concernant l'administration de traitements susceptibles d'être efficaces selon la nature de la douleur. Après avoir évalué les éléments sensoriels de la douleur, il est important d'offrir un traitement pour contrer celle-ci. Si le client ne parvient pas à atteindre le niveau escompté de soulagement de la douleur, on doit procéder à la deuxième étape de la démarche d'évaluation.

Deuxième étape : évaluation complète. La deuxième étape de l'évaluation de la douleur est entreprise lorsque le client n'obtient pas le niveau de soulagement escompté (p. ex. le traitement analgésique initial ne procure pas le soulagement prévu). Cette étape comprend une évaluation complète de la douleur difficile à soulager dans les situations non critiques. En plus de tenir compte des composantes sensorielles, l'évaluation complète de la douleur comprend une évaluation des aspects affectifs, comportementaux et cognitifs du phénomène de la douleur.

Troisième étape : évaluation du suivi. La troisième étape de la démarche consiste à effectuer les évaluations du suivi. L'infirmière évalue les composantes sensorielles de la douleur (le cycle, la région, la sévérité [intensité] et la nature [qualité]), lorsque les soins physiques sont prodigués au client. La sévérité de la douleur est réévaluée au moment du début d'action de l'analgésique, de son pic d'action et de sa durée (le soulagement de la douleur a été stabilisé). Les valeurs de l'intensité de la douleur du début d'action indiquent le début de l'effet analgésique ; au pic d'action, elles déterminent le soulagement maximal obtenu ; la durée révèle le temps de l'effet analgésique. L'infirmière peut utiliser ces trois renseignements pour montrer au médecin les effets réels du médicament, de la dose et de l'intervalle prescrits et ainsi lui indiquer les modifications nécessaires.

Différences de la perception de la douleur du point de vue des clients et des personnes soignantes

ENCADRÉ 5.1

Article : Miaskowski C. et coll. : Les différences en matière de perception de la douleur du point de vue des clients et des personnes soignantes influencent les résultats de ceux-ci, *Pain* 72:217, 1997.

Objectifs : le premier objectif était de déterminer la congruence des résultats relatifs à l'intensité et à la durée de la douleur entre les clients cancéreux à domicile et les soignants naturels. Le deuxième objectif était de déterminer si la congruence ou la non-congruence des évaluations de la douleur entre le client et le soignant naturel était associée à des différences dans les états d'humeur, la qualité de vie et la tension de la personne soignante.

Méthodologie : une étude descriptive à été menée auprès de dyades de clients en oncologie et de personnes soignantes (*n* = 78). Les clients devaient remplir un questionnaire sur les douleurs cancéreuses, un questionnaire sur les états d'humeur (Profile of Mood States [POMS]) et un questionnaire sur la qualité de la vie multidimensionnelle (Multidimensional Quality of Life Scale-Cancer 2). Les personnes soignantes devaient remplir le formulaire POMS, l'index de tension des personnes soignantes (Caregiver Strain Index) et un question-

naire sur les résultats médicaux (Medical Outcome Study Short-Form Health Survey). Les clients ainsi que les membres de leur famille devaient évaluer l'intensité de la douleur éprouvée par le client à l'aide de l'échelle visuelle analogique.

Résultats et conclusions : les clients qui se situaient dans la dyade non congruente éprouvaient une plus grande perturbation de l'humeur et une qualité de vie plus médiocre que les clients dont les évaluations étaient congruentes avec celles de leurs aidants naturels. Les personnes soignantes qui se situaient dans les dyades non congruentes signalaient une tension beaucoup plus grande que les personnes soignantes des dyades congruentes. Les résultats laissent supposer que les différences de perception de l'intensité de la douleur entre les clients et les soignants naturels sont associées à des résultats nuisibles pour le client et l'aidant naturel.

Incidences sur la pratique : il est possible que l'évaluation de la douleur du client faite par la personne soignante ne soit pas la source la plus fiable pour déterminer l'intensité et la durée de la douleur. Lorsque la personne soignante perçoit la douleur du client différemment de ce dernier, le manque de congruence influe à la fois sur le client et sur le soignant.

L'infirmière évalue également les objectifs du client en ce qui a trait au soulagement de la douleur, à la douleur au repos et lors d'activités et d'interventions douloureuses (p. ex. lors des soins d'une plaie). En outre, l'évaluation de l'intensité maximale, minimale et actuelle de la douleur procure un aperçu sur la façon dont la douleur fluctue avec le temps. Chaque nouvelle douleur, notamment la douleur inattendue et intense, doit être évaluée et signalée rapidement. L'évaluation du suivi de la douleur chronique non cancéreuse et de la douleur cancéreuse doit être effectuée régulièrement pour assurer un soulagement efficace et continu de la douleur.

5.5.3 Mesure de la douleur

Une croyance populaire veut que la douleur soit évaluable, mais non mesurable. L'évaluation a été définie comme l'action de déterminer l'importance, la taille ou la valeur d'une chose. Par contre, mesurer représente l'action d'appliquer un système de mesure pour évaluer. Étant donné que la douleur est un phénomène subjectif, bon nombre de professionnels de la santé estiment qu'il est impossible de mesurer la douleur et qu'on ne peut que l'évaluer. Cependant, d'autres phénomènes subjectifs sont considérés comme mesurables. Par exemple, la vision est un phénomène subjectif, mais on peut utiliser un outil ou une échelle de mesure pour

déterminer l'acuité visuelle (l'échelle de Snellen) et la capacité de voir les couleurs. L'idée de mesurer la douleur peut donc s'appliquer d'une façon semblable en utilisant des outils de mesure fiables pour évaluer les éléments de la douleur.

Bien qu'il existe de nombreux outils pour mesurer les éléments sensoriels de la douleur en milieu clinique, il en existe beaucoup moins pour mesurer ses éléments affectifs, comportementaux et cognitifs. Par conséquent, l'infirmière peut mesurer le cycle, la région, la sévérité et la qualité de la douleur et évaluer les composantes affectives, comportementales et cognitives.

Il n'y a aucun outil qui soit, à lui seul, meilleur que les autres pour mesurer les éléments sensoriels de la douleur, bien que certains soient plus faciles à utiliser que d'autres. L'infirmière doit donc tenter de choisir un outil et de l'utiliser régulièrement. Le client et sa famille doivent comprendre l'usage de cet outil afin d'assurer une mesure valide. Ceux-ci peuvent avoir du mal à signaler une douleur à différents professionnels de la santé, si les instruments d'évaluation de la douleur diffèrent d'un service à l'autre à l'intérieur d'un même établissement (p. ex. un service de soins à domicile et un service de soins infirmiers en milieu hospitalier). Aussi, il est possible que certains soignants interprètent mal les renseignements sur la douleur, si le dossier ne fait pas mention de l'outil utilisé. Si l'établissement ne dispose d'aucun instrument précis pour évaluer la douleur, vous pouvez utiliser les outils qui sont proposés ci-dessous car ils ont été testés en fonction de la validité, de la fiabilité et de la faisabilité et qu'ils comprennent aussi un mode d'emploi.

Cycle de la douleur. Le cycle de la douleur est mesuré, au moyen des mots répertoriés au tableau 5.7, pour décrire la façon dont la douleur change avec le temps, l'activité ou d'autres facteurs. Le client est appelé à décrire la douleur en tant que variations d'un cycle constant, intermittent ou transitoire. On lui demande également d'indiquer à quelle date ou à quelle heure la douleur a commencé et combien de temps elle dure pour mesurer le début et la durée d'un épisode douloureux.

La figure 5.9 montre une autre façon pour le client de documenter le cycle de la douleur. Cette méthode permet au client d'indiquer la façon dont l'intensité de la douleur change avec le temps. Une méthode semblable pourrait être utilisée pour documenter les changements sur le plan de la région ou de la sévérité de la douleur.

Région de la douleur. Il est possible pour l'infirmière de localiser la douleur en demandant au client d'identifier les régions douloureuses sur un schéma corporel (voir figure 5.10). Une autre méthode consiste à demander au client de montrer du doigt les endroits où il ressent une douleur ; l'infirmière note ces endroits sur un schéma corporel, ou les décrit au dossier médical du client ou au plan thérapeutique de soins. Il est important que le client informe l'infirmière de l'apparition de tout nouveau site de douleur. Cela peut être un signe de complications.

Intensité de la douleur (sévérité). L'intensité de la douleur peut être mesurée à l'aide d'une échelle de 0 à 10 pour indiquer son importance. Il est possible qu'un client ne

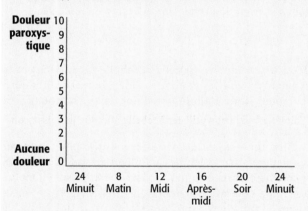

Veuillez tracer une ligne sur le graphique ci-dessous pour montrer la façon dont votre douleur évolue pendant la journée.
Si vous n'éprouvez aucun changement, tracez une ligne droite au niveau approximatif de la douleur.

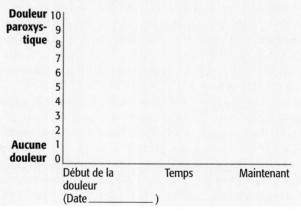

Veuillez tracer une ligne sur le graphique ci-dessous pour montrer, de façon générale, l'évolution de l'intensité de votre douleur depuis qu'elle a commencé.

FIGURE 5.9 Méthode de suivi de la douleur au fil du temps

TABLEAU 5.7	Descripteurs du cycle de la douleur	

De quelle façon votre douleur évolue-t-elle avec le temps ?
Encerclez les mots que vous utiliseriez pour décrire le cycle de votre douleur.

1	2	3
Constante	Rythmique	Brève
Stable	Périodique	Momentanée
Constante	Intermittente	Transitoire

Tiré de Melzack R : Le Questionnaire McGill sur la douleur : principales propriétés et principales méthodes de notation, *Pain* 1:277, 1975.

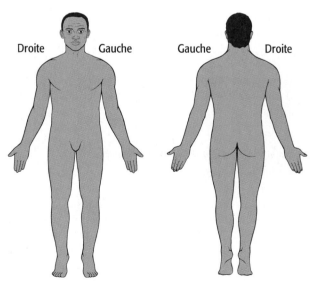

FIGURE 5.10 *Schéma corporel utilisé pour documenter la localisation de la douleur. On demande au client de faire une marque sur les schémas pour indiquer tous les endroits qui sont actuellement douloureux. Le client doit également indiquer où se situe généralement la douleur.*

sache pas intuitivement comment se servir des chiffres pour mesurer la douleur. Le scénario présenté à l'encadré 5.2 s'est avéré utile même avec des enfants de 8 ans et des clients âgés. Le recours à une échelle de la douleur est également très efficace pour surveiller les effets du traitement de la douleur.

L'échelle visuelle analogique est une variante de l'échelle verbale. Elle comporte généralement une ligne droite qui représente un continuum d'intensité de la douleur. Les ancres verbales – aucune douleur à douleur intense ou insoutenable – sont placées tout au long de l'échelle numérique (voir figure 5.11). Une variante de cette échelle, l'échelle de douleur FACES créée par Wong et Baker, permet l'évaluation de la douleur chez l'enfant (voir figure 5.12).

Afin de décrire la sévérité de leur douleur, les clients ont souvent recours à des descripteurs verbaux d'intensité de la douleur, tels que l'échelle de mesure de l'intensité de la douleur (EMID) tirée du Questionnaire McGill sur la douleur (voir tableau 5.7). Ces mots

désignent différents niveaux de douleur pour chaque client. L'infirmière peut utiliser ces valeurs pour clarifier le langage ambigu de l'intensité de la douleur et mieux comprendre le niveau que le client est susceptible d'éprouver lorsqu'un terme donné est employé pour décrire la douleur.

On peut également se servir d'une échelle de mesure de l'intensité de la douleur pour aider le client à se fixer un objectif en matière de traitement analgésique. On peut lui demander quel degré de douleur il souhaite (habituellement 0, un peu de douleur ou aucune douleur) et ce qui est tolérable (souvent un nombre supérieur à ce qui est souhaité). Ces renseignements sont utiles aussi bien au client qu'à l'infirmière pour planifier et évaluer les interventions relatives à la douleur.

Qualité ou nature de la douleur. La qualité de la douleur est mesurée à l'aide d'une liste de descripteurs, tels que ceux énumérés au tableau 5.8. Ces mots représentent ceux qui sont le plus souvent utilisés pour décrire la nature de la douleur et sont tirés d'une liste plus complète, incluse dans le Questionnaire McGill sur

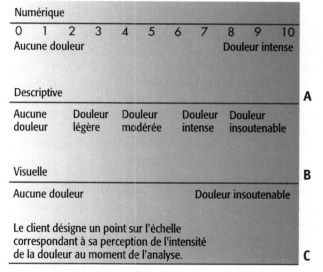

FIGURE 5.11 Échelles d'évaluation de la douleur. A. Échelle numérique d'évaluation de la douleur. B. Échelle descriptive verbale de la douleur. C. Échelle visuelle.

Consignes pour l'utilisation adéquate de l'Échelle de mesure de la sévérité de la douleur (Pain Intensity Number Scale)   ENCADRÉ 5.2

« Je dois connaître le degré de douleur que vous éprouvez. Étant donné que je ne peux pas ressentir votre douleur, j'aimerais que vous utilisiez l'échelle afin que je puisse connaître le degré de souffrance que vous éprouvez actuellement. Les chiffres de 0 à 10 représentent toute la douleur qu'une personne pourrait avoir. Zéro signifie aucune douleur et 10 signifie la pire douleur qui soit. Vous pouvez utiliser n'importe quel nombre entre 0 et 10 pour me faire savoir la sévérité ou l'intensité de votre douleur actuelle. **Exprimez votre douleur*** en choisissant un numéro entre 0 et 10 afin que je connaisse l'intensité de la douleur que vous ressentez en ce moment. »

Tous droits réservés DJ Wilkie, 1990 ; réimprimé avec permission.

* Note : étant donné que les clients ont du mal à savoir ce qu'on attend d'eux lorsqu'on leur demande de coter leur douleur, il est préférable d'utiliser l'expression « exprimez votre douleur » plutôt que « cotez votre douleur ». Ainsi, ils auront plus de facilité à « exprimer » leur douleur par un numéro.

| 0 | 1 | 2 | 3 | 4 | 5 |
| Aucune douleur | Fait un peu mal | Fait un peu plus mal | Fait encore plus mal | Fait vraiment beaucoup mal | Fait le plus mal |

FIGURE 5.12 Échelle de douleur FACES de Wong-Baker

Tiré de Wond DL et coll. : *Whaley and Wong's Nursing care of infants and children*, 4e éd. St. Louis, Mosby, 1998.

la douleur. Le client est appelé à choisir le ou les mots décrivant le mieux sa douleur. S'il ressent une douleur à plus d'un endroit, il peut choisir plusieurs mots par groupe pour indiquer chacune des régions douloureuses. Le nombre de mots choisis est compté en fonction d'un score possible de 0 à 19. Un résultat élevé indique la qualité complexe de la douleur et est associé aux tentatives croissantes du client d'adopter des comportements visant à maîtriser la douleur.

5.5.4 Documentation sur la douleur

Les renseignements relatifs à l'évaluation de la douleur doivent être consignés au dossier du client, et faciles à consulter par tous les professionnels de la santé. Même la meilleure mesure ou la meilleure évaluation de la douleur effectuée par une infirmière aura une valeur moindre si les renseignements ne sont pas partagés avec les autres membres de l'équipe traitante qui sont chargés de donner des soins au client éprouvant de la douleur. D'ici à ce que des formulaires de documentation normalisés soient offerts dans tous les établissements de santé, il est possible d'utiliser les notes d'évolution de l'infirmière et des schémas pour noter les renseignements sur la mesure de la douleur. En général, on peut modifier les sections vierges des schémas pour documenter le type de mots relatifs au cycle de la douleur, qui sont choisis par le client, la région et le nombre de sites de douleur, les indices de qualité et le nombre de mots choisis pour décrire la nature de la douleur. Des outils informatisés de mesure de la douleur sont en développement dans le but de simplifier la démarche pour le client et les professionnels de la santé.

TABLEAU 5.8	Descripteurs de la qualité de la douleur utilisés pour décrire la nature de la douleur

Certains des mots ci-dessous décrivent votre douleur *actuelle*.
Veuillez encercler *uniquement* les mots qui la décrivent le mieux.

1	2	3
Pulsatile	Fatigante	Agaçante
Fulgurante	Épuisante	Accablante
En coup de poignard	Dégoûtante	Intense
Vive	Terrifiante	Insupportable
Tiraillement	Torturante	
Sensation de brûlure		
Sourde		
Sous forme de pression		
Lourde		
Serrement		

Tiré de Wilkie DJ et autres : Use of the McGill Pain Questionnaire to measure pain: a meta-analysis, *Nurs Res* 39:36, 1990.

5.6 PHARMACOTHÉRAPIE ANALGÉSIQUE

Bien que la prescription puisse être faite par le médecin ou l'infirmière de pratique avancée, c'est habituellement à l'infirmière qu'il incombe d'évaluer l'efficacité et les effets secondaires des médicaments prescrits. L'infirmière est également responsable de faire part de l'efficacité de la posologie à la personne autorisée à prescrire les médicaments, de même que de proposer des modifications au besoin. Au moment d'exécuter ces fonctions, l'infirmière fait appel à ses connaissances et à ses compétences en matière de pharmacologie, telles que le calcul des doses d'analgésique équivalent, la posologie des analgésiques, le dosage d'opiacés et le choix de l'analgésique parmi ceux prescrits.

5.6.1 Dose d'analgésique équivalent

L'expression **dose d'analgésique équivalent** désigne une dose d'un analgésique dont les effets sont équivalents à ceux d'un autre. Cette équivalence permet de substituer un médicament à un autre afin de soulager la douleur et de prévenir les effets secondaires de l'un des médicaments. Les tableaux qui décrivent les étapes 1, 2 et 3 des analgésiques comportent des colonnes qui indiquent la dose approximative d'analgésique équivalent des médicaments fréquemment utilisés pour chaque classe (voir tableaux 5.9, 5.10, 5.11 et 5.12). L'infirmière doit utiliser des formules de calcul de médicaments normalisées pour déterminer la dose d'analgésique équivalent requise par un client, lorsque le médicament ou la voie d'administration est modifié.

5.6.2 Posologie des analgésiques

Il est indispensable d'adopter une démarche préventive à l'égard de la douleur. On doit donc administrer un médicament au client avant une intervention ou une activité pouvant être douloureuse. Le médicament aidera à atténuer la douleur et à accroître la participation du client si l'intervention ou l'activité est prévue au moment où l'analgésique atteint son pic d'action. En outre, une plus petite quantité de médicament sera suffisante si on administre un analgésique au client avant que la douleur ne commence à s'intensifier, au lieu d'attendre qu'elle soit à son paroxysme. On doit enseigner au client et à sa famille comment déceler le moment où ils doivent demander un analgésique. L'administration d'un analgésique peut également se faire à des intervalles réguliers, qu'il y ait douleur ou non. Les doses d'analgésiques continues sont particulièrement utiles lorsqu'un client éprouve une douleur constante (p. ex. épidurale continue).

5.6.3 Dosage d'opiacés

L'un des aspects fondamentaux du soulagement de la douleur est le dosage de l'analgésique en fonction de l'effet attendu. Le **dosage d'analgésique** consiste à déterminer la concentration d'une solution, c'est-à-dire la quantité de constituant (mg) contenue dans une substance, dans une dose. Le dosage doit être évalué en fonction de l'effet analgésique attendu par rapport aux effets secondaires qui peuvent survenir. Par exemple, un client à domicile est en mesure de doser l'effet lorsqu'il suit l'ordonnance (p. ex. un à deux comprimés d'Empracet-30 toutes les trois à quatre heures, au besoin). Le client évalue le degré de soulagement de la douleur trois heures après avoir pris un comprimé. S'il ne ressent pas de douleur, il n'a pas à prendre d'autres comprimés. S'il éprouve peu de soulagement, il peut choisir de prendre deux autres comprimés. Il évalue ensuite la douleur après trois ou quatre heures et décide s'il doit en prendre d'autres. Par conséquent, le client dont la douleur constante est soulagée en prenant deux comprimés d'Empracet-30 toutes les 4 heures pourrait adopter ce dosage 24 heures sur 24.

L'infirmière aide souvent le client à prendre des décisions en ce qui a trait au dosage d'analgésiques. Le dosage exige que l'évaluation de la douleur s'effectue selon l'effet souhaité de l'analgésique et les effets secondaires de celui-ci. Il n'y a pas de quantité fixe d'opiacé qui procurera le même soulagement à tous les clients ; la bonne dose est celle qui soulage le client et lui permet d'atteindre son objectif en matière d'intensité de la douleur. Pour commencer le dosage, on peut utiliser la formule 0,05 à 0,1 mg/kg de morphine par voie intraveineuse toutes les 2 heures dans le but de déterminer la concentration de la dose. Un bon dosage fait en sorte que la dose optimale d'analgésique est administrée et permet à l'infirmière de déterminer les conditions dans lesquelles des médicaments supplémentaires ou de substitution pourraient être utiles. Le médecin sera donc en mesure de prescrire le bon médicament en vue de maintenir le dosage efficace.

La dose requise pour soulager la douleur peut varier considérablement. Il est possible que certaines différences reliées à la douleur, au métabolisme médicamenteux, aux interactions médicamenteuses et à d'autres réactions à certains médicaments puissent influer sur la dose requise pour soulager la douleur. Des doses plus élevées peuvent s'avérer nécessaires si la douleur n'est pas soulagée. Il est possible qu'une personne ayant des antécédents de tabagisme ait besoin de plus fortes doses de morphine et de mépéridine (Démérol) pour soulager la douleur. Des facteurs génétiques peuvent également influencer les réactions analgésiques. L'infirmière joue un rôle important en reconnaissant les diverses réactions aux analgésiques et en dosant l'analgésique en fonction de la dose qui soulage la douleur du client.

5.6.4 Choix des analgésiques

Plusieurs groupes nationaux et internationaux ont publié des directives cliniques recommandant un plan systématique dans le cadre de l'utilisation des analgésiques. La figure 5.13 présente l'échelle analgésique proposée par l'Organisation mondiale de la santé (OMS). Le plan systématique exige le traitement simultané de la cause de la douleur, dans la mesure du possible, et l'utilisation de la méthode de l'échelle en trois étapes. Si la douleur persiste ou augmente, les médicaments de l'étape supérieure sont administrés pour soulager la douleur. En présence de douleur chronique non cancéreuse et de douleur cancéreuse, on recommande l'administration de médicaments à partir du bas de l'échelle (c'est-à-dire en montant l'échelle de l'étape 1 à l'étape 3). Dans le cas de douleur aiguë, il est possible d'inverser les étapes en commençant par l'étape supérieure (c'est-à-dire en descendant l'échelle de l'étape 3 à l'étape 1) et en réduisant la dose à mesure que l'effet attendu se produit et que la douleur diminue. L'OMS, de même que plusieurs autres organismes, ont appuyé ce plan.

5.6.5 Échelle analgésique

Médicaments d'étape 1. Lorsque la douleur est légère (de 1 à 3 sur une échelle de 0 à 10), les médicaments non opiacés d'étape 1, l'aspirine et autres salicylates, les anti-inflammatoires non stéroïdiens (AINS) et l'acétaminophène sont utilisés avec ou sans médicament coanalgésique pour soulager la douleur. Les médicaments d'étape 1 peuvent être très efficaces ; ils procurent une analgésie suffisante jusqu'en fin de vie pour près du tiers des clients souffrant de douleur cancéreuse légère à modérée. Les médicaments semblables à l'aspirine et aux AINS procurent une analgésie en bloquant la synthèse de la prostaglandine. L'acétaminophène (Tylenol) ne bloque pas cette synthèse, mais elle produit un soulagement de la douleur au moyen de mécanismes centraux qui ne sont pas encore bien compris. Les propriétés pharmacocinétiques des médicaments d'étape 1 fréquemment utilisés sont répertoriées au tableau 5.9.

Divers analgésiques non opiacés (p. ex. l'acide acétylsalicylique et les AINS) inhibent les produits chimiques qui activent les neurofibres nociceptives comme le montre la figure 5.14. Ainsi, lorsque ces agents sont utilisés, il y a une plus faible transduction de neurofibres nociceptives, ou une plus grande stimulation est nécessaire pour produire la transduction.

Il est possible de se procurer bon nombre de ces médicaments sans ordonnance. Le client peut donc les utiliser sans aucune forme de surveillance médicale. Bien qu'ils puissent être efficaces pour atténuer la douleur légère, les médicaments en vente libre peuvent causer de graves problèmes liés aux interactions médicamenteuses, aux effets secondaires et à la surdose.

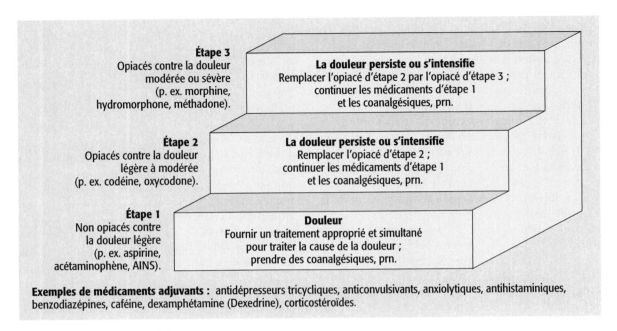

Étape 3
Opiacés contre la douleur modérée ou sévère (p. ex. morphine, hydromorphone, méthadone).

La douleur persiste ou s'intensifie
Remplacer l'opiacé d'étape 2 par l'opiacé d'étape 3 ; continuer les médicaments d'étape 1 et les coanalgésiques, prn.

Étape 2
Opiacés contre la douleur légère à modérée (p. ex. codéine, oxycodone).

La douleur persiste ou s'intensifie
Remplacer l'opiacé d'étape 2 ; continuer les médicaments d'étape 1 et les coanalgésiques, prn.

Étape 1
Non opiacés contre la douleur légère (p. ex. aspirine, acétaminophène, AINS).

Douleur
Fournir un traitement approprié et simultané pour traiter la cause de la douleur ; prendre des coanalgésiques, prn.

Exemples de médicaments adjuvants : antidépresseurs tricycliques, anticonvulsivants, anxiolytiques, antihistaminiques, benzodiazépines, caféine, dexamphétamine (Dexedrine), corticostéroïdes.

FIGURE 5.13 Échelle analgésique de l'OMS
AINS : anti-inflammatoires non stéroïdiens (p. ex. ibuprofène [Motrin], naproxène [Naprosyn], kétorolac [Toradol]).

Même si l'utilisation première des médicaments coanalgésiques n'était pas de servir d'analgésique, il a été démontré qu'ils procurent une analgésie. En fait, les coanalgésiques agissent de diverses façons et leurs actions peuvent être centrales ou périphériques. Cependant,

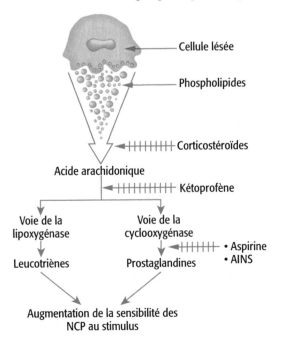

Cellule lésée

Phospholipides

Corticostéroïdes

Acide arachidonique

Kétoprofène

Voie de la lipoxygénase

Voie de la cyclooxygénase

• Aspirine
• AINS

Leucotriènes

Prostaglandines

Augmentation de la sensibilité des NCP au stimulus

FIGURE 5.14 Représentation schématique de deux voies entraînant la production de produits chimiques qui excitent plus facilement les neurofibres nociceptives. Ce schéma montre également les médicaments qui bloquent la synthèse de ces produits chimiques.

leurs propriétés d'action sont différentes de celles de l'acétaminophène, de l'aspirine, des AINS et des opiacés. Par conséquent, il peut être justifiable de combiner certains coanalgésiques (p. ex. des antidépresseurs tricycliques et des anxiolytiques) avec des médicaments d'étape 1 et de les maintenir lorsqu'on accède aux médicaments d'étape 2 ou d'étape 3. En général, les coanalgésiques sont plus efficaces comme analgésiques pour soulager les types de douleur neuropathique que nociceptive. Les propriétés pharmacocinétiques des coanalgésiques fréquemment utilisés sont répertoriées au tableau 5.10.

Médicaments d'étape 2. On recommande les médicaments d'étape 2 lorsque la douleur est d'intensité modérée (4 à 6 sur une échelle de 0 à 10) ou légère et persiste avec des médicaments d'étape 1. La codéine (Empracet), l'oxycodone (Percodan), la pentazocine (Talwin) et l'hydrocodone (Hycodan) sont au nombre des médicaments opiacés d'étape 2. Il est important de poursuivre les médicaments d'étape 1, y compris les coanalgésiques, lorsqu'on passe à l'étape 2. Toutefois, si on utilise des médicaments contenant de l'acétaminophène (Empracet ou Percocet), on doit cesser l'acétaminophène d'étape 1, car une dose supérieure à 4 g d'acétaminophène par jour peut être toxique pour le foie.

Les médicaments d'étape 2 se fusionnent aux récepteurs d'opiacés dans le SNC, et probablement sur les nerfs périphériques, pour bloquer la transmission de signaux nociceptifs. On trouve plusieurs sous-types de récepteurs d'opiacés, qui sont répartis différemment

PHARMACOTHÉRAPIE

TABLEAU 5.9 Analgésique d'étape 1 : pharmacocinétique

Nom générique (Nom commercial)	Dose habituelle (Dose maximale)	Équivalent approximatif	Début d'action (min)	Pic d'action (min)	Durée d'action (h)
Acétaminophène (Tylenol, Tempra)	600 mg PO 600 mg (supp.) (4000-6000 mg/jour)	Aspirin 600 mg	30	60	3-4
Acide acétylsalicylique (Aspirin)	600 mg PO 600 mg (supp.) (5200 mg/jour)	Morphine 2 mg IM	30	60	3-4
Ibuprofène (Motrin, Advil)	200 mg PO (3200 mg/jour)	Aspirin 650 mg	30	60-120	4
Trisalicylate de choline et de magnésium (Trilisate)	2000-3000 mg PO (3000 mg/jour)		5-30	60-180	3-6
Diflunisal (Dolobid)	500 mg PO (1500 mg/jour)	Aspirin 650 mg	60	120-180	8-12
Kétoprofène (Orudis, Rhovail)	25 mg PO (300 mg/jour)	Aspirin 650 mg	30	30-120	6
Naproxène (Naprosyn)	250 mg PO ou IR (1250 mg/jour)	Aspirin 650 mg	60	120-240	6-8
Kétorolac (Toradol)	30-60 mg IM dose de départ (120 mg IM/jour X 5 jours, max. 30 mg IM X 20 doses sur 5 jours)	Morphine 6-12 mg IM	10	60	3-6
Piroxicam (Feldene)	20 mg/jour		60	180-300	>12
Sulindac	400 mg/jour		1-2 jours	60-120	Inconnu
Indométhacine (Indocid)	25 mg PO (200 mg/jour)	Aspirin 650 mg	60	60-120	4
Nabumétone (Relafen)	1000 mg PO (2000 mg/jour)	Aspirin 3600 mg/jour	1-2 jours	Jours-2 sem.	Inconnu
Étodolac (Ultradol)	200-400 mg PO (1200 mg/jour)	Aspirin 650 mg	30	60-120	4-12

Tous droits réservés DJ Wilkie, 1998.
IM : intra musculaire, IR : intra rectal, PO : *per os,* supp. : suppositoire.

dans le système nerveux. Les récepteurs μ, δ et κ sont associés à l'analgésie.

Les opiacés imitent le système inhibiteur descendant en se fixant aux récepteurs d'endorphine endogène (μ, δ, κ) dans le cerveau, le tronc cérébral, la moelle épinière et les tissus périphériques. Les opiacés agissent en hyperpolarisant la membrane cellulaire et en inhibant ainsi la production d'un potentiel d'action. Ils inhibent efficacement les fibres A-δ et C, mais sont moins efficaces dans les états d'activation des récepteurs NMDA. Lorsqu'ils sont administrés en petites doses par voie intrathécale, les opiacés exercent une action analgésique puissante au niveau des synapses de la moelle épinière. Par contre, les opiacés administrés par voie épidurale exercent une action non seulement aux foyers de la moelle épinière, mais aussi aux foyers cérébraux puisqu'une partie importante de la dose est absorbée par les vaisseaux sanguins épiduraux. Les opiacés administrés systémiquement (par voie orale, transdermique, rectale, vaginale, sous-cutanée, intramusculaire

PHARMACOTHÉRAPIE

TABLEAU 5.10 Coanalgésiques d'étape 1 : pharmacocinétique

Nom générique (Nom commercial)	Dose habituelle quotidienne	Début d'action	Pic d'action	Durée d'action (h)
Carbamazépine (Tegretol)	200-1600 mg PO	8-72 h	2-12	Inconnu
Phénytoïne (Dilantin)	300-500 mg PO	2-24 h	1,5-3	6-12
Gabapentine (Neurontin)	900-1800 mg PO	60-120 min	2-4 h	Jusqu'à 24 h
Sumatriptan (Imitrex)	6-12 mg SC	30 min	Jusqu'à 2 h	Jusqu'à 24 h
Amitriptyline (Elavil)	10-150 mg PO	3-4 jours	1-2 sem.	Jours-semaines
Doxépine (Sinequan, Zonalon)	25-150 mg PO	3-4 jours	1-2 sem.	Jours-semaines
Imipramine (Tofranil)	20-100 mg PO	60 min	2-6 sem.	Semaines
Trazodone (Desyrel)	75-225 mg PO	2 sem.	2-4 sem.	Semaines
Paroxetine (Paxil)	20-50 mg PO	3-4 jours	1-2 sem.	Jours-semaines
Hydroxyzine (Atarax)	300-450 mg IM	15-30 min	2-4 h	4-6 h
Lidocaïne	5 mg/kg IV	2 min	2 min	10-20 min
Mexilétine (Mexitil)	200-400 mg PO	30-120 min	2-3 h	8-12 h
Dexaméthasone (Décadron)	16-96 mg PO/IV	2-4 jours	1-2 h	2,75 jours
Dextroamphétamine (Dexedrine)	10-15 mg PO	1-2 h	Inconnu	2-10 h
Méthylphénidate (Ritalin)	10-15 mg PO	Inconnu	1-3 h	4-6 h
Néfazodone (Serzone)	200-600 mg PO	3-4 jours	1-2 sem.	Jours-semaines

Tous droits réservés DJ Wilkie, 1998.

ou intraveineuse) traversent la barrière hémato-encéphalique, pénètrent dans le liquide céphalorachidien et se fusionnent aux récepteurs opiacés sur les nerfs périphériques. Les opiacés ont montré de puissants effets analgésiques, lorsqu'ils sont fixés aux récepteurs périphériques dans les tissus enflammés, mais non dans les tissus intacts.

Certains opiacés se fusionnent à des récepteurs, mais ils ne produisent pas nécessairement un effet au niveau de ceux-ci. On estime que les opiacés agonistes, tels que l'oxycodone et l'hydrocodone, se fusionnent aux récepteurs μ, δ et κ et produisent des effets sur chaque récepteur. Les agonistes pénètrent dans un site récepteur, « stimulent » le site et l'effet du médicament se produit à ce moment. Les opioïdes agonistes-antagonistes, tels que la pentazocine (Talwin), se fusionnent aux récepteurs μ et κ et produisent un effet au niveau du récepteur κ (agoniste) tout en bloquant l'effet du médicament au niveau du récepteur μ (antagoniste). Les médicaments agonistes partiels se fusionnent aux récepteurs opiacés en produisant une réaction corporelle sous-maximale.

Un médicament qui agit à titre d'antagoniste se fixe au site d'un récepteur sans l'activer. Cette fixation empêche tout autre médicament ou transmetteur d'activer le site. Un antagoniste peut également déloger un agoniste de son site récepteur, en contrant ses effets. Par exemple, la naloxone (Narcan) est un antagoniste opiacé (voir figure 5.15).

Les médicaments classés comme agonistes-antagonistes ou comme agonistes partiels ont un effet plafond (c'est-à-dire que des doses plus élevées ne produisent pas d'effets analgésiques supérieurs) et peuvent provoquer un syndrome de sevrage s'ils sont utilisés chez un client physiquement dépendant de médicaments agonistes. Cependant, les médicaments agonistes n'ont pas cet effet plafond. Le dosage peut être aussi élevé que nécessaire pour soulager la douleur. Le tableau 5.11 répertorie la classification des médicaments opiacés d'étape 2 fréquemment prescrits.

PHARMACOTHÉRAPIE

TABLEAU 5.11 Analgésique d'étape 2 : pharmacocinétique

Nom générique (Nom commercial)	Dose habituelle (Dose maximale)	Équivalent approximatif	Début d'action (min)	Pic d'action (min)	Durée d'action (h)
Médicaments opiacés agonistes d'étape 2					
Codéine (avec acétaminophène [Empracet])	30-60 mg PO (200 mg PO)	Aspirine 650 mg Morphine 10 mg IM	30-45	20-120	4
	15-60 mg IM	Morphine 10 mg IM	10-30	30-60	4
Oxycodone ([Supeudol, OxyContin, Oxy-IR], avec acide acétylsalicylique [Endodan, Oxycodan, Percodan], avec acéta-minophène [Endocet, Oxycocet, Percocet])	5 mg PO (30 mg PO)	Codéine 60 mg PO Morphine 10 mg IM	10-15	60	3-4
Hydrocodone (Hydocan)	5 mg PO (30 mg PO)	Morphine 10 mg IM	10-30	3-60	4-6
Mépéridine (Démérol)	50 mg PO (300 mg PO)	Aspirine 650 mg Morphine 10 mg IM Démérol 75 mg IM	15	60-90	2-4
	75 mg IM 50 mg IV	Morphine 10 mg IM Morphine 10 mg IM	10-15 1	30-60 5-7	2-4 2-3
Propoxyphène HCl (642)	65 mg PO	Aspirine 600 mg	15-60	120	4-6
Napsylate de propoxyphène (Darvon-N)	100 mg PO	Aspirine 600 mg			
Médicaments agonistes-antagonistes d'étape 2					
Pentazocine HCl (Talwin)	60 mg IM 60 mg PO (180 mg PO)	Morphine 10 mg IM Aspirine 600 mg Morphine 10 mg IM ou Talwin 60 mg IM	15-20 15-30	30-60 60-90	2-3 3

PO : *per os* ; IM : intramusculaire.
Tous droits réservés DJ Wilkie, 1998.

Médicaments d'étape 3. Les médicaments d'étape 3 sont recommandés contre la douleur modérée à intense (7 à 10 sur une échelle de 0 à 10) ou lorsque les médicaments d'étape 2 ne soulagent pas efficacement la douleur. Les médicaments d'étape 3 comprennent les médicaments opiacés, tels que la morphine et l'hydromorphone (Dilaudid). La mépéridine (Demerol) pourrait être considérée comme un opiacé d'étape 3, mais son usage est limité en raison de la fréquence élevée de neurotoxicité (p. ex. des convulsions) associée à son métabolite, la normepéridine. L'emploi de la mépéridine est contre-indiqué pendant plus de 2 jours ou en fortes doses (plus de 600 mg par 24 heures). Les médicaments d'étape 3 provoquent un effet souhaité, soit l'analgésie, en se fusionnant aux récepteurs opioïdes du SNC et du système nerveux périphérique lorsque les tissus sont enflammés. Le tableau 5.12 répertorie les propriétés pharmacocinétiques des opiacés d'étape 3.

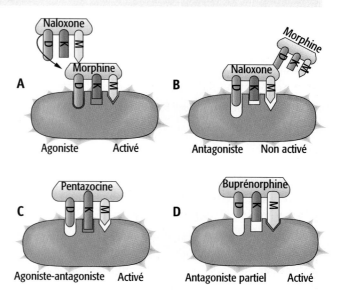

FIGURE 5.15 Sous-types des récepteurs d'opiacés. A. Action agoniste. B. Action antagoniste. C. Action agoniste-antagoniste. D. Action agoniste partielle.

M : récepteur μ ; K : récepteur κ ; D : récepteur δ.

PHARMACOTHÉRAPIE

TABLEAU 5.12 Analgésique d'étape 3 : pharmacocinétique

Nom générique (Nom commercial)	Dose habituelle	Équivalent approximatif	Début d'action (min)	Pic d'action (min)	Durée d'action (h)
Médicaments agonistes d'étape 3 Sulfate de morphine		Morphine 10 mg IM			
À libération immédiate comprimés (Statex), suspension, suppositoires	30 mg supp. 30 mg PO	Morphine 10 mg IM	20-60	120	4-5
À libération prolongée (MS Contin)	30 mg supp.	Morphine 10 mg IM		210	8-12
Injectables	10 mg IM 5 mg IV	Morphine 10 mg IM Morphine 10 mg IM	10-30 5	60 20	4-5 2-4
Oxycodone *À libération immédiate* (Supeudol)	5 mg PO 30 mg PO	Codéine 60 mg PO Morphine 10 mg IM Morphine 30 mg PO	0-15	60	3-4
À libération contrôlée (OxyContin)	30 mg PO	Morphine 30-60 mg PO	30-60	60, 420	12
Méthadone (Métadol)	20 mg PO	Morphine 10 mg IM Méthadone 10 mg IM	30-60	90-120	4-6
Hydromorphone (Dilaudid)	7,5 mg PO 3 mg supp. 1,5 mg IM 1 mg IV	Morphine 10 mg IM Hydromorphone 1,5 mg IM Morphine 10 mg IM Morphine 10 mg IM	30 15-30 15 10-15	90-120 30-90 30-60 15-30	4 4-5 4-5 2-3
Oxymorphone (Supeudol)	1 mg IM 0,5 mg IV 10 mg supp.	Morphine 10 mg IM Morphine 10 mg IM Oxymorphone 1 mg IM	10-15 5-10 15-30	30-90 15-30 60	3-6 3-4 3-6
Fentanyl (Sublimaze, Duragesic)	0,1 mg IM 25-50 µg/h transdermique	Morphine 10 mg IM Morphine 30 mg à libération prolongée q8h	7-15 6 h	20-30 12-24 h	1-2 72
Médicaments agonistes-antagonistes d'étape 3 Butorphanol (Stadol NS) ; voir pentazocine	1 mg intranasal				
Nalbuphine (Nubain) (voir pentazocine)	10 mg IM 10 mg IV	Morphine 10 mg IM Pentazocine 60 mg IM	15 2-3	60 30	3-6 3-4

Tous droits réservés DJ Wilkie, 1998.

5.6.6 Médicaments et voies d'administration recommandés

La morphine est recommandée comme médicament de choix pour le client éprouvant de la douleur, et l'administration par voie orale est recommandée comme voie de premier choix pour la personne dont le système gastro-intestinal fonctionne adéquatement. L'administration d'opiacés par voie intramusculaire (IM) provoque une douleur au moment de l'injection et procure un soulagement peu fiable en raison de l'absorption variable des médicaments. Bien que d'autres voies d'administration des opiacés aient été établies, telles que les voies épidurale, intrathécale, transdermique et transmuqueuse, le traitement de la douleur par ces voies est généralement plus coûteux que par voie orale. En ce qui a trait au soulagement de la douleur cancéreuse, il est recommandé de ne recourir à ces voies que lorsque l'administration par voie orale est impossible ou contre-indiquée.

La morphine est un médicament très efficace ; cependant, des recherches récentes soulèvent des questions sur son utilisation comme médicament de choix, lorsque de fortes doses sont nécessaires chez un client dont l'activité fonctionnelle des reins est diminuée. L'oxycodone (Supeudol) et le fentanyl (Duragesic) sont au nombre des opiacés de substitution pouvant être prescrits aux personnes dont la fonction rénale est diminuée.

Traitement coanalgésique ou adjuvant. Les antidépresseurs tricycliques, qui semblent rehausser le système inhibiteur descendant en empêchant la réabsorption de la sérotonine et de la norépinéphrine par les cellules, sont classés comme des coanalgésiques selon l'échelle analgésique de l'OMS (voir figure 5.13). Ces neurotransmetteurs sont habituellement libérés par la cellule, qui les ramène rapidement à la surface, et sont emmagasinés en vue d'être libérés de nouveau. La réabsorption rapide limite le temps pendant lequel la sérotonine et la norépinéphrine sont disponibles pour se fixer au récepteur et elle empêche la transmission de signaux nociceptifs dans le SNC.

Les agonistes adrénergiques α2 (p. ex. la clonidine [Catapres]), la calcitonine (Calcimar), la somatostatine (Stilamin) et le baclofène (Lioresal) sont d'autres agents connus qui procurent une analgésie. Cependant, le foyer d'action exact de ces agents est connu uniquement pour certains médicaments. Bien que l'OMS ne le précise pas, ces agents pourraient être classés comme des coanalgésiques. La figure 5.16 montre les foyers d'action des traitements pharmacologiques et non pharmacologiques contre la douleur.

Voies d'administration

Voie orale. Il existe sur le marché bon nombre d'opiacés sous forme de préparations orales, (liquides ou comprimés). Les doses d'analgésique équivalent pour les opiacés oraux sont plus fortes que les doses administrées par voie intramusculaire ou intraveineuse (voir tableau 5.12). La raison pour laquelle des doses plus fortes sont nécessaires est liée à l'effet de premier passage du métabolisme hépatique, ce qui veut dire que les opiacés oraux sont absorbés à même la voie gastro-intestinale dans la circulation portale et sont dérivés vers le foie. Le métabolisme partiel au niveau du foie se produit avant que le médicament ne pénètre dans la circulation systémique et ne devienne accessible aux récepteurs périphériques ou pour traverser la barrière hémato-encéphalique et accéder aux récepteurs d'opiacés du SNC, qui est nécessaire pour produire l'analgésie. Les opiacés oraux sont aussi efficaces que les opiacés parentéraux si la dose administrée est assez forte pour compenser le métabolisme de premier passage.

Voie sublinguale. Les opiacés administrés sous la langue et absorbés dans la circulation systémique sont exempts de l'effet de premier passage. Bien que la morphine soit couramment administrée par voie sublinguale aux per-

sonnes souffrant de douleur cancéreuse, une faible quantité du médicament est absorbée à même le tissu sublingual. La morphine administrée par voie sublinguale est généralement dissoute dans la salive et avalée, ce qui rend son métabolisme semblable à celui de la morphine orale.

Voie transnasale. Lorsque le client ne tolère pas les opiacés oraux, la voie transnasale peut constituer une alternative qui permet l'absorption rapide par les vaisseaux sanguins de la muqueuse nasale. À l'heure actuelle, le butorphanol (Stadol NS) est le seul opiacé nasal offert sur le marché au Canada. Plusieurs agents opiacés transnasaux sont actuellement à l'étude. Étant donné que le butorphanol est classé comme agoniste-antagoniste, son utilisation est restreinte chez les clients dépendants d'opiacés agonistes. Ce médicament est indiqué dans le cas de céphalées aiguës et d'autres types de douleur récurrente et intense.

Voie rectale. Bien qu'elle soit peu utilisée, la voie rectale elle peut s'avérer fort utile lorsque le client ne peut absorber d'analgésiques par voie orale. Parmi les suppositoires qui sont efficaces pour soulager la douleur,

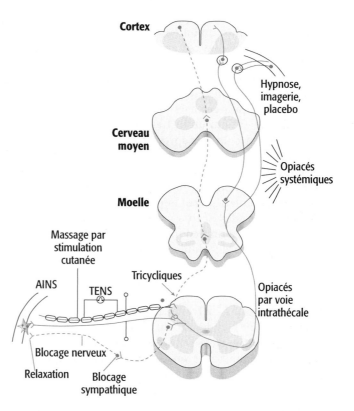

FIGURE 5.16 Sites d'action des analgésiques pharmacologiques et non pharmacologiques fréquemment utilisés

AINS : anti-inflammatoires non stéroïdiens ; TENS : neurostimulation transcutanée.

on trouve l'hydromorphone (Dilaudid), l'oxymorphone (Numorphan), l'oxycodone (Supeudol) et la morphine (Statex).

Voie transdermique. Le fentanyl (Duragesic) est également disponible sous forme de timbre transdermique aux fins d'application sur la peau exempte de poils. Ce mode d'administration est utile pour le client qui ne tolère pas les analgésiques par voie orale. Étant donné que l'absorption se fait lentement par le timbre, le fentanyl transdermique ne convient pas lorsque l'effet doit être rapide ; cependant, il peut être efficace si la douleur du client est stable et si la dose requise pour la maîtriser est connue. Selon les réactions de chaque client, il est possible qu'on doive changer les timbres toutes les 48 heures au lieu de le faire aux 72 heures, comme l'indiquent les recommandations.

Actuellement, on peut se procurer des crèmes et des lotions qui contiennent du salicylate de triéthanolamine (Antiphlogistine Rub A-535, Myoflex). Les fabricants recommandent ces agents contre les douleurs articulaires et musculaires. La substance aspirinoïde est absorbée au niveau local. Bien qu'elle prévienne l'irritation gastrique, la voie transdermique ne prévient pas nécessairement les autres effets secondaires du salicylate à dose élevée.

Des onguents, des lotions, des gels, des liniments et des baumes (dont la plupart sont des produits en vente libre) sont parfois appliqués sur la peau pour soulager la douleur. Bien que ces agents contiennent diverses substances, deux ingrédients courants sont le menthol et le salicylate de méthyle (essence de thé des bois). Le constituant de salicylate est absorbé à même la peau. Dès l'application, ces agents procurent une puissante sensation de chaleur ou de fraîcheur. Cependant, ils ne doivent pas être utilisés après un massage ou un traitement par la chaleur, lorsque les vaisseaux sanguins sont déjà dilatés ou en présence de toute autre contre-indication (p. ex. certains antibiotiques). Il est préférable de faire un test cutané avant la première utilisation, car la concentration des agents varie et procure différentes intensités de réaction en fonction de chaque personne. Le soulagement des douleurs suivantes a été signalé : douleurs musculaires et articulaires, céphalées, et douleur viscérale liée aux flatulences, à la distension et à l'endométriose.

D'autres agents analgésiques topiques, tels que la capsaïcine (Zostrix), et des agents anesthésiques locaux, tels que la lidocaïne et la prilocaïne (crème EMLA), procurent également une analgésie. La capsaïcine s'est avérée efficace pour maîtriser la douleur liée à l'algie post-zostérienne, à la neuropathie diabétique et à l'arthrite. La crème EMLA est utile pour soulager la douleur liée aux ponctions veineuses, au débridement et à l'algie post-zostérienne. Après l'application de la crème EMLA, il est préférable de recouvrir la région d'une pellicule de plastique pendant 30 à 60 minutes avant d'entreprendre une intervention douloureuse.

Perfusions

Voies sous-cutanée, intraveineuse, épidurale et intrathécale. Ces voies sont empruntées pour administrer une perfusion continue d'analgésiques, qui permet de fournir une concentration relativement stable dans le plasma ou dans le liquide céphalorachidien. La dose analgésique totale à administrer sous forme de perfusion continue dépend de l'état du client. Avant d'amorcer une perfusion continue, il est important d'administrer une dose initiale dite d'attaque (dose qui procure du bien-être) en bolus, qui est équivalente à la dose horaire du médicament administré par perfusion continue. Toute douleur non soulagée par la perfusion continue doit être réévaluée afin d'établir un traitement satisfaisant. Il peut s'avérer nécessaire d'augmenter la dose de perfusion continue, si le client requiert des doses supplémentaires fréquentes de médicament pour soulager la douleur et si l'on ne s'attend pas à ce que la douleur diminue rapidement.

Analgésie contrôlée par le patient (ACP). Un autre type de mode d'administration est l'analgésie contrôlée par le patient, ou analgésie sur demande. Grâce à l'ACP, le client est en mesure de s'administrer lui-même une dose d'opiacé, lorsqu'il en a besoin. L'ACP peut se faire par l'ingestion des médicaments oraux ou au moyen d'un système de perfusion qui permet au client d'appuyer sur un bouton pour recevoir une perfusion d'une dose d'analgésique dans les tissus sous-cutanés, intraveineux ou encore dans un espace épidural ou intrathécal. Ainsi, le client a la possibilité de contrôler sa médication et n'a pas à attendre qu'on lui administre son médicament. Toutefois, la pompe d'ACP est munie d'un système préréglé destiné à éviter les surdoses. L'utilisation de l'ACP a été rapidement acceptée pour soulager la douleur aiguë, y compris la douleur postopératoire et la douleur cancéreuse. Étant donné que l'administration d'ACP est moindre la nuit puisque le client dort, l'ajout d'une perfusion continue à un traitement d'ACP favorisera le sommeil et le soulagement de la douleur pendant la nuit.

L'utilisation d'une pompe d'ACP commence par l'enseignement au client. Cet enseignement doit comprendre les mécanismes d'administration d'une dose et la façon de doser le médicament pour obtenir un bon soulagement. Il est important d'informer le client de prendre une autre dose, avant que l'intensité de la douleur ne soit supérieure à son objectif d'intensité de douleur souhaité (l'un des aspects cognitifs de la douleur). L'infirmière doit évaluer l'efficacité de la progression initiale de l'ACP. Si le client signale une douleur intolérable, l'infirmière peut demander une ordonnance médicale afin d'administrer rapidement des analgésiques jusqu'à ce qu'il retrouve un état de bien-être. L'infirmière peut ensuite apporter des ajustements aux réglages de l'ACP. Une ordonnance médicale de routine pour administrer une dose d'attaque serait la suivante : administrer 1,5 à 2 fois la dose d'ACP, évaluer le soulagement de la douleur au moment où l'effet analgésique maximal (propre à chaque médicament et à chaque voie) est escompté et répéter la dose d'attaque si la douleur n'est pas soulagée. Cette procédure doit être maintenue jusqu'à ce que le client signale un soulagement ou des effets secondaires inacceptables. S'il n'y a pas d'ordonnance relative au soulagement de la douleur de percée (douleur non soulagée par le traitement prescrit), l'infirmière doit communiquer cette information au médecin afin qu'il puisse modifier l'ordonnance. Lorsqu'un client manifeste une douleur stable et prévisible, une perfusion et, si nécessaire, une dose d'attaque occasionnelle (une fois l'heure par exemple) sont généralement suffisantes pour combler la majorité de ses besoins.

Lorsqu'un client éprouve des effets secondaires ou toxiques suite à l'ACP, le symptôme précis (p. ex. les nausées) doit être traité. Une modification de la dose ou le choix d'un médicament de substitution peut s'avérer nécessaire si le symptôme persiste.

Afin de passer en douceur de la perfusion d'ACP aux médicaments oraux, il est préférable de commencer le traitement oral avant de cesser l'ACP, ou du moins d'administrer la première dose orale au moment d'interrompe l'ACP. Une autre méthode consiste à remplacer la perfusion continue et une partie de la dose d'ACP par un médicament oral tout aussi puissant de façon ininterrompue, tout en continuant l'ACP pendant 24 heures supplémentaires. Lorsqu'une telle transition doit être apportée au plan de traitement de la douleur, une approche cohérente quant à l'évaluation de la douleur est indispensable pour la soulager.

Autres injections et perfusions. La perfusion d'opiacés par voie intrarachidienne (épidurale, intrathécale ou régionale) est extrêmement efficace. L'analgésie épidurale est particulièrement efficace pour soulager la douleur aiguë, la douleur chronique non cancéreuse et la douleur cancéreuse. Un cathéter épidural est introduit par voie percutanée (au moyen d'une aiguille). Bien que la région lombaire constitue généralement le site d'insertion, le cathéter épidural peut être introduit n'importe où le long de l'axe neuronal (cervical, thoracique ou caudal). L'âge du client et le foyer de la douleur par rapport à l'emplacement du cathéter épidural doivent être pris en considération lorsqu'on choisit la dose d'opiacés épiduraux.

Les médicaments utilisés par voie épidurale peuvent être administrés sous forme d'injection en bolus, inter-mittente ou en perfusion continue. La réaction aux doses administrées varie considérablement. Un client âgé peut être plus sensible aux opiacés épiduraux en raison d'un métabolisme et d'une excrétion perturbés ou plus lents. Le moment, la fréquence et le type d'évaluation (p. ex. les effets sensoriels ou moteurs) dépendent du médicament administré. Les opiacés comportant des concentrations diluées (moins de 0,125 %) d'anesthésique local, tels que la bupivacaïne (Marcaine), sont des types de médicaments administrés par voie épidurale. Le fentanyl est le médicament idéal pour soigner la douleur de percée en raison de son début d'action rapide (de 4 à 10 minutes) et de sa courte durée d'action (de 2,6 à 4 heures). Les directives cliniques en ce qui concerne le rôle de l'infirmière sont établies selon les milieux cliniques. La reconnaissance et le traitement rapides des effets secondaires et des complications s'imposent et un entretien minutieux du cathéter est indispensable. L'infirmière doit vérifier régulièrement la sensibilité, la mobilité et la peau du client et le changer souvent de position pour prévenir toute détérioration des tissus cutanés si un anesthésique local est utilisé, car cet agent peut provoquer une altération de la sensibilité et un engourdissement. L'administration de médicaments par voie intrathécale (dans le liquide céphalorachidien) et les lignes directrices en matière de contrôle sont semblables à celles relatives à l'administration épidurale. Cependant, les doses administrées sont beaucoup plus faibles puisque la dose entière atteint la moelle épinière (c'est-à-dire qu'elle n'est pas influencée par la dure-mère ni par la vascularité élevée de l'espace épidural).

Parmi les autres sites régionaux de perfusion d'anesthésiques ou d'analgésiques locaux, on compte le plexus brachial, le plexus solaire et la chaîne sympathique lombaire le long d'un nerf. Ce type de perfusion est utilisé pour les douleurs aiguës et les douleurs chroniques. La concentration de médicament peut varier d'un client à l'autre. L'agent anesthésique ou analgésique est habituellement administré dans 300 ml de solution saline avec un taux de perfusion adapté au degré de douleur et aux réactions physiologiques au médicament, comme l'hypotension, la bradycardie ou la dépression respiratoire, pendant les premières 24 heures. Après cette période, la dose est graduellement dosée à la baisse.

Effets secondaires des médicaments d'étape 2 et d'étape 3. En plus de provoquer une analgésie, les médicaments d'étape 2 et d'étape 3 occasionnent entre autres les effets secondaires suivants : constipation, sédation, nausées, vomissements, démangeaisons et dépression respiratoire. La constipation est courante lorsque des doses fréquentes d'opiacés sont administrées. La constipation peut être prévenue en administrant des laxatifs (Senokot) et des émollients fécaux (docusate sodique [Colace]) dès le début du traitement aux opiacés. Par exemple, on peut commencer à administrer des émollients fécaux et des laxatifs immédiatement, si l'on anticipe que le traitement de la douleur chronique ou cancéreuse sera long ou si des doses fréquentes d'opiacés s'avèrent nécessaires pour soulager la douleur aiguë. Les émollients fécaux administrés sans laxatif seront insuffisants pour contrer les effets constipants des opiacés.

La sédation peut être soignée efficacement à l'aide de stimulants (caféine, dexamphétamine (Dexedrine), méthylphénidate [Ritalin]). Le métoclopramide (Reglan), la scopolamine transdermique, l'hydroxyzine (Atarax) ou un antiémétique de phénothiazine (Stémétil) peuvent être utilisés pour traiter les nausées ou les vomissements liés aux opiacés. Étant donné que ceux-ci retardent la vidange gastrique, le métoclopramide est particulièrement efficace puisqu'il inverse cet effet, lorsque le client déclare une sensation de plénitude gastrique.

La dépression respiratoire est rare lorsque les opiacés sont dosés en fonction de l'effet analgésique. Un client éveillé ne succombe pas à une dépression respiratoire. Cependant, c'est durant le sommeil qu'il y est prédisposé. C'est pourquoi il est important d'observer la fréquence et la profondeur des respirations du client endormi, après trois à quatre heures suivant le pic de concentration sanguine anticipé en fonction de la voie d'administration. Si une grave dépression respiratoire survient et si la stimulation du client (le fait de l'appeler et de le secouer) n'inverse pas la somnolence ou ne parvient pas à faire augmenter la fréquence ni la profondeur des respirations, on peut administrer, selon l'ordonnance médicale, de la naloxone (habituellement Narcan, 0,4 mg dans 10 ml de solution saline) en augmentant la dose de 0,5 ml toutes les 2 minutes. La dose de naloxone doit être calculée afin de prévenir toute précipitation du sevrage brutal, des convulsions et une douleur intense. La naloxone peut être administrée par voie orale, intraveineuse et intramusculaire, mais jamais par voie intrathécale.

Un autre effet secondaire courant des opiacés est la démangeaison. Un antihistaminique ou un antagoniste opiacé oral ou intraveineux à faible dose peuvent être prescrits pour soigner ce symptôme.

5.7 TRAITEMENT NON PHARMACOLOGIQUE DE LA DOULEUR

En plus des analgésiques pharmacologiques décrits, diverses stratégies non pharmacologiques peuvent pro-

curer une analgésie, soit en étant utilisées seules ou combinées à des analgésiques. Le recours à des stratégies non pharmacologiques de soulagement de la douleur peut permettre de réduire la dose d'analgésique requise pour soulager la douleur et, par conséquent, diminuer les effets secondaires de la pharmacothérapie. On estime que certaines stratégies permettraient de modifier les données nociceptives ascendantes ou de stimuler les mécanismes descendants de modulation de la douleur. Les mécanismes exacts par lesquels certains traitements non pharmacologiques exercent une analgésie ne sont pas encore connus. Cependant, il a été démontré que la réponse placebo serait sans doute émise par les systèmes d'opiacés endogènes. Le placebo amènerait en quelque sorte une personne à mobiliser des opiacés endogènes. La réponse placebo peut être inversée par la naloxone (Narcan), ce qui indique que son mécanisme comprend des systèmes opiacés endogènes. Il est possible que d'autres traitements non pharmacologiques, tels que la contre-irritation, l'hypnose, l'imagerie mentale et la distraction, agissent également par l'intermédiaire de systèmes d'opiacés endogènes ou d'inhibiteurs non opiacés.

La catégorisation des méthodes non pharmacologiques de soulagement de la douleur comme stratégies physiques ou cognitives et comportementales constitue une façon pratique d'évaluer les moyens potentiels par lesquels elles soulagent la douleur.

5.7.1 Stratégies de soulagement de la douleur physique

Parmi les moyens physiques utilisés pour procurer une analgésie, on trouve entre autres des méthodes effractives et non effractives. L'infirmière est en mesure d'administrer un grand nombre de traitements non effractifs et peut donner l'enseignement au client lorsque le médecin prescrit des méthodes effractives.

Stratégies non effractives de soulagement de la douleur

Positionnement. La détermination de mesures préventives visant à réduire la raideur articulaire et musculaire est importante dans le traitement de la douleur, notamment lorsque le client immobilise ou protège des parties douloureuses pour tenter de soulager la douleur. L'établissement d'un programme d'exercices passifs et actifs, s'il n'y a pas de contre-indication, peut aider le client à diminuer la raideur des articulations et des muscles. Ces stratégies sont particulièrement bénéfiques lorsqu'elles sont synchronisées pour coïncider avec l'effet analgésique maximal de la pharmacothérapie. Le programme d'exercices aide à diminuer la raideur et à relâcher tout spasme musculaire présent.

Les exercices doivent être enseignés au client et à sa famille. L'infirmière doit encourager le client à bouger le plus possible lorsqu'il effectue les activités prescrites.

L'infirmière doit également prévenir les complications douloureuses, comme les escarres de décubitus, les contractures et la thrombophlébite qui pourraient être causées par l'immobilité. Comme la distension d'un organe interne peut intensifier la douleur, l'infirmière doit tenter de prévenir la constipation en mobilisant le client dès que possible et en administrant des laxatifs au besoin. Les ingesta et excreta doivent être évalués et la vessie doit être percutée afin d'évaluer le degré de distension, car la rétention urinaire peut provoquer ou augmenter la douleur. Si le client est porteur d'une sonde à demeure, celle-ci doit être vérifiée fréquemment pour s'assurer de sa perméabilité et du libre écoulement de l'urine. L'infirmière doit aider le client à déterminer quels sont les facteurs physiques précipitants qui occasionnent la douleur. Des mesures doivent être établies pour prévenir la douleur et elles doivent ensuite être enseignées au client et à sa famille.

Le soulagement de la douleur doit comprendre des méthodes visant à favoriser le repos et le sommeil. La personne privée de sommeil devient souvent irritable et fatiguée, et elle est, par conséquent, plus sensible à la douleur. L'infirmière doit regrouper ses soins et laisser le client dormir pendant au moins deux heures à la fois sans le déranger. Elle doit utiliser, au besoin, des mesures de bien-être, des analgésiques, des hypnotiques et des techniques de relaxation pour favoriser le sommeil.

Stimulation cutanée. La stimulation cutanée dans le but de provoquer l'analgésie est définie comme une stimulation cutanée inoffensive, destinée à soulager la douleur du client. La stimulation cutanée peut être faite par le client ou une autre personne. Les méthodes de stimulation cutanée varient en fonction de la commodité, du coût, du besoin d'ordonnance médicale, des précautions, des contre-indications et de la disponibilité de professionnels de la santé formés pouvant effectuer l'intervention.

Pression. L'application de pression est une réaction instinctive à la douleur puisque la zone lésée se resserre. La stimulation cutanée au moyen de la pression profite de cette réaction automatique de façon délibérée. La pression peut être appliquée avec la pulpe des doigts, la partie antérieure du pouce, les jointures, la paume de la main, toute la main ou les deux mains. On peut parfois se servir d'un objet dur et lisse, tel un sac de sable, pour appliquer de la pression.

La pression appliquée sur un point gâchette peut être efficace dans certains cas. Un **point gâchette** est une petite région hyper-irritable qui comporte une bande tendue dans le tissu musculaire ou conjonctif, souvent juste sous la peau, qui provoque une douleur lorsqu'il est suffisamment stimulé. Il peut y avoir des points gâchettes sur la région douloureuse ou un point éloigné de la douleur proprement dite. Il existe un lien marqué entre les points gâchettes et les points d'acupuncture en ce qui a trait à la douleur. Bien que la pression exercée sur un point gâchette puisse provoquer une douleur sourde et constante, une pression continue peut soulager la douleur. Les massothérapeutes sont formés pour effectuer ces techniques.

Acupression. L'**acupression** est une technique de pression particulière sur la peau qui comprend l'application de pression, de massage ou des deux techniques sur des points précis. Ces points sont les mêmes que les points d'acupuncture traditionnels. On applique la pression avec le pouce, la pulpe de l'index ou la paume de la main.

Massage. Le massage d'une partie du corps lésée au moyen de la friction constitue également une réaction instinctive. Cette réaction peut être délibérément exploitée pour soulager la douleur. Il existe de nombreuses techniques de massage, telles que le déplacement des mains ou des doigts lentement ou rapidement en faisant de longs mouvements ou des cercles (massage superficiel) ou l'application d'une pression ferme sur la peau pour maintenir le contact tout en massant les tissus sous-jacents (massage en profondeur). Certaines formes d'acupuncture et de points gâchettes comportent des techniques de massage précises. On utilise également le massage froid sur les points gâchettes.

Vibration cutanée. L'application de vibration cutanée et d'énergie à haute fréquence – telles que par diathermie à ultrasons, à ondes courtes ou à ondes longues – et à micro-ondes est utilisée pour soulager la douleur. Le soulagement de la douleur peut être immédiat ou prendre plusieurs minutes avant de se produire. La durée du soulagement de la douleur varie énormément. Il existe de nombreux dispositifs de vibration qui varient en taille et en forme afin de répondre aux besoins de chacun. Il n'est pas nécessaire d'avoir une ordonnance médicale pour acheter un appareil vibratoire. La vibration cutanée se fait souvent dans un service de consultation externe de physiothérapie.

Neurostimulation transcutanée (TENS). La neurostimulation transcutanée comprend l'administration d'un courant électrique par le biais d'électrodes appliquées sur la surface de la peau au-dessus de la région douloureuse, aux points gâchettes ou au-dessus d'un nerf périphérique. Un système de neurostimulation transcutanée est constitué de deux ou plusieurs électrodes reliées par des fils de connexion à un petit stimulateur à piles (voir figure 5.17). La plupart des stimulateurs peuvent être portés et utilisés en tout temps. On peut également démonter le système pour une utilisation intermittente en détachant le stimulateur et les fils, tout en laissant les électrodes en place. Le soulagement de la douleur au moyen de la neurostimulation transcutanée a été signalé dans les situations suivantes : lombalgie, syndrome cervical, arthrite, sciatique, tic douloureux de la face, algie post-zostérienne, lésion du nerf périphérique, lésion du plexus brachial, moignon et douleur du membre fantôme et travail lors de l'accouchement. Pendant l'application proprement dite de la neurostimulation transcutanée, la douleur postopératoire aiguë est atténuée. Le recours à la neurostimulation transcutanée peut également réduire les complications pulmonaires et gastro-intestinales. Le soulagement de la douleur après l'interruption de la neurostimulation transcutanée varie d'une personne à l'autre. Une ordonnance médicale est nécessaire pour commencer ce traitement.

Bien que les physiothérapeutes soient habituellement responsables de l'application de la neurostimulation transcutanée, l'infirmière peut être appelée à donner de l'enseignement au client et à appliquer le traitement. Afin d'obtenir des résultats thérapeutiques, il est souvent nécessaire d'expérimenter divers stimulateurs, placements d'électrodes et réglages de fréquence. Lorsqu'un stimulateur n'est pas efficace pour soulager la douleur, on doit en essayer un autre. On peut également tenter de stimuler divers sites, en fonction des dermatomes, lors d'essais successifs, afin de déterminer l'endroit qui sera le plus efficace pour moduler la douleur.

Les unités de neurostimulation transcutanée classiques (de haute fréquence) qui utilisent des courants alternatifs réglés à une vitesse de 40 à 400 Hz (cycles par seconde) procurent habituellement une analgésie rapide (dans un délai de 20 minutes). La personne qui reçoit une neurostimulation transcutanée de haute fréquence ressent une paresthésie (sensation subjective d'engourdissement ou de picotement) pendant le traitement. La tension électrique et la vitesse de stimulation sont modifiées en fonction de la réaction du client à la paresthésie.

Les contre-indications à l'utilisation de la neurostimulation transcutanée ne sont pas clairement établies. Actuellement, la neurostimulation transcutanée n'est pas recommandée pour les clients qui portent un stimulateur cardiaque ni pour ceux qui ont des antécédents d'ischémie myocardique ou d'arythmie. La neurostimulation transcutanée ne doit pas être appliquée sur la région utérine d'une femme enceinte, la peau éraflée, les régions anesthésiées, les régions sino-carotidiennes, les muscles laryngés ou pharyngés et les yeux.

Thermothérapie. La thermothérapie est l'application de chaleur humide ou sèche sur la peau ; le traitement peut être superficiel ou profond. La chaleur sèche superficielle peut être appliquée à l'aide d'un appareil électrique, comme un coussin chauffant, un berceau chauffant, une lampe à col-de-cygne ou à infrarouge, ou par des moyens non électriques, comme des bouillottes et l'exposition au soleil. On peut appliquer de la chaleur humide superficielle par des moyens non électriques comme l'application de serviettes humides chaudes Hydrocollator, le trempage, la douche, le bain, le bain tourbillon, la baignoire de Hubbard et l'application d'une pellicule de plastique sur le corps pour emprisonner la chaleur. On peut également se procurer des coussins chauffants électriques conçus pour donner une chaleur humide. Les services de physiothérapie offrent des traitements de chaleur profonde au moyen de techniques comme la diathermie à ondes courtes, la diathermie à micro-ondes et le traitement par ultrasons. La thermothérapie comporte généralement des applications intermittentes de chaleur pendant de brèves périodes (de 5 minutes pour une douleur aiguë et de 20 à 30 minutes pour une douleur chronique) ; cependant, certaines méthodes thérapeutiques, comme l'emprisonnement de la chaleur corporelle, peuvent être maintenues pendant des périodes prolongées ou être continues.

Cryothérapie. La cryothérapie comprend l'application de froid humide ou de froid sec sur la peau. Le froid sec peut être appliqué au moyen d'un sac à glace et le froid humide au moyen de serviettes trempées dans l'eau glacée, de serviettes froides Hydrocollator, d'immersion dans un bain ou sous l'eau courante froide. L'application de glace, au moyen de glaçons ou de morceaux de glace

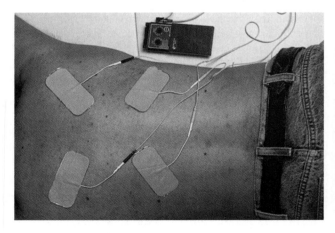

FIGURE 5.17 Traitement initial par neurostimulation transcutanée (TENS) administré par le service de physiothérapie pour examiner la valeur du soulagement de la douleur

(ou croquettes de glace) est une autre technique utilisée pour soulager la douleur. L'hydrothérapie (massage à la glace) est une technique qui allie le traitement par le froid et le massage ; la glace est appliquée de façon uniforme sur la région douloureuse et le thérapeute masse la région de haut en bas pendant 10 à 30 minutes. Les physiothérapeutes utilisent parfois du chlorure d'éthyle ou des aérosols refroidissants dans le cadre d'un traitement par le froid.

La cryothérapie est utilisée pour divers états douloureux, dont les douleurs post-traumatiques et postopératoires (notamment après une intervention orthopédique), les bursites, l'ostéomyélite et les spasmes musculaires. La douleur peut également être soulagée au moyen de bains de contraste (alternance de chaleur et de froid) et d'hydrothérapie, combinés à des exercices de relaxation, de mouvements passifs et de respiration.

Lignes directrices relatives à la stimulation cutanée. Tout type de stimulation cutanée doit d'abord être d'intensité modérée, puis augmentée ou diminuée pour atteindre un soulagement optimal de la douleur. L'intensité la plus efficace de la stimulation cutanée est légèrement inférieure à celle qui provoque un malaise chez la personne à la peau normale (souvent une stimulation légèrement supérieure à une intensité modérée). La stimulation cutanée peut être continue ou intermittente. La durée de la plupart des stimulations cutanées est de 10 à 30 minutes ; cependant, l'hydrothérapie dure rarement plus de 10 minutes. La cryothérapie est contre-indiquée chez la personne présentant une hypersensibilité au froid. Lorsqu'une pression ferme est appliquée aux points gâchettes ou aux points d'acupuncture, l'application d'une pression dynamique ne doit pas dépasser quelques secondes. La fréquence de la stimulation cutanée doit être déterminée par la durée du soulagement de la douleur après la stimulation. Lorsque la douleur revient, la stimulation cutanée est réappliquée. Une fréquence arbitraire (trois ou quatre fois par jour) peut être établie en milieu hospitalier. En consultation externe, la stimulation cutanée qui nécessite une supervision professionnelle a lieu par rendez-vous, habituellement avec le service de physiothérapie. L'application continue de la plupart des méthodes de stimulation cutanée n'est pas très pratique. Si un client a besoin d'une stimulation continue pour soulager la douleur, la neurostimulation transcutanée ou un produit à base de menthol pourrait être la meilleure solution.

En général, la stimulation cutanée est appliquée directement sur la région douloureuse, autour du foyer douloureux ou tout près de la région douloureuse. Une autre possibilité consiste à stimuler les nerfs périphériques qui innervent la région douloureuse. Ce type de stimulation est facilement réalisé par la neurostimula-

tion transcutanée. La stimulation controlatérale peut s'avérer nécessaire lorsqu'une région douloureuse est trop sensible pour être stimulée directement ou lorsque la région douloureuse est inaccessible parce qu'elle est protégée ou profonde. La raison qui explique l'efficacité de la stimulation controlatérale n'est pas connue. La stimulation controlatérale est également utilisée pour la douleur du membre fantôme. Le recours aux techniques de stimulation cutanée doit être adapté en fonction du client et du type particulier de douleur. Le client peut avoir des préférences marquées en ce qui a trait au type de stimulation cutanée et à la région à stimuler. Ses préoccupations comprennent le coût, la facilité, ainsi que l'intensité et la durée de la stimulation.

L'application des techniques de stimulation cutanée peut être effectuée par de nombreuses personnes, dont les infirmières, les physiothérapeutes, les massothérapeutes, le client et les membres de sa famille. Il est souvent possible d'enseigner au client et aux membres de sa famille comment bien effectuer la technique après le début du traitement par le thérapeute. Certaines techniques requièrent l'achat ou la location d'équipement (p. ex. un neurostimulateur transcutané) ou le recours à un service de physiothérapie (p. ex. les ultrasons). Certains traitements peuvent être couverts par l'assurance-maladie ou en partie par une assurance privée. Il importe d'évaluer les aspects pratiques de la stimulation cutanée, si l'on souhaite que cette méthode de traitement procure un soulagement à long terme.

Stratégies effractives de soulagement de la douleur

Acupuncture. L'acupuncture est utilisée pour soulager la douleur. Actuellement, on ne sait pas encore si l'analgésie par acupuncture est supérieure à l'analgésie placebo ou à tout autre type d'intervention d'hyperstimulation. Il est important de préciser qu'une formation approfondie est nécessaire pour devenir acupuncteur.

Neurostimulation percutanée (PENS). Les tissus périphériques plus profonds peuvent être stimulés par une neurostimulation percutanée. Cette neurostimulation est une étape préliminaire visant à évaluer l'utilité potentielle d'un usage permanent. La technique est effectuée en insérant une aiguille, à laquelle est attaché un stimulateur, près d'un nerf périphérique ou rachidien de gros diamètre. La quantité de courant électrique est contrôlée de façon à procurer un soulagement maximal de la douleur. Si la neurostimulation réussit à réduire la douleur du client, un neurostimulateur périphérique permanent sera chirurgicalement implanté. Une électrode spéciale est placée autour du nerf et un récepteur interne est implanté par voie sous-cutanée à la taille sur la cage thoracique antérieure. Le client active le récepteur au besoin, au moyen d'une antenne et d'un transmetteur, pour obtenir un soulagement optimal de la douleur.

Stimulation épidurale et stimulation cérébrale profonde. La stimulation du SNC peut être obtenue par la stimulation épidurale ou par la stimulation cérébrale profonde. La stimulation épidurale est une technique complémentaire à la neurostimulation percutanée, lorsque la douleur touche de grandes régions comme les membres inférieurs ou le dos. Au cours d'une laminectomie, des électrodes sont implantées par voie intradurale sur la face dorsale de la moelle épinière. C'est la localisation de la douleur qui détermine le niveau où seront implantées les électrodes. Un récepteur est implanté par voie sous-cutanée sur la partie antérieure de la cage thoracique à la taille. L'antenne et le système de transmetteur sont semblables à ceux utilisés dans la neurostimulation périphérique permanente.

La stimulation périphérique de certaines régions du cerveau, dont la région des lobes frontaux, le thalamus, le cerveau moyen, le tronc cérébral inférieur, le noyau caudé du noyau gris central et la capsule interne, provoque une analgésie de longue durée. La fonction motrice, l'état affectif et les autres réactions comportementales ne sont pas affectés.

Analgésie par blocage nerveux. L'analgésie par blocage nerveux est utilisée pour réduire la douleur en interrompant temporairement ou en permanence la transmission de données nociceptives par l'application d'anesthésiques locaux ou d'agents neurolytiques (p. ex. alcool, phénol). Au début, on administre un blocage nerveux temporaire avec un anesthésique local pour isoler le cheminement complexe de la douleur et déterminer l'efficacité éventuelle d'une intervention de blocage permanent pour le client. Habituellement, les effets des anesthésiques locaux ne durent que quelques heures. Par contre, les agents neurolytiques ont des effets permettant de soulager la douleur pendant plusieurs semaines, voire plusieurs mois. Ces agents sont donc utilisés pour procurer un effet de longue durée.

L'analgésie par blocage nerveux est une technique de soulagement de la douleur, qui est utilisée avec succès pour les états de douleur chronique localisée, comme la maladie vasculaire périphérique, la névralgie faciale, la causalgie et certaines douleurs cancéreuses. Autrefois, le blocage nerveux était considéré comme bénéfique pour soulager une douleur localisée causée par une malignité et pour les clients affaiblis qui n'étaient pas en mesure de supporter une intervention chirurgicale visant à soulager la douleur. Toutefois, cette utilisation fait actuellement l'objet d'une réévaluation puisque l'espérance de vie des personnes traitées pour une affection maligne ne cesse de croître et que de nouvelles modalités thérapeutiques sont maintenant offertes.

Interventions neurochirurgicales. Les interventions neurochirurgicales sont effectuées par résection chirurgicale ou par thermocoagulation, incluant la coagulation par radiofréquence. Les interventions neurochirurgicales qui détruisent la division sensorielle d'un nerf périphérique ou rachidien sont classées comme des neurectomies, des rhizotomies et des sympathectomies. Les interventions neurochirurgicales qui consistent à enlever le faisceau spinothalamique latéral sont classées comme une cordotomie (section d'un cordon médullaire), lorsque le faisceau est interrompu dans la moelle épinière, ou une tractotomie (section d'un faisceau de fibres nerveuses du SNC), lorsque l'interruption se situe dans la moelle ou le cerveau moyen du tronc cérébral. La figure 5.18 illustre les foyers d'interventions neurochirurgicales dans le but de soulager la douleur. De nos jours, la résection chirurgicale du faisceau spinothalamique latéral est rare puisqu'il existe maintenant une méthode percutanée. La cordotomie et la tractotomie peuvent toutes deux être pratiquées sous anesthésie locale au moyen d'une technique percutanée, qui consiste à isoler les fibres de douleur par fluoroscopie et créer une lésion par radiofréquence.

Les interventions neurochirurgicales touchant le thalamus ou la région du lobe frontal du cerveau sont pratiquées dans le cadre d'une intervention stéréotaxique. De longues électrodes ou des sondes sont insérées profondément dans le tissu cérébral et positionnées à l'aide des points externes ou des points de repère du crâne. Le tissu est détruit par thermocoagulation ou d'autres moyens.

Aujourd'hui, on a moins souvent recours aux interventions d'ablation du SNC ou du système nerveux périphérique puisqu'il existe des méthodes analgésiques efficaces pour soulager la douleur. De plus, on craint maintenant que la lésion créée entraîne un syndrome de douleur neuropathique de longue durée.

5.7.2 Thérapies cognitivo-comportementales

Les techniques visant à modifier les éléments affectifs, cognitifs et comportementaux de la douleur comprennent diverses stratégies cognitives et démarches comportementales. Bon nombre de techniques cognitivo-comportementales font appel à des émotions, des comportements et des pensées qui sont incompatibles avec la douleur. Par exemple, la relaxation est incompatible avec la tension musculaire. Penser à une scène panoramique ou en parler est incompatible avec penser à la douleur. La respiration rythmique est incompatible avec le fait de retenir sa respiration et de haleter qui sont associés à la douleur. L'utilisation de comportements incompatibles avec la douleur fait partie intégrante de la démarche de soins infirmiers à l'égard du client qui éprouve de la douleur. Par conséquent, il peut s'avérer nécessaire de prévoir des périodes de repos et de sommeil afin que le client puisse conserver son énergie pour les activités qu'il considère comme importantes.

Enseignement préventif. L'infirmière doit essayer de préparer le mieux possible le client à la douleur ; cette intervention est appelée **enseignement préventif**. La préparation du client permet à l'infirmière de l'aider à atténuer son anxiété et à clarifier le manque d'information, la fausse information et la fausse interprétation. Le client peut donc s'adapter à la situation en sachant ce qui l'attend. Un certain niveau d'anxiété peut aider le client à faire appel à des stratégies d'adaptation durant la phase préventive de la douleur. Ce point est particulièrement important lorsque l'infirmière donne des soins à un client qui doit subir une intervention douloureuse. Bien qu'elle ne puisse pas le rassurer en lui disant qu'il ne ressentira pas de douleur ou très peu, l'infirmière peut l'aider à trouver des moyens qui lui permettront de faire face à la douleur anticipée.

Distraction. La distraction comprend la réorientation de l'attention vers autre chose que la douleur. Les sti-muli de distraction peuvent être des événements externes, des activités internes ou des sensations corporelles. Les techniques de distraction permettent au client de s'adapter à la douleur éprouvée. L'infirmière, qui enseigne au client la façon d'utiliser des stratégies cognitives, doit se rappeler que la capacité du client à utiliser efficacement la distraction pour atténuer la douleur ne signifie pas que celle-ci n'est pas intense. Bien que les techniques de distraction aient pour objet de détourner la douleur du centre d'attention, ce qui a pour effet d'accroître la tolérance et de réduire la réaction à la douleur, il n'en demeure pas moins que la douleur est bien réelle.

Le rôle de l'infirmière consiste, en partie, à encourager le client à se servir des techniques de distraction qui se sont avérées utiles dans le passé. Elle doit également aider le client à utiliser ces techniques et enseigner aux membres de sa famille comment les utiliser efficacement. Le client et sa famille ont besoin d'aide pour les adopter.

Imagerie et hypnose. Afin de soulager la douleur, il est possible pour une personne de faire appel à son imagination pour créer des images sensorielles axées sur autre chose que la sensation de douleur ainsi que sur d'autres expériences sensorielles et souvenirs agréables. L'imagerie guidée procure une autre image mentale que celle de la douleur. Bien que l'hypnose requière de l'entraînement, une personne dont le syndrome de douleur comporte un élément affectif important peut utiliser cette technique avec succès.

Conditionnement. Certaines mesures qui procurent un soulagement fréquent de la douleur favorisent un conditionnement classique. L'infirmière peut donc aider le client à profiter de ce phénomène en jumelant délibérément des méthodes de soulagement. Par exemple, elle peut lui enseigner une technique de relaxation à utiliser chaque fois qu'un analgésique est administré, ce qui aura pour conséquence d'entraîner un effet de synergie en utilisant deux mesures simultanément.

La modification du comportement (conditionnement opérant) est fondée sur le principe que la fréquence d'un comportement peut être augmentée ou diminuée au moyen du renforcement. Le renforcement positif entraîne une augmentation de la fréquence du comportement. Par conséquent, l'infirmière peut adresser des compliments, faire des éloges ou montrer de l'intérêt au client qui est prêt à essayer de nouvelles méthodes de soulagement de la douleur ou qui adopte des comportements incompatibles avec la douleur. Les tentatives du client pour cheminer vers la guérison doivent être louées et encouragées. Rester en silence ou ne pas tenir compte des comportements non bénéfiques est également important dans cette technique. L'infirmière doit enseigner à la famille comment don-

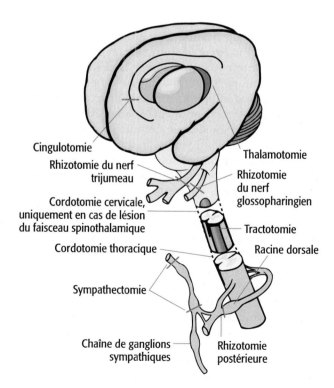

FIGURE 5.18 Sites d'interventions neurochirurgicales en vue de soulager la douleur

Cingulotomie
Rhizotomie du nerf trijumeau
Cordotomie cervicale, uniquement en cas de lésion du faisceau spinothalamique
Cordotomie thoracique
Sympathectomie
Chaîne de ganglions sympathiques
Thalamotomie
Rhizotomie du nerf glossopharyngien
Tractotomie
Racine dorsale
Rhizotomie postérieure

ner un renforcement positif, faire abstraction des comportements non bénéfiques et utiliser le silence.

La méthode d'inoculation contre le stress fait appel à une méthode de modification du comportement en trois étapes. Dans un premier temps, l'infirmière enseigne au client la signification des manifestations cliniques. Dans un deuxième temps, elle lui enseigne des stratégies d'adaptation qui sont incompatibles avec l'expérience de la douleur et le comportement relatif à la douleur. Dans un troisième temps, l'infirmière enseigne au client comment appliquer ces nouvelles connaissances et cette nouvelle sensibilisation dans les situations douloureuses. Ainsi, l'infirmière participe à toutes les étapes de la méthode d'inoculation contre le stress en aidant le client à les franchir.

Relaxation. Parmi les effets positifs de la relaxation, on note la réduction des effets du stress, la diminution de l'anxiété aiguë, l'oubli de la douleur, l'atténuation de la tension ou de la contraction musculaire, la lutte contre la fatigue, la facilitation du sommeil et l'accroissement de l'efficacité d'autres mesures de soulagement de la douleur. Une pièce calme, une position confortable et le choix d'un indice mental comme point de concentration (p. ex. un mot, un son, le rythme cardiaque ou la respiration de la personne) sont indispensables pour obtenir un sentiment de détente. Les stratégies de relaxation comprennent la respiration profonde, la respiration adaptée au rythme cardiaque, la musique, la respiration lente et rythmique et les exercices de relaxation progressive en compagnie d'un entraîneur.

5.8 PROCESSUS THÉRAPEUTIQUE

Les techniques thérapeutiques destinées à soulager les syndromes de douleur visent généralement à modifier les éléments physiques et sensoriels ou les éléments affectifs, comportementaux et cognitifs de la douleur. Les programmes holistiques intégrés de soulagement de la douleur font appel à une approche multidisciplinaire qui comporte diverses techniques axées sur tous les éléments de la douleur. La plupart de ces programmes intégrés ont été institués au début des années 1970. L'approche comprend une évaluation globale et un énoncé de problèmes par une équipe multidisciplinaire. Le plan de traitement contient l'élimination de la pharmacodépendance inutile, les mesures thérapeutiques visant à réduire la douleur, la rééducation physique, la réadaptation psychologique du client et de sa famille et la prise en charge du programme de soulagement de la douleur par le client. La première étape comporte une évaluation et un profil multidisciplinaire complet de la douleur, ainsi qu'une évaluation physique et des épreuves diagnostiques complètes.

En général, le traitement vise à obtenir une mobilité maximale et un soulagement de la douleur à l'aide de techniques de traitement physiques et psychologiques. Le reconditionnement physique est entrepris lentement. Un programme d'exercices sain et raisonnablement vigoureux est établi progressivement. Les modalités de traitement physique peuvent inclure le massage, la pression, la thermothérapie, la cryothérapie, la vibration, la neurostimulation transcutanée et l'acupuncture. Deux éléments tout aussi importants du soulagement de la douleur chronique sont la psychothérapie et les approches cognitivo-comportementales. Lors de son intervention, l'infirmière enseigne au client les techniques qui l'aideront à s'adapter à la douleur, tout en abordant la restructuration cognitive. L'apprentissage par rétroaction biologique (technique de *biofeedback*) est souvent utilisé dans cette situation. Un soutien psychologique pour le client et sa famille constitue un élément essentiel. Une personne qui a souffert pendant longtemps peut avoir des relations interpersonnelles et des modes de communication grandement altérés avec les membres de sa famille, les amis et le personnel soignant. Il est possible que le stress chronique de la douleur ait bouleversé sa vie. La plupart des spécialistes recommandent un programme intensif de thérapie psychologique de courte durée pour régler les questions actuelles, plutôt qu'une thérapie classique de longue durée.

Un programme holistique de soulagement de la douleur permet au client d'apprendre à puiser dans ses ressources internes et à assumer la responsabilité de mettre en pratique les techniques qui lui permettront de s'adapter à la douleur. L'infirmière enseigne au client comment utiliser efficacement les analgésiques et comment tirer profit du soutien des membres de sa famille et de ses proches.

L'infirmière est un membre important de l'équipe multidisciplinaire. Ses fonctions consistent à planifier, enseigner, défendre les droits du client, interpréter et apporter son appui au client souffrant et à sa famille. Comme la douleur peut se manifester chez n'importe quelle personne et dans divers milieux de santé, soit à la maison, en centre hospitalier ou en clinique externe, l'infirmière doit bien connaître les traitements actuels et faire preuve de souplesse en essayant de nouvelles approches en matière de soulagement de la douleur. Le degré de participation de l'infirmière dépend de facteurs propres à chaque client, au milieu et à la cause de la douleur.

L'un des éléments fondamentaux de la démarche de soins infirmiers à l'égard d'un client présentant de la douleur est l'établissement d'une relation de confiance et d'un bon rapport avec le client et sa famille. Ces derniers ont besoin de savoir que l'infirmière considère la douleur comme importante et qu'elle comprend que celle-ci peut totalement bouleverser la vie d'une personne. L'objectif premier de l'infirmière est d'aider le client à soulager sa douleur ; son deuxième objectif est de l'aider à s'adapter à la douleur non soulagée. L'infirmière est en mesure d'atteindre ces objectifs au moyen d'interventions pharmacologiques et non pharmacologiques.

Les interventions infirmières qui favorisent l'établissement d'une relation efficace avec la personne éprouvant de la douleur doivent comprendre les éléments suivants :

- Croire le client. Le client doit sentir que l'infirmière croit que sa douleur existe. L'infirmière peut transmettre verbalement ce message au client en disant : « Je sais que vous souffrez. » Il est possible qu'elle doive aider la famille à croire le client.
- Préciser les responsabilités en matière de soulagement de la douleur. Discuter des interventions infirmières et de ce qu'on attend du client et de sa famille.
- Respecter la réaction du client à sa douleur. L'infirmière doit accepter la façon dont le client réagit à la douleur. La famille aussi a besoin d'aide à cet égard. Le client peut avoir besoin d'aide pour accepter sa réaction à la douleur ; la réaction du client et celle de sa famille peuvent être différentes de celle qu'on attendait.
- Collaborer avec le client. L'infirmière doit aider le client et sa famille à participer activement à l'établissement des objectifs en matière de soulagement de la douleur, à appliquer les techniques d'adaptation qui ont été efficaces dans le passé et à exploiter plus efficacement les ressources. L'infirmière doit satisfaire les attentes du client à son égard ou les préciser si elles ne sont pas cohérentes avec la pratique professionnelle.
- Explorer la douleur avec le client. L'infirmière doit découvrir la signification de la douleur pour la famille et pour la personne qui vit avec cette douleur.
- Être présente pour le client. La présence physique de l'infirmière peut rassurer ou distraire le client, ce qui a pour effet de soulager la douleur.

Puisque la douleur a un effet très important sur la vie du client et de sa famille, de nombreux diagnostics infirmiers doivent être envisagés. L'encadré 5.3 énumère les diagnostics infirmiers qui pourraient s'appliquer au client qui présente de la douleur.

5.8.1 Obstacles au soulagement efficace de la douleur

Même si la douleur est une expérience complexe et subjective, il est possible que son soulagement soit facilité ou restreint par le milieu et des facteurs sociaux et politiques. Parmi ces facteurs, on note les émotions, les comportements, les croyances et les attitudes des membres de la famille, des professionnels de la santé, des organismes de santé et de la société à l'égard de la douleur et du recours à des traitements contre la douleur. La planification du soulagement de la douleur en collaboration avec le client nécessite un examen attentif de l'influence de ces facteurs.

Les préoccupations en matière de tolérance, de dépendance, de toxicomanie, de suicide assisté et d'euthanasie font souvent obstacle au soulagement efficace de la douleur. Ces préoccupations sont partagées à la fois par le client, les membres de sa famille et les professionnels de la santé. Il est important que l'infirmière comprenne ces divers concepts et soit en mesure d'expliquer les différences entre ceux-ci.

Tolérance. La tolérance se manifeste par l'exposition chronique à divers médicaments. Dans le cas des opiacés, elle se caractérise par le besoin d'une dose accrue pour maintenir le même degré d'analgésie. Ce ne sont pas tous les clients qui éprouvent une tolérance aux médicaments, mais il y a de fortes chances que les clients ayant des antécédents de toxicomanie deviennent tolérants. Le besoin d'augmenter la dose d'analgésique peut aussi refléter d'autres facteurs, tels que la progression de la maladie (p. ex. le cancer), ou un nouvel état pathologique (p. ex. une embolie pulmonaire) plutôt que la tolérance. Les gémissements de douleur émis par le client ne doivent pas être négligés. L'infirmière doit traiter la douleur accrue tout en cherchant sa cause. L'un des moyens de gérer la tolérance est le dosage de médicaments en vue d'équilibrer les effets souhaités et les effets secondaires, tout en maintenant le bien-être du client. D'autres démarches consistent, entre autres, à prescrire un médicament de substitution de la même catégorie ou à ajouter un médicament non opiacé

Diagnostics infirmiers possibles pour le client éprouvant de la douleur — ENCADRÉ 5.3

- Intolérance à l'activité
- Perturbation de la dynamique familiale
- Altération des opérations de la pensée
- Anxiété
- Douleur chronique
- Constipation
- Peur
- Désespoir
- Stratégies d'adaptation individuelle inefficaces
- Douleur
- Impuissance
- Risque d'automutilation
- Perturbation des habitudes du sommeil

comme de l'ibuprofène. Il est important de faire remarquer que les médicaments opiacés agonistes n'ont pas d'effet de plafond (un dosage accru procure un soulagement accru de la douleur). On peut augmenter les doses à mesure que la tolérance augmente.

Les clients s'inquiètent souvent de la tolérance, surtout s'ils s'attendent à ce que leur douleur augmente ou persiste. L'infirmière peut atténuer cette inquiétude en expliquant qu'il existe de nombreux analgésiques sur le marché et que bon nombre d'entre eux n'ont pas de dose maximale.

Dépendance. La dépendance se traduit par une réaction physiologique anticipée à une exposition continue à des agents pharmacologiques, qui peuvent provoquer un syndrome de sevrage lorsque l'exposition est brusquement interrompue. Lorsque la posologie du médicament est considérablement réduite ou brusquement interrompue, le sevrage des opiacés se caractérise par des symptômes tels que des frissons qui alternent avec les états suivants : bouffées de chaleur, salivation, diaphorèse, rhinorrhée, anxiété, irritabilité, insomnie, crampes abdominales, vomissements et diarrhée (voir tableau 5.13). La dépendance semble être hautement individualisée. Certains clients réduisent graduellement leur consommation d'analgésique à mesure que la douleur diminue. D'autres clients exigent un horaire décroissant. Par exemple, pour sevrer un client de la morphine, la dose totale de 24 heures utilisée par le client est calculée et réduite de 50 %. De cette proportion réduite, 25 % est administré toutes les 6 heures. Après deux jours, la dose quotidienne est encore réduite de 25 % tous les 2 jours jusqu'à ce que la dose orale de 24 heures soit de 30 mg par jour. La morphine est ensuite interrompue.

Toxicomanie. La **toxicomanie** est un état psychologique caractérisé par une pulsion qui pousse à se procurer et à consommer des substances à des fins autres que la valeur thérapeutique prescrite. Moins de 1 % des personnes à qui l'on prescrit des analgésiques dans le cadre de leur traitement médical deviennent toxicomanes. Toutefois, ce pourcentage peut être plus élevé au sein des populations de clients ayant des antécédents de toxicomanie. Un problème actuel ou antérieur de toxicomanie peut être détecté pendant l'évaluation initiale de la douleur. Deux comportements qui laissent supposer une toxicomanie sont : des clients qui consultent plusieurs médecins pour se faire prescrire des analgésiques et signalent ensuite la perte ou le vol de l'ordonnance. D'autres types de comportements peuvent être interprétés à tort comme des signes de toxicomanie, tels ceux d'une personne non soulagée par son analgésique et qui surveille l'heure de sa prochaine dose. Il est impossible de vérifier la toxicomanie chez la personne souffrante tant que l'étiologie de la douleur n'a pas été éliminée, que la dépendance physique n'a pas été éliminée par la désintoxication et que le client ne s'est pas procuré la substance pour la consommer de nouveau. Même si un client physiquement dépendant d'un médicament cherche à se procurer et à le consommer, cela ne signifie pas nécessairement qu'il est toxicomane. Bien souvent, le terme toxicomanie est appliqué de façon inappropriée à un client, et cette étiquette peut constituer un obstacle au soulagement de la douleur chez cette personne. Il est important pour l'infirmière de reconnaître que la tolérance aux opiacés et la dépendance physique à leur égard sont anticipées avec un traitement à long terme aux opiacés et ne doivent pas être confondues avec la toxicomanie.

Suicide assisté et euthanasie. Il n'est pas rare pour le professionnel de la santé, le client et les membres de la famille de craindre que le fait de fournir suffisamment de médicaments pour soulager la douleur n'accélère le décès d'une personne en phase terminale. Lorsque de fortes doses d'opiacés sont nécessaires pour maîtriser la douleur, le médecin et l'infirmière peuvent hésiter, dans leur rôle respectif, à prescrire et administrer la dose parce qu'ils craignent que ces gestes soient perçus comme une euthanasie ou un suicide assisté. Le soulagement de la douleur, même s'il peut devancer le décès d'une personne en phase terminale, est considéré comme l'obligation éthique et morale de l'infirmière de soulager le client ; ce n'est pas une euthanasie ni un suicide assisté. Les infirmières ne doivent donc pas hésiter à utiliser des doses complètes et efficaces d'analgésiques afin de soulager adéquatement la douleur du client mourant. L'objectif de l'intervention est le soulagement de la douleur et non la mort.

TABLEAU 5.13	Manifestations du syndrome de sevrage d'opiacés à brève durée d'action	
	Réactions précoces (6-12h)	**Réactions tardives (48-72h)**
Psychosociales	Anxiété	Excitation
Sécrétions	Larmoiement Rhinorrhée Diaphorèse	Diarrhée
Autres	Bâillement Horripilation Frissons Pupilles dilatées Anorexie Tremblement	Agitation Fièvre Nausée et vomissement Crampes abdominales Hypertension Tachycardie Insomnie

Malheureusement, bien des clients ont invoqué un soulagement insuffisant de la douleur et une souffrance intolérable comme motifs pour demander le suicide assisté. L'infirmière a la responsabilité d'aider le client à soulager sa douleur à un degré satisfaisant pour lui. Un traitement agressif contre la douleur est essentiel et peut limiter le nombre de personnes qui demandent le suicide assisté. Plusieurs organismes en soins infirmiers ont adopté la position voulant que le personnel infirmier ne doit pas participer au suicide assisté ni à l'euthanasie. Aider un client à commettre un suicide constitue une violation du Code de déontologie des infirmières. Cependant, les infirmières ont la responsabilité de procurer une analgésie aux clients souffrants.

5.8.2 Évaluation du plan de soulagement de la douleur

Dans les cas de douleur aiguë et chronique, l'infirmière doit évaluer l'efficacité des mesures adoptées par le client, ses collègues et les autres membres du personnel soignant dans le but de soulager la douleur. Les jugements cliniques relatifs à l'efficacité sont posés en comparant le cycle de la douleur signalé par le client, la région où se situe cette douleur, sa sévérité et sa qualité, ainsi que les réactions affectives, cognitives et comportementales avant l'intervention par rapport à d'autres signalements et réactions après l'intervention. Bien que les données subjectives et objectives soient considérées dans l'évaluation, l'infirmière doit se rappeler que la décision finale appartient au client.

S'il indique que les mesures de soulagement sont insuffisantes, l'infirmière doit réévaluer la douleur et examiner les questions suivantes :

- Diverses mesures de soulagement de la douleur sont-elles utilisées ? (Sinon, d'autres mesures doivent être ajoutées.)
- Les mesures de soulagement sont-elles utilisées avant que la douleur s'intensifie ? (Sinon, un traitement d'analgésique préventif doit être établi.)
- Les éléments considérés comme efficaces par le client sont-ils inclus dans le protocole de soulagement de la douleur ? (Sinon, on doit en déterminer les motifs.) Est-il possible de faire appel au conditionnement classique si le client ne peut continuer de prendre ce qu'il considère comme le plus efficace ?
- Le client est-il prêt à participer plus activement au soulagement de la douleur ? (Sinon, on doit en déterminer les motifs.) Comment peut-on aider le client à devenir plus actif ?
- Est-il possible d'encourager le client à essayer encore une ou deux fois la mesure de soulagement en y ajoutant d'autres mesures ? On doit alors revoir le plan de soulagement de la douleur et mettre en œuvre les modifications apportées.

GÉRONTOLOGIE

Douleur **ENCADRÉ 5.4**

- Il arrive parfois que l'on confonde les effets du vieillissement sur le mécanisme de la douleur chez une personne souffrant d'une maladie chronique qui touche le système nerveux. Une personne âgée qui est bien renseignée sur l'utilisation des mesures analgésiques et qui ne souffre d'aucune maladie (p. ex. le diabète) touchant le système nerveux a tendance à signaler une intensité de douleur semblable à celle d'une jeune personne. La maladie du nerf périphérique (p. ex. la neuropathie diabétique) peut cependant nuire à la capacité d'une personne âgée de détecter la douleur liée à une lésion tissulaire.

- Le vieillissement est associé à des problèmes de santé chroniques, à un risque accru de douleur musculo-squelettique, de dépression et de limitations dans les activités de la vie quotidienne (AVQ). La douleur est souvent omniprésente pour bien des personnes âgées. Une intensité croissante de la douleur a été notée chez des personnes âgées, notamment lorsque la douleur chronique et récurrente ne fait pas l'objet de traitement suffisant. Le traitement de la douleur chez la personne âgée a autant de chances de réussir que celui prodigué à une jeune personne.

- Il est possible que les personnes âgées craignent que la prise d'analgésiques engendre une pharmacodépendance et une sédation excessive. Les infirmières jouent un rôle clé dans l'enseignement aux clients et aux membres de leurs familles en ce qui a trait à l'importance du soulagement de la douleur et aux renseignements précis pour répondre à leurs préoccupations.

- Un état qui provoquerait une douleur aiguë chez une jeune personne peut pratiquement être indécelable chez certaines personnes âgées tant que des complications ne surviennent pas. Par exemple, une personne âgée victime d'un infarctus du myocarde peut dire avoir des flatulences, l'estomac à l'envers ou être extrêmement fatiguée plutôt que d'exprimer la douleur écrasante à la poitrine signalée par le jeune adulte. Dans ce cas, la complication d'une insuffisance cardiaque congestive peut être la première indication du problème principal de la personne âgée. Cependant, il est important de reconnaître que la douleur est le symptôme révélateur le plus fréquent d'un infarctus du myocarde aigu aussi bien chez les clients âgés que chez les jeunes clients. La fréquence des infarctus du myocarde chez les adultes âgés a été surestimée.

5.9 BESOINS DES SOIGNANTS

Le fait de travailler avec le client souffrant génère du stress chez l'infirmière et les autres membres du personnel soignant. Tous s'entendent pour dire que la douleur, tout comme la mort, est l'une des expériences les plus effrayantes qui soient, non seulement pour la personne souffrante, mais également pour les personnes qui en sont témoins. La peur qu'a le client de la douleur et son impuissance à la maîtriser font prendre conscience à l'infirmière de sa propre vulnérabilité et de ses propres limites. Ces expériences affectives et le stress qu'elles engendrent peuvent déclencher des mécanismes de défense et des comportements d'adaptation inappropriés, tels que l'aliénation ou l'évitement du client et de la famille et le refus de reconnaître l'intensité de la douleur ou quelque douleur que ce soit chez le client.

L'infirmière qui travaille avec le client souffrant doit se connaître et clarifier ses valeurs. Elle a besoin de la participation de ses pairs, non seulement pour l'aider à le faire, mais pour offrir un soutien, une orientation et même des conseils de façon formelle et informelle. De plus, il peut s'avérer nécessaire de consulter des spécialistes dans le domaine du soulagement de la douleur. L'infirmière doit également être au fait des dernières informations concernant la douleur et son soulagement.

L'enseignement à la famille et la relation entre la famille et l'infirmière sont extrêmement importants. Il est indispensable d'évaluer les sentiments de la famille et des amis et leur interaction avec le client devant le syndrome de la douleur. Les relations sont souvent inappropriées et stressantes. Des interventions infirmières sont essentielles pour renseigner la famille et les amis et leur enseigner des techniques d'adaptation plus efficaces pour eux-mêmes et des stratégies visant à aider le client.

MOTS CLÉS

Nociception. 101
Souffrance 101
Méthode PQRST 112
Dose d'analgésique équivalent 118
Dosage d'analgésique 119
Point gâchette 129
Acupression. 129
Acupuncture 131
Enseignement préventif 133
Toxicomanie 136

BIBLIOGRAPHIE

Version originale

1. McCaffery M, Beebe A: *Pain: a clinical manual for nursing practice,* ed 2, St. Louis, 1998, Mosby.
2. Merskey H, Bogduk N: *Classification of chronic pain: descriptions of chronic pain syndromes and definitions of pain terms,* Seattle, 1994, IASP Press.
3. Cassell EJ: The nature of suffering and the goals of medicine, *N Engl J Med* 306:639, 1982.
*4. Kahn DL, Steeves RH: An understanding of suffering grounded in clinical practice and research. In Ferrell BR, editor: *Suffering,* Boston, 1996, Jones & Bartlett.
5. Bonica JJ, editor: *The management of pain,* ed 2, Philadelphia, 1990, Lea & Febiger.
6. Agency for Health Care Policy and Research: *Clinical practice guideline. Acute pain management: operative or medical procedures and trauma,* Rockville, Md, 1992, US Department of Health and Human Services.
7. Agency for Health Care Policy and Research: *Clinical practice guideline. Management of cancer pain,* Rockville, Md, 1994, US Department of Health and Human Services.
*8. Maxam-Moore VV, Wilkie DJ, Woods SL: Analgesics for cardiac surgery patients in critical care: describing current practice, *Am J Crit Care* 3:31, 1994.
9. American Pain Society: *Principles of analgesic use in the treatment of acute pain and chronic cancer pain: a concise guide to medical practice,* ed 4, Skokie, Ill, 1997.
10. World Health Organization: *Cancer pain relief,* ed 2, Geneva, 1996, World Health Organization.
11. Dickenson AH: Central acute pain mechanisms, *Ann Med* 27:223, 1995.
12. Sidedall PJ, Cousins MJ: Spine update: spinal pain mechanisms, *Spine* 22:98, 1997.
13. Willis WD, Westlund KN: Neuroanatomy of the pain system and of the pathways that modulate pain, *J Clin Neurophysiol* 14(1):2, 1997.
14. Woolf CJ, Wiesenfield-Hallin Z: The systemic administration of local anaesthetics produce a selective depression of C-afferent fiber evoked activity in the spinal cord, *Pain* 23:361, 1985.
15. Coderre TJ and others: Contribution of central neuroplasticity to pathological pain: review of clinical and experimental evidence, *Pain* 54:363, 1993.
16. Casey KL and others: Comparison of human cerebral activation pattern during cutaneous warmth, heat pain, and deep cold pain, *J Neurophysiol* 76:571, 1996.
17. Jones AKP: Pain, its perception, and pain imaging, *IASP Newsletter* May/June:3, 1997.
18. Fields HL, Basbaum AL: Central nervous system mechanisms of pain modulation. In Wall PD, Melzack R, editors: *Textbook of pain,* ed 3, New York, 1994, Churchill Livingstone.
19. Wilkie DJ and others: Behavior of patients with lung cancer: description and associations with oncologic and pain variables, *Pain* 51:231, 1992.
20. Wilkie DJ and others: Cancer pain control behaviors: description and correlation with pain intensity, *Oncol Nurs Forum* 15:723, 1988.
21. Page GG, Ben Eliyahu S: The immune-suppressive nature of pain, *Semin Oncol Nurs* 13:10, 1997.
22. Gaston-Johansson F, Albert M, Fagan E: Similarities in pain descriptions of four different ethnic-culture groups, *J Pain Symptom Manage* 5:94, 1990.
23. McCaffery M, Ferrell BR: Influence of professional vs. personal role on pain assessment and use of opioids, *J Contin Educ Nurs* 28:69, 1997.
24. Puntillo KA: Pain: its mediators and associated morbidity in critically ill cardiovascular surgical patients, *Nurs Res* 43:31, 1994.
25. Tesler MD and others: Postoperative analgesics for children and adolescents: prescription and administration, *J Pain Symptom Manage* 9:85, 1994.
26. Myklebust EK and others: Measurement of pain: quantifying pain intensity word descriptors. Manuscript submitted for publication.
27. Wilkie DJ and others: Use of the McGill pain questionnaire to measure pain: a meta-analysis, *Nurs Res* 39:36, 1990.
28. Melzack R: The McGill pain questionnaire: major properties and scoring methods, *Pain* 1:277, 1975.
29. American Pain Society Quality of Care Committee: Quality improvement guidelines for the treatment of acute pain and cancer pain, *JAMA* 274:1874, 1995.
30. Porter J, Jick H: Addiction rare in patients treated with narcotics, *N Engl J Med* 302:123, 1980.
31. Garnett WR: GI effects of OTC analgesics: implications for product selection, *J Am Pharm Assoc Wash* NS36:565:1996.
32. Levine JD, Gordon NC, Fields HL: The mechanism of placebo analgesia, *Lancet* 2:654, 1978.
33. Herz A: Peripheral opioid analgesia—facts and mechanisms, *Prog Brain Res* 110:95, 1996.
34. Portenoy RK and others: Plasma morphine and morphine-6-glucuronide during chronic morphine therapy for cancer pain: plasma profiles, steady-state concentrations, and the consequences of renal failure, *Pain* 47:13, 1991.
35. Mercadante S and others: Subcutaneous fentanyl infusion in a patient with bowel obstruction and renal failure, *J Pain Symptom Manage* 13:241, 1997.
36. Robison JM and others: Sublingual and oral morphine administration: review and new findings, *Nurs Clin North Am* 30:725, 1995.
37. Fine PG: Fentanyl in the treatment of cancer pain, *Semin Oncol* 24:S16, 1997.
38. Cherny NJ and others: Opioid pharmacotherapy in the management of cancer pain: a survey of strategies used by pain physicians for the selection of analgesic drugs and routes of administration, *Cancer* 76:1283, 1995.

39. American Nurses' Association: *Position statement on the role of the registered nurse (RN) in the management of analgesia by catheter techniques (epidural, intrathecal, intrapleural, or peripheral nerve catheters)*, Washington, DC, 1990, The Association.

40. Lehmann JF, de Lateur B: Ultrasound, shortwave, microwave, laser, superficial heat and cold in the treatment of pain. In Wall PD, Melzack R, editors, *Textbook of pain*, ed 3, New York, 1994, Churchill Livingstone.

41. Krainick FU, Thoden U: Spinal cord stimulation. In Wall PD, Melzack R, editors: *Textbook of pain*, ed 3, New York, 1994, Churchill Livingstone.

42. Young RF, Rinaldi PC: Brain stimulation for relief of chronic pain. In Wall PD, Melzack R, editors: *Textbook of pain*, ed 3, New York, 1994, Churchill Livingstone.

43. Chaves JF, Dworkin SF: Hypnotic control of pain: historical perspectives and future prospects, *Int J Clin Exp Hypn* 45:356, 1997.

44. Miller LG: Cigarettes and drug therapy: pharmacokinetic and pharmacodynamic considerations, *Clin Pharm* 9:125, 1990.

45. American Nurses' Association: *Compendium of position statements on the nurse's role in end-of-life decisions*, Washington, DC, 1992, The Association.

46. American Nurses' Association: ANA's position on assisted suicide, *Am Nurse* 28(4):9, 1996.

47. Harkins SW and others: Geriatric pain. In Wall PD, Melzack R, editors: *Textbook of pain*, ed 3, New York, Churchill Livingstone, 1994.

48. Pasero CL, McCaffery M. Pain in the elderly. *AJN* 96:39-45, 1996.

Édition de langue française

1. GRÉGOIRE, J. et GAMACHE, A. « Testez vos connaissances - intervenir auprès d'un client qui présente une douleur rétrosternale », *L'infirmière du Québec*. vol. 6, nº 4 (1999), p.12-16.

2. POTTER, Patricia A. et PERRY, Anne G. *Soins infirmiers*, tome 2, Laval, Études Vivantes, 2002, 1617 p.

3. Clayton, Bruce D. et Stock, Yvonne A. *Soins infirmiers. Pharmacologie de base*, Laval, Beauchemin, 2003.

5

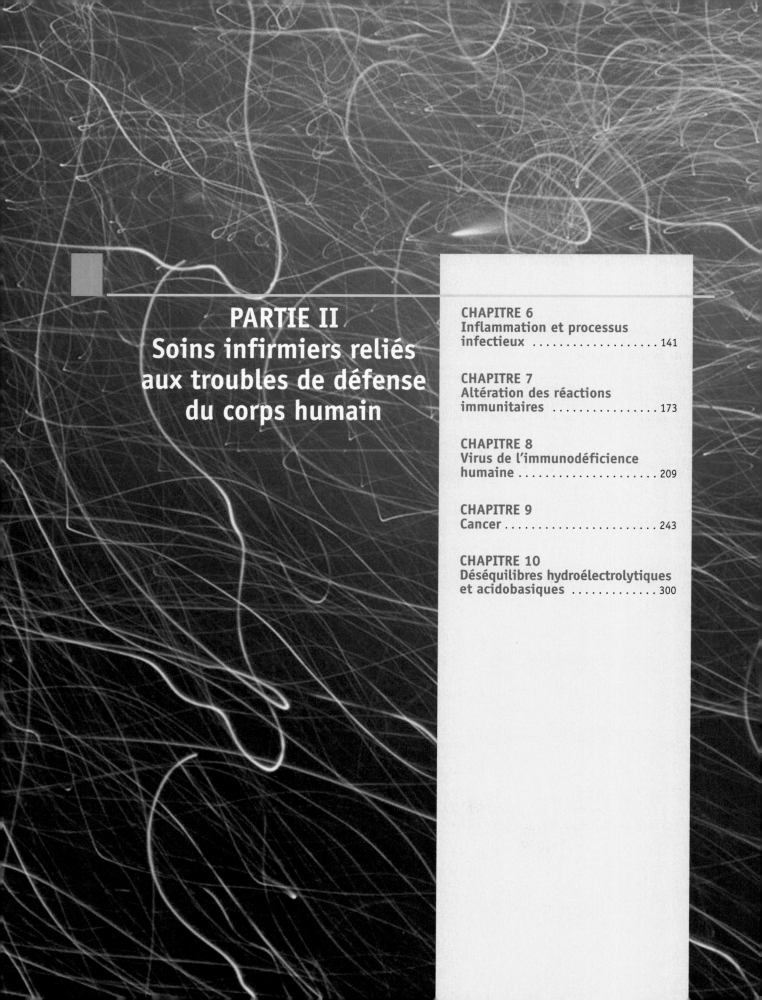

PARTIE II
Soins infirmiers reliés aux troubles de défense du corps humain

CHAPITRE 6
Inflammation et processus
infectieux 141

CHAPITRE 7
Altération des réactions
immunitaires 173

CHAPITRE 8
Virus de l'immunodéficience
humaine 209

CHAPITRE 9
Cancer 243

CHAPITRE 10
Déséquilibres hydroélectrolytiques
et acidobasiques 300

Guylaine Paquin
Inf., B. Sc. inf.
Cégep F.-X. Garneau

Chapitre 6

INFLAMMATION ET PROCESSUS INFECTIEUX

PLAN DU CHAPITRE

6.1 LÉSION CELLULAIRE 142
    6.1.1 Adaptation cellulaire à
        la lésion morbide 142
    6.1.2 Causes de la lésion cellulaire
        létale 143
    6.1.3 Nécrose cellulaire 143

6.2 MÉCANISMES DE DÉFENSE 143
    6.2.1 Système phagocytaire 144
    6.2.2 Réaction inflammatoire . . . 144

6.3 PROCESSUS DE CICATRISATION 153
    6.3.1 Régénération 153
    6.3.2 Réparation 153
    6.3.3 Retardement de la
        cicatrisation 155
    6.3.4 Complications de la
        cicatrisation 156
    6.3.5 Processus thérapeutique . . . 157

6.4 SOINS INFIRMIERS : INFLAMMATION
    ET INFECTION 160
    6.4.1 Promotion de la santé 160
    6.4.2 Intervention 160
    6.4.3 Soins ambulatoires et
        à domicile 171

OBJECTIFS D'APPRENTISSAGE

APRÈS AVOIR LU CE CHAPITRE, VOUS DEVRIEZ ÊTRE EN MESURE :

D'EXPLIQUER LES MÉCANISMES DÉVELOPPÉS PAR LA CELLULE EN CAS DE LÉSION MORBIDE ;

DE DÉCRIRE LES CAUSES DES LÉSIONS CELLULAIRES LÉTALES ;

DE DISTINGUER LES DIFFÉRENTS TYPES DE NÉCROSE CELLULAIRE ;

DE DÉCRIRE LES COMPOSANTES ET LES FONCTIONS DU SYSTÈME PHAGOCYTAIRE ;

DE DÉCRIRE LA RÉACTION INFLAMMATOIRE, NOTAMMENT LES RÉACTIONS VASCULAIRE ET CELLULAIRE, ET LA FORMATION DE L'EXSUDAT ;

DE RECONNAÎTRE LES SIGNES LOCAUX ET SYSTÉMIQUES DE L'INFLAMMATION, ET D'EXPLIQUER LEUR FONDEMENT PHYSIOLOGIQUE ;

DE DIFFÉRENCIER LES CICATRISATIONS DE PREMIÈRE, DE DEUXIÈME ET DE TROISIÈME INTENTION ;

DE DÉCRIRE LES FACTEURS QUI RALENTISSENT LA CICATRISATION D'UNE PLAIE ET LES COMPLICATIONS COURANTES RELATIVES AUX PLAIES ;

DE DÉCRIRE LES TRAITEMENTS PHARMACOLOGIQUE ET DIÉTÉTIQUE EN CAS D'INFLAMMATION, AINSI QUE LES SOINS INFIRMIERS QUI S'Y RATTACHENT.

6.1 LÉSION CELLULAIRE

La lésion cellulaire peut être de nature létale ou morbide. La lésion morbide altère les fonctions de la cellule sans provoquer sa mort. Les changements engendrés par ce type de lésion sont potentiellement réversibles si la cause est éliminée. La lésion létale est un processus irréversible qui provoque la mort cellulaire.

6.1.1 Adaptation cellulaire à la lésion morbide

Les adaptations cellulaires aux lésions morbides sont courantes et se manifestent lors de nombreux processus physiologiques et pathologiques. Par exemple, l'exposition prolongée aux rayons du soleil stimule la production de mélanine et fournit une protection supplémentaire aux couches inférieures de la peau en conférant un teint bronzé ; le manque d'activité musculaire peut entraîner l'atrophie des muscles et la diminution de leur tonus. Au nombre des processus d'adaptation cellulaire, on compte l'hypertrophie, l'hyperplasie, l'atrophie et la métaplasie (voir figure 6.1 et tableau 6.1). La dysplasie et l'anaplasie sont des réactions considérées comme anormales.

Hypertrophie. Lorsque le volume des cellules augmente sans qu'il y ait division cellulaire, on dit qu'il y a **hypertrophie**. Par exemple, pendant la grossesse, l'utérus prend de l'expansion sous l'effet d'une stimulation hormonale ; le cœur d'un individu souffrant d'hypertension grave se gonfle afin de compenser la résistance accrue rencontrée lors du pompage ; la néphrectomie entraîne une augmentation de la taille de l'autre rein en raison du surcroît de travail ; l'hypertrophie des muscles est causée par une dilatation des fibres musculaires secondaire à la production d'une quantité accrue de protéines cellulaires, comme dans le cas d'une personne qui fait de la musculation.

Hyperplasie. On appelle **hyperplasie** la multiplication du nombre de cellules consécutive à une division cellulaire accrue. Ce processus est réversible lorsqu'on en élimine la cause. L'**hyperplasie compensatoire** est un processus d'adaptation au cours duquel les cellules de certains organes se régénèrent. Par exemple, en cas d'hépatectomie partielle, il y a augmentation de la mitose des cellules résiduelles pour compenser les cellules excisées. L'hyperplasie hormonale se produit principalement dans les organes qui réagissent aux œstrogènes, comme l'utérus ou le sein, dont les cellules subissent une hyperplasie lors de la lactation.

Atrophie. L'**atrophie** est la réduction du volume d'un tissu ou d'un organe due à une diminution du nombre

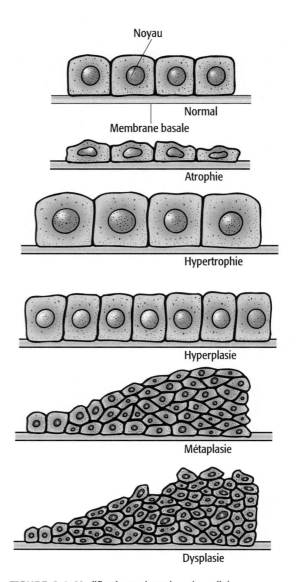

FIGURE 6.1 Modifications adaptatives des cellules

de cellules ou du volume de la cellule elle-même. Elle est souvent le résultat d'une maladie (p. ex. maladie de l'appareil locomoteur), d'un manque d'irrigation (p. ex. formation d'une thrombose), du processus naturel de vieillissement (p. ex. diminution du volume mammaire suivant la ménopause), de l'inactivité (p. ex. diminution du volume musculaire) ou d'une carence nutritionnelle.

Métaplasie. La **métaplasie** se décrit comme étant la transformation réversible d'un type cellulaire en un autre. Ce phénomène s'applique à des cellules normales. La transformation des monocytes en macrophages, lors de leur migration vers les tissus enflammés, est un exemple de métaplasie physiologique ; la transformation de l'épithélium cylindrique pseudostratifié normal des bronches en épithélium pavimenteux, en réaction au tabagisme chronique, est un exemple de métaplasie

TABLEAU 6.1	Modifications adaptatives des cellules	
Processus d'adaptation	**Définition**	**Exemples**
Hypertrophie	Augmentation du volume des cellules sans qu'il y ait division cellulaire	La grossesse (l'utérus prend de l'expansion) Le cœur d'un individu souffrant d'HTA grave Le rein qui reste à la suite d'une néphrectomie, Les muscles (par l'exercice musculaire)
Hyperplasie	Multiplication du nombre de cellules consécutive à une division cellulaire accrue Processus réversible lorsqu'on en élimine la cause L'hyperplasie compensatoire est un processus d'adaptation au cours duquel les cellules de certains organes se régénèrent L'hyperplasie hormonale se produit principalement dans les organes qui réagissent aux œstrogènes	Dans les cas d'hépatectomie partielle Les cellules du sein (lors de la lactation)
Atrophie	Réduction du volume d'un tissu ou d'un organe due à une diminution du nombre de cellules ou du volume de la cellule elle-même Souvent le résultat d'une maladie : d'un manque d'irrigation : du vieillissement : de l'inactivité et d'une carence nutritionnelle :	Maladie de l'appareil locomoteur Formation d'une thrombose Diminution du volume mammaire (ménaupose) Diminution du volume musculaire
Métaplasie	Transformation réversible d'un type de cellule normale en un autre type de cellule normale	Transformation des monocytes en macrophages
Dysplasie	Différenciation anormale des cellules lors de la division, qui a pour résultat un changement du volume, de la forme et de l'apparence de la cellule Processus réversible s'il y a élimination de la cause Signe avant-coureur de malignité	
Anaplasie	Différenciation cellulaire à un stade immature ou embryonnaire Caractérise souvent les tumeurs malignes	

physiopathologique. La métaplasie bronchique peut être réversible si le stimulus irritant (la fumée de cigarette) disparaît.

Dysplasie. On appelle **dysplasie** la différenciation anormale des cellules lors de la division, qui a pour résultat un changement du volume, de la forme et de l'apparence de la cellule. Il y a présence de dysplasie mineure dans certains foyers d'inflammation. La dysplasie est potentiellement réversible s'il y a élimination de la cause. Elle peut souvent être un signe avant-coureur de malignité, comme dans le cas de la dysplasie cervicale.

Anaplasie. L'**anaplasie** est la perte de la différenciation de la cellule. Le tissu évolue vers un stade immature ou embryonnaire. Une croissance cellulaire anaplasique caractérise souvent les tumeurs malignes.

6.1.2 Causes de la lésion cellulaire létale

De nombreux agents et facteurs peuvent provoquer la lésion cellulaire létale (voir tableau 6.2). Une invasion microbienne se termine souvent par une lésion ou une mort cellulaire. L'invasion d'un tissu par des agents pathogènes (microorganismes capables de provoquer une maladie) et la prolifération de ces derniers engendrent une infection. Les tableaux 6.3 et 6.4 dressent une liste des bactéries et des virus pathogènes courants. Les organismes **opportunistes** sont des microorganismes habituellement non pathogènes. Cependant, ils peuvent provoquer une infection si la résistance de l'hôte est affaiblie par des facteurs tels que l'immunodépression, un traumatisme ou une maladie.

6.1.3 Nécrose cellulaire

Quand les cellules constitutives d'un organisme meurent, on dit qu'il y a **nécrose**. Différents types de nécrose se produisent selon l'organe ou le tissu (voir tableau 6.5).

6.2 MÉCANISMES DE DÉFENSE

L'organisme possède différents mécanismes de défense pour se prémunir contre les lésions et les infections. Ces mécanismes de défense sont : la peau et les muqueuses (voir chapitre 49), le système phagocytaire, la réaction inflammatoire et le système immunitaire (voir chapitre 7).

TABLEAU 6.2   Causes de la lésion cellulaire létale

Causes	Effets sur la cellule
Agents physiques	
Chaleur	Dénaturation protéique, accélération des réactions métaboliques.
Froid	Diminution de l'irrigation sanguine due à la vasoconstriction, ralentissement des réactions métaboliques, thrombose des vaisseaux sanguins, congélation du contenu de la cellule, ce qui forme des cristaux qui peuvent faire éclater la cellule.
Radiation	Altération de la structure et de l'activité cellulaire, altération des systèmes enzymatiques, mutations.
Lésion électrothermique	Interruption de la conductibilité nerveuse, fibrillation du myocarde, nécrose ischémique de la peau et des muscles du squelette.
Traumatisme mécanique	Transfert de l'excédent d'énergie cinétique aux cellules provoquant la rupture des cellules, des vaisseaux sanguins, des tissus ; par exemple :
	Abrasion : éraflure de la peau ou des muqueuses.
	Lacération : déchirure de vaisseaux et de tissus.
	Contusion (ecchymose) : écrasement de cellules tissulaires provoquant une hémorragie sous-cutanée.
	Piqûre : perforation d'une structure organique ou d'un organe.
	Incision : coupure chirurgicale.
Lésion chimique	Altération du métabolisme cellulaire, interférence avec l'action enzymatique normale à l'intérieur de la cellule.
Lésion microbienne	
Virus	Prise en charge du métabolisme cellulaire et synthèse de nouvelles particules pouvant causer la rupture de la cellule, effets cumulatifs pouvant possiblement provoquer une maladie.
Bactérie*	Destruction de la membrane ou du noyau cellulaire, production de toxines létales.
Lésion ischémique	Mise en danger du métabolisme cellulaire, mort cellulaire aiguë ou graduelle.
Immunologique†	
Réaction antigène-anticorps	Libération de substances (histamine, complément) qui peuvent léser ou endommager la cellule.
Auto-immunité	Activation du complément, ce qui détruit les cellules normales et provoque l'inflammation.
Croissance néoplasique	Destruction de la cellule due à une croissance anormale et incontrôlée de la cellule.
Substances normales (p. ex. enzymes digestives, acide urique)	Provocation d'une péritonite en raison de l'émission de ces substances dans l'abdomen, cristallisation d'un excédent accumulé dans les articulations et le tissu rénal.

* Les bactéries sont habituellement classées en deux catégories : gram-négatives ou gram-positives.
† Voir chapitre 12 pour un exposé plus détaillé.

6.2.1 Système phagocytaire

Le système phagocytaire (SP) est principalement constitué de macrophages. Les globules blancs précurseurs de ces cellules sont les monocytes. Quand ces derniers quittent la circulation sanguine pour entrer dans les tissus, ils se transforment en macrophages (voir tableau 6.6). Il existe deux types de macrophages : fixes ou libres (mobiles). Les macrophages libres circulent dans le sang ou dans les tissus, tandis que les macrophages fixes résident toujours dans un organe ou un tissu spécifique. Qu'ils soient fixes ou libres, les macrophages ont tous la même structure et remplissent la même fonction. Une lésion entraîne également une libération de granulocytes (type de globules blancs) qui phagocytent les microorganismes.

Les fonctions des macrophages comprennent la reconnaissance d'éléments étrangers tels que les microorganismes et leur phagocytose, le retrait de la circulation de cellules mortes ou lésées et la participation à la réaction immunitaire (voir chapitre 7).

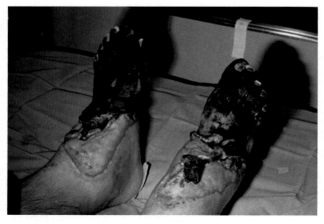

FIGURE 6.2 Gangrène des orteils

6.2.2 Réaction inflammatoire

La réaction inflammatoire succède à la lésion cellulaire. Elle neutralise et dilue les agents inflammatoires, élimine les éléments nécrosés et crée un environnement

TABLEAU 6.3   Types de virus

Type	Maladie provoquée
Adénovirus	Infection des voies respiratoires supérieures, pneumonie.
Arbovirus	Fièvre, malaise, céphalée, myalgie ; méningite à liquide clair ; encéphalite.
Coronavirus	Infection des voies respiratoires supérieures.
Virus coxsackie A et B	Infection des voies respiratoires supérieures, gastro-entérite, myocardite aiguë, méningite aseptique.
Échovirus	Infection des voies respiratoires supérieures, gastro-entérite, méningite aseptique.

Hépatite
  A
  B
  C
	
	Hépatite virale
	Hépatite virale
	Hépatite virale

Herpèsvirus
  Varicelle-zona
  Herpès
    Type 1
    Type 2
  Epstein-Barr
  Cytomégalovirus (CMV)
	
	Varicelle ; zona.
	
	Herpès labial (« feux sauvages »), herpès génital.
	Herpès génital
	Mononucléose, lymphome de Burkitt (possiblement).
	Pneumonie chez les individus immunodéprimés, syndrome semblable à la mononucléose infectieuse.

Virus de l'immunodéficience humaine (VIH)	Infection au VIH, syndrome d'immunodéficience acquise (SIDA).
Influenza A, B, C	Infection des voies respiratoires supérieures.
Papovavirus	Verrues
Parvovirus	Gastro-entérite
Poliovirus	Poliomyélite
Poxvirus	Variole
Réovirus	Infection des voies respiratoires supérieures, gastro-entérite.
Virus respiratoire syncytial	Gastro-entérite, infection des voies respiratoires supérieures.
Rhabdovirus	Rage
Rhinovirus	Infection des voies respiratoires supérieures, pneumonie.
Rotavirus	Gastro-entérite
Tagavirus	Rubéole

Paranovyxovirus
  – ourlien
  – rougeole
	
	Parotidite post pubère (oreillons), orchite chez les hommes.
	Rougeole

propice à la guérison et à la réparation tissulaire. Le terme **inflammation** est souvent utilisé à tort comme synonyme d'**infection**. L'inflammation est toujours présente lors d'une infection, mais l'infection n'est pas toujours présente lors d'une inflammation. Cependant, un sujet neutropénique est parfois incapable de déclencher une réaction inflammatoire. L'infection suppose une invasion de tissus ou de cellules par des microorganismes comme des bactéries, des champignons ou des virus, qui entraîneront notamment une réaction inflammatoire. Des agents mécaniques et chimiques peuvent aussi être à l'origine de l'inflammation (voir tableau 6.2).

Peu importe la cause de la lésion, le mécanisme de l'inflammation demeure pratiquement le même. L'intensité de

TABLEAU 6.4 Types de bactéries

Type	Maladie provoquée
Clostridiium	
C. tetani	Tétanos (trismus)
C. botulinum	Intoxication alimentaire accompagnée d'une paralysie progressive des muscles
	Diphtérie
C. difficile	Colite
Corynebacterium diphtheriae	Infection des voies urinaires, péritonite
Escherichia coli	Infection des voies urinaires
Organismes *haemophilus*	
H. influenzae	Nasopharyngite, méningite, pneumonie
H. pertussis	Coqueluche
Helicobacter pylori	Ulcères gastro-duodénaux
Organismes *Klebsiella-Enterobacter*	Infection des voies urinaires, péritonite, pneumonie
Legionella pneumophila	Pneumonie (maladie des légionnaires)
Mycobactéries	
M. tuberculosis	Tuberculose
M. leprae	Lèpre (maladie de Hansen)
Neisseriae	
N. meningitidis	Méningococcémie, méningite
N. gonorrhœae	Gonorrhée, maladie inflammatoire pelvienne
Espèces *Proteus*	Infection des voies urinaires, péritonite
Pseudomonas aeruginosa	Infection des voies urinaires, méningite
Espèces *Salmonella*	
S. typhi	Fièvre typhoïde
Autres organismes *Salmonella*	Intoxication alimentaire, gastro-entérite (salmonellose)
Espèces *Shigella*	Shigellose, diarrhée accompagnée de douleur abdominale et de fièvre (dysenterie)
Staphylococcus aureus	Infection cutanée, pneumonie, infection des voies urinaires, ostéomyélite aiguë, choc toxique
Streptocoques	
S. pyogenes (streptocoques beta-hémolytiques du groupe A)	Pharyngite, scarlatine, rhumatisme articulaire aigu, glomérulonéphrite aiguë, érysipèle, pneumonie
S. pyogenes (streptocoques beta-hémolytiques du groupe B)	Infection des voies urinaires
S. pneumoniae	Pneumonie
S. viridans	Endocardite bactérienne
S. faecalis	Infection génito-urinaire, infection des plaies chirurgicales
Treponema pallidum	Syphilis

la réaction dépend de l'étendue et de la gravité de la lésion, ainsi que de la capacité de la victime à réagir. La réaction inflammatoire se divise en quatre phases : la réaction vasculaire, la réaction cellulaire, la formation d'un exsudat et la cicatrisation.

Réaction vasculaire. Lors d'une lésion, les cellules atteintes libèrent de l'histamine, des prostaglandines et d'autres substances chimiques, qui entraînent une vaso-dilatation. Il en résulte une **hyperémie** (augmentation de l'irrigation sanguine dans ce secteur) qui se manifeste par de la chaleur et de la rougeur. Des médiateurs chimiques provoquent une augmentation de la perméabilité capillaire, ce qui facilite le mouvement de liquide des capillaires vers l'espace interstitiel. Composé à l'origine de liquide séreux, cet exsudat inflammatoire contient

TABLEAU 6.5	Types de nécrose
Type	**Description**
Nécrose de coagulation	Maintien de la forme des cellules nécrosées. Inhibition quelconque des enzymes lytiques. Dénaturation des protéines. Perte de fonction enzymatique. Habituellement provoquée par un manque d'irrigation sanguine.
Nécrose de liquéfaction	Disparition rapide des cellules nécrosées à mesure que les enzymes lytiques digèrent les tissus. Survient habituellement dans le cerveau où la quantité d'enzymes lytiques est abondante.
Nécrose caséeuse	Dégradation des cellules nécrosées, mais présence prolongée des fragments cellulaires. Appelée « nécrose caséeuse (ayant l'apparence du fromage) » en raison de son apparence friable. Fréquemment répertoriée dans les cas de tuberculose pulmonaire.
Nécrose gangreneuse	Résultat d'une hypoxie grave et de la lésion ischémique subséquente, courante à la suite d'un manque d'irrigation de la jambe. La gangrène sèche fait référence à la zone sèche, ridée et noircie (voir figure 6.2), et la gangrène humide, au tissu nécrotique liquéfié sous-jacent.

des protéines plasmatiques, principalement de l'albumine des protéines de coagulation. Ces protéines exercent une pression oncotique qui refoule le liquide des vaisseaux sanguins vers l'espace interstitiel. Ce déplacement de liquide se manifeste par de l'œdème. Le tissu devient alors tuméfié. Cet œdème comprime les terminaisons nerveuses du tissu et cause une douleur. La libération de toxines bactériennes, le manque de nutriments dont souffrent les cellules touchées et les effets des médiateurs chimiques contribuent à la douleur. L'invasion des tissus par l'exsudat favorise la guérison des cellules. L'exsudat dilue les toxines, fournit l'oxygène et les nutriments essentiels à la réparation tissulaire, et achemine les protéines de coagulation dans l'espace interstitiel pour élaborer un réseau de fibrine. Il existe différents types d'exsudat (voir tableau 6.8). Cette réaction est illustrée à la figure 6.3.

En quittant le sang, les produits libérés par les cellules lésées transforment le fibrinogène des protéines plasmatiques en fibrine. Cette fibrine renforce le caillot sanguin formé par les plaquettes. Dans les tissus, le caillot piège les bactéries, prévient leur prolifération et forme la structure nécessaire à la cicatrisation.

Réaction cellulaire. La lésion d'un tissu stimule la moelle osseuse à libérer des leucocytes (granulocytes, monocytes, lymphocytes). Une leucocytose s'ensuit (voir figure 6.3). Des agents chimiotactiques sont également relâchés en vue d'attirer les leucocytes vers le site lésé (chimiotactisme). La perte de liquide causée par l'exsudat ralentit le débit capillaire et augmente la viscosité sanguine dans cette région. Les neutrophiles et les monocytes s'accolent à la paroi interne des capillaires (margination) et pénètrent par la suite dans la paroi capillaire pour passer du sang à l'espace interstitiel (diapédèse). Moins d'une heure après l'amorce du processus inflammatoire, les granulocytes se mettent à phagocyter (voir figure 6.4).

Granulocytes. Les premiers leucocytes à intervenir sont les granulocytes neutrophiles (ils prennent habituellement de 6 à 12 heures). Ils phagocytent les corps étrangers, notamment les bactéries, de même que les cellules lésées. En raison de leur courte durée de vie (de 6 heures à quelques jours), les granulocytes neutrophiles morts s'accumulent rapidement. L'accumulation de ces granulocytes, des bactéries digérées et des autres débris cellulaires forme, avec le temps, une substance crémeuse appelée **pus**.

Pour satisfaire à la demande en granulocytes, la moelle osseuse émet davantage de granulocytes neutrophiles

TABLEAU 6.6	Localisation et nom des macrophages*
Localisation	**Nom**
Tissu conjonctif	Histiocytes
Foie	Cellules de Küpffer
Poumon	Macrophages alvéolaires
Rate	Macrophages libres et fixes
Moelle osseuse	Macrophages fixes
Ganglions lymphatiques	Macrophages libres et fixes
Tissu osseux	Ostéoclastes
Système nerveux central	Cellules microgliales
Cavité péritonéale	Macrophages péritonéaux
Cavité pleurale	Macrophages pleuraux
Peau	Histiocytes, cellules de Langerhans
Synovie	Cellules de type A

* Les monocytes se transforment en macrophages une fois qu'ils quittent le sang et pénètrent dans les tissus.

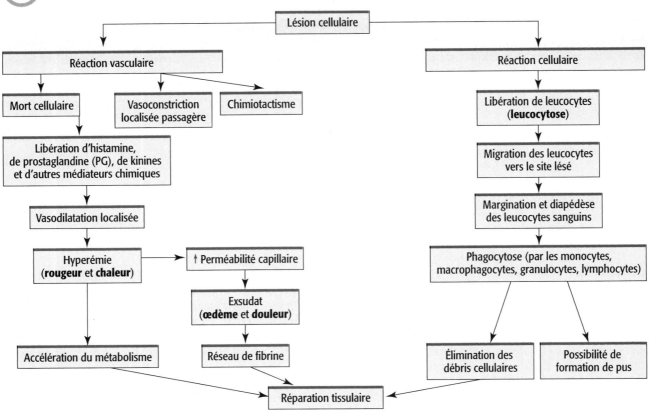

FIGURE 6.3 Réaction inflammatoire

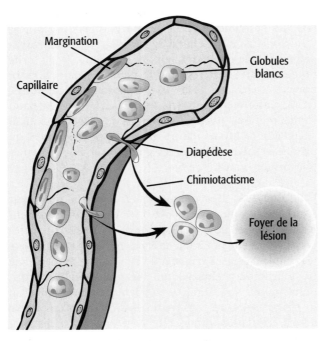

FIGURE 6.4 Margination, diapédèse et chimiotactisme des globules blancs

dans la circulation. Il s'ensuit une augmentation du nombre de GB (particulièrement des granulocytes neutrophiles).

Monocytes. Les monocytes sont le second type de cellules phagocytaires qui quittent le sang circulant. Ils sont attirés par les facteurs chimiotactiques et atteignent habituellement le foyer de l'inflammation entre trois et sept jours après son déclenchement. À leur arrivée dans les tissus, les monocytes se transforment en macrophages. De concert avec les macrophages fixes déjà présents, ils aident à phagocyter les débris cellulaires. Les macrophages ont la tâche importante de nettoyer des lieux avant que la cicatrisation puisse se produire. Les macrophages ont une longue durée de vie : ils peuvent se reproduire et demeurer dans les tissus lésés pendant des semaines. Ces cellules à grande longévité jouent un rôle crucial dans l'orchestration de la réparation tissulaire.

Dans certains cas, les macrophages accomplissent des tâches autres que la phagocytose. Ils peuvent s'agglomérer et se fusionner pour former une cellule géante à plusieurs noyaux. Cette cellule géante tentera de phagocyter les particules trop grosses pour les macrophages, puis sera encapsulée par du collagène, ce qui entraînera la formation d'un granulome. Un exemple classique de ce

TABLEAU 6.7 Médiateurs de l'inflammation

Médiateur	Source	Mécanismes d'action
Histamine	Contenue dans les granules des basophiles, des mastocytes et des plaquettes.	Provoque la vasodilatation et l'augmentation de la perméabilité vasculaire en stimulant la contraction des cellules endothéliales et en élargissant l'espace intercellulaire.
Sérotonine	Contenue dans les plaquettes, les mastocytes et les cellules de Kultchitzky du tractus GI.	Provoque la vasodilatation et l'augmentation de la perméabilité vasculaire en stimulant la contraction des cellules endothéliales et en élargissant l'espace intercellulaire ; stimule la contraction des muscles lisses.
Kinines (p. ex. bradykinine)	Produites à partir d'un facteur précurseur, le kininogène, surtout présent dans le plasma, l'urine et la salive, et libéré par les granulocytes neutrophiles. Le clivage du kinogène permet la libération de kinines.	Provoquent la contraction des muscles lisses et la dilatation des vaisseaux sanguins, ce qui stimule la douleur.
Complément (C3a, C4a, C5a)	Protéines plasmatiques	Stimule la libération d'histamine ; stimule le chimiotactisme.
Fibrinopeptides	Produites après activation de la coagulation.	Accroissent la perméabilité vasculaire ; stimulent le chimiotactisme des neutrophiles.
Prostaglandines et leucotriènes	Produits à partir de l'acide arachidonique (voir figure 6.6).	Les PGE_1 et PGE_2 provoquent la vasodilatation ; le LTB_4 stimule le chimiotactisme.
Lymphokines	Voir tableau 7.7	

LT : leucotriènes ; PG : prostaglandine.

TABLEAU 6.8 Types d'exsudat inflammatoire

Type	Description	Exemples
Séreux	L'exsudat séreux est le résultat d'un épanchement de liquide à contenu cellulaire et protéique faible ; on constate sa présence au cours des premiers stades de l'inflammation ou lorsque la lésion est bénigne.	Cloques, épanchement pleural.
Catarrhal	L'exsudat catarrhal se manifeste dans les tissus où les cellules produisent du mucus. La réaction inflammatoire accélère la production de mucus.	Goutte au nez liée à une infection des voies respiratoires supérieures.
Fibreux	L'exsudat fibreux se forme lors d'une augmentation de la perméabilité vasculaire et d'une fuite de fibrinogènes dans les espaces interstitiels. Les quantités excessives de fibrines qui recouvrent les surfaces tissulaires peuvent les rendre adhésives.	Adhérences
Purulent (pus)	L'exsudat purulent est composé de GB, de microorganismes (vivants ou morts), de cellules mortes liquéfiées et d'autres débris.	Furoncle (clou), abcès, cellulite (inflammation diffuse du tissu conjonctif).
Hémorragique	L'exsudat hémorragique est le résultat de la rupture ou de la nécrose de parois de vaisseaux sanguins ; il est formé de GR qui migrent dans les tissus.	Hématome

GR : globules rouges ; GB : globules blancs.

processus est le phénomène de l'infection du poumon par le bacille de la tuberculose. Quand le bacille est emprisonné, il existe un état inflammatoire chronique. Le granulome ainsi formé est une cavité remplie de tissu nécrosé.

Lymphocytes. Les lymphocytes arrivent plus tard au foyer de la lésion. Ces cellules jouent principalement un rôle dans l'immunité humorale et dans la médiation cellulaire (voir chapitre 7).

Granulocytes éosinophiles et basophiles. Le rôle des éosinophiles et des basophiles, lors de l'inflammation, est plus spécifique. Les éosinophiles sont émis en grande quantité pendant une réaction allergique. Ils libèrent des substances chimiques qui neutralisent les effets de l'histamine et de la sérotonine. Ils participent aussi à la phagocytose du complexe allergène-anticorps. Les basophiles transportent, dans leurs granules, de l'histamine et de l'héparine, qu'ils libèrent pendant l'inflammation. Les éosinophiles contiennent des substances chimiques très caustiques qui peuvent dégrader la membrane d'une cellule parasite.

Médiateurs chimiques. Le tableau 6.7 dresse une liste des médiateurs de la réaction inflammatoire.

Système du complément. Le système du complément est l'un des principaux médiateurs de la réaction inflammatoire. Il est formé d'une vingtaine de protéines plasmatiques (classées de C1 à C9 et en sous-classes, p. ex. C3a et C3b). Le complément induit la phagocytose, détruit les bactéries et stimule la réaction inflammatoire. Le complément s'active en empruntant la voie classique ou une autre voie. Dans chacune des voies, une cascade de réactions se produit.

Dans la voie classique, le système du complément s'active par la fixation de la protéine C1 à un complexe antigène-anticorps. Les immunoglobulines G et M (IgG et IgM) sont responsables de la fixation du complément.

Chaque complexe activé peut agir sur la protéine suivante, créant ainsi une réaction en chaîne.

Il existe une autre voie par laquelle C3 est activé sans qu'il ne se fixe préalablement au complexe antigène-anticorps. Les substances bactériennes, les lipopolysaccharides, la plasmine et les protéases neutrophiles peuvent stimuler la séquence du complément à l'étape du C3 au moyen de l'activation de C5 par C9. L'opsonisation et le chimiotactisme engendrés par l'activation du complément augmentent l'activité phagocytaire. L'opsonisation se produit lorsque l'antigène se recouvre de protéines C3b du complément ou d'immunoglobulines. L'antigène est ainsi plus susceptible d'être phagocyté. De plus, la protéine C5a favorise le chimiotactisme.

Les protéines C3a, C5a et C4a sont appelées **anaphylatoxines** et se lient aux récepteurs des mastocytes et des basophiles. Cette liaison provoque la sécrétion d'histamine. Une contraction des muscles lisses, une dilatation des vaisseaux et une augmentation de la perméabilité vasculaire en résultent.

Toute la séquence du complément, de C1 à C9, doit être activée pour que se produise la lyse cellulaire. Les dernières protéines (C8 et C9) agissent sur la surface de la cellule et provoquent la rupture de la membrane cellulaire.

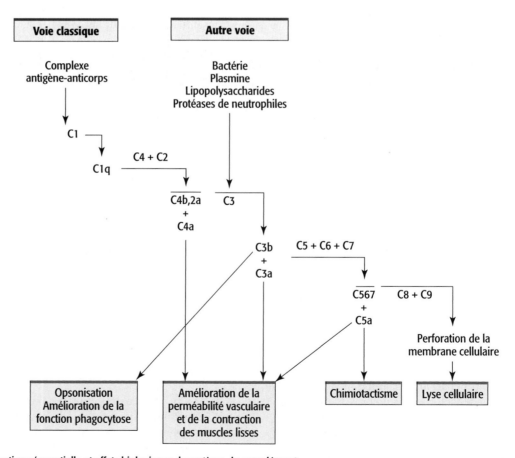

FIGURE 6.5 Activation séquentielle et effets biologiques du système du complément

Les bactéries, les cellules nucléées et les globules rouges (GR) sont sujets à ce type de lyse (voir figure 6.5).

Prostaglandines et leucotriènes. Les prostaglandines (PG) sont des substances synthétisées à partir des phospholipides des membranes cellulaires de la plupart des tissus et des cellules sanguines. Stimulés par des facteurs chimiotactiques ou par la phagocytose, ou à la suite d'une lésion cellulaire, les phospholipides peuvent se transformer en acide arachidonique (un acide gras non saturé à 20 atomes de carbone). Cette substance peut ensuite s'oxyder par la voie de la cyclo-oxygénase ou celle de la lipo-oxygénase (voir figure 6.6).

La voie de la cyclo-oxygénase entraîne la production de PG et de thromboxane (formées par l'activation des plaquettes). Les PG sont de puissants vasodilatateurs qui inhibent l'agrégation des plaquettes et des granulocytes neutrophiles. Les PG excitent aussi les récepteurs de la douleur par des stimuli normalement indolores. Ils sont aussi de puissants pyrétogènes agissant sur le centre de régulation thermique de l'hypothalamus. Le thromboxane est un vasodilatateur et un agent puissant stimulant l'agrégation. On considère généralement que les PG favorisent l'inflammation, car ils contribuent à augmenter le flux sanguin, l'œdème et la douleur. L'acide arachidonique métabolisé par la voie de la lipo-oxygénase entraîne une production de leucotriènes. Les leucotriènes sont des facteurs chimiotactiques puissants qui participent à la réaction anaphylactique. Ils provoquent la constriction des muscles lisses des bronches et augmentent la perméabilité capillaire.

Les médicaments qui inhibent la synthèse des PG sont utiles en médecine clinique. Parmi ceux-ci, les anti-inflammatoires non stéroidiens (AINS) constituent le premier traitement de nombreuses réactions inflammatoires aiguës et chroniques. L'acide acétylsalicylique (AAS) bloque l'agrégation des plaquettes ; il a aussi une action anti-inflammatoire. On utilise la prostacycline (un dérivé des PG) pour prévenir la formation de dépôts de plaquettes dans les appareils, comme lors de l'hémodialyse et dans les oxygénateurs cœur-poumon.

Les corticostéroïdes sont un autre groupe de médicaments inhibiteurs de PG. Ils sont fort utiles pour le traitement de l'asthme, parce qu'ils inhibent la production de leucotriènes, prévenant ainsi la bronchoconstriction. Le tableau 6.7 décrit d'autres médiateurs de la réaction inflammatoire.

Formation de l'exsudat. L'exsudat est un liquide composé de leucocytes qui migrent de la circulation au foyer de la lésion. La nature et la quantité de l'exsudat dépendent du type de lésion et de sa gravité, de même que des tissus touchés (voir tableau 6.8).

Manifestations cliniques. Les manifestations de la réaction inflammatoire locale comprennent la rougeur, la chaleur, l'œdème, l'enflure et la perte de fonction (voir tableau 6.9).

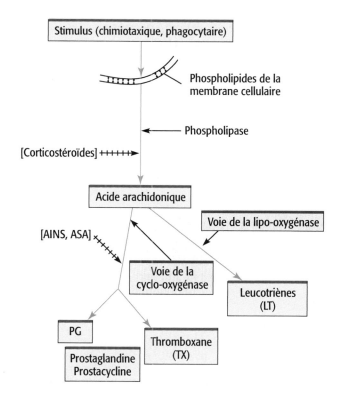

FIGURE 6.6 Voie de l'oxygénation de l'acide arachidonique et de la production de prostaglandines et de leucotriènes. Les corticostéroïdes, les anti-inflammatoires non stéroidiens et l'acide acétylsalicylique interviennent pour inhiber différentes étapes de ce cheminement. Les leucotriènes provoquent la bronchoconstriction et l'augmentation de la perméabilité vasculaire.

TABLEAU 6.9	Manifestations locales de l'inflammation
Manifestations	**Cause**
Rougeur (*rubor*)	Hyperémie due à la vasodilatation locale.
Chaleur (*color*)	Accélération du métabolisme au foyer d'inflammation.
Douleur (*dolor*)	Stimulation nerveuse par les médiateurs chimiques (histamine, PG); compression des terminaisons nerveuses des tissus par l'exudat; carence en nutriments, libération de toxines bactériennes; variation du pH; modification de la concentration ionique locale.
Œdème (*tumor*)	Mouvement de liquide vers les espaces interstitiels ; accumulation d'exsudat liquide.
Perte de fonction (*functio lasea*)	Œdème et douleur.

Les signes systémiques de l'inflammation incluent la leucocytose, le malaise, la nausée et l'anorexie ; la tachycardie et la tachypnée ainsi que la fièvre.

La leucocytose est le résultat d'une surproduction d'un ou de plusieurs types de leucocytes par la moelle osseuse. Les réactions inflammatoires peuvent s'accompagner de symptômes systémiques tels que le malaise, la nausée, l'anorexie et la fatigue. On en comprend mal les causes, mais on soupçonne qu'ils sont dus à l'activation du complément et à la production de médiateurs libérés par les globules blancs activés. Les cellules phagocytaires sécrètent des cytokines (messagers intercellulaires), l'interleukine-1 (IL 1) et le facteur nécrosant tumoral (FNT), qui jouent un rôle important dans l'apparition des signes généraux de l'inflammation et dans la production de fièvre. Une hausse de la température corporelle cause une accélération du métabolisme, suivie d'une augmentation du pouls et de la fréquence respiratoire.

Fièvre. La fièvre est provoquée par des cytokines pyrétogènes endogènes libérées par les macrophages et les monocytes. Les plus puissantes de ces cytokines sont l'IL1 et le FNT. L'interféron alpha (IFNα), l'interféron bêta (IFNβ) et l'interféron gamma (IFNγ) sont aussi des cytokines pyrétogènes. Ces cytokines provoquent la fièvre par leur capacité à déclencher des changements métaboliques dans le centre de thermorégulation de l'hypothalamus (voir figure 6.7). Une synthèse de prostaglandines s'ensuit. Les PG agissent directement sur la température corporelle, habituellement constante, en haussant la température de consigne. L'hypothalamus active le système nerveux sympathique qui augmente le tonus musculaire, provoque le frissonnement des muscles, diminue la transpiration et crée une vasoconstriction afin de diminuer l'afflux sanguin vers la périphérie. L'adrénaline sécrétée par la médullosurrénale accélère le métabolisme. La température s'élève alors jusqu'à atteindre la nouvelle température de consigne. Puisque la nouvelle température de consigne est plus élevée que la normale, l'hypothalamus accentue la production et la conservation de la chaleur pour hausser la température corporelle. Le sujet ressent alors une impression de froid et frissonne. Ce phénomène, qui semble paradoxal, est plutôt spectaculaire : le corps est chaud, et pourtant le sujet s'enterre sous les couvertures. Tous ces phénomènes concourent à engendrer la fièvre.

Lorsque la température corporelle en périphérie atteint la nouvelle température de consigne, les frissons et la recherche de chaleur cessent. La réaction fébrile est divisée en quatre stades (voir tableau 6.10).

Les cytokines pyrétogènes endogènes et la fièvre qu'elles provoquent activent les mécanismes de défense de l'organisme. Les aspects bénéfiques de la fièvre comprennent un accroissement de l'élimination de microorganismes, de la phagocytose par les granulocytes neutrophiles et de la prolifération des lymphocytes T. La hausse de température peut aussi améliorer l'activité de l'interféron, la substance naturelle qui combat les virus (voir chapitre 7).

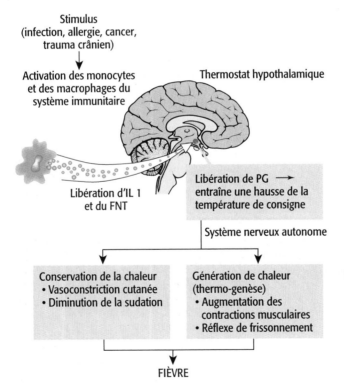

FIGURE 6.7 Processus fébrile. Lorsque les monocytes ou les macrophages sont activés, ils sécrètent des cytokines pyrétogènes endogènes comme l'interleukine 1 (IL 1) et le facteur nécrosant tumoral (FNT), qui influent sur le centre de régulation thermique de l'hypothalamus. Ces cytokines favorisent la synthèse et la sécrétion de prostaglandines (PG) dans l'hypothalamus antérieur. Les PG augmentent la température de consigne, stimulant ainsi le système nerveux, ce qui entraîne le frissonnement, la contraction musculaire et la vasoconstriction périphérique.

TABLEAU 6.10 Stades de la réaction fébrile	
Stade	**Caractéristiques**
Prodromique	Le client se plaint de maux non spécifiques, comme de la céphalée bénigne, de la fatigue, d'un malaise général et de la myalgie.
Frissonnement	Vasoconstriction cutanée, « chair de poule », pâleur, sensation de froid, tremblements généralisés, tremblement amenant l'organisme à atteindre la nouvelle température fixée par le centre de régulation thermique de l'hypothalamus.
Bouffée de chaleur	Sensation de chaleur généralisée, vasodilatation cutanée, réchauffement et rougissement de la peau.
Défervescence	Sudation, chute de la température corporelle.

Types d'inflammation. Il existe trois principaux types d'inflammation : aiguë, subaiguë et chronique. Dans le cas de l'inflammation aiguë, la guérison survient en deux à trois semaines et ne laisse habituellement pas de lésion résiduelle. Les neutrophiles sont les cellules prédominantes dans ce type d'inflammation. Une inflammation subaiguë présente les mêmes signes qu'une inflammation aiguë, mais dure plus longtemps. Par exemple, une endocardite infectieuse est une infection en incubation accompagnée d'une inflammation aiguë. Elle persiste cependant durant des semaines ou des mois (voir chapitre 25).

L'inflammation chronique dure des semaines, des mois, voire des années. L'agent lésionnel demeure toujours dans les tissus, ou les endommage à répétition. Les lymphocytes, les cellules plasmatiques et les macrophages sont les cellules qui prennent part à ce type d'inflammation. La polyarthrite rhumatoïde et la tuberculose sont des exemples d'inflammation chronique. La tuberculose est un type d'inflammation granulomateuse chronique. Le processus inflammatoire chronique est débilitant et peut être désastreux. Le fait qu'une inflammation se prolonge ou devienne chronique peut être le résultat d'une réaction immunitaire anormale.

6.3 PROCESSUS DE CICATRISATION

La cicatrisation constitue la dernière phase de la réaction inflammatoire. Elle comprend la régénération et la réparation. On appelle **régénération** le remplacement de cellules et de tissus perdus par des cellules du même type, tandis que la **réparation** est le remplacement des cellules perdues par du tissu conjonctif. La réparation est le type de guérison le plus courant et se traduit habituellement par la formation d'une cicatrice.

6.3.1 Régénération

La capacité de régénération des cellules dépend du type de cellule (voir tableau 6.11). Les cellules à régénération rapide, comme les cellules de la peau, des organes lymphoïdes, de la moelle osseuse et des muqueuses des appareils gastro-intestinal, urinaire et reproducteur, se divisent constamment. Après une lésion, ces organes se régénèrent rapidement.

Certaines cellules ne se régénèrent pas, ou seulement dans certaines conditions. Les neurones du système nerveux central (SNC) et les cellules du myocarde sont des exemples de ce type de cellule. Une lésion au myocarde entraîne une perte cellulaire permanente. La guérison fera intervenir une réparation au moyen de tissu cicatriciel. Ce nouveau tissu ne peut exercer les fonctions normales de l'organe.

TABLEAU 6.11 Capacité régénératrice de différents types de tissu	
Type de tissu	**Capacité régénératrice**
Épithélial Peau, parois des vaisseaux sanguins, muqueuses	Les cellules se divisent et se régénèrent aisément.
Conjonctif Os Cartilage Tendons et ligaments Sang	Le tissu actif se cicatrise rapidement. Régénération possible, mais lente. Régénération possible, mais lente. Les cellules se régénèrent activement.
Musculaire Lisse Cardiaque Squelettique	Régénération habituellement possible (particulièrement dans le tractus GI). Les muscles lésés sont remplacés par du tissu conjonctif. Du tissu conjonctif remplace le muscle lourdement lésé ; une certaine régénération se produit dans le muscle moyennement lésé.
Nerveux Neuronal Glial	Les cellules ne se divisent pas ; la cellule se régénère seulement si le corps de la cellule est intact. Les cellules se régénèrent, du tissu cicatriciel se forme souvent lors d'une lésion neuronale.

GI : gastro-intestinal.

6.3.2 Réparation

La réparation est un processus plus complexe que la régénération. La plupart des lésions se cicatrisent à l'aide de tissu conjonctif. Il existe trois types de cicatrisation : de première, de deuxième ou de troisième intention (voir figure 6.8).

Première intention. La cicatrisation de première intention se produit lorsque les lèvres d'une plaie s'alignent parfaitement, comme dans le cas d'une incision chirurgicale ou d'une coupure causée par une feuille de papier. Trois phases sont associées à la cicatrisation de première intention (voir tableau 6.12).

Phase initiale. La phase initiale dure trois à cinq jours. Les lèvres de l'incision sont d'abord jointes et suturées. La zone de l'incision s'emplit du sang provenant des vaisseaux sanguins lésés, et des caillots sanguins se forment. Une réaction inflammatoire aiguë se déclenche. La zone lésée est composée de caillots de fibrine, d'érythrocytes, de neutrophiles (morts et mourants) et d'autres débris. Les macrophages ingèrent et digèrent les débris cellulaires, les fragments de fibrine et les globules rouges. Les enzymes sécrétées par les macrophages et

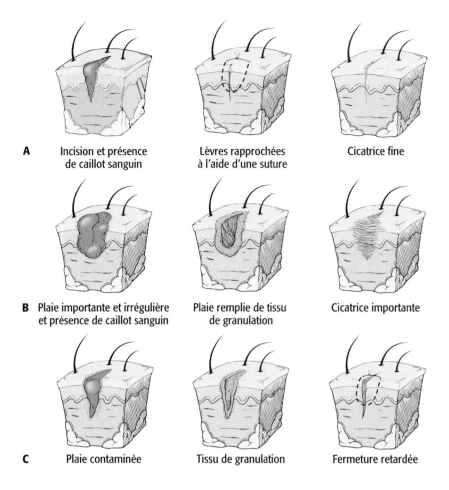

FIGURE 6.8 Types de cicatrisation. A. Première intention. B. Deuxième intention. C.Troisième intention.

les granulocytes neutrophiles aident à digérer la fibrine. Pendant la phagocytose des débris de la plaie, le caillot de fibrine forme un réseau qui soutiendra la croissance future des capillaires et favorisera la migration des cellules épithéliales.

Phase de granulation. La phase de granulation (fibroplasie) est la deuxième étape et dure de cinq jours à quatre semaines. Les composantes du tissu de granulation comprennent des fibroblastes en prolifération, des bourgeons de capillaires (angioblastes), divers types de GB, de l'exsudat et d'une substance semi-liquide.

Les fibroblastes sont des cellules immatures du tissu conjonctif qui migrent vers la zone de cicatrisation et sécrètent du collagène. Avec le temps, le collagène crée une structure qui renforce la zone de cicatrisation. À ce stade, on l'appelle **tissu fibreux** ou **tissu cicatriciel**.

Pendant la phase de granulation, la plaie est rose et vascularisée. Il y a présence de nombreux granules rouges (de jeunes bourgeons de capillaires). À cette étape, la plaie est fragile, mais résistante aux infections.

L'épithélium superficiel des lèvres de la plaie commence à se régénérer. En l'espace de quelques jours, une fine couche d'épithélium s'étend en travers de la surface de la plaie. L'épithélium s'épaissit et se développe ; la plaie ressemble maintenant beaucoup à la peau avoisinante. Dans le cas d'une plaie superficielle, la formation d'un nouvel épithélium peut prendre de trois à cinq jours.

TABLEAU 6.12	Phases de la cicatrisation de première intention
Phase	**Activité**
Initiale (de 3 à 5 jours)	Rapprochement des lèvres de l'incision ; migration des cellules épithéliales ; le caillot sert de structure pour le début de la croissance des capillaires.
De granulation (de 5 jours à 4 semaines)	Migration des fibroblastes ; sécrétion de collagène ; abondance des bourgeons capillaires.
De remodelage et de maturation de la plaie (de 7 jours à plusieurs mois)	Remodelage du collagène ; renforcement de la cicatrice.

Phase de remodelage et de maturation de la plaie. La phase de remodelage et de maturation de la plaie chevauche la phase de granulation. Elle peut débuter sept jours après la lésion et se poursuivre pendant plusieurs mois. Les fibres de collagène se structurent de plus en plus, et le processus de remodelage se produit. Les fibroblastes disparaissent à mesure que la plaie se solidifie. Le mouvement des myofibroblastes provoque la contraction de la zone de cicatrisation, ce qui aide à refermer la plaie en rapprochant ses lèvres. La cicatrice est alors complètement formée. Contrairement au tissu de granulation, la cicatrice mature est pâle et très peu vascularisée, et peut être plus douloureuse lors de cette phase que lors de la phase de granulation.

Deuxième intention. Les plaies causées par un traumatisme, une ulcération et une infection sont larges, de forme irrégulière et produisent une grande quantité d'exsudat, ce qui peut rendre difficile le rapprochement des lèvres. La réaction inflammatoire est parfois plus importante que dans le cas de la cicatrisation de première intention. Il en résulte une plus grande quantité de débris, de cellules et d'exsudat. Il peut s'avérer nécessaire de nettoyer ces débris (débrider) pour que la cicatrisation soit possible.

Dans certains cas, une incision de première intention peut s'infecter et provoquer une inflammation plus importante. La plaie s'ouvre et doit guérir par une cicatrisation de deuxième intention.

La cicatrisation de deuxième intention suit pratiquement le même processus que celle de la première intention ; la taille de la plaie et ses lèvres béantes constituant les différences principales. La cicatrisation et la granulation se produisent à partir des lèvres vers l'intérieur, et à partir du fond de la plaie vers le haut, jusqu'à ce que la plaie soit remplie. Il y a davantage de tissus de granulation et la cicatrice est beaucoup plus grande.

Classification des plaies. On utilise parfois la classification « rouge, jaune, noir » pour décrire les plaies ouvertes. Ce concept est davantage basé sur la couleur de la plaie (rouge, jaune ou noire) que sur l'étendue de la destruction tissulaire (voir tableau 6.13 et figure 6.9). Cette classification peut s'appliquer à toute cicatrisation de deuxième intention, y compris les plaies chirurgicales qu'on laisse cicatriser sans refermer la peau à cause du risque d'infection. Une plaie peut arborer deux ou trois couleurs à la fois. Dans ce cas, on classe la plaie selon la couleur la moins désirable qu'elle présente.

Troisième intention. La cicatrisation de troisième intention (ou deuxième intention retardée) se produit lorsqu'on retarde la suture d'une plaie dans laquelle deux couches de tissu de granulation sont suturées ensemble. Elle se produit lorsqu'on laisse ouverte une plaie contaminée, puis qu'on la suture une fois l'infection enrayée. Elle se produit aussi lorsqu'une plaie de première intention s'infecte, qu'on l'ouvre, qu'on lui permet de granuler, puis qu'on la suture. Il en résulte une cicatrice plus profonde et plus importante que dans le cas des cicatrices de première et de deuxième intention.

6.3.3 Retardement de la cicatrisation

Dans le cas d'un sujet en santé, la plaie se cicatrise à un rythme normal et prévisible. Accélérer le processus est impossible. Cependant, certains facteurs peuvent retarder la cicatrisation : le tableau 6.14 les énumère.

TABLEAU 6.13 Classification rouge/jaune/noir des plaies		
Plaie rouge	**Plaie jaune**	**Plaie noire**
Caractéristiques Plaie traumatique ou chirurgicale, présence possible d'écoulement sérosanguin, de plaie chronique ou en voie de cicatrisation, de couleurs rose à rouge vif, avec du tissu de granulation.	Présence d'escarre ou de tissu nécrotique mou, d'escarre liquide ou semi-liquide et présence d'exsudat allant d'ivoire crémeux à jaune-vert.	Tissu nécrotique adhérent noir, gris ou brun ; présence possible de pus.
Objectif du traitement Protection et nettoyage léger sans traumatisme.	Nettoyage de la plaie pour en retirer le tissu non viable et absorber l'excès d'écoulement.	Débridement de l'escarre et du tissu non viable.
Pansements et traitement Pansement transparent (p. ex. Tegaderm, Opsite), pansement hydrocolloïde (p. ex. Duoderm), hydrogels (p. ex. Vigilon), pansement de gaze combiné à une solution ou à un onguent antimicrobien, pansement Telfa combiné à un onguent antibiotique.	Irrigation de la plaie, hydrothérapie combinée avec des pansements humides et secs, pansement de gaze humide combiné ou non à un agent antibiotique ou antimicrobien, pansement hydrocolloïde, hydrogel recouvert de gaze, pansement absorbant (p. ex. Debrisan, en poudre ou en pâte).	Débridement à l'enzyme topique, débridement chirurgical, hydrothérapie, débridement chimique (p. ex. soluté de Dakin), pansement de gaze humide, hydrogel recouvert de gaze, pansement absorbant recouvert de gaze.

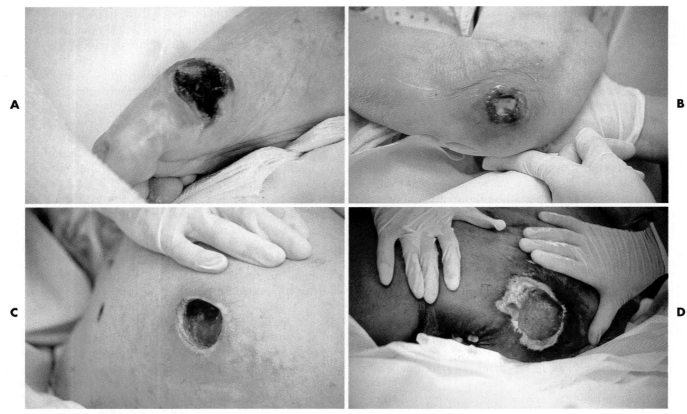

FIGURE 6.9 Plaies classées par couleur. A. Plaie noire. B. Plaie jaune. C. Plaie rouge. D. Plaie polychrome.

6.3.4 Complications de la cicatrisation

La forme et l'emplacement de la plaie influencent le degré de cicatrisation. Lorsqu'un facteur nuit à la cicatrisation, il y a risque de complication. Ces facteurs peuvent comprendre la malnutrition, l'obésité, une vascularisation moindre, le traumatisme tissulaire, la dénervation et l'infection. Parmi les complications possibles, on compte les cicatrices et les chéloïdes hypertrophiques, la contracture, la déhiscence, l'excès de tissu de granulation, les adhérences, les fistules et le dysfonctionnement des organes principaux.

Formation des cicatrices et des chéloïdes hypertrophiques. Les cicatrices et les chéloïdes hypertrophiques se forment lorsque l'organisme produit trop de collagène. Une cicatrice hypertrophique est inesthétique ; elle est grosse, rouge, saillante et dure. Cependant, elle reste confinée à l'intérieur des lèvres de la plaie et régresse avec le temps. En revanche, une chéloïde est une protrusion de tissu cicatriciel encore plus importante qui s'étend hors des lèvres de la plaie et qui peut prendre la forme d'une masse tumorale (voir figure 6.10). De plus, les chéloïdes sont permanentes et ne se résorbent pas. Le client ayant des chéloïdes se plaint souvent de sensibilité, de douleur et d'hyperesthésie. On croit que

la prédisposition aux chéloïdes est héréditaire et qu'elle est plus fréquente chez les individus à la peau foncée. Aucune de ces complications ne met en danger la vie du client, mais chacune peut avoir des conséquences d'ordre esthétique.

Contracture. Le remodelage de la plaie est nécessaire à sa cicatrisation. Ce processus peut devenir anormal lorsqu'un remodelage est excessif et se solde par une déformation ou une contracture. Le raccourcissement des muscles ou du tissu cicatriciel se produit en raison d'une formation fibreuse excessive, particulièrement si la plaie avoisine une articulation (voir figure 51.9). La contracture se produit fréquemment dans le cas de brûlures ayant occasionné une perte massive de peau et de tissu sous-cutané (voir chapitre 51).

Déhiscence. On appelle déhiscence la séparation des lèvres d'une plaie auparavant fermée. Cela se produit habituellement lorsque la zone d'une cicatrisation de première intention s'ouvre. Il y a trois causes possibles à la déhiscence. Premièrement, une infection peut provoquer un processus inflammatoire. Deuxièmement, le tissu de granulation peut ne pas être assez solide pour supporter les tensions imposées à la plaie. Troisièmement,

TABLEAU 6.14   Facteurs retardant la cicatrisation

Facteur	Effets sur la cicatrisation

Carences nutritionnelles
  Vitamines A, B, C
  Protéine
  Zinc
	Retardent la formation de fibres collagènes et le développement des capillaires.
	Diminue l'apport d'acides aminés pour la réparation des tissus.
	Nuit à l'épithélialisation.

Apport sanguin inadéquat	Diminue l'apport de nutriments au foyer de la lésion, freine l'enlèvement des débris d'exsudat, inhibe la réaction inflammatoire.
Corticostéroïdes	Nuit à la phagocytose par les GB, inhibe la prolifération et la fonction des fibroblastes, freine la formation de tissu de granulation, inhibe la contraction de la plaie.
Infection	Amplifie la réaction inflammatoire et la destruction des tissus.
Friction mécanique sur la plaie	Détruit le tissu de granulation, empêche les lèvres de la plaie de se rapprocher.
Âge avancé	Ralentit la synthèse du collagène par les fibroblastes, nuit à la circulation, ralentit l'épithélialisation de la peau, altère les réactions phagocytaire et immunitaire.
Obésité	Diminue l'apport sanguin dans les tissus adipeux.
Diabète	Diminue la synthèse du collagène, retarde le début de la croissance des capillaires, nuit à la phagocytose (résultat de l'hyperglycémie).
Mauvaise santé générale	Cause une absence générale des facteurs favorisant la cicatrisation.
Anémie	Fournit moins d'oxygène aux tissus.
Déshydratation	Nuit au bon fonctionnement cellulaire, qui nécessite un équilibre hydroélectrolytique est essentiel.

GB : globules blancs.

les sujets obèses courent davantage le risque de déhiscence parce que les tissus adipeux nuisent à la cicatrisation, parce qu'ils sont peu vascularisés. L'éviscération se produit lorsque les lèvres de la plaie se séparent à un point tel qu'il y a protrusion des intestins.

Excédent de tissu de granulation. L'excédent de tissu de granulation (« bourgeon charnu ») peut saillir de la surface de la plaie en cicatrisation. Si l'on cautérise le tissu de granulation ou si on l'excise, la cicatrisation se poursuit normalement.

Adhérences. Les adhérences sont des bandes de tissu cicatriciel situées entre les organes ou autour de ceux-ci. Les adhérences peuvent se produire dans la cavité abdominale ou entre les poumons et la plèvre. Les adhérences abdominales peuvent provoquer une occlusion intestinale. Si elles se forment entre les poumons et la plèvre, une **ablation** ou une séparation chirurgicale de l'organe et de son enveloppe est nécessaire pour permettre une ventilation normale.

Fistules. Une communication anormale peut se former entre la plaie et un organe. Le risque d'infection de la plaie est alors accru.

6.3.5 Processus thérapeutique

Le processus thérapeutique relatif à l'inflammation et à l'infection est très variable. Il dépend de la cause de la lésion et de sa gravité, de même que de l'état du client. Les lésions cutanées superficielles peuvent ne nécessiter qu'un nettoyage. Les plaies cutanées plus profondes peuvent être fermées en rapprochant leurs lèvres. On peut utiliser des diachylons de rapprochement (p. ex. Steristrip) à la place des sutures. Si la plaie est contaminée,

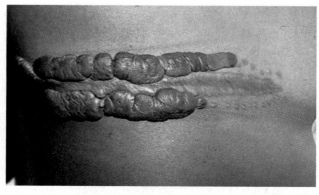

FIGURE 6.10   Formation de chéloïde provenant des traces de sutures

elle doit être nettoyée avant que la cicatrisation puisse se produire normalement. Il peut être nécessaire de recourir au débridement chirurgical d'une plaie qui comporte de multiples fragments ou des tissus morts. Si la source de l'inflammation est un organe interne (p. ex. appendice, rate éclatée), on peut privilégier l'ablation chirurgicale de l'organe.

Pharmacothérapie. Le traitement de tous les types d'inflammation comprend des agents pharmacologiques. On utilise des médicaments pour diminuer la réaction inflammatoire (anti-inflammatoires) et éliminer les agents infectieux (antibiotiques) (voir tableau 6.15). On peut aussi employer des antihistaminiques pour inhiber l'action de l'histamine. Le chapitre 7 traite des antihistaminiques.

Micro-organismes antibiorésistants. Tous les micro-organismes peuvent développer une résistance aux anti-infectieux, mais plus particulièrement les bactéries (voir tableau 6.16). Cette résistance pose un problème toujours croissant pour le traitement des infections. Le nombre de cas d'infections nosocomiales (contractées en milieu hospitalier) augmente chaque année au Canada. Non seulement les bactéries, constamment exposées aux agents antimicrobiens depuis des années, ont développé

mais elles résistent aussi à ceux de dernière génération. Le staphylocoque aureus résistant à l'oxacilline (SARO), l'entérocoque résistant à la vancomycine (ERV) et le pneumocoque résistant à la pénicilline (PRP) sont trois des souches bactériennes les plus problématiques à l'heure actuelle (voir tableau 6.16).

Ces bactéries sont des organismes dont la grande adaptabilité permet le développement d'une résistance. Elles résistent à l'action des nouveaux agents pharmacologiques au moyen de mécanismes cellulaires astucieux d'origine génétique et biochimique. Les mécanismes génétiques comprennent la mutation et l'acquisition de nouvel ADN. Sur le plan biochimique, ces bactéries résistent aux antibiotiques en produisant des enzymes qui détruisent les médicaments ou les désactivent. Ils modifient le site de fixation de l'antibiotique, empêchant ainsi sa liaison, et altèrent sa membrane cellulaire pour empêcher la pénétration des médicaments.

L'utilisation inadéquate des antibiotiques demeure l'une des principales raisons qui contribuent au développement d'organismes antibiorésistants. Le personnel médical administre souvent des antibiotiques pour des infections virales, subit des pressions de la part du client pour la prescription de traitements antibiotiques non nécessaires, traite des infections reconnues de façon inappropriée et utilise des agents à large spectre ou des

TABLEAU 6.15 Agents pharmacologiques utilisés pour le traitement de l'inflammation et de l'infection

Médicaments	Mécanismes d'action
Antipyrétiques	
Salicylates (aspirine)	Fait chuter la température en agissant sur le centre de régulation thermique de l'hypothalamus, ce qui se traduit par une dilatation périphérique et une perte de chaleur ; nuit à la formation et à la libération de PG ; déprime le SNC de façon sélective.
Acétaminophène (Tylenol)	Fait chuter la température en agissant sur le centre de régulation thermique de l'hypothalamus.
AINS (p. ex. ibuprofène [Motrin, Advil])	Inhibe la synthèse de PG.
Anti-inflammatoires	
Salicylates	Inhibe la synthèse de PG, diminue la perméabilité capillaire.
Corticostéroïdes	Nuit à la granulation tissulaire, a des effets immunodépresseurs (diminution de la synthèse de lymphocytes), prévient la libération de lysosomes, inhibe la synthèse du PG.
AINS (p. ex. ibuprofène [Motrin], piroxicam [Feldene])	Inhibe la synthèse de PG.
Antibiotiques et antimicrobiens	
Pénicilline	Nuit à la formation d'une paroi cellulaire microbienne.
Céphalosporines	Nuisent à la formation d'une paroi cellulaire microbienne.
Érythromycine	Inhibe la synthèse de protéines bactériennes.
Tétracycline	Inhibe la synthèse de protéines bactériennes.
Aminosides	Inhibent la synthèse de protéines bactériennes.
Sulfamidés	Nuisent à l'incorporation de PABA dans l'acide folique.
Vitamines	
Vitamine A	Accélère l'épithélialisation.
Complexe vitaminique B	Agit comme coenzyme.
Vitamine C	Aide à la synthèse du collagène et à l'angiogénèse.
Vitamine D	Facilite l'absorption du calcium.

Évolution du SARM dans les hôpitaux canadiens : cinq ans de surveillance nationale

ENCADRÉ 6.1

Article : Simor.A.-E., Ofner-Agostini M., Bryce E., Green K., McGeer A., Mulvay M., Paton S. and the Nosocomial Infection Surveilance Program, Health Canada. Canadian Medical Association, 2001.

- **Objectif** : comprendre l'épidémiologie dans les centres de santé canadiens.
- **Méthodologie** : tous les nouveaux clients porteurs de SARM ont été répertoriés, ce qui fait 4507 personnes infectées par le SARM.
- **Résultats** : La proportion des cas est passée de 0,95 % en 1995 à 5,97 % en 1999. La plus grande augmentation fut rapportée en Ontario, au Québec et dans les provinces de l'Ouest. Sur 3009 cas, 86 % ont contracté le SARM en milieu hospitalier, 8 % dans les centres d'hébergement de longue durée et 6 % dans la communauté. Au total, 1603 personnes étaient infectées par le SARM : 25 % de ces infections touchaient l'appareil tégumentaire, 24 % le système respiratoire, 23 % consistaient en des plaies chirugicales infectées et 13 % étaient de nature bactérienne.
- **Conclusion** : il y a eu une augmentation significative du taux de clients infectés par le SARM dans les hôpitaux canadiens.

Tiré de Canadian Medical Association, 2001.

devraient nécessiter des antibiotiques de première ligne. Il faut également être vigilant avec les doses d'antibiotique. Un sous-dosage favorise le développement de la résistance des bactéries. La mobilité des populations (p. ex. touristes, immigrants) et l'utilisation répandue d'antibiotiques (p. ex. dans l'alimentation du bétail) et d'agents anti-infectieux (p. ex. dans les produits ménagers) ainsi que le commerce international (p. ex. denrées contaminées pendant le transport) contribuent au développement de la résistance microbienne. La résistance des microorganismes augmente le risque de surinfection. Les flores bactériennes de l'organisme aident normalement à lutter contre les agents pathogènes. Toutefois, les antibiotiques atténuent l'efficacité de ces flores, ce qui permet à des microorganismes indésirables de se développer et de créer une nouvelle infection (surinfection).

On peut utiliser diverses stratégies pour traiter les organismes résistants, dont des doses plus élevées d'antibiotiques, d'autres voies d'administration, des associations d'antibiotiques et des antibiotiques de relais. Les antibiotiques de relais recommandés pour le traitement des infections graves provoquées par les organismes résistants sont la vanomycine pour le SARM, la ceftriaxone (Rocephin), la céfotaxime (Claforan), la céfépime (Maxipime) ou la vancomycine pour le PRP ; et le traitement combiné de bêta-lactame et d'aminoside pour l'ERV.

Vu l'ampleur croissante du problème, les infirmières doivent se familiariser avec les manières de prévenir ou de minimiser l'émergence de la résistance chez les bactéries. Par conséquent, elles doivent enseigner au client et à sa famille le bon usage des antibiotiques (voir encadré 6.2). Cette utilisation judicieuse est cruciale pour le succès du traitement et la diminution de l'émergence de pathogènes résistants.

Nutrition. Il existe des mesures nutritionnelles à adopter pour faciliter la cicatrisation. Le remplacement du liquide perdu par la transpiration et la formation d'exsudat nécessite un apport liquidien massif. L'accélération du métabolisme intensifie la perte hydrique. Chaque hausse de la température corporelle d'un degré Celcius (37,8 °C) correspond à une augmentation du métabolisme de 13 %.

Un apport alimentaire à haute teneur en protéines, en glucides et en vitamines, et à teneur modérée en lipides, est nécessaire pour favoriser la cicatrisation. Les protéines sont essentielles pour combler les pertes protéiques entraînées par l'accélération du métabolisme et

TABLEAU 6.16 Organismes antibiorésistants

	Staphylocoque aureus résistant à la méthicilline (SRAM)	Entérocoque résistant à la vancomycine (ERV)
Localisation	Sécrétions nasales, peau	Tractus GI, appareil génital féminin
Modes de transmission	Au contact ; de personne à personne, avec des surfaces contaminées.	Au contact ; de personne à personne, avec de l'équipement contaminé.
Soins infirmiers généraux	Se laver les mains avec un savon antiseptique. Porter des gants pour les contacts avec le client. Isoler le client dans une chambre privée. Principes de base. Précautions pour éviter le contact. Précautions contre les gouttelettes si infection des voies respiratoires.	Se laver les mains avec un savon antiseptique. Porter des gants pour les contacts avec le client. Isoler le client dans une chambre privée. Porter une blouse s'il y a risque de souillure. Principes de base. Précautions pour éviter le contact.

Précautions pour réduire les risques d'infection antibiorésistante

- Se laver les mains fréquemment. Se laver les mains est la chose la plus importante qu'on puisse faire pour prévenir la transmission de l'infection. Appliquer les mesures d'isolement appropriées lors de l'hospitalisation d'un client infecté avec SARM ou ERV (voir figures 6.12 et 6.13).
- Limiter l'antibiothérapie prophylactique. L'administration d'antibiotique dans un but préventif favorise l'apparition d'une résistance microbienne. Dans quelques cas, l'antibiothérapie prophylactique est indiquée, notamment lors d'intervention chirurgicale ou d'intervention dentaire, si le client souffre d'un trouble cardiaque valvulaire.
- Respecter l'ordonnance médicale d'antibiotique. Il est important de prendre toutes les doses, de respecter l'horaire d'administration et de respecter la durée du traitement.
- Ne pas cesser de prendre son médicament quand on commence à se sentir mieux. Lorsqu'on cesse trop tôt de prendre le médicament, les bactéries les plus résistantes survivent et prolifèrent. À long terme, une infection résistante à de nombreux antibiotiques pourrait se développer.
- Ne pas administrer un antibiotique dans les cas de grippe, de rhume ou d'autres infections virales. Les antibiotiques sont efficaces contre les infections bactériennes, mais pas contre les virus.
- Ne pas prendre de restes d'antibiotiques. Les gens conservent souvent les doses restantes d'un antibiotique pour s'en servir plus tard, ou alors empruntent des restes de médicaments à des membres de la famille ou à des amis. Il s'agit d'un comportement dangereux puisque : ces restes d'antibiotiques peuvent être inadéquats ; la maladie peut ne pas être d'origine bactérienne ; et les vieux antibiotiques peuvent perdre leur efficacité et même, dans certains cas, être fatals.
- Éduquer la population. Le public doit être informé des précautions à prendre pour contrer le développement de la résistance microbienne et du bon usage des antibiotiques.

Tiré et adapté du numéro de septembre 1997 de *Mayo Clinic Health Letter*, avec la permission de la Mayo Foundation for Medical Education and Research, Rochester, MN 55905.

par la synthèse des médiateurs immunitaires, des leucocytes, des fibroblastes et du collagène. En outre, l'inflammation et la cicatrisation requièrent un surcroît d'énergie qui provient des glucides. S'il manque de glucides, l'organisme décompose des protéines pour en tirer l'énergie nécessaire. Les lipides aident à la synthèse des acides gras et des triglycérides, qui font partie de la membrane cellulaire. La synthèse capillaire, la formation des capillaires et la résistance à l'infection requièrent de la vitamine C. Les vitamines du complexe B agissent comme coenzymes au cours de nombreuses réactions métaboliques. En situation de carence en vitamine B, il y a interruption du métabolisme protéinique, lipidique et glucidique. La cicatrisation requiert de la vitamine A, qui aide au processus d'épithélialisation. Elle favorise la synthèse de collagène et la résistance à la traction de la plaie en cicatrisation.

Lorsque le client est incapable de s'alimenter et qu'il ne présente aucun problème gastro-intestinal, l'alimentation entérale doit être considérée en premier lieu. L'alimentation parentérale est indiquée lorsque l'alimentation entérale est contre-indiquée ou que le client ne la tolère pas. (Le chapitre 32 traite des alimentations entérale et parentérale.)

6.4 SOINS INFIRMIERS : INFLAMMATION ET INFECTION

6.4.1 Promotion de la santé

Le meilleur traitement de l'inflammation demeure la prévention de l'infection, du traumatisme, de la chirurgie et des contacts avec des agents potentiellement dangereux. Toutefois, cela n'est pas toujours possible. Une simple piqûre de moustique peut déclencher une réaction inflammatoire.

Il est essentiel que l'organisme reçoive une alimentation adéquate qui fournira les facteurs nécessaires à la cicatrisation. Les sujets atteints de troubles de malabsorption (p. ex. maladie de Crohn, maladie du foie), de diabète, qui ont un apport nutritionnel déficient ou de grands besoins énergétiques (p. ex. en raison de malignité, d'une chirurgie, d'un traumatisme majeur, d'infection, ou de fièvre) risquent de rencontrer des problèmes de cicatrisation. Une personne est plus susceptible de présenter un problème de cicatrisation dans les situations suivantes : 1) perte de 20 % ou plus du poids corporel au cours des six derniers mois ou 2) perte de 10 % du poids corporel au cours des deux derniers mois.

La détection précoce des signes d'inflammation et d'infection est nécessaire pour que le traitement approprié puisse être amorcé. Il peut s'agir de repos, d'un traitement pharmacologique ou d'un traitement spécifique à appliquer au foyer lésionnel.

6.4.2 Intervention

Observation et signes vitaux. Il est important d'être en mesure de reconnaître les manifestations cliniques de l'inflammation. Chez le sujet immunodéprimé (p. ex. prenant de la cortisone ou en chimiothérapie), les signes classiques d'inflammation peuvent être dissimulés. Chez celui-ci, les symptômes précoces peuvent être le malaise, ou juste une impression de « ne pas se sentir bien ».

Il est essentiel d'observer et de noter tout ce qui se rapporte au processus de cicatrisation. La consistance, la couleur et l'odeur de tout écoulement doivent être consignées et rapportées si ces signes sont anormaux. Les microorganismes des espèces *Staphylococcus* et *Pseudomonas* sont fréquemment à l'origine de la suppuration et de l'écoulement des plaies.

Il est important de noter les signes vitaux en présence d'une inflammation, ou particulièrement, d'un processus infectieux. En cas d'infection, il peut y avoir hausse de la température et accélération du pouls et de la fréquence respiratoire. En cas d'infection, les signes vitaux d'un client en situation post opératoire dénoteront un changement trois à cinq jours après l'intervention.

Fièvre. L'élément le plus important du traitement de la fièvre doit être la détermination de son origine. Même si l'on considère habituellement la fièvre comme néfaste, l'augmentation de la température corporelle est un important mécanisme de défense de l'hôte. Au 17e siècle, Thomas Sydenham écrivait que « la fièvre est un moteur puissant que la nature crée pour conquérir ses ennemis ». Les antipyrétiques sont rarement essentiels au bien-être du client, parce que la fièvre bénigne ou modérée n'est habituellement pas dommageable, ne crée pas vraiment d'inconfort et peut être utile aux mécanismes de défense de l'hôte. Pour la plupart des clients, la fièvre modérée (jusqu'à 39,0 °C, température rectale) est peu problématique. Cependant, l'utilisation d'antipyrétiques doit être envisagée dans le cas d'un client très jeune, très âgé, extrêmement inconfortable ou souffrant d'un problème médical important (p. ex. une maladie cardio-respiratoire grave, une lésion cérébrale). Dans le cas des clients immunodéprimés, la fièvre doit être traitée promptement et le traitement antibiotique, administré le plus tôt possible, afin de prévenir l'évolution d'une infection en septicémie.

La fièvre (notamment lorsqu'elle est supérieure à 40 °C) peut être dommageable pour les cellules et peut entraîner le délire ou des convulsions. À des températures supérieures à 41 °C, le centre de régulation thermique de l'hypothalamus ne fonctionne plus, et de nombreuses cellules peuvent subir des dommages internes, dont les neurones.

On utilise communément plusieurs médicaments pour abaisser la température corporelle. L'aspirine bloque spécifiquement la synthèse de PG dans l'hypothalamus et ailleurs dans l'organisme. L'acétaminophène agit sur le centre de régulation thermique de l'hypothalamus. Quelques AINS (p. ex. l'ibuprofène [Motrin, Advil]) ont un effet antipyrétique (voir figure 6.6). Les corticostéroïdes sont des antipyrétiques en raison de leur mécanisme d'inhibition de la production d'IL-1 et de prévention de la synthèse de la PG. Ces médicaments ont pour effet de dilater les vaisseaux sanguins superficiels, de hausser la température de la peau et de provoquer la diaphorèse.

Les antipyrétiques doivent être administrés régulièrement aux quatre à six heures pour prévenir les variations brusques de température. Il est possible que l'administration intermittente d'antipyrétiques provoque ou prolonge le frissonnement. En effet, ces médicaments créent une baisse importante de la température. Lorsque les antipyrétiques cessent d'agir, l'organisme peut déclencher une contraction musculaire involontaire compensatoire (c.-à-d. un frisson) pour hausser la température corporelle jusqu'à sa valeur antérieure. Bien qu'un bain tiède favorise la perte de chaleur par l'évaporation, il n'y a aucune preuve que ce moyen abaisse la température corporelle sans qu'il y ait eu administration préalable d'antipyrétiques ; sinon, l'organisme déclenche des mécanismes compensatoires (c.-à-d. le tremblement) pour restaurer la chaleur corporelle. Le même principe s'applique à l'utilisation de couvertures de refroidissement : elles sont très efficaces pour abaisser la température corporelle lorsque la température de consigne a aussi été abaissée. Le plan de soins infirmiers 6.3 énumère les soins à prodiguer au client fiévreux.

Repos et immobilisation. Le repos et l'immobilisation de la région enflammée favorisent la cicatrisation en diminuant la réaction inflammatoire et les besoins métaboliques, et en favorisant la réparation. L'immobilisation à l'aide d'un plâtre, d'une attelle ou d'un bandage diminue la quantité de débris dans la plaie et la possibilité d'hémorragie. Le fait de permettre à la fibrine et au collagène de se former en travers des lèvres de la plaie facilite la réparation. En situation de repos, l'organisme peut faire un meilleur usage des nutriments et de l'oxygène, c'est-à-dire les employer à la cicatrisation.

Position. Élever l'extrémité lésée permet de réduire l'œdème au foyer d'inflammation en favorisant le retour veineux. L'élévation aide à réduire la douleur et améliore la circulation sanguine, qui fournit l'oxygène et les nutriments nécessaires à la cicatrisation.

Oxygénation. L'oxygénation adéquate du foyer d'inflammation est essentielle, puisque l'oxygène favorise la synthèse des fibroblastes et du collagène. Ce gaz est également indispensable à la croissance et à la division cellulaire. Un client souffrant d'artériopathie, d'hypovolémie ou d'hypotension court un plus grand risque d'infection, et l'administration d'oxygène peut lui être bénéfique.

Chaleur et froid. L'application de chaleur ou de froid est une intervention quelque peu controversée. L'application de froid est habituellement appropriée au moment du

Plan de soins infirmiers

Client souffrant de fièvre

DIAGNOSTIC INFIRMIER : hyperthermie reliée à l'infection, manifestée par l'augmentation de la température corporelle et l'accélération des rythmes respiratoire et cardiaque.

PLANIFICATION
Résultat escompté
- Température corporelle inférieure à 37,8 °C (100 °F).

INTERVENTIONS	Justifications
• Évaluer la température du client toutes les 2 à 4 heures.	• Surveiller la température du client.
• Administrer des antipyrétiques aux 4 heures ou selon l'ordonnance médicale.	
• Garder la température ambiante à 21,1 °C.	
• Éviter les nombreuses couches de vêtements ou de couvertures.	• Aider à abaisser la température corporelle par évaporation.
• Changer fréquemment la literie si le client est diaphorétique.	• Pour éviter les frissons et prévenir les tremblements et la hausse de température qu'entraîne cette activité musculaire.
• Favoriser le repos.	• L'activité physique augmente les besoins en oxygène et la thermogenèse.

DIAGNOSTIC INFIRMIER : risque de déficit liquidien relié à l'accélération du métabolisme, à la diaphorèse, et à la diminution de l'apport nutritionnel.

PLANIFICATION
Résultat escompté
- Aucun signe de déshydratation.

INTERVENTIONS	Justifications
• Prendre les signes vitaux aux 4 heures.	• Une tachycardie, une tachypnée et une diminution de la tension artérielle peuvent signaler une hypovolémie.
• Surveiller les signes de déshydratation.	• Déterminer le risque d'un déficit liquidien ou détecter sa présence.
• Encourager l'ingestion de liquides à raison de 3 ou 4 litres par jour si possible.	• Remplacer la perte liquidienne entraînée par la fièvre et la diaphorèse.
• Administrer des liquides par IV (selon l'ordonnance médicale).	• Remplacer le liquide perdu si l'apport nutrionnel est inadéquat.
• Surveiller de façon précise l'apport nutritionnel et l'excréta et estimer avec soin les pertes imperceptibles.	• Évaluer le besoin de remplacement.

traumatisme pour provoquer la vasoconstriction et ainsi diminuer l'œdème, la douleur et la congestion sanguine dues à l'accélération du métabolisme au foyer d'inflammation. On peut utiliser la chaleur plus tard (après 24 à 48 heures) et quand l'œdème a diminué. La chaleur entraîne une vasodilatation et favorise la cicatrisation en augmentant l'irrigation du foyer d'inflammation et le nettoyage subséquent des débris. Une chaleur tiède et humide facilite le débridement de la plaie s'il y a présence de matières nécrosées. L'application de chaleur et de froid doit se faire pendant 15 à 20 minutes toutes les heures. Une application prolongée de chaleur provoque une vasoconstriction réflexe, alors qu'une application prolongée de froid cause une vasodilatation réflexe. L'organisme réagit ainsi pour rétablir une homéostasie. Au tableau 6.17, les effets thérapeutiques de la chaleur et du froid sont énumérés.

Traitement des plaies. Le traitement et les pansements requis dépendent du type de plaie, de son étendue et de ses caractéristiques. Dans le cas d'une plaie souillée et infectée, le traitement vise à préparer la plaie à la cicatrisation. Dans le cas d'une plaie propre, le traitement vise à la protéger jusqu'à sa cicatrisation. Le tableau 50.7 expose les soins d'urgence à administrer au client ayant une plaie cutanée. Le chapitre 50 traite des escarres de décubitus.

On utilise les sutures et les scellants à base de fibrine pour favoriser la fermeture de la plaie et créer un environnement optimal pour la cicatrisation. Les sutures sont couramment utilisées pour fermer les plaies, car elles permettent un rapprochement des lèvres de la plaie. Il existe une grande variété de matériaux de suture. Cependant, le scellant à base de fibrine est un adhésif biologique pour tissus qui peut se révéler un

TABLEAU 6.17 Effets thérapeutiques de la chaleur et du froid

	Effets physiologiques	Effets thérapeutiques
Froid (application dans les 24-48 premières heures après le début de la lésion)	Cause une vasoconstriction et diminue la perméabilité capillaire Ralentit la transmission de l'influx nerveux Ralentit le métabolisme cellulaire Inhibe la dépolarisation des fibres musculaires	Réduit l'irrigation tissulaire au site lésé, donc diminue la formation d'œdème Réduit la douleur (anesthésie locale) Diminue les besoins tissulaires en nutriments et en O_2 Atténue la tension musculaire et la douleur
Chaleur (application dans les 48 heures suivant la lésion)	Cause une vasodilatation et accélère le métabolisme cellulaire Augmente l'élasticité du tissu conjonctif Augmente la perméabilité capillaire	Augmente l'irrigation tissulaire au site lésé, donc favorise l'apport de nutriments et de O_2, l'élimination des débris cellulaires et l'acheminement des leucocytes Diminue la raideur et la spasticité ; favorise ainsi le soulagement de la douleur et la détente musculaire Favorise le mouvement du liquide (entraîné par l'exsudat) du tissu interstitiel vers les capillaires, ce qui favorise une diminution de l'œdème

complément utile aux sutures. Il est possible d'utiliser la fibrine en association avec les sutures ou le diachylon de rapprochement pour optimiser la cicatrisation de la plaie. Les diachylons de rapprochement peuvent sceller les tissus efficacement et éliminer les espaces potentiels. En clinique, l'utilisation de scellant à base de fibrine s'est traduite par un faible taux d'infection et une meilleure cicatrisation.

Pansements. Lorsqu'une plaie se cicatrise par première intention, il est courant de la recouvrir d'un pansement sec et stérile, que l'on retire dès que l'écoulement cesse ou après deux ou trois jours. On peut utiliser un aérosol médicamenteux qui forme une pellicule transparente sur la peau pour recouvrir les plaies ou les incisions propres. Les pansements transparents (voir figure 6.11) sont également souvent employés. Parfois, un chirurgien laissera une plaie chirurgicale à l'air libre. Le pansement peut viser à prévenir la contamination par les microorganismes, à absorber l'écoulement, à dé-

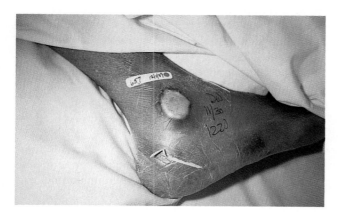

FIGURE 6.11 Pansement transparent

brider une plaie, à soutenir une plaie ou à créer une hémostase. Le choix du pansement varie selon l'objectif du traitement. La fréquence de changement du pansement se fera selon la prescription médicale, le type de plaie, le type de pansement et le degré d'écoulement de la plaie. Les différents pansements sont décrits dans le tableau 6.18.

Le traitement des plaies de deuxième et de troisième intention peut se décrire selon la classification « rouge, jaune, noir » (voir tableau 6.13 et figure 6.9).

Plaie rouge. Une plaie rouge qui paraît rose et propre peut être superficielle. Les exemples comprennent les déchirures de la peau, les brûlures superficielles (premier et deuxième degré) et les plaies chirurgicales qu'on laisse cicatriser par deuxième intention. Le traitement a pour objectif la protection de la plaie et son nettoyage en douceur, s'il y a lieu. Les plaies propres en phase de granulation et de ré-épithélialisation doivent être maintenues légèrement humides et protégées d'un traumatisme supplémentaire jusqu'à leur cicatrisation. Un pansement qui garde la surface de la plaie propre et légèrement humide est idéal pour favoriser l'épithélialisation. La pellicule transparente ou le pansement adhésif semi-perméable (p. ex. Opsite, Tegaderm) sont occlusifs et perméables à l'oxygène. On peut utiliser les antimicrobiens comme la bacitracine (Bacigent), ou un onguent à base d'iode (Betadine) sur les plaies propres, qu'on recouvre habituellement d'un pansement stérile par la suite. Les manipulations inutiles lors des changements de pansements peuvent détruire le nouveau tissu de granulation et dégrader la fibrine.

Plaie jaune. Ce type de plaie est le résultat de lésions traumatiques ou chirurgicales, ou de l'ablation d'une escarre (couche épaisse de tissu nécrotique). L'environnement humide créé par l'écoulement de la plaie est idéal pour la prolifération des bactéries. Le traitement a pour objectif le nettoyage continuel de la plaie pour en retirer le tissu mort et absorber l'excès d'écoulement. Le pansement absorbant (p. ex. Debrisan) est un type de pansement utilisé pour les plaies jaunes. Lorsqu'ils sont saturés d'exsudat, les pansements doivent être enlevés par un nettoyage avec une solution saline ou de l'eau stérile. La quantité de sécrétions détermine le nombre de changements de pansements (habituellement de deux à trois par jour).

Les pansements hydrocolloïdes (p. ex. Duoderm) sont également utilisés pour traiter les plaies jaunes. La surface interne de ces pansements interagit avec l'exsudat et forme un gel hydraté sur la plaie. Lorsqu'on enlève le pansement, le gel se détache et demeure sur la plaie, ce qui protège le tissu nouvellement formé. Ces types de pansement sont conçus pour être laissés en place jusqu'à sept jours ou jusqu'à ce qu'il y ait des fuites.

Plaie noire. Une plaie noire est couverte d'une couche épaisse de tissu nécrotique (escarre). Les brûlures profondes ou au troisième degré, les escarres nécrotiques (au stade 3 ou 4) et les ulcères gangreneux sont des exemples de plaie noire. Plus il y a de tissu nécrotique présent, plus grand est le risque d'infection de la plaie. Le débridement de l'escarre et du tissu non viable constitue le traitement immédiat. Le débridement vise l'enlèvement des tissus dévitalisés afin de diminuer les risques d'infection et d'observer le lit vasculaire de la plaie. Il favorise ainsi la régénération tissulaire. La méthode de débridement utilisée dépend de la quantité de débris et de l'état des tissus. Il existe quatre méthodes de débridement : chirurgical, mécanique, enzymatique et autolytique (voir tableau 6.19).

Pansement d'argent et système VAC (Vaccum Assisted ou fermeture aidée par le vide). Il y a plus de 15 ans, deux médecins américains ont tenté d'utiliser de l'argent pour guérir les plaies compliquées, car ce métal possède des propriétés antimicrobiennes. L'argent est appliqué sur un tissu que l'on place sur la plaie. Mis en contact avec la lésion, il libère des ions qui détruisent les bactéries et qui favorisent la guérison. Les brûlures, les chéloïdes et les ulcères cutanés font partie des indications du pansement d'argent. Compte tenu de son coût, l'usage de l'argent est restreint. Le système VAC est aussi un nouveau traitement destiné aux plaies compliquées, aux escarres, aux brûlures et aux ulcères cutanés. Il est constitué d'un bloc de polyuréthane (éponge) inerte et stérile que l'on place à l'intérieur de la plaie. L'éponge est reliée à un réservoir de drainage qui, par aspiration négative, favorise une augmentation du lit vasculaire, une prolifération tissulaire et une cicatrisation plus rapide. Ce système diminue les risques de colonisation bactérienne.

Lutte contre l'infection et prévention. L'infirmière et le client doivent suivre scrupuleusement les consignes d'asepsie pour éviter l'infection de la plaie. Le client ne doit pas être autorisé à toucher une zone récemment lésée. Le milieu environnant du client doit être autant que possible exempt d'agents infectieux que le compagnon de chambre ou les visiteurs pourraient introduire. Pour certains clients, des antibiotiques peuvent être administrés en prophylaxie. Lorsqu'une infection se développe, une culture de l'écoulement de la plaie doit être effectuée et un test de sensibilité (antibiogramme) doit être fait pour connaître l'agent pathogène responsable et déterminer le meilleur traitement antibiotique. Les résultats de la culture doivent être connus avant d'administrer la première dose d'antibiotique.

Directives de l'Association santé et sécurité au travail. La norme de l'Association santé et sécurité au travail en matière de prévention de la transmission de pathogènes à diffusion hématogène en milieu de travail a été implantée en 1992. Le règlement prévoit que les employeurs doivent fournir un équipement de protection individuel aux employés qui risquent d'être infectés. L'infirmière doit minimiser l'exposition au matériel infectieux ou l'éliminer. Lorsque cela est impossible, elle doit porter l'équipement de protection adéquat. Cela comprend des gants, des vêtements et une protection faciale (voir figure 6.12). La situation détermine quel équipement est adéquat.

Précautions contre l'infection. Afin de prévenir la propagation d'une infection, des précautions contre l'infection peuvent s'avérer nécessaires. Celles-ci s'appliquent lorsqu'un client développe une infection et qu'il risque de la transmettre à d'autres personnes. À partir des lignes directrices en matière de mesures d'isolement élaborées par Santé Canada (1999), les Centers for Disease Control and Prevention (CDC, 1996) et le Regroupement des professionnels en prévention des infections, les précautions contre la propagation des infections ont été divisées en deux catégories : les pratiques de base et les précautions additionnelles. Les pratiques de base regroupent les mesures visant à prévenir la transmission des infections des clients au personnel, du personnel au client et de client à client. Ces pratiques doivent être appliquées par tous les travailleurs de la santé, pour tous les clients, quel que soit le diagnostic, et pour tous les procédés de soins. La manipulation des liquides biologiques est également concernée (voir figure 6.12).

Pour certaines infections, des précautions additionnelles s'imposent. Elles s'ajoutent aux principes de base et visent à éviter la propagation de microorganismes très contagieux ou importants d'un point de vue épidémiologique. Il y a trois types de précautions additionnelles basées sur le mode de transmission : les précautions

TABLEAU 6.18 Produits de soins des plaies

Classification	Description	Indications	Contre-indications	Interventions infirmières
Pansements transparents OpSite, Tegaderm, Bioclusive, Omniderm, Uniflex, IV 3 000, etc.	Faits d'une pellicule adhésive semi-perméable. Non absorbants. N'adhèrent pas au lit de la plaie. Gardent la surface de la plaie humide. Forment une barrière contre les bactéries.	Rougeurs (stade I) ou plaies fraîchement cicatrisées. Plaies superficielles/d'épaisseur partielle (stade II). Plaies nécrotiques petites et sèches, exigeant un débridement autolytique.	Plaies infectées. Plaies exsudatives. Invasion des tissus sous-jacents ou sinus. Peau irritée ou signes d'infection à levures.	La plaie doit être bordée de peau intacte et sèche pour permettre l'adhérence. Refaire le pansement s'il plisse ou que l'exsudat fuit. Mal effectué, le retrait peut abîmer la peau friable environnante. Port parfois difficile dans les régions de grande friction (p. ex. talons et coudes).
Pansements d'hydrocolloïdes Plaques DuoDERM CGF, Comfeel (plaques, pâte et poudre), plaques Restore, Sween-a-Peel, Dermaflex, Cutinova Hydro, Tegasorb, etc.	Présentés en plaques adhésives, en poudre et en pâtes. Renferment un ingrédient hydroactif. Offerts en divers formats, épaisseurs et degrés d'absorption et de tranparence. Malléables, épousent les contours irréguliers (coccyx). Occlusifs et empêche l'O_2 de parvenir à la plaie. Absorbent modérément l'exsudant. Les pâtes et les poudres comblent l'espace mort et augmentent la capacité d'absorption des plaques. Résistent à l'eau. Forment une barrière contre les bactéries. Gardent le lit de la plaie humide (en formant un gel non adhérent en surface).	Soutiennent le débridement autolytique. Plaies d'épaisseur partielle, modérément exsudatives (stade II, début du stade III) en voie de granulation.	Plaies infectées. Antibiothérapie requise. Plaies fortement exsudatives. Invasion des tissus sous-jacents ou sinus (stade IV).	Pour tenir en place, le pansement doit déborder de la plaie sur 5 cm. Le pansement tend à se ramollir et à se liquéfier. Fixer les bords avec du ruban adhésif ou opter pour un pansement à bordure. Refaire le pansement s'il fuit ou n'adhère pas. Port maximal de sept jours pour les plaies en voie de granulation. Faire preuve de prudence si le pourtour cutané est fragile. Un écran protecteur liquide peut augmenter l'adhérence et protéger le pourtour cutané.
Pansements d'alginate Kaltostat, Algiderm, Fibracol, Algisite, Seasorb, etc.	Plaques ou rubans de fibres dérivées des algues. Très absorbants. Se gélifient au contact de l'humidité. Possèdent certaines propriétés hémostatiques. Non occlusifs. Non adhésifs. Sans propriétés bactéricides. Utilisés sous un pansement d'hydrocolloïdes, ils sont plus absorbants.	Plaies modérément à fortement exsudatives. Plaies exsudatives fragiles, sujettes au saignement. Plaies infectées.	Plaies sèches, à escarre sèche ou à très faible écoulement. Cratères et sinus.	Refaire le pansement selon l'abondance de l'exsudat. Débarrasser la plaie des débris d'alginate par rinçage. Les fibres restantes seront réabsorbées. Si le pansement devient sec et adhérent, on peut le réhydrater avec du soluté physiologique. Peut dégager des odeurs. Recouvrir d'un pansement rétenteur d'humidité.

6

TABLEAU 6.18 Produits de soins des plaies (*suite*)

Classification	Description	Indications	Contre-indications	Interventions infirmières
Pansements de gel ou d'hydrogel Gel DuoDERM, Gel IntraSite, Normalgel, Hypergel, Vigilon, Nu-gel, Conformagel, Puri-clens, Gel Carrington, Gel Restore, Wound'Dres, etc.	En plaque ou en gélatine. Libèrent de l'humidité à la surface de la plaie. Absorption minimale. Non toxiques. Autres caractéristiques : – Puri-clens contient un antimicrobien (élimination des odeurs) ; – Woun'Dres contient du collagène ; – Duoderm contient des hydrocolloïdes.	Plaies profondes ou superficielles. Plaies en voie de granulation, afin de prévenir l'assèchement ou les traumas causés par l'adhérence du pansement. Plaies nécrotiques ou fibreuses, pour soutenir le débridement autolytique. Remplissage de l'espace mort, ou de pair avec une mèche de gaze.	Déconseillés sur les plaies infectées, sauf si une antibiothérapie est en cours. Ne pas utiliser de gel seul dans un sinus profond ou sur un os à découvert.	Doit être complété par un pansement secondaire pour préserver l'humidité et protéger. Protéger le pourtour cutané contre la macération. Traiter l'infection sans délai. Refaire le pansement selon l'abondance et l'exsudat. Surveiller les signes d'infection pendant le débridement autolytique.
Pansements de gaze Nugauze, Nubrede, gaze de coton, etc.	En différentes tailles et armures et en bandelettes (mèche). Permettent l'absorption de l'exsudat. Peuvent adhérer au tissu de granulation, causant des traumas. Retrait parfois douloureux.	Débridement mécanique par des pansements humides temporaires. Application d'agents topiques sur la plaie (gels). Sinus et cratère.	Plaies sèches ou en voie de granulation (le pansement ne maintient pas l'humidité). Absorption très faible. Plaies fortement exsudatives (un pansement volumineux peut exercer une pression sur la plaie).	Doit rester humide pour soutenir le débridement autolytique et la granulation. Un méchage trop dense de la plaie peut abîmer le lit de la plaie et entraver la croissance du nouveau tissu de granulation.
Pansements de mousse Allevyn (en plaques et pour plaies creuses), Lyofoam, Hydrosob, etc.	Pansements non adhérents en mousse de polyuréthane en plaques et pour plaies creuses. Certains sont semi-occlusifs. Bonne capacité d'absorption. Isolement de la peau. Protection cutanée en absorbant.	Plaies fortement exsudatives. Garder la surface de la plaie humide. Les pansements pour plaies creuses augmentent la capacité d'absorption et comblent l'espace mort.	Plaies sèches. Utiliser avec prudence en présence d'infection.	La mousse appliquée fermement à la surface de la plaie accroît l'absorption. Parmi les moyens de fixation convenant le mieux : les bandes Mefix, Hypafix ou Flexigrid. Refaire le pansement selon l'abondance de l'exsudat. Les pansements pour plaies creuses doivent combler tout l'espace mort. D'autres produits peuvent s'avérer nécessaires pour le remplissage des sinus. Ne pas découper les pansements pour plaies creuses.
Pansements compressifs Elastoplast	Bandage élastique appliqué sur un saignement créant une compression locale pour favoriser une hémostase.	Hémorragie réelle ou potentielle.	Localisation de l'hémorragie ex. : hémorragie abdominale ou intra-occulaire. Problèmes vasculaires.	Surveillance des signes neuro-vasculaires. L'application d'une compresse doit permettre une irrigation sanguine des tissus avoisinants.

TABLEAU 6.18 Produits de soins des plaies (*suite*)

Classification	Description	Indications	Contre-indications	Interventions infirmières
Pansements absorbants Aquacel, Hydrofibres, Pansements absorbants Bard, Debrisan, Hydragan, Triad, gaze et mèche Mesalt, etc.	Présentés en formes diverses : plaques ou rubans, amidons, granules, fibres, gaze imbibée de solution hypertonique. Retiennent l'humidité. Absorbent modérément à beaucoup l'exsudat. Aquacel se transforme en gel solide une fois activé par l'humidité. Les fibres ne se désagrègent pas. Produits de remplissage de l'espace mort.	Plaies modérément exsudatives (les hydrofibres sont très absorbantes). Plaies dont l'espace mort est visible. Débridement autolytique des plaies exsudatives contenant du tissu nécrotiques ou fibrineux. Mesalt peut aussi servir au débridement mécanique (convient aux plaies infectées ou fortement exsudatives).	Plaies très faiblement exsudatives. Les granules et les crèmes sont contre-indiquées pour remplir les sinus ou si le lit de la plaie n'est pas visible.	Les granules et les pâtes peuvent se gonfler en absorbant l'exsudat. Ne pas mécher les plaies densément. Rincer ou irriguer les plaies pour faciliter le retrait complet. Refaire le pansement selon l'abondance d'exsudat. Nécessitent un pansement absorbant en surface. Les pansements de gaze peuvent abîmer le tissu de granulation lorsque l'exsudat devient moins abondant.
Pansements au charbon Actisorb, Actisorb Plus, Carbonet, etc.	Présentés en plaques. Le charbon absorbe les odeurs. Absorbent très peu l'exsudat. Non occlusifs ni adhésifs. Certains s'appliquent directement sur la plaie.	Plaies peu exsudatives mais odorantes.	Plaies fortement exsudatives.	Nécessitent un pansement secondaire pour absorber l'exsudat et stabiliser le pansement.
Pansements non adhérents non imprégnés Telfa, Melotite, Adaptic, Alldress, Mepitel, ETE, etc.	Enduits de plastique ou de silicone. Le produit peut être uni, perforé ou tissé. Très faible capacité d'absorption.	Minimiser les traumas et l'adhérence à la plaie. Retenir une certaine qualité d'humidité.	Peuvent ne pas retenir suffisamment l'humidité. Peuvent favoriser la macération du pourtour cutané.	Le pourtour cutané doit être protégé contre la macération. Mepitel peut être en place de quatre à sept jours ; remplacer le pansement de surface au besoin.
Pansements non adhérents imprégnés Tulle gras : Sofratulle, Bactigras, Fucidin, Jelonet, Adaptic, etc.	Gaze imprégnée de vaseline, d'antibiotiques ou de solution saline. Faible absorption.	Rétention partielle de l'humidité. Peuvent contribuer au traitement de l'infection locale. Non absorbants. Minimiser les dommages causés au tissu de granulation.	Risque de sensibilisation à l'antibiotique. À écarter s'ils déclenchent le saignement ou ne peuvent être retirés sans trempage.	Tailler les pansements aux dimensions de la plaie. Occlusion proportionnelle au nombre de couches.
Pansements composites CombiDERM ACD, Ventex, Allevyn adhésif, Tielle, etc.	Degrés d'absorption variables. Formés d'une combinaison de produits rehaussant les capacités de chaque élément.	Plaies modérément à fortement exsudatives. Usage sélectif. Plaie infectée. Plaie profonde ou superficielle.	Ne conviennent pas aux plaies sèches ou très faiblement exsudatives.	Se conformer aux instructions du fabricant. Ces produits sont conçus pour prolonger le port du pansement grâce à un contrôle équilibré de l'humidité.

Barton P. et Parslow N., *Soins des plaies : un guide détaillé à l'intention des infirmiers et infirmières en soins communautaires*, Don Mills, Saint-Elizabeth Health Care, 1996. Reproduit avec l'autorisation des auteures.

TABLEAU 6.19 Débridement

Type	Indications	Méthode	Avantages	Inconvénients	Interventions infirmières
Débridement chirurgical	Beaucoup de tissus dévitalisés	Un médecin ou un professionnel qualifié utilise un instrument tranchant pour exciser le tissu nécrotique. (Peut exiger une anesthésie.)	Méthode la plus rapide et la plus sûre. Diminue le risque d'infection.	Peut être douloureux. Ne convient pas à tous les clients. Peut provoquer le saignement.	La plaie doit être tenue humide après le traitement afin d'empêcher l'escarre de se reformer. L'alginate peut réprimer le saignement.
Débridement mécanique	Peu de débris tissulaires Plaie contaminée	On applique des pansements humidifiés avec une solution saline ou antimicrobienne à base d'iode ou de chlorhexidine sur les débris de la plaie. On retire ensuite les pansements devenus secs qui entraînent avec eux les débris. Irriguer la plaie ou faire tremper la plaie dans une solution saline ou antimicrobienne à base d'iode ou chlorhexidine. Le bain tourbillon peut être aussi utilisé.	Peut éliminer rapidement l'escarre. Le risque d'infection est minime. Peut être pratiqué à domicile.	Débridement non sélectif (élimine aussi le tissu de granulation). Douloureux. Provoque le saignement. Plus lent que le débridement chirurgical. Une forte pression peut nuire à la formation de fibroblaste.	On devra peut-être administrer un analgésique avant de refaire le pansement. Le débridement complet peut exiger plusieurs pansements.
Débridement enzymatique Santyl, Elase, etc.	Plaie nécrotique	On applique des onguents enzymatiques pour ramollir et dégrader l'escarre. Elle doit être entaillée pour laisser pénétrer des enzymes. Ce débridement est souvent combiné avec le débridement mécanique.	Généralement indolore. Peut être pratiqué à domicile. Le Santyl élimine le tissu nécrotique sans abîmer le tissu de granulation du lit de la plaie.	Cette méthode augmente le risque d'infection, car l'escarre, en se dégradant, libère des bactéries. Les enzymes peuvent abîmer le tissu de granulation ; elle n'est donc pas recommandée pour les plaies qui en contiennent. Les enzymes risquent d'abîmer le pourtour cutané de la plaie.	Pour que les enzymes soient efficaces, l'humidité doit être maintenue. Peut donc exiger des changements fréquents du pansement. L'élimination de l'escarre peut demander de nombreuses applications. L'infection doit être traitée promptement. On doit protéger le pourtour de la plaie (écran protecteur, pâte, etc.).
Débridememt autolytique Pansement d'hydrocolloïdes, pansements transparents, gels, pansements humides.	Plaie non infectée	Ce processus naturel débarrasse la plaie du tissu nécrotique. Les macrophages libèrent des enzymes qui liquéfient graduellement l'escarre. Le lit de la plaie doit être tenu humide afin de faciliter l'autolyse.	N'abîme pas les tissus en voie de regénération. Généralement indolore. Peut être pratiqué à domicile. Élimine la chirurgie. Le Santyl est innofensif pour les tissus sains.	Méthode plus lente. Augmentation du risque d'infection en raison des bactéries libérées par le tissu nécrotique. La dégradation du tissu nécrotique rend l'écoulement malodorant.	La peau environnante doit être protégée contre l'écoulement de la plaie et la macération. L'infection doit être traitée promptement. La phase où l'exsudat est abondant et malodorant peut exiger des changements plus fréquents du pansement.

Barton P. et Parslow N., *Soins des plaies : un guide détaillé à l'intention des infirmiers et infirmières en soins communautaires*, Don Mills, Saint-Elizabeth Health Care, 1996. Reproduit avec l'autorisation des auteurs.

PRÉVENTION DES INFECTIONS : **Pratiques de base**

LAVAGE DES MAINS

- Se laver les mains avant et après avoir donné des soins à un client ;
- À la suite d'une contamination par du sang, des liquides organiques, des sécrétions, des excrétions, des surfaces et du matériel souillés ;
- Après avoir retiré les gants.

GANTS

- Pour éviter le contact possible avec du sang, des liquides organiques, des sécrétions, des excrétions, des muqueuses, des lésions cutanées ou avec du matériel contaminés ;
- Les enlever sans délai pour éviter la contamination.

MASQUE ET PROTECTION OCULAIRE

- Pour protéger les muqueuses de la bouche, du nez, et des yeux lorsqu'il y a risque d'éclaboussures de sang, de liquides organiques, de sécrétions et d'excrétions.

BLOUSE

- Pour protéger la peau et les vêtements des éclaboussures possibles de sang, de liquides organiques, de sécrétions et d'excrétions.

LINGERIE (LITERIE)

- Manipuler et transporter la lingerie souillée avec précaution de manière à prévenir la contamination ;
- Déposer immédiatement dans un sac étanche ; si nécessaire, glisser le sac à l'intérieur d'un deuxième sac pour prévenir les risques de fuite de liquide.

PROTECTION DE L'ENVIRONNEMENT

- Suivre les procédures de nettoyage ;
- Porter une attention particulière aux surfaces fréquemment touchées ;
- Jeter les déchets selon les normes et les procédures établies.

ÉQUIPEMENT DE SOINS

- Manipuler et transporter l'équipement de soins souillé de manière à prévenir la contamination ;
- Désinfecter ou stériliser adéquatement l'équipement de soins réutilisable pour réduire le risque de transmission de microorganismes à d'autres clients.

MATÉRIEL PIQUANT OU TRANCHANT

- Manipuler avec prudence le matériel piquant ou tranchant pour éviter les blessures accidentelles ;
- Ne pas remettre la gaine protectrice sur les aiguilles souillées ;
- Utiliser les contenants identifiés à cette fin pour jeter ce matériel.

HÉBERGEMENT DU CLIENT

- Placer en chambre individuelle le client qui risque de contaminer le milieu.

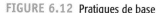

FIGURE 6.12 Pratiques de base
Regroupement des professionnels en prévention des infections. Régions 03 et 12 ; Québec, Chaudière-Appalaches. Prévention des infections : pratiques de base, 1999.

Prévention des infections : **Précautions additionnelles**

	Aériennes			Gouttelettes	Contact
				Gouttelettes/contact²	
Hébergement	• Chambres individuelles obligatoires ; • Porte et fenêtre(s) fermées.			• De préférence en chambre individuelle ou par regroupement de porteurs du même germe. • En pédiatrie, recourir à la chambre partagée (en respectant certaines conditions), si le nombre de chambres individuelles est insuffisant.	
Circulation hors de la chambre	• Pour motif exceptionnel ; • Le client doit être accompagné et porter un masque chirurgical (ou l'équivalent).			• Pour raison médicale seulement ; • Le client doit porter un masque.	• Pour raison médicale seulement ; • Se laver les mains au préalable et appliquer les autres mesures préventives en fonction du site infecté.
Affichette	Tuberculose	Varicelle, zona disséminée	Rougeole, contact de varicelle ou de rougeole	Gouttelettes	Contact
	Aériennes (T)	Aériennes/ contact	Aériennes (R)	Gouttelettes/contact	
Masque	HPF³ en tout temps	HPF si non immun⁴	HPF si non immun	• Masque à moin d'un mètre du client.	s/o
Blouse	s/o	• Lorsqu'un contact est possible avec le client ou son milieu.	s/o	s/o	• Lorsqu'un contact est possible avec le client ou son milieu.
Gants	s/o	• En tout temps dans la chambre.	s/o	s/o	• Porter les gants en tout temps dans la chambre.
Équipement de soins	s/o	• Réserver l'équipement à l'usage exclusif du client ; • Le désinfecter s'il est utilisé pour plusieurs clients.	s/o	s/o	• Réserver l'équipement à l'usage exclusif du client ; • Le désinfecter s'il est utilisé pour plusieurs clients.

Lavage des mains
Pour le personnel et les visiteurs, à la sortie de la chambre.

Visiteurs
Nombre limité. Les informer des précautions à prendre.

Instructions au client
Remettre au client le feuillet d'information approprié et s'assurer qu'il en a compris le contenu.

1 Les précautions additionnelles contiennent des consignes qui s'ajoutent aux pratiques de base. Pour plus d'information, consulter le document de référence sur les Pratiques de base et les Précautions additionnelles.
2 Les précautions « Gouttelettes/contact » combinent les précautions inscrites à « Gouttelettes» et celles inscrites à « Contact ».
3 HPF : haut pouvoir filtrant.
4 Immun : client vacciné ou ayant déjà contracté la maladie.

FIGURE 6.13 Précautions additionnelles
Regroupement des professionnels en prévention des infections. Régions 03 et 12 ; Québec, Chaudière-Appalaches.
Prévention des infections : pratiques de base, 1999.

aériennes, les précautions contre les gouttelettes et les précautions pour éviter le contact (voir figure 6.13). Lorsque les précautions additionnelles s'appliquent, une affiche explicative est placée à la porte de la chambre du client, et on doit informer le client et ses proches des précautions à prendre.

Isolement protecteur. Les clients ayant une faible quantité de GB et dont les réactions immunitaires sont affaiblies (p. ex. un client en chimiothérapie ou neutropénique) peuvent, dans certains établissements, être placés en **isolement protecteur.** L'objectif de l'isolement protecteur est de protéger le client des sources d'infection environnantes. Cependant, n'ayant pas encore totalement fait ses preuves, l'isolement protecteur reste controversé. Les politiques institutionnelles relatives à l'isolement protecteur varient considérablement. Lorsqu'elles existent dans l'établissement, les politiques en matière d'isolement doivent être suivies si l'état du client le justifie. (Le chapitre 19 traite de l'isolement protecteur).

Conséquences psychologiques. Un client peut être angoissé à la pensée ou à la vue d'une incision ou d'une plaie, parce qu'il craint d'avoir une cicatrice ou d'être défiguré. L'écoulement provenant d'une plaie accentue souvent cette angoisse. Le client a besoin de comprendre le processus de cicatrisation et les changements normaux qui se produisent pendant la cicatrisation. Une expression inappropriée sur le visage de l'infirmière qui change un pansement peut amener le client à croire qu'il y a un problème avec sa plaie, ou que l'infirmière n'est pas en mesure d'en prendre soin. Un froncement de nez donne au client une impression de dégoût.

6.4.3 Soins ambulatoires et à domicile

Maintenant, les clients quittent l'hôpital plus tôt après une intervention chirurgicale et beaucoup subissent une chirurgie d'un jour ; il est donc important que le client ou les membres de sa famille sachent comment soigner la plaie et changer les pansements. La plaie peut prendre de quatre à six semaines à se cicatriser. Pendant ce laps de temps, le client doit se reposer adéquatement, recevoir une bonne alimentation et subir le moins de stress physique et mental possible. Il est important d'observer la plaie pour y détecter des complications comme des contractures, des adhérences et des infections secondaires. Le client doit connaître les signes et les symptômes de l'infection. Il doit noter les changements dans la couleur et dans la quantité d'écoulement. Le personnel soignant doit être avisé de tout signe d'une cicatrisation anormale.

Souvent, le client prendra des médicaments pour une certaine période de temps après la guérison d'une infection aiguë. Les effets indésirables du médicament doivent être revus avec le client. On doit l'aviser de contacter le personnel soignant si l'un de ces effets se produit. Il est important que le client soit sensibilisé au fait qu'il doit prendre ses médicaments pour la période spécifiée. Par exemple, un client qui doit prendre des antibiotiques pour une période de 10 jours pourrait cesser de prendre ses médicaments après 5 jours parce que ses symptômes ont décru ou disparu. Cependant, le microorganisme peut ne pas avoir été entièrement éliminé, et il peut devenir résistant à l'antibiotique si le client arrête de prendre ses médicaments (voir encadré 6.2).

MOTS CLÉS

Hypertrophie 142
Hyperplasie 142
Hyperplasie compensatoire 142
Atrophie 142
Métaplasie 142
Dysplasie 143
Anaplasie 143
Pathogènes 143
Opportunistes 143
Nécrose 143
Inflammation 145
Infection 145
Hyperémie 146
Pus 147
Anaphylatoxines 150
Régénération 153
Réparation 153
Tissu fibreux 154
Tissu cicatriciel 154
Ablation 157
Staphylococcus 161
Pseudomonas 161
Isolement protecteur 171

BIBLIOGRAPHIE
Version originale
1. Borton D: *WBC count and differential, Nursing* 26:26, 1996.
2. Dinarello CA: *Thermoregulation and the pathogenesis of fever, Infect Dis Clin North Am* 10:433, 1996.
3. Kluger MJ: *Cytokines and the pathogenesis of fever, Physiologist* 37:A28, 1994.
4. Letizia M, Janusek L: *The self-defense mechanism of fever, Medsurg Nurs* 3:373, 1994.
5. Beck VP: *On the lookout for impaired wound healing, Nursing* 28:1, 1998.
6. Tenover FC, McGowan JE: *Antimicrobial resistance, Infect Dis Clin North Am* 10:433, 1996.
7. Capriotti T: *Emerging antibiotic resistance among community-acquired and nosocomial bacterial pathogens, Medsurg Nurs* 6:296, 1997.

8. McManus MC: *Mechanisms of bacterial resistance to antimicrobial agents, Am J Health-System Pharm* 54:1420, 1997.

9. Pontieri-Lewis V: *The role of nutrition in wound healing, Medsurg Nurs* 6:187, 1997.

10. Meser MS: *Wound care, Crit Care Nurs Q* 11:17, 1989.

11. Klein NC, Cunha BA: *Treatment of fever, Infect Dis Clin North Am* 10:211, 1997.

12. Atkins E: *Fever: its history, cause, and function, Yale J Biol Med* 55:283, 1982.

13. Spotnitz WD, Falstrom JK, Rodeheaver GT: *The role of sutures and fibrin sealant in wound healing, Surg Clin North Am* 77:651, 1997.

14. Rolstad BS: *Wound dressings: making the right match, Nursing* 27:32hn1, 1997.

15. Erwin-Toth P, Hocevar BJ: *Wound care: selecting the right dressing, AJN* 95:46, 1995.

16. Walker D: *Choosing the correct wound dressing, AJN* 96:35, 1996.

17. DeGroot-Kosolcharoen J: *Culture and sensitivity testing, AJN* 96:33, 1996.

18. Eggleston B: *Infection control update, Nursing* 24:70, 1994.

19. Garner J: *Guideline for isolation precautions in hospitals, Infect Control Hosp Epidemiol* 17:53, 1996.

20. Borton D: *Isolation precautions: clearing up the confusion, Nursing* 27:49, 1997.

Édition de langue française

1. Canadian Medical Association, 2001 (10 juin 2001). [www.cmaj.ca].

2. Potter, Patricia J. et Perry Anne G. : *Soins infirmiers*, Études Vivantes, Laval, 2001, 1617 pages.

3. Regroupement des professionnels en prévention des infections, régions 03-12 Québec et Appalaches, « Pratiques de base et précautions additionnelles visant à prévenir la transmission des infections dans les établissements de santé », 1999.

Lucie Rhéaume
Inf., B. Sc. inf.
Cégep F.-X. Garneau

Chapitre 7

ALTÉRATION DES RÉACTIONS IMMUNITAIRES

OBJECTIFS D'APPRENTISSAGE

APRÈS AVOIR LU CE CHAPITRE, VOUS DEVRIEZ ÊTRE EN MESURE :

- DE DÉCRIRE LES FONCTIONS ET LES COMPOSANTES DU SYSTÈME IMMUNITAIRE ;

- DE DISTINGUER L'IMMUNITÉ NATURELLE (SYSTÈME DE DÉFENSE NON SPÉCIFIQUE) DE L'IMMUNITÉ ACQUISE (SYSTÈME DE DÉFENSE SPÉCIFIQUE) ;

- DE COMPARER ET DE DIFFÉRENCIER L'IMMUNITÉ HUMORALE ET L'IMMUNITÉ À MÉDIATION CELLULAIRE EN CONSIDÉRANT LES RÉACTIONS ET LES LYMPHOCYTES QUI Y PRENNENT PART, ET LES EFFETS SUR LES ANTIGÈNES ;

- DE RECONNAÎTRE LES CINQ TYPES D'IMMUNOGLOBULINES ET LEURS CARACTÉRISTIQUES ;

- DE DISTINGUER LES QUATRE TYPES DE RÉACTION D'HYPERSENSIBILITÉ EN CE QUI A TRAIT À LEUR MÉCANISME ET À LEURS EFFETS ;

- DE RECONNAÎTRE LES MANIFESTATIONS CLINIQUES D'UNE RÉACTION ANAPHYLACTIQUE SYSTÉMIQUE ET DE CONNAÎTRE LE TRAITEMENT D'URGENCE À PRODIGUER ;

- DE DÉCRIRE L'ÉVALUATION ET LE PROCESSUS THÉRAPEUTIQUE RELATIFS AUX ALLERGIES CHRONIQUES ;

- DE DÉCRIRE LA PHARMACOTHÉRAPIE UTILISÉE LORS D'ALLERGIES ;

- DE DÉCRIRE LES FACTEURS ÉTIOLOGIQUES, LES MANIFESTATIONS CLINIQUES ET LE TRAITEMENT DES MALADIES AUTO-IMMUNES ;

- D'EXPLIQUER LES LIENS ENTRE LE COMPLEXE MAJEUR D'HISTOCOMPATIBILITÉ (CMH) ET CERTAINES MALADIES ;

- DE DÉCRIRE LES FACTEURS ÉTIOLOGIQUES DE L'IMMUNODÉFICIENCE, LES CATÉGORIES D'IMMUNODÉFICIENCE ET LES TRAITEMENTS QUI S'Y RATTACHENT ; ET

- DE DÉCRIRE LES NOUVELLES TECHNOLOGIES UTILISÉES EN IMMUNOLOGIE, DONT LA TECHNOLOGIE DES HYBRIDOMES, LA RECOMBINAISON DE L'ADN ET LA THÉRAPIE GÉNIQUE.

PLAN DU CHAPITRE

7.1 RÉACTION IMMUNITAIRE NORMALE . 174

7.2 RÉACTIONS IMMUNITAIRES ALTÉRÉES 182

7.3 TROUBLES ALLERGIQUES 189

7.4 PHÉNOMÈNE DE L'AUTO-IMMUNITÉ . 196

7.5 TROUBLES IMMUNODÉFICITAIRES . . 200

7.6 MALADIES IMMUNITAIRES 202

7.7 NOUVELLES TECHNOLOGIES EN MATIÈRE D'IMMUNOLOGIE 205

*D*epuis toujours, le corps humain doit se protéger contre les invasions incessantes de substances étrangères comme les microorganismes. Dans ce but, il a développé un système de défense complexe. Ce système est composé de mécanismes et de réactions de défense non spécifiques (dont la peau, les muqueuses lubrifiées par les larmes, la salive et le mucus, l'éternuement, la réaction inflammatoire, la fièvre et la phagocytose par certains types de globules blancs), et d'une réaction de défense spécifique (immunité humorale et à médiation cellulaire). Le chapitre 6 traite de la réaction inflammatoire.

L'*immunocompétence* est l'aptitude développée par le système immunitaire pour déceler et désactiver ou détruire les substances étrangères. En cas d'incompétence ou d'absence de réaction du système immunitaire, il peut se produire des infections graves, des maladies engendrant une immunodéficience (p. ex. le SIDA) et des cancers (p. ex. Hodgkin). Lors d'une réaction excessive du système immunitaire, des troubles d'hypersensibilité (p. ex. les allergies) et des maladies auto-immunes peuvent survenir.

7.1 RÉACTION IMMUNITAIRE NORMALE

7.1.1 Immunité

L'immunité est la capacité de l'organisme de résister aux substances étrangères telles que les microorganismes et les protéines tumorales. La réaction immunitaire a trois fonctions (voir tableau 7.1) :

- La **défense.** L'organisme se protège contre les invasions de microorganismes infectieux, de certaines cellules cancéreuses ainsi que des tissus et des organes transplantés en attaquant les cellules et en libérant des substances chimiques mobilisatrices et des anticorps protecteurs.
- L'**homéostasie.** Les débris cellulaires et les organismes étrangers (agents infectieux) sont ingérés, digérés et éliminés. Grâce à ce mécanisme, les différents types cellulaires de l'organisme peuvent réparer les tissus.
- La **surveillance.** Des mutations se produisent continuellement dans l'organisme. Les cellules mutées sont reconnues comme des cellules étrangères par l'organisme, qui les détruit.
- Le **système immunitaire** possède cinq propriétés qui assurent la diversité et la longue durée de sa protection et qui font en sorte qu'elle est inoffensive pour l'hôte. Ces propriétés sont définies dans le tableau 7.2.

Types d'immunité. L'immunité est naturelle ou acquise. L'**immunité naturelle (innée)** n'est pas le résul-

tat d'une réaction immunitaire. Cette immunité est présente dès la naissance sans qu'il y ait contact préalable avec un antigène. L'individu est naturellement immunisé contre certains agents infectieux, pathogènes pour d'autres espèces. L'**immunité acquise** une immunité développée de façon active ou passive (voir tableaux 7.3 et 7.4).

Immunité acquise active. L'immunité active peut être acquise naturellement lors d'infections bactériennes et virales. Elle stimule le développement d'anticorps et de lymphocytes sensibilisés. À chaque nouvelle invasion de microorganismes, la réaction immunitaire secondaire est plus rapide et plus vigoureuse. L'immunité active peut être acquise artificiellement par l'inoculation d'agents pathogènes morts ou atténués (les vaccins). Parce qu'elle requiert la synthèse d'anticorps, l'immunité active met du temps à se développer, mais dure longtemps.

Immunité acquise passive. L'immunité passive implique que l'hôte a reçu les anticorps d'un autre individu ou d'un animal immunisé. L'immunité passive est acquise naturellement par le transfert d'immunoglobulines de la mère au fœtus par l'intermédiaire du placenta. Elle est artificiellement transmise par l'injection de gammaglobuline (anticorps sériques). Les anticorps administrés assurent une protection immédiate, mais de courte durée, car l'hôte n'a pas synthétisé les anticorps. Par conséquent, il n'a pas développé de mémoire immunitaire.

7.1.2 Antigènes

Un **antigène** est une substance qui suscite une réaction immunitaire. La plupart des antigènes sont composés de protéines. Cependant, d'autres substances telles que les polysaccharides de grande taille, les lipoprotéines et les acides nucléiques peuvent aussi être des antigènes. Toutes les cellules de l'organisme ont, à leur surface, des glycoprotéines propres à l'individu, appelées antigènes du complexe majeur d'histocompatibilité (CMH). Ces auto-antigènes permettent au système immunitaire de reconnaître ses propres cellules.

La plupart des antigènes étrangers présentent à leur surface de multiples déterminants antigéniques qui induisent la production d'anticorps. Ces multiples déterminants contribuent au rejet d'une transplantation (incompatibilité du donneur et du receveur).

On appelle **haptènes** les substances de faible poids moléculaire qui sont inoffensives par elles-mêmes. Elles peuvent se lier à des molécules plus grosses, appelées porteurs, devenir antigéniques et provoquer une réaction immunitaire. Les anticorps qui en résultent peuvent provoquer une réaction immunitaire. Il en va de même lors d'une seconde exposition à l'haptène. La poussière, les squames animales, les médicaments et les

TABLEAU 7.1 Fonctions du système immunitaire

Fonction	Réaction d'adaptation	Réactions mésadaptées	
		Hyper	Hypo
Défense	Destruction des virus, des bactéries et des champignons	Troubles allergiques	Troubles immunodéficitaires
Homéostasie	Élimination des cellules lésées	Maladies auto-immunes	
Surveillance	Élimination des cellules mutantes		Maladies malignes

TABLEAU 7.2 Propriétés de la réaction immunitaire

Propriété	Définition
Spécificité	L'antigène stimule la production d'anticorps spécifiques ou active des lymphocytes sensibilisés qui se lient à lui, l'inactivent et le marquent afin qu'il soit détruit par les macrophages.
Mémoire	Le système immunitaire reconnaît les antigènes qu'il a déjà rencontrés. Il s'ensuit une réaction immunitaire plus rapide et plus intense.
Autoreconnaissance	Le système immunitaire peut perdre sa capacité de distinguer les cellules hôte et les cellules étrangères. Dans ce cas, l'organisme sécrète des auto-anticorps.
Autorégulation	Après l'élimination de l'antigène, les stimuli s'atténuent, puis la réaction immunitaire s'amenuise et, finalement, prend fin. Cette autorégulation de la réaction immunitaire prévient la lésion cellulaire.
Spécialisation	Le système immunitaire réagit de différentes manières selon les antigènes et les microorganismes rencontrés.

TABLEAU 7.3 Types d'immunité acquise et leur protection

Immunité acquise			
Acquise naturellement		Acquise artificiellement	
Active	Passive	Active	Passive
Contact naturel avec un antigène : infection	Transfert par le placenta ou le colostrum : Ig maternelles chez le nouveau-né	Acquise au moyen d'un antigène : vaccin	Injection de sérum provenant d'un humain ou d'un animal immunisé : injection de gammaglobulines humaines

TABLEAU 7.4 Acquisition de la protection immunitaire

	Immunité acquise			
	Acquise naturellement		Acquise artificiellement	
	Active	Passive	Active	Passive
Développement	Lent ; protection acquise après quelques semaines	Immédiat	Lent ; protection acquise après quelques semaines	Immédiat
Durée	Long terme ; souvent la vie	Temporaire ; plusieurs mois	Plusieurs années ; doses de rappel prolongent la protection	Temporaire ; plusieurs semaines
Spectre	Spécifique de l'antigène contracté	Tous les antigènes ciblés par l'immunisation	Spécifique de l'antigène ciblé par l'immunisation	Tous les antigènes ciblés par l'immunisation

produits chimiques industriels sont des haptènes courants. Les réactions immunitaires aux haptènes expliquent plusieurs allergies fréquentes.

Une lésion physique ou chimique de la membrane cellulaire peut exposer des structures cellulaires internes. Les « nouveaux » antigènes peuvent alors stimuler le système immunitaire à réagir contre les cellules de l'hôte. Cette réaction présente lors des maladies auto-immunes sera vue plus loin dans ce chapitre.

7.1.3 Composantes du système immunitaire

Les organes lymphoïdes produisent les lymphocytes, des cellules essentielles à la réaction immunitaire. Les monocytes (traités au chapitre 6) jouent aussi un rôle dans la réaction immunitaire.

Organes lymphoïdes. Le système lymphoïde est composé d'organes lymphoïdes centraux (ou primaires) et périphériques (ou secondaires). Les **organes lymphoïdes centraux** sont le thymus et la moelle osseuse. Les **organes lymphoïdes périphériques** sont représentés par les amygdales ; les tissus lymphoïdes associés aux intestins, aux organes génitaux, aux bronches et à la peau ; les ganglions lymphatiques et la rate (voir figure 7.1).

Thymus. Les lymphocytes se forment dans la moelle osseuse, puis migrent vers les organes périphériques. Le thymus joue un rôle crucial dans la différenciation et la maturation des lymphocytes T et, par conséquent, est essentiel à la réaction immunitaire à médiation cellulaire. Sa taille varie avec les années. Déjà étendue chez le nouveau-né, le thymus atteint sa taille maximale à l'adolescence. Puis, chez la personne âgée, il se transforme graduellement en un ensemble de fibres réticulaires, de lymphocytes, et de tissu conjonctif et adipeux.

Tissu lymphoïde. Le tissu lymphoïde se trouve dans les muqueuses des voies respiratoires (associé aux bronches), du système génito-urinaire (associé aux organes génitaux) et du système gastro-intestinal (associé aux intestins). Ces tissus jouent un rôle important dans la défense immunitaire. Ils abritent les lymphocytes et leur fournissent un site de prolifération. Ils procurent aux lymphocytes et aux macrophages une position stratégique pour surveiller l'organisme.

Les tissus lymphoïdes associés à la peau sont composés de macrophages intraépidermiques appelés cellules de Langerhans. Ces cellules sont produites par la moelle osseuse. Elles sont capables de détruire les microorganismes qui ont réussi à franchir la barrière épidermique. Lorsque ces cellules s'inactivent, la peau devient incapable d'initier une réaction immunitaire, ni de réagir à une réaction d'hypersensibilité (réaction immunitaire anormalement vigoureuse).

Vaisseaux lymphatiques. Les vaisseaux lymphatiques acheminent les antigènes introduits dans l'organisme vers les ganglions lymphatiques régionaux afin d'empêcher ces substances d'entrer dans le sang et de se disséminer dans l'organisme. Aux ganglions, les macrophages filtrent, éliminent et détruisent toute substance étrangère présente dans la lymphe.

Rate. La rate est le plus gros organe lymphatique. Elle filtre des substances étrangères (débris, toxines, virus) dans le sang. Elle est composée de deux sortes de tissu : la pulpe blanche contenant des lymphocytes B et T, et la pulpe rouge renfermant des érythrocytes et des macrophages. La rate est principalement le siège de la réaction immunitaire dirigée contre les antigènes à diffusion hématogène. Une splénectomie chez l'enfant peut le prédisposer à une septicémie potentiellement mortelle.

Cellules phagocytaires mononucléées. Les cellules phagocytaires mononucléées comprennent les monocytes sanguins et les macrophages présents dans tout l'organisme (voir chapitre 6 pour une description plus complète).

Les cellules phagocytaires mononucléées jouent un rôle crucial dans le système immunitaire. Elles sont responsables de la capture, du traitement et de la présentation des antigènes aux lymphocytes, ce qui déclenche une réaction immunitaire humorale ou à médiation cellulaire. La capture des antigènes se fait par phagocytose. L'antigène fixé au macrophage est très immunogénique. Sa présentation aux lymphocytes T ou B circulants provoque une réaction immunitaire (voir figure 7.2).

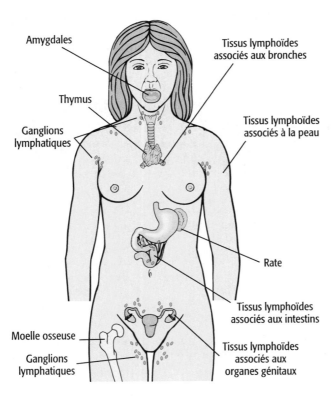

Amygdales
Tissus lymphoïdes associés aux bronches
Thymus
Ganglions lymphatiques
Tissus lymphoïdes associés à la peau
Rate
Tissus lymphoïdes associés aux intestins
Moelle osseuse
Ganglions lymphatiques
Tissus lymphoïdes associés aux organes génitaux

FIGURE 7.1 Organes du système immunitaire

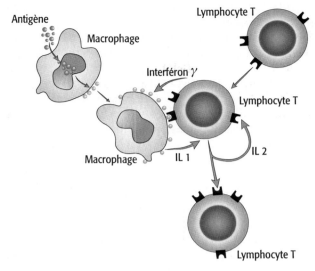

FIGURE 7.2 Schéma représentant les réactions de l'activation des lymphocytes T. Au cours des premières étapes de la réaction immunitaire, les antigènes étrangers sont phagocytés par les macrophages, traités et présentés sur la membrane cellulaire du macrophage où ils sont reconnus par des lymphocytes T spécifiques. En présence de médiateurs dérivés des monocytes, comme l'inter-leukine 1, cette série d'événements entraîne la prolifération et l'activation des lymphocytes T. Les lymphocytes T activés sécrètent différentes lymphokines (p. ex. l'interleukine 2, l'interféron gamma) qui sont les médiatrices des réactions mettant en jeu les lymphocytes et les phagocytes mononucléés.

7.1.4 Production des lymphocytes

Les lymphocytes se forment à partir de cellules souches non différenciées du foie fœtal et, plus tard, de la moelle osseuse rouge (voir figure 7.3). Les lymphocytes se différencient en lymphocytes B et T.

Chez les humains, les lymphocytes B (B pour bourse de Fabricius, site de la maturation de ces lymphocytes chez les oiseaux) acquièrent leur immuno-compétence dans la moelle osseuse. Les lymphocytes immatures qui migrent de la moelle osseuse rouge vers le thymus s'y différencient en lymphocytes T (cellules thymodépendantes). Le thymus sécrète des hormones, dont la thymosine, qui stimulent la maturation et la différenciation des lymphocytes T. Les lymphocytes T forment de 70 à 80 % des lymphocytes circulants. Ces lymphocytes sont capables de détruire les virus intra-cellulaires, les cellules tumorales et les champignons. La durée de vie des lymphocytes T va de quelques mois à la vie entière d'un individu, ce qui explique l'immunité à long terme.

7.1.5 Immunité humorale

L'immunité humorale est la synthèse et la sécrétion d'anticorps spécifiques à un antigène. Le terme **humoral** vient du mot grec *humor*, qui signifie « liquide orga-nique ». Les anticorps sont des protéines plasmatiques

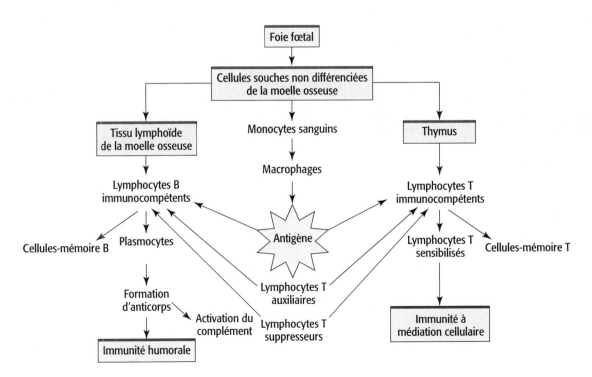

FIGURE 7.3 Fonctions des macrophages et des lymphocytes B et T pendant une réaction immunitaire

produites par les lymphocytes B. La production d'anticorps (immunoglobulines) est une étape essentielle de la réaction immunitaire humorale. Les immunoglobulines sont composées d'acides aminés formant deux chaînes polypeptidiques légères et deux chaînes lourdes. Des différences dans la configuration des chaînes lourdes déterminent les cinq classes d'immunoglobulines, qui sont l'IgG, l'IgA, l'IgM, l'IgD et l'IgE. Chaque classe possède des caractéristiques spécifiques (voir tableau 7.5).

Réaction immunitaire humorale. Lorsqu'un pathogène (p. ex. une bactérie) pénètre dans l'organisme, il peut rencontrer un lymphocyte B qui se lie à sa surface et produit un anticorps spécifique dirigé contre lui. De plus, un monocyte ou un macrophage peut phagocyter cette bactérie et présenter les débris, qui sont antigéniques, à un lymphocyte B. Le lymphocyte B présente à sa surface un type de récepteur qui lui confère la capacité de reconnaître un antigène spécifique et de s'y lier. Les lymphocytes B s'activent et se différencient rapidement. Ils deviennent des plasmocytes qui sécrètent des anticorps spécifiques (voir figure 7.3). Certains lymphocytes B activés ne se transforment pas et deviennent des cellules mémoire.

La **réaction immunitaire primaire** se produit de quatre à huit jours après la première exposition à l'antigène (voir figure 7.4). L'IgM est le premier type d'anticorps à se former. En raison de sa grande taille, la molécule d'IgM est confinée à l'espace intravasculaire. À mesure que la réaction immunitaire progresse, il y a production d'anticorps IgG, qui peuvent se déplacer de l'espace intravasculaire vers les espaces extravasculaires.

Lors d'une seconde exposition à l'antigène, il se produit une **réaction immunitaire secondaire**. Cette réaction est plus rapide (d'un à trois jours), plus intense et plus prolongée que la réaction primaire parce que les cellules mémoire reconnaissent rapidement l'antigène déjà rencontré. L'IgG constitue le principal anticorps produit lors d'une réaction immunitaire secondaire.

Pendant la grossesse, le fœtus bénéficie d'une certaine protection contre les infections intra-utérines. Cependant, chez le nouveau-né, les ganglions lymphatiques et la

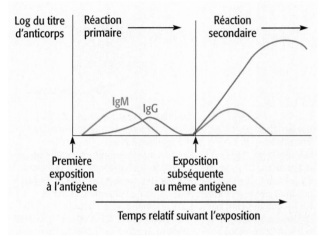

FIGURE 7.4 Réactions immunitaires primaire et secondaire. L'exposition à un antigène provoque une réaction dominée par deux classes d'immunoglobulines, l'IgM et l'IgG. L'IgM prédomine pendant la réaction primaire, un peu d'IgG faisant son apparition plus tard. Après la réaction primaire du système immunitaire de l'hôte, un autre contact avec le même antigène provoque la réaction secondaire, pendant laquelle un peu d'IgM et de grandes quantités d'IgG sont produites.

TABLEAU 7.5 Caractéristiques des immunoglobulines

Classe	Concentration sérique relative (%)	Localisation	Caractéristiques
IgG	76	Plasma, liquide interstitiel.	Seule immunoglobuline à traverser le placenta. Fixe le complément. Responsable de la réaction immunitaire secondaire.
IgA	15	Sécrétions organiques dont les larmes, la salive, le lait maternel et le colostrum.	Tapisse les muqueuses et protège les surfaces de l'organisme.
IgM	8	Plasma	Fixe le complément. Responsable de la réaction immunitaire primaire. Action antitoxique spécifique lorsque combinée avec l'IgG. Forme des anticorps pour les antigènes des groupes sanguins ABO.
IgD	1	Plasma	Présente à la surface des lymphocytes.
IgE	0,002	Plasma, liquides interstitiels, sécrétions exocrines.	Provoque des symptômes de réactions allergiques. Se fixe aux mastocytes et aux basophiles. Aide à la défense contre les infections parasitaires.

rate ne sont pas entièrement formés. Heureusement, l'IgG traverse la membrane placentaire et fournit au nouveau-né une immunité passive acquise (naturellement) pour les trois premiers mois. Les nourrissons peuvent bénéficier d'une certaine immunité passive, acquise naturellement, par les IgA fournis par le lait maternel et le colostrum. Vers neuf mois, le taux d'IgM du bébé atteint un niveau normal, et la rate et les ganglions lymphatiques sont bien développés.

Interaction antigène-anticorps. Ces interactions forment des complexes antigène-anticorps, ou complexes immuns. Il existe cinq mécanismes de défense employés par les anticorps. Ces mécanismes sont définis dans le tableau 7.6.

7.1.6 Immunité à médiation cellulaire

Les réactions immunitaires provoquées par les lymphocytes T qui reconnaissent des antigènes spécifiques font partie de l'**immunité à médiation cellulaire**. Bien que l'on ait considéré à l'origine que les lymphocytes T étaient les seules cellules médiatrices de ces réactions, on sait aujourd'hui que plusieurs types et facteurs cellulaires interviennent dans l'immunité à médiation cellulaire. Les cellules en jeu comprennent les lymphocytes T, les macrophages et les cellules tueuses naturelles. L'immunité à médiation cellulaire revêt une importance primordiale pour l'immunité contre les pathogènes qui survivent à l'intérieur de la cellule, dont les virus et certaines bactéries (p. ex. *Mycobacterium*), les infections fongiques, le rejet des greffons, les réactions d'hypersensibilité de contact et l'immunité tumorale.

Lymphocytes T. Il existe trois types de lymphocytes T : cytotoxiques, auxiliaires et suppresseurs. C'est à l'aide d'anticorps monoclonaux qu'on a classé les globules blancs (GB) selon leurs caractéristiques antigéniques.

Lymphocytes T cytotoxiques. Les lymphocytes T cytotoxiques attaquent les antigènes contre lesquels ils ont été sensibilisés. Ils se lient à la cellule qui les présente, libèrent une substance cytotoxique qui s'insère dans la cellule et la détruit. Ces lymphocytes T sont spécifiques à un antigène et deviennent sensibilisés après une exposition à l'antigène. Comme les lymphocytes B, certains lymphocytes T sensibilisés n'attaquent pas l'antigène, mais deviennent des cellules mémoires. Comme dans le cas de la réaction immunitaire humorale, une deuxième exposition à l'antigène déclenche une réaction immunitaire à médiation cellulaire plus intense et plus rapide.

Lymphocytes T auxiliaires et suppresseurs. Les lymphocytes T auxiliaires (CD4) et suppresseurs (CD8) modulent la réaction immunitaire humorale et la réponse à médiation cellulaire. On appelle souvent ces deux types de lymphocytes **lymphocytes de régulation.** Les lymphocytes T auxiliaires jouent le rôle de « chef d'orchestre » et stimulent la réaction immunitaire. Afin d'éviter une réaction immunitaire excessive, les lymphocytes T suppresseurs diminuent et mettent fin à la réaction immunitaire après avoir inactivé et détruit l'antigène. C'est ainsi que ces lymphocytes semblent prévenir des maladies auto-immunes. Le virus de l'immunodéficience humaine (VIH) détruit les lymphocytes T auxiliaires. Par conséquent, il nuit à l'immunité à médiation cellulaire. Les sujets infectés courent un risque élevé de contracter des infections opportunistes ou des tumeurs malignes.

Cellules tueuses naturelles (TN). Les cellules tueuses naturelles (TN) participent aussi à l'immunité à médiation cellulaire. Ce ne sont pas des lymphocytes T ou B, mais de gros lymphocytes dont le cytoplasme renferme de nombreux granules. C'est la raison pour laquelle on les appelle souvent **grand lymphocyte granuleux.** La stimulation des cellules ne requiert pas une exposition primaire. Ces cellules interviennent dans la reconnaissance et l'élimination des cellules infectées par des virus, des cellules tumorales et des greffons. On ne comprend pas entièrement leur mécanisme de reconnaissance. Ces cellules jouent un rôle important dans la surveillance immunitaire des cellules tumorales.

| TABLEAU 7.6 Mécanismes de défense faisant intervenir des anticorps ||
Mécanisme de défense	Définition
Précipitation	Agglutination d'antigènes solubles pour former de gros complexes insolubles qui sont ensuite éliminés.
Agglutination	Association d'antigènes spécifiques avec des anticorps pour former des agglutinations.
Opsonisation	Processus par lequel les bactéries sont recouvertes de protéines du complément et d'anticorps (IgG), ce qui permet aux phagocytes de les reconnaître comme étrangères et de les détruire.
Destruction	Rupture de la membrane cellulaire et fuite du contenu cellulaire à la suite d'une activation du complément.
Neutralisation	Reconnaissance de certaines toxines bactériennes par les anticorps en vue de former un complexe antigène-anticorps que les cellules phagocytaires mononucléées élimineront.

Cytokines. La réaction immunitaire met en jeu des interactions complexes entre les lymphocytes T, les lymphocytes B, les monocytes et les neutrophiles. Ces interactions dépendent des **cytokines** (médiateurs chimiques sécrétés par ces lymphocytes) qui agissent comme des messagers entre les différents types de lymphocytes. Ces cytokines comprennent des **lymphokines** (glycoprotéines sécrétées par les lymphocytes T activés) et les **monokines** (sécrétées par les monocytes ou les macrophages). Les cytokines costimulent les lymphocytes T en favorisant leur prolifération, leur différenciation, la sécrétion d'autres substances ou certaines fonctions. Il existe à ce jour au moins 60 cytokines différentes, qui peuvent être classées dans des catégories distinctes. Le tableau 7.7 dresse la liste de quelques-unes d'entre elles.

En général, les interleukines 1 et 2, également appelées facteurs de croissance des lymphocytes T, costimulent la prolifération des lymphocytes T et agissent comme agents de costimulation des lymphocytes B et T. Les interférons sont antiviraux et activent la réaction immunitaire.

Les cytokines ont un effet bénéfique sur l'hématopoïèse et la fonction immunitaire, mais elles peuvent aussi avoir des effets néfastes pour l'inflammation, l'auto-immunité et l'infection. Les cytokines comme l'érythropoïétine (voir chapitre 38), les facteurs de croissance cellulaire (voir chapitres 9 et 19), les interférons (voir chapitres 9 et 35) et l'interleukine 2 (voir chapitre 9) sont utilisées en médecine clinique pour stimuler l'hématopoïèse ou pour moduler l'immunité tumorale. De plus, on étudie la possibilité d'employer des inhibiteurs de cytokine tels que le facteur nécrosant tumoral et l'interleukine 1 comme agents anti-inflammatoires. Ces substances font actuellement l'objet d'essais cliniques.

Interféron (IFN). En 1957, on a découvert que l'interféron, un type de lymphokine, était une substance contribuant aux défenses naturelles de l'organisme contre les tumeurs et les virus. À ce jour, trois types d'interférons sont connus (voir tableau 7.7). En plus de leurs propriétés antivirales directes, les interférons possèdent des fonctions immunorégulatrices (p. ex. la production et l'activation accrues des cellules TN, de même que l'inhibition de la croissance des cellules tumorales).

L'interféron n'est pas directement antiviral, mais il réagit avec les cellules et provoque la production d'une protéine secondaire nommée **protéine antivirale** (voir figure 7.5). Cette protéine, un intermédiaire de l'action antivirale de l'interféron, altère la synthèse protéique de la cellule et prévient la fabrication de nouveaux virus.

Macrophages. Les cytokines attirent les macrophages au site de la réaction immunitaire et les activent. Ces

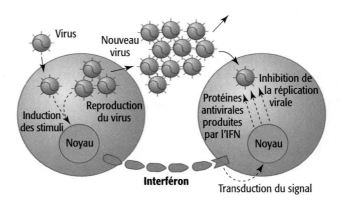

FIGURE 7.5 Mécanisme d'action de l'interféron. Le virus attaque une cellule. La cellule commence à synthétiser de nouveaux virus et de l'interféron neuf. L'interféron sert de messager intercellulaire et provoque la production de protéines antivirales. Le virus est incapable de se répliquer à l'intérieur de la cellule.

GÉRONTOLOGIE

Effets du vieillissement sur le système immunitaire ENCADRÉ 7.1

- Le système immunitaire s'affaiblit avec l'âge (voir encadré 7.2). Le signe clinique principal de cette immunosénescence est la haute incidence des tumeurs chez les personnes âgées. Celles-ci affichent également une plus grande susceptibilité aux pathogènes (tels que l'influenza et la pneumonie) contre lesquels elles étaient relativement immunocompétentes plus tôt dans leur vie. Le vieillissement n'affecte pas tous les aspects du système immunitaire. La moelle osseuse subit relativement peu les effets de l'âge. Par contre, le vieillissement a un effet prononcé sur le thymus, dont le volume et l'activité diminuent avec l'âge. Ces changements thymiques sont probablement l'une des causes principales de l'immunosénescence. Les lymphocytes T et B montrent des signes de déficience au plan de leur activation, de leur division et différenciation cellulaires. Cependant, les altérations les plus importantes semblent toucher les lymphocytes T. Tandis que la production de lymphocytes T par le thymus diminue, la différenciation des lymphocytes T dans les structures lymphoïdes périphériques augmente, ce qui a pour résultat une accumulation de cellules mémoire plutôt que de nouveaux précurseurs sensibles aux antigènes.
- La réaction d'hypersensibilité retardée, comme le détermine un test cutané par injection d'antigènes, est faible ou absente chez la personne âgée. Cette déficience reflète l'**anergie** (état d'immunodéficience caractérisé par une réaction affaiblie ou absente à un antigène ou à un groupe d'antigènes). Les conséquences cliniques d'une immunité à médiation cellulaire plus faible sont évidentes. Les réactions anergiques aux tests cutanés d'hypersensibilité retardée chez la personne âgée sont liées à un risque accru de mortalité due au cancer.

TABLEAU 7.7 Types de cytokines et leurs fonctions

Types	Fonctions primaires
Interleukines (IL)	
IL 1	Augmente la réaction immunitaire ; médiateur inflammatoire ; active les lymphocytes T ; active la phagocytose ; pyrétogène.
IL 2	Active les lymphocytes T et les cellules TN ; favorise la prolifération et la croissance des lymphocytes T.
IL 3 (multi-CSF)	Facteur de croissance hématopoïétique pour les précurseurs hématopoïétiques.
IL 4	Facteur de croissance pour les lymphocytes T et B, les mastocytes et les éosinophiles.
IL 5	Favorise la croissance et la fonction des lymphocytes B et des éosinophiles.
IL 6	Facteur de stimulation et de différentiation des lymphocytes B ; favorise la réaction inflammatoire, provoque la fièvre, effets coopératifs avec l'IL 1 et le FNT.
IL 7	Favorise la croissance des lymphocytes T et B.
IL 8	Facteur chimiotactique pour les neutrophiles et les lymphocytes T.
IL 9	Possède certains effets hématopoïétiques et thymopoïétiques.
IL 10	Inhibe la production de cytokines par les lymphocytes T et les cellules TN ; favorise la prolifération des lymphocytes B et la sécrétion d'anticorps.
IL 11	Régulateur multifonctionnel de l'hématopoïèse et de la thymopoïèse.
IL 12	Stimule la prolifération des lymphocytes T et des cellules TN activées ; favorise la production d'interféron gamma ; favorise les réactions immunitaires à médiation cellulaire.
IL 13	Inhibe l'activation et la libération de cytokines inflammatoires ; important régulateur de la réaction inflammatoire.
IL 14	Prolifération des lymphocytes B activés.
IL 15	Reproduit les effets de l'IL 2 ; stimule la prolifération des lymphocytes T.
IL 16	Facteur chimiotactique pour les lymphocytes T, les éosinophiles et les monocytes.
IL 17	Favorise la libération d'IL 6, d'IL 8 et de G-CSF.
IL 18	Provoque la production d'interféron gamma, améliore l'activité des TN.
Interférons	
Interféron α	Inhibe la réplication des virus ; active les cellules TN.
Interféron β	Inhibe la réplication des virus.
Interféron γ	Active les macrophagocytes ; stimule l'activité des cellules TN ; favorise la différenciation des cellules B ; inhibe la reproduction des virus.
Facteur onconécrosant (FNT)	Active les macrophagocytes et les granulocytes ; favorise les réactions immunitaires et inflammatoires ; élimine des cellules tumorales ; responsable de la perte de poids importante associée à l'inflammation chronique et au cancer.
Facteurs de croissance des colonies	
Facteur de stimulation des colonies granulocytes (G-CSF)	Stimule la prolifération et la différenciation des neutrophiles et affecte la fonction des neutrophiles matures.
Facteur de stimulation des colonies granulocytes-macrophages (GM-CSF)	Stimule la prolifération et la différenciation des granulocytes et des monocytes.
Facteur de croissance hématopoïétique (M-CSF)	Favorise la prolifération, la différentiation et l'activation des monocytes et des macrophagocytes.
Érythropoïétine (EPO)	Stimule la production de globules rouges par les cellules souches érythroïdes.

7

TABLEAU 7.8	Comparaison des immunités humorale et à médiation cellulaire	
Caractéristiques	**Immunité humorale**	**Immunité à médiation cellulaire**
Cellules en jeu	Lymphocytes B	Lymphocytes T, macrophages
Produits	Anticorps	Lymphocytes T sensibilisées, lymphokines
Cellules-mémoire	Présentes	Présentes
Réaction	Immédiate	Retardée
Cibles	Bactéries Virus (extracellulaires) Pathogènes respiratoires et gastro-intestinaux	Champignons Virus (intracellulaires) Cellules tumorales
Exemples	Choc anaphylactique Maladies atopiques Réaction transfusionnelle Neutralisation des exotoxines Infections bactériennes	Tuberculose Infections fongiques Dermite de contact Rejet de greffe Destruction des cellules cancéreuses

Effets du vieillissement sur le système immunitaire — ENCADRÉ 7.2

Involution du thymus
↓ Pourcentage de lymphocytes T
↓ Pourcentage de lymphocytes T auxiliaires
↓ Pourcentage de lymphocytes T suppresseurs
↓ Réaction d'hypersensibilité retardée
↓ Synthèse de l'interleukine 1
↓ Synthèse de l'interleukine 2
↓ Réaction des récepteurs d'interleukine 2
↓ Potentiel d'activation des lymphocytes T et B
↓ Réaction de prolifération des lymphocytes T et B
↓ De la production d'anticorps par les réactions primaire et secondaire
↑ Auto-anticorps

macrophages sécrètent des cytokines qui régissent la réaction immunitaire. Les macrophages peuvent libérer des enzymes lysosomiaux qui lèsent les tissus environnants (le chapitre 6 traite des macrophages).

7.1.7 Résumé des réactions immunitaires

Pour se maintenir en santé, l'être humain a besoin de l'immunité humorale et de l'immunité à médiation cellulaire. Chaque type d'immunité a des propriétés uniques et des modes d'action différents puisque chacun réagit à des antigènes particuliers. Le tableau 7.8 compare l'immunité humorale et la réponse immunitaire à médiation cellulaire.

7.2 RÉACTIONS IMMUNITAIRES ALTÉRÉES

Normalement, le système immunitaire réagit de façon à protéger l'organisme des antigènes étrangers. Cependant, il réagit parfois exagérément contre ce qu'il perçoit comme étranger, ou il ne parvient pas à maintenir l'auto-tolérance, ce qui entraîne des lésions tissulaires. Ce phénomène est appelé **réaction d'hypersensibilité**. Lorsque l'organisme ne reconnaît pas ses propres pro-

téines et qu'il y réagit, il se produit un type de réaction d'hypersensibilité qui se manifeste lors des **maladies auto-immunes**. Ces maladies résultent des réactions immunitaires dirigées contre les propres antigènes de l'organisme. Enfin, il peut se produire des lésions tissulaires s'il y a défaillance du système immunitaire. L'état d'immunodéficience peut être directement causé par d'autres maladies ou être secondaire à celles-ci.

7.2.1 Réactions d'hypersensibilité

On peut classer les réactions d'hypersensibilité selon la source de l'antigène, le moment au cours duquel la réaction se produit (réaction immédiate ou retardée) ou les mécanismes immunologiques à l'origine de la lésion. En définitive, il existe quatre types de réaction d'hypersensibilité. Les types I, II et III sont des réactions immédiates et sont des exemples d'immunité humorale. Le type IV est une réaction d'hypersensibilité retardée mettant en cause l'immunité à médiation cellulaire. Le tableau 7.9 résume les quatre types de réactions d'hypersensibilité.

Réactions d'hypersensibilité de type I : réactions anaphylactiques. Les réactions anaphylactiques sont des réactions de type I. À la suite d'une première exposition à un allergène, la personne ne présente aucun symptôme, mais est sensibilisée à un allergène spécifique. Les anticorps IgE, produits en réaction à l'allergène, peuvent se fixer aux mastocytes et aux basophiles (voir figure 17.1). À l'intérieur de ces cellules se trouvent des granules contenant des médiateurs chimiques puissants (histamine, sérotonine, substance à réaction lente de l'anaphylaxie (SRS-A), facteur chimiotactique éosinophile de l'anaphylaxie [ECF-A], kinines et bradykinine). Le chapitre 6 et la figure 6.6 traitent des composantes leucotriènes (LTC4, LTD4 et LTE4) de l'anaphylaxie déclenchée par la SRS-A. Lors de la première exposition à l'antigène, des anticorps IgE sont produits et se fixent

TABLEAU 7.9 Types de réaction d'hypersensibilité

	Type I – Anaphylactique	Type II – Cytotoxique	Type III – Réaction immunitaire complexe à médiation	Type IV – Hypersensibilité retardée
Antigène	Pollen exogène, aliments, médicaments, poussière	Surface des GR Membrane basale	Fongique extracellulaire, viral, bactérien	Intracellulaire ou extracellulaire
Anticorps sécrétés	IgE	IgG IgM	IgG IgM	Aucun
Intervention du complément	Non	Oui	Oui	Non
Médiateurs lésionnels	Histamine SRS-A	Lyse du complément Neutrophiles	Neutrophiles Lyse du complément	Lymphokines Lymphocytes T cytotoxiques Monocytes/macrophages Enzymes lysosomiques
Exemples	Rhinite allergique Asthme	Réaction transfusionnelle Syndrome de Goodpasture	Maladie sérique Lupus érythémateux disséminé Polyarthrite rhumatoïde	Dermite de contact Rejet de tumeur Rejet de greffe
Test cutané	Papulo-érythémateux	Aucun	Érythème et œdème en trois à huit heures	Érythème et œdème en 24 à 48 heures (p. ex. test de sensibilité cutanée à la tuberculine)

GR : globule rouge ; SRS-A : substance à réaction lente de l'anaphylaxie ; TB : tuberculine.

aux mastocytes et aux basophiles. À chaque exposition subséquente, l'allergène se lie aux IgE fixés aux mastocytes ou aux basophiles et déclenche la dégranulation de la cellule et la libération de médiateurs chimiques par les granules. Au cours de ce processus, les médiateurs libérés attaquent les organes cibles et provoquent des symptômes cliniques d'allergie (voir figure 7.6). Ces effets comprennent la contraction des muscles lisses,

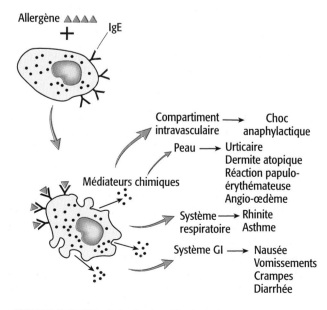

FIGURE 7.6 Effets de la réaction allergique de type I

l'augmentation de la perméabilité vasculaire, la vasodilatation, l'hypotension, la sécrétion accrue de mucus et la démangeaison. Heureusement, l'action des médiateurs est de courte durée et leur effet est réversible (le tableau 7.10 présente un résumé des médiateurs et de leurs effets).

Les manifestations cliniques d'une réaction anaphylactique dépendent de la localisation des médiateurs (au site ou dissémination systémique) et de l'organe atteint. Lorsque les médiateurs demeurent locaux, il se produit une réaction cutanée appelée **réaction papulo-érythémateuse**. Cette réaction se caractérise par une papule œdémateuse, entourée d'un anneau rougeâtre dû à l'hyperémie. La réaction se produit en quelques minutes ou en quelques heures et n'est habituellement pas dangereuse. La piqûre de moustique est un exemple classique de réaction papulo-érythémateuse. On se sert de la réaction papulo-érythémateuse à des fins diagnostiques pour déceler des allergies spécifiques lors de tests cutanés. Les réactions allergiques les plus fréquentes sont le choc anaphylactique (anaphylaxie) et les réactions atopiques.

Certaines personnes ont une prédisposition héréditaire aux allergies de type I sans avoir rencontré au préalable l'antigène (p. ex. pollen, acarien). Ce type d'hypersensibilité est appelé atopie. Lorsque ces personnes sont en contact avec l'antigène, elles développent rapidement des symptômes d'urticaire, de rhume des foins ou d'asthme.

TABLEAU 7.10 Médiateurs de la réaction allergique

Source et emmagasinage	Activité biologique	Résultats pathologiques
Histamine Mastocytes et granulocytes basophiles	Augmentent la perméabilité vasculaire ; contractent les muscles lisses ; stimulent les récepteurs d'irritation.	Œdème des voies respiratoires et du larynx ; constriction des bronches ; urticaire, angio-œdème, prurit ; nausée, vomissement, diarrhée ; choc.
Leucotriènes Métabolites de l'acide arachidonique par la voie de la lipo-oxygénase*	Contractent les muscles lisses des bronches ; augmentent la perméabilité vasculaire.	Constriction des bronches ; stimulation accrue des muscles lisses par l'histamine.
Prostaglandines Métabolites de l'acide arachidonique par la voie de la cyclo-oxygénase*	Stimulent la vasodilatation ; contractent les muscles lisses.	Réaction papulo-érythémateuse cutanée ; hypotension ; bronchospasme.
Facteurs d'activation des plaquettes (FAP) Mastocytes	Provoquent l'agrégation des plaquettes ; stimulent la vasodilatation.	Augmentation de la pression artérielle pulmonaire ; hypotension systémique.
Kinines Kininogène	Stimule la contraction lente et soutenue des muscles lisses ; augmente la perméabilité vasculaire ; stimule la sécrétion de mucus ; stimule les récepteurs de la douleur.	Angio-œdème accompagné d'un gonflement douloureux ; constriction des bronches.
Sérotonine Plaquettes	Augmentent la perméabilité vasculaire ; stimulent la contraction des muscles lisses.	Œdème des muqueuses ; constriction des bronches.
Facteur chimiotactique éosinophile Mastocytes	Favorisent le chimiotatisme des éosinophiles.	Recrutement des éosinophiles.
Anaphylatoxines C3a, C4a, C5a provenant de l'activation du complément	Stimulent la libération d'histamine.	Mêmes effets que pour l'histamine.

* Voir figure 6.6.

Choc anaphylactique. Le choc anaphylactique (anaphylaxie) se produit lorsqu'il y a libération de médiateurs directement dans le sang (p. ex. après l'injection d'un médicament ou une piqûre d'insecte). La réaction se produit en quelques minutes et peut être fatale en raison de la constriction bronchique, de l'obstruction des voies respiratoires et du collapsus vasculaire qu'elle entraîne. La figure 7.7 énumère les organes touchés par cette réaction. Les symptômes initiaux comprennent l'œdème et la démangeaison au site d'exposition à l'allergène. Le choc peut se produire rapidement et il se manifeste par un pouls rapide et faible, l'hypotension, la dilatation des pupilles, la dyspnée et la cyanose. L'œdème bronchique et l'angio-œdème viennent aggraver ces symptômes. La mort survient si un traitement d'urgence n'est pas initié rapidement. L'encadré 7.3 énumère les principaux allergènes responsables du choc anaphylactique chez les sujets hypersensibles de type I.

Réactions atopiques. On estime que 20 % de la population est **atopique**. L'atopie est une tendance héréditaire à devenir sensible aux allergènes environnementaux.

Les maladies atopiques regroupent notamment la rhinite allergique, l'asthme, la dermite atopique, l'urticaire et l'angio-œdème.

La rhinite allergique, ou rhume des foins, est le type le plus courant de réaction d'hypersensibilité de type I. Elle peut se produire toute l'année (rhinite allergique permanente ou non saisonnière) ou lors d'une saison particulière (rhinite allergique saisonnière). Les substances aéroportées comme le pollen, la poussière et la moisissure sont les principales causes de la rhinite allergique. La poussière, la moisissure et les squames animales peuvent provoquer la rhinite allergique permanente, alors que la rhinite allergique saisonnière est couramment provoquée par les arbres, le gazon ou la mauvaise herbe. Les manifestations des rhinites allergiques touchent principalement les conjonctives et les muqueuses des voies respiratoires supérieures. Les symptômes regroupent l'écoulement nasal, l'éternuement, le larmoiement, la congestion nasale entraînant l'obstruction de la trompe d'Eustache et des démangeaisons des yeux, du nez, de la gorge et de la bouche (le chapitre 15 aborde le traitement de la rhinite allergique).

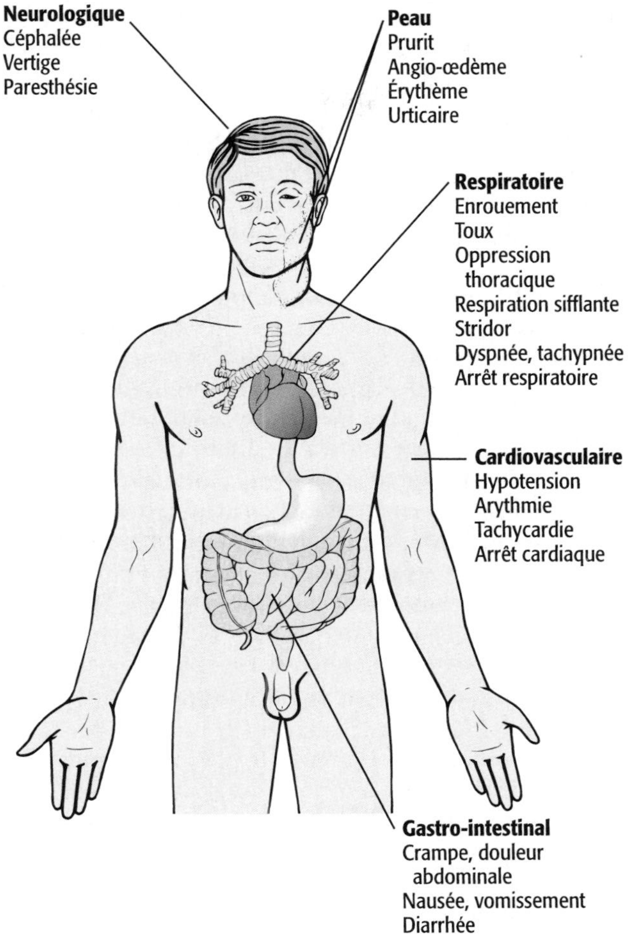

Neurologique
Céphalée
Vertige
Paresthésie

Peau
Prurit
Angio-œdème
Érythème
Urticaire

Respiratoire
Enrouement
Toux
Oppression
 thoracique
Respiration sifflante
Stridor
Dyspnée, tachypnée
Arrêt respiratoire

Cardiovasculaire
Hypotension
Arythmie
Tachycardie
Arrêt cardiaque

Gastro-intestinal
Crampe, douleur
 abdominale
Nausée, vomissement
Diarrhée

FIGURE 7.7 Manifestations cliniques d'une réaction anaphylactique systémique

---

Allergènes causant le choc anaphylactique ENCADRÉ 7.3

Médicaments
- Pénicillines
- Insulines
- Tétracycline
- Antinéoplastiques
- Anti-inflammatoires non stéroïdiens
- Sulfamides
- Aspirine
- Anesthésiques locaux
- Céphalosporines

Venin d'insectes
- Hyménoptères*

Aliments
- Oeufs
- Noix
- Crustacés
- Chocolat
- Lait
- Arachides
- Poisson
- Fraises

Sérums animaux
- Antitoxine tétanique
- Antitoxine diphtérique
- Antitoxine rabique
- Antitoxine du venin de serpent

Traitements
- Produits sanguins (sang complet et dérivés)
- Extraits d'allergènes pour l'hyposensibilisation
- Substances de contraste iodées pour la pyélographie IV ou l'angiogramme

* Guêpes, frelons, guêpes jaunes, bourdons et fourmis.
IV : intraveineuse.

L'asthme dont souffrent de nombreux clients peut être causé par une allergie d'origine atopique (p. ex. eczéma infantile, rhinite allergique ou intolérance alimentaire). Dans le cas de l'asthme, le facteur activateur des plaquettes (FAP) et l'histamine sont les principaux médiateurs responsables des effets sur les bronchioles (voir figure 17.X). Ces médiateurs provoquent la constriction des muscles lisses des bronches, la sécrétion excessive de mucus épais, l'œdème des muqueuses bronchiques et la diminution de la compliance pulmonaire. En raison de ces altérations physiologiques, le client manifeste de la dyspnée, une respiration sifflante, de la toux, de l'oppression thoracique et des expectorations épaisses (le chapitre 17 aborde la physiopathologie et le traitement de l'asthme).

La dermite atopique est un trouble chronique et héréditaire de la peau caractérisé par des exacerbations et des rémissions. Elle est provoquée par plusieurs allergènes environnementaux difficiles à cibler. Les enfants souffrant d'eczéma infantile sont fréquemment atteints de troubles respiratoires allergiques. On ne comprend toujours pas la relation qui existe entre les deux affections. Bien que les clients atteints de dermite atopique présentent des taux élevés d'IgE et des tests cutanés positifs, les caractéristiques histopathologiques papulo-érythémateuses ne représentent pas des réactions allergiques locales de type I. Les lésions cutanées sont plus généralisées et il y a vasodilatation, ce qui entraîne un œdème interstitiel et l'apparition de vésicules (voir figure 7.8) (le chapitre 50 traite de la dermite).

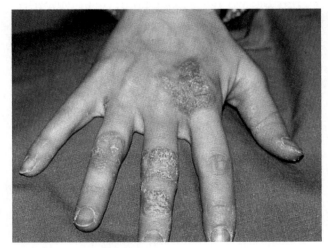

FIGURE 7.8 Dermite de contact

L'urticaire est une réaction cutanée contre les allergènes systémiques se produisant chez les sujets atopiques. Il se caractérise par des papules ortiées transitoires (zones prurigineuses, œdémateuses, saillantes et rosées) à la grosseur et à la forme variable, lesquelles peuvent surgir sur tout le corps. L'urticaire se développe rapidement après l'exposition à l'allergène et peut durer de quelques minutes à quelques heures. L'histamine cause la vasodilatation localisée (érythème), la transsudation liquidienne (papule) et un anneau rougeâtre. Cet anneau rougeâtre, ou cercle érythémateux, est causé par la dilatation des vaisseaux sanguins sur les bords de la papule et la réaction est exacerbée par le système nerveux sympathique. L'urticaire interne est caractérisée par l'œdème des organes internes. L'histamine est aussi responsable de l'insensibilité et du prurit associés aux lésions (le chapitre 50 traite de l'urticaire).

L'angio-œdème est une lésion cutanée similaire à l'urticaire dont l'œdème s'étend au derme et aux structures sous-cutanées. Les principales régions visées comprennent les paupières, les lèvres, la langue, le larynx, les mains, les pieds, le tractus gastro-intestinal (GI) et les organes génitaux. L'œdème débute habituellement au visage et s'étend ensuite aux voies respiratoires et aux autres parties de l'organisme. La dilatation et l'engorgement des capillaires, provoqués par la libération d'histamine, provoquent un œdème diffus. Contrairement à l'urticaire, les lésions ne sont pas apparentes. La peau paraît normale ou d'une teinte rougeâtre. Les lésions peuvent présenter une sensation de brûlure, de piqûre ou de démangeaison. Une douleur abdominale aiguë est ressentie si le tractus GI est atteint. L'œdème peut apparaître soudainement ou se développer pendant plusieurs heures. Il se manifeste habituellement pendant 24 heures.

Réactions d'hypersensibilité de type II : réactions cytotoxiques et cytolytiques.

Les réactions cytotoxiques et cytolytiques sont des réactions d'hypersensibilité de type II au cours desquelles des anticorps IgG ou IgM se fixent directement sur un antigène présent à la surface de la cellule. Les complexes antigène-anticorps activent le système du complément, un intermédiaire de la réaction. Le tissu cellulaire est détruit de l'une des deux manières suivantes : par activation du complément, ce qui a pour résultat la cytolyse, ou par phagocytose accrue.

Les cellules fréquemment détruites au cours des réactions de type II sont les érythrocytes, les plaquettes et les leucocytes. Au nombre des antigènes en cause, on compte les antigènes ABO, le facteur Rh et les haptènes médicamenteux comme le chloramphénicol. Les caractéristiques physiopathologiques des réactions de type II comprennent les réactions transfusionnelles (incompatibilité ABO ou Rh), les anémies hémolytiques auto-immunes et d'origine médicamenteuse, la leucopénie, la thrombopénie, l'érythroblastose du fœtus (maladie hémolytique du nouveau-né) et le syndrome de Goodpasture. En général, la lésion tissulaire se produit rapidement.

Réactions transfusionnelles hémolytiques. Lorsqu'un receveur reçoit du sang incompatible, il se produit une réaction d'hypersensibilité de type II. Les anticorps correspondant aux antigènes ABO du receveur se trouvent dans le sérum et non sur la membrane des érythrocytes (voir tableau 18.7). Par exemple, un individu du groupe sanguin A possède des anticorps anti-B, un individu du groupe sanguin B possède des anticorps anti-A, un individu du groupe sanguin AB ne possède pas d'anticorps, et un individu du groupe sanguin O possède à la fois des anticorps anti-A et anti-B.

Si l'on transfuse du sang incompatible à un receveur, ses anticorps enrobent immédiatement les érythrocytes étrangers et causent une agglutination. L'amas de cellules bloque les petits vaisseaux sanguins, utilise les facteurs de coagulation existants et les épuise. Il s'ensuit une hémorragie. En quelques heures, les neutrophiles et les macrophages phagocytent les cellules agglutinées. Alors que le complément se fixe à l'antigène, la cytolyse se produit. La lyse cellulaire explique la présence d'hémoglobine dans l'urine et le plasma. De plus, une réaction cytotoxique provoque des spasmes vasculaires dans les reins, l'hémoglobine circulante pénètre dans les tubules rénaux en concentration élevée et les bloque. Il en résulte une anémie qui peut être mortelle (le chapitre 19 traite des transfusions sanguines).

Syndrome de Goodpasture. Le syndrome de Goodpasture est un trouble rare qui touche les poumons et les reins. Les anticorps cytotoxiques sont les médiateurs d'une réaction auto-immune qui se produit sur la membrane basale de l'épithélium glomérulaire et alvéolaire. Les anticorps circulants activent le complément, ce qui entraîne la formation de dépôts d'IgG le long des membranes basales pulmonaires ou rénales, et une lésion inflammatoire. Cette réaction peut provoquer l'hémorragie pulmonaire ou la glomérulonéphrite. En général, la maladie évolue rapidement. Les corticostéroïdes, les immunodépresseurs (p. ex. la cyclophosphamide [Cytoxan, Procytox]) et la plasmaphérèse se révèlent efficaces pour ralentir la progression de la maladie (le chapitre 37 traite davantage du syndrome de Goodpasture).

Réactions d'hypersensibilité de type III : réactions du complexe immun.

La lésion tissulaire survenant au cours des réactions du complexe immun est consécutive aux dépôts des complexes antigène-anticorps solubles circulant dans les vaisseaux et les tissus. Les antigènes solubles se combinent aux immunoglobulines IgG et

IgM et forment des complexes trop petits pour que les cellules phagocytaires mononucléées les éliminent efficacement. Par conséquent, les complexes s'accumulent dans les tissus ou les petits vaisseaux sanguins. Ils provoquent la fixation du complément, et la libération de facteurs chimiotactiques qui entraîne l'inflammation et la destruction du tissu touché.

Les réactions de type III peuvent être locales ou systémiques, immédiates ou retardées. Les manifestations cliniques dépendent de la quantité de complexes et de leur localisation dans l'organisme. Les reins, la peau, les articulations, les vaisseaux sanguins et les poumons constituent les sites courants où s'accumulent les complexes. Les réactions sévères sont associées à des troubles auto-immuns tels que le lupus érythémateux aigu disséminé, la glomérulonéphrite, la polyarthrite rhumatoïde, le phénomène d'Arthus et la maladie sérique due au sérum, aux médicaments et à l'antigène de l'hépatite virale.

Phénomène d'Arthus. Le phénomène d'Arthus est une réaction inflammatoire locale résultant d'une accumulation de complexes antigène-anticorps dans les petits vaisseaux sanguins de la peau, causée par une exposition répétée à un antigène exogène. L'affection peut se produire à la suite de l'inhalation de poussière ou de spores et peut entraîner la maladie pulmonaire du fermier. L'anomalie sous-jacente qui déclenche le phénomène d'Arthus semble être la production excessive d'IgG en réaction à un antigène spécifique. Lors d'expositions subséquentes à des antigènes solubles, il se forme des complexes antigène-anticorps à l'origine d'une réaction de type III. À cause des substances chimiotactiques libérées par l'activation du complément, les neutrophiles s'infiltrent au site du complexe. Ces neutrophiles sont la cause principale de la lésion tissulaire.

Le phénomène d'Arthus se manifeste par des lésions œdémateuses, hémorragiques et nécrotiques qui apparaissent dès la première heure et qui atteignent leur paroxysme 6 à 12 heures plus tard. La plupart des phénomènes d'Arthus ont peu de signification clinique, car on ne donne habituellement pas de substances antigéniques puissantes à des sujets hypersensibles. Cependant, les vascularites allergiques d'origine médicamenteuse (p. ex. la pénicilline, les sulfonamides) ressemblent au phénomène d'Arthus.

Maladie sérique. La maladie sérique est une autre réaction de type III au cours de laquelle les complexes antigène-anticorps s'accumulent sur les parois des vaisseaux sanguins de la peau, dans les articulations et particulièrement dans les glomérules rénaux. Contrairement au phénomène d'Arthus, cette réaction est systémique. Elle se développe lentement, de 10 à 14 jours après l'exposition à l'antigène, et est spontanément résolutive.

L'excès d'antigène soluble est le facteur responsable de la maladie sérique. Au nombre des antigènes courants qui déclenchent la réaction figurent le sérum de cheval et certains médicaments (p. ex. la pénicilline, les sulfamides). Contrairement aux clients qui développent une réaction de type I, le sujet n'a pas besoin d'être préalablement sensibilisé à l'antigène pour réagir. Une seule exposition à l'antigène suffit. Le taux d'antigène demeure élevé dans l'organisme pendant plusieurs jours. Cet antigène réagit avec les anticorps qui se développent environ deux semaines après l'exposition. Le complexe antigène-anticorps active alors le complément qui libère des médiateurs chimiques dans le sang et provoque une réaction inflammatoire. Les signes et les symptômes de la maladie sérique sont l'urticaire, l'angio-œdème, la fièvre, la myalgie, le malaise, l'adénopathie, la douleur articulaire, la polyarthrite et la néphrite.

Heureusement, les maladies sériques engendrées par l'utilisation de sérum équin peuvent être prévenues en utilisant du sérum humain. Cependant, il est toujours essentiel de surveiller la sensibilité aux médicaments. Le traitement des maladies sériques dépend de la gravité de la réaction. Pour les réactions légères, on prescrit de l'aspirine pour la fièvre et l'arthrite, et des antihistaminiques pour l'urticaire et l'angio-œdème. Pour les réactions sévères, on prescrit des corticostéroïdes, particulièrement lors de problèmes rénaux ou neurologiques.

Réactions d'hypersensibilité de type IV : réactions d'hypersensibilité retardée. La réaction d'hypersensibilité retardée est aussi appelée **réaction immunitaire à médiation cellulaire** parce que leur mécanisme d'action est semblable. Cependant, contrairement à la réaction immunitaire à médiation cellulaire, la réaction d'hypersensibilité retardée produit des lésions tissulaires.

Dans une réaction normale, l'agent pathogène stimule des lymphocytes T cytotoxiques dirigés contre un antigène spécifique. Or, dans le cas de la réaction d'hypersensibilité retardée, plusieurs types cellulaires interviennent : les lymphocytes T cytotoxiques, les lymphocytes T de l'hypersensibilité retardée et les macrophages stimulés par des lymphokines. Les lymphocytes T sensibilisés attaquent les antigènes ou libèrent des cytokines, notamment le facteur nécrosant tumoral. Certaines de ces cytokines attirent des macrophages. Or, les macrophages et les enzymes qu'ils libèrent sont responsables de la plus grande partie de la destruction tissulaire non spécifique. Dans ce cas particulier de l'hypersensibilité retardée, les antihistaminiques n'ont aucun effet. En revanche, les corticostéroïdes soulagent un peu. Il faut plus de 12 heures après l'exposition à l'antigène avant qu'une réaction d'hypersensibilité retardée se produise, et ce type de

7

réaction a tendance à persister pendant un à trois jours. L'hypersensibilité retardée aux antigènes peut être transmise de façon passive par des transfusions sanguines. Les lymphocytes T du sang transfusé sont responsables de cette réaction.

Parmi les exemples cliniques de réaction d'hypersensibilité retardée les plus courants, on trouve la dermite de contact. Cette dermite se manifeste après que la peau ait été en contact avec le sumac vénéneux, les métaux lourds tels que le plomb et le mercure, et avec certains produits chimiques comme les cosmétiques et les déodorants. Tous ces agents agissent comme haptènes. Ils diffusent à travers la peau, se lient aux protéines de l'hôte et sont perçus comme étant étrangères. Ils induisent alors une réaction du système immunitaire. Le test de Mantoux et le test à la tuberculine, qui sont des épreuves cutanées utilisés pour déceler la tuberculose, font appel à une réaction d'hypersensibilité retardée. En effet, la tuberculine injectée sous le derme provoque une induration (petite lésion) qui dure plusieurs jours si la personne a déjà rencontré l'antigène. Les réactions d'hypersensibilité comprennent également des réactions qui visent à protéger l'organisme contre les virus, les bactéries, les mycètes et les protozoaires, les réactions de résistance au cancer et celles qui interviennent dans le rejet de greffon ou d'organe transplanté. Grâce à l'hypersensibilité retardée, l'organisme se débarrasse efficacement de certains agents pathogènes intracellulaires tels que les salmonelles et certaines levures. Ces agents sont en effet phagocytés par les macrophages activés par l'interféron gamma et d'autres cytokines.

Dermite de contact. La dermite de contact allergique est un exemple de réaction d'hypersensibilité retardée cutanée. La réaction se produit lorsque la peau est exposée aux haptènes. Les haptènes pénètrent aisément la peau et se combinent aux protéines épidermiques. Les substances qui transportent les haptènes deviennent ensuite antigéniques. Sur une période de 7 à 14 jours, il se forme des cellules mémoire correspondant aux antigènes. Lors d'expositions subséquentes à l'haptène, un sujet sensibilisé développe des lésions cutanées eczémateuses dans les 48 heures. Les haptènes les plus courants sont les composés métalliques (p. ex. le nickel, le mercure), les composés de caoutchouc, les catéchols contenus dans l'herbe à puce, le sumac de l'Ouest et les autres espèces de sumac vénéneux, dans les cosmétiques et dans certaines teintures.

Dans le cas de la dermite de contact aiguë, les lésions cutanées varient de l'érythème à un œdème important et se couvrent de papules, de vésicules et de bulles (voir figure 7.9). En plus de souffrir de prurit intense, le client peut ressentir une sensation de brûlure ou de piqûre à la région atteinte. Lorsque la dermite de contact devient chronique, les lésions ressemblent à celles de la dermite atopique. Elles sont épaissies, écailleuses et lichenifiées. La dermite de contact est restreinte à la zone exposée aux allergènes. La dermite atopique couvre le visage, le cuir chevelu et les membres.

Réactions d'hypersensibilité aux micro-organismes (virus, bactéries, protozoaires et mycètes). Bien que l'immunité à médiation cellulaire joue un rôle défensif important par la destruction des virus, des bactéries et des champignons, des réactions d'hypersensibilité retardée peuvent se produire près des tissus détruits. Les réactions d'hypersensibilité retardées aux micro-organismes comprennent les érythèmes cutanés de la rougeole et de la varicelle, les lésions de la lèpre et de l'herpès, et la toxémie généralisée et la nécrose caséeuse de la tuberculose.

La défense de l'organisme contre le bacille de la tuberculose (BCG) constitue un exemple d'une réaction immunitaire à médiation cellulaire dirigée contre les bactéries. La tuberculose résulte de l'invasion des tissus pulmonaires par un bacille très résistant. D'abord, le bacille n'endommage pas directement les tissus pulmonaires. Il peut vivre dans l'hôte quelque temps avant que les signes et les symptômes ne se manifestent. Avec le temps, les substances antigéniques libérées par le bacille réagissent avec les lymphocytes T et déclenchent une réaction à médiation cellulaire. La lymphocytotoxicité qui en résulte provoque une nécrose caséeuse pulmonaire.

Après la réaction à médiation cellulaire initiale, les cellules mémoire demeurent dans l'organisme, de sorte que des contacts subséquents avec le bacille ou avec un extrait protéinique purifié de cet organisme provoquent une réaction d'hypersensibilité retardée. C'est le principe sur lequel repose le test cutané à la tuberculine

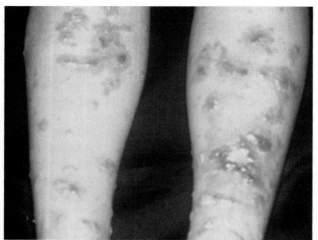

FIGURE 7.9 Dermite de contact aiguë sur les extrémités inférieures. Noter l'œdème, l'érythème, les papules, les bulles et les vésicules suintantes.

purifiée pour la tuberculose. On vérifie la présence ou l'absence d'une réaction de 48 à 72 heures après l'injection de la tuberculine (le chapitre 16 traite de la tuberculose).

Rejet du greffon ou d'organes transplantés. Le rejet d'un organe fait intervenir l'immunité à médiation cellulaire. Cette réaction se produit si l'organe du donneur n'est pas compatible avec les antigènes leucocytaires humains (ALH) du receveur, qu'on appelle aussi **antigènes du complexe majeur d'histocompatibilité (CMH)**. On peut prévenir le rejet en faisant correspondre de très près les antigènes ABO, Rh et CMH (ALH) du donneur avec ceux du receveur. Malheureusement, il existe de nombreux antigènes du complexe majeur d'histocompatibilité (ALH) différents, et une compatibilité parfaite est presque impossible à moins que le tissu ne provienne de l'individu lui-même ou d'un jumeau identique.

Le rejet de greffe est un processus complexe dans lequel des lymphocytes T sensibilisés jouent un rôle (voir figure 38.17). À la suite d'une greffe où la correspondance tissulaire est incompatible, les lymphocytes T sensibilisés se rendent dans un ganglion lymphatique régional en 6 à 10 jours. Les manifestations cliniques du rejet apparaissent environ 14 jours après la greffe, lorsque les lymphocytes T sensibilisés attaquent le greffon. La vascularisation du tissu s'arrête alors et la nécrose s'installe. Les manifestations courantes du rejet de la greffe comprennent la fièvre, le malaise, la sensibilité localisée au greffon, l'hypertension, la leucocytose et l'accélération de la sédimentation. Le chapitre 38 traite du rejet de greffe.

Les clients greffés reçoivent des médicaments qui nuisent aux réactions immunitaires à médiation cellulaire. Le tableau 38.8 énumère quelques-uns de ces agents. Malheureusement, l'utilisation d'immunosuppresseurs peut entraîner des complications majeures, dont la prédisposition élevée à l'infection, une incidence accrue de cancer et la maladie du greffon contre l'hôte (GVH).

7.3 TROUBLES ALLERGIQUES

Bien qu'un système immunitaire défaillant puisse se manifester de nombreuses façons, on observe plus fréquemment des allergies, ou des réactions d'hypersensibilité de type I.

7.3.1 Collecte de données

On doit effectuer une collecte de données complète afin de bien évaluer l'état d'un client souffrant d'allergies. Cette collecte comprend les antécédents médicaux du client, un examen physique, un bilan diagnostique et des épreuves cutanées aux allergènes.

Antécédents de santé. L'interrogation du client permet d'obtenir des informations complètes sur les allergies familiales, les allergies antérieures et actuelles, ainsi que sur les facteurs environnementaux et sociaux responsables des allergies. Les antécédents familiaux, incluant les réactions atopiques chez les proches, sont particulièrement importants pour déceler les clients à risque. L'évaluation doit porter sur le type d'allergie, les manifestations cliniques, et le traitement reçu et son évolution.

Les allergies antérieures et actuelles doivent être notées. L'identification de l'allergène est essentielle à la prévention des réactions allergiques ultérieures. Le tableau 7.11 énumère les principaux allergènes. Le moment de l'année où se produit une réaction allergique peut indiquer si l'allergie est saisonnière ou permanente. On devrait aussi interroger le client à propos des médicaments, prescrits ou offerts en vente libre, qu'il prend pour traiter l'allergie.

L'évaluation des facteurs sociaux et environnementaux, particulièrement l'environnement physique, est importante. Interroger le client à propos de ses animaux domestiques, des arbres, des plantes et des polluants aériens de son environnement ; du revêtement de sol et du système de refroidissement ou de chauffage de son domicile et de son lieu de travail peut permettre

TABLEAU 7.11 Catégories d'allergènes			
Inhalants	**De contact**	**Ingérés**	**Injectables**
Pollens	Plantes	Aliments	Médicaments
Moisissures	Médicaments	Additifs alimentaires	Vaccins
Spores	Métaux	Médicaments	Piqûres d'insectes
Squames animales	Cosmétiques		
Poussière domestique	Teintures		
Mites	Fibres		
	Produits chimiques		

COLLECTE DE DONNÉES

Allergies

Données subjectives

Information importante concernant la santé

- Antécédents de santé : troubles respiratoires récurrents, exacerbation saisonnières ; réactions inhabituelles aux piqûres ou aux morsures d'insectes ; allergies actuelles et antérieures.
- Médication : réactions inhabituelles à toute médication ; utilisation de médicaments en vente libre, utilisation de médicaments pour soigner les allergies.

Modes fonctionnels de santé

- Mode perception et gestion de la santé : antécédents familiaux d'allergie ; malaise.
- Mode nutrition et métabolisme : intolérances alimentaires ; vomissement.
- Mode élimination : crampes abdominales ; diarrhée.
- Mode activité et exercice : fatigue, enrouement, toux, dyspnée.
- Mode cognition et perception : démangeaison, brûlure, piqûre des yeux, du nez, de la gorge ou de la peau, oppression thoracique.
- Mode rôle et relation : altération du milieu de travail ou de l'environnement domestique, présence d'animaux domestiques.

Données objectives

Appareil tégumentaire

- Érythèmes, dont l'urticaire, le papulo-érythème, les papules, les vésicules et les bulles ; sécheresse, aspect écailleux.

Yeux, oreilles, nez et gorge

- Yeux : conjonctivite ; larmoiement ; frottement ou clignement excessif ; cercles noirs sous les yeux (« cernes »).
- Oreilles : diminution de l'audition ; membrane tympanique immobile ou scarifiée ; otites récurrentes.
- Nez : polypes nasaux ; nasillement ; contractions et démangeaisons nasales ; rhinite ; pâleur et aspect délavé des muqueuses ; reniflement ; éternuements à répétition ; gonflement des voies nasales ; saignements nasaux récurrents et inexpliqués ; ride sur la racine du nez (« salut allergique »).
- Gorge : raclement continuel de la gorge ; gonflement des lèvres ou de la langue ; ganglions lymphatiques cervicaux palpables.

Appareil respiratoire

- Respiration sifflante ; stridor ; expectorations épaisses.

Données diagnostiques

- Éosinophilie du sérum, des expectorations, ou des sécrétions nasales et bronchiques ; élévation du taux sérique d'IgE ; tests cutanés positifs ; radiographies anormales du thorax et des sinus.

l'identification des allergènes. De plus, il est important de noter les aliments absorbés et les réactions indésirables. Toute réaction aux médicaments revêt un intérêt particulier. Finalement, l'apparition de symptômes d'allergies doit être pris en compte lorsqu'on questionne le client sur son mode de vie et son niveau de stress.

Examen physique. Un client allergique doit subir un examen physique complet qui accorde une attention spéciale au site des manifestations allergiques. Une collecte de données subjectives et objectives doit être effectuée (voir encadré 7.4).

7.3.2 Épreuves diagnostiques

De nombreuses techniques immunologiques spécialisées peuvent être utilisées pour détecter tout défaut des lymphocytes, des éosinophiles et des immunoglobulines. On doit vérifier la formule sanguine complète (FSC) et réaliser des tests sérologiques.

Une FSC détermine la numération des lymphocytes et des éosinophiles. Une quantité de lymphocytes inférieure à 1200/µl ($1,2 \times 10^9$/L) entraîne un diagnostic d'immunodéficience cellulaire. On utilise la quantification des lymphocytes T et B pour diagnostiquer les syndromes d'immunodéficience. La numération des éosinophiles est élevée dans les cas de réactions d'hypersensibilité de type I mettant en cause les immunoglobulines IgE. En général, le taux sérique d'IgE est également élevé dans les cas de réactions d'hypersensibilité de type I et sert d'indicateur diagnostique des maladies atopiques.

Le dosage des IgE sériques est un test diagnostique pour déceler spécifiquement certaines allergies. Bien que dispendieux, ce test est sûr, mais il est moins sensible et détecte moins rapidement les allergènes que les tests cutanés. Le dosage des IgE est utile pour confirmer la réactivité à différents aliments ou à différents médicaments chez le sujet ayant des antécédents de réactions anaphylactiques graves.

Les expectorations ainsi que les sécrétions nasales et bronchiques peuvent aussi être testées pour déceler la présence d'éosinophiles. En présence d'asthme, un test pulmonaire est utile pour mesurer la capacité vitale, le volume expiratoire maximal et le débit expiratoire maximal médian.

Tests cutanés. On utilise généralement les tests cutanés pour confirmer la sensibilité spécifique à un allergène chez le client souffrant de maladie atopique.

Procédure. Il existe deux méthodes pour effectuer un test cutané : la scarification épidermique et le test de la piqûre, ou l'injection intradermique, habituellement effectué sur les bras ou le dos. On aligne les extraits d'allergènes sur la peau avec, vis-à-vis, une solution saline ou un autre diluant qui sert de comparaison. Dans le cas du test de scarification, l'épiderme est éraflé au moyen d'une lancette et l'extrait d'allergène est appliqué. Dans le cas du test de la piqûre, on dépose une goutte d'extrait d'allergène sur la peau, on perce ensuite l'épiderme sous-jacent à l'aide d'une aiguille. Dans le cas du test intradermique, on injecte les extraits d'antigène sous la peau, les uns à la suite des autres, habituellement sur le bras. Puisque la réaction allergique suscitée par cette méthode est plus intense, elle n'est utilisée que pour le sujet qui n'a pas réagi à la scarification épidermique ou au test de la piqûre.

Résultats. Si le sujet est hypersensible à l'allergène, il se produira une réaction positive dans les minutes suivant son insertion dans la peau. La réaction peut durer pendant 8 à 12 heures. Elle se manifeste par une réaction papulo-érythémateuse localisée. L'intensité de la réaction positive n'est pas toujours proportionnelle à la gravité des symptômes d'allergie. De faux résultats positifs ou négatifs peuvent survenir. Un résultat négatif aux tests cutanés ne signifie pas nécessairement que le sujet ne souffre pas d'un trouble allergique, et un résultat positif n'indique pas toujours que l'allergène est à l'origine des manifestations cliniques. Un résultat positif laisse supposer que le sujet est sensibilisé à cet allergène. Par conséquent, il est important de faire le lien entre le résultat du test cutané et les antécédents médicaux du client.

Précautions. Un individu hypersensible à un allergène est toujours à risque de développer une réaction anaphylactique aux tests cutanés. Par conséquent, on ne devrait jamais laisser le client seul lors du test. Parfois, les tests cutanés sont absolument contre-indiqués ; on utilise alors le dosage des IgE. Si le client manifeste une réaction grave aux tests cutanés, il convient d'enlever immédiatement l'extrait et d'appliquer sur le site un anti-inflammatoire topique. Dans le cas des tests intradermiques réalisés sur le bras, on peut mettre un garrot en place afin de prévenir une réaction grave. Il peut aussi être nécessaire de recourir à une injection d'adrénaline.

7.3.3 Processus thérapeutique

À la suite d'un diagnostic de trouble allergique, l'objectif du traitement est de réduire l'exposition à l'allergène en traitant les symptômes et, au besoin, en désensibilisant le sujet à l'aide de l'immunothérapie. Même si elle est rare, la réaction anaphylactique requiert une intervention médicale et infirmière immédiate, car elle est potentiellement mortelle. Il est important que toutes les allergies du client soient notées au dossier, qu'elles figurent au plan de soins infirmiers et aux endroits prévus dans les règles et procédures.

Anaphylaxie. Les réactions anaphylactiques peuvent se produire rapidement chez les clients hypersensibles à un allergène donné. Elles peuvent survenir à la suite de l'injection parentérale de médicaments (particulièrement d'antibiotiques) ou de produits sanguins, et de piqûres d'insectes. Le traitement repose fondamentalement sur la rapidité des interventions suivantes : reconnaissance des signes et des symptômes de la réaction anaphylactique, maintien du dégagement des voies respiratoires, prévention de la propagation de l'allergène par l'application d'un garrot, administration de médicaments et traitement contre le choc anaphylactique. Le tableau 7.12 résume le traitement d'urgence à administrer en cas de choc anaphylactique.

On peut enrayer les symptômes bénins comme le prurit et l'urticaire par l'administration de 0,2 à 0,5 ml

SOINS D'URGENCE

TABLEAU 7.12 Choc anaphylactique

Étiologie	Constatations à l'examen	Interventions
Injection, inhalation, ingestion ou exposition topique à une substance provoquant une réaction allergique intense. Voir tableau 7.11 pour une liste plus complète.	Voir figure 7.7	**Initiales** • S'assurer du dégagement des voies respiratoires. • Dans le cas d'une piqûre d'insecte, retirer l'aiguillon. • Pour les symptômes bénins, adrénaline à 1:1000, 0,2-0,5 ml SC. • Répéter à des intervalles de 20 min si nécessaire. • Pour les réactions graves, adrénaline à 1:10 000, 0,5 ml IV à des intervalles de 5 à 10 min. • Administrer de l'oxygène à haut débit par un masque sans réinspiration. • Placer en décubitus dorsal et soulever les jambes. • Conserver la chaleur du corps. • Administrer de la diphenhydramine (Benadryl) IM ou IV. • Administrer des antagonistes H_2 de l'histamine comme la cimétidine (Tagamet). • Maintenir la pression artérielle au moyen de liquides, de solutés de remplissage, ou d'agents vasopresseurs (p. ex. dopamine [Intropin], norépinéphrine [Levophed]). **Surveillance continue** • Surveiller les signes vitaux, la fréquence respiratoire, la saturation en oxygène, l'état de conscience et le rythme cardiaque. • Prévoir une intubation en cas de détresse respiratoire grave. • Prévoir une cricothyrotomie ou une trachéostomie en cas d'œdème laryngé sévère.

SC : sous-cutané.

d'adrénaline diluée à 1:1000 par injection sous-cutanée toutes les 20 minutes selon les prescriptions médicales ou l'ordonnance collective d'urgence de l'hôpital. Une perfusion intraveineuse doit être mise en place pour l'administration de 0,5 ml d'adrénaline, diluée à 1:10 000, à des intervalles de 5 à 10 minutes, d'un bolus de solution intraveineuse et d'agents vasopresseurs comme la dopamine Intropin dans les cas d'hypotension réfractaires à tout traitement.

En présence d'hypoxie progressive, on doit administrer de l'oxygène par une canule endotrachéale ou par une trachéotomie. Dans le cas d'un urticaire ou d'un angio-œdème, on injecte un antihistaminique comme la diphenhydramine (Benadryl) par voie intraveineuse ou intramusculaire.

Dans les cas sévères d'anaphylaxie, un choc hypovolémique peut survenir. Il est provoqué par un transfert de liquide de la circulation sanguine vers les espaces interstitiels consécutif à l'augmentation de la perméabilité vasculaire. La vasoconstriction périphérique et la stimulation du système nerveux sympathique tentent de compenser le déplacement liquidien. Lorsque ces mécanismes s'interrompent, les lésions tissulaires deviennent irréversibles, à moins que le choc ne soit traité précocement. Le choc anaphylactique doit être traité rapidement, car il peut entraîner la mort en quelques minutes (le chapitre 27 traite du choc hypovolémique).

Allergies chroniques. La plupart des réactions allergiques sont chroniques et se caractérisent par des rémissions ou des exacerbations de symptômes. Le traitement se concentre sur le dépistage des allergènes, la prévention (évitement des allergènes), le soulagement des symptômes par les interventions pharmacologiques et l'hyposensibilisation à l'allergène.

Dépistage des allergies et maîtrise des allergènes. L'infirmière joue un rôle important en aidant le client à réduire son exposition aux allergènes en modifiant son mode de vie. L'infirmière doit insister sur le fait que, même par la pharmacothérapie et l'immunothérapie, le client ne sera jamais complètement désensibilisé ou exempt de symptômes. L'infirmière peut mettre en place différentes mesures préventives qui aideront à maîtriser les symptômes allergiques.

Il est indispensable de déterminer quel est l'allergène en cause au moyen de tests cutanés. Dans le cas des allergies alimentaires, il est parfois utile d'éliminer le ou les aliments allergènes. S'il se produit une réaction allergique, il faut suivre un régime d'élimination. Un tel régime consiste à éliminer, dans un premier temps, les aliments généralement reconnus comme allergènes (lait, œufs, arachides, soja, blé, poisson, crustacé, noix).

La fatigue et le stress émotionnel peuvent aggraver de nombreuses réactions allergiques, particulièrement l'asthme et l'urticaire. L'infirmière peut aider le client à trouver de nouvelles stratégies pour s'adapter aux situations stressantes de la vie quotidienne.

Parfois, la prévention des symptômes d'allergie requiert une modification de l'environnement, comme un changement d'emploi, le déménagement vers un climat moins allergène, ou l'abandon d'un animal domestique. Dans le cas des allergènes aéroportés, il peut être utile de dormir dans une chambre munie d'air climatisé, d'épousseter quotidiennement à l'aide d'un linge humide, de couvrir le matelas et les oreillers d'une housse hypo-allergène, et de porter un masque lors de ses déplacements extérieurs.

Si l'allergène est un médicament, l'infirmière doit aviser le client d'éviter ce médicament. Le client doit informer le personnel hospitalier et dentaire de son intolérance au médicament. Le client devrait porter un bracelet MedicAlert énumérant ses allergies médicamenteuses. L'infirmière doit inscrire les médicaments allergènes dans les endroits prévus dans les règles et procédures du centre hospitalier.

Dans le cas d'un client allergique aux piqûres d'insectes, il existe sur le marché des trousses contre les piqûres d'abeilles contenant de l'adrénaline préinjectable et un garrot. L'infirmière peut enseigner au client comment placer le garrot et injecter l'adrénaline. Ce client devrait également porter un bracelet MedicAlert et avoir une trousse d'urgence contre les piqûres d'abeilles lors de ses déplacements.

Pharmacothérapie. Les principaux médicaments utilisés pour soulager les symptômes de troubles allergiques chroniques comprennent les antihistaminiques, les sympathomimétiques et les décongestionnants, les corticostéroïdes, les antiprurigineux et les stabilisateurs de mastocytes. Il est possible d'obtenir bon nombre de ces médicaments en vente libre. D'ailleurs, les clients les utilisent souvent à mauvais escient.

Antihistaminiques. Les antihistaminiques sont les meilleurs médicaments pour traiter la rhinite allergique et l'urticaire (voir tableau 7.13). Cependant, ils sont moins efficaces dans les cas de réactions allergiques sévères. On peut administrer le médicament par voie intraveineuse ou orale, de façon topique, par inhalation ou en vaporisateur nasal. Ils agissent en entrant en concurrence avec l'histamine pour les récepteurs H_1 et, par conséquent, bloquent l'effet de l'histamine. On obtient de meilleurs résultats si on les prend immédiatement après l'apparition des premiers signes et symptômes d'allergie. Les antihistaminiques sont efficaces pour le traitement de l'œdème et du prurit, mais sont relativement inefficaces pour prévenir la bronchoconstriction. Dans le cas de la rhinite saisonnière, on doit prendre les antihistaminiques quand la quantité de pollen dans l'air est importante.

PHARMACOTHÉRAPIE

TABLEAU 7.13 Rhinite allergique

Appellation générique	Nom commercial
Antihistamines	
Diphenhydramine	Benadryl, Allerdryl, Allernix, Nytol
Azatadine	Optimine
Bromphéniramine	Dimetapp
Chlorphéniramine	Chlor-tripolon
Clémastine	Tavist
Cétirizine*	Reactine
Loratadine*	Claritin
Fexofénadine*	Allegra
Décongestionnants	
Pseudoéphédrine	Sudafed, Triaminic, Eltor
Oxymétazoline	Dristan, Drixoral
Antihistaminiques/Décongestionnants	
Clémastine/phénylpropanolamine	Tavist D
Triprolidine/pseudoéphédrine	Actifed
Bromphéniramine/phénylèphrine	Dimetapp contre le rhume
Chlorphéniramine/pseudoéphédrine	Triaminic rhume et allergies, Chlor-tripolon, décongestionnant
Féxofénadine/pseudoéphédrine	Allegra-D
Corticostéroïdes intranasaux	
Béclométhasone	Béclomethasone
Flunisolide	Rhinalar
Mométasone	Nasonex
Triamcinolone	Nasacort
Fluticasone	Flonase
Budésonide	Rhinocort
Cromoglycate	Cromolyn
Stabilisateurs de membrane	
Cromoglycate	Intal
Nedocromil	Tilade
Antipruritiques	
Diphenhydramine	Benadryl
Calamine	Lotion calamine

* Antihistaminiques de deuxième génération causant généralement moins de sédation.

De nombreux antihistaminiques ont comme effets indésirable la somnolence, la sédation et l'altération de la coordination. Par conséquent, il convient de suggérer au client la prudence lorsqu'il conduit sa voiture ou opère une machine. La sécheresse buccale, les troubles gastro-intestinaux, la vision embrouillée et le vertige sont d'autres effets non recherchés.

Pour contrer les effets indésirables, une nouvelle génération d'antihistaminiques a été développée. La cétirizine (Réactine), la loratadine (Claritin) et la féxofénadine (Allegra) ne franchissent pas aisément la barrière hémato-encéphalique. Par conséquent, ces nouveaux antihistaminiques provoquent moins d'effets anticholinergiques et moins de dépression du système nerveux central. De plus, ces médicaments ne nécessitent qu'une ou deux administrations quotidiennes.

Sympathomimétiques et décongestionnants. Le sympathomimétique le plus utilisé est l'adrénaline (Adrenalin), un médicament de choix pour traiter la réaction anaphylactique. L'adrénaline est une hormone produite par la médullosurrénale, qui stimule les récepteurs adrénergiques α et β. La stimulation des récepteurs α-adrénergiques provoque la vasoconstriction des vaisseaux sanguins périphériques, et celle des récepteurs β-adrénergiques diminue les spasmes des muscles lisses des bronches. L'adrénaline arrête aussi la réaction inflammatoire en agissant directement sur les mastocytes. Cette substance n'agit pendant que quelques minutes. Pour le traitement de l'anaphylaxie, le médicament doit être administré par voie parentérale (habituellement sous-cutanée).

Contrairement à l'adrénaline, plusieurs sympathomimétiques et décongestionnants peuvent être pris par voie orale ou nasale et agissent pendant plusieurs heures. Dans cette catégorie, on compte la phénylephrine (Dristan, vaporisateur nasal) et la pseudoéphédrine (Sudafed). On utilise des sympathomimétiques moins puissants pour traiter surtout la rhinite allergique. Ces médicaments entraînent une décongestion nasale, une réduction de l'œdème nasal, une élévation de la pression artérielle et une stimulation cardiaque.

De tous les médicaments utilisés pour traiter les allergies chroniques, c'est de la phénylephrine et de la pseudoéphédrine qu'on abuse le plus fréquemment. Ces médicaments peuvent être achetés en vente libre. La **rhinite médicamenteuse** est un effet rebond au cours duquel l'œdème et la congestion des muqueuses nasales augmentent à la suite de l'utilisation abusive de vaporisateurs nasaux contenant de l'éphédrine.

Corticostéroïdes. Les vaporisateurs nasaux de corticostéroïdes sont très efficaces pour soulager les symptômes de la rhinite allergique (voir chapitre 15). Parfois, les manifestations allergiques sont si intenses qu'elles handicapent certains clients. Dans ces situations, on peut brièvement administrer des corticostéroïdes oraux.

Antiprurigineux. Les antiprurigineux topiques sont plus efficaces quand la peau est intacte. Ces médicaments protègent la peau et soulagent les démangeaisons. Les médicaments en vente libre sont la lotion calamine, les distillats de goudron et de houille, et le camphre. On peut ajouter du menthol ou du phénol aux lotions pour obtenir un effet antiprurigineux.

Stabilisateurs de membrane. Le cromolyn (Intal, Nalcrom) et le nedocromil (Tilade) sont des agents stabilisateurs de membrane qui inhibent la libération d'histamine, de leucotriènes et d'autres agents provenant des mastocytes, consécutive à l'interaction antigène-IgE. Ils sont disponibles en nébuliseur, en vaporisateur nasal ou en comprimé. On les utilise pour le traitement de l'asthme (voir chapitre 17) et de la rhinite allergique (voir chapitre 15). L'une des caractéristiques importantes de ces médicaments est qu'ils génèrent très peu d'effets indésirables.

Immunothérapie. L'immunothérapie est le traitement recommandé pour la prévention des symptômes d'allergies quand il est impossible d'éviter les allergènes et que la pharmacothérapie se révèle inefficace. Peu de clients allergiques souffrent de symptômes intolérables nécessitant l'immunothérapie. L'immunothérapie est nécessaire pour les sujets présentant des réactions anaphylactiques au venin d'insectes. Elle débute par l'administration d'un extrait d'allergène de faible concentration, augmente graduellement, jusqu'à ce que l'hyposensibilité soit atteinte. Pour de meilleurs résultats, le client doit continuer à éviter autant que possible l'allergène, puisque la désensibilisation complète est impossible.

Mécanisme d'action. Chez les individus atopiques, le taux d'IgE est élevé. Lorsque l'IgE se lie à un antigène chez un sujet hypersensible, il y a libération d'histamine dans divers tissus. Or, les allergènes se lient plus facilement aux IgG qu'aux autres immunoglobulines. C'est la raison pour laquelle l'immunothérapie comprend l'injection d'extraits d'allergènes qui stimulent l'augmentation du taux d'IgG. Puisque l'allergène se fixe préférablement aux IgG, il reste moins d'allergènes qui se lieront aux IgE situés à la surface des mastocytes. On prévient alors la dégranulation des mastocytes et on réduit le nombre de réactions provoquant la lésion tissulaire. L'objectif de l'immunothérapie à long terme est de maintenir le taux d'IgG « bloquant » élevé. En outre, des lymphocytes T suppresseurs spécifiques à l'allergène se développent chez le sujet à la suite de l'immunothérapie.

Méthode d'administration. En immunothérapie, on choisit les allergènes en fonction des résultats des tests cutanés réalisés avec les allergènes présents dans le milieu. On injecte dans le tissu sous-cutané des doses titrées d'extraits d'allergènes une fois par semaine ou une fois aux deux semaines. D'abord petite, la dose augmente lentement jusqu'à l'atteinte d'une dose d'entretien. Il faut généralement de un à deux ans d'immunothérapie pour atteindre l'effet thérapeutique maximal. Le traitement peut continuer pendant environ cinq ans. Chez de nombreux clients, la diminution des symptômes se maintient après l'interruption du traitement. Dans le cas des clients souffrant d'allergies sévères ou ayant une sensibilité aux piqûres d'insectes, le traitement d'entretien se poursuit à vie. L'immunothérapie donne de meilleurs résultats lorsqu'elle est administrée tout au long de l'année.

7.3.4 Immunothérapie

L'infirmière peut administrer l'immunothérapie. Elle doit surveiller l'apparition d'effets indésirables, particulièrement quand la dose augmente, si le client a déjà eu une réaction, ou s'il a oublié une dose. Les signes et les symptômes précoces indiquant une réaction systémique comprennent le prurit, l'urticaire, l'éternuement, l'œdème laryngé et l'hypotension. En cas de choc anaphylactique, les mesures d'urgence doivent être effectuées rapidement. On doit décrire une réaction locale en fonction de l'importance de la rougeur et de l'œdème au site d'injection. Chez un adulte, lorsque la rougeur dépasse la taille d'une pièce d'un dollar, on doit en informer le médecin afin qu'il réduise la dose d'allergène.

Il y a toujours un risque de réaction anaphylactique sévère au cours de l'immunothérapie. Par conséquent, au moment des injections, l'infirmière doit avoir accès à un équipement d'urgence, aux médicaments essentiels et à la présence d'un médecin.

La tenue du dossier doit être précise et peut se révéler très précieuse pour la prévention d'une réaction indésirable à l'extrait d'allergène. Avant de donner une injection, l'infirmière doit vérifier si le nom du client correspond à celui inscrit sur le flacon. Ensuite, elle doit vérifier la concentration de l'extrait d'allergène, la quantité reçue lors de la dernière dose et toute information décrivant une réaction antérieure.

L'infirmière doit toujours administrer l'extrait d'allergène loin de l'articulation d'un membre afin de pouvoir utiliser un garrot en cas de réaction grave. Il est préférable d'alterner les sites d'injection. L'infirmière doit d'abord aspirer de l'air avec la seringue afin de s'assurer de ne pas injecter l'extrait dans un vaisseau sanguin. Une injection administrée directement dans un vaisseau sanguin peut provoquer une réaction anaphylactique. Après l'injection, elle doit surveiller le client attentivement, car les réactions systémiques peuvent se produire dans les 20 minutes suivant l'injection. Cependant, l'infirmière doit prévenir le client qu'une réaction tardive peut se produire dans les 24 heures suivant l'injection.

7.3.5 Allergies au latex

Les allergies aux produits contenant du latex sont croissantes et touchent aussi bien les clients que le personnel soignant. L'augmentation du nombre de réactions allergiques coïncide avec la nette augmentation de l'utilisation des gants liée à l'introduction, en 1987, des précautions universelles contre les maladies infectieuses. On estime que 8 à 17 % des membres du personnel soignant régulièrement exposés au latex y sont allergiques. Plus fréquente et plus prolongée est l'exposition au latex, plus grande est la probabilité qu'une allergie se développe. En plus des gants, on utilise de nombreux produits contenant du latex, comme des brassards de tensiomètre, des stéthoscopes, des garrots, la tubulure pour la perfusion intraveineuse, des seringues, des coussinets d'électrodes, des masques à oxygène, des canules trachéales, des sacs d'iléostomie et de colostomie, des sondes urinaires, des masques d'anesthésie et du ruban adhésif. Les protéines du latex peuvent être aéroportées par la poudre présente dans les gants, et provoquer des réactions sévères lorsqu'elles sont inhalées par un sujet sensibilisé.

Les deux types d'allergies au latex susceptibles de se produire sont la dermite de contact allergique de type IV et les réactions allergiques de type I. La dermite de contact de type IV est provoquée par les produits chimiques utilisés dans la fabrication des gants en latex. C'est une réaction retardée qui se produit après 6 à 48 heures. Dans les cas typiques, le sujet ressent de la sécheresse, du prurit, la fissuration et le craquèlement de la peau, suivis par la rougeur, l'œdème et la formation d'une croûte dans les 24 à 48 heures. L'exposition chronique peut entraîner la lichenification, l'aspect écailleux et l'hyperpigmentation. La dermite peut s'étendre au-delà de la zone de contact avec l'allergène.

La réaction allergique de type I est une réaction aux protéines naturelles du caoutchouc et se produit dans les minutes suivant le contact. Ces types de réactions allergiques peuvent se présenter sous diverses formes plus ou moins grave comme la rougeur cutanée, l'urticaire, la rhinite, la conjonctivite ou l'asthme et choc anaphylactique. Les réactions systémiques au latex peuvent résulter de l'exposition aux protéines de latex par différentes voies, dont la peau, les muqueuses, les voies respiratoires ou le sang.

Soins infirmiers. Afin de prévenir les réactions indésirables, il est crucial de dépister les clients et les membres du personnel soignant allergiques au latex. L'évaluation des antécédents médicaux, particulièrement ceux reliés à des réactions allergiques, doit être effectuée chez les clients présentant des symptômes. Il n'est pas possible de dépister tous les sujets sensibles au latex, même à l'aide d'antécédents complets et soigneusement recueillis. Le personnel soignant, les sujets ayant subi de multiples chirurgies et les travailleurs de l'industrie du latex sont des exemples d'individus soumis à des expositions répétées à long terme, ce qui augmente le risque de développer une allergie. Parmi les facteurs de risque additionnels, on trouve les antécédents de rhume des foins, d'asthme et d'allergies à certains aliments (p. ex. avocats, goyaves, kiwis, bananes, châtaignes d'eau, noisettes, tomates, pommes de terre, pêches, raisins, abricots). Les sujets sensibles au latex doivent porter un bracelet MedicAlert et se munir d'une trousse d'adrénaline.

Si vous êtes légèrement allergique au latex, Santé Canada a émis les recommandations suivantes :

- Éviter tout contact avec des produits contenant du caoutchouc naturel. Utiliser les substituts sans latex.
- Vous devez aviser le médecin ou le dentiste de votre allergie.
- Avertir votre employeur et le service de santé, si vous présentez des signes cutanés ou respiratoires d'allergie au latex.
- Éviter les aliments associés aux allergies au latex : bananes, avocats et châtaignes.

Si vous présentez des signes d'allergie sévère :

- Portez un bracelet MedicAlert indiquant votre allergie au latex.

- Lors de vos voyages, apportez des gants stériles sans latex de différentes tailles au cas où vous nécessiteriez des soins médicaux ou dentaires d'urgence.
- Apprenez à vous administrer de l'adrénaline.
- Avant une chirurgie, avisez le chirurgien de votre allergie afin que l'environnement opératoire soit sans latex.

7.4 PHÉNOMÈNE DE L'AUTO-IMMUNITÉ

On appelle **auto-immunité** une réaction inappropriée envers les propres protéines de l'organisme : le système immunitaire ne fait plus la différence entre ses protéines et celles qui sont étrangères. Pour des raisons inconnues, les cellules immunitaires (lymphocytes B et T), qui, normalement, ne réagissent pas (qui sont tolérantes aux auto-antigènes), s'activent. Par conséquent, des lymphocytes T ou des lymphocytes T et B déficients peuvent produire des auto-anticorps ou engendrer des lymphocytes T sensibilisés au soi et provoquer des lésions tissulaires. La maladie auto-immune qui se déclare dépend souvent de l'auto-antigène en cause.

Les patients présentant des maladies auto-immunes ont tendance à souffrir de plusieurs affections à la fois ; par conséquent, un sujet peut développer plus d'une maladie auto-immune (p. ex. polyarthrite rhumatoïde et maladie d'Addison). La même maladie, ou une maladie auto-immune associée, peut se déclarer chez d'autres membres de la même famille. Cette observation a mené au concept de la prédisposition génétique à la maladie auto-immune.

7.4.1 Théories de la causalité

On ne connaît pas encore la cause des maladies auto-immunes. L'âge joue un certain rôle, étant donné que la quantité d'anticorps circulants augmente chez les sujets âgés de plus de 50 ans. Il semble qu'aucune théorie ne soit concluante. Il est possible qu'un ensemble de facteurs étiologiques soient en cause.

Théorie de la délétion des clones auto-réactifs. Après avoir rencontré des auto-antigènes dans les organes lymphoïdes centraux pendant l'embryogenèse, les lymphocytes en maturation développent la capacité de réagir contre le soi. Ces cellules auto-réactives sont alors détruites ou inactivées. L'auto-immunité pourrait être le résultat de la prolifération tardive de cellules auto-réactives qui auraient échappé à ce mécanisme de délétion. Ces cellules réagissent donc contre les propres tissus de l'organisme, ce qui provoque une maladie auto-immune.

Théorie des antigènes séquestrés. Pendant le développement embryonnaire (lorsque la tolérance immunitaire se développe), certains tissus sont normalement isolés des systèmes circulatoire et lymphoïde. Ces tissus comprennent le cristallin, la thyroïde, les testicules et le système nerveux central. À la suite d'une exposition à une substance chimique, d'une infection ou d'un traumatisme, des cellules de ces tissus peuvent se trouver dans la circulation sanguine. Or, il arrive que ces cellules ne sont pas reconnues comme étant du « soi » et provoquent une réaction auto-immune. Parmi les exemples de cette réaction, on compte la thyroïdite d'Hashimoto et la formation d'auto-anticorps contre les spermatozoïdes à la suite d'une vasectomie, et contre le myocarde à la suite d'un infarctus du myocarde.

Théorie des lésions tissulaires et des infections. À la suite d'un traumatisme sévère, d'une nécrose, d'une irradiation, de la prise de médicaments ou d'une infection, le tissu est parfois altéré à un point tel que l'organisme ne le reconnaît plus comme sien. L'anémie hémolytique consécutive à l'administration de méthyldopa (Aldomet) est un exemple de ce phénomène.

Les infections virales peuvent causer une altération de tissus habituellement non antigéniques. Certaines preuves indiquent que des virus seraient responsables de la sclérose en plaques et du diabète de type I.

Théorie de la réaction croisée antigénique. L'auto-immunité se développe parfois en raison de la grande ressemblance structurelle entre les antigènes de l'organisme et les antigènes étrangers. Les anticorps synthétisés en réaction à l'invasion étrangère vont alors interagir avec les tissus sains. Ce phénomène semble être la cause de la cardiopathie dans le rhumatisme articulaire aigu (RAA). Les anticorps développés contre le streptocoque β-hémolytique du groupe A interagit avec le myocarde, les valvules cardiaques et les membranes synoviales, ce qui provoque la lésion tissulaire.

Théorie de la défaillance de la régulation génétique. Pour une raison inconnue, la régulation génétique de la production d'anticorps est défaillante. Il semble y avoir une prédisposition génétique au développement de maladies auto-immunes au sein de certaines familles. La plupart des travaux de recherche dans ce domaine démontrent une corrélation entre certains antigènes du complexe majeur d'histocompatibilité et un état auto-immun (dont il est question plus loin dans ce chapitre).

Théorie du déficit de lymphocytes T suppresseurs. On a noté, chez certains sujets atteints de maladies auto-immunes une diminution du taux de lymphocytes T suppresseurs. Ces lymphocytes ont une courte durée de vie et leur nombre peut diminuer avec l'âge. Le nombre d'auto-anticorps augmente avec l'âge, sans doute parce que l'atrophie du thymus réduit la capacité de production de lymphocytes T suppresseurs. S'il y a moins de lymphocytes, la régulation de l'immunité est perturbée, le taux d'anticorps augmente ou les lymphocytes T réagissent davantage.

7.4.2 Maladies auto-immunes

En général, les maladies auto-immunes sont classées selon qu'elles touchent des organes spécifiques ou l'or-ganisme en entier (voir tableau 7.14 pour un résumé des maladies auto-immunes).

Anémie hémolytique auto-immune. Dans l'anémie hémolytique auto-immune, des anticorps réagissent contre les globules rouges. Cette réaction peut être responsable de maladies comme le lupus érythémateux disséminé et la leucémie lymphocytaire. La cause est inconnue, mais les médicaments et les virus peuvent altérer la structure antigénique de la membrane de l'éry-throcyte, ce qui le rend plus sensible à l'hémolyse. De plus, certains sujets semblent avoir une prédisposition

TABLEAU 7.14 Exemples de maladies auto-immunes		
Maladies	**Auto-antigène**	**Commentaires**
MALADIES SYSTÉMIQUES		
Lupus érythémateux disséminé	ADN, protéines de l'ADN	Les anticorps antinucléaires circulants attaquent l'ADN. Voir chapitre 59.
Polyarthrite rhumatoïde	IgG	Voir chapitre 59.
Sclérodermie généralisée progressive ou sclérodermie	Protéines de l'ADN	Voir chapitre 59.
Maladie mixte des tissus conjonctifs	Protéines de l'ADN	Voir chapitre 59.
MALADIES SPÉCIFIQUES DE L'ORGANE		
Sang		
Anémie hémolytique auto-immune	Surface des GR	Les médicaments et le traumatisme peuvent altérer les antigènes de la surface des GR. Voir chapitre 19.
Purpura thrombocytopénique auto-immun	Surface des plaquettes	Voir chapitre 19.
Système nerveux central		
Sclérose en plaques	Myéline des tissus nerveux	Voir chapitre 55.
Syndrome de Guillain-Barré	Myéline	Voir chapitre 55.
Muscle		
Myasthénie grave	Cellules musculaires et cellules thymiques	Voir chapitre 55.
Cœur		
Rhumatisme articulaire aigu	Antigènes streptococciques à réaction croisée	Consécutif à l'angine streptococcique. Voir chapitre 25.
Système endocrinien		
Maladie d'Addison	Cellule surrénale	Voir chapitre 41.
Thyroïdite	Surface des cellules thyroïdiennes	Voir chapitre 41.
Hypothyroïdisme	Globulines thyroïdiennes	Voir chapitre 41.
Diabète de type I	Antigènes des cellules insulaires	Voir chapitre 40.
Tractus gastro-intestinal		
Anémie pernicieuse	Facteur intrinsèque des cellules pariétales	Voir chapitre 19.
Colite ulcéreuse	Cellules des muqueuses du colon	Voir Chapitre 34.
Rein		
Syndrome de Goodpasture	Membrane glomérulaire	Voir chapitre 37.
Glomérulonéphrite	Antigènes streptococciques à réaction croisée	Voir chapitre 37.
Foie		
Cirrhose biliaire primaire	Mitochondries	Voir chapitre 35.
Hépatite auto-immune	Cellules hépatiques infectées par un virus	Voir chapitre 35.
Œil		
Uvéite	Uvée	Voir chapitre 48.

génétique à développer des anticorps spécifiques. Les clients atteints d'anémie hémolytique présentent des signes et des symptômes tels que la pâleur, la fatigue, la fièvre, l'ictère, la splénomégalie et l'hépatomégalie (le chapitre 19 traite de l'anémie hémolytique).

Lupus érythémateux disséminé. Le lupus érythémateux disséminé (LED) est un exemple de maladie auto-immune systémique caractérisée par des lésions polyviscérales. Il se déclare le plus fréquemment chez les femmes âgées de 20 à 40 ans. On n'en connaît pas l'étiologie, mais le sérum du client contient des anticorps antinucléaires (AAN) tels que ceux dirigés contre l'ADN. On croit que les virus, les médicaments et les facteurs génétiques sont responsables de la présence des AAN dans le sérum.

Les analyses de laboratoire révèlent une augmentation des immunoglobulines sériques due à une immunité humorale hyperactive, à une altération fonctionnelle des lymphocytes T, à l'accumulation de complexes antigène-anticorps dans les petits vaisseaux sanguins de différents organes cibles et à un taux sérique peu élevé de complément.

Dans le cas du lupus érythémateux disséminé, la lésion tissulaire semble être le résultat de la formation d'anticorps antinucléaires. Pour une raison inconnue (possiblement une infection virale), la membrane cellulaire est lésée et l'ADN est libéré dans la circulation, où il est considéré comme étranger. Cet ADN est normalement séquestré à l'intérieur du noyau cellulaire. Une fois dans la circulation, l'ADN, qui est antigénique, réagit avec un anticorps. Certains anticorps forment des complexes immuns, alors que d'autres causent directement des lésions. Lorsque les complexes immuns se déposent dans les petits vaisseaux, le complément est activé et continue à léser les tissus, particulièrement les glomérules rénaux (le chapitre 59 traite du lupus érythémateux disséminé).

7.4.3 Aphérèse ou hémaphérèse

L'hémaphérèse permet de traiter efficacement certaines maladies auto-immunes. L'hémaphérèse est le procédé par lequel une composante nocive du sang est éliminée. Le procédé revêt diverses appellations selon l'élément sanguin retiré. La **cytaphérèse** est utilisée dans le but de réduire les thrombocytoses et les leucocytoses sévères. La **thrombocytophérèse** permet de réduire le nombre excédentaire de plaquettes chez un individu sain et de les injecter à un client dont la numération plaquettaire est basse (p. ex. client en chimiothérapie). La **leucophérèse** diminue temporairement le nombre de globules blancs afin de réduire les masses tumorales composées de cellules leucémiques. L'**aphérèse** lipidique peut être utilisée pour traiter les clients atteints d'hypercholestérolémie (LDL).

Plasmaphérèse. On appelle **plasmaphérèse** le procédé par lequel du plasma est éliminé du sang total afin d'exclure toute composante pathogène. On remplace le plasma retiré par une quantité égale de liquide de remplacement comme une solution saline ou de l'albumine. C'est pourquoi le terme **échange plasmatique** est plus exact pour décrire cette procédure.

On utilise la plasmaphérèse pour traiter les maladies auto-immunes comme le lupus érythémateux disséminé, la glomérulonéphrite, le syndrome de Goodpasture, la myasthénie grave, le purpura thrombopénique, la polyarthrite rhumatoïde et le syndrome de Guillain-Barré. Ces procédures d'aphérèse peuvent être réalisées sur des donneurs sains afin d'obtenir du plasma et certaines composantes sanguines qui serviront à traiter certaines maladies.

Dans le cas des troubles auto-immuns, on utilise la plasmaphérèse thérapeutique pour retirer les substances pathologiques contenues dans le plasma. Les maladies auto-immunes qui nécessitent la plasmaphérèse se caractérisent par la présence d'anticorps circulants (habituellement des IgG) et de complexes antigène-anticorps.

Le traitement immunosuppresseur prévient la production d'IgG, et la plasmaphérèse, l'effet rebond des anticorps. En plus d'extraire les anticorps et les complexes antigène-anticorps, la plasmaphérèse peut aussi éliminer les médiateurs responsables de la réaction inflammatoire (p. ex. le complément) et des lésions tissulaires. Dans le cas du traitement du lupus érythémateux disséminé, on réserve habituellement la plasmaphérèse aux crises aiguës qui ne réagissent pas au traitement conventionnel.

Lors de la plasmaphérèse, le sang quitte l'organisme par une aiguille insérée dans un bras et circule dans un séparateur de cellules sanguines. À l'intérieur de celui-ci, le plasma est séparé des composantes cellulaires du sang par centrifugation ou par filtration sur membrane. Le sang épuré de ses composantes pathogènes est retourné au client par une aiguille insérée dans l'autre bras. Le plasma, les plaquettes, les GB et les GR peuvent être séparés sélectivement. Le plasma est généralement remplacé par une solution saline normale, une solution de Lactate Ringer, du plasma frais congelé, des protéines plasmatiques ou de l'albumine. Lors d'une procédure manuelle, on ne peut retirer plus de 500 ml de sang à la fois. L'hémaphérèse permet de filtrer plus de quatre litres de plasma en deux ou trois heures.

L'infirmière doit reconnaître les complications associées à la plasmaphérèse telles que l'hypotension et la toxicité au citrate. L'hypotension est provoquée par une réaction vaso-vagale ou un déséquilibre hydrique (échange volumique). Le citrate utilisé comme anticoagulant peut causer l'hypocalcémie, qui se manifeste par des céphalées, des paresthésies et des vertiges.

7.4.4 Système de l'antigène leucocytaire humain (ALH) ou complexe majeur d'histocompatibilité (CMH)

Toutes nos cellules portent à leur surface une variété de protéines. Notre système immunitaire a été programmé pour reconnaître ces protéines comme étant non étrangères. Ces protéines qui sont des auto-antigènes ou des marqueurs du soi sont non antigéniques pour l'individu. Elles déclenchent toutefois des réactions indésirables chez un autre individu comme c'est le cas lors d'une réaction transfusionnelle ou d'un rejet de greffon. Parmi ces protéines de surface se trouve un groupe particulier de glycoprotéines qui marquent la cellule comme faisant partie du soi. Ces protéines sont appelées protéines du complexe majeur d'histocompatibilité (CMH) ou du système de l'antigène leucocytaire humain (ALH). Une vingtaine de gènes codent pour ces protéines et certains d'entre eux existent sous plusieurs formes (allèles). Comme des millions de combinaisons différentes de ces protéines sont possibles, la probabilité que deux individus portent les mêmes protéines du CMH est quasi nulle, sauf chez des jumeaux identiques. Les protéines du CMH se divisent en deux catégories : celles de classe I, qui se trouvent sur presque toutes les cellules, et celles de classe II, présentes sur les cellules qui prennent part à la réaction immunitaire.

Chaque protéine du CMH possède une cavité dans laquelle se trouve habituellement un peptide. On dit qu'elle présente ce peptide. Ces peptides proviennent de la dégradation protéique qui se produit lors du recyclage des protéines dans la cellule saine. Ils ne stimulent pas le système immunitaire. En revanche, les protéines du CMH des cellules infectées présentent des peptides liés à des particules étrangères (antigéniques). Ces particules jouent un rôle important dans la mobilisation du système immunitaire.

Complexe majeur d'histocompatibilité (CMH), antigène leucocytaire humain (ALH) et maladies associées.

La compatibilité entre les donneurs et les receveurs d'organes dépend de leurs antigènes du CMH (le chapitre 38 traite du rôle du CMH dans les transplantations). Au cours des dernières années, il y a eu un regain d'intérêt pour la relation entre le CMH (ALH) et la maladie (voir encadré 7.5). Il a été démontré qu'il existe une relation étroite entre les antigènes du CMH (ALH) de l'individu et la susceptibilité à certaines maladies (voir tableau 7.15). La relation entre le CMH (ALH) et la maladie se manifeste par une forte augmentation de la fréquence d'un allèle CMH (ALH) donné chez les clients atteints d'une certaine maladie en comparaison avec un groupe témoin de la même ethnie. La plupart des maladies associées au CMH (ALH) sont classées comme étant des troubles auto-immuns. La découverte d'un lien entre les CMH (ALH) et certaines maladies constitue une percée majeure pour la compréhension du fondement génétique de ces maladies. On sait maintenant que certains gènes du CMH (ALH) sont partiellement responsables des maladies associées au CMH (ALH), mais on ne connaît pas encore quels mécanismes sont en cause. Cependant, la plupart des sujets qui héritent d'un antigène du CMH (ALH) associé à une maladie ne la développeront jamais.

Le lien entre le CMH (ALH) et certaines maladies ne présente qu'une faible importance clinique. Toutefois, il y a espoir de développer des applications cliniques dans l'avenir. Par exemple, il pourrait être possible, dans le cas de certaines maladies auto-immunes, de savoir quels membres d'une famille sont les plus à risque de développer la même maladie ou une maladie auto-immune associée. Ces sujets nécessiteraient une supervision médicale étroite, la mise en place de mesures préventives (lorsque c'est possible), de même qu'un diagnostic et un traitement précoces pour prévenir les complications chroniques.

ENCADRÉ 7.5 — Caractéristiques des maladies associées à des antigènes du CMH (ALH)

- Tendances héréditaires ou familiales
- Caractéristiques immunes ou auto-immunes
- Physiopathologie et étiologie mal comprises
- Évolution subaiguë ou chronique
- Effet nul ou minimal sur la capacité reproductive
- Liens avec les locus d'CMH (ALH)-B ou d'CMH (ALH)-DR

CMH (ALH) : antigène leucocytaire humain.

TABLEAU 7.15 — Exemples d'antigènes CMH et des liens avec les maladies

Maladie	Antigène CMH
Maladie d'Addison	DR3
Spondylarthrite ankylosante	B27
Maladie cœliaque	DR3
Hépatite chronique	DR3
Diabète de type I	DR3
	DR4
Syndrome de Goodpasture	DR2
Maladie de Grave	B35
	DR3
Thyroïdite chronique de Hashimoto	DR3
Sclérose en plaques	DR2
Myasthénie grave	B8
	DR3
Narcolepsie	DR2
Syndrome de Reiter	B27
Polyarthrite rhumatoïde	DR3
	DR4
Syndrome de Sjögren	DR3
Lupus érythémateux aigu disséminé	DR2
	DR3

7.5 TROUBLES IMMUNODÉFICITAIRES

L'état d'immunodéficience existe lorsque le système immunitaire ne protège pas adéquatement l'organisme. Les troubles immunodéficitaires s'expliquent par la défaillance d'un ou de plusieurs mécanismes immunitaires, dont la phagocytose, la réaction humorale, la réaction à médiation cellulaire, le complément et la défaillance combinée des réactions humorale et à médiation cellulaire. On parle de troubles immunodéficitaires primaires lorsque les cellules immunitaires sont absentes ou mal formées, et secondaires si une maladie ou un traitement est à l'origine du trouble. Les troubles immunodéficitaires primaires sont rares et souvent graves, alors que les troubles secondaires sont plus courants et moins sévères.

7.5.1 Troubles primaires

Les troubles immunodéficitaires primaires comprennent les anomalies phagocytaires, le déficit de lymphocytes B, le déficit de lymphocytes T, et le déficit à la fois de lymphocytes T et B (voir tableau 7.16).

Hypogammaglobulinémie. Les anomalies relatives aux lymphocytes B peuvent mener à l'absence de toutes les classes d'immunoglobuline (agammaglobulinémie) ou d'une seule classe d'immunoglobuline. L'hypogammaglobulinémie est une diminution du nombre d'immunoglobulines circulantes. Ce trouble peut être acquis ou congénital. L'agammaglobulinémie congénitale (maladie de Bruton) est un désordre récessif rare, lié au sexe masculin. Il est caractérisé par une absence ou une raréfaction des lymphocytes B et des immunoglobulines, par un thymus intact et par une réaction immunitaire normale des lymphocytes T. Ce trouble se manifeste d'abord chez le nourrisson vers l'âge de trois mois. Il y a épuisement des IgG provenant de la mère et l'enfant développe des infections des voies respiratoires et des infections bactériennes pyrogéniques récurrentes.

L'hypogammaglobulinémie acquise est une affection plus courante caractérisée par la présence de lymphocytes T et B et par l'absence de cellules plasmatiques. Il semble y avoir une anomalie dans la différenciation des lymphocytes B et des cellules plasmatiques, ce qui entraîne une absence de ces dernières. L'une des causes possibles de l'hypogammaglobulinémie acquise est un nombre accru de lymphocytes T suppresseurs qui inhibent la maturation des lymphocytes B en cellules plasmatiques. Ce trouble ressemble à la maladie de Bruton, sauf qu'il ne présente pas d'infections bactériennes récurrentes (principalement des voies respiratoires) chez le client avant l'âge de 15 à 35 ans. Le traitement comprend des injections de gammaglobulines ou des transfusions de plasma.

Syndrome de Di George. Le syndrome de Di George est une « absence ou hypoplasie congénitale du thymus » et des parathyroïdes. La fonction des lymphocytes B est

TABLEAU 7.16 **Troubles immunodéficitaires primaires**		
Trouble	**Cellules touchées**	**Fondement génétique**
Granulomatose chronique	Polynucléaires, monocytes	Lié au sexe
Syndrome de Job-Buckley	Polynucléaires, monocytes	
Maladie de Bruton	Lymphocyte B	Lié au sexe
Hypogammaglobulinémie à expression variable	Lymphocyte B	
Carence sélective en IgA, en IgG ou en IgM	Lymphocyte B	Certaines liées au sexe
Syndrome de Di George (hypoplasie thymique)	Lymphocyte T	
Maladie d'immunodéficience combinée sévère	Cellules souches, Lymphocyte B et T	Lié au sexe ou autosomique récessif
Ataxie télangiectasie	Lymphocyte B et T	Autosomique récessif
Syndrome de Wiskott-Aldritch	Lymphocyte B et T	Lié au sexe
Maladie du greffon contre l'hôte	Lymphocyte B et T	

normale ou presque, mais les lymphocytes T sont absents. Le trouble se manifeste par des infections protozoaires, fongiques et virales et par l'incapacité à réagir à un test cutané d'hypersensibilité retardée. Pendant la première année de vie, il se développe des symptômes de candidose buccale et de diarrhée chronique. Un examen microscopique ne révèle pas de zones thymodépendantes dans la rate ou les ganglions lymphatiques. En raison de l'absence de lymphocytes T auxiliaires, le taux de certains anticorps dans la circulation peut aussi être réduit. Il y a aussi présence de tétanie hypocalcémique à cause de la carence en hormone parathyroïde. Le traitement comprend l'administration de calcium et de vitamine D. On a utilisé avec succès, la transplantation d'un thymus fœtal (provenant d'un fœtus dont le temps de gestation n'excédait pas 14 semaines) et l'allogreffe de moelle osseuse dérivée d'un donneur aux antigènes du CMH (ALH) compatibles.

Syndrome d'immunodéficience combinée. Ce syndrome se caractérise par une déficience congénitale et souvent héréditaire de la fonction des lymphocytes B et T, une aplasie lymphoïde et une dysplasie. La forme la plus courante de ce syndrome est liée au sexe. On ne connaît pas l'étiologie de ce trouble. Ce désordre se manifeste par des infections protozoaires, fongiques, bactériennes et virales sévères qui se produisent pendant les deux premières années de la vie. Le traitement vise à lutter contre l'infection à l'aide d'antibiotiques et par l'isolement protecteur du client. L'allogreffe de moelle osseuse dérivée d'un donneur aux antigènes du CMH (ALH) compatibles constitue le traitement curatif. On utilise également des injections intraveineuses d'immunoglobulines.

7.5.2 Troubles secondaires

L'encadré 7.6 dresse une liste des facteurs susceptibles de provoquer des troubles immunodéficitaires secondaires. L'immunodépression induite par les médicaments est le trouble le plus courant. On prescrit l'immunothérapie pour traiter les troubles auto-immuns et pour prévenir le rejet de greffe. L'immunodépression est un effet secondaire grave des médicaments cytotoxiques utilisés en chimiothérapie. Il en résulte souvent une leucopénie généralisée entraînant une défaillance des réactions humorale et à médiation cellulaire. Par conséquent, les clients immunodéprimés développent couramment des infections secondaires. Le tableau 38.8 résume les actions spécifiques des divers médicaments sur le système immunitaire.

Le stress peut altérer la réaction immunitaire, car on croit que les systèmes immunitaire, endocrinien et nerveux sont reliés entre eux (voir chapitre 4).

Causes de l'immunodéficience secondaire ENCADRÉ 7.6

- D'origine médicamenteuse
  - Agents antinéoplasiques
  - Corticostéroïdes
- Stress
- Âge
  - Nourrisson
  - Personnes âgées
- Malnutrition
  - Carence alimentaire
  - Cirrhose
  - Cachexie carcicomateuse
- Irradiation
- Chirurgie et traumatisme
- Infections
- Brûlures
- Insuffisance rénale chronique
- Diabète
- Cirrhose alcoolique
- Lupus érythémateux disséminé
- Anesthésie
- Malignités
- Syndrome d'immunodéficience acquise

Il existe, chez le jeune enfant et la personne âgée, un état hypofonctionnel du système immunitaire. Des études de laboratoire ont démontré que les taux d'immunoglobulines diminuent avec l'âge ce qui par conséquent, entraîne une réaction immunitaire humorale amoindrie chez les personnes âgées. L'involution thymique résulte du vieillissement et provoque une diminution du nombre de lymphocytes T. La fréquence des cancers et des maladies auto-immunes augmente avec l'âge et est causée par un système immunitaire moins efficace.

La malnutrition altère les réactions immunitaires à médiation cellulaire. Lorsqu'il y a carence protéique pendant une longue période, le thymus s'atrophie et le tissu lymphoïde diminue. En conséquence, la sensibilité à l'infection augmente.

L'irradiation détruit les lymphocytes directement ou indirectement par la déplétion des cellules souches. Lorsqu'on augmente la dose de radiation, la moelle osseuse s'atrophie et entraîne une pancytopénie grave et une fonction immunitaire amoindrie.

L'ablation chirurgicale de ganglions lymphatiques, du thymus ou de la rate peut atténuer sévèrement la réponse immunitaire. La splénectomie chez l'enfant peut être particulièrement dangereuse et peut entraîner une septicémie à la suite d'une banale infection respiratoire.

La maladie de Hodgkin atténue la réaction immunitaire à médiation cellulaire, ce qui peut entraîner la mort du client par infection virale ou fongique (le chapitre 19 traite de la maladie de Hodgkin). Les virus, particulièrement celui de la rubéole, peuvent engendrer l'immunodéficience en endommageant irrémédiablement les cellules lymphoïdes. Les infections systémiques peuvent être si exigeantes pour le système immunitaire que la résistance à une infection secondaire ou subséquente s'affaiblit.

7.5.3 Maladie du greffon contre l'hôte

La maladie du greffon contre l'hôte (GVH) se produit lorsqu'on transfuse ou transplante des cellules immunocompétentes à un client immuno-incompétent (immunodéficient). Une réaction GVH peut résulter de la transfusion de tout produit sanguin contenant des lymphocytes viables, comme lors de transfusions sanguines ou d'une transplantation de thymus fœtal, de foie fœtal ou de moelle osseuse. Dans la plupart des cas de transplantation, le rejet du greffon par l'hôte constitue la principale complication. Cependant, dans le cas de la GVH, c'est le greffon qui rejette les tissus de l'hôte ou du receveur.

La réaction GVH peut se déclarer de 7 à 30 jours après la transplantation. Aucun traitement ne peut cesser cette réaction. Le mécanisme exact de cette réaction n'est pas connu. Cependant, on sait que les lymphocytes T du donneur attaquent les cellules vulnérables de l'hôte.

Les organes cibles sont la peau, le système digestif et le foie. La maladie cutanée peut se manifester par une éruption maculopapuleuse, prurigineuse ou douloureuse. Elle atteint les paumes et la plante des pieds, et peut se transformer en érythème généralisé accompagné de formations bulleuses et de desquamation. La maladie hépatique peut se traduire par un ictère bénin accompagné d'une augmentation des enzymes hépatiques jusqu'au coma hépatique. La diarrhée, la douleur abdominale intense, des saignements GI et la malabsorption figurent parmi les troubles intestinaux possibles. L'infection constitue la principale complication de la maladie GVH. Les infections bactériennes et fongiques apparaissent immédiatement après la transplantation, lors de granulocytopénie. Le développement de la pneumopathie interstitielle constitue le problème à long terme.

Une fois que la maladie GVH s'est installée, on ne peut plus la traiter adéquatement. Les corticostéroïdes, malgré leur utilisation fréquente, augmentent les risques d'infection. L'utilisation d'agents immunodépresseurs (p. ex. méthotrexate, cyclosporine [Neoral]) s'est révélée très efficace, mais à titre préventif seulement. L'irradiation des produits sanguins avant leur administration est une autre mesure qui vise à prévenir la prolifération des lymphocytes T.

7.6 MALADIES IMMUNITAIRES

7.6.1 Mononucléose

La mononucléose, communément appelée la « mono » ou la « maladie du baiser », est une maladie bénigne et spontanément résolutive. Elle se caractérise par l'hyper-trophie des ganglions lymphatiques, la lymphocytose et l'hyperthermie. L'incidence maximale de la mononucléose se situe dans la période d'âge de 14 à 18 ans. Elle peut se déclarer en cas isolés ou en épidémie. Bien que bénigne, la maladie peut passablement nuire au client en raison de la fatigue extrême qui y est associée.

Étiologie et physiopathologie. La mononucléose est provoquée par le virus Epstein-Barr (VEB), un type d'herpèsvirus transmis principalement par la salive. Le virus infecte les lymphocytes B et les cellules épithéliales nasopharyngées. Une fois exposé, le client prédisposé manifeste les symptômes de la maladie après une période d'incubation de quatre à huit semaines. Les symptômes évoluent graduellement et s'intensifient à mesure que la maladie devient apparente. Après avoir causé la mononucléose, le VEB peut demeurer à l'état latent dans les lymphocytes et dans les tissus lymphatiques. Le virus peut être disséminé jusqu'à 18 mois après l'infection primaire.

Aux États-Unis et au Canada, 50 % de la population, à l'adolescence, a acquis une infection primaire au VEB. Ces infections précoces sont habituellement bénignes, non spécifiques et cliniquement invisibles. À l'âge adulte, la plupart des sujets possèdent des anticorps dirigés contre le VEB.

Manifestations cliniques. Les symptômes prodromaux comprennent la céphalée, la fatigue, le malaise, le frissonnement, le gonflement des paupières, l'anorexie, l'arthralgie et le dégoût de la cigarette. Tandis que la maladie s'intensifie, la plupart des clients développent une triade de symptômes : la fièvre, les adénopathies (particulièrement les ganglions cervicaux, axillaires et inguinaux) et la pharyngite pouvant entraîner la dysphagie. S'il y a hypertrophie de la rate, provoquée par une infiltration massive de lymphocytes, le sujet ressentira de la douleur dans le quadrant supérieur gauche.

La mononucléose infectieuse est une maladie spontanément résolutive dans la majorité des cas, et elle dure rarement plus de deux à trois semaines. Le malaise est le symptôme le plus persistant. Il est rare que la mononucléose occasionne des complications significatives. Le cas échéant, les affections susceptibles de se produire sont la pneumonie, les changements neurologiques (p. ex. l'encéphalite), la rupture de la rate, l'hépatite, la thrombopénie, l'anémie hémolytique, l'obstruction des voies respiratoires, la myocardite, la péricardite, le syndrome de Guillain-Barré et la paralysie de Bell.

Épreuves diagnostiques. Au début, la numération des GB est normale, mais en une semaine, une leucocytose se produit (GB >20 000/μl [20 X 10^9/L]). Il y a augmentation du nombre de lymphocytes et de monocytes, dont 10 à 20 % de lymphocytes atypiques qui sont principalement des lymphocytes T activés. On trouve des anticorps hétérophiles chez la plupart des sujets. Le test sanguin monospot, d'utilisation facile, sert à révéler la présence de ces anticorps. Une trousse d'analyse de ce test est offerte en vente libre. Cependant, ce test n'est pas entièrement spécifique à la mononucléose, puisque les cytomégalovirus, les adénovirus et la toxoplasmose peuvent aussi produire des anticorps hétérophiles. On peut aussi mesurer les anticorps dirigés contre le VEB. La présence d'anticorps IgM contre le VEB est un signe d'infection primaire. On peut effectuer un bilan hépatique pour vérifier si le foie est touché. On peut trouver des streptocoques bêta-hémolytiques dans la gorge de 30 % des clients atteints de mononucléose ; l'isolement de cet agent pathogène n'écarte pas le diagnostic de mononucléose.

Soins infirmiers et processus thérapeutique. Il n'existe pas de protocole thérapeutique spécifique pour le client atteint de mononucléose. Celui-ci doit se reposer pendant deux à trois semaines, se nourrir et boire adéquatement. On peut traiter la fièvre et le mal de gorge à l'aide d'acétaminophène. Les mesures d'isolement ne sont pas requises, car la mononucléose n'est que très peu contagieuse chez l'adulte. Les antibiotiques ne sont pas utiles tant qu'un prélèvement de gorge ne révèle la présence de streptocoques bêta-hémolytiques. Les corticostéroïdes peuvent servir à traiter l'obstruction des voies respiratoires, l'anémie hémolytique et la thrombopénie. La guérison est graduelle, et des malaises peuvent survenir par intermittence pendant un certain temps.

Les interventions infirmières sont surtout bénéfiques lorsque la maladie est plus intense. Si le client ne ressent qu'une fatigue minimale, l'aider à se conformer au repos approprié peut présenter quelques difficultés. Un gargarisme physiologique peut diminuer le mal de gorge. L'infirmière doit surveiller les complications possibles. Dans le cas d'un client atteint de splénomégalie, l'infirmière doit informer le client d'éviter toute activité pouvant entraîner la rupture de la rate. Par exemple, le client devrait éviter la manœuvre de Valsalva lors de la défécation, la levée de charges et les activités sportives pouvant entraîner un traumatisme abdominal, et ce, jusqu'à la guérison de l'hypertrophie splénique.

Il est rare que l'infirmière doive prodiguer des soins continus après la maladie. Le client peut habituellement reprendre ses activités deux à trois semaines plus tard. Dans le cas d'une mononucléose chez une personne âgée, les complications sont plus courantes, et

la guérison complète de la maladie peut prendre plus de temps.

7.6.2 Syndrome de fatigue chronique

Le syndrome de fatigue chronique (SFC) est un trouble caractérisé par une fatigue invalidante dont le client se plaint (voir encadré 7.7). L'Association québécoise de l'encéphalomyélite myalgique (AQEM) estime que le nombre de personnes atteintes de fatigue chronique se chiffre à 30,000 personnes au Québec, et à 100 000 au Canada. Le SFC est peu connu. Bien que certains membres du personnel soignant doutent de son existence, il existe vraiment et peut avoir des conséquences dévastatrices sur la vie du client.

Étiologie et physiopathologie. En dépit de nombreuses tentatives pour en déterminer l'étiologie et la physiopathologie, les mécanismes précis du SFC demeurent inconnus. Cependant, il existe de nombreuses

---

Critères de diagnostic du syndrome de fatigue chronique* | ENCADRÉ 7.7

Critères déterminants
- Fatigue chronique récurrente, persistante ou inexpliquée, dont le début est insidieux et récent (qui n'a pas toujours été présente).
- La fatigue n'est pas due à un effort soutenu.
- Le repos ne soulage pas substantiellement la fatigue.
- La fatigue entraîne une réduction substantielle des activités professionnelles, éducatives, sociales ou personnelles.

Critères associés
- Diminution substantielle de la mémoire à court terme ou de la concentration.
- Mal de gorge
- Sensibilité des ganglions lymphatiques cervicaux ou axillaires.
- Myalgie
- Arthralgie multiple sans enflure ou sensibilité des articulations.
- Céphalées de nature inhabituelle, ou inhabituellement fortes.
- Sommeil non réparateur
- Malaise suivant l'effort, ressenti durant plus de 24 heures.

Tiré et adapté de FUKUDA, K. et al. (International Chronic Fatigue Syndrome Study Group), " The chronic fatigue syndrome: a comprehensive approach to its definition and study ", [TID]Ann Intern Med[TIF], n[S.DEG]121(1994), p.953.
*Pour qu'un diagnostic soit établi, le client doit satisfaire à tous les critères déterminants et à quatre critères secondaires ou plus. Chaque critère secondaire doit durer six mois consécutifs ou plus et ne doit pas avoir été ressenti avant le début de la fatigue. Ces critères ont été établis par les Centers for Disease Control and Prevention, le National Institute of Health (É.-U.) et l'International Chronic Fatigue Syndrome Study Group.

théories relatives à l'étiologie du syndrome de fatigue chronique. Il est souvent postinfectieux, il suit fréquemment une infection virale et est associé à une déficience immunitaire. Un dysfonctionnement dans l'axe hypothalamo-hypophyso-surrénal peut survenir. Plusieurs virus ont été soupçonnés d'être des agents étiologiques, dont certains herpèsvirus (p. ex. virus EB, cytomégalovirus, rétrovirus et entérovirus). On remarque un taux élevé d'anticorps spécifiques à de nombreux agents infectieux chez les clients atteints de SFC. On sait que les virus peuvent accélérer le syndrome, mais on ignore s'ils peuvent en causer les caractéristiques à long terme.

L'activation anormale du système immunitaire semble être un événement déclencheur. Les déficiences immunitaires liées au SFC comprennent une production moindre d'immunoglobulines in vitro, une activité réduite des cellules TN, une diminution de la prolifération des lymphocytes, de même qu'une augmentation du rapport CD4/CD8 et du pourcentage de lymphocytes T activées. Après l'infection virale initiale, lorsque le mécanisme du SFC déclenche une réaction immunitaire continue, la production de cytokines peut être responsable d'une partie des symptômes. Ces médiateurs immunitaires peuvent être à l'origine des manifestations musculaires et nerveuses, comme la fatigue. Cependant, ces déficiences immunitaires n'apparaissent pas nécessairement chez tous les clients et ne sont pas corrélés avec la gravité de la maladie.

Le SFC peut altérer la régulation neuro-endocrinienne. L'hypothalamus peut diminuer la production de corticolibérine. Le taux sérique de cortisol est bas alors que le taux de corticotrophine est proportionnellement élevé. Il s'ensuit parfois une perte d'énergie et une altération de l'humeur du client.

Environ 70 % de ces clients sont atteints d'une dépression bénigne à modérée. On pense que le SFC pourrait être une affection psychologique. Cependant, il est difficile de déterminer si la dépression est une cause ou un effet de la fatigue chronique.

Manifestations cliniques. C'est la fatigue invalidante, symptôme le plus courant du SFC, qui amène surtout le client à consulter un médecin. L'intensité des symptômes associés (voir encadré 7.7) peut varier avec le temps. Dans environ la moitié des cas, le SFC se développe insidieusement ou par épisodes intermittents qui deviennent graduellement chroniques. Parfois, le SFC se déclare soudainement chez un sujet auparavant actif et en santé. Souvent, un stress aigu ou une maladie banale semblable à la grippe peut être un événement déclencheur. Les cas de SFC sont habituellement isolés, mais il y a eu des cas où un certain nombre de clients ont développé le syndrome après avoir contracté la même infection virale.

L'incapacité des médecins à diagnostiquer l'affection peut provoquer la colère et la frustration du client. Ce trouble peut avoir des répercussions majeures sur le travail et les responsabilités familiales. Certains individus peuvent même avoir besoin d'aide pour les activités de la vie quotidienne.

Épreuves diagnostiques. L'examen physique et les épreuves diagnostiques peuvent permettre d'écarter les autres causes possibles des symptômes du client. Aucun examen de laboratoire ne peut diagnostiquer le SFC ou en mesurer la gravité. En général, le SFC nécessite un diagnostic d'exclusion.

Soins infirmiers et processus thérapeutique. En raison de l'absence d'un traitement curatif pour le SFC, un traitement symptomatique s'avère nécessaire. Le client doit être informé des connaissances actuelles à propos de la maladie, et toutes ses plaintes doivent être considérées sérieusement. Les anti-inflammatoires non stéroïdiens sont indiqués pour traiter la céphalée, les douleurs musculaires et articulaires, ainsi que la fièvre. On peut utiliser des antihistaminiques et des décongestionnants pour traiter les symptômes allergiques. Les antidépresseurs (p. ex. fluoxétine [Prozac], paroxetine [Paxil]) peuvent améliorer l'humeur et apaiser les troubles du sommeil. Le clonazépam (Rivotril) traite aussi efficacement ces derniers.

Le repos total est déconseillé, car il peut donner au client l'image d'être un invalide. En revanche, les efforts intenses peuvent exacerber l'épuisement. Par conséquent, il est important de planifier avec soin un programme d'exercices graduel. Une thérapie comportementale peut promouvoir une image de soi positive et soulager l'incapacité générale, la fatigue et les autres symptômes.

Les principaux problèmes auxquels sont confrontés de nombreux clients sont d'ordre financier. Lorsque la maladie se déclare, ils ne peuvent plus travailler ou doivent consacrer moins de temps au travail. La perte d'emploi entraîne souvent la perte de l'assurance salaire. L'obtention d'avantages pour handicapés peut être difficile, parce que le diagnostic du SFC s'établit difficilement.

Le syndrome de fatigue chronique semble ne pas évoluer. Bien que la plupart des clients guérissent ou, au moins, voient leur état s'améliorer au fil du temps, certains ne montrent aucun signe d'amélioration. La guérison est plus courante pour les clients chez qui le SFC s'est déclaré soudainement. Les clients atteints de SFC souffrent de pertes sur le plan professionnel et psychosocial. Ils subissent une pression sociale et souffrent d'isolement, car on les étiquette parfois de paresseux ou de « cinglés ».

7.7 NOUVELLES TECHNOLOGIES EN MATIÈRE D'IMMUNOLOGIE

7.7.1 Hybridomes : anticorps monoclonaux

Les anticorps monoclonaux forment une population homogène d'anticorps identiques produite par des lignées cellulaires spécifiques maintenues en culture. La procédure fait appel à des techniques de fusion cellulaire et de culture *in vitro* (voir figure 7.10). Des rats, ou des souris, immunisés, de même que des lignées cellulaires tumorales myélomateuses d'origine lymphoïde en constituent les composantes biologiques essentielles. Des cellules productrices du même anticorps (lymphocytes) provenant de rongeurs préalablement immunisés sont fusionnées avec des cellules myélomateuses pour créer des cellules hybrides possédant les propriétés des deux types cellulaires parentaux. Ces cellules hybrides ont une capacité de prolifération illimitée semblable à celle de la cellule myélomateuse parentale. Les hybrides produisent des anticorps spécifiques à un antigène, soit les mêmes anticorps que ceux sécrétés par la cellule parentale. Les cellules hybrides obtenues par cette technique peuvent produire des quantités illimitées d'anticorps spécifiques. Par des techniques de sélection appropriées, il est théoriquement possible de produire des anticorps monoclonaux pour tout antigène. Les anticorps monoclonaux étant une population entièrement homogène, leur utilisation pose moins de problèmes que celle des antisérums polyclonaux conventionnels.

Il existe de multiples applications pour les anticorps monoclonaux dans plusieurs domaines de la médecine et de la biologie. On a fabriqué des milliers d'anticorps monoclonaux contre de nombreux antigènes. Les anticorps monoclonaux ont commencé à remplacer les anticorps conventionnels dans les banques de sang, et on les utilise pour l'identification de microorganismes en bactériologie. Ils sont aussi utilisés abondamment dans les dosages radio-immunologiques pour mesurer le taux sérique de différentes substances (p. ex. hormone parathyroïde). Ils servent à quantifier les différents types de GB et de lymphocytes. On les utilise aussi pour diagnostiquer la leucémie et, plus récemment, pour traiter certaines tumeurs malignes (voir chapitre 9), pour traiter le rejet de greffe (voir chapitre 38), pour purger la moelle osseuse des cellules tumorales lors de greffe de moelle osseuse, et pour éliminer les lymphocytes T matures qui provoquent la maladie du greffon contre l'hôte (GVH) dans les greffes de moelle osseuse.

Ces anticorps monoclonaux proviennent de souris et, par conséquent, peuvent provoquer une réaction de l'hôte contre l'agent étranger. L'hôte peut développer des anticorps contre les anticorps de souris, ce qui constitue une limitation majeure. Récemment, des hybridomes humains ont été produits à l'aide de myélomes humains. Ces hybrides cellulaires synthétisent des anticorps monoclonaux humains et sont donc avantageux pour l'utilisation in vivo en vue d'un diagnostic ou d'un traitement.

7.7.2 Recombinaison de l'ADN

Dans la technologie de recombinaison de l'ADN, on prélève des segments d'ADN sur un type d'organisme et on les combine avec des gènes d'un autre organisme (voir figure 7.11). Lors de la division cellulaire, l'ADN est transcrit et une protéine spécifique codée par l'ADN est produite. De cette manière, des organismes relativement simples comme *Escherichia coli*, la levure ou des cellules provenant de cultures de tissu mammalien peuvent produire de grandes quantités de protéines

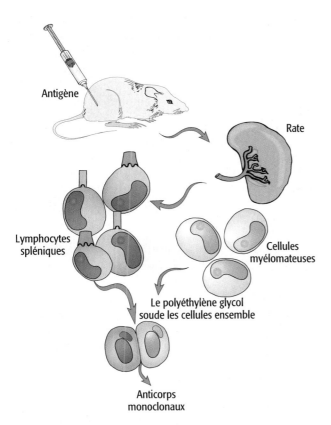

Antigène

Rate

Lymphocytes spléniques

Cellules myélomateuses

Le polyéthylène glycol soude les cellules ensemble

Anticorps monoclonaux

FIGURE 7.10 Les anticorps monoclonaux sont des anticorps identiques produits par les clones d'une unique cellule productrice d'anticorps. L'antigène cible est injecté à une souris. Les cellules spléniques, qui contiennent des cellules plasmatiques, sont recueillies et fusionnées avec des cellules myélomateuses au moyen de polyéthylène glycol. Les cellules fusionnées, ou hybridomes, sont alors clonées. Un clone peut sécréter des anticorps monoclonaux pendant une longue période de temps.

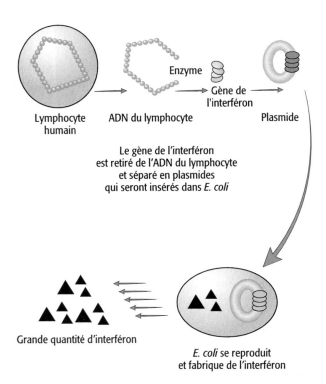

Enzyme

Gène de
l'interféron

Lymphocyte
humain

ADN du lymphocyte

Plasmide

Le gène de l'interféron
est retiré de l'ADN du lymphocyte
et séparé en plasmides
qui seront insérés dans *E. coli*

Grande quantité d'interféron

E. coli se reproduit
et fabrique de l'interféron

FIGURE 7.11 Production massive d'interféron au moyen de la technologie de recombinaison de l'ADN

humaines. On utilise ce procédé pour fabriquer de l'insuline humaine et des cytokines (p. ex. interféron α), ainsi que d'autres substances.

7.7.3 Thérapie génique

La thérapie génique est issue de la technologie de recombinaison de l'ADN. Cette technique peut être utilisée pour remplacer un gène défectueux ou manquant par un gène normal, ou pour réparer des gènes. Au moyen des techniques de recombinaison de l'ADN, on peut insérer un gène normal dans un chromosome humain pour contrer les effets d'un gène manquant ou anormal.

Les premiers essais de thérapie génique approuvés ont été réalisés chez des enfants atteints de maladie d'immunodéficience combinée sévère causée par une carence en adénosine désaminase. On a prélevé des lymphocytes T de ces enfants, et on y a inséré un gène fonctionnel (voir figure 7.12). Les nouveaux lymphocytes T ont ensuite été réinjectées dans le sang des enfants. Le gène a donné aux cellules le message de produire l'enzyme manquant, et ces enfants ont bénéficié d'un système immunitaire efficace.

Encouragés par ce succès, les scientifiques ont tenté de soigner divers troubles génétiques tels que la fibrose kystique, la maladie de Gaucher, l'hypercholestérolémie

familiale, la carence en α-1-antitrypsine et l'anémie de Fanconi par thérapie génique. On étudie aussi les effets de la thérapie génique sur différents types de cancer, dont le mélanome, les tumeurs rénales et les tumeurs hématologiques. En présence de cellules cancéreuses, la thérapie génique vise habituellement à inhiber la fonction oncogène ou à rétablir une activité suppressive dirigée contre les tumeurs. On utilise aussi la thérapie génique pour les infections virales, dont le syndrome d'immunodéficience acquise ainsi que l'hépatite B et C.

La thérapie génique est très prometteuse pour le traitement d'une grande variété d'affections héréditaires et acquises qui ne réagissent pas aux traitements conventionnels. Bien que la thérapie génique en soit encore au stade expérimental, l'ajout d'une nouvelle possibilité de traitement a créé un sentiment d'excitation et d'espoir pour les soins de santé futurs.

Méthodes d'administration de thérapie génique. Actuellement, la seule thérapie génique approuvée pour les essais cliniques vise à corriger du matériel génétique que l'on insère ensuite dans les cellules somatiques de l'organisme (p. ex. cellules de la moelle osseuse). Le bagage génétique du client reste donc intact puisqu'on n'applique pas cette technique à ses tissus reproducteurs.

La thérapie génique fait appel à des techniques *in vitro* et *in vivo*. Dans la méthode *in vitro*, la plus couramment utilisée, on prélève des cellules du client pour les modifier génétiquement et ensuite les réin-

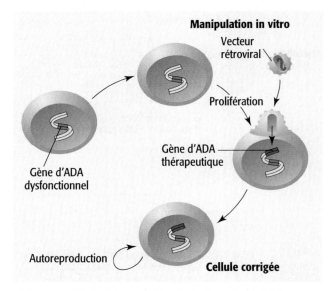

FIGURE 7.12 La thérapie génique tente de corriger l'état d'immunodéficience qu'est la carence en adénosine-désaminase (ADA). Le vecteur rétroviral contenant le gène d'ADA thérapeutique est inséré dans les lymphocytes du client. Ces cellules peuvent alors fabriquer l'enzyme d'ADA.

jecter. On a appliqué cette méthode à des lymphocytes, des hépatocytes, des kératinocytes cutanés, des fibroblastes et des cellules de la moelle osseuse. Cette technique a toutefois un désavantage : les cellules qui ne se divisent plus (p. ex. cellules rénales et neurones) ne sont pas aisément cultivables *in vitro*. C'est par le biais d'un vecteur, habituellement un rétrovirus altéré (non pathogène), que le gène thérapeutique est transféré dans la cellule humaine. Les cellules ainsi modifiées sont ensuite réintégrées au client. Il est également possible d'utiliser des méthodes non virales comme la transfection de matériel génétique. La microprojection sous haute pression de particules recouvertes d'ADN dans les cellules est l'une d'entre elles.

Par la méthode *in vivo*, le gène altéré et son vecteur sont injectés directement au client. Cette méthode est plus prometteuse, car elle peut directement cibler les sites pathogènes, minimiser les risques pour le client et, potentiellement, diminuer les coûts.

Exemples de thérapie génique appliquée au cancer. L'un des premiers protocoles de thérapie génique utilisé pour le traitement du cancer visait à insérer le gène du facteur nécrosant tumoral (FNT). Le FNT est un agent anticancéreux puissant. Le vecteur, dans ce cas-ci, a été inséré dans des lymphocytes destinés à attaquer les cellules du mélanome. Cette méthode permet la libération d'une grande quantité de FNT au site de la tumeur, ce qui évite les effets secondaires systémiques.

L'objectif des essais cliniques de la thérapie génique au MDR-1 est de réduire les effets indésirables de la chimiothérapie à forte dose. Le gène MDR est introduit dans les cellules de la moelle osseuse à l'aide d'un rétrovirus transportant le matériel génétique du gène MDR-1. Le rétrovirus transfère le gène MDR-1 dans une portion des cellules souches du client. Puis, on isole les cellules souches de la moelle osseuse et on les cultive. Ces cellules souches et leurs descendantes acquièrent une résistance aux effets toxiques de la chimiothérapie. En effet, elles survivent parce qu'elles peuvent évacuer les agents chimiothérapeutiques par le biais d'une pompe.

7.7.4 Amplification en chaîne par la polymérase

On peut également utiliser les techniques de recombinaison de l'ADN pour cloner des séquences d'ADN. Cependant, ce processus peut être très long (de quelques jours à quelques semaines). Lorsqu'il est nécessaire d'établir rapidement un diagnostic génétique, l'amplification en chaîne par polymérase (ACP) peut fournir de nombreuses copies d'une séquence d'ADN en seulement quelques heures. L'ACP reproduit artificiellement une séquence d'ADN. Les brins d'ADN peuvent être séparés pour former de nouvelles matrices

utilisées pour la réplication. On utilise beaucoup l'ACP en médecine légale pour identifier l'ADN de suspects au moyen d'échantillons de sang, de cheveux ou de sperme. On peut aussi utiliser l'ACP pour confirmer un diagnostic de SIDA. C'est particulièrement important lorsque les tests révèlent que le nourrisson d'une mère porteuse du VIH est aussi porteur du VIH. Dans cette situation, on ne sait pas si les anticorps présents dans le sang de l'enfant proviennent de lui-même ou de sa mère. On peut utiliser les techniques d'ACP sur les lymphocytes du bébé pour déterminer si ce dernier est porteur du virus.

MOTS CLÉS

Immunocompétence 174
Défense 174
Homéostasie 174
Surveillance 174
Système immunitaire 174
Immunité naturelle (innée) 174
Immunité acquise 174
Antigène 174
Haptènes 174
Organes lymphoïdes centraux 176
Organes lymphoïdes périphériques 176
Humoral 177
Réaction immunitaire primaire 178
Réaction immunitaire secondaire 178
Immunité à médiation cellulaire 179
Lymphocytes de régulation 179
Grand lymphocyte granuleux 179
Cytokines 180
Lymphokines 180
Monokines 180
Protéine antivirale 180
Anergie 180
Réaction d'hypersensibilité 182
Maladies auto-immunes 182
Réaction papulo-érythémateuse 183
Atopique 184
Réaction immunitaire à médiation cellulaire 187
Antigène du complexe majeur d'histocompatibilité . . . 189
Rhinite médicamenteuse 194
Auto-immunité 196
Cytaphérèse 198
Thrombocytophérèse 198
Leucophérèse 198
Aphérèse 198
Plasmaphérèse 198
Échange plasmatique 198

7

BIBLIOGRAPHIE
Version originale

1. Roitt I, Brostoff J, Male D: *Immunology*, ed 5, St Louis, 1998, Mosby.
2. Kuby J: *Immunology*, ed 3, New York, 1997, WH Freeman.
3. *Proceedings of the 1st International Conference on Immunology and Aging*, Bethesda, Md, June 16-19, 1996, Mech Ageing Dev 94:1, 1997.
4. Weksler ME: *Immunology and the elderly: an historical perspective for future international action*, Mech Ageing Dev 93:1, 1997.
5. Miller RA: *Aging and immune function: cellular and biochemical analyses*, Exp Gerontol 29:21, 1994.
6. Hanson L, Telemo E: *The growing allergy problem*, Acta Paediatr 86:916, 1997.
7. Donohoe MR: *Allergic diseases*, Lippincott's Primary Care Practice 1:117, 1997.
8. Ruffilli A, Bonini S: *Susceptibility genes for allergy and asthma*, Allergy 52:256, 1997.
9. Hollingsworth HM: *Allergic rhinoconjunctivitis: current therapy*, Hosp Pract 31:61, 1996.
10. Norman PS: *Current status of immunotherapy for allergies and anaphylactic reactions*, Adv Intern Med 41:681, 1996.
11. Wheeler AW, Drachenberg KJ: *New routes and formulations for allergen-specific immunotherapy*, Allergy 52:602, 1997.
12. Kam PCA, Lee MSM, Thompson JF: *Latex allergy: an emerging clinical and occupational health problem*, Anaesthesia 52:570, 1997.
13. Shoup AJ: *Guidelines for the management of latex allergies and safe use of latex in perioperative practice settings*, AORN J 66:726, 1997.
14. National Institute for Occupational Safety and Health, Department of Health and Human Services, NIOSH Alert: *Preventing allergic reactions to natural rubber latex in the workplace*, pub no 97-135, 1997.
15. Rose NR: *Autoimmune diseases: tracing the shared threads*, Hosp Pract 32:147, 1997.
16. Roberts WN: *Keys to managing systemic lupus erythematosus*, Hosp Pract 32:113, 1997.
17. Rock G, Buskard NA: *Therapeutic plasmapheresis*, Curr Opin Hematol 3:504, 1996.
18. Bartges JW: *Therapeutic plasmapheresis*, Semin Vet Med Surg 12:170, 1997.
19. Stites DP, Terr AI, Parslow TG: *Medical immunology*, ed 9, Stamford, Conn, 1997, Appleton & Lange.
20. Plioplys AV, Plioplys S: *Meeting the frustrations of chronic fatigue syndrome*, Hosp Pract 32:147, 1997.
21. *Chronic fatigue syndrome*, Bethesda, Md, National Institute of Allergy and Infectious Diseases, National Institutes of Health, 1997.
22. Blaese RM: *Steps toward gene therapy: 1. The initial trials*, Hosp Pract 30:33, 1995.
23. Lea DH: *Gene therapy: current and future implications for oncology nursing practice*, Semin Oncol Nurs 13:115, 1997.
24. Richter J: *Gene transfer to hematopoietic cells—the clinical experience*, Eur J Haematol 59:67, 1997.

Chapitre **8**

Guylaine Paquin
Inf., B. Sc. inf.
Cégep F.-X. Garneau

Lucie Rhéaume
Inf., B. Sc. inf.
Cégep F.-X. Garneau

Virus de l'immunodéficience humaine

PLAN DU CHAPITRE

8.1 INFECTION PAR LE VIRUS DE
L'IMMUNODÉFICIENCE HUMAINE . . . 210
  8.1.1 Importance du problème. . . 210
  8.1.2 Transmission du VIH 210
  8.1.3 Physiopathologie. 212
  8.1.4 Manifestations cliniques
      et complications 214
  8.1.5 Épreuves diagnostiques . . . 216
  8.1.6 Processus thérapeutique. . . 216
  8.1.7 Soins infirmiers : infection
      par le VIH 224

OBJECTIFS D'APPRENTISSAGE

APRÈS AVOIR LU CE CHAPITRE, VOUS DEVRIEZ ÊTRE EN MESURE :

- D'ÉNUMÉRER LES MODES DE TRANSMISSION DU VIRUS DE L'IMMUNODÉFICIENCE HUMAINE (VIH) ET LES FACTEURS INTERVENANT DANS LA TRANSMISSION DU VIH ;

- DE DÉCRIRE LA PHYSIOPATHOLOGIE DE L'INFECTION PAR LE VIH ;

- DE DÉCRIRE L'ÉVOLUTION DE LA MALADIE ENGENDRÉE PAR L'INFECTION PAR LE VIH ;

- D'ÉNUMÉRER LES CRITÈRES DIAGNOSTIQUES DU SYNDROME D'IMMUNODÉFICIENCE ACQUISE (SIDA) ;

- DE DÉCRIRE LES ÉPREUVES DE LABORATOIRE EMPLOYÉES POUR DÉTECTER LE VIH ;

- DE DÉCRIRE LE PROCESSUS THÉRAPEUTIQUE PROPRE À L'INFECTION PAR LE VIH ;

- DE PRÉCISER LES CARACTÉRISTIQUES DES MALADIES OPPORTUNISTES LIÉES AU SIDA ;

- DE DISTINGUER LES MESURES DE PRÉVENTION DU VIH QUI ÉLIMINENT LE RISQUE ET CELLES QUI LE DIMINUENT ;

- DE DÉCRIRE LES SOINS INFIRMIERS PRODIGUÉS POUR PRÉVENIR ET POUR TRAITER UNE INFECTION PAR LE VIH.

8.1 INFECTION PAR LE VIRUS DE L'IMMUNODÉFICIENCE HUMAINE

Au Canada et aux États-Unis, l'infection par le virus de l'immunodéficience humaine est une épidémie relativement récente. Même si cette infection existait auparavant, ce n'est qu'à partir de 1981 que les médecins et les autorités chargées de la santé publique ont documenté la présence d'une nouvelle maladie que l'on a nommée **syndrome de l'immunodéficience acquise (SIDA)**. Dès 1985, on avait identifié le VIH comme étant l'agent causal et on avait établi que le SIDA était la phase terminale d'une infection chronique par le VIH. On a également mis au point un test de détection des anticorps et déterminé les modes de transmission du virus. La pharmacothérapie pour traiter l'infection est apparue en 1987 avec le lancement de la zidovudine (AZT, Retrovir). Des progrès considérables ont été réalisés depuis, notamment la conception d'épreuves de laboratoire servant à mesurer la concentration virale dans le sang, la production de nouvelles classes d'agents antirétroviraux, l'élaboration de multithérapies et d'un traitement réduisant le risque de transmission périnatale. Grâce à cet essor, il a été possible d'améliorer la qualité de vie de nombreuses personnes infectées par le VIH et d'allonger leur durée de survie. Malheureusement, ces nouveaux traitements ne sont pas toujours efficaces et ils ne sont pas toujours offerts à ceux qui en auraient besoin. Malgré cette remarquable évolution thérapeutique, l'épidémie n'est pas enrayée et elle continue de créer un besoin critique de soins infirmiers.

8.1.1 Importance du problème

Au Canada, le premier cas de SIDA a été détecté en 1982. Malgré l'amélioration des programmes de prévention, le nombre de personnes infectées par le VIH s'accroît. De 40 000 en 1996, le nombre de cas s'est élevé à 50 000 en 1999, parmi lesquels 18 000 manifestent des symptômes. Depuis 1997, le nombre de nouveaux cas s'est stabilisé.

On sait depuis longtemps que les homosexuels et les utilisateurs de drogues injectables sont une population à risque. Actuellement, les cas rapportés au Canada d'Autochtones et de femmes infectés atteignent des proportions grandissantes. À l'échelle mondiale, le VIH fait encore plus de ravages, car le nombre total de personnes infectées est estimé à 29 millions. Plus de 8500 personnes sont infectées chaque jour. En 1997, le nombre de personnes infectées par le VIH à l'échelle mondiale se chiffrait à près de 29,4 millions et, en 2006, année où le nombre de décès liés au VIH atteindra son maximum, 1,7 million de personnes mourront de la maladie. En 2020, le VIH sera la dixième cause de maladie dans le monde, alors qu'il n'était que la vingt-huitième en 1990.

Le nombre de jeunes âgés entre 15 et 24 ans qui sont infectés a atteint 10,3 millions selon le rapport de l'ONUSIDA. Plus de la moitié des nouveaux cas répertoriés se situe dans cette catégorie d'âge. Au Canada, plus de 3,4 % des cas de SIDA font partie de la catégorie des 10 à 24 ans. La propagation du VIH s'expliquerait par le fait qu'un tiers des Canadiens infectés ignorent qu'ils sont porteurs de la maladie. Au Canada et en Europe occidentale, l'infection par le VIH montre les mêmes tendances qu'aux États-Unis*.

8.1.2 Transmission du VIH

Le VIH est un virus fragile qui ne peut se transmettre que dans certaines conditions faisant intervenir un contact avec des liquides biologiques infectés, notamment le sang, le sperme, les sécrétions vaginales et le lait maternel. Le VIH se transmet pendant les rapports sexuels avec un partenaire infecté, par un contact avec du sang ou des produits sanguins infectés par le virus, au cours de la période périnatale, à l'accouchement ou durant l'allaitement.

Les personnes ayant contracté le VIH peuvent transmettre le virus à d'autres individus quelques jours après l'infection. Ensuite, elles peuvent le transmettre toute leur vie. La transmission du VIH est soumise aux mêmes conditions que celle des autres microorganismes : une quantité suffisante de l'agent infectieux doit pénétrer par une voie d'entrée appropriée chez un hôte vulnérable. La durée et la fréquence du contact, le volume de liquide contaminé auquel on est exposé, la virulence et la concentration de l'agent pathogène, ainsi que la capacité de défense immunitaire de l'hôte sont autant de facteurs qui déterminent si l'exposition entraînera une infection. L'exposition au sang, au sperme, aux sécrétions vaginales et au lait maternel est un autre paramètre important. Après l'infection par le VIH, des quantités considérables de virus sont détectées dans le sang durant les deux à six premiers mois et à nouveau durant les derniers stades de la maladie (voir figure 8.1). Durant ces périodes, le risque de contracter le SIDA est beaucoup plus grand lors de rapports sexuels sans protection avec un sujet infecté ou de contact avec son sang. Toutefois, on peut transmettre le VIH durant toutes les phases de la maladie.

On ne peut pas contracter le virus par les étreintes, les baisers non pénétrants, les poignées de main, les couverts, ni par le fait de côtoyer une personne infectée par le VIH à l'école ou au travail. Le VIH ne se transmet pas par les larmes, la salive, l'urine, les vomissements, les crachats, les matières fécales, ni la sueur. De plus, rien ne prouve que les insectes et les vecteurs passifs peuvent le transporter. Les études successives n'ont pas réussi à démontrer la transmission du virus par les gouttelettes de salive projetées par la toux ou les éternuements,

* Au Canada, l'infection par le VIH est une maladie à déclaration obligatoire, mais la déclaration se fait de façon anonyme.

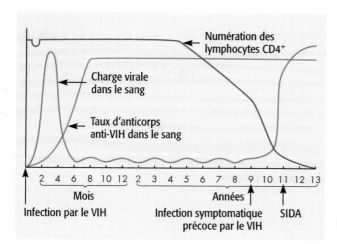

FIGURE 8.1 Charge virale dans le sang et numération des lymphocytes CD4⁺ au cours de l'évolution de l'infection par le virus de l'immunodéficience humaine (VIH)

les voies entériques ou les simples contacts. Pour les travailleurs du domaine de la santé, le risque de contamination est réel mais très faible, même par piqûre d'aiguille.

Transmission sexuelle. Le mode de transmission le plus fréquent est le contact sexuel avec un partenaire infecté. En effet, au cours de l'activité sexuelle, il y a contact avec du sperme, des sécrétions vaginales ou du sang, qui contiennent tous des lymphocytes hébergeant le virus. C'est la présence du virus chez l'un des deux partenaires qui est le facteur le plus important, et non pas le fait que les deux partenaires soient de même sexe ou de sexes opposés. Au début de l'épidémie, la plupart des cas d'infection aux États-Unis et au Canada se déclaraient parmi les hommes homosexuels. Or, actuellement, la transmission hétérosexuelle est plus fréquente et représente désormais le mode de transmission le plus courant pour les femmes (voir tableau 8.1). Le coït anal sans protection est l'activité sexuelle la plus dangereuse.

Au cours d'un rapport sexuel (anal, vaginal ou oral), le risque d'infection est plus élevé pour le partenaire qui reçoit le sperme, bien que l'infection puisse aussi se transmettre au partenaire qui pénètre. Ce risque accru s'explique par le fait que celui qui reçoit le sperme est plus longtemps en contact avec le liquide biologique infecté. Ainsi, on comprend pourquoi les femmes sont plus souvent infectées que les hommes pendant les rapports hétérosexuels. Les activités sexuelles faisant intervenir un contact avec le sang, notamment pendant les règles ou en cas de déchirure des tissus, augmentent aussi le risque de transmission. De surcroît, la présence de lésions génitales causées par les MTS (p. ex. herpès, syphilis) augmente la probabilité d'infection après l'exposition au VIH.

Contact avec le sang et les dérivés sanguins. La piqûre accidentelle ou délibérée avec du matériel d'injection souillé pose un risque de contamination. Le partage de seringues pour injecter des drogues illicites est un mode de transmission fréquent dans de nombreux centres urbains. Il est important de savoir que, quelle que soit la substance injectée, le matériel d'injection est contaminé après usage et risque donc de transmettre des maladies si on le réutilise.

Aux États-Unis, la transfusion de sang et de produits sanguins infectés a provoqué la mort de 2 % des adultes et de 8 % des enfants atteints du SIDA. Au Canada, en 1985, un programme de dépistage systématique des donneurs de sang a été mis en place pour repérer les sujets à risque et détecter la présence d'anticorps anti-VIH dans les dons de sang. On visait à améliorer l'innocuité des réserves de sang. Être infecté par le VIH à la suite d'une transfusion sanguine est désormais très peu probable, mais demeure possible parce que le sang prélevé au cours des premiers mois de l'infection (voir figure 8.1) ne réagit pas positivement au test de dépistage du VIH. Il ne devrait pas y avoir de nouveaux cas d'infection chez les hémophiles utilisant un agent de coagulation parce que ces produits sont maintenant traités thermiquement ou chimiquement pour tuer le VIH et les autres virus hématogènes.

Au travail, les blessures percutanées, les écorchures de la peau ou les muqueuses peuvent être contaminées par contact avec des liquides infectés. Le plus grand risque de transmission professionnelle est lié aux piqûres accidentelles avec une aiguille contaminée. Ce risque est de

TABLEAU 8.1	18 000 personnes atteintes du SIDA au Canada				
HOMMES atteints du SIDA (91 %)			**FEMMES atteintes du SIDA (9 %)**		
Relations sexuelles avec des hommes	Utilisateurs de drogues injectables	Autochtones	Relations sexuelles avec des hommes et des femmes	Utilisatrices de drogues injectables	Autochtones
78 %	16 %	2 %	67 %	23 %	0,6 %

l'ordre de 0,3 à 0,4 %. Le risque est plus élevé si le sang provient d'un client ayant une forte charge virale, si la plaie est profonde et si un dispositif de perfusion veineuse ou artérielle cause la blessure. Les éclaboussures de sang sur les lésions cutanées comportent aussi un certain risque, quoique nettement plus faible qu'en cas de blessure par un objet tranchant.

Transmission périnatale. La transmission du virus de la mère au bébé peut avoir lieu durant la grossesse, à l'accouchement ou pendant l'allaitement. Les études réalisées dans divers pays ont montré que 14 à 45 % des nouveau-nés de mères infectées naissent avec le VIH.

8.1.3 Physiopathologie

Le VIH est un virus à ARN qui fut découvert en 1983. Les virus à ARN sont appelés rétrovirus parce que leur réplication fait intervenir une transcription inverse (ARN en ADN). Comme tous les virus, le VIH ne se réplique qu'à l'intérieur d'une cellule vivante. Le VIH s'attaque aux cellules humaines portant des récepteurs CD4$^+$, notamment les lymphocytes T, les monocytes, les macrophages, les astrocytes et les oligodendrocytes. D'abord, le virus se lie au récepteur CD4$^+$ de la cellule par une glycoprotéine de son enveloppe, Gp120 (voir figure 8.2). Le récepteur et le virus pénètrent alors la cellule par un processus appelé endocytose. Puis, le VIH transcrit son ARN en ADN grâce à la transcriptase inverse, un enzyme. Cet ADN s'insère ensuite dans l'ADN de la cellule et induit la production de plusieurs copies d'ARN viral et de protéines virales (voir figure 8.3). Les longs brins d'ARN viraux doivent être coupés en segments de longueurs appropriées, un

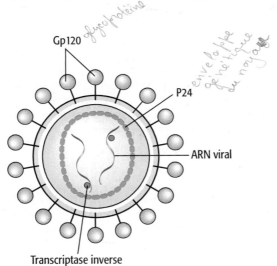

Gp120

P24

ARN viral

Transcriptase inverse

FIGURE 8.2 Le VIH est entouré d'une enveloppe de protéines (notamment Gp120) et contient un noyau d'ARN viral et de protéines (notamment P24).

travail catalysé par un enzyme nommé **protéase**. À mesure qu'ils sont assemblés, les virus quittent la cellule par bourgeonnement, c'est-à-dire qu'ils fusionnent avec la membrane cellulaire et qu'ils quittent la cellule en emportant avec eux une portion de membrane, qui formera leur enveloppe. Une fois libérés, ces virus nouvellement formés infecteront d'autres cellules CD4$^+$ et contribueront à propager l'infection.

L'infection par le VIH entraîne d'abord une virémie, caractérisée par la présence de grandes quantités de virus dans le sang. Après quelques mois, la concentration de virus dans le sang diminue et reste faible (voir figure 8.1). Durant cette phase, qui peut durer 10 ou 12 ans, les symptômes cliniques sont peu nombreux. On a d'abord cru que cette phase représentait une période de latence biologique et clinique pendant laquelle la réplication virale était minimale. On sait maintenant que la réplication du virus s'effectue rapidement et à vitesse constante dans le sang et les tissus lymphatiques dès le début de l'infection. Chez les sujets infectés, la charge virale reste stable pendant plusieurs années. Pour maintenir cette charge virale, 10^8 à 10^9 nouveaux virus sont produits chaque jour. Cette rapidité occasionne des erreurs de réplication qui entraînent des mutations ; ce sont ces mutations qui sont à l'origine de la difficulté à mettre au point des traitements et des vaccins.

Au cours de la réponse immunitaire, les antigènes étrangers interagissent avec les lymphocytes B qui déclenchent la production des anticorps (réaction immunitaire humorale) et provoquent une réaction immunitaire à médiation cellulaire de concert avec les lymphocytes T. Dans les premiers stades de l'infection par le VIH, ces cellules réagissent et fonctionnent normalement. Les lymphocytes B produisent des anticorps dirigés contre le VIH, qui réduisent la charge virale du sang. Les lymphocytes T activés réagissent localement lorsque les virus sont piégés dans les ganglions lymphatiques. Dans le cas de l'infection par le VIH, la déficience immunitaire est principalement causée par le dérèglement ou la destruction des **lymphocytes T CD4$^+$** (qui portent aussi le nom de lymphocytes T auxiliaires ou lymphocytes CD4$^+$). Ces cellules sont visées par le virus parce que leur surface porte plus de récepteurs CD4$^+$ que les autres cellules. Les lymphocytes T CD4$^+$ jouent un rôle essentiel en permettant au système immunitaire de reconnaître les agents pathogènes et de les neutraliser. Un adulte compte normalement 800 à 1200 lymphocytes T CD4$^+$ par microlitre de sang. La durée de vie normale d'un lymphocyte T CD4$^+$ est d'environ 100 jours, mais les cellules infectées par le VIH meurent après 2 jours. L'activité virale détruit près de 1 milliard de cellules CD4$^+$ par jour. Heureusement, la moelle osseuse et le thymus sont capables de suppléer cette perte pendant quelques années. Mais par la suite, le taux de destruction par le VIH est supérieur au taux de

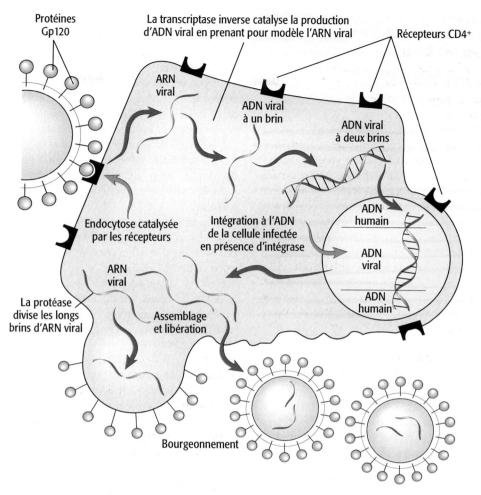

Protéines Gp120

La transcriptase inverse catalyse la production d'ADN viral en prenant pour modèle l'ARN viral

Récepteurs CD4+

ARN viral

ADN viral à un brin

ADN viral à deux brins

ADN humain

ADN viral

ADN humain

Endocytose catalysée par les récepteurs

Intégration à l'ADN de la cellule infectée en présence d'intégrase

ARN viral

La protéase divise les longs brins d'ARN viral

Assemblage et libération

Bourgeonnement

FIGURE 8.3 Le VIH contient des protéines Gp120 qui se fixent sur les récepteurs CD4+ à la surface des cellules CD4+. L'ARN viral pénètre ensuite dans la cellule, produit de l'ADN viral à l'aide de la transcriptase inverse. Cet ADN s'intègre au génome cellulaire en présence d'intégrase pour provoquer une infection cellulaire permanente et entraîner la production de nouveaux virions. Le nouvel ARN viral existe d'abord sous la forme de longs brins que la protéase divise. Les nouveaux virions quittent la cellule par un processus de bourgeonnement qui finit par contribuer à la destruction de la cellule.

renouvellement par l'organisme; le nombre de lymphocytes T CD4+ diminue donc et le système immunitaire s'affaiblit. En général, la réponse immunitaire est adéquate si la numération des lymphocytes T CD4+ est supérieure à 500/µL. Entre 200 et 499 lymphocytes T CD4+/µL, les troubles immunitaires apparaissent et ils s'aggravent lorsque la numération devient inférieure à 200/µL. L'infection par le VIH finit par atteindre un stade où le nombre de lymphocytes T CD4+ détruits est si élevé que les cellules restantes ne sont pas suffisantes pour assurer une réponse immunitaire efficace (voir figure 8.1). La principale complication de la suppression immunitaire est l'apparition d'infections et de cancers qui sont des causes de morbidité et de mortalité.

Les lymphocytes T CD4+ activés sont une cible idéale pour le VIH. Ces cellules sont attirées dans les ganglions lymphatiques, là où le VIH est concentré. Une fois infectés, les lymphocytes T entretiennent la réplication du virus et contribuent à propager l'infection dans tout l'organisme. Le tissu lymphoïde devient vite un réservoir de VIH. Par la suite, le VIH dégrade le système lymphatique, ce qui favorise l'acheminement des particules virales dans le sang et cause d'importantes perturbations du système immunitaire. On a mis en évidence plusieurs mécanismes par lesquels le VIH détruit les lymphocytes T CD4+. La libération des virus hors de la cellule par bourgeonnement rend la membrane cellulaire plus perméable et entraîne une perte de l'intégrité cellulaire (voir figure 8.3). Un autre mécanisme fait intervenir une fusion de cellules infectées avec d'autres cellules. Ce processus se poursuit jusqu'à ce que de nombreuses cellules, saines et infectées, forment une masse non viable à plusieurs noyaux appelée **syncytium**. Un troisième processus de destruction est déclenché par le système immunitaire, qui produit des anticorps dirigés contre le VIH. Ces anticorps se fixent à la surface des cellules infectées et activent le complément qui provoque la lyse de ces cellules. Il existe également d'autres théories qui expliquent la destruction des lymphocytes T CD4$^+$ par le VIH, notamment l'apoptose (mort cellulaire programmée), la formation de superantigènes, les mécanismes auto-immuns et la production accrue de cytokines.

Le VIH peut aussi infecter les monocytes en se fixant à leurs récepteurs CD4 ou en s'y introduisant lors de la phagocytose. Les monocytes infectés migrent dans les tissus de l'organisme, où ils se différencient en macrophages. Bien qu'il s'y réplique, le VIH n'engendre pas de bourgeonnement important dans les macrophages infectés. Par conséquent, les macrophages peuvent rester intacts et fabriquer des virus. Une inflammation locale entraîne parfois la lyse du macrophage infecté, et les VIH nouvellement formés se répandent alors dans les tissus environnants. C'est ainsi que la peau, les ganglions lymphatiques, les poumons, le système nerveux central et peut-être la moelle osseuse peuvent être directement touchés.

8.1.4 Manifestations cliniques et complications

La figure 8.4 représente l'évolution d'une infection au VIH non traitée. Il est toutefois important de rappeler qu'il existe de grandes variations individuelles dans le cas de cette infection. Le schéma représenté à la figure 8.4 correspond à des données provenant d'un large échantillonnage d'individus et ne doit pas être utilisé pour prédire la durée de survie d'un client infecté.

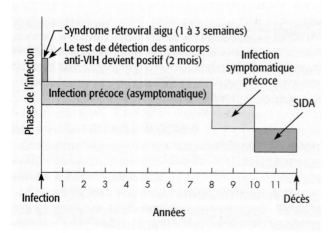

FIGURE 8.4 Calendrier d'évolution de l'infection par le VIH. Le calendrier représente l'évolution de la maladie entre le début de l'infection et l'apparition des manifestations cliniques.

Syndrome rétroviral aigu. La formation d'anticorps spécifiques du VIH (ou **séroconversion**) s'accompagne souvent d'un syndrome semblable à la grippe ou à la mononucléose. Ce syndrome, appelé **syndrome rétroviral aigu**, se manifeste par de la fièvre, une lymphadénopathie, une pharyngite, des maux de tête, un malaise, de la nausée, des douleurs musculaires et articulaires, de la diarrhée, de la photophobie et une éruption cutanée diffuse. Ces symptômes apparaissent généralement une à trois semaines après le début de l'infection et durent de une à deux semaines, mais certains symptômes peuvent persister plusieurs mois. La numération des lymphocytes T CD4$^+$ diminue temporairement pendant cette période, puis revient rapidement à la valeur initiale. La réaction immunitaire déclenchée lors de la phase aiguë est à l'origine de cette diminution temporaire. Chez la plupart des sujets, les symptômes sont légers, et on peut donc les confondre avec un rhume ou la grippe. Parfois, on observe des complications neurologiques, notamment la méningite aseptique, la neuropathie périphérique, la paralysie faciale ou le syndrome de Guillain-Barré.

Infection asymptomatique précoce. La période d'incubation du VIH dure 10 ans, période au cours de laquelle le VIH ne manifeste pas cliniquement sa présence. La numération des lymphocytes T reste normale ou diminue légèrement. Cette période correspond à la **phase asymptomatique**, bien que de légers symptômes puissent se manifester, notamment la fatigue, des maux de tête, une légère fièvre et des sueurs nocturnes.

Au début de l'infection au VIH, les symptômes observés sont vagues et non caractéristiques. Le sujet infecté continue de pratiquer des activités à risque touchant à la sexualité ou à l'injection de drogues. Ces comportements créent un problème de santé publique réel parce que la personne infectée risque de transmettre le VIH à cause de son ignorance. Le traitement n'a pas débuté et les comportements à risque sont maintenus. Malheureusement, cette ignorance diminue sa qualité et son espérance de vie. Pour pallier ce problème, on suggère aux personnes ayant des comportements à risque de subir régulièrement un test de dépistage.

Infection symptomatique précoce. Cette période débute lorsque la numération des lymphocytes T CD4$^+$ chute à moins de 500 ou 600 cellules/µL. Les premiers symptômes comprennent une fièvre persistante, des sueurs nocturnes, la diarrhée chronique, les céphalées et la fatigue. Leur intensité est parfois telle que le sujet est obligé d'interrompre ses activités habituelles. Une infection localisée, une lymphadénopathie et des manifestations neurologiques peuvent aussi apparaître.

L'infection la plus courante est la candidose oropharyngée ou muguet. La candidose frappe plus de 90 % des personnes infectées par le VIH, suivie du zona (causé par le virus varicelle-zona), des candidoses vaginales persistantes et des éruptions d'herpès buccal ou génital. La leucoplasie orale est une infection causée par le virus de Epstein-Barr qui provoque des lésions blanchâtres hyperkératinisées et indolores sur la face latérale de la langue (voir figure 8.5). Ces lésions buccales sont parfois les premiers signes d'une infection par le VIH. La leucoplasie orale est un indicateur pronostique de l'évolution de la maladie.

Les manifestations neurologiques peuvent se déclarer à tout moment au cours de l'infection mais sont plus intenses durant la phase symptomatique précoce. Les symptômes neurologiques les plus fréquents sont les céphalées, la méningite aseptique, la paralysie des nerfs crâniens, la myopathie et des neuropathies périphériques douloureuses. Ces symptômes peuvent être occasionnés par des agents pathogènes, par la présence de tumeurs ou par les effets indésirables des médicaments. Cette phase donne lieu à des résultats neurologiques anormaux, notamment un liquide céphalorachidien altéré et la production d'anticorps anti-VIH par le système nerveux central.

SIDA. Le CDC (*Center for Disease Control and Prevention*) a établi des critères permettant de diagnostiquer le SIDA (voir encadré 8.1). À mesure que la maladie s'installe, la numération des lymphocytes T CD4+ diminue et le rapport entre le nombre de lymphocytes CD4+ et le nombre de lymphocytes CD8+ (lymphocytes T auxiliaires CD4+ sur lymphocytes T suppresseurs CD8+), qui est normalement de 2:1, s'inverse progressivement. La charge virale du sang augmente et le nombre de lymphocytes baisse. Les réactions cutanées d'hypersensibilité retardée s'atténuent ou disparaissent.

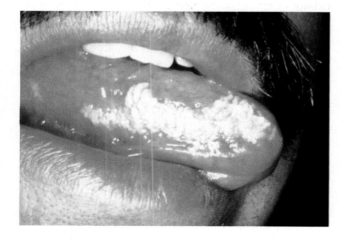

FIGURE 8.5 Leucoplasie orale

Critères de diagnostic du SIDA   ENCADRÉ 8.1

Le diagnostic du SIDA est établi lorsqu'un sujet infecté par le VIH répond à un ou plusieurs des critères suivants :
- Numération des lymphocytes T CD4+ inférieure à 200/µL
- Présence d'une des maladies opportunistes suivantes :
  - Fongique : candidose œsophagienne, bronchique ou pulmonaire ; pneumocystose, histoplasmose disséminée ou extrapulmonaire
  - Virale : infection à cytomégalovirus ne touchant pas le foie, la rate ni les ganglions lymphatiques ; rétinite à cytomégalovirus (avec perte de vision) ; infection à herpès simplex provoquant ulcères cutanés ou bronchite, pneumonie ou œsophagite, leucoencéphalopathie multifocale progressive ; cryptococcose extrapulmonaire
  - Protozoose : coccidioïdomycose disséminée ou extrapulmonaire, toxoplasmose cérébrale, diarrhée isosporale chronique, cryptosporidiose intestinale chronique
  - Bactérienne : bacille de la tuberculose ; infections mycobactériennes disséminées ou extrapulmonaires, notamment le complexe *Mycobacterium avium* ou *M. kansasii* ; pneumonie récidivante ; septicémie récidivante à *Salmonella*
- Présence de l'une des tumeurs malignes opportunistes suivantes :
  - Lymphome non hodgkinien, lymphome des ganglions cervicaux, sarcome de Kaposi, lymphome de Burkitt, lymphome primitif cérébral
- Syndrome de dépérissement (cachexie). Le syndrome de dépérissement correspond à une perte pondérale de 10 % ou plus
- Démence

On observe de fortes variations de la morbidité chez les personnes atteintes du SIDA. Certains clients sont gravement malades (et souvent en phase terminale), alors que d'autres sont capables de continuer d'exercer leurs activités en modifiant leur mode de vie en fonction des soins et de certains symptômes, dont la fatigue. La durée de survie après un diagnostic de SIDA est très variable. Certaines personnes peuvent survivre plus de six ans, alors que d'autres ne survivent que quelques mois. En moyenne, la durée de survie est d'environ deux ans. Grâce aux progrès réalisés dans le traitement et le diagnostic de l'infection, et dans les interventions thérapeutiques relatives aux maladies opportunistes et aux symptômes systémiques, la durée de survie a été prolongée. Cependant, le taux de mortalité lié au SIDA demeure élevé.

Maladies opportunistes. Les maladies opportunistes dérivent d'une surinfection consécutive à l'affaiblissement du système immunitaire. Diverses affections malignes, le dépérissement (cachexie) et la démence peuvent se manifester. Des organismes non virulents peuvent provoquer de graves infections opportunistes, débilitantes, disséminées et même fatales pour les clients atteints du SIDA (voir tableau 8.2). Malheureusement, les maladies opportunistes ont tendance à se manifester simultanément, ce qui complique leur diagnostic et leur traitement.

8.1.5 Épreuves diagnostiques

Diagnostic de l'infection par le VIH. Les épreuves de dépistage les plus utiles sont celles qui détectent les anticorps dirigés contre le VIH. Or, il faut compter en moyenne un délai de trois mois après l'infection pour que des anticorps détectables soient produits (voir figure 8.1). Il s'agit là d'un inconvénient grave puisque, durant cette **période de latence sérologique**, le test de dépistage ne donnera pas de résultat positif chez un individu infecté. Le dépistage des anticorps du VIH se fait généralement dans l'ordre indiqué à la figure 8.6, car on a constaté que cette manière de procéder donnait des résultats très fiables. On peut maintenant détecter les anticorps anti-VIH dans les échantillons de salive. Une trousse de dépistage pour utilisation à domicile est offerte sur le marché.

Le diagnostic du VIH chez les nouveau-nés est parfois difficile. Tous les enfants nés de mères infectées réagiront positivement au test de dépistage, car les anticorps maternels traversent la barrière placentaire et demeurent dans l'organisme de l'enfant pendant près de 18 mois. C'est la raison pour laquelle la détection précoce de l'infection par le VIH chez les nourrissons repose sur la recherche de protéines virales, en l'occurrence par la technique de l'amplification en chaîne par polymérase (ACP) et la culture virale (voir figure 8.6). Ces épreuves permettent de dépister le VIH chez les nourrissons avec certitude dès l'âge de 4 semaines.

Épreuves diagnostiques utilisées en présence d'infection par le VIH. On surveille l'évolution de l'infection au VIH en évaluant régulièrement la numération des lymphocytes T CD4$^+$. À mesure que la maladie progresse, on observe une diminution du nombre de lymphocytes T causée par une fonction immunologique altérée (voir figure 8.1). Bien qu'elle soit importante, la numération des lymphocytes T CD4$^+$ ne révèle qu'une partie de la situation clinique. Grâce à l'élaboration récente de techniques permettant de quantifier la charge virale, il est maintenant possible d'évaluer l'état clinique et la progression de la maladie. La **charge virale** (parfois appelée fardeau viral ou niveau d'ARN du VIH) représente une quantification des particules virales présentes dans un échantillon biologique (généralement du sérum). La charge virale peut être mesurée par amplification en chaîne par polymérase compétitive (RT-ACP) ou par hybridation de l'ADN ramifié (bADN). Ces épreuves permettent de déterminer le moment propice pour instaurer le traitement, de mesurer l'efficacité de ce dernier et de vérifier l'atteinte des objectifs.

Le VIH, les maladies opportunistes ou les complications reliées à la pharmacothérapie ou à la radiothérapie peuvent être à l'origine d'anomalies hématologiques. On observe souvent une forte baisse de la numération des globules blancs. La thrombocytopénie peut résulter de la présence d'anticorps antiplaquettaires ou des effets de la pharmacothérapie. L'anémie peut être associée à la chronicité de la maladie ou aux effets indésirables de certains agents antirétroviraux.

L'altération de la fonction hépatique peut être causée par le processus morbide de la maladie ou par la pharmacothérapie et tend à s'accentuer avec les nouveaux traitements. Un dépistage précoce du virus de l'hépatite B ou de l'hépatite C est essentiel, car ces infections peuvent s'aggraver chez un client infecté par le VIH et peuvent restreindre les options de pharmacothérapie.

8.1.6 Processus thérapeutique

Le processus thérapeutique chez le client infecté par le VIH vise à surveiller la progression de la maladie et la fonction immunitaire, à amorcer et à évaluer le traitement antirétroviral, à prévenir l'apparition des maladies opportunistes, à détecter et à traiter ces maladies, à soulager les symptômes et à prévenir les complications consécutives au traitement. Pour atteindre ces objectifs, il est nécessaire de planifier un calendrier des épreuves d'évaluation et de prévoir des rencontres régulières entre le client et son médecin (voir tableau 8.3).

La visite initiale donne l'occasion de recueillir les données de référence et d'établir une relation de confiance. Elle doit comporter un examen physique complet, une récapitulation des antécédents médicaux, une vérification de la vaccination reçue et une évaluation psychosociale et nutritionnelle. Le dossier, les données recueillies et les résultats des épreuves de laboratoire aident à déterminer les besoins du client. C'est le moment idéal pour l'informer sur les maladies liées au VIH et sur les traitements, pour lui expliquer comment prévenir la transmission de la maladie et améliorer sa santé et pour aborder les questions de planification familiale. Les renseignements fournis par le client doivent servir à élaborer un plan thérapeutique infirmier. Un client qui vient de recevoir un diagnostic risque d'être en état de choc ou de déni. Il risque de ne pas assimiler les renseignements qu'on lui fournit. C'est la raison pour laquelle l'infirmière doit régulièrement répéter l'information et donner des explications.

Pharmacothérapie de l'infection par le VIH. Les objectifs de la pharmacothérapie en cas d'infection par le VIH sont les suivants : faire baisser le taux d'ARN viral à moins de 5000 copies/µL (taux visé : inférieur au seuil de détection), maintenir ou augmenter la numération

PHARMACOTHÉRAPIE

TABLEAU 8.2 Maladies opportunistes couramment associées au SIDA*

Micro-organismes/Maladies	Manifestations cliniques	Épreuves diagnostiques	Traitement
Appareil respiratoire			
Pneumocystose *Pneumocystis carinii*	Toux non productive, hypoxémie, essoufflement progressif, fièvre, sueurs nocturnes, fatigue	Radiographie pulmonaire, expectoration induite pour prélèvement, lavage bronchoalvéolaire	Triméthoprime-sulfaméthoxazole (Bactrim), pentamidine (Pentacarinat), clindamycine (Dalacin) + primaquine, atovaquone (Mepron), corticostéroïdes
Histoplasma capsulatum	Pneumonie, fièvre, toux, perte de poids, maladie disséminée	Culture d'expectorations, analyse d'antigènes dans le sérum ou les urines	Amphotéricine B, itraconazole (Sporanox), fluconazole (Diflucan)
Bacille de la tuberculose	Toux productive, fièvre, sueurs nocturnes, perte de poids	Radiographie pulmonaire, expectorations pour tests de coloration des bacilles acidorésistants et culture	Isoniazide (INH), éthambutol, rifampine (Rifadin, Rofact), pyrazinamide (Tebrazid), streptomycine
Coccidioides immitis	Fièvre, perte de poids, toux	Culture d'expectorations, sérologie	Amphotéricine B, fluconazole, itraconazole
Sarcome de Kaposi	Dyspnée, insuffisance respiratoire	Radiographie pulmonaire, biopsie	Chimiothérapie anticancéreuse, interférons alpha, radiothérapie
Appareil tégumentaire			
Herpès, type 1 et type 2	Lésions ulcéreuses mucocutanées orolabiales (type 1), lésions ulcéreuses mucocutanées génitales et périanales (type 2)	Culture virale	Acyclovir (Zovirax), famciclovir (Famvir), valacyclovir (Valtrex)
Virus varicelle-zona	Zona, éruption maculopapulaire érythémateuse le long des plans des dermatomes, douleur, prurit	Culture virale	Acyclovir, famciclovir, valacyclovir
Sarcome de Kaposi	Lésions multicentriques, hyperpigmentées, fermes, plates, en relief ou nodulaires	Biopsie des lésions	Chimiothérapie anticancéreuse, interférons alpha, radiothérapie des lésions
Angiomatose bacillaire	Papules vasculaires érythémateuses, nodules sous-cutanés	Biopsie des lésions	Érythromycine, doxycycline (Vibra-Tabs)
Œil			
Rétinite à cytomégalovirus	Lésions rétiniennes, vision trouble, perte de la vision	Examen ophtalmoscopique	Ganciclovir (Cytovene)
Virus herpétique, type 1	Vision trouble, lésions cornéennes, nécrose rétinienne aiguë	Examen ophtalmoscopique	Acyclovir, famciclovir, valacyclovir
Virus varicelle-zona	Lésions oculaires, nécrose rétinienne aiguë	Examen ophtalmoscopique	Acyclovir, famciclovir, valacyclovir
Appareil gastro-intestinal			
Cryptosporidium muris	Diarrhée aqueuse, douleurs abdominales, perte de poids, nausée	Examen des selles, biopsie de l'intestin grêle ou du côlon	Antidiarrhéiques, paromomycine (Humatin), azithromycine (Zithromax), atovaquone, octréotide (Sandostatin)
Cytomégalovirus	Stomatite, œsophagite, gastrite, colique, diarrhée sanguinolente, perte de poids	Visualisation endoscopique, culture, biopsie pour écarter d'autres causes	Ganciclovir
Herpès, type 1	Éruptions vésiculaires sur la langue, la muqueuse buccale, pharyngée ou œsophagienne périorale	Culture virale	Acyclovir, famciclovir, valacyclovir
Candida albicans	Taches blanc-jaune dans la bouche, l'œsophage, le tractus gastro-intestinal	Examen microscopique après grattage des lésions, culture	Fluconazole, nystatine (Nilstat), itraconazole, amphotéricine B

8

PHARMACOTHÉRAPIE

TABLEAU 8.2 Maladies opportunistes couramment associées au SIDA* *(suite)*

Micro-organismes/Maladies	Manifestations cliniques	Épreuves diagnostiques	Traitement
Complexe *Mycobacterium avium*	Diarrhée aqueuse, perte de poids	Biopsie de l'intestin grêle avec coloration des bacilles acido résistants et culture	Clarithromycine (Biaxin), rifampine, ciprofloxacine (Cipro), rifabutine (Mycobutin), amikacine (Amikin), azithromycine
Isospora belli	Diarrhée, perte de poids, nausée, douleurs abdominales	Examen des selles, biopsie de l'intestin grêle ou du côlon	Triméthoprime-sulfaméthoxazole (Septra), pyriméthamine (Daraprim) + acide folinique
Salmonella	Gastroentérite, fièvre, diarrhée	Prélèvement sanguin et culture des selles	Ciprofloxacine, ampicilline, amoxicilline, triméthoprime-sulfaméthoxazole
Sarcome de Kaposi	Diarrhée, lésions hyperpigmentées de la bouche et du tractus gastro-intestinal	Transit digestif, biopsie	Chimiothérapie anticancéreuse, interférons alpha, radiothérapie
Lymphome non hodgkinien	Douleurs abdominales, fièvre, sueurs nocturnes, perte de poids	Biopsie des ganglions lymphatiques	Chimiothérapie
Système neurologique Toxoplasmose *Toxoplasma gondii*	Dysfonctionnement cognitif, déficience motrice, fièvre, altération de l'état mental, céphalée, convulsions, anomalies sensorielles	IRM, tomodensitométrie, sérologie toxoplasmatique, biopsie cérébrale	Clindamycine, azithromycine, clarithromycine
Virus JC du groupe Papova	Leucoencéphalopathie multifocale progressive, diminution des facultés mentales et motrices	IRM, tomodensitométrie, biopsie cérébrale	Une thérapie antirétrovirale efficace peut faciliter le traitement
Méningite cryptococcique	Atteinte cognitive, dysfonctionnement moteur, fièvre, convulsions, céphalée	Tomodensitométrie, test d'antigène sérique, analyse du liquide céphalorachidien	Amphotéricine B, fluconazole, itraconazole
Lymphomes du SNC	Déficience cognitive, dysfonctionnement moteur, aphasie, convulsions, modifications de la personnalité, céphalée	IRM, tomodensitométrie	Radiothérapie, chimiothérapie
Complexe démentiel du SIDA	Début insidieux de démence progressive	Tomodensitométrie	Une thérapie antirétrovirale efficace peut faciliter le traitement

Sources : BARTLETT, J.G. *Medical Management of HIV infection*, Baltimore, MD, Johns Hopkins University, 1998; et SANDE M.A., VOLBERDING P.A. *The medical management of AIDS*, 5ᵉ éd., Philadelphie, Saunders, 1997.
* Les maladies opportunistes sont regroupées par système ou appareil. Il est toutefois important de noter que la dissémination est un phénomène courant en cas d'infection par le VIH.
IRM : imagerie par résonance magnétique ; SNC : système nerveux central.

des lymphocytes T CD4$^+$ à plus de 500 cellules/µL (numération visée : entre 800 et 1200 cellules/µL) et retarder l'apparition des symptômes liés au VIH, notamment les maladies opportunistes. Il existe maintenant un grand choix de pharmacothérapies pour aider les clients à atteindre ces objectifs. La rapidité d'apparition des nouveaux traitements a créé une confusion quant à la manière et au moment d'administrer les traitements antirétroviraux. L'encadré 8.2 résume les principes thérapeutiques de l'infection par le VIH. Les recommandations à suivre pour amorcer le traitement chez un client atteint d'une infection chronique sont énumérées au tableau 8.4. Un objectif important de ces recommandations consiste à éviter la création d'une résistance virale aux médicaments, laquelle ne tarde pas à apparaître lorsque le client saute ou retarde une dose. C'est pourquoi il est extrêmement important de respecter rigoureusement le protocole de traitement.

Des médicaments appartenant à trois classes pharmacologiques distinctes ont maintenant été approuvés pour traiter l'infection par le VIH. Les progrès rapides réalisés en recherche accélèrent la découverte de nouvelles classes de médicaments ou l'élaboration de nouveaux médicaments dans les classes existantes. Aucun médicament ni aucune association de médicaments ne permet de guérir l'infection par le VIH, mais les nouveaux traitements peuvent réduire la réplication du virus et retarder l'évolution de la maladie chez de nombreux clients. L'existence de médicaments antirétroviraux appartenant à des classes différentes présente l'avantage de pouvoir administrer aux clients des traitements en association, pour lesquels la probabilité de résistance est plus faible. Un autre avantage réside dans le fait que le client peut maintenant bénéficier d'autres options thérapeutiques lorsqu'une pharmacothérapie donnée se révèle inefficace pour lui.

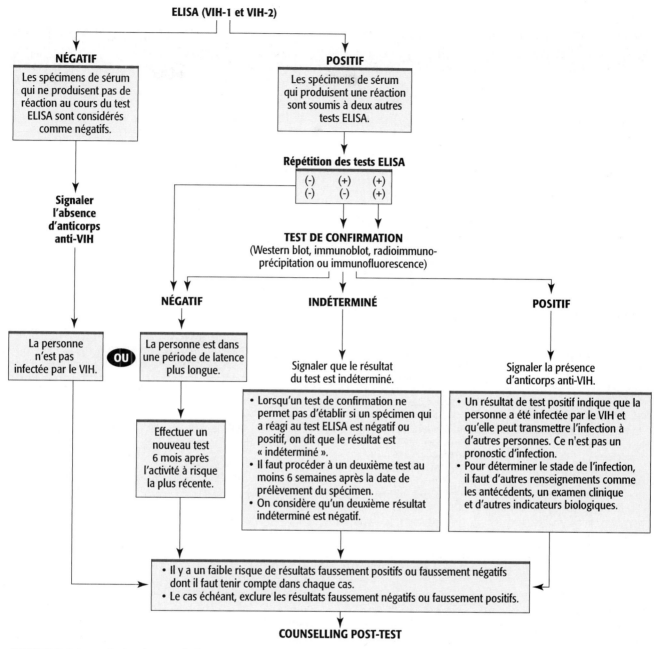

FIGURE 8.6 Interprétation des tests de détection du VIH

Adapté de *Sérodiagnostic du VIH. Lignes directrices pour le counselling.* Association médicale canadienne, 1995.

Parmi les trois classes de médicaments actuellement approuvés, deux inhibent la capacité du VIH de produire une copie d'ADN au début de la réplication et l'autre empêche le virus de fabriquer des virions viables au cours des derniers stades de la réplication (voir tableau 8.5). L'action des inhibiteurs nucléosidiques de la transcriptase inverse (INTI) et des inhibiteurs non nucléosidiques de la transcriptase inverse (INNTI) consiste à inhiber l'activité de la transcriptase inverse. Les inhibiteurs de la protéase (IP) nuisent à l'activité de la pro-

téase. Lorsque les IP sont administrés seuls, il se crée rapidement une résistance, ce qui pose un problème majeur. C'est pourquoi les IP doivent toujours être administrés en association avec d'autres médicaments et leur posologie doit être rigoureusement respectée. Les IP et les INNTI donnent également lieu à un certain nombre d'interactions dangereuses et parfois mortelles avec des médicaments couramment administrés.

Comme le traitement à l'aide de nouvelles associations de médicaments a donné des améliorations spectaculaires

ÉPREUVES DIAGNOSTIQUES

TABLEAU 8.3	Visite initiale et visites de contrôle dans les cas d'infection par le VIH	
Épreuves diagnostiques	**Visite initiale**	**Fréquence***
Consultation médicale avec examen physique complet	√	Tous les trois mois
Hématologie FSC différentielle et numération plaquettaire	√	Tous les trois mois
Biochimie Urée, créatinine Bilirubine totale et directe Glucose ALT, AST, LDH, phosphatase alcaline Acide lactique Bilan lipidique	√	Tous les trois mois
Lymphocytes T	√	Tous les trois mois
Charge virale	√	Tous les trois mois
VDRL	√	Tous les ans tant que le client est sexuellement actif
Sérologie Hépatite B et *Toxoplasma* Cytomégalovirus (CMV) Complexe *Mycobacterium avium* (CMA)	√ √ √	Tous les ans si le résultat devient négatif Tous les trois mois si CD4 <100 Tous les trois mois si CD4 <100
Génotypage	√	Au début de la pharmacothérapie et lors de l'administration d'un nouveau médicament antirétroviral
Examen cutané du PPD (par la méthode de Mantoux)	√	Tous les ans
Radiologie Radiographie du thorax Mammographie	√ √	Tous les ans Tous les ans pour les femmes âgées de 50 ans et plus
Examen gynécologique et test de Papanicolaou	√	Tous les six mois
Examen dentaire	√	Tous les six mois pour un nettoyage

* La fréquence des épreuves diagnostiques peut augmenter et d'autres épreuves peuvent s'ajouter si l'état du client le nécessite.
ALT : alanine transférase ; AST : aspartate transférase ; FSC : formule sanguine complète ; LDH : lacticodéshydrogénase ; PPD : tuberculines purifiées ; VDRL : Laboratoire de recherche sur les maladies vénériennes

chez de nombreux clients infectés, les recommandations thérapeutiques actuelles préconisent un traitement antirétroviral avec au moins trois médicaments, de préférence deux INTI et un IP. La monothérapie n'est pas recommandée, sauf en cas de circonstances atténuantes. Bien que les études réalisées sur ces protocoles de traitement donnent généralement de très bons résultats, avec une charge virale réduite de 90 % à 99 % dans de nombreux cas, quelques problèmes subsistent. Près de la moitié des clients infectés par le VIH ne réagiront pas de manière spectaculaire aux médicaments, ce qui crée parfois des sentiments de culpabilité, de désespoir et une impression de futilité. En outre, de nombreux clients ne peuvent pas prendre les traitements en association à cause des effets indésirables, des réactions aux médicaments ou parce qu'ils ne peuvent pas respecter rigoureusement les horaires d'administration ou les prescriptions alimentaires imposés par ces traitements. Malgré l'amélioration des perspectives de traitement, il n'existe pas encore de recette miracle.

Pharmacothérapie des maladies opportunistes. Les nombreuses maladies opportunistes susceptibles de se déclarer à mesure que le système immunitaire se dégrade viennent compliquer le traitement du VIH. Bien qu'il ne soit pas possible d'éradiquer ces maladies, il existe toutefois des moyens de les traiter. Pour éviter la récurrence de la maladie, les traitements suppressifs doivent être poursuivis à vie. Les progrès réalisés dans le diagnostic et le traitement des maladies opportunistes ont contribué de manière considérable à augmenter l'espérance de vie. Le tableau 8.2 énumère les traitements

Résumé des principes thérapeutiques pour l'infection par le VIH — ENCADRÉ 8.2

- La réplication continue du VIH endommage le système immunitaire et favorise l'évolution vers le SIDA. L'infection par le VIH est toujours dangereuse et il est rare d'observer une longue durée de survie sans dysfonctionnement immunitaire.
- Les taux plasmatiques d'ARN du VIH indiquent l'ampleur de la réplication du VIH et le taux correspondant de destruction des lymphocytes T CD4$^+$, alors que la numération des lymphocytes T CD4$^+$ indique l'étendue des dégâts déjà causés par le VIH sur le système immunitaire. Il est nécessaire de mesurer régulièrement le taux plasmatique d'ARN du VIH et la numération des lymphocytes T CD4$^+$ pour déterminer le risque de progression de la maladie chez un sujet infecté par le VIH et pour décider à quel moment amorcer ou modifier le traitement antirétroviral.
- Comme la maladie évolue plus ou moins vite selon les individus, les décisions thérapeutiques doivent être personnalisées en fonction du niveau de risque indiqué par le taux plasmatique d'ARN du VIH et la numération des lymphocytes T CD4$^+$.
- Le recours à un traitement antirétroviral permet d'inhiber la réplication de l'ARN du VIH. L'utilisation excessive de ces médicaments produit une résistance virale, ce qui diminue l'efficacité du traitement.
- Le moyen le plus efficace d'obtenir une suppression durable de la réplication du VIH consiste à amorcer simultanément des traitements en association par des médicaments anti-VIH qui n'ont pas encore été administrés au client et qui n'ont pas de résistance mutuelle avec les agents antirétroviraux par lesquels le client a déjà été traité.
- Tous les médicaments antirétroviraux utilisés dans le cadre des traitements en association doivent toujours être administrés selon des posologies et des horaires optimaux.
- Les médicaments antirétroviraux offerts sont en nombre limité et leur mode d'action ainsi que la résistance virale ont été documentés. Un changement quelconque de traitement antirétroviral ouvre donc la voie à des contraintes thérapeutiques futures.
- Les femmes doivent recevoir un traitement antirétroviral optimal, qu'elles soient enceintes ou non.
- Les mêmes principes de traitement antirétroviral s'appliquent aux enfants et aux adultes, bien que le traitement des enfants infectés par le VIH fasse intervenir des considérations pharmacologiques, virologiques et immunologiques particulières.
- Les personnes atteintes d'une infection primaire aiguë par le VIH doivent recevoir un traitement antirétroviral en association pour supprimer la réplication du virus et faire descendre la charge virale en-dessous du seuil de détection des tests sensibles de dépistage de l'ARN du VIH dans le plasma.
- Les personnes infectées par le VIH, même celles dont la charge virale est inférieure au seuil de détection, doivent être considérées comme étant contagieuses et il faut leur conseiller d'éviter les comportements liés à la sexualité ou à l'usage de drogues qui favorisent la transmission ou l'acquisition du VIH et d'autres agents pathogènes infectieux.

Extrait de *Report of the NIH Panel to Define Principles of Therapy of HIV Infection*, National Institutes of Health, 1997.

PHARMACOTHÉRAPIE

TABLEAU 8.4 Indications pour amorcer un traitement antirétroviral chez le client atteint d'une infection chronique par le VIH

Traitement possible	Traitement recommandé
Prime infection possible par le VIH Infection asymptomatique avec CD4$^+$ >500/µL et charge virale <10 000 copies/µL	Diagnostic de SIDA posé Infection symptomatique Infection asymptomatique avec CD4$^+$ <500/µL Infection asymptomatique avec charge virale >10 000 copies/ml

Extrait de *Guidelines for the Use of Antiretroviral Agents in HIV-Infected Adults and Adolescents*, Department of Health and Human Services (DHHS), 1997.

administrés aux sujets infectés par le VIH pour des maladies opportunistes courantes.

Il est toujours préférable d'empêcher l'apparition de ces maladies. Plusieurs maladies opportunistes liées au SIDA peuvent être retardées ou évitées grâce à des traitements antirétroviraux et aux interventions prophylactiques propres à chaque maladie. La prophylaxie contribue de manière importante à réduire la morbidité et la mortalité liées à l'infection par le VIH. Les interventions prophylactiques sont administrées en fonction de critères établis (voir tableau 8.6).

Vaccination. Au début de l'épidémie, on a cru avec optimisme qu'un vaccin serait rapidement mis au point. Malgré les nombreux travaux de recherche et de développement, les scientifiques n'y sont pas encore parvenus, mais l'on espère trouver un vaccin efficace dans les années à venir. L'élaboration d'un vaccin contre le VIH se heurte en effet à de nombreux problèmes. Étant un agent pathogène intracellulaire, le VIH ne peut pas être détecté par les facteurs immunitaires circulants. Comme le VIH mute rapidement, les sujets infectés peuvent héberger des variantes du virus contre lesquelles un

PHARMACOTHÉRAPIE

TABLEAU 8.5   Agents antirétroviraux administrés dans l'infection par le VIH*†

Médicaments/Administration	Effets indésirables
Inhibiteurs nucléosidiques de la transcriptase inverse (INTI)	
Zidovudine (AZT, Retrovir)	Fatigue, malaise, céphalée, intolérance gastro-intestinale, nausée, insomnie, asthénie, hépatite, myalgie ; suppression de la moelle osseuse : anémie, neutropénie, granulocytopénie
Didanosine (ddI, Videx) La dose doit être administrée en deux comprimés pour produire un effet tampon suffisant pour l'absorption. Les comprimés doivent être mâchés ou dissous pour libérer l'agent tampon.	Pancréatite, neuropathie périphérique douloureuse (réversible et fonction de la dose), intolérance gastro-intestinale, éruption cutanée, suppression de la moelle osseuse, hyperuricémie, hépatite
Zalcitabine (ddC, Hivid)	Neuropathie périphérique douloureuse (réversible et fonction de la dose), stomatite, ulcères de la bouche ou de l'œsophage, pancréatite, nausée, diarrhée, hépatite
Stavudine (d4T, Zerit)	Neuropathie périphérique douloureuse, élévation du taux de SGPT, anémie, céphalée
Lamivudine (3TC, Heptovir)	Toxicité minime, céphalée, malaise, diarrhée, insomnie, nausée, douleurs abdominales
Abacavir (Ziagen)	Hypersensibilité, fièvre, nausée, vomissements, malaise, éruption cutanée ; peut provoquer un événement mettant la vie en danger si l'hypersensibilité est réactivée
Combivir (association de lamivudine et de zidovudine)	Effets secondaires combinés de la lamivudine et de la zidovudine
Inhibiteurs non nucléosidiques de la transcriptase inverse (INNTI)	
Névirapine (Viramune)	Éruption cutanée, syndrome de Stevens-Johnson, fièvre, nausée, céphalée, augmentation des enzymes hépatiques
Delavirdine (Rescriptor) Mélanger les comprimés dans 100 ml d'eau ou plus pour obtenir une suspension. Administrer avec ou sans aliments.	Éruption cutanée, prurit, céphalée, fatigue, nausée, vomissements, diarrhée, conjonctivite
Éfavirenz (Sustiva) Administrer au coucher pour atténuer les effets secondaires ; ce médicament ne doit pas être administré aux femmes enceintes.	Étourdissements, sentiment de détachement de la réalité, insomnie, cauchemars, disparaissent en général au bout de deux semaines ; éruption cutanée, nausée, diarrhée, céphalée
Inhibiteurs de la protéase (IP)	
Saquinavir (Fortovase, Invirase) Administrer au cours d'un repas ou 2 h avant ou après un repas complet.	Diarrhée, douleurs abdominales, nausée, céphalée, taux élevés d'enzymes transaminases
Indinavir (Crixivan) Assurer une hydratation suffisante durant le traitement ; le patient doit boire de 2 à 4 L de liquide par jour. Administrer 1 h avant ou après un repas. Ne pas prendre en concomitance avec du jus de pamplemousse.	Calculs rénaux (douleurs au côté avec ou sans hématurie), hyperbilirubinémie asymptomatique, céphalée, vision trouble, étourdissements, nausée, vomissements, diarrhée, éruption cutanée, fatigue, insomnie, thrombocytopénie, goût métallique dans la bouche
Ritonavir (Norvir) Il est préférable mais non obligatoire d'administrer le médicament avec des aliments. Garder les capsules au réfrigérateur (la monodose peut être conservée à température ambiante pendant un délai allant jusqu'à 12 h). On peut prendre le médicament avec du lait chocolaté pour atténuer l'arrière-goût amer.	Nausée, diarrhée, vomissements, anorexie, douleurs abdominales, altération du goût, paresthésie périlabiale et périphérique, asthénie, élévations des taux de triglycérides, de transaminase, de CK et d'acide urique
Nelfinavir (Viracept) Prendre avec un repas ou une légère collation.	Diarrhée, nausée, douleurs lombaires, fièvre, céphalée, malaise, anorexie, anémie
Amprénavir (Agenerase)	Diarrhée, faiblesse, céphalée, nausée, douleurs abdominales

Sources : BARTLETT, J.G. *Medical Management of HIV infection*, Baltimore, MD, Johns Hopkins University, 1998 ; et *Guidelines for the use of antiretroviral agents in HIV-infected adults and adolescents*, 1997.

* Les recommandations thérapeutiques actuelles encouragent l'administration de ces médicaments en association. Les produits suivants ne doivent jamais être utilisés en monothérapie : lamivudine ou n'importe quel INNTI ou IP.

† La plupart de ces médicaments, en particulier les INNTI et les IP, provoquent des interactions graves et parfois mortelles lorsqu'ils sont administrés en association avec d'autres médicaments couramment utilisés, dont certains sont offerts en vente libre.

SGPT : sérum glutamopyruvique transaminase ; CK : créatine kinase.

PHARMACOTHÉRAPIE

TABLEAU 8.6	Interventions prophylactiques pour les clients infectés par le VIH	
Agents pathogènes	**Interventions prophylactiques**	**Commentaires**
Virus de l'hépatite B (VHB)	Série de vaccins contre l'hépatite B ; dépister et vacciner les sujets qui ne présentent pas de signes d'infection antérieure par le VHB	Administrer le plus tôt possible durant l'infection. Encourager la vaccination dans le cas des toxicomanes, des hommes homosexuels sexuellement actifs et des partenaires sexuels ou des personnes en contact direct avec des sujets infectés par le VHB.
Virus de la grippe	Vaccin contre la grippe à base de virus entier ou partiel	Administrer chaque année, avant la saison.
Complexe *Mycobacterium avium* (CMA)	Clarythromycine (Biaxin) ou azithromycine (Zithromax) (préférable) ; rifabutine (Mycobutin)	Amorcer lorsque la numération des lymphocytes T CD4$^+$ devient inférieure à 50/μL. Écarter les maladies disséminées ou la tuberculose. La rifabutine a provoqué à certaines doses (au-dessus de 600 mg/jour) une uvéite réversible dès que l'on cesse d'administrer le médicament ou que l'on réduit la dose.
Bacille de la tuberculose	Traiter si le PPD est supérieur à 5 mm, après une exposition à haut risque ou en cas de PPD antérieur positif non traité. Isoniazide (INH) + pyridoxine pendant 12 mois Envisager un traitement en observation directe	Écarter une maladie active, une maladie extrapulmonaire ou une souche résistante au médicament, qui nécessitent toutes une multithérapie. Ne pas oublier qu'un résultat négatif de PPD en présence de VIH n'exclut pas un diagnostic de tuberculose. Effectuer une collecte constante des données et prévoir des interventions en continu.
Pneumonie à pneumocoques	Vaccin antipneumococcique	Administrer le plus rapidement possible en cours d'infection. La réaction des anticorps est optimale lorsque la numération des lymphocytes T CD4$^+$ est >350/μL.
Pneumocystose	Triméthoprime-sulfaméthoxazole (TMP-SMX) (préférable), pentamidine (Pentacarinat) en aérosol	Amorcer le traitement lorsque la numération des lymphocytes T CD4$^+$ devient inférieure à 200/μL. Offrir à tous les clients ayant des antécédents de pneumocystose, présentant une fièvre d'origine indéterminée pendant deux semaines ou plus ou une candidose oropharyngée, quelle que soit leur numération de lymphocytes T CD4$^+$. Les médicaments par voie orale qui ont un effet systémique sont préférables. Les effets secondaires du TMP-SMX, en particulier l'éruption cutanée et la fièvre, sont courants et peuvent limiter l'administration de ces médicaments.
Toxoplasmose	Triméthoprime-sulfaméthoxazole (TMP-SMX) (Septra) (préférable)	Amorcer en cas de titre IgG de toxoplasmose positif, lorsque la numération des lymphocytes T CD4$^+$ descend en-dessous de 350/μL.
Virus varicelle-zona	Immunoglobuline du varicelle-zona (ZIG) administrée dans les 96 heures suivant une exposition	Uniquement après une exposition importante à la varicelle ou au zona pour des clients sans antécédents de la maladie ou donnant un résultat négatif au test d'anticorps du virus varicelle-zona.

Sources : BARTLETT, J.G. *Medical Management of HIV infection*, Baltimore, MD, Johns Hopkins University, 1998 ; MASCI, J.R. *Outpatient management of HIV infection*, 2e éd., St. Louis, Mosby, 1996. CDC *USPHS/IDSA guidelines for the prevention of opportunistic infections in persons infected with human immunodeficiency virus*, 46(RR-12):1, 1997.
PPD : tuberculines purifiées.

vaccin spécifique ne serait pas efficace. De plus, le SIDA est causé par deux souches de VIH (VIH-1 et VIH-2) et il existe au moins 10 sous-types de VIH-1 dans le monde. Même si l'on élabore un vaccin contre le sous-type B (prédominant en Amérique et en Europe occidentale), ce vaccin peut se révéler inefficace dans les pays en voie de développement, où le besoin est criant. La mise au point d'un vaccin est confrontée à un problème majeur : les mécanismes de l'immunisation contre le VIH ne sont pas bien connus. La production d'anticorps après la vaccination est généralement un signe d'immunité ; cependant, les anticorps produits par les sujets infectés n'entravent pas le cours de la maladie, ni ne confèrent une immunité. Étant donné que le VIH se transmet souvent par contact des muqueuses, un vaccin efficace devrait offrir une protection des muqueuses, en plus d'une protection systémique.

La vaccination pose également des problèmes d'ordre social, économique et moral. Comme il n'existe pas de modèle animal du VIH, l'efficacité du vaccin ne peut être établie que par des essais sur des humains. Comment recruter des volontaires? Comment déterminer si la protection est réelle? Peut-on exposer les volontaires au VIH après les avoir vaccinés afin de tester leur immunité? Le VIH étant un problème mondial, et les pays en voie de développement étant les plus touchés par l'épidémie, est-il possible de mettre au point un vaccin qui sera distribué à grande échelle, en peu de temps et à un coût acceptable?

Malgré l'ampleur de ces problèmes, de nombreux travaux de recherche sont en cours. Des vaccins à divers stades de développement ont été testés sur des animaux et quelques-uns sont parvenus au stade des essais sur les humains. Néanmoins, les autorités rappellent que la mise au point d'un vaccin ne pourra pas remplacer les méthodes de prévention actuelles, qui visent à réduire les comportements à risque. Aucun vaccin ne peut être efficace à 100%.

8.1.7 Soins infirmiers : infection par le VIH

Collecte de données. La collecte des données peut être effectuée chez des personnes dont le diagnostic n'a pas encore été confirmé. La collecte doit mettre en évidence les comportements à risque reliés aux relations sexuelles et à l'injection de drogues. L'infirmière doit déterminer les risques courus par le client en posant les questions suivantes : Avant 1985, avez-vous reçu des transfusions sanguines, des dérivés sanguins ou du facteur VIII concentré? Avez-vous utilisé des aiguilles, des seringues ou du matériel d'injection contaminé par le sang? Avez-vous déjà eu des rapports sexuels non protégés faisant intervenir une fellation ou la pénétration vaginale ou anale? Avez-vous déjà contracté une infection transmise sexuellement? Une réponse affirmative à l'une ou l'autre de ces questions nécessite une investigation approfondie.

En cas d'infection par le VIH, il est nécessaire de recueillir des données subjectives et objectives détaillées (voir encadré 8.3). Une analyse adéquate des données permettra le dépistage précoce et la mise sous traitement immédiate afin de réduire la morbidité et la mortalité associées à l'infection par le VIH. Une évaluation physique des différents systèmes et appareils de l'organisme peut aider l'infirmière à déceler rapidement les problèmes.

Diagnostics infirmiers. Les diagnostics infirmiers reliés à l'infection par le VIH dépendent de plusieurs variables : le stade (p. ex. s'intéresse-t-on à la prévention de l'infection par le VIH? Craint-on une infection opportuniste? Le client est-il en phase terminale de la maladie?), la présence de problèmes physiques spécifiques (p. ex. détresse respiratoire, dépression, dépérissement) et les facteurs sociaux (p. ex. l'estime de soi, la sexualité, les interactions familiales, la situation financière). Comme l'infection par le VIH est une maladie complexe et que son évolution varie selon l'individu, plusieurs diagnostics infirmiers peuvent être posés.

Planification. L'infection par le VIH compromet tous les aspects de la vie du client : sa santé physique et son bien-être social, émotionnel, économique et spirituel. Les interventions infirmières visent à prévenir la transmission de la maladie, à repérer les comportements à risque du client et à évaluer ses connaissances. Elles doivent aider le client à adopter des comportements plus sains et plus sécuritaires.

Les objectifs du traitement consistent à maintenir une charge virale minimale et à assurer une réponse immunitaire efficace. Les interventions infirmières portent spécifiquement sur l'observance du programme de pharmacothérapie, la promotion de la santé et la prévention des maladies opportunistes. De plus, l'infirmière encourage le client infecté à protéger les autres personnes contre l'infection par le VIH, à entretenir ou à établir des relations qui procurent un soutien, à poursuivre ses activités professionnelles le plus longtemps possible et à essayer de trouver un sens à la maladie et à la mort. Les soins infirmiers doivent se conformer à l'individu, à la progression de la maladie et aux nouveaux traitements.

Exécution. La complexité de l'infection par le VIH est liée à la chronicité de la maladie. Comme pour la plupart des maladies chroniques et infectieuses, la prévention primaire et la promotion de la santé sont les stratégies de soin les plus efficaces. La maladie survient lorsque la prévention échoue. Les maladies opportunistes entraînent une invalidité et un dysfonctionnement croissants et contribuent à la morbidité et à la mortalité.

À chaque stade de l'infection par le VIH, les interventions infirmières peuvent améliorer la qualité de vie et la durée de survie du client. L'infirmière fait appel à une approche holistique et personnalisée afin de prodiguer des soins optimaux. L'encadré 8.4 résume les objectifs des soins et les interventions appropriées pour chaque stade de l'infection.

Promotion de la santé. Le but premier des activités de promotion de la santé est d'éviter la maladie. Malgré les progrès récents en matière de traitement, la prévention demeure cruciale pour lutter contre l'épidémie. L'objectif secondaire des activités de promotion de la santé est la détection précoce de la maladie. Une intervention rapide réduit la morbidité et la mortalité.

COLLECTE DE DONNÉES
Client infecté par le VIH

Données subjectives

Information importante concernant la santé
- Antécédents de santé : voies de transmission ; hépatite ; ITS ; tuberculose, voyages à l'étranger, infections virales, fongiques ou bactériennes
- Médicaments : ingestion de médicaments immunosuppresseurs

Modes fonctionnels de santé
- Mode perception et gestion de la santé : perception de la maladie ; consommation d'alcool et de drogue ; malaise
- Mode nutrition, métabolisme : perte de poids, anorexie, nausées, vomissements ; lésions, saignements ou ulcérations des lèvres, de la bouche, des gencives, de la langue ou de la gorge ; sensibilité aux aliments acides, salés ou épicés ; difficulté à avaler ; crampes abdominales ; éruptions ou lésions cutanées, changement de pigmentation de la peau ; plaies qui ne guérissent pas
- Mode élimination : diarrhée persistante, changement dans l'aspect des selles, dysurie
- Mode activité et exercice : fatigue chronique, faiblesse musculaire, difficulté à marcher ; toux, essoufflement
- Mode sommeil et repos : insomnie, sueurs nocturnes
- Mode cognition et perception : céphalées, raideur de la nuque, douleur thoracique, douleur rectale, douleur rétrosternale, vision embrouillée, photophobie, diplopie, cécité ; troubles auditifs, confusion, perte de mémoire, déficit de l'attention, modification de l'état mental, changements de personnalité, paresthésie, hypersensibilité aux pieds, prurit
- Mode relation et rôle : réseau de soutien, ressources financières
- Mode sexualité et reproduction : lésions des organes génitaux (internes ou externes), prurit ou sensation de brûlure au vagin, dyspareunie, changements du cycle menstruel, écoulement vaginal ou pénien
- Mode adaptation et tolérance au stress : niveaux de stress, pertes antérieures, modes d'adaptation, concept de soi

Données objectives

Généralités
- Léthargie, fièvre persistante, lymphadénopathie, altération de l'état général, isolement social

Appareil tégumentaire
- Diminution de la turgescence de la peau, peau sèche ; diaphorèse ; pâleur, cyanose ; lésions, éruptions cutanées ou mucosales, contusion ; lésion vaginale ou périanale, alopécie, retard dans la cicatrisation des plaies

Yeux
- Présence d'écoulement, lésions ou hémorragies rétiniennes, œdème papillaire

Appareil respiratoire
- Tachypnée, dyspnée, tirage intercostal, râles crépitants, respiration sifflante, toux productive ou non productive

Appareil cardiovasculaire
- Frottement péricardique, murmure vésiculaire, bradycardie, tachycardie

Appareil gastro-intestinal
- Lésions buccales, vésicules (virus de l'herpes simplex), taches grisâtres (candidose), lésions blanchâtres indolores sur les faces latérales de la langue (leucoplasie orale), papules rouges ou roses sur la muqueuse buccale (sarcome de Kaposi) ; gingivite, caries dentaires ou déchaussement des dents ; rougeurs ou lésions blanches sur la gorge ; vomissements, diarrhée, incontinence ; lésions rectales, bruits intestinaux hyperactifs, masses abdominales, hépatosplénomégalie, défense musculaire

Appareil locomoteur
- Dépérissement musculaire

Système neurologique
- Ataxie, tremblements, manque de coordination ; perte sensorielle ; trouble de l'élocution, aphasie ; perte de mémoire, apathie, agitation, dépression, comportement inadéquat, état de conscience altéré, convulsions, paralysie, coma

Appareil reproducteur
- Lésions ou écoulements génitaux, sensibilité abdominale occasionnée par une infection pelvienne

Résultats possibles
- Résultat positif au test de dépistage des anticorps anti-VIH (EIA ou ELISA confirmé par immunotransfert [Western blot] ou immunofluorescence) ; prélèvement de VIH ou ACP positif, charge virale détectable par ADNb ou ACP, baisse de la numération lymphocytaire CD4$^+$, inversion du rapport CD4:CD8 ; diminution de la numération leucocytaire, lymphopénie, anémie, thrombocytopénie ; déséquilibre électrolytique ; résultats anormaux aux tests de la fonction hépatique

ACP : amplification en chaîne par polymérase ; EIA : épreuve immunoenzymatique ; ELISA : dosage immunoenzymatique ELISA ; ITS : infection transmissible sexuellement.

Prévention de l'infection par le VIH. Il est possible de prévenir l'infection par le VIH. Tant qu'il n'existe pas de vaccin, l'éducation et la modification des comportements sont les seuls outils de prévention. Les messages éducatifs doivent être adaptés aux besoins, à la culture, à la langue et à l'âge des clients. L'infirmière est bien placée pour renseigner le client, à condition qu'elle se sente à l'aise et bien informée pour aborder des sujets délicats comme la sexualité et la toxicomanie.

Depuis le milieu des années 1980, on a fait connaître certains comportements sécuritaires que l'on a recommandés. Il est important de savoir qu'il existe toute une gamme d'activités permettant de réduire le risque d'infection par le VIH et que les individus peuvent choisir les moyens qui leur conviennent. L'objectif est de remplacer les comportements actuels par des comportements plus sains et moins risqués. On doit faire une distinction entre les mesures radicales, qui éliminent le

Plan de soins infirmiers

Infection au VIH/SIDA

DIAGNOSTIC INFIRMIER : mode de respiration inefficace.

Origine du problème
- Pneumonie
- CMV
- Sarcome de Kaposi
- Anémie

Signes et symptômes
- Tachypnée
- Dyspnée
- Toux
- Cyanose

PLANIFICATION
Résultats escomptés
- La toux est efficace, les expectorations sont claires et fluides.
- Le client présente des signes de bonne oxygénation (absence de cyanose).

INTERVENTIONS	Justifications
• Surveiller le pouls, le rythme respiratoire, la température, la saturation en oxygène, la coloration des expectorations et l'état de conscience.	• Évaluer la capacité cardiorespiratoire et l'oxygénation tissulaire.
• Maintenir une position semi-assise et penchée vers l'avant.	• Favoriser une expansion pulmonaire optimale et l'utilisation des muscles accessoires
• Administrer de l'O_2 selon saturation et gaz artériel.	• Assurer une oxygénation tissulaire adéquate.
• Favoriser les exercices respiratoires, la toux forcée et l'emploi de l'Inspirex.	• Favoriser l'expulsion des expectorations, l'expansion pulmonaire et l'échange gazeux.
• Favoriser une hygiène buccale fréquente.	• Pallier le dessèchement de la muqueuse buccale.

DIAGNOSTIC INFIRMIER : risque élevé de déficit du volume liquidien.

Origine du problème
- Candidose
- Perte liquidiennes excessives (diarrhées)

Signes et symptômes
- Déshydratation, faiblesse, soif
- Déséquilibre hydroélectrolytique
- Muqueuses sèches, peau sèche

PLANIFICATION
Résultats escomptés
- Maintien d'un poids normal.
- Absence de faiblesse et de soif.
- Valeurs de l'Hb et de l'Ht dans les limites normales.

INTERVENTIONS	Justifications
• Surveiller le pouls, le rythme respiratoire, la température et la tension artérielle, la mesure de l'Hb et de l'Ht.	• Surveiller l'apparition d'une hypovolémie.
• Peser le client.	• Surveiller s'il y a déshydratation avec perte de poids soudaine.
• Noter les ingesta et les excreta.	• Évaluer les besoins de remplacement.
• Évaluer le pli cutané.	• Vérifier la présence de déshydratation et, dans l'affirmative, en évaluer le degré.
• Favoriser l'hydratation orale ou parentérale.	• Remplacer la perte liquidienne causée par l'incapacité à ingérer des liquides.
• Favoriser une hygiène buccale fréquente.	• Pallier le dessèchement de la muqueuse buccale.

DIAGNOSTIC INFIRMIER : déficit nutritionnel.

Origine du problème
- Catabolisme des lésions cellulaires

Signes et symptômes
- Perte de poids
- Malnutrition

Plan de soins infirmiers

Infection au VIH/SIDA (*suite*)

PLANIFICATION
Résultats escomptés
- Diminution des facteurs en cause (nausées, diarrhée, etc.).
- État nutritionnel amélioré.

INTERVENTIONS	Justifications
• Peser le client.	• Une perte de poids constante peut révéler un apport nutritionnel déficient.
• Stimuler l'alimentation orale.	• Prévenir la malnutrition.
• Instaurer une alimentation entérale ou parentérale.	• Corriger un apport nutritionnel insuffisant.
• Administrer la médication appropriée : antidiarrhéiques, antiémétiques et suppléments vitaminiques et électrolytiques	• Favoriser un apport nutritionnel adéquat et corriger une alimentation inadéquate.

DIAGNOSTIC INFIRMIER : altération de l'élimination fécale et urinaire.

Origine du problème	Signes et symptômes
• Cryptosporidiose	• Diarrhée
• CMV	• Déshydratation
• Amibiase	• Incontinence
• Lésions digestives	

PLANIFICATION
Résultat escompté
- Maintien de l'intégrité de la peau.

INTERVENTIONS	Justifications
• Noter les ingesta et les excreta.	• Évaluer si la diarrhée entraîne une déshydratation et évaluer les besoins de remplacement liquidien.
• Appliquer les précautions universelles.	• Prévenir la transmission de l'infection entérique.
• Appliquer des crèmes.	• Prévenir les lésions cutanées et maintenir l'intégrité de la peau.
• Encourager l'hydratation.	• Éviter la déshydratation.
• Éviter les aliments stimulant la diarrhée.	
• Prévoir des dispositifs pour maîtriser l'incontinence urinaire.	
• Surveiller les escarres de décubitus.	

DIAGNOSTIC INFIRMIER : risque élevé d'altération de la température corporelle.

Origine du problème	Signes et symptômes
• Infections opportunistes	• Hyperthermie
	• Diaphorèse

PLANIFICATION
Résultats escomptés
- Maintien de la température normale.
- Maintien de l'hydratation.

INTERVENTIONS	Justifications
• Surveiller la température, le pouls et le rythme respiratoire.	• Ils peuvent révéler une hypovolémie.
• Administrer des antipyrétiques.	
• Modifier la température ambiante.	• Maintenir une température corporelle dans les limites de la normale.
• Vérifier que le client porte des vêtements appropriés.	
• Stimuler l'hydratation.	• Remplacer la perte liquidienne causée par la fièvre.

8

Plan de soins infirmiers

Infection au VIH/SIDA (*suite*)

DIAGNOSTIC INFIRMIER : risque élevé de syndrome d'immobilité.

Origine du problème	**Signes et symptômes**
• Dépérissement	• Atrophie musculaire
• Catabolisme des cellules infectées	• Faiblesse
	• Thrombose veineuse profonde

PLANIFICATION
Résultat escompté
• Prévention des complications circulatoires.

INTERVENTIONS	**Justifications**
• Encourager le client à pratiquer des exercices actifs et passifs favorisant l'amplitude des mouvements.	• Maintenir la force et le tonus musculaires et prévenir la stase veineuse.
• Coucher le client sur un matelas alvéolé.	• Maintenir l'intégrité de la peau.
• Changer fréquemment le client de position afin de réduire la pression locale.	• Maintenir l'intégrité de la peau.
• Favoriser le maintien des activités de la vie quotidienne.	• Prévenir les complications circulatoires.
• Évaluer régulièrement l'état de la peau et les signes de déshydratation.	• Prévenir les complications circulatoires.
• Mesurer régulièrement le diamètre des mollets.	• Permet d'évaluer la perte musculaire.
• Hydrater suffisamment.	• Maintenir l'intégrité de la peau

DIAGNOSTIC INFIRMIER : risque élevé d'infections et d'accidents.

Origine du problème	**Signes et symptômes**
• Immunodéficience	• Faiblesse
• Traumatisme	• Confusion
	• Hospitalisation
	• Rétinite à CMV
	• Dégradation de l'état général

PLANIFICATION
Résultat escompté
• Prévenir les infections et les accidents.

INTERVENTIONS	**Justifications**
• Surveiller les signes vitaux et les signes d'infection.	• Déceler rapidement les signes d'infection.
• Se laver les mains régulièrement.	• Prévenir la transmission de l'infection.
• Favoriser les exercices respiratoires, la toux et changer le client de position.	• Prévenir les infections des voies respiratoires.
• Maintenir une asepsie rigoureuse au besoin.	• Prévenir la transmission de l'infection.
• Surveiller l'évolution des plaies.	• Administrer rapidement les soins nécessaires.
• Surveiller les facteurs augmentant le risque d'accidents.	
• Appliquer les mesures préventives visant à réduire les risques de chute : ridelles de lit, sonnette.	

DIAGNOSTIC INFIRMIER : incapacité partielle ou totale à effectuer ses soins d'hygiène.

Origine du problème	**Signes et symptômes**
• Candidose	• Négligence de l'hygiène buccale et corporelle
• Dépérissement	
• Confusion	
• Incontinence	

Plan de soins infirmiers

ENCADRÉ 8.4

Infection au VIH/SIDA (*suite*)

PLANIFICATION

Résultats escomptés
- Favoriser la participation aux soins.
- Apporter l'aide appropriée.

INTERVENTIONS	**Justifications**
• Encourager le client à prendre un bain ou une douche quotidiennement.	• Prévenir la prolifération des agents pathogènes.
• Encourager le nettoyage des dents avec une brosse souple.	• Diminuer les infections buccales.
• Favoriser l'hydratation.	• Prévenir l'assèchement de la muqueuse buccale.
• Administrer la médication appropriée en cas d'infection fongique.	
• Aider le client s'il est incapable de veiller à son hygiène corporelle.	

DIAGNOSTIC INFIRMIER : isolement social.

Origine du problème	**Signes et symptômes**
• Infections du SNC	• Isolement
• Précautions reliées à la prévention des infections	• Confusion
• Détérioration de l'état mental	

PLANIFICATION

Résultat escompté
- Favoriser la participation aux activités permettant d'accroître le réseau social.

INTERVENTIONS	**Justifications**
• Vérifier les signes neurologiques.	• Évaluer s'il y a atteinte du système nerveux central.
• Se comporter de manière respectueuse et courtoise, écouter attentivement le client.	• Ramener le client à la réalité et l'encourager à verbaliser ses émotions.
• Encourager les visites des proches.	
• Aider le client à communiquer.	
• Atténuer la désorientation spatiotemporelle à l'aide de la télé, de la radio, de l'horloge, du calendrier et des journaux.	
• Appliquer des mesures de prévention des infections non excessives.	• Atténuer l'isolement.

DIAGNOSTIC INFIRMIER : perturbation dans l'exercice du rôle.

Origine du problème	**Signes et symptômes**
• Perte d'emploi	• Difficultés financières
• Atteinte du SNC	

PLANIFICATION

Résultats escomptés
- Favoriser l'adaptation à un nouveau rôle.
- Apporter l'aide appropriée.

INTERVENTIONS	**Justifications**
• Aider le client à faire le deuil du rôle perdu.	• Favoriser la perception de soi.
• Faire prendre conscience au client de l'altération de ses capacités.	• Favoriser la perception de soi.
• Explorer les nouveaux rôles possibles.	• Favoriser la perception de soi.
• Respecter les valeurs du client.	• Favoriser la perception de soi.
• Adresser le client à un groupe d'aide.	• Favoriser la perception de soi.
• Inciter le client à s'exprimer.	• Favoriser la perception de soi.

8

Plan de soins infirmiers

Infection au VIH/SIDA (*suite*)

DIAGNOSTIC INFIRMIER : anxiété.

Origine du problème	Signes et symptômes
• Évolution de la maladie	• Anxiété
• Crainte de bris de confidentialité	• Isolement
• Rejet de la famille	
• Perte d'espoir	

PLANIFICATION

Résultats escomptés
• Manifestation d'un état de détente.
• Renforcement des stratégies d'adaptation.

INTERVENTIONS	Justifications
• Établir une relation de confiance.	
• Enseigner des techniques de relaxation.	• Modifier la façon de voir les situations stressantes.
• Organiser les soins en diminuant les stimulants.	• Favoriser la relaxation.
• Encourager la présence des proches.	• Augmenter le sentiement de sécurité.
• S'assurer que le client comprend bien les explications données.	• Augmenter le sentiment de maîtrise.
• Savoir reconnaître les situations stressantes et chercher des stratégies d'adaptation.	• Augmenter le sentiment de maîtrise.
• Ne divulguer aucun renseignement sans l'autorisation préalable du client.	• Maintenir une relation de confiance.
• Favoriser la communication.	• Permettre l'expression des sentiments.
• Adresser le client à un groupe d'aide.	

DIAGNOSTIC INFIRMIER : perturbation de la sexualité.

Origine du problème	Signes et symptômes
• Pouvoir de transmission de l'infection	• Modification des relations sexuelles
• Évolution de la maladie	• Absence de relations sexuelles
• Altération de l'image corporelle	
• Perte du partenaire sexuel	
• Modification nécessaire du comportement sexuel	
• Baisse de libido	
• Deuil	

PLANIFICATION

Résultat escompté
• Prévenir la transmission de l'infection.

INTERVENTIONS	Justifications
• Favoriser l'expression de la culpabilité et de l'homophobie.	
• Redonner une vision réaliste de la situation.	
• Aider le client à adopter des comportements sexuels différents.	• Inciter à l'adoption de comportements sexuels sains.
• Adresser le client à un groupe d'aide.	
• Fournir au client et à son partenaire les renseignements appropriés.	• Prévenir la transmission de l'infection

Plan de soins infirmiers

Infection au VIH/SIDA (*suite*)

PROBLÈMES ACTUELS OU POTENTIELS : perturbation des habitudes de sommeil.

Origine du problème	Signes et symptômes
• Douleur	• Fatigue
• Malaise	• Irritabilité, impatience
• Anxiété	• Difficulté à s'endormir
• Insomnie	

PLANIFICATION

Résultat escompté

• Maintenir de bonnes habitudes de sommeil.

INTERVENTIONS	Justifications
• Déterminer les facteurs contribuant à la perturbation du sommeil.	• En faire prendre conscience au client afin qu'il les évite.
• Se renseigner sur les habitudes de sommeil antérieures.	• Planifier les interventions appropriées.
• Planifier des exercices favorisant le sommeil.	
• Regrouper les soins la nuit.	• Éviter d'éveiller la personne inutilement.
• Évaluer les effets des médicaments administrés (analgésiques et sédatifs).	
• Promouvoir un environnement calme.	
• Éviter les boissons contenant de la caféine (café, thé, cola) en soirée.	• Éviter les excitants qui pourraient perturber le sommeil.

DIAGNOSTIC INFIRMIER : chagrin (deuil) relié à une mort imminente.

Origine du problème	Signes et symptômes
• Évolution de la maladie	• Peur
• Peur de mourir	• Anxiété
• Sentiment d'impuissance	• Solitude

PLANIFICATION

Résultat escompté

• Adaptation appropriée aux différentes phases du deuil.

INTERVENTIONS	Justifications
• Aider la personne à traverser les phases du deuil.	• Favoriser une attitude sereine vis-à-vis de la mort.
• Encourager l'expression des émotions.	
• Dresser un portrait réaliste de la situation et renseigner graduellement la personne sur son état.	• Éviter que l'inconnu soit une source d'anxiété.
• Encourager le client à communiquer avec ses proches.	
• Adresser le client à un groupe d'aide.	

CMV : cytomégalovirus ; SNC : système nerveux central.

risque, et les mesures d'atténuation, qui diminuent le risque sans l'éliminer. Plus les méthodes de prévention sont utilisées de manière adéquate et constante, plus elles sont efficaces pour prévenir l'infection par le VIH.

Réduction des risques de transmission sexuelle. Les mesures radicales éliminent le risque d'exposition associé au sperme et aux sécrétions vaginales. L'abstinence complète est la mesure radicale la plus efficace. Il existe toutefois des options sécuritaires pour ceux et celles qui ne peuvent pas ou ne veulent pas s'abstenir d'avoir des relations sexuelles. Ils peuvent alors s'adonner à des activités sexuelles sans contact avec la bouche, le pénis, le vagin ou le rectum. Ces activités ne présentent pas de danger parce qu'elles ne font pas intervenir une exposition au sang, au sperme ni aux sécrétions vaginales. Parmi elles, figurent notamment les massages, la masturbation individuelle ou mutuelle et les conversations érotiques au téléphone. Les rapports sexuels avec pénétration dans le cadre d'une relation monogame entre partenaires non infectés par le VIH ou qui ne risquent pas de devenir infectés sont sécuritaires.

Les mesures de prévention consistent à diminuer le risque de contact avec le VIH au moyen de barrières. Ces barrières doivent être utilisées lors de tout rapport sexuel avec pénétration (orale, vaginale ou anale) avec un partenaire infecté ou avec un partenaire dont on ignore le caractère infectieux. La barrière la plus courante est le condom masculin (voir figure 8.7). On a constaté que les condoms masculins peuvent empêcher dans une proportion pouvant aller jusqu'à 100 % la transmission du VIH lorsqu'ils sont utilisés correctement et de manière constante. Les directives d'utilisation du condom masculin sont décrites à l'encadré 8.5. Il existe

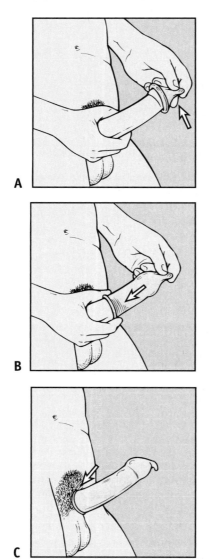

FIGURE 8.7 Mise en place correcte du condom masculin. A. Faire passer le condom sur le gland du pénis en érection en veillant à faire sortir l'air du réservoir. B et C. Dérouler ensuite le condom le long du pénis jusqu'aux poils pubiens.

aussi des condoms féminins (voir figure 8.8). Ils sont parfois difficiles à mettre en place et il faut donc suivre rigoureusement la marche à suivre et s'entraîner à les utiliser (voir encadré 8.6).

Réduction des risques liés à la toxicomanie. L'usage des drogues illicites présente des dangers, car il peut entraîner une suppression immunitaire et la malnutrition, en plus de multiples problèmes psychologiques. Mais la toxicomanie en soi ne cause pas l'infection par le VIH. L'infection par le VIH découle de l'utilisation d'instruments d'injection contaminés ou de la pratique de rapports sexuels sans protection sous l'influence de drogues. Les règles de base à respecter sont de ne pas faire usage de drogues illicites ; si l'on en consomme, de ne pas utiliser du matériel qui a déjà servi et de ne pas avoir de rapports sexuels lorsqu'on est sous l'influence d'une drogue (y compris de l'alcool) qui diminue les facultés.

Les toxicomanes peuvent éliminer le risque d'infection par le VIH en recourant à des moyens autres que l'injection, notamment en fumant, en reniflant ou en avalant la drogue. Ils ne doivent pas utiliser de matériel d'injection ayant déjà servi (aiguilles, seringues, cuillères ou bouchons servant à mélanger les drogues, coton et eau de rinçage), ni partager ces articles (voir encadré 8.7). Une autre mesure de sécurité consiste à avoir facilement accès à du matériel stérile par le biais de programmes de distribution d'aiguilles ou de seringues aux toxicomanes en échange de leur matériel usagé. Ces programmes peuvent toutefois se heurter à une opposition fondée sur la crainte d'accroître la toxicomanie, puisque les fournitures sont mises à la disposition des toxicomanes. Les études réalisées ont pourtant démontré que dans les collectivités où ces programmes ont été mis en place, la toxicomanie n'a pas progressé et le taux d'infection par le VIH est maîtrisé. Dans l'ensemble, ces programmes ont eu un effet bénéfique sur les coûts liés à la santé.

Réduction des risques de transmission périnatale. Le meilleur moyen de prévenir l'infection par le VIH chez les nourrissons consiste à prévenir l'infection chez les femmes. À celles qui sont déjà infectées, on doit demander si elles désirent avoir des enfants. Les femmes qui décident de ne pas en avoir doivent être informées des méthodes de contraception. Si elles deviennent enceintes, l'avortement est parfois souhaitable et doit être envisagé parallèlement aux autres options.

Les femmes infectées par le VIH qui décident de devenir enceintes doivent être avisées de l'étude *AIDS Clinical Trials Group 076* (ACTG 076), laquelle a démontré que le traitement des femmes enceintes et de leurs nouveau-nés par la zidovudine (AZT, Retrovir) a fait diminuer le taux de transmission périnatale de 25,5 % à 8,3 %. Il s'agit d'une étude randomisée à double insu réalisée avec un groupe placebo et un groupe de traitement.

Utilisation sécuritaire du condom masculin

- Utiliser uniquement des condoms en latex ou en polyuréthane.
- Éviter les condoms qui imitent la peau, ils ont des pores assez grands pour laisser passer le VIH.
- Conserver les condoms dans un endroit frais et sec et les protéger contre les déchirures. Le frottement qui survient lorsqu'on les transporte dans une poche de vêtement, par exemple, risque d'user le latex.
- Ne pas utiliser un condom si la date de péremption est révolue ou si l'emballage semble abîmé ou perforé.
- Les lubrifiants utilisés avec les condoms doivent être hydrosolubles.
- Les lubrifiants à base d'huile risquent d'attaquer le latex, qui peut alors se rompre ou se déchirer.
- Les condoms aromatisés non lubrifiés peuvent fournir une protection en cas de rapport sexuel oral.

- Le condom doit être placé sur le pénis en érection avant tout contact avec la bouche, le vagin ou le rectum du partenaire afin d'éviter le contact avec les sécrétions prééjaculatoires susceptibles de contenir le VIH.
- Observer la marche à suivre (voir figure 8.7) pour mettre en place le condom masculin.
- Retirer le pénis et le condom du corps du partenaire immédiatement après l'éjaculation et avant la disparition de l'érection. Tenir le condom à la base du pénis et dégager les deux en même temps. Cette technique empêche les fuites de sperme autour du condom lorsque le pénis redevient flasque.
- Enlever le condom, l'envelopper dans un mouchoir en papier et le jeter. Ne pas le jeter dans la cuvette des toilettes car cela risquerait d'obstruer la tuyauterie.

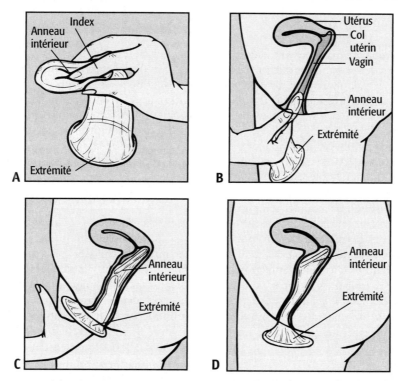

FIGURE 8.8 Mise en place correcte du condom féminin. A. Pincer l'anneau intérieur pour faciliter l'insertion. B. Le condom s'insère comme un diaphragme. C. À l'aide de l'index, pousser l'anneau intérieur le plus loin possible vers le haut. D. Le condom féminin est correctement mis en place.

Dans le groupe de traitement, les femmes ont reçu de la zidovudine par voie orale durant les deuxième et troisième trimestres de la grossesse, de la zidovudine par voie intraveineuse durant le travail et l'accouchement. Les nouveaunés ont reçu du sirop de zidovudine pendant les six semaines suivant la naissance. Les effets indésirables chez les femmes prenant de la zidovudine (céphalée, nausée et fatigue) n'étaient pas très différents des effets observés chez les femmes du groupe traité par placebo. Le principal

effet indésirable observé chez les nourrissons a été une anémie transitoire, qui a disparue avec la cessation du traitement. Les recherches se poursuivent pour déterminer les effets à long terme du traitement chez ces enfants, l'efficacité d'un traitement ciblé (durant une phase particulière de la reproduction) ainsi que les bénéfices et les risques (le cas échéant) d'un traitement antirétroviral en association durant la grossesse. La conclusion tirée de l'étude ACTG 076 précise que les femmes enceintes ou qui

Utilisation sécuritaire du condom féminin   ENCADRÉ 8.6

- Les condoms féminins sont constitués d'une gaine de polyuréthane pourvue de deux anneaux à ressort.
- On introduit le plus petit des deux anneaux dans le vagin et on tient le condom en place à l'intérieur. Pour un rapport anal, cet anneau peut être enlevé, mais on doit le laisser en place dans le cas d'une pénétration vaginale.
- L'anneau le plus large entoure l'orifice du condom. Il sert à maintenir le condom en place à l'extérieur tout en protégeant les organes génitaux externes.
- Utiliser uniquement des lubrifiants hydrosolubles avec les condoms féminins.
- Les condoms féminins sont déjà lubrifiés et sont vendus accompagnés d'un tube de lubrifiant.
- La lubrification est nécessaire pour empêcher le condom de se déchirer durant le rapport sexuel et elle peut aussi atténuer le bruit dû au frottement du pénis contre le condom.

- Insérer le condom féminin selon la marche à suivre illustrée à la figure 8.8. La lubrification peut rendre le condom glissant.
- Pendant le rapport sexuel, veiller à ce que le pénis soit introduit dans le condom féminin par l'anneau extérieur. Il peut arriver que le pénis manque l'orifice ; si cela se produit, il y a contact avec le vagin et le condom ne remplit plus sa fonction.
- Ne pas utiliser un condom masculin en même temps qu'un condom féminin.
- Après le rapport sexuel, enlever le condom en position couchée.
- Tordre l'anneau extérieur pour garder le sperme à l'intérieur, sortir délicatement le condom du vagin et le jeter.
- Ne pas jeter le condom dans la cuvette des toilettes car cela risquerait d'obstruer la tuyauterie.
- Ne jamais réutiliser un condom féminin.

envisagent de le devenir doivent recevoir une aide psychologique, être informées des choix qui s'offrent à elles, avoir la possibilité de passer volontairement des épreuves de dépistage et recevoir, si elles le souhaitent, un traitement antirétroviral.

Réduction des risques au travail. Le risque d'infection par exposition professionnelle au VIH est faible mais néanmoins réel. Le Centre canadien d'hygiène et de santé du travail (CCHST) a émis des recommandations pour protéger les employés des risques de contact avec les liquides susceptibles d'être contaminés. Les précautions et les dispositifs de sécurité permettent de diminuer le risque de contact direct avec le sang et les liquides biologiques, et donc de réduire le risque d'infection par tous les agents pathogènes transmissibles par voie sanguine. Les précautions de base à prendre pour éviter l'exposition professionnelle aux maladies transmissibles par voie sanguine sont décrites au chapitre 6. En cas

Utilisation du matériel d'injection   ENCADRÉ 8.7

- Pour injecter les drogues, il est toujours préférable de se servir d'instruments neufs et stériles (seringues, aiguilles, récipients pour mélanger et chauffer les drogues, comme les cuillères et les bouchons, et coton).
- Renseignez-vous pour savoir s'il existe dans votre collectivité un programme d'échange d'aiguilles et de seringues. Dans l'affirmative, vous pouvez apporter vos instruments usagés et les échanger contre des neufs.
- Il est acceptable de réutiliser votre propre matériel. Il suffit de vous assurer que personne d'autre ne l'utilise.

d'exposition à des liquides contaminés par le VIH, les travaux de recherche confirment qu'un traitement prophylactique *a posteriori* par la zidovudine (AZT, Retrovir) réduit le taux d'infection de 0,3 % à 0,1 %, et le CDC (*Center for Disease Control and Prevention*) recommande maintenant une prophylaxie antirétrovirale *a posteriori,* compte tenu de la nature de l'exposition et de la gamme plus large des médicaments antirétroviraux offerts (voir tableau 8.7). Signaler tous les cas d'exposition est d'autant plus important qu'il existe un traitement.

Dépistage du VIH et aide psychologique. Les personnes susceptibles d'être infectées par le VIH doivent être encouragées à passer des épreuves de dépistage, car il s'agit du seul moyen de déterminer s'il y a eu infection. Le dépistage de l'infection est un élément important des mesures prises par les autorités en matière de santé publique pour lutter contre le VIH. Si le résultat est négatif, le sujet est rassuré. Par contre, ses connaissances sur les comportements à risque doivent être renforcées. Si le résultat est positif, c'est l'occasion de commencer l'enseignement sur le traitement et sur les précautions à prendre pour protéger les partenaires sexuels ou les toxicomanes. Toutes les épreuves de dépistage du VIH doivent s'accompagner d'une aide psychologique. L'encadré 8.8 résume les éléments fondamentaux de l'aide psychologique accompagnant le dépistage du VIH.

Interventions infirmières
Intervention précoce. Lorsqu'une infection par le VIH est détectée, les interventions infirmières appliquées rapidement peuvent ralentir l'évolution du SIDA et des

PHARMACOTHÉRAPIE

TABLEAU 8.7   Recommandations des autorités de la santé publique pour la chimioprophylaxie après une exposition professionnelle au VIH, par type d'exposition et origine, 1996

Type d'exposition	Origine[1]	Prophylaxie antirétrovirale[2]	Régime antirétroviral[3]
Percutanée	Sang[4]		
	Risque maximal	Recommander	ZDV + 3TC + IDV
	Risque accru	Recommander	ZDV + 3TC ± IDV[6]
	Pas d'augmentation du risque	Proposer	ZDV + 3TC
	Liquide contenant du sang visible, d'autres liquides[5] ou tissus susceptibles d'être infectieux	Proposer	ZDV + 3TC
Membrane muqueuse	Autre liquide organique (p. ex. urine)	Ne pas proposer	Aucun
	Sang	Proposer	ZDV + 3TC ± IDV[6]
	Liquide contenant du sang visible, d'autres liquides[5] ou tissus susceptibles d'être infectieux	Proposer	ZDV + 3TC
Peau, risque accru[7]	Autre liquide organique (p. ex. urine)	Ne pas proposer	Aucun
	Sang	Proposer	ZDV + 3TC ± IDV[6]
	Liquide contenant du sang visible, d'autres liquides[5] ou tissus susceptibles d'être infectieux	Proposer	ZDV + 3TC

Source :
« Provisional Public Health Service recommendations for chemoprophylaxis after occupational exposure to HIV » (mise à jour), *MMWR*, vol. 45, n° 468, 1996.
1. Une exposition quelconque à une forte concentration de VIH (p. ex. dans un laboratoire de recherche ou une usine de fabrication) est traitée comme une exposition percutanée au sang de risque maximal.
2. *Recommander* : la prophylaxie postexposition doit être recommandée au travailleur exposé avec une aide psychologique (voir le MMWR). *Proposer* : la prophylaxie postexposition doit être proposée au travailleur exposé avec une aide psychologique. *Ne pas proposer* : la prophylaxie postexposition ne doit pas être proposée parce qu'il n'y a pas eu exposition professionnelle au VIH.
3. Régimes : zidovudine (ZVD), 200 mg, PO, bid ; lamivudine (3TC), 150 mg , PO, tid ; indinavir (IDV), 800 mg, PO, tid (si l'IDV n'est pas disponible, on peut administrer le saquinavir, 600 mg, PO, tid). Le traitement prophylactique dure 4 semaines. Consulter le dépliant contenu dans l'emballage pour obtenir les renseignements posologiques.
4. *Risque maximal* : aussi bien en cas de grandes quantités de sang (p. ex. blessure profonde avec une aiguille creuse de grand diamètre ayant pénétré auparavant dans une veine ou une artère du patient, en particulier en cas d'injection de sang du patient) qu'en cas de sang contenant une forte concentration de VIH (p. ex. source atteinte d'une maladie rétrovirale aiguë ou du SIDA en phase terminale ; la mesure de la charge virale peut être envisagée, mais son utilité par rapport à la prophylaxie postexposition n'a pas été déterminée). *Risque accru* : exposition à de grandes quantités de sang ou à du sang à forte teneur en VIH. *Pas d'augmentation du risque* : pas d'exposition à de grandes quantités de sang ni à du sang à forte teneur en VIH (p. ex. blessure avec une aiguille à suture pleine ayant servi pour un client atteint d'une infection asymptomatique par le VIH).
5. Y compris le sperme, les sécrétions vaginales, les liquides céphalorachidiens, pleural, péricardique et amniotique.
6. La toxicité possible du médicament supplémentaire n'est peut-être pas justifiée (voir le MMWR).
7. Pour la peau, le risque est accru en cas d'exposition faisant intervenir une forte concentration de VIH, un contact prolongé, une zone étendue ou une zone sur laquelle l'intégrité de la peau est visiblement compromise. Pour les expositions cutanées sans risque accru, le risque de toxicité des médicaments est supérieur aux avantages de la prophylaxie.

maladies opportunistes ou retarder leur apparition. La progression de l'infection étant variable, la collecte des données prend une importance primordiale. Les interventions infirmières sont adaptées aux besoins cernés par l'infirmière au cours de l'analyse des données. La collecte des données doit être axée sur une détection précoce des symptômes, des maladies opportunistes et des problèmes psychosociaux. L'encadré 8.3 donne des renseignements détaillés sur la collecte des données.

En cas de résultat positif à l'épreuve de dépistage des anticorps anti-VIH, les réactions des clients sont semblables aux réactions observées lors du diagnostic de n'importe quelle maladie débilitante potentiellement fatale. Le client peut ressentir de l'anxiété, de la panique, de la peur, du désespoir, de la colère, de la culpabilité. Il peut faire une dépression, nier son état et avoir des idées suicidaires. La plupart de ces réactions s'observent éga-

lement chez les membres de sa famille et chez ses amis. Avec le temps, le client et ses proches doivent affronter certaines questions associées à une maladie potentiellement mortelle, notamment prendre des décisions thérapeutiques difficiles ; surmonter le sentiment de perte, la colère, le sentiment d'impuissance, la dépression et le chagrin ; subir l'isolement social imposé par soi ou par les autres ; accepter un concept de soi altéré sur le plan physique, social, psychologique ; surmonter les idées suicidaires et se préparer à l'éventualité de la mort. L'infirmière doit aider le client à traverser cette période difficile. Il est particulièrement important de favoriser l'autonomie du client, car ce dernier subit souvent des pertes multiples et est la proie d'un sentiment insurmontable de perte de contrôle. On peut favoriser l'autonomie par l'éducation et par des entretiens honnêtes sur son état de santé et les options de traitement.

Aide psychologique avant et après les épreuves de dépistage d'anticorps anti-VIH ENCADRÉ 8.8

Directives générales

- Les personnes qui subissent une épreuve de dépistage du VIH ont souvent peur des résultats.
  - Établir une relation de confiance avec le client.
  - Déterminer dans quelle mesure le client a accès aux structures de soutien.
- Expliquer les avantages des épreuves de dépistage.
  - Les épreuves de dépistage fournissent une occasion d'enseigner des mesures de prévention.
  - Les sujets infectés peuvent être orientés pour bénéficier d'une intervention immédiate et de programmes de soutien.
- Parler des aspects négatifs des épreuves de dépistage.
  - Problèmes de confidentialité : des cas de divulgation des renseignements confidentiels ont entraîné des situations discriminatoires.
  - Un résultat positif a un effet sur tous les aspects de la vie du client (personnel, social, économique, etc.) et peut susciter des émotions difficiles à surmonter (colère, anxiété, culpabilité et idées suicidaires).

Aide psychologique avant l'épreuve

- Déterminer les facteurs de risque du client et la date du contact présumé avec le VIH. L'aide psychologique doit être personnalisée en fonction de ces facteurs.
- Fournir un enseignement pour que le client adopte des comportements sécuritaires.
- Fournir un enseignement qui aidera le client à protéger ses partenaires sexuels et toxicomanes.
- Expliquer que les épreuves de dépistage devront être répétées à intervalles de six mois après chaque exposition présumée. Parler de la nécessité de s'abstenir d'avoir d'autres comportements à risques durant cet intervalle. Parler de la nécessité de protéger les partenaires durant cet intervalle.
- Parler de la possibilité des résultats faussement négatifs, qui sont plus probables durant la période de latence.
- Expliquer qu'une épreuve positive est un signe *d'infection par le VIH* et non pas *de SIDA*.
- Expliquer que l'épreuve *ne confère pas l'immunité,* quel que soit le résultat.
- Déterminer les ressources de soutien. Fournir les numéros de téléphone et indiquer les ressources nécessaires.
- Parler des réactions anticipées du client aux résultats des épreuves (positifs ou négatifs).
- Décrire l'aide qui sera offerte en cas de résultat positif.

Aide psychologique après l'épreuve de dépistage

- Si le résultat est négatif, renforcer l'aide psychologique et l'enseignement de la prévention. Rappeler au client que l'épreuve doit être répétée à intervalles de 6 mois après le risque d'exposition le plus récent.
- Si le résultat est positif, tenir compte du fait que le client est peut-être en état de choc et qu'il n'écoute pas tout ce qu'on lui dit.
  - Fournir des ressources de soutien médical et émotionnel et aider le client à obtenir une aide immédiate.
  - Évaluer les risques de suicide et assurer le suivi nécessaire.
  - Déterminer s'il est nécessaire de faire passer une épreuve de dépistage à d'autres personnes ayant eu des contacts risqués avec le client.
  - Parler de refaire l'épreuve pour vérifier les résultats. Cette tactique aide le client à ne pas désespérer et, ce qui est plus important, permet de garder le client dans le système. En attendant les résultats de la deuxième épreuve, le client a le temps de réfléchir à la possibilité de l'infection par le VIH et de s'adapter à cette idée.
  - Encourager l'optimisme du client.
    - Rappeler au client qu'il existe des traitements efficaces.
    - Passer en revue les habitudes d'hygiène de santé permettant d'améliorer le fonctionnement du système immunitaire.
    - Mettre le client en contact avec des personnes infectées par le VIH qui sont prêtes à partager leurs expériences et à aider les client qui viennent de recevoir leur diagnostic pendant la période de transition.
    - Insister sur le fait qu'un résultat positif au test de dépistage indique que le client est infecté, mais ne signifie pas forcément qu'il est atteint du SIDA.
  - Informer en vue de prévenir d'autres infections. Les personnes infectées par le VIH doivent être prévenues qu'elles ne doivent pas faire de dons de sang, d'organes ni de sperme ; qu'elles ne doivent pas prêter leurs rasoirs, brosses à dents ou autres objets personnels susceptibles de contenir du sang ou des liquides organiques et qu'elles doivent éviter d'infecter leurs partenaires sexuels ou toxicomanes.

Adapté de BRADLEY-SPRINGER, L. *HIV/AIDS care plans,* 2e éd., El Paso, Texas, Skidmore-Roth, 1999.

On a pu constater que les nouveaux protocoles de multithérapies (que l'on appelle parfois cocktails) réduisent considérablement la charge virale des clients infectés par le VIH. De nombreux cas de charges virales indétectables et d'inversion de la progression de la maladie ont été documentés. L'infirmière doit toutefois savoir que les protocoles sont complexes, que les médicaments ont des effets indésirables, que ces agents entraînent des interactions et qu'ils n'agissent pas sur tous les individus. Tous ces facteurs peuvent compromettre l'observance des protocoles de traitement, ce qui peut être dangereux pour ces clients et favoriser la résistance virale.

Souvent, l'infirmière peut aider le client à affronter ces problèmes. L'intervention consiste à compléter l'enseignement donné au client en l'informant des avantages et des inconvénients des nouveaux traitements, des dangers de la non-observance thérapeutique, de la posologie, du mode d'administration de chaque médicament, de l'horaire d'administration, des interactions médicamenteuses à éviter et des effets indésirables à signaler au personnel soignant. L'encadré 8.9 peut servir de guide pour l'enseignement au client.

On peut également retarder la progression de l'infection par le VIH en favorisant le bon fonctionnement du

Administration des médicaments antirétroviraux

ENCADRÉ 8.9

- La résistance aux médicaments antirétroviraux est un problème majeur du traitement de l'infection par le VIH. Pour réduire le risque de voir apparaître une résistance, le client doit :
  - prendre trois médicaments antirétroviraux différents en même temps, discuter des autres options avec le médecin ou l'infirmière ;
  - connaître les médicaments consommés et leurs particularités (prendre à jeun ou avec de la nourriture, éviter la concomitance avec certains médicaments), demander à l'infirmière ou au pharmacien de rédiger des directives claires ;
  - prendre la dose complète et respecter l'horaire établi. S'il est incapable de prendre le médicament prescrit, le client doit aviser immédiatement le médecin ou l'infirmière ;
  - savoir que de nombreux médicaments antirétroviraux interagissent avec d'autres médicaments, notamment

avec certains produits en vente libre. Le client doit informer le médecin, le pharmacien ou l'infirmière des médicaments consommés afin de prévenir toutes les interactions médicamenteuses possibles.

- Le traitement antirétroviral a pour objectif de réduire le nombre de virus présents dans le sang, c'est-à-dire la charge virale.
  - On détermine la charge virale par des techniques comme l'ACP ou l'ADNb. Ces tests permettent de surveiller la charge virale et de la ramener à une concentration indétectable à l'aide du traitement antirétroviral.
  - Deux à quatre semaines après le début de la pharmacothérapie (ou après un changement de traitement), l'infirmière vérifie la charge virale afin d'évaluer l'efficacité des médicaments. Ces résultats sont donnés en valeur logarithmique : 1 log = diminution de 90 % de la charge virale ; 2 log = diminution de 95 % de la charge virale ; 3 log = diminution de 99 % de la charge virale.

ACP : amplification en chaîne par polymérase.

système immunitaire. Voici une liste des interventions bénéfiques au client atteint de SIDA : soutien nutritionnel pour préserver la masse corporelle et assurer un apport suffisant en vitamines, en nutriments et en sels minéraux ; interventions pour cesser de fumer ou de faire usage de drogues ; consommation d'alcool modérée ou élimination de la consommation ; exercice régulier ; repos suffisant ; réduction du stress ; prévention contre l'exposition à de nouveaux agents infectieux ; aide psychologique pour maintenir une bonne santé mentale ; participation à des groupes de soutien et à des activités communautaires. Il faut apprendre au client à reconnaître les manifestations cliniques susceptibles d'indiquer une évolution de la maladie pour que le traitement puisse être rapidement amorcé ou modifié. L'encadré 8.10 donne un aperçu des symptômes que le client doit signaler. En général, le client doit recevoir toute l'information nécessaire pour prendre une décision éclairée vis-à-vis du traitement. Les interventions à appliquer découlent ensuite de ces décisions.

Maladies opportunistes. Les maladies opportunistes sont caractérisées par une alternance d'épisodes aigus et de rémissions. Les soins infirmiers deviennent plus compliqués alors que le système immunitaire se dégrade et que de nouveaux problèmes viennent s'ajouter aux difficultés existantes. Lorsque des maladies opportunistes se manifestent, il est nécessaire de prodiguer des soins infirmiers axés sur l'atténuation des symptômes et de fournir au client l'information nécessaire et un soutien psychologique. Les maladies opportunistes sont énumérées au tableau 8.2.

- Pneumocystose. La **pneumocystose** est causée par un champignon si commun (*Pneumocystis carinii*) que la

plupart des individus produisent des anticorps contre cet agent pathogène dès l'âge de trois ans. Un système immunitaire sain empêche habituellement la maladie. Toutefois, un client infecté par le VIH est susceptible d'être atteint de pneumocystose si la numération des lymphocytes T CD4$^+$ est inférieure à 200/μL. La pneumocystose se caractérise par une infiltration interstitielle du tissu pulmonaire (voir figure 8.9). Les symptômes les plus courants sont l'essoufflement, la fièvre, les sueurs nocturnes, la fatigue et la perte de poids. La maladie s'accompagne souvent de candidose oropharyngée et d'une toux non productive qui peut devenir productive. En phase aiguë, la pneumocystose requiert une hospitalisation pouvant nécessiter des soins intensifs. Les soins à administrer consistent notamment à surveiller l'état respiratoire, à évaluer la fièvre et les symptômes fébriles, à administrer les médicaments et l'oxygène, à positionner le client pour faciliter la respiration, à guider le client dans la pratique d'exercices de relaxation pour diminuer l'anxiété, à favoriser un apport nutritionnel et liquidien suffisant et à réduire les dépenses énergétiques pour diminuer la demande d'oxygène. Comme la maladie correspond à un taux de mortalité élevé, le soutien émotionnel est particulièrement important (voir tableau 8.2 et chapitre 16).

- Méningite cryptococcique. *Cryptococcus neoformans* est une levure qui provoque une maladie chez 6 % à 10 % des clients infectés par le VIH. Dans les cas de méningite cryptococcique, les symptômes ont tendance à être mal définis. Une période prolongée de fièvre fluctuante accompagnée de céphalées et d'un malaise, et suivie de nausées et de vomissements se déclare parfois. Une altération de l'état mental, une raideur de la nuque, des troubles de la vue, l'œdème papillaire, l'ataxie, les

ENSEIGNEMENT AU CLIENT

Signes et symptômes à signaler

ENCADRÉ 8.10

Les signes et symptômes suivants doivent être signalés immédiatement :

- Toute altération de l'état de conscience : léthargie, difficulté ou incapacité à s'éveiller, absence de réaction, perte de connaissance
- Céphalée avec nausée et vomissements, changements de la vision, changements dans la capacité à accomplir les tâches quotidiennes ou après un traumatisme crânien
- Changements de la vision : vision embrouillée ou altération du champ visuel, perception de corps flottants
- Essoufflement persistant lié à l'activité que le repos ne parvient pas à soulager
- Nausée et vomissements accompagnés de douleurs abdominales.
- Déshydratation : incapacité de boire ou de manger reliée à la nausée, à la diarrhée ou à des lésions buccales ; diarrhée ou vomissements persistants ; étourdissements en position debout
- Teint ictérique
- Saignements rectaux non reliés à des hémorroïdes
- Douleur au flanc avec fièvre et incapacité d'uriner pendant plus de 6 heures
- Faiblesse localisée, engourdissement non relié à une pression, trouble de l'élocution
- Douleur thoracique non reliée à la toux

- Convulsions
- Apparition d'une éruption cutanée avec fièvre
- Apparition de lésions buccales avec fièvre
- Dépression grave, anxiété, hallucinations, délires ou danger possible pour soi ou les autres

Les signes et symptômes suivants doivent être signalés dans un délai de 24 h :

- Apparition d'une céphalée ou céphalée distincte ; céphalée constante non soulagée par l'acide acétylsalicylique ou l'acétaminophène
- Céphalée avec fièvre, congestion nasale ou toux
- Sensation de brûlure, picotements ou écoulement des yeux
- Apparition d'une toux ou toux productive
- Vomissements deux ou trois fois par jour
- Vomissements avec fièvre
- Apparition d'une diarrhée, diarrhée abondante ou aqueuse (plus de six fois par jour)
- Miction douloureuse, sang dans les urines, écoulement urétral
- Apparition d'une éruption cutanée ou éruption importante (étendue, douloureuse, avec démangeaisons le long de la jambe ou du bras, autour du thorax ou sur le visage)
- Difficulté à s'alimenter à cause des lésions buccales
- Écoulement, douleur ou démangeaisons du vagin

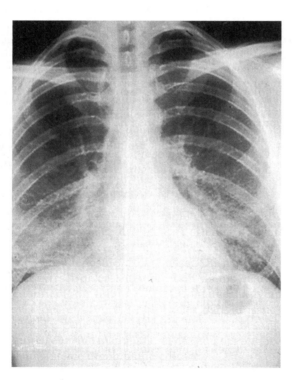

FIGURE 8.9 Radiographie du thorax montrant des infiltrats interstitiels résultant de la pneumocystose

convulsions, l'aphasie et la photophobie peuvent se manifester. Les soins infirmiers consistent à administrer des médicaments et à expliquer au client qu'il devra poursuivre un traitement d'entretien après la phase aiguë et pendant le reste de sa vie. Cinquante à soixante-quinze pour cent des clients ayant des antécédents de méningite cryptococcique rechutent au bout d'un an. Une évaluation régulière des états neurologique et mental est nécessaire pour déceler les manifestations subtiles d'une fonction neurologique altérée. L'infirmière doit préparer le client physiquement et psychologiquement aux ponctions lombaires requises pour le diagnostic et le suivi thérapeutique de la maladie (voir tableau 8.2 et chapitre 53).

- Rétinite à cytomégalovirus. Le cytomégalovirus (CMV) est un microorganisme commun qui peut provoquer l'œsophagite, la colite, la pneumonie et plusieurs troubles neurologiques, dont la rétinite. En général, la maladie oculaire ne se manifeste qu'en cas de suppression immunitaire grave. Les symptômes courants de la rétinite comprennent une diminution de l'acuité visuelle, la perception de corps flottants et une perte unilatérale du champ visuel. Lors de l'examen de l'œil, des taches rouges sont visibles sur la rétine (voir figure 8.10). Sans traitement, la rétinite à CMV entraîne la cécité. L'infirmière intervient surtout pour expliquer au client que la pharmacothérapie devra continuer toute la vie (voir tableau 8.2). L'objectif du traitement est de prévenir la perte de vision, mais la maladie risque de progresser en dépit des soins. L'infirmière peut faciliter l'adaptation du client à la perte de vision en l'aidant à modifier ses activités de la vie quotidienne, en l'orientant vers des organismes de services pour personnes ayant des troubles de la vue, en l'informant des dispositifs susceptibles d'améliorer sa vie et en le réconfortant pour la perte subie (voir chapitre 48 pour des détails sur la rétinite).

• Complexe *Mycobacterium avium.* Le **complexe *Mycobacterium avium* (CMA)** est une mycobactérie qui provoque souvent des troubles gastro-intestinaux chez les personnes infectées par le VIH. L'infection au CMA peut envahir le sang, la rate, les ganglions lymphatiques, la moelle osseuse et le foie. Les signes et les symptômes de l'infection par le CMA sont la diarrhée chronique avec douleurs abdominales, la fièvre, le malaise, la perte de poids, l'anémie et la neutropénie, le syndrome de malabsorption et l'ictère obstructif. L'infirmière doit informer le client du traitement pharmaceutique que requiert cette infection opportuniste (voir tableau 8.2). Elle doit aussi lui enseigner les moyens d'atténuer la diarrhée chronique (voir la section sur la diarrhée plus loin dans ce chapitre).

• Sarcome de Kaposi. Près de 90 % des sarcomes de Kaposi apparaissent chez des personnes atteintes du SIDA. L'effet oncogène de certains rétrovirus tels que le VIH serait peut-être à l'origine de ce cancer. Selon le système ou l'appareil touché, le sarcome se manifeste différemment. Les signes et les symptômes fréquents sont des lésions cutanées, la dyspnée et la diarrhée (voir figure 8.11). La nature des manifestations détermine l'orientation des soins infirmiers.

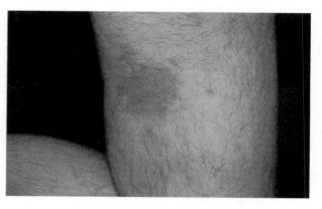

FIGURE 8.11 Sarcome de Kaposi : plaque ronde ou ovale violacée

Soins ambulatoires et soins à domicile

Soins continus. À cause du mode de transmission du VIH, certaines personnes cataloguent les individus infectés comme étant des gens sans volonté ou sans morale. Dans le cas du SIDA, cette stigmatisation est exacerbée par plusieurs préjugés, dont les suivants : les personnes infectées par le VIH sont des êtres incapables de surmonter leurs pulsions sexuelles ou leur besoin de drogue ; elles ont elles-mêmes attiré la maladie et méritent leur sort ; leurs comportements sont immoraux (l'homosexualité, les partenaires sexuels multiples, l'injection de drogues illicites, la prostitution) ; elles peuvent aisément transmettre le virus. Tous ces préjugés encouragent la discrimination sociale des personnes atteintes de SIDA et contribuent notamment à la perte d'emploi, à une mauvaise estime de soi et à l'isolement familial et social.

La nature chronique de l'infection par le VIH accentue le stress familial, l'isolement social, la dépendance, la frustration, la perturbation de l'image de soi, la perte d'autonomie et les pressions économiques. Un manque d'estime de soi, la recherche de contacts sociaux, la frustration et les difficultés économiques peuvent contribuer à maintenir la toxicomanie et les comportements sexuels à risque.

La diarrhée et la fatigue peuvent subsister pendant les périodes de latence. Près de 60 % des clients infectés par le VIH souffrent de diarrhée, une affection causée par certains agents pathogènes comme le CMV, le virus herpès simplex, *Isospora belli*, *Microsporidium*, CMA, *Salmonella*, *Shigella* et le VIH lui-même. Cette affection peut aussi être provoquée par le sarcome de Kaposi, les effets indésirables de certains médicaments et la malabsorption. Les conséquences d'une diarrhée prolongée sont la perte de poids, la déshydratation, la malnutrition, les déséquilibres électrolytiques, les lésions cutanées et les problèmes psychosociaux. Les soins infirmiers à prodiguer comprennent des recommandations nutritionnelles, le remplacement

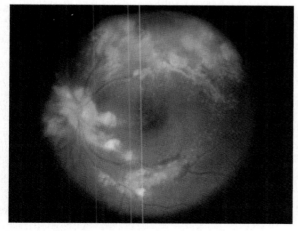

FIGURE 8.10 Taches rouges dispersées sur la rétine caractéristiques de la rétinite à cytomégalovirus (CMV)

hydroélectrolytique et les soins de la peau, particulièrement des lésions périanales. L'infirmière renseigne le client sur les produits utilisés en cas d'incontinence fécale et sur l'emploi approprié des médicaments antidiarrhéiques. Avec l'aide du client, elle détermine les facteurs susceptibles de déclencher la diarrhée, comme l'anxiété, les médicaments, la caféine ou l'intolérance au lactose. Les techniques de relaxation et certaines modifications de l'alimentation peuvent soulager la diarrhée et même la prévenir.

La fatigue est un symptôme courant et constant durant toute la durée de la maladie. Elle est causée par l'infection chronique par le VIH, les maladies opportunistes, l'anémie, la malnutrition, la diarrhée, la diminution de l'activité et certains facteurs psychosociaux. L'infirmière peut aider le client à déterminer les activités qui le fatiguent, à fixer des priorités dans ses activités, à économiser son énergie et à prévoir des périodes quotidiennes de repos. Elle peut lui expliquer que certaines activités peuvent améliorer les habitudes de sommeil, alors que diverses substances, telles que la caféine, la nicotine, l'alcool et d'autres drogues, peuvent perturber le sommeil et accroître la fatigue.

Soins en phase terminale. En dépit des progrès spectaculaires en matière de traitement de l'infection par le VIH, de nombreux clients vont subir la progression de la maladie, l'invalidité et la mort, soit parce que les traitements n'agissent pas, soit parce qu'une résistance aux antirétroviraux se manifeste. Dans certains cas, les personnes prennent délibérément la décision de ne pas

poursuivre le traitement. Cette situation est particulièrement difficile à accepter pour les membres de la famille et les proches. Durant la phase terminale, les soins infirmiers visent à préserver le confort du client, à apporter un soutien émotionnel et spirituel à la personne et à sa famille afin de les aider à surmonter leur chagrin et leur sentiment de perte. L'infirmière qui donne des soins à domicile joue un rôle essentiel, car plusieurs personnes décident de vivre les derniers moments de leur vie chez eux, entourées de leur famille.

Le dépérissement et la démence accompagnent souvent les derniers stades de l'infection par le VIH. Les interventions infirmières peuvent contribuer à atténuer les malaises du client et les inquiétudes de la famille.

Le dépérissement est, par définition, une perte de poids supérieure ou égale à 10 % du poids santé ; c'est un phénomène assez courant à l'approche de la mort. Les principaux problèmes nutritionnels liés à l'infection par le VIH regroupent la diminution de l'apport nutritif, la malnutrition et des troubles du métabolisme. Ces problèmes peuvent être imputables à l'infection par le VIH, aux maladies opportunistes, aux interventions thérapeutiques et aux problèmes sociaux et économiques. Le dépérissement contribue à retarder la guérison de l'infection, perturbe la cicatrisation des plaies, augmente le risque d'infection secondaire, altère la fonction cardiopulmonaire et abrège la durée de la vie. De plus, le dépérissement affaiblit le système immunitaire, ce qui favorise la détérioration clinique.

Les clients cachexiques ont l'allure frêle des personnes âgées. Avec l'émaciation, les cheveux deviennent gris et fins, la posture s'avachit et la démarche devient vacillante. Les soins infirmiers doivent être amorcés dès les premiers signes du dépérissement. Ils ont pour but d'augmenter l'apport nutritionnel en administrant des suppléments alimentaires par voie orale, entérale ou parentérale. Quand le concept et l'image de soi sont altérés, les interventions visent à créer une atmosphère d'acceptation et de réconfort. Encourager la personne à prendre conscience de ses points forts et à ne pas se concentrer sur ses faiblesses renforce sa perception et son affirmation de soi.

Le **complexe démentiel du SIDA** ou encéphalopathie se déclare quand l'infection par le VIH atteint le cerveau. Des symptômes similaires peuvent parfois être causés par un lymphome, la toxoplasmose, le CMV, le virus de l'herpès, *Cryptococcus,* la leucoencéphalopathie multifocale, la déshydratation ou les effets indésirables de certains médicaments. Si on peut traiter la cause, les symptômes de la démence peuvent être réversibles. Parmi les causes potentiellement traitables, citons la déshydratation, la dépression, certaines maladies opportunistes et les effets indésirables des médicaments. Un traitement antirétroviral adéquat peut donner des résultats satisfaisants et réduire la démence.

CONSIDÉRATIONS ÉTHIQUES

La notification des partenaires ENCADRÉ 8.11

- Serge est un voyageur aventurier. Il fréquente des prostitués au cours de ses nombreux voyages. Depuis quelques mois, il présente des signes d'infection par le VIH. Le test diagnostique l'infection. Il continue d'avoir des relations sexuelles non protégées avec sa conjointe. Le médecin lui explique les risques de transmission de l'infection par le VIH. L'infirmière de la clinique du VIH le rencontre, lui enseigne les précautions à prendre pour éviter la transmission de l'infection et insiste sur l'importance d'aviser ses partenaires sexuels et sa conjointe. Il se dit incapable d'affronter un telle situation et refuse de prévenir les personnes concernées.

- L'infirmière est-elle tenue au secret professionnel ou doit-elle aviser la conjointe et les partenaires de Serge ? Quel(s) professionnel(s) de la santé ou autre doivent assurer cette notification ? Quel est le rôle des autorités de la santé publique ? Existe-t-il des organismes d'aide aux personnes atteintes ou des intervenants concernés par cette problématique ? Y a-t-il un conflit de valeurs entre les organismes ? Existe-t-il un conflit entre la défense des droits et libertés des personnes atteintes et le droit des tiers d'être informés du risque potentiel ?

Parmi les manifestations cliniques du complexe démentiel du SIDA figurent des anomalies des fonctions cognitives, du comportement et des fonctions motrices. Les symptômes comprennent les difficultés de concentration, l'apathie, la dépression, l'inattention, la tendance à oublier, le repli social, les changements de personnalité, la perturbation du sommeil, la confusion, les hallucinations, la lenteur des réactions, la maladresse et l'ataxie. Ce complexe, dont les premiers symptômes sont parfois mineurs, peut évoluer vers une démence générale, la paraplégie, l'incontinence et le coma. L'infirmière cherche surtout à prévenir les accidents. Elle doit enseigner l'utilisation sécuritaire des appareils auquel le malade a accès. Elle doit l'encourager à maintenir ses capacités fonctionnelles le plus longtemps possible et lui rappeler de demander de l'aide au besoin. Pour atténuer la confusion et la désorientation, l'infirmière doit ramener la personne à la réalité. Elle doit encourager les membres de la famille à lui offrir le soutien requis. Devant la détérioration de l'état mental et physique du client, la famille et les proches peuvent nécessiter un soutien.

Évaluation. Les résultats escomptés des soins infirmiers chez le client susceptible d'être infecté par le VIH sont les suivants :
- connaître les facteurs de risque ;
- élaborer un plan d'intervention afin de réduire les risques.

Pour le client infecté par le VIH, les résultats escomptés sont les suivants :
- décrire les effets du VIH sur le système immunitaire ;
- comprendre les diverses options de traitement ;
- collaborer avec l'équipe soignante pour conserver un état de santé optimal.

MOTS CLÉS

Syndrome de l'immunodéficience acquise (SIDA) 210
Protéase.. 212
Lymphocyte T CD4+...................................... 212
Syncytium... 213
Séroconversion 214
Syndrome rétroviral aigu 214
Phase asymptomatique 214
Période de latence sérologique 216
Charge virale... 216
Pneumocystose 237
Complexe *Mycobacterium avium* (CMA) 239
Complexe démentiel du SIDA 240

BIBLIOGRAPHIE
Version originale
1. Garrett L: *The coming plague: newly emerging diseases in a world out of balance,* New York, 1994, Penguin Books.
2. Wilson BA: Understanding strategies for treating HIV, *MEDSURG Nursing* 6:109, 1997.
3. Ungvarski PJ: Update on HIV infection, *AJN* 97:44, 1997.
4. U.S. Department of Health and Human Services, Centers for Disease Control and Prevention (CDC): *HIV/AIDS surveillance report* 10:12, 1998.
5. Whipple B, Scura KW: The overlooked epidemic: HIV in older adults, *AJN* 96:23, 1996.
6. Seals BF: Viewpoint: The overlapping epidemics of violence and HIV, *J Assoc Nurses AIDS Care* 7:91, 1996.
7. Johnston MI: HIV vaccines: problems and prospects, *Hosp Pract* 32:125, 1997.
8. Murray JL, Lopez AD, editors: *The global burden of disease,* Cambridge, Mass, 1996, Harvard University Press.
9. Lisanti P, Zwolski K: Understanding the devastation of AIDS, *AJN Nurs* 97:26, 1997.
10. Casey KM and others, editors: *ANAC's core curriculum for HIV/AIDS nursing,* Philadelphia, 1996, Nursecom.
11. Staprans SI, Feinberg MB: Natural history and immunopathogenesis of HIV-1 disease. In Sande MA, Volberding PA, editors: *The medical management of AIDS,* ed 5, Philadelphia, 1997, Saunders.
12. Sullivan AK, Atkins MC, Boag F: Factors facilitating the sexual transmission of HIV-1, *AIDS Patient Care and STDs* 11:167, 1997.
13. Masci JR: *Outpatient management of HIV infection,* ed 2, St Louis, 1996, Mosby.
14. Flaskerud JH: Health promotion and disease prevention. In Flaskerud JH, Ungvarski PJ, editors: *HIV/AIDS: a guide to nursing care,* ed 3, Philadelphia, 1995, Saunders.
15. Porche DJ: Postexposure prophylaxis after an occupational exposure to HIV, *J Assoc Nurses AIDS Care* 8:83, 1997.
16. Centers for Disease Control and Prevention (CDC): Update: Provisional Public Health Service recommendations for chemoprophylaxis after occupational exposure to HIV, *MMWR* 45:468, 1996.
17. Mandelbrot L: Timing of in utero HIV infection: implications for prenatal diagnosis and management of pregnancy, *AIDS Patient Care and STDs* 11:139, 1997.
18. Fauci AS and others: Immunopathogenic mechanisms of HIV infection, *Ann Intern Med* 124:654, 1996.
19. Casey KM: Pathophysiology of HIV-1, clinical course, and treatment. In Flaskerud JH, Ungvarski PJ, editors: *HIV/AIDS: a guide to nursing care,* ed 3, Philadelphia, 1995, Saunders.
20. Panel on Clinical Practices for the Treatment of HIV Infection: Guidelines for the use of antiretroviral agents in HIV-infected adults and adolescents, 1997, available: http://www.hivatis.org/upguidaa.html.
21. Price RW: Management of the neurologic complications of HIV-1 infection and AIDS. In Sande MA, Volberding PA, editors: *The medical management of AIDS,* ed 5, Philadelphia, 1997, Saunders.
22. Centers for Disease Control and Prevention (CDC): Recommendations and Reports: 1993 revised classification system for HIV infection and expanded surveillance case definition for AIDS among adolescents and adults, *MMWR* 41:1, 1992.
23. Saag MS: Quantitation of HIV viral load: a tool for clinical practice. In Sande MA, Volberding PA, editors: *The medical management of AIDS,* ed 5, Philadelphia, 1997, Saunders.
24. Bartlett JG: *Medical management of HIV infection,* Baltimore, Md, 1998, Johns Hopkins University.
25. Saag MS: Use of HIV viral load in clinical practice: back to the future, *Ann Intern Med* 126:983, 1997.
26. O'Brien WA and others: Changes in plasma HIV RNA levels and CD4+ lymphocyte counts predict both response to antiretroviral therapy and therapeutic failure, *Ann Intern Med* 126:939, 1997.
27. Flaskerud JH: Psychosocial and psychiatric aspects. In Flaskerud JH, Ungvarski PJ, editors: *HIV/AIDS: a guide to nursing care,* ed 3, Philadelphia, 1995, Saunders.
28. National Institutes of Health: Report of the NIH panel to define principles of therapy of HIV infection, 1997, available: http://www.hivatis.org/upguidaa.html.
29. Richman DD: New strategies to combat HIV drug resistance, *Hosp Pract* 31:47, 1996.
30. Phillips KD: Protease inhibitors: a new weapon and a new strategy against HIV, *J Assoc Nurses AIDS Care* 7:57, 1996.
31. Mellors JW: Clinical implications of resistance and cross-resistance to HIV protease inhibitors, *Infections in Medicine* suppl:32, 1996.
32. Moore RD, Bartlett JG: Combination antiretroviral therapy in HIV infection: an economic perspective, *PharmacoEconomics* 10:109, 1996.
33. Bradley-Springer L: Prevention vs. treatment: an ongoing dilemma, *J Assoc Nurses AIDS Care* 8:87, 1997.

34. Centers for Disease Control and Prevention (CDC): Recommendations and Reports: 1997 USPHS/IDSA guidelines for the prevention of opportunistic infections in persons infected with human immunodeficiency virus, *MMWR* 46 (RR-12):1, 1997.

35. Caldwell M: The long shot, *Discover* 14:60, August 1993.

36. Grady C, Kelly G: HIV vaccine development, *Nurs Clin North Am*, 31:25, 1996.

37. Mascola JR, McNeil JG, Burke DS: AIDS vaccines: are we ready for human efficacy trials? *JAMA* 272:488, 1994.

38. Bradley-Springer L: *HIV/AIDS care plans,* ed 2, El Paso, Texas, 1999, Skidmore-Roth.

39. Gray J: Spiritual perspective and social support in women with HIV infection: pilot study, *Image* 29:97, 1997.

40. Sharts-Hopko NC and others: Problem-focused coping in HIV-infected mothers in relation to self-efficacy, uncertainty, social support, and psychological distress, *Image* 28:107, 1996.

41. Ungvarski PJ, Schmidt J: Nursing management of the adult client. In Flaskerud JH, Ungvarski PJ, editors: *HIV/AIDS: a guide to nursing care,* ed 3, Philadelphia, 1995, Saunders.

42. Michael SR: Integrating chronic illness into one's life: a phenomenological inquiry, *J Holistic Nursing* 14:251, 1996.

43. Bradley-Springer L: Patient education for behavior change: help from the transtheoretical and harm reduction models, *J Assoc Nurses AIDS Care* 7:23, 1996.

44. DeVincenzi I and others: A longitudinal study of human immunodeficiency virus transmission by heterosexual partners, *N Engl J Med* 331:341, 1994.

45. Messiah A and others: Condom breakage and slippage in heterosexual intercourse: a French national survey, *Am J Public Health*, 87:421, 1997.

46. Normand J, Vlahov D, Moses LE, editors: *Preventing HIV transmission: the role of sterile needle and bleach,* Washington, DC, 1995, National Academy Press.

47. Watters JK and others: Syringe and needle exchange as HIV/AIDS prevention for injection drug users, *JAMA* 27:115, 1994.

48. Lurie P, Drucker E: An opportunity lost: HIV infections associated with lack of a national needle-exchange program in the USA, *Lancet* 349:604, 1997.

49. Bradley-Springer L: Needle and syringe exchange: pride and prejudice, *J Assoc Nurses AIDS Care* 8:3, 1997.

50. Lauver D and others: HIV risk status and preventive behaviors among 17,619 women, *JOGNN* 24:33, 1995.

51. Kinsey KK: "But I know my man!" HIV/AIDS risk appraisal and heuristical reasoning patterns among childbearing women, *Holistic Nurs Pract* 8:79, 1994.

52. Centers for Disease Control and Prevention (CDC): Recommendations for the use of zidovudine to reduce perinatal transmission of human immunodeficiency virus, *MMWR* 43(RR-11):1, 1994.

53. Occupational exposure to bloodborne pathogens: Final Rule, *Federal Register* 235:64175, Dec 6, 1991.

54. Centers for Disease Control and Prevention (CDC): Evaluation of safety devices for preventing percutaneous injuries among health-care workers during phlebotomy procedures, *MMWR* 46:1, 1996.

55. Powell-Cope GM: HIV disease symptom management in the context of committed relationships, *J Assoc Nurses AIDS Care* 7:19, 1996.

56. Phillips KD, Thomas SP: Extrapunitive and intropunitive anger of HIV caregivers: nursing implications, *J Assoc Nurses AIDS Care* 7:17, 1996.

57. Stevens PE: Struggles with symptoms: women's narratives of managing HIV illness, *J Holistic Nursing* 14:142, 1996.

58. McCain NL, Cella DF: Correlates of stress in HIV disease, *West J Nursing Research* 17:141, 1995.

59. Kenny P: Managing HIV infection: how to bolster your patient's fragile health, *Nursing96* 26:26, 1996.

60. Ungvarski PJ, Staats JA: Clinical manifestations of AIDS in adults. In Flaskerud JH, Ungvarski PJ, editors: *HIV/AIDS: a guide to nursing care,* ed 3, Philadelphia, 1995, Saunders.

61. Drew WL, Stempien MJ, Erlich KS: Management of herpesvirus infections (CMV, HSV, VZV). In Sande MA, Volberding PA, editors: *The medical management of AIDS,* ed 5, Philadelphia, 1997, Saunders.

62. Cello JP: Gastrointestinal tract manifestations of AIDS. In Sande MA, Volberding PA, editors: *The medical management of AIDS,* ed 5, Philadelphia, 1997, Saunders.

63. Jacobson MA: Disseminated Mycobacterium avium complex and other bacterial infections. In Sande MA, Volberding PA, editors: *The medical management of AIDS,* ed 5, Philadelphia, 1997, Saunders.

64. The Americans with Disabilities Act, 42 U.S.C. s. 1201 et seq. (1992 and 1994).

65. Anastasi JK, Sun V: Controlling diarrhea in the HIV patient. *Am J Nurs* 96:35, 1996.

66. Beal JA, Martin BM: The clinical management of wasting and malnutrition in HIV/AIDS, *AIDS Patient Care* 9:66, 1995.

67. Kotler DP and others: Magnitude of body-cell-mass depletion and the timing of death from wasting in AIDS, *Am J Clin Nutr* 50:444, 1989.

Édition de langue française

1. McCANCE, Kathryn L. et MUETHER, Sue E., *Pathophysiology : the Biology Basis for Disease in Adults and Children,* 3e éd., Mosby, 1998, 1630 p.

2. McFARLAND, K. Gertrude, et Élizabeth A. McFRALAND. *Traité de diagnostic infirmier,* Montréal, ERPI, 1995, 830 p.

Chapitre 9

Lucie Rhéaume
Inf., B. Sc.
Cégep F.-X.-Garneau

Guylaine Paquin
Inf., B. Sc.
Cégep F.-X.-Garneau

CANCER

OBJECTIFS D'APPRENTISSAGE

APRÈS AVOIR LU CE CHAPITRE, VOUS DEVRIEZ ÊTRE EN MESURE :

- DE DÉCRIRE LA PRÉVALENCE ET L'INCIDENCE DU CANCER AU CANADA ;
- D'EXPLIQUER LA BIOLOGIE DU CANCER ;
- DE CONNAÎTRE LES TROIS PHASES DE DÉVELOPPEMENT DU CANCER ;
- DE DÉCRIRE LE RÔLE JOUÉ PAR LE SYSTÈME IMMUNITAIRE DANS LE CANCER ;
- DE DÉCRIRE LA CLASSIFICATION DU CANCER ;
- D'EXPLIQUER LE RÔLE DE L'INFIRMIÈRE DANS LA PRÉVENTION ET LE DÉPISTAGE DU CANCER ;
- D'EXPLIQUER LES DIFFÉRENTS TRAITEMENTS DU CANCER, SOIT LA CHIRURGIE, LA RADIOTHÉRAPIE, LA CHIMIOTHÉRAPIE ET LA THÉRAPIE BIOLOGIQUE ;
- DE FAIRE LA DISTINCTION ENTRE LA RADIOTHÉRAPIE ET LA CURIETHÉRAPIE ;
- DE CONNAÎTRE LES AGENTS ANTINÉOPLASIQUES ET LEUR MODE D'ADMINISTRATION ;
- DE DÉCRIRE LES EFFETS DE LA RADIOTHÉRAPIE ET DE LA CHIMIOTHÉRAPIE SUR LES TISSUS NORMAUX ;
- DE CONNAÎTRE LES AGENTS DE LA THÉRAPIE BIOLOGIQUE ET LEURS EFFETS ;
- DE DÉCRIRE LES SOINS INFIRMIERS PRODIGUÉS AU CLIENT SOUMIS À LA RADIO-THÉRAPIE, À LA CHIMIOTHÉRAPIE ET À LA THÉRAPIE BIOLOGIQUE ;
- DE CONNAÎTRE LES RECOMMANDATIONS NUTRITIONNELLES POUR LES CLIENTS ATTEINTS D'UN CANCER ;
- D'EXPLIQUER LE RÔLE DE L'INFIRMIÈRE EN REGARD DES TRAITEMENTS PARALLÈLES ;
- DE NOMMER LES COMPLICATIONS RELIÉES À L'ÉVOLUTION DU CANCER ;
- DE DÉCRIRE LE SOUTIEN PSYCHOLOGIQUE QU'IL FAUT DONNER AU CLIENT ATTEINT D'UN CANCER ET À SA FAMILLE.

PLAN DU CHAPITRE

9.1   INCIDENCE 244

9.2   BIOLOGIE DU CANCER 244

9.3   CLASSIFICATION DU CANCER 255

9.4   PRÉVENTION ET DÉTECTION
      DU CANCER 256

9.5   PROCESSUS THÉRAPEUTIQUE 259

9.6   COMPLICATIONS RÉSULTANT
      DU CANCER 295

9.7   SOUTIEN PSYCHOLOGIQUE 297

9.1 INCIDENCE

Tous les organismes multicellulaires peuvent être atteints d'un cancer à un moment ou à un autre. Hippocrate fut le premier à employer le terme **carcinome** pour décrire une tumeur dont l'invasion tue l'hôte. Puis, les Égyptiens de l'Antiquité et, plus tard, Galen, ont décrit le cancer en l'assimilant au comportement du crabe.

Le cancer regroupe plus de 200 maladies caractérisées par une prolifération anarchique des cellules. Le cancer est la principale cause de décès prématuré au Canada (Statistiques canadiennes sur le cancer, 2003). D'après les chiffres actuels, 38 % des femmes et 41 % des hommes seront atteints d'une forme de cancer à un moment donné de leur vie. L'incidence globale du cancer s'est accrue de manière continue depuis 1970. En 1998, 1 125 875 personnes ont reçu un diagnostic de cancer (ce chiffre ne tient pas compte des cancers cutanés sans mélanome et des carcinomes *in situ*). En général, l'incidence et le taux de mortalité pour la majorité des cancers ont diminué au cours de la dernière décennie. On note toutefois certaines exceptions.

Chez la femme, l'incidence et la mortalité reliées au cancer du poumon continuent de s'accroître. L'incidence du cancer du sein augmente constamment, tandis que le taux de mortalité associé à ce cancer diminue depuis 1986. Les figures 9.1 et 9.2 illustrent les taux d'incidence et de mortalité chez les femmes pour certains types de cancer.

Chez l'homme, l'incidence et la mortalité associées au cancer du poumon diminuent régulièrement. Toutefois, l'incidence du cancer de la prostate augmente constamment. Le taux de mortalité de ce type de cancer décline progressivement depuis 1995. Les figures 9.3 et 9.4 illustrent les taux d'incidence et de mortalité chez les hommes pour certains types de cancer.

Selon les statistiques canadiennes, la prévalence du cancer est de 2,1 % chez les hommes et de 2,4 % chez les femmes. Ces chiffres signifient qu'un Canadien sur 48 et une Canadienne sur 41 ont reçu un diagnostic de cette maladie au cours des 15 années précédant 1999. Bien que la stabilisation de la maladie à long terme ait connu des progrès considérables, le cancer demeure la deuxième cause de mortalité au Canada (les maladies cardiaques étant la première). Un décès sur cinq est dû au cancer et la moitié de ces décès survient avant 65 ans. Les tableaux 9.1 et 9.2 énumèrent le nombre de nouveaux cas diagnostiqués au Canada en 1998.

Les statistiques ne font pas état des effets physique, psychologique et sociologique du cancer sur le client et ses proches. Le cancer est la maladie la plus redoutée, bien plus que les maladies cardiaques. Le mot **cancer** est synonyme de mort, de douleur, de défiguration et de perte d'autonomie. Cependant, ces perceptions ne tiennent pas compte des progrès actuels en matière de traitement et de stabilisation de la maladie. L'éducation des professionnels de la santé et de la population est essentielle si l'on veut rendre les perceptions actuelles sur le cancer et son traitement plus réalistes et plus positives.

9.2 BIOLOGIE DU CANCER

Le cancer englobe de nombreuses maladies aux causes multiples. N'importe quelle cellule de l'organisme est susceptible de ne plus répondre aux mécanismes régulant la prolifération et la différenciation. Les anomalies de prolifération et de différenciation cellulaires sont les deux dysfonctionnements majeurs responsables du cancer.

9.2.1 Prolifération cellulaire anormale

Normalement, la plupart des tissus de l'organisme contiennent un certain nombre de cellules non différenciées et prédestinées appelées cellules souches. Les cellules souches d'un tissu donné sont dites « prédestinées » car elles finiront par se différencier et devenir des cellules matures et fonctionnelles de ce tissu en particulier.

La cellule souche se divise suivant un cycle cellulaire (voir figure 9.5). Le délai compris entre le début du cycle cellulaire et la division en deux cellules filles identiques est appelé temps de génération de la cellule. Une cellule mature accomplit ses fonctions jusqu'à sa dégénérescence et sa mort.

Toutes les cellules d'un tissu obéissent à un mécanisme intracellulaire qui déclenche la division cellulaire. Normalement, un équilibre est maintenu en permanence, c'est-à-dire que le nombre de cellules en prolifération est égal au nombre de cellules qui meurent. La division et la prolifération cellulaires ne sont activées qu'en cas de dégénérescence ou de mort cellulaire. Ces processus sont également stimulés lorsque l'organisme nécessite des cellules supplémentaires. Par exemple, en cas d'infection, le taux de globules blancs augmente.

La prolifération cellulaire est aussi régie par l'inhibition de contact. Les cellules normales cessent de proliférer lorsqu'elles touchent des cellules adjacentes. La vitesse de prolifération des cellules dépend du tissu dont elles sont issues (durée entre la naissance et la mort de la cellule). Les cellules de certains tissus comme la moelle osseuse, les follicules pileux, le revêtement épithélial ou le tractus gastro-intestinal se divisent constamment, alors que les cellules du système nerveux, du muscle cardiaque et des muscles squelettiques perdent la capacité de se reproduire.

Les cellules cancéreuses prolifèrent de la même manière et à la même vitesse que les cellules normales du tissu dont elles sont issues. Toutefois, elles répondent différemment aux signaux intracellulaires qui régulent la prolifération. Les cellules cancéreuses se divisent de façon anarchique. À la mitose, elles se divisent parfois en

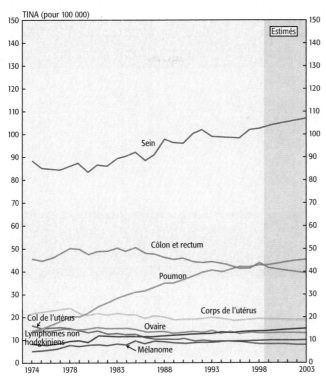

FIGURE 9.1 Taux d'incidence normalisé selon l'âge (TINA) pour certains sièges ou types de cancer, femmes, Canada, 1974-2003

Institut national du cancer du Canada : *Statistiques canadiennes sur le cancer 2003,* Toronto, Canada, 2003.

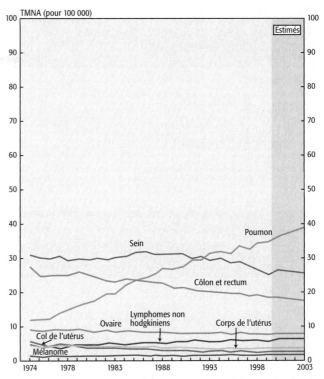

FIGURE 9.2 Taux de mortalité normalisé selon l'âge (TMNA) pour certains sièges ou types de cancer, femmes, Canada, 1974-2003

Institut national du cancer du Canada : *Statistiques canadiennes sur le cancer 2003,* Toronto, Canada, 2003.

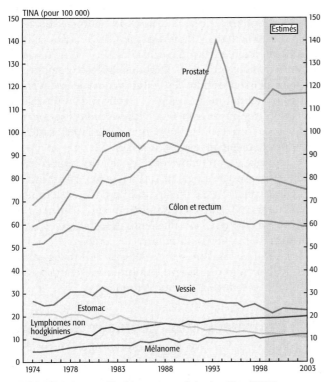

FIGURE 9.3 Taux d'incidence normalisé selon l'âge (TINA) pour certains sièges ou types de cancer, hommes, Canada, 1974-2003

Institut national du cancer du Canada : *Statistiques canadiennes sur le cancer 2003,* Toronto, Canada, 2003.

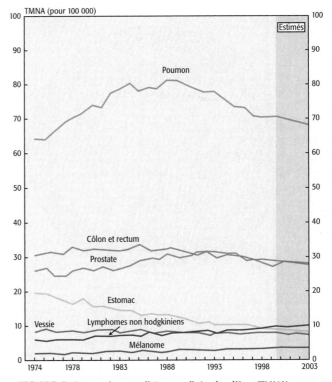

FIGURE 9.4 Taux de mortalité normalisé selon l'âge (TMNA) pour certains sièges ou types de cancer, hommes, Canada, 1974-2003

Institut national du cancer du Canada : *Statistiques canadiennes sur le cancer 2003,* Toronto, Canada, 2003.

TABLEAU 9.1	Taux réel d'incidence normalisé selon l'âge pour les principaux types de cancer, selon le sexe. Données réelles pour les nouveaux cas*, Canada, 1998.		
Taux pour 100 000			
Homme		**Femme**	
Tous les cancers	446	Tous les cancers	346
Prostate	114	Sein	103
Poumon	79	Côlon et rectum	44
Côlon et rectum	62	Poumon	43
Vessie	24	Corps de l'utérus	19
Lymphomes non hodgkiniens	19	Lymphomes non hodgkiniens	14

Institut national du cancer du Canada : *Statistiques canadiennes sur le cancer 2003,* Toronto, Canada, 2003.
* Sont exclues les données sur le cancer de la peau autre que le mélanome, les carcinomes *in situ* et les tumeurs bénignes.

TABLEAU 9.2	Taux réel de mortalité normalisé selon l'âge pour les principaux types de cancer, selon le sexe. Données réelles pour les nouveaux cas*, Canada, 1998.		
Taux pour 100 000			
Homme		**Femme**	
Tous les cancers	229	Tous les cancers	149
Poumon	70	Poumon	35
Côlon et rectum	28	Sein	25
Prostate	27	Côlon et rectum	19
Pancréas	11	Pancréas	8
Lymphomes non hodgkiniens	9	Ovaires	7

Institut national du cancer du Canada : *Statistiques canadiennes sur le cancer 2003,* Canada, 2003.
* Sont exclues les données sur le cancer de la peau autre que le mélanome, les carcinomes *in situ* et les tumeurs bénignes.

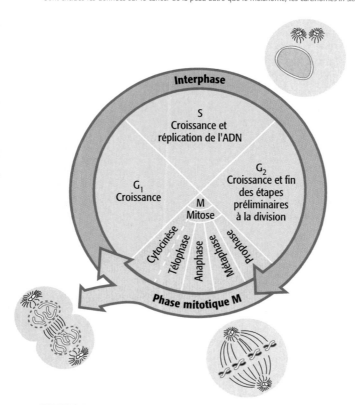

FIGURE 9.5 Cycle cellulaire. G_1 : synthèse des protéines et croissance cellulaire rapide. S : synthèse de l'ADN. G_2 : synthèse partielle de l'ARN et poursuite de la croissance cellulaire. M : mitose (division cellulaire).

plusieurs cellules. Une mutation des cellules souches est parfois à l'origine de la prolifération incontrôlée. Le cancer se développe donc à partir de cellules souches. Quand l'acide désoxyribonucléique (ADN) de la cellule souche est altéré de façon permanente, la cellule devient potentiellement maligne. Certains gènes appelés oncogènes peuvent rendre les cellules tumorales envahissantes (potentiel métastatique). La théorie sur l'origine du cancer s'appuyant sur les cellules souches sera peut-être révisée, car on a observé que des cellules souches malignes peuvent redevenir normales.

Il est faux de prétendre que les cellules cancéreuses prolifèrent plus rapidement que les cellules normales. La cellule cancéreuse demeure indifférenciée et prolifère de manière continue. La division cellulaire d'une cellule cancéreuse crée deux ou plusieurs descendants, d'où la croissance de la masse tumorale.

Les cellules cancéreuses gardées en culture se caractérisent par la perte de leur inhibition de contact. Ces cellules croissent de façon anarchique.

9.2.2 Différenciation cellulaire anormale

La cellule se différencie, c'est-à-dire qu'elle devient mature en suivant une séquence de réactions. Toutes les cellules de l'organisme proviennent d'un ovule fécondé. À l'origine, elles peuvent potentiellement remplir toutes les fonctions de l'organisme. Lors de la différenciation,

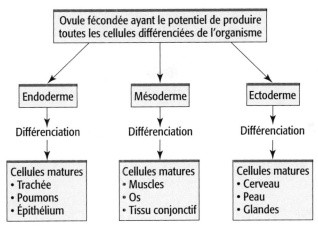

FIGURE 9.6 Différenciation cellulaire normale

TABLEAU 9.3	Comparaison des tumeurs bénignes et malignes	
Caractéristique	**Maligne**	**Bénigne**
Capsulée	Rarement	Généralement
Différenciée	Peu	Partiellement
Métastase	Fréquente	Absente
Récurrence	Fréquente	Rare
Vascularisation	Modérée à marquée	Légère
Mode de croissance	Infiltration et invasion	Invasion
Morphologie des cellules	Cellules anormales, ressemblent moins aux cellules mères	Presque normale ; similitude avec les cellules mères

ce potentiel est inhibé et la cellule mature accomplit alors des fonctions spécifiques (voir figure 9.6).

Normalement, la cellule différenciée est stable et ne retourne pas à un stade antérieur où elle était non différenciée.

On ne comprend pas exactement les mécanismes précis qui régissent la différenciation et la prolifération cellulaires. On sait toutefois que les proto-oncogènes sont des gènes qui régulent la division et la prolifération cellulaires. Ces proto-oncogènes peuvent subir des mutations et se transformer en **oncogènes** (gènes favorisant l'apparition des tumeurs) qui induisent la mitose mais inhibent la différenciation cellulaire.

On peut considérer le proto-oncogène comme un « verrou » génétique qui maintient la cellule dans un état mature. Ce verrou « s'ouvre » lorsqu'il est exposé à des carcinogènes (agents qui causent le cancer) ou à des virus oncogènes. Il subit alors des mutations génétiques. La cellule mutée récupère ses capacités et ses propriétés fœtales ou embryonnaires. Dans certaines conditions, les oncogènes interfèrent avec le processus normal de la cellule et la rendent envahissante. Cette cellule reprend alors une apparence et une fonction fœtales. Par exemple, certaines cellules cancéreuses produisent de nouvelles protéines que l'on trouve habituellement sur les cellules embryonnaires et fœtales. Ces protéines fixées sur la membrane cellulaire comprennent les antigènes carcino-embryonnaires (CEA) et les α-fœtoprotéines (AFP). Elles peuvent être détectées dans le sang humain par des analyses en laboratoire (voir section sur le rôle du système immunitaire, plus loin dans ce chapitre). D'autres cellules cancéreuses, comme les petites cellules (en grains d'avoine) du carcinome pulmonaire, sécrètent des hormones habituellement produites par des cellules issues de la même souche cellulaire (voir section sur les complications du cancer, plus loin dans ce chapitre).

Les tumeurs peuvent être bénignes ou malignes. En général les cellules des tumeurs bénignes sont bien différenciées et celles des tumeurs malignes peuvent exprimer tous les stades de différenciation. Les tumeurs malignes se distinguent par leur capacité à envahir les autres tissus et à y former des métastases. Le tableau 9.3 fait état d'autres distinctions entre les cellules malignes et bénignes.

9.2.3 Évolution du cancer

À ce jour, les causes du cancer sont encore inconnues. Le cancer peut surgir spontanément. Les facteurs d'origine chimique, environnementale, génétique, immunologique ou virale peuvent contribuer à son apparition.

On croit que le cancer progresse de manière rapide et désordonnée. En science, on décrit l'évolution du cancer comme un processus ordonné divisé en plusieurs phases se déroulant dans un temps indéterminé. Les phases de la maladie sont l'initiation, la promotion et la progression (voir figure 9.7).

Initiation. La première phase, l'**initiation**, se caractérise par une altération irréversible du bagage génétique de la cellule causée par un agent chimique, physique ou biologique. Cette cellule altérée peut potentiellement donner naissance à des clones néoplasiques. De nombreux carcinogènes (agents capables d'induire ces altérations cellulaires) sont neutralisés par des enzymes protecteurs et sont excrétés hors de la cellule. Si ce mécanisme de protection échoue, les carcinogènes peuvent pénétrer dans le noyau de la cellule et se lier de façon irréversible à l'ADN. L'ADN est parfois réparé, mais si cette réparation ne survient pas avant la division cellulaire, la cellule donnera naissance à des cellules filles portant les mêmes altérations.

Les carcinogènes peuvent être de nature chimique, physique ou génétique. Tous les carcinogènes agissent au stade de l'initiation du cancer et produisent des effets irréversibles et additifs.

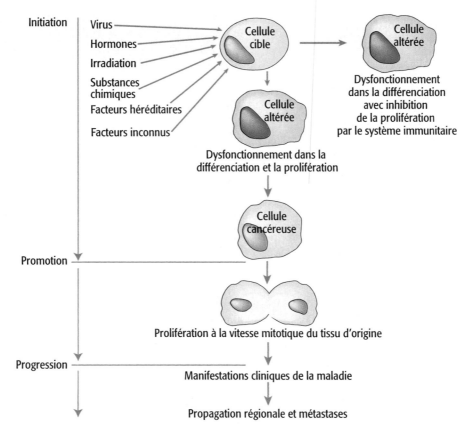

FIGURE 9.7 Processus de développement du cancer

Carcinogènes chimiques. Vers la fin du dix-huitième siècle, des composés chimiques furent désignés comme agents déclencheurs du cancer. Percival Pott avait observé que l'incidence de cancer du scrotum était plus élevée chez les ramoneurs. On soupçonnait que les résidus de suie en étaient responsables. Avec le temps, d'autres composés chimiques furent catégorisés comme agents cancérigènes effectifs ou potentiels, alors que les personnes exposées pendant un temps à certaines substances chimiques montraient une plus grande incidence de certains cancers. À cause de la longue période de latence du cancer, il est difficile de cerner quelles substances chimiques sont cancérigènes. De plus, les substances chimiques favorisant un cancer chez l'animal ne déclenchent pas nécessairement le même cancer chez l'homme. Certaines substances chimiques sont cancérigènes telles qu'on les trouve dans l'environnement, alors que d'autres doivent d'abord subir des transformations métaboliques. Les substances chimiques présumées cancérigènes chez l'homme sont énumérées au tableau 9.4.

Certains médicaments sont également des carcinogènes potentiels (voir tableau 9.5). Des médicaments (p. ex. les agents alkylants), ainsi que des agents immunosuppresseurs peuvent réagir avec l'ADN et provoquer des néoplasmes. L'utilisation d'agents alkylants (p. ex. le

cyclophosphamide [Cytoxan] et la moutarde azotée), seuls ou en association avec la radiothérapie, peut augmenter l'incidence de la leucémie myéloblastique aiguë chez les clients souffrant de la maladie de Hodgkin, de lymphomes non hodgkiniens et de myélomes multiples. Ces leucémies secondaires sont relativement réfractaires à une rémission induite par la chimiothérapie. Des leucémies secondaires ont également été observées chez des personnes ayant subi une transplantation d'organe, suivie de l'administration de médicaments immunosuppresseurs.

L'administration d'œstrogènes chez la femme a également été associée à l'apparition du cancer. Bien qu'il n'a pas été démontré que les œstrogènes utilisés comme contraceptifs oraux augmentent le risque de cancer chez la femme, leur usage comme traitement de substitution a été associé avec l'apparition de cancers de l'endomètre et du sein. De plus, dans le passé, l'administration de diéthylstilbœstrol (Honvol) pour prévenir les avortements spontanés a entraîné un risque accru de cancer du vagin chez les femmes exposées à cet agent *in utero*.

Certains carcinogènes chimiques sont associés au mode de vie. Par exemple, il a été prouvé que l'alimentation joue un rôle dans le développement du cancer. Chez les personnes obèses, on assiste à une plus grande

TABLEAU 9.4	Carcinogènes chimiques
Carcinogène	**Néoplasme associé**
Fumée de cigarette	Poumon, voies respiratoires supérieures, vessie, utérus et autres cancers
Amiante	Mésothéliome, poumon
Acrylonitrile	Poumon, côlon, prostate
Arsenic	Poumon, peau, foie
Benzène	Leucémie
Cadmium	Prostate, rein
Chrome	Poumon
Nickel	Poumon, sinus nasaux
Uranium	Poumon
Aflatoxine	Foie
Nitrites	Estomac
Éthers de chlorométhyle	Poumon
Huile d'isopropyle	Sinus nasaux
Benzidine	Vessie
Chlorure de vinyle	Angiosarcome du foie
Irradiation	Nombreux foyers
Hydrocarbures polycycliques	Poumon, peau
Gaz moutarde	Poumon

TABLEAU 9.5	Cancers liés à l'administration de médicaments chez les humains
Médicament	**Néoplasme associé**
Radio-isotopes	
Phosphore (P^{32})	Leucémie aiguë
Radium, mésothorium	Ostéosarcome et carcinome du sinus
Thorotrast	Hémangioendothéliome du foie
Agents immunosuppresseurs	
Sérum antilymphocytaire	Sarcome des cellules réticulaires, cancer épithélial de la peau et des viscères, leucémie myéloblastique aiguë
Antimétabolites	
Agents alcalins	
Corticostéroïdes	
Azathioprine (Imuran)	Lymphome, sarcome des cellules réticulaires, cancer de la peau
	Sarcome de Kaposi
Médicaments cytotoxiques	
Cyclophosphamide (Cytoxan, Procytox)	Leucémie myéloblastique aiguë
Hormones	
Œstrogènes synthétiques	Adénocarcinome vaginal et cervical (type à cellules claires)
	Carcinome de l'endomètre (type adénomalpighien)
Stéroïdes androgènes-anaboliques	Carcinome hépatocellulaire
Diéthylstilbœstrol (Honvol)	Cancer du vagin
Autres	
Arsenic	Cancer du foie et de la peau
Phénytoïne (Dilantin)	Lymphome
Chloramphénicol (Chloromycetin)	Leucémie
Amphétamines	Maladie de Hodgkin

incidence de certaines affections malignes, tel le cancer du côlon. Certains facteurs alimentaires pourraient engendrer une altération génétique et favoriser la formation de cellules tumorales.

Carcinogènes physiques. Il existe trois types de carcinogènes physiques : le rayonnement ionisant, le rayonnement ultraviolet (UV) et les corps étrangers. Depuis le début du siècle dernier, on sait que les rayonnements ionisants peuvent causer le cancer dans presque tous les tissus humains. On ne connaît toujours pas la dose de radioactivité qui provoque le cancer. Un grand débat est d'ailleurs engagé sur les effets de l'exposition prolongée à de faibles doses de radioactivité. L'exposition à une source de radioactivité altère l'un des brins de l'ADN ou les deux. Certaines tumeurs malignes ont été associées à la radioactivité.
- La leucémie, les lymphomes, les cancers de la thyroïde et d'autres cancers ont vu leur incidence croître dans les populations d'Hiroshima et de Nagasaki après l'explosion des bombes atomiques.
- L'exposition professionnelle a contribué à augmenter l'incidence de cancer osseux. Les radiologistes, les radio-oncologues et les travailleurs des mines d'uranium sont des exemples de travailleurs atteints.
- L'incidence du cancer de la thyroïde chez les personnes ayant été soumises à la radiothérapie pour traiter l'acné, l'amygdalite, le mal de gorge ou l'hypertrophie de la glande thyroïde s'est accrue.
- Une plus grande incidence de cancer pendant l'enfance est observée chez les enfants exposés aux rayonnements ionisants pendant leur vie fœtale.

Le rayonnement UV est depuis longtemps associé au cancer malpighien ou basocellulaire de la peau. Le cancer de la peau est de plus en plus répandu dans la population canadienne. L'augmentation relativement récente de l'incidence du mélanome est inquiétante, car ce cancer de la peau répond mal au traitement. Bien que le mélanome soit probablement causé par plusieurs facteurs, la corrélation entre le mélanome et l'exposition aux rayons UV solaires est de plus en plus étroite.

Les corps étrangers non biodégradables comme les fibres d'amiante, les disques de bakélite et les implants en cellophane peuvent provoquer le cancer en stimulant excessivement la réparation des lésions cellulaires, comme la cicatrisation. Le mécanisme de cette transformation néoplasique est encore inconnu. Néanmoins, plus la surface exposée au corps étranger est importante, plus grande est la probabilité de transformation néoplasique.

Certains virus à ADN et à ARN, dits oncogéniques, transforment les cellules infectées et induisent des cancers. Certains cancers chez les animaux et les humains sont d'ailleurs causés par des virus. En présence de lymphome de Burkitt, on détecte systématiquement *in vitro* le virus d'Epstein-Barr (VEB). Ce virus est également présent dans la mononucléose infectieuse, mais on ignore toujours pourquoi une maladie infectieuse se manifeste chez certaines personnes et une tumeur maligne (lymphome) chez d'autres. Le sarcome de Kaposi se manifeste souvent chez les personnes atteintes du syndrome d'immunodéficience acquise (SIDA), une maladie causée par un virus (voir chapitre 8). D'autres virus sont liés au cancer, notamment le virus de l'hépatite B, associé au carcinome hépatocellulaire, et le papillomavirus, susceptible d'induire des lésions qui deviennent des carcinomes malpighiens (p. ex. cancers cervicaux).

Susceptibilité génétique. Mis à part quelques exceptions, peu de cancers sont héréditaires. Néanmoins, dans quelques cas, l'hérédité prédispose grandement au cancer. La polypose familiale est un exemple d'une telle prédisposition héréditaire. L'incidence du carcinome du côlon chez les personnes atteintes de polypose est 1000 fois supérieure à l'incidence moyenne. Plusieurs syndromes prénéoplasiques peuvent être héréditaires et accroître la probabilité de survenue de certains cancers. *Xeroderma pigmentosum* est parfois précurseur de certains cancers de la peau que l'exposition au soleil favorise.

Plusieurs « familles prédisposées au cancer » comprennent des membres qui voient apparaître un ou plusieurs cancers spécifiques dans leur jeune âge. Les organes les plus touchés sont le côlon et l'utérus. Les cancers à sites multiples ou les cancers juvéniles pourraient avoir une origine génétique. Dans ces cas, des anomalies chromosomiques héréditaires seraient responsables des néoplasmes.

Pendant de nombreuses années, les scientifiques ont tenté de dresser le profil génétique des cancers les plus courants. Ils ont découvert que :
- l'incidence du cancer du sein postménopausique est trois fois plus élevée et l'incidence du cancer préménopausique est cinq fois plus grande chez les femmes ayant des antécédents familiaux de cette maladie ;
- l'incidence du cancer du poumon est plus élevée chez les fumeurs ayant des antécédents familiaux de ce cancer que chez les fumeurs sans antécédents familiaux ;
- pour une personne atteinte de leucémie, l'incidence de ce cancer est plus grande pour son jumeau identique ;
- l'incidence de neuroblastomes au sein d'une fratrie est plus grande ;
- le cancer du sein augmente la probabilité de voir apparaître un cancer du côlon.

Promotion. Une seule altération génétique de la cellule n'est pas suffisante pour provoquer le cancer. Une autre mutation est nécessaire. Compte tenu du nombre élevé de cellules formant l'organisme humain, la probabilité de cet événement est extrêmement faible. Néanmoins, la présence d'agents promoteurs accroît le risque de développement d'un cancer. La **promotion**, qui est la deuxième phase de l'évolution du cancer, se caractérise par la prolifération réversible des cellules altérées. L'accroissement de la population de ces cellules augmentera la probabilité d'une seconde mutation dans une cellule.

La présence des agents promoteurs peut être éliminée, c'est ce qui constitue la différence notable entre l'initiation et la promotion. Ce phénomène revêt une importance particulière pour la prévention de la maladie. Les agents promoteurs ou facteurs de risque incluent les graisses alimentaires, l'obésité, le tabagisme et la consommation d'alcool (voir tableau 9.6). Un stress prolongé peut également favoriser le développement du cancer. (Pour une analyse complète sur le stress, voir le chapitre 4). En agissant sur ces facteurs, on peut diminuer le risque de formation néoplasique.

Plusieurs agents promoteurs s'attaquent à des tissus ou à des organes spécifiques et favorisent le développement de certains types de cancers. Par exemple, la fumée de cigarette est un agent promoteur du carcinome bronchique et, en association avec l'alcool, elle peut induire les cancers de l'œsophage et de la vessie. Certains carcinogènes (tels que la fumée de cigarette) sont capables à la fois d'induire et de promouvoir le développement du cancer. Une période variant de une à quarante années peut s'écouler entre l'altération génétique initiale et les manifestations cliniques du cancer. Cette période, appelée **période de latence** comprend les phases d'initiation et de promotion du cancer. Les facteurs environnementaux et l'activité mitotique du tissu d'origine déterminent la durée de cette période.

Les cellules tumorales doivent atteindre une masse critique pour que le processus morbide devienne cliniquement décelable. Une tumeur de 1 cm (la taille généralement palpable) est constituée de 1 milliard de cellules cancéreuses. L'imagerie par résonance magnétique (IRM) peut détecter une tumeur aussi petite que 0,5 cm.

TABLEAU 9.6   Facteurs favorisant le développement du cancer

Facteur	Effet
Âge	↑ Incidence du cancer chez les jeunes et chez les personnes âgées de plus de 55 ans
Hormones	↑ Évolution du cancer de l'endomètre en présence d'œstrogènes ↓ Évolution de certains cancers avec l'ablation de la thyroïde, des surrénales, des ovaires, de l'hypophyse
Capacité d'adaptation inadéquate	↑ Évolution du cancer en présence de stratégies d'adaptation inefficaces chez des personnes en détresse, en proie au désespoir et dépassées par les événements (non encore prouvé scientifiquement)
Graisses alimentaires, apport calorique élevé	↑ Incidence et évolution du cancer chez les personnes dont le poids est supérieur à 25 % du poids santé ↑ Incidence et évolution des cancers du sein et de la vessie en présence d'une alimentation riche en lipides ↑ Incidence et évolution du cancer du côlon en présence d'une alimentation pauvre en fibres ↑ Évolution du cancer chez des personnes ayant une carence protéinique
Fumée de cigarette	↑ Incidence des cancers des bronches, de l'œsophage et de la vessie
Boissons alcoolisées	↑ Incidence des cancers de la bouche, du foie et de l'œsophage
Association de fumée de cigarette et de consommation d'alcool	↑ Incidence des cancers de la tête, du cou, de l'œsophage et de la vessie

Progression. La **progression** représente la dernière phase de l'évolution du cancer. Cette phase se caractérise par une accélération de la croissance de la tumeur, par une invasion accrue et par la formation de métastases. Durant ce stade se produisent des altérations d'ordre biochimique et morphologique qui permettent à la tumeur de survivre localement et de se disséminer (métastases). Certains cancers se métastasent tôt dans le développement (p. ex. cancer du sein préménopausique), alors que d'autres envahissent les tissus adjacents et se métastasent rarement (p. ex. glioblastome multiforme, carcinome basocellulaire de la peau). Certains cancers forment des métastases dans un tissu ou un organe particulier ; d'autres cancers sont imprévisibles (le mélanome). Certains cancers requièrent un site particulier pour proliférer. Les métastases migrent de préférence dans les poumons, le cerveau, les os et le foie. La plupart des lésions métastatiques sont multiples et largement disséminées, mais quelques cancers comme l'adénocarcinome des reins ne produisent qu'une lésion unique.

À mesure que la tumeur grossit, les tissus normaux se font envahir peu à peu. Au début de la croissance tumorale, les nutriments sont apportés par la circulation. Puis, la synthèse de facteurs d'**angiogenèse tumorale** induit la formation d'une vascularisation indépendante. Par la suite, des cellules se détachent de la tumeur primaire, envahissent les tissus adjacents, empruntent la circulation sanguine et lymphatique et métastasent un site éloigné (voir figure 9.8).

Certaines caractéristiques des cellules tumorales leur permettent de produire des métastases. D'abord, la prolifération rapide des cellules tumorales exerce une pression mécanique qui favorise l'invasion des tissus environnants. Ensuite, l'adhésion intercellulaire de certaines cellules tumorales est moindre que celle des cellules normales. Cette propriété rend les cellules cancéreuses plus mobiles et leur permet de se détacher de la tumeur primaire et de pénétrer dans les structures vasculaires ou organiques. Enfin, certaines cellules tumorales produisent des enzymes métalloprotéiniques (famille d'enzymes) capables de détruire la membrane basale (barrière solide entourant les tissus et les vaisseaux sanguins) de la tumeur elle-même, mais également celle des vaisseaux lymphatiques et sanguins, des muscles, des nerfs et de la plupart des barrières épithéliales.

Les cellules tumorales se dirigent vers des organes éloignés en empruntant les voies lymphatiques et hématogènes. Le processus métastatique par voie hématogène se déroule en plusieurs étapes : d'abord, les cellules tumorales primaires pénètrent dans les vaisseaux sanguins en libérant des enzymes métalloprotéiniques (décrits plus haut). Par la suite, ces cellules sont entraînées par la circulation, s'arrêtent et se fixent aux petits vaisseaux sanguins des organes éloignés. Les cellules tumorales pénètrent ensuite dans ces petits vaisseaux sanguins en libérant les mêmes enzymes. La plupart des cellules tumorales ne survivent pas à ce processus et sont détruites mécaniquement par la turbulence du débit sanguin ou éliminées par les cellules du système immunitaire. Néanmoins, quelques cellules tumorales sont préservées de la destruction par les amas de plaquettes et de fibrine formés dans les vaisseaux sanguins.

Dans le système lymphatique, les cellules tumorales sont parfois piégées dans le premier ganglion rencontré. Il arrive qu'elles évitent les premiers ganglions lymphatiques (ganglions lymphatiques régionaux) et se rendent à des ganglions plus éloignés, un phénomène appelé **saut de métastase**. Ce phénomène s'observe dans le cancer de l'œsophage et remet en question l'efficacité de l'exérèse des ganglions lymphatiques régionaux pour prévenir la formation de métastases éloignées.

Les cellules tumorales qui survivent au processus métastatique doivent créer un environnement favorable à leur croissance et à leur développement dans l'organe éloigné. Cette croissance et ce développement sont favorisés par la capacité des cellules tumorales à déjouer les cellules immunitaires et à créer, dans le site métastasé, un réseau vasculaire semblable à celui du foyer primitif. La vascularisation assure un apport nutritionnel et l'évacuation des déchets de la métastase. La vascularisation du site métastasé est stimulée par les facteurs d'angiogenèse sécrétés par les cellules cancéreuses. En bref, les cellules tumorales quittent le foyer initial et forment des métastases dans les sites secondaires, et les processus intervenant dans le développement des métastases secondaires sont semblables à ceux de la tumeur primaire.

Certaines cellules cancéreuses se fixent aux surfaces séreuses, comme celles de la cavité péritonéale ou de la cavité pleurale. On parle alors d'implantation. Au cours d'interventions chirurgicales, l'implantation peut également survenir dans l'organe primaire ou adjacent si les conditions sont favorables.

À l'origine, les cellules de la tumeur primaire et les métastases sont issues d'une cellule unique ou d'un groupe de cellules identiques (clones). Au fur et à mesure du développement des tumeurs primaires, et secondaires, l'hétérogénéité des cellules s'accentue. Ce phénomène s'explique par la survenue de mutations génétiques spontanées. C'est notamment la nature hétérogène des cellules tumorales primaires et secondaires qui rend le traitement difficile. L'ablation chirurgicale des tumeurs métastasées n'est possible que si elles sont peu nombreuses. Certaines cellules de tumeurs hétérogènes, primaires et métastasées, finissent par manifester une résistance à la chimiothérapie et à la radiothérapie. La thérapie biologique est toutefois une percée prometteuse, car les cellules tumorales ne semblent pas acquérir de résistance envers ce traitement.

9.2.4 Rôle du système immunitaire

Cette section décrit exclusivement le rôle du système immunitaire dans la reconnaissance et la destruction des cellules tumorales. Une description détaillée du système immunitaire figure au chapitre 7.

Tant la cellule normale qu'anormale possède des déterminants (marqueurs) antigéniques à sa surface ou à l'intérieur d'elle. Ces déterminants antigéniques varient selon le type cellulaire. Lorsque des cellules étran-

gères sont transplantées chez un sujet, les déterminants antigéniques provoquent une réaction immunologique. Cette réaction est à la base du rejet de greffon.

Les antigènes de surface de certaines cellules cancéreuses sont modifiés par le processus tumoral. Ces antigènes, appelés **antigènes associés aux tumeurs** (AAT) (voir figure 9.9), sont surtout présents sur les cellules tumorales. Dans des circonstances particulières, on peut toutefois les trouver à la surface des cellules normales (p. ex. antigènes fœtaux présents pendant le développement embryonnaire). Les antigènes associés aux tumeurs, habituellement exprimés uniquement par le tissu fœtal ou embryonnaire, peuvent également résulter de mutations génétiques (p. ex. par des carcinogènes chimiques) ou de l'expression de nouveaux gènes introduits par un virus (p. ex. oncogène ou virus à ARN).

L'un des rôles du système immunitaire est de réagir contre les antigènes associés aux tumeurs. La réponse du système immunitaire aux antigènes des cellules tumorales est appelée **immunosurveillance**. Les lymphocytes examinent régulièrement les antigènes de surface des cellules pour détecter et détruire les cellules aux déterminants anormaux ou altérés. Dans l'organisme, il semble que la transformation maligne se produit continuellement et que les cellules cancéreuses sont détruites par le système immunitaire. La plupart du temps, l'immunosurveillance empêche ces cellules modifiées de se transformer en tumeurs cliniquement détectables.

Les réactions immunitaires contre les tumeurs font intervenir presque tous les types cellulaires et toutes les fonctions immunitaires qui neutralisent ou éliminent les antigènes. Les lymphocytes T cytotoxiques, les cellules tueuses naturelles, les macrophages et les lymphocytes B participent à ces réactions.

Les lymphocytes T cytotoxiques jouent un rôle majeur en détruisant les cellules tumorales et en sécrétant des cytokines (p. ex. interleukine-2 [IL-2] et interféron-γ) qui stimulent la libération des lymphocytes T, de cellules tueuses naturelles, de lymphocytes B et de macrophages.

Les cellules tueuses naturelles (TN) sont capables de lyser les cellules tumorales spontanément sans sensibilisation préalable. Ces cellules sont stimulées par l'IL-2 et l'interféron-γ (produits par les lymphocytes T), ce qui entraîne une augmentation de l'activité cytotoxique.

Les monocytes et les macrophages occupent un rôle central dans l'immunité tumorale (voir figure 9.10). Les macrophages sont activés par l'interféron-γ (produit par les lymphocytes T) et lysent les cellules tumorales de manière non spécifique. Les macrophages sécrètent également des cytokines, dont l'IL-1, l'interféron-α, le facteur nécrosant des tumeurs (FNT) et des facteurs de stimulation des colonies. La production d'IL-1, consécutive à une stimulation antigénique, active les lymphocytes T et stimule leur prolifération. L'interféron-α augmente le pouvoir lytique des cellules tueuses

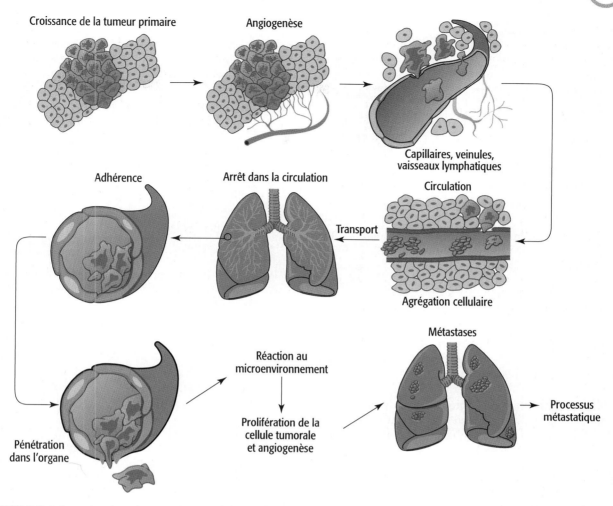

Croissance de la tumeur primaire   Angiogenèse

Capillaires, veinules,
vaisseaux lymphatiques

Adhérence   Arrêt dans la circulation   Circulation

Transport

Agrégation cellulaire

Métastases

Réaction au
microenvironnement

Pénétration
dans l'organe

Prolifération de la
cellule tumorale
et angiogenèse

Processus
métastatique

FIGURE 9.8 Pathogenèse des métastases. Pour produire des métastases, les cellules tumorales doivent se détacher de la tumeur primaire et pénétrer dans la circulation, survivre dans cette circulation pour s'arrêter dans le lit capillaire, adhérer à la surface des membranes, pénétrer dans le parenchyme des organes, être stimulé par les facteurs de croissance, proliférer, induire l'angiogenèse et éviter les défenses de l'hôte.

naturelles. Le FNT provoque une nécrose hémorragique des tumeurs et exerce une action cytocide et cytostatique sur les cellules tumorales. Les facteurs de stimulation des colonies régulent la production de cellules sanguines

Antigènes de surface
d'une cellule normale

Antigènes associés
aux tumeurs

Cellule
normale

Cellule
cancéreuse

FIGURE 9.9 Expression d'antigènes associés aux tumeurs à la surface des cellules tumorales

spécifiques par la moelle osseuse et stimulent la fonction leucocytaire.

Les lymphocytes B sécrètent des anticorps spécifiques qui se fixent sur les cellules tumorales, ce qui permet au complément de détruire ces dernières (voir chapitre 6). Ces anticorps sont détectables dans le sang et la salive du client. Certaines personnes sont plus à risque de présenter un cancer par rapport à la population en général. Environ 10 % des enfants atteints de déficiences immunitaires congénitales présentent des cancers. Ces cancers sont surtout dérivés de cellules du système lymphatique. Les personnes qui prennent de fortes doses de médicaments immunosuppresseurs augmentent leur risque de cancer d'un facteur de 80 à 100. Les types de cancer dont souffrent ces personnes sont essentiellement épithéliaux et lymphoïdes et sont habituellement observés après une transplantation d'organe, en présence de maladies liées au système immunitaire, notamment la

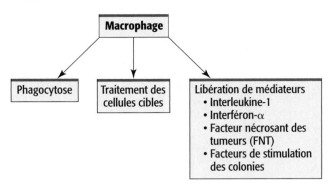

FIGURE 9.10 Réactions des macrophages à des cellules tumorales

polyarthrite rhumatoïde, le lupus érythémateux disséminé, et chez des clients atteints de SIDA.

Les enfants en bas âge et les personnes âgées font partie des groupes à risque élevé de cancer. Chez les jeunes, l'immaturité du système immunitaire en est la cause. Pour une raison inconnue, l'incidence du cancer augmente chez les personnes entre 40 et 60 ans. Chez l'adulte plus âgé, les causes sont une immunosurveillance diminuée, l'atrophie du thymus et une efficacité moins grande des lymphocytes T.

Échappement immunologique.
Le développement tumoral n'est possible qu'en cas d'**échappement immunologique**. Chez nombre de personnes atteintes du cancer, la tumeur échappe au système immunitaire. Les hypothèses suivantes ont été proposées pour expliquer ce phénomène.

Anergie. L'anergie a lieu lorsque les antigènes de surface des cellules sont en petit nombre. Au début de leur croissance, les cellules cancéreuses ne provoquent pas de réaction immunitaire, car leurs marqueurs de surface transformés sont faiblement antigéniques. Au moment où le système immunitaire est alerté, la tumeur est bien établie et trop volumineuse pour être détruite.

Modulation antigénique. La cellule tumorale peut changer ses déterminants antigéniques ou les perdre pendant ou après la réaction immunitaire. La cellule peut alors exprimer de nouveaux antigènes. Ce phénomène est nommé **modulation antigénique**. Ces nouveaux antigènes tumoraux ne stimulent pas une réponse efficace du système immunitaire.

Surexposition aux antigènes. Les cellules tumorales échappent à la réaction immunitaire en produisant une quantité excessive d'antigènes tumoraux dans l'organisme. Ces antigènes se lient à des anticorps spécifiques ou à des récepteurs lymphocytaires et les empêchent de reconnaître et de détruire les cellules tumorales. L'excès d'antigènes paralyse le système immunitaire de l'hôte et favorise la croissance de la tumeur.

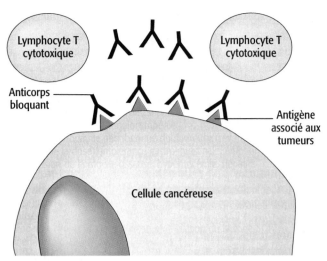

FIGURE 9.11 Les anticorps bloquants empêchent les lymphocytes T d'interagir avec les antigènes associés aux tumeurs et de détruire la cellule tumorale.

Facteurs bloquants. Les facteurs bloquants empêchent les lymphocytes T de réagir contre les antigènes associés aux tumeurs. Par exemple, des anticorps bloquants peuvent se lier aux antigènes associés aux tumeurs et empêcher les lymphocytes T de les reconnaître (voir figure 9.11). Il est également possible que l'antigène produit et relâché par la cellule tumorale se fixe au lymphocyte T et l'empêche de reconnaître la cellule tumorale. Ces facteurs bloquants dérivés du système immunitaire peuvent ainsi accélérer la croissance de la tumeur. On parle alors de **facilitation immunitaire**.

Antigènes oncofœtaux.
Les antigènes oncofœtaux, appelés aussi antigènes carcinofœtaux, font partie des antigènes tumoraux. On les trouve à la surface des cellules cancéreuses et des cellules fœtales et à l'intérieur d'elles. L'expression d'antigènes fœtaux par les cellules tumorales n'est pas bien comprise, mais on pense que cette expression a lieu quand la cellule regagne son caractère embryonnaire.

Les antigènes carcinofœtaux (CEA) et les α-fœtoprotéines sont des exemples d'antigènes onco-fœtaux. On trouve les CEA à la surface de cellules cancéreuses provenant du tractus gastro-intestinal, du foie et du pancréas et à la surface des cellules intestinales, hépatiques et pancréatiques fœtales. Normalement, les CEA disparaissent au cours des trois derniers mois du développement fœtal. Les CEA ont été détectés pour la première fois dans des cellules tumorales du côlon. Un taux élevé de CEA a également été observé dans des conditions bénignes (p. ex. cirrhose du foie, colite ulcéreuse et tabagisme excessif). Actuellement, la surveillance du taux de CEA permet d'évaluer le succès d'un traitement antinéoplasique. Par exemple, le maintien d'un taux élevé de CEA en période postopératoire indique la présence d'une tumeur résiduelle. L'élévation du taux de CEA après une chimiothérapie ou une radio-thérapie témoigne de la récurrence du cancer ou de sa propagation.

L'AFP est produite par les cellules tumorales et les cellules hépatiques fœtales. Un taux élevé d'AFP est observé dans les cas de carcinome testiculaire, d'hépatite virale et de troubles hépatiques bénins. L'AFP permet de diagnostiquer le cancer hépatique primaire (hépatocarcinome) et secondaire (métastases hépatiques). La mesure du taux d'AFP permet de détecter la présence d'une tumeur et de mesurer son évolution.

D'autres antigènes oncofœtaux sont actuellement étudiés : le CA-125, présent dans les cas de carcinomes des ovaires ; le CA-19-9, détecté en présence de cancers du pancréas, du côlon et du sein et, finalement, l'antigène prostatique spécifique (PSA), que l'on trouve dans le cancer de la prostate.

Antigènes induits par les virus. L'expression d'antigènes associés aux tumeurs peut être induite par certains virus. En expérimentation animale, les virus à ADN et à ARN stimulent l'expression d'antigènes particuliers dans le noyau et à la surface des cellules. Cependant, ces résultats n'ont pas encore été démontrés chez les humains. Les virus à ADN regroupent les adénovirus et plusieurs herpèsvirus. Le lymphome de Burkitt, les carcinomes nasopharyngés et le cancer du col de l'utérus sont trois néoplasmes induits par les virus à ADN humains. La leucémie de certains animaux, dont la souris, ainsi que des tumeurs mammaires chez la souris ont été associées avec des virus à ARN. Actuellement, on n'a pas encore démontré que la leucémie humaine peut être provoquée par un virus.

9.3 CLASSIFICATION DU CANCER

Les tumeurs sont classées selon leur site, l'apparence et le degré de différenciation des cellules (grade) et leur étendue (stade). Les différents systèmes de classification ont pour objectif de faire connaître l'état de la maladie à l'équipe de soins, de déterminer le traitement le plus efficace, d'évaluer le plan de traitement, de déterminer le pronostic et de comparer le client à des groupes similaires à des fins statistiques.

9.3.1 Classification par site anatomique

Dans cette classification, la tumeur est définie par son tissu d'origine, son site anatomique et son état (c.-à-d. bénigne ou maligne) (voir tableau 9.7). Les carcinomes proviennent de l'ectoderme de l'embryon (peau et glandes) et de l'endoderme (muqueuse de la membrane des voies respiratoires, tractus gastro-intestinal et voies génito-urinaires). Les sarcomes émergent des mésodermes embryonnaires (tissus conjonctifs, muscles, os et graisse). Les lymphomes et les leucémies résultent d'anomalies du système hématopoïétique.

9.3.2 Classification selon l'analyse histologique

Pour déterminer le grade des tumeurs, on évalue l'aspect des cellules et leur degré de différenciation. Bon nombre de cellules tumorales sont catégorisées dans l'un des quatre grades suivants :
- Grade I. Les cellules sont légèrement différentes des cellules normales (légère dysplasie) et sont bien différenciées.

TABLEAU 9.7	Classification anatomique des tumeurs	
Site	**Bénigne**	**Maligne**
Tumeurs des tissus épithéliaux* Épithélium de surface Épithélium glandulaire	*-ome* Papillome Adénome	*-carcinome* Carcinome Adénocarcinome
Tumeurs des tissus conjonctifs⁺ Tissu fibreux Cartilage Muscle strié Os	*-ome* Fibrome Chondrome Rhabdomyome Ostéome	*-sarcome* Fibrosarcome Chondrosarcome Rhabdomyosarcome Ostéosarcome
Tumeurs des tissus nerveux Méninges Cellules nerveuses	*-ome* Méningiome Ganglioneurome	*-ome* Sarcome méningé Neuroblastome
Tumeurs des tissus hématopoïétiques Tissu lymphoïde Cellules plasmatiques Moelle osseuse	–	Maladie de Hodgkin, lymphome non hodgkinien Myélome multiple Leucémie lymphoblastique et myéloïde

* Surfaces corporelles, revêtement des cavités de l'organisme et structures glandulaires.
⁺ Tissu de soutien, tissu fibreux et vaisseaux sanguins.

- Grade II. Les cellules sont davantage anormales (dysplasie modérée) et modérément différenciées.
- Grade III. Les cellules sont très anormales (importante dysplasie) et peu différenciées.
- Grade IV. Les cellules sont immatures, primitives (anaplasie) et non différenciées ; la cellule d'origine est difficile à déterminer.

9.3.3 Classification selon l'étendue de la maladie

La **stadification** est un système de classification qui repose sur l'étendue de la maladie plutôt que sur l'apparence des cellules. Même si deux cancers sont au même stade, ils peuvent se distinguer sur plusieurs plans. C'est pourquoi il est nécessaire de connaître l'évolution propre à chaque type de cancer.

Stadification clinique. La stadification clinique détermine l'étendue du processus morbide du cancer.
- Stade 0 : cancer *in situ*.
- Stade I : tumeur limitée au tissu d'origine ; croissance localisée de la tumeur.
- Stade II : propagation locale limitée.
- Stade III : importante propagation locale et régionale.
- Stade IV : métastase.

Ce système de classification est utilisé pour le cancer du col utérin (voir tableau 45.13) et pour la maladie de Hodgkin (voir figure 19.14).

Système de classification TNM. La classification TNM est un système de stadification clinique normalisé par l'Union internationale contre le cancer (UICC).

Ce système de classification (voir encadré 9.1) sert à déterminer l'étendue du processus morbide du cancer à l'aide de trois paramètres : la taille de la tumeur (T), le degré de propagation aux ganglions lymphatiques (N, de l'anglais *Node*) et la métastase (M) (au chapitre 43, ce système a été appliqué au cancer du sein).

La stadification de la maladie est évaluée lors du diagnostic, puis elle est réévaluée au besoin. La stadification initiale permet d'élaborer le plan de traitement. Les scintigraphies hépatique et osseuse, l'échographie, la tomodensitométrie (TDM), l'IRM, la biopsie et l'exploration chirurgicale mesurent la propagation de la maladie.

Par exemple, on fait appel à la laparotomie ou à la splénectomie pour préciser la stadification de la maladie de Hodgkin. Lors de la laparotomie, on marque les ganglions lymphatiques atteints, ainsi que les contours de la tumeur à l'aide de clips métalliques (marqueurs). Cette opération permet de délimiter les régions à irradier.

La stadification pathologique postchirurgicale est déterminée par l'analyse histologique d'un échantillon tissulaire prélevé lors de l'intervention. Les stades sont R_0

Système de classification TNM	**ENCADRÉ 9.1**

Tumeur primaire (T)
T_0 Pas d'indice de tumeur primaire
T_{is} Carcinome *in situ*
T_{1-4} Degrés ascendants de croissance et de la tumeur

Ganglion lymphatique régional (N)
N_0 Absence de cellules tumorales dans les ganglions lymphatiques
N_{1-4} Nombre de ganglions lymphatiques atteints
N_x Impossibilité d'accéder aux ganglions lymphatiques

Métastases
M_0 Pas d'indice de métastases
M_{1-4} Nombre de métastases, y compris les ganglions lymphatiques éloignés atteints

(absence de tumeur résiduelle), R_1 (tumeur résiduelle microscopique) et R_2 (tumeur résiduelle macroscopique).

Une fois l'étendue de la maladie déterminée, la stadification est définitive. Si un traitement supplémentaire est nécessaire ou si le traitement échoue, on effectue de nouveau la stadification pour déterminer l'étendue du processus morbide et décider du traitement approprié.

Le **carcinome *in situ*** est une lésion située à l'intérieur des structures de l'organe atteint. Ce type de tumeur possède toutes les caractéristiques histologiques du cancer sauf l'invasion. Le carcinome *in situ* deviendra ultérieurement envahissant s'il n'est pas traité.

En plus des systèmes de classification des tumeurs, il existe une classification que l'on emploie pour décrire l'état du client au moment du diagnostic, du traitement initial et des traitements complémentaires, et à chaque examen de suivi (échelle fonctionnelle de comportement de Karnofsky).

9.4 PRÉVENTION ET DÉTECTION DU CANCER

L'infirmière joue un rôle crucial dans la prévention et le dépistage du cancer. La détection précoce et le traitement rapide contribuent à augmenter le taux de survie des clients. L'infirmière doit émettre les recommandations suivantes au client :
- réduire ou éviter l'exposition aux carcinogènes connus et suspectés, dont la fumée de cigarette et l'exposition au soleil ;
- adopter un régime alimentaire équilibré incluant des légumes verts, jaunes et orange ; des fruits frais ; des céréales entières et une quantité adéquate de fibres, et réduire la quantité de graisses et d'agents de conservation, notamment les viandes fumées et salées ;
- suivre un programme régulier d'exercice physique ;
- prévoir des périodes de repos suffisantes et régulières, dormir au moins 6 à 8 h par nuit ;

- passer une visite médicale régulière qui inclut les antécédents de santé, un examen physique et des épreuves diagnostiques spécifiques selon les recommandations de la Société canadienne du cancer et les directives particulières du médecin (voir tableau 9.8);
- éliminer, réduire ou changer sa perception des agents stressants et chercher des moyens pour les affronter de manière positive;
- planifier régulièrement des périodes de détente et de loisir;
- connaître les sept signes précurseurs du cancer (voir encadré 9.2);
- apprendre et pratiquer l'autoexamen (p. ex. celui des seins et des testicules);
- consulter rapidement son médecin en cas de doute. Un dépistage précoce du cancer améliore le pronostic.

L'infirmière doit renseigner la population et les personnes à risque (voir tableau 9.8) sur le processus morbide du cancer sans créer de peur excessive. Les faits doivent être expliqués de manière juste en tenant compte de la compréhension des individus. L'objectif visé est de motiver l'apprentissage et de maintenir les comportements sains. L'infirmière doit être capable d'anticiper les difficultés et d'élaborer des stratégies d'enseignement qui favorisent l'adaptation au cancer.

9.4.1 Diagnostic du cancer

L'annonce d'un diagnostic de cancer crée un important stress chez le client et ses proches. Pendant les semaines qui suivent, le client subira plusieurs épreuves diagnostiques. Durant cette période, la peur de l'inconnu surpasse celle du diagnostic positif.

L'infirmière doit être à l'écoute des inquiétudes du client. Il faut cependant éviter de le rassurer indûment. Afin de minimiser l'anxiété du client, elle doit répondre à ses questions et à celles de sa famille de façon claire et compréhensible. Elle peut aussi offrir de la documentation écrite afin de favoriser la rétention de l'information.

Le plan thérapeutique infirmier doit inclure les antécédents de santé (collecte de données), les facteurs de risque, l'examen physique, les épreuves diagnostiques spécifiques.

L'anamnèse permet de déceler les facteurs de risque, tels les antécédents familiaux de cancer, l'exposition à des carcinogènes connus ou leur usage (p. ex. tabagisme et exposition professionnelle à des polluants ou à des substances chimiques), l'inflammation chronique (p. ex. colite ulcéreuse) et certains médicaments (p. ex. hormones). Les renseignements additionnels à recueillir portent sur l'alimentation, la consommation d'alcool, le mode de vie et les mécanismes d'adaptation au stress.

L'examen physique doit évaluer les appareils respiratoire, digestif (incluant le côlon, le rectum et le foie) et locomoteur, les systèmes lymphatique (incluant la rate) et neurologique, ainsi que les seins, la peau et les organes génitaux masculins (testicules et prostate) et féminins (col de l'utérus, utérus et ovaires).

Les épreuves diagnostiques servent à évaluer l'étendue du cancer, selon qu'il est au site primaire présumé ou étendu à d'autres sites (métastases). Ces épreuves sont :

- les études cytologiques (p. ex. le frottis Papanicolaou) la radiographie du thorax;
- la formule sanguine complète;
- l'examen rectoscopique (incluant la recherche de sang occulte);
- l'étude des fonctions hépatiques;
- l'étude radiographique (p. ex. la mammographie);
- la scintigraphie (foie, cerveau, os et poumon);
- la tomodensitométrie;
- l'imagerie par résonance magnétique;
- la recherche d'antigènes oncofœtaux tels que le CEA et l'AFP;
- la ponction de la moelle osseuse (p. ex. les cellules tumorales hématolymphoïdes);
- la biopsie.

Biopsie. La biopsie est un moyen efficace de confirmer la présence de cellules tumorales. Elle consiste à prélever un fragment de tissu dont l'analyse histologique sera effectuée par un pathologiste. La biopsie permet de planifier un traitement optimal. L'analyse détermine le caractère malin ou bénin des cellules, la composition cellulaire du tissu prélevé et le degré de différenciation cellulaire.

La biopsie peut être réalisée par ponction, incision ou excision. La biopsie à l'aiguille extrait un fragment tissulaire par aspiration (p. ex. aspiration de moelle osseuse) à l'aide d'une aiguille de gros calibre. Cette méthode permet d'obtenir des échantillons de tissu de la prostate, des seins, du foie et des reins.

Dans le cas de la biopsie incisionnelle, on obtient l'échantillon par incision tissulaire. La biopsie excisionnelle, quant à elle, retire toute la tumeur. On l'utilise généralement pour l'exérèse des petites tumeurs

---

Sept signes précurseurs du cancer   ENCADRÉ 9.2

A Changement dans les habitudes d'élimination intestinale ou vésicale
B Plaie qui ne guérit pas
C Saignement ou écoulement inhabituel par un orifice
D Présence d'une masse dans le sein ou dans d'autres organes
E Difficulté à avaler ou à digérer
F Modification de l'apparence d'une plaie ou d'un nævus
G Toux persistante ou enrouement

9

TABLEAU 9.8   Recommandations de la Société canadienne du cancer en matière de dépistage du cancer

Type de cancer/Facteurs de risque	Âge	Recommandations pour le dépistage
Cancer du poumon Tabagisme Exposition à des substances carcinogènes (amiante) Tabagisme passif du non-fumeur BPCO		**Éléments de surveillance** Changement dans l'état respiratoire Fréquence d'infection accrue Altération de la toux, des expectorations et de la voix Absence de méthode de détection précoce
Cancer du côlon Antécédents familiaux de cancer, particulièrement le cancer colorectal Antécédents de maladies inflammatoires : colite ulcéreuse et maladie de Crohn Polypes bénins Alimentation riche en graisses et pauvre en fibres Âge entre 45 et 75 ans	50 ans et plus	**Éléments de surveillance** Modifications des habitudes d'élimination intestinale : diarrhée, constipation, douleur, flatulence, selles noires et poisseuses, saignements **Recherche de sang occulte dans les selles** Tous les 2 ans Si + : coloscopie ou lavement baryté, suivi d'une sigmoïdoscopie **Toucher rectal**
Cancer de la prostate Antécédents familiaux de cancer de la prostate Prostatisme Hypertrophie bénigne de la prostate Âge	50 ans et +	**Éléments de surveillance** Présence de dysurie, d'hématurie, difficulté à amorcer la miction **Toucher rectal** Selon les directives du médecin **Dosage de l'APS** Selon le risque potentiel
Cancer du col de l'utérus Première relation sexuelle avant 18 ans Partenaires sexuels multiples Hygiène personnelle inappropriée Présence de VIH et d'ITS Tabagisme Dysplasie cervicale	Toutes les femmes actives sexuellement	**Éléments de surveillance** Saignement utérin inhabituel Douleur ou saignement au cours des relations sexuelles **Test de Papanicolaou/Examen pelvien** Tous les 1 à 3 ans selon les résultats
Cancer de l'endomètre Infertilité Nullipare Menstruations précoces Ménopause tardive Dysfonctionnement ovarien Saignement utérin inhabituel Obésité Hormonothérapie à l'œstrogène Tamoxifène Diabète, hypertension Irradiation pelvienne Âge de plus de 50 ans		**Éléments de surveillance** Saignement utérin inhabituel Douleur Altération des menstruations **Test de Papanicolaou/Examen pelvien**
Cancer de la peau Exposition prolongée au soleil Exposition à des substances radioactives Antécédents familiaux	Tous les âges	**Éléments de surveillance** Plaie qui ne guérit pas Modification de l'aspect d'un nævus **Examen de la peau**
Cancer du sein Antécédents familiaux de cancer du sein (mère, fille, sœur) Antécédents familiaux de cancer en général Menstruations précoces Ménopause tardive Infertilité Tumeurs mammaires bénignes Grossesse tardive (> 30 ans) Obésité Âge entre 35 et 65 ans	< 50 ans et > 69 ans 50 à 69 ans Toutes les femmes Toutes les femmes, surtout 40 ans et +	**Mammographie** Selon les directives du médecin Tous les 2 ans **Examen clinique des seins** Tous les 2 ans **AES** Mensuellement

AES : autoexamen des seins ; APS : antigène prostatique spécifique ; BPCO : bronchopneumopathie chronique obstructive ; ITS : infection transmissible sexuellement.

(inférieures à 2 cm), des lésions cutanées, des polypes intestinaux et des tumeurs mammaires. Cette intervention conduit à la fois au diagnostic et au traitement. Lorsqu'une tumeur est difficile à atteindre, on doit pratiquer une intervention chirurgicale (laparotomie, thoracotomie, craniotomie) pour obtenir un échantillon de tissu. Les interventions endoscopiques permettent de prélever des échantillons dans les appareils digestif, respiratoire et génito-urinaire.

9.5 PROCESSUS THÉRAPEUTIQUE

9.5.1 Objectifs et modes de traitement

Les objectifs du traitement anticancéreux sont la guérison et la stabilisation ou le traitement palliatif (voir figure 9.12) Le type de cellule cancéreuse, l'emplacement et la taille de la tumeur et l'étendue de la maladie sont les facteurs qui déterminent le plan de traitement. Le plan de traitement doit tenir compte de l'état physiologique et psychologique du client et de ses besoins.

L'infirmière doit connaître les objectifs du plan de traitement afin de pouvoir renseigner le client adéquatement.

Lorsque l'objectif est la guérison, le client s'attend à guérir et à retrouver une espérance de vie normale. Pour plusieurs cancers, la rémission peut survenir après un traitement initial ou après des traitements complémentaires longs de quelques semaines à plusieurs années. Le carcinome basocellulaire de la peau se guérit généralement par l'ablation chirurgicale de la lésion ou par quelques traitements de radiothérapie. Le pronostic de la leucémie lymphoblastique aiguë chez l'enfant est très bon. La maladie se traite par l'administration d'antinéoplasiques de façon régulière pendant plusieurs années. Certaines formes de cancers des testicules peuvent également être guéries.

Auparavant, on pensait qu'une période de rémission de cinq années indiquait une guérison totale. Or, cette période varie selon le type de cancer. Pour une tumeur dont l'activité mitotique est élevée (p. ex. le cancer des testicules), une rémission de deux ans indique la guérison de la maladie. Cependant, dans le cas d'une tumeur dont l'activité mitotique est plus faible (p. ex. le cancer du sein postménopausique), la guérison ne peut être confirmée qu'après une période de rémission de plus de 20 ans.

Pour de nombreux cancers chroniques, l'objectif du plan de traitement est la stabilisation. Le client est

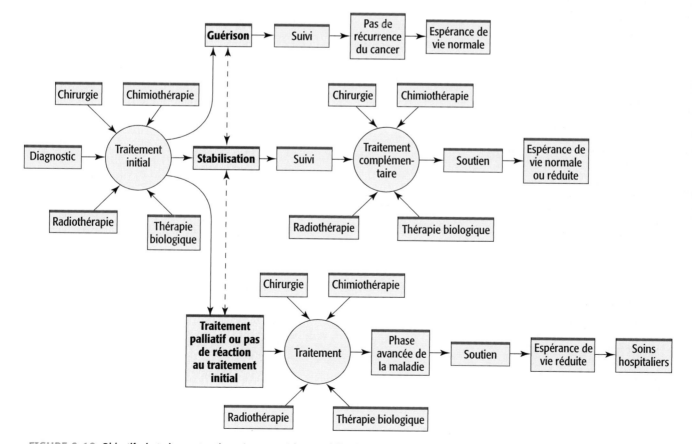

FIGURE 9.12 Objectifs du traitement anticancéreux : guérison, stabilisation ou traitement palliatif

soumis à un traitement initial, suivi d'un traitement d'entretien. L'équipe médicale surveille de près tout signe avant-coureur et tout symptôme de récurrence. En général, ces cancers ne sont pas guéris mais maîtrisés, comme c'est le cas de maladies chroniques telles que le diabète, les bronchopneumopathies chroniques obstructives et l'insuffisance cardiaque globale. La leucémie lymphoblastique est un exemple de ce type de cancer (voir chapitre 19).

Le traitement palliatif constitue parfois l'objectif du plan de traitement. Ce traitement vise à atténuer les symptômes et à maintenir une qualité de vie satisfaisante. Par exemple, la radiothérapie palliative peut soulager la douleur reliée à la présence de métastases osseuses.

Quatre modes de traitement assurent l'atteinte des objectifs : la chirurgie, la radiothérapie, la chimiothérapie et la thérapie biologique. Ces modes de traitement peuvent être envisagés seuls ou en association lors du traitement initial ou complémentaire. Actuellement, le traitement de nombreux cancers nécessite au moins deux modes de traitement pour obtenir la guérison ou la stabilisation à long terme. Le tableau 9.9 donne des exemples de traitement retenus pour guérir ou stabiliser le processus morbide du cancer.

9.5.2 Essais cliniques

Un essai clinique est un projet de recherche permettant d'évaluer de nouveaux traitements auprès d'une clientèle cible. D'abord, l'essai clinique est élaboré en laboratoire et le traitement est testé sur des animaux. Lorsque le traitement semble efficace et peu toxique, on commence l'expérimentation chez les humains. L'essai clinique comprend trois phases : la phase I, qui détermine la posologie et la voie d'administration de l'agent et qui évalue la toxicité potentielle ; la phase II, qui mesure l'effet d'un traitement particulier sur une variété de types de cancer ; la phase III, qui compare le nouveau traitement avec les traitements connus pour déterminer quelle modalité est la plus efficace et associée à la plus faible morbidité.

TABLEAU 9.9 Modes de traitement possibles du cancer				
Cancer initial	Chirurgie	Radiothérapie	Chimiothérapie	Thérapie biologique
Sein (stade I)	P	Adj, I	Adj, I	I
Ovaires (stade I)	P	Adj, I	Adj, I	I
Col utérin	P	P	I	ND
Poumon				
Petites cellules (grains d'avoine)	NU	Adj, I	P	I
Autres cellules	P	P, Adj	P, Adj	I
Gastro-intestinal				
Côlon	P	Adj, I	Adj, I	I
Estomac	P	Adj, I	Adj	I
Mélanome	P	I	I	Adj, I
Tête et cou	P	P	I	I
Séminome des testicules (stade I)	P	P	Adj	ND
Prostate	P	Alt	I	I
Rein	P	Adj, I	I	Adj, I
Cerveau	P	Alt, I	I	I
Lymphomes				
Maladie de Hodgkin				
Stade I	NU	P	Adj	ND
Stade II	NU	Adj	P	ND

Adj : traitement adjuvant utilisé après le traitement initial de la tumeur localisée ; l'usage systématique n'est pas essentiel. Alt : alternative ; traitement de remplacement, traitement initial pour lequel on a obtenu des résultats équivalents à ceux des approches plus courantes. I : investigation ; le traitement est actuellement testé par des essais cliniques contrôlés ; une nouvelle ou une ancienne approche de traitement qui, en l'absence de données autorisant sa mise en application, est en cours d'évaluation. ND : les données pour évaluer ce type de traitement ne sont pas disponibles. NU : non utilisé pour le traitement initial ; le taux de réussite pour la stabilisation de la tumeur peut être suffisamment élevé avec d'autres formes de traitement pour éviter cette modalité. P : partie intégrante des traitements habituels.

Les droits du client participant à une étude clinique sont rigoureusement protégés par un comité d'éthique dans l'établissement où est menée l'étude. Ces comités examinent non seulement les essais cliniques dès leur mise en application, mais surveillent l'essai du début à la fin. Le client signe un consentement éclairé lorsqu'il a reçu toute l'information relative à la nature du traitement et aux risques et avantages potentiels de sa participation à l'essai. Ces renseignements sont divulgués par un médecin et une infirmière. Le client doit savoir qu'à tout moment il a le droit d'abandonner un essai clinique.

9.5.3 Interventions chirurgicales

La chirurgie est la forme de traitement du cancer la plus ancienne et, pendant longtemps, elle a été la seule méthode de diagnostic et de traitement. L'intervention vise à éliminer le cancer en procédant à l'ablation de toutes les cellules tumorales et du tissu adjacent. L'intervention était dite « radicale ». Au milieu des années 1950, ces interventions techniquement perfectionnées n'abaissaient pourtant pas le taux de mortalité associé à certains cancers (p. ex. le cancer du sein). De nombreux cancers qu'on croyait être locaux étaient en fait systémiques et se manifestaient avec des métastases logées dans d'autres sites anatomiques. Avec l'analyse de ces résultats, il devint évident que la chirurgie seule, indépendamment de l'ampleur de l'intervention, n'était pas un traitement efficace pour tous les cancers. Actuellement, la chirurgie joue plusieurs rôles dans le diagnostic et le traitement du cancer (voir figure 9.13)

Guérison et stabilisation. Plusieurs principes doivent être respectés lorsque la chirurgie est envisagée pour guérir ou pour stabiliser le processus morbide du cancer :
- les cellules du tissu atteint doivent avoir une faible vitesse de prolifération ;

- pour s'assurer d'éliminer complètement le cancer, on doit exciser du tissu normal autour de la tumeur. Si on extrait seulement le tissu atteint, on doit utiliser un traitement adjuvant. La tendance actuelle chez les professionnels de la santé est de limiter la chirurgie radicale ;
- pour réduire la propagation des cellules cancéreuses après l'intervention chirurgicale, on doit adopter des mesures préventives ;
- les sites régionaux de propagation tumorale peuvent être retirés chirurgicalement.

La dissection cervicale radicale, la tumorectomie, la mastectomie, la pneumonectomie, l'orchiectomie, la thyroïdectomie et la résection de l'intestin sont des exemples d'interventions chirurgicales employées pour guérir ou stabiliser le cancer.

S'il est impossible d'extraire la tumeur dans sa totalité (attachée à un organe vital), l'intervention chirurgicale consiste à réduire la masse tumorale. On administre ensuite des traitements de radiothérapie ou de chimiothérapie. Ce type d'intervention augmente l'efficacité du traitement adjuvant.

Soins de soutien. Certaines interventions chirurgicales peuvent avoir un rôle de soutien, par exemple :
- l'insertion d'une sonde d'alimentation dans l'estomac ;
- la mise en place d'une colostomie pour permettre la guérison d'un abcès rectal ;
- la cystostomie suspubienne dans le cas d'un cancer avancé de la prostate.

Traitement palliatif des symptômes. Lorsqu'il est impossible de guérir ou de stabiliser le cancer, on tente de maintenir une qualité de vie optimale. Les interventions chirurgicales de soins palliatifs incluent :
- la cordotomie ou la rhizotomie pour soulager la douleur (voir chapitre 5) ;

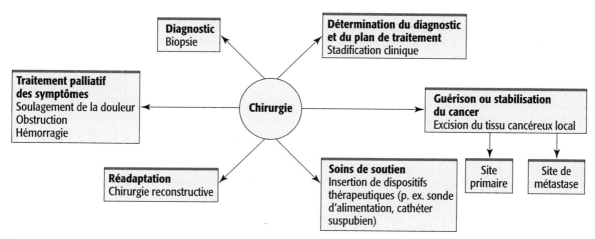

FIGURE 9.13 Rôle de la chirurgie dans le traitement du cancer

- la colostomie pour soulager l'obstruction intestinale (voir chapitre 34) ;
- la laminectomie pour soulager la compression de la moelle épinière (voir chapitre 56).

Adaptation au cancer. Parfois, en thérapie du cancer, les interventions chirurgicales mutilent le corps et modifient l'apparence corporelle. Le client peut éprouver de la difficulté à s'adapter à cette nouvelle réalité. L'efficacité du traitement constitue alors une source de motivation importante pour la réhabilitation du client. Certaines interventions chirurgicales peuvent contribuer à améliorer la qualité de vie, par exemple la mammoplastie pratiquée après une mastectomie et les nouveaux appareils facilitant les soins reliés aux stomies.

L'infirmière doit informer le client que le cancer est une maladie chronique plutôt que mortelle. Plusieurs personnes atteintes de maladies chroniques comme l'arthrite ou le diabète se sont adaptées à leur maladie et jouissent d'une excellente qualité de vie. C'est également le but que doit se fixer la personne atteinte du cancer.

9.5.4 Radiothérapie

Depuis plusieurs années, la radiothérapie traite le cancer localement. Depuis la découverte des rayons X par Wilhelm Rœntgen, du radium par les Curie et de la radioactivité par Henri Becquerel, on étudie les effets de la radioactivité sur les masses tumorales. Au début, les travailleurs ignoraient les propriétés des rayonnements et manipulaient souvent les sources radioactives sans protection. Ils présentaient des desquamations de la peau et des carcinomes aux doigts. Marie et Pierre Curie ont d'ailleurs souffert de leucémie à cause de leur exposition aux rayonnements.

Ces expériences ont conduit les scientifiques à envisager l'utilisation des rayonnements pour traiter les tumeurs. Ils ont émis l'hypothèse que si les rayonnements détruisent les cellules cutanées dont l'activité mitotique est élevée, on pourrait également les employer de façon contrôlée pour empêcher la croissance des cellules cancéreuses dont la prolifération est rapide. Les premières applications de la radiothérapie ont été ralenties par les limitations techniques et par la méconnaissance des effets des rayonnements sur les tissus. Dans les années 1960, le perfectionnement de l'équipement et la planification du traitement ont permis d'irradier les tumeurs à des doses tolérées par les tissus normaux. On estime qu'en pratique courante, 60 % des personnes atteintes du cancer subiront une radiothérapie.

Effets des rayonnements. Les rayonnements sont une émission ou une propagation d'énergie dans l'espace ou à travers un matériau. L'énergie absorbée par un tissu produit une ionisation et une excitation. Cette énergie locale suffit à rompre les liaisons chimiques de l'ADN, ce qui entraîne des conséquences biologiques. Puisque les radiations ionisantes finissent par endommager l'ADN, les cellules ne se divisent plus. La perte de la capacité de prolifération entraîne la mort de la cellule au moment de la division. Une cellule ne meurt que si elle entre en division. Par conséquent, la vitesse de la destruction cellulaire dépend du type cellulaire. Néanmoins, les cellules cancéreuses sont davantage susceptibles de se diviser, car leur division cellulaire est anarchique. De plus, ces cellules sont incapables de réparer les lésions de l'ADN causées par les rayonnements. En conséquence, les cellules cancéreuses courent davantage de risques d'être endommagées de façon permanente par des doses répétées de rayonnement. Les tissus normaux peuvent se régénérer à la suite des irradiations lorsque les doses thérapeutiques ne sont pas excessives.

Mort cellulaire et réactions tissulaires. La mort cellulaire par rayonnement est définie comme la perte irréversible de la capacité à proliférer. Les cellules subissent plusieurs mitoses, puis meurent. Une cellule capable de proliférer possède un potentiel clonogénique, c'est-à-dire qu'elle peut produire de nouveaux clones ou des colonies de cellules identiques. On considère qu'un cancer local est stabilisé après une radiothérapie lorsque les cellules perdent leur capacité clonogénique.

La sensibilité de la cellule aux rayonnements est fonction du cycle cellulaire ; les cellules sont plus sensibles dans les phases M et G_2 et moins sensibles en phase S ou en phase de croissance et de réplication de l'ADN. Les cellules traitées en phase M ou G_2 sont plus susceptibles de subir des lésions létales. C'est au moment de la division cellulaire que les lésions génétiques des cellules qui ne sont pas en phase M se manifesteront (voir figure 9.5).

Le temps requis pour la manifestation des dommages causés à l'ADN par les rayonnements dépend de l'activité mitotique du tissu. Il faut détruire suffisamment de cellules normales ou tumorales dans le tissu pour que cet effet soit notable. Pour une tumeur logée dans l'épithélium intestinal, les effets de l'irradiation sont visibles après quelques heures. Pour les tissus à prolifération lente comme ceux des reins ou des poumons, ces effets ne se manifestent pas avant plusieurs mois. Dans des tissus non proliférants comme les nerfs, les lésions apparaissent après des années.

Les cellules normales situées dans le champ de rayonnement seront également atteintes. Chaque type cellulaire tolère une certaine dose de rayonnement. L'administration de doses de rayonnement supérieures au maximum tolérable par les cellules normales réduit leur capacité à récupérer et peut entraîner des effets irréversibles. La planification du traitement et la dosimétrie assistée par ordinateur permettent de ne pas dépasser la limite de tolérance des tissus normaux.

Les effets cliniques indésirables de la radiothérapie se manifestent en plusieurs phases. Les manifestations aiguës débutent pendant le traitement et se poursuivent jusqu'à six mois après la fin de la radiothérapie. Les manifestations subaiguës se produisent au cours des six mois suivant la fin du traitement et les manifestations retardées surviennent après un an, voire davantage. La gravité des manifestations aiguës ne permet pas de prédire l'apparition des manifestations retardées.

Après une radiothérapie sur des tissus dont la prolifération est rapide, comme les muqueuses de l'oropharynx, de l'œsophage, de l'estomac et de l'intestin, et la moelle osseuse, on observe des réactions rapides et aiguës. Le cartilage, les os, les reins et les systèmes nerveux central et périphérique sont la cible de réactions subaiguës ou retardées. Les tumeurs telles que les lymphomes et les leucémies dérivés de cellules proliférantes réagissent rapidement à une dose relativement faible. Ce sont les cellules à activité mitotique accélérée qui sont le plus rapidement lésées par les rayonnements. À cause de leur faible activité mitotique, les tumeurs issues de cellules à croissance plus lente, comme le rhabdomyosarcome ou le léiomyosarcome, requièrent une dose irradiante plus élevée et prolongée. Le tableau 9.10 décrit la sensibilité relative aux rayonnements de certaines tumeurs. Une tumeur radiosensible, peu importe sa taille, peut être détruite par radiothérapie. (La figure 9.14, parties A, B et C, illustre un client atteint de la maladie de Hodgkin avant son traitement et six ans après). Une tumeur de grande taille, moins radiosensible, peut réagir plus lentement ou de façon incomplète au traitement. Les effets retardés de la radiothérapie sont en partie provoqués par les altérations vasculaires qui réduisent la circulation vers les tissus et qui détruisent les cellules cibles, comme les cellules de Schwann des nerfs périphériques, l'épithélium des tubules rénaux et les oligodendrocytes du système nerveux central (SNC).

Simulation et traitement. La simulation fait partie de la planification de la radiothérapie. On l'utilise pour mettre au point un traitement optimal. Le client est

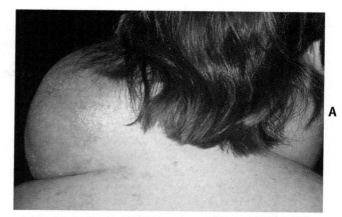

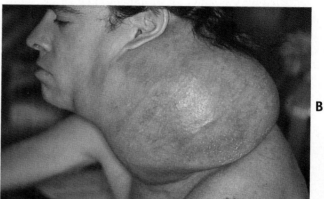

FIGURE 9.14 A et B. Client atteint de la maladie de Hodgkin avant la radiothérapie. C. Le même client six ans après la radiothérapie.

TABLEAU 9.10　Radiosensibilité de la tumeur

Élevée	Moyenne	Légère	Faible
Dysgerminome ovarien	Carcinome de la peau	Sarcome des tissus mous (p. ex. chondrosarcome)	Ostéosarcome
Séminome testiculaire	Carcinome oropharyngien	Adénocarcinome gastrique	Mélanome malin
Maladie de Hodgkin	Carcinome de l'œsophage	Adénocarcinome rénal	Gliomes malins
Lymphome non hodgkinien	Adénocarcinome du sein	Adénocarcinome du côlon	Tumeur testiculaire non séminomateuse
Tumeur de Wilms	Carcinome de l'utérus et du col de l'utérus		
Neuroblastome	Carcinome de la prostate		
	Carcinome de la vessie		

allongé sur un lit dans la position dans laquelle il subira le traitement. Les structures ciblées par le traitement sont délimitées par fluoroscopie. On prend alors un cliché pour valider la zone, puis on marque la peau afin de visualiser la zone à irradier. Les figures 9.15 et 9.16 illustrent un simulateur et un cliché de simulation. La dosimétrie et la tomodensitométrie sont employées pour planifier un traitement qui émet la quantité maximale de rayonnement dans la tumeur tout en respectant les doses tolérées par les tissus normaux.

Rayonnement externe. L'irradiation administrée par un faisceau externe (téléthérapie) est la forme de radiothérapie la plus courante. Au cours du traitement, le client, allongé sur un lit, est soumis aux rayonnements d'un appareil (voir figure 9.17). Au cours de son traitement, le client ne devient jamais radioactif.

Rayonnement interne. Une autre façon d'administrer les rayonnements est la curiethérapie, un traitement qui consiste à implanter ou à insérer des matériaux radioactifs directement dans la tumeur ou à proximité de celle-ci. Cet implant peut être inséré de manière temporaire : la source de radioactivité est placée dans un cathéter ou dans un tube introduit dans la tumeur et laissé en place pendant plusieurs jours. Cette méthode est courante pour les tumeurs du cerveau, du cou et des parties génitales. Les figures 9.18 et 9.19 illustrent un applicateur d'implant gynécologique et la localisation de l'implant sur un cliché radiographique. L'implant peut être permanent, comme dans le cas des tumeurs prostatiques. Si on doit détruire une tumeur à l'aide d'une dose élevée de radiations non tolérée par les tissus adjacents, la curiethérapie s'avère un traitement de choix. Les sources utilisées en curiethérapie ont une énergie plus faible et un pouvoir de pénétration moindre que les radiations des appareils à faisceau externe. Ces sources irradient localement. On associe souvent téléthérapie et curiethérapie.

Le client muni d'un implant est radioactif. Si l'implant est temporaire, la radioactivité est présente tant que la source est en place. Lorsque l'implant est permanent, l'émission radioactive dans l'environnement est faible, mais nécessite néanmoins quelques précautions. Par exemple, une personne ayant un implant prostatique à l'I^{125} doit tirer deux fois la chasse d'eau de la toilette et ne pas permettre aux enfants de s'asseoir sur ses genoux. Ces recommandations doivent même être maintenues pendant une certaine période après le retrait de l'implant.

En présence d'implant, l'infirmière doit tenir compte du temps qu'elle passe avec le client, de la distance entre elle et lui et des mesures de protection à respecter. Le temps passé auprès du client doit être réduit au minimum et le client doit en être avisé. Le responsable de la radioprotection indiquera la durée et la distance

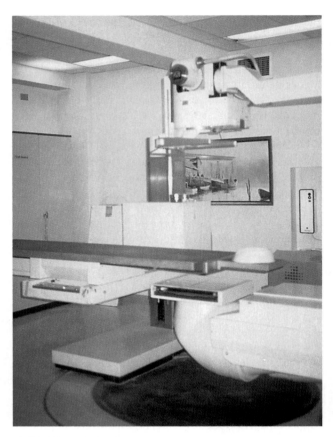

FIGURE 9.15 Simulateur

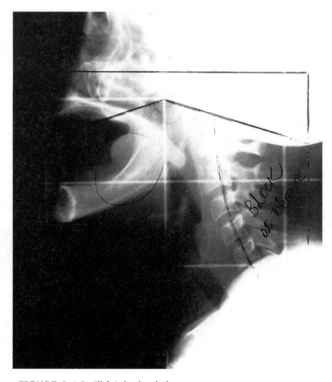

FIGURE 9.16 Cliché de simulation

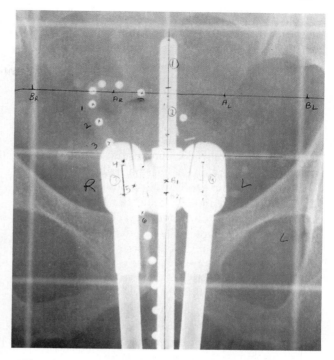

FIGURE 9.19 Cliché de simulation d'un implant gynécologique

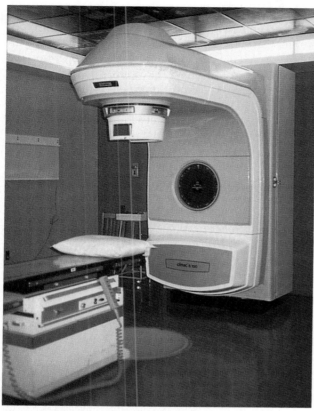

FIGURE 9.17 Appareil de radiothérapie

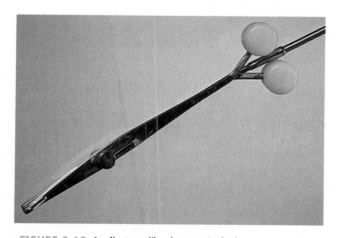

FIGURE 9.18 Applicateur d'implant gynécologique

Mesure des rayonnements. Plusieurs unités de mesure expriment les doses de rayonnement. En pratique clinique, on utilise le gray (gy) et le centigray (cGy).

Buts de la radiothérapie. Les buts visés par la radiothérapie sont la guérison et la stabilisation ou le traitement palliatif. La radiothérapie peut être utilisée seule ou en association avec la chirurgie, la chimiothérapie ou la thérapie biologique.

Ce traitement peut aider à guérir les clients souffrant d'un carcinome basocellulaire de la peau, de tumeurs confinées aux cordes vocales ou de la maladie de Hodgkin au stade I ou II. On peut associer la radiothérapie à la chimiothérapie pour traiter les stades IIB, IIIA et IIIB de la maladie de Hodgkin ; à la chirurgie et à la chimiothérapie pour guérir les tumeurs de Wilms ; à la chimiothérapie pour le sarcome d'Ewing ; à la chirurgie et à la chimiothérapie pour les cas de cancers du cerveau et du cou et à la chirurgie et à la chimiothérapie pour les stades I et II du cancer du sein.

La radiothérapie peut stabiliser le processus morbide du cancer pour un certain temps. Le traitement initial est proposé au moment du diagnostic et un traitement complémentaire est dispensé chaque fois que réapparaissent les symptômes de la maladie. La plupart des clients ont une qualité de vie satisfaisante pendant les périodes sans symptômes. La radiothérapie peut être associée à la chirurgie pour renforcer la stabilisation locale du cancer. On peut l'administrer avant l'opération

sécuritaires. Ces facteurs dépendent de la dose émise par l'implant. Comme la source n'est pas pénétrante, les variations de distance, même petites, sont significatives. Il est préférable d'utiliser un écran protecteur et de porter constamment un dosifilm qui mesurera l'exposition aux rayonnements. Le dosifilm ne doit pas être partagé, ni porté en dehors du travail. Son utilisation doit respecter le protocole de l'établissement.

pour réduire la taille de la tumeur et en faciliter la résection, ou après l'intervention pour détruire les cellules tumorales résiduelles. Dans certains centres de recherche, on administre maintenant la radiothérapie pendant l'opération. De cette façon, les rayonnements sont administrés directement à la tumeur.

Certaines tumeurs inopérables peuvent être traitées par la radiothérapie. Ces tumeurs sont habituellement de grande taille et étendues. Le cancer pulmonaire à petites cellules (grains d'avoine) est un exemple de cancer inopérable que l'on stabilise par radiothérapie.

La radiothérapie sert parfois de traitement palliatif. Elle permet de réduire la taille des tumeurs afin de soulager la douleur ou de réduire l'obstruction. On fait appel à la radiothérapie palliative dans les cas suivants :
- douleur associée aux métastases osseuses ;
- douleur et symptômes neurologiques associés aux métastases cérébrales ;
- compression de la moelle épinière ;
- occlusion intestinale ;
- obstruction de la veine cave supérieure ;
- obstruction des bronches ou de la trachée ;
- hémorragie (p. ex. vessie et bronches).

Effets secondaires de la radiothérapie. Les effets secondaires courants de la radiothérapie sont énumérés au tableau 9.11. La fatigue, l'anorexie, la myélosuppression, les réactions cutanées, ainsi que les effets sur les appareils pulmonaire, digestif et reproducteur sont abordés dans cette section.

Fatigue. La fatigue est un effet indésirable courant de la radiothérapie. Plusieurs hypothèses expliquent les mécanismes physiopathologiques de la fatigue : la perte de la capacité à proliférer des cellules, un cycle cellulaire prolongé et l'accumulation de métabolites résultant de la destruction cellulaire. Les métabolites en cause sont les lactates, les ions hydrogène et d'autres sous-produits de la destruction cellulaire qui réduisent la force musculaire. La fatigue peut aussi tirer son origine de la cachexie, de l'anorexie, de la fièvre ou d'un processus infectieux. Généralement, elle débute vers la troisième ou la quatrième semaine de traitement, se poursuit après le traitement, puis disparaît graduellement. La perte de poids, l'anémie, la dépression, les nausées peuvent exacerber la sensation de fatigue.

Processus thérapeutique de la fatigue. La personne doit savoir que la fatigue est reliée à la radiothérapie. Ce n'est pas le signe de l'inefficacité du traitement ni de l'évolution de la maladie. La personne doit planifier une période de repos avant d'entreprendre une activité ou demander de l'aide, que ce soit au travail ou à la maison. Ignorer la fatigue peut accentuer les symptômes. Maintenir un apport alimentaire équilibré et soulager les symptômes atténuent la fatigue. La marche garde le client actif tout en réduisant la fatigue. Des études ont démontré que l'activité réduit l'anxiété et les problèmes d'insomnie, améliore l'humeur et élimine l'apparition du cycle débilitant fatigue – dépression – fatigue chez les femmes traitées par radiothérapie pour un cancer du sein.

Anorexie. Le traitement entraîne parfois l'anorexie. Même si les mécanismes ne sont pas bien connus, il existe plusieurs explications à ce symptôme. Pour combattre le cancer, les macrophages libèrent le FNT et l'IL-1, qui inhibent l'appétit, d'où l'anorexie. En outre, lorsque le traitement détruit les tumeurs, il semble que les concentrations de ces facteurs augmentent, qu'ils traversent la barrière hématoencéphalique et qu'ils influent sur le centre de la satiété. Ces facteurs, produits en quantité par les grosses tumeurs, entraînent la cachexie en cas de cancers avancés. De plus, les traitements à la tête, au cou et aux zones gastro-intestinales exacerbent les difficultés nutritionnelles. L'anorexie atteint son apogée vers la quatrième semaine de traitement et semble se résorber plus rapidement que la fatigue une fois le traitement achevé.

Processus thérapeutique de l'anorexie. La personne souffrant d'anorexie doit se peser deux fois par semaine afin de surveiller une perte de poids excessive. Les valeurs de préalbumine et d'albumine sériques permettent de déterminer son état nutritionnel. Les petits repas fréquents riches en protéines et en calories sont mieux tolérés que les gros repas. Au besoin, la famille peut aider le client à s'alimenter. La colère et la frustration accumulées au cours de la maladie s'expriment parfois à travers les problèmes alimentaires. Des suppléments nutritifs sont recommandés en présence d'anorexie grave ou pour les autres troubles alimentaires.

Myélosuppression. La moelle osseuse située dans la zone de traitement est également lésée par les rayonnements. Les effets seront fonction de la vitesse de reproduction des différentes cellules hématopoïétiques : les leucocytes sont touchés après une semaine, les plaquettes, après deux à trois semaines, et les globules rouges, après deux à trois mois. Les conséquences varient selon la quantité de moelle osseuse irradiée. Chez l'adulte, environ 40 % de la moelle active se trouve dans le bassin et 25 %, dans les vertèbres thoraciques et lombaires. Après une irradiation de la moelle, les cellules hématopoïétiques situées dans la zone de traitement sont détruites, mais la moelle non irradiée devient plus active pour compenser la perte cellulaire.

L'immunodépression du client traité par radiothérapie est moins prononcée que celle du client en chimiothérapie. L'association de la radiothérapie et de la chimiothérapie peut entraîner des chutes précipitées des taux de leucocytes, d'érythrocytes et de plaquettes. C'est

TABLEAU 9.11 Troubles causés par la radiothérapie et la chimiothérapie

Trouble	Cause et commentaires
Appareil digestif Sécheresse de la muqueuse buccale	Les glandes salivaires situées dans la zone de rayonnement sont souvent lésées. Ce trouble constitue un effet indésirable permanent et très désagréable de la radiothérapie, car il devient alors difficile de s'alimenter, d'avaler et de boire lorsque les muqueuses sont sèches. Il existe de la salive artificielle.
Stomatite et mucosite	Ce trouble apparaît lorsque les cellules épithéliales de la muqueuse buccale ou du palais mou sont détruites par la radiothérapie ou par la chimiothérapie. À cause de leur taux de régénération rapide, ces cellules sont très sensibles à la radiothérapie et à la chimiothérapie. La mucosite dégénère parfois en infections ou en hémorragies.
Œsophagite	L'inflammation et l'ulcération de la muqueuse de l'œsophage causées par une destruction de cellules à régénération rapide est un effet indésirable de la chimiothérapie et de la radiothérapie du cou, de la poitrine et du dos.
Nausées et vomissements	Le centre du vomissement du cerveau est stimulé par les métabolites cellulaires produits par la chimiothérapie et la radiothérapie. Les agents employés en chimiothérapie stimulent le centre du vomissement. La chimiothérapie et la radiothérapie appliquées à la poitrine, à l'abdomen et au dos détruisent le revêtement épithélial du tractus gastro-intestinal. Les nausées et les vomissements ont des conséquences psychologiques importantes et provoquent un niveau élevé de stress lié au cancer et à son traitement.
Anorexie	Effets indésirables de la radiothérapie propres au site : bouche sèche, stomatite, œsophagite, nausées, vomissements et diarrhée. Les effets indésirables de la chimiothérapie incluent les nausées, les vomissements, la stomatite, l'œsophagite, la diarrhée, la fatigue, la douleur et l'infection. Il y a altération du goût lorsque les tumeurs libèrent des métabolites dans le sang. Les conséquences psychologiques et sociales du cancer et de son traitement augmentent le niveau de stress et modifient le mode de vie.
Altération du goût	Les papilles gustatives situées dans la zone de traitement sont détruites par la radiothérapie. L'intensité de l'altération du goût est fonction de la dose de rayonnement et de l'étendue du champ de traitement. Il se produit une perte totale du goût, parfois permanente. Les métabolites sont les produits résiduels de la destruction cellulaire. Ils sont responsables de l'altération des sensations gustatives. La réduction de la quantité de salive se produit parce que les glandes salivaires se trouvent dans la zone de traitement. La nourriture doit être humidifiée pour être goûtée.
Diarrhée	L'irritation de la muqueuse de l'intestin grêle est une conséquence de la chimiothérapie et de la radiothérapie de l'abdomen ou de la région lombaire.
Constipation	Les effets neurotoxiques des alcaloïdes de plante (vincristine, vinblastine) entraînent un dysfonctionnement du système nerveux autonome. Le péristaltisme intestinal diminue.
Hépatotoxicité	Certains agents chimiothérapeutiques comme le méthotrexate, la mitomycine, le 6-MP et la cytosine arabinoside ont des effets toxiques sur le foie.
Système hématopoïétique Anémie	La chimiothérapie et la radiothérapie provoquent la myélosuppression. Les tumeurs malignes peuvent conduire à l'infiltration de la moelle osseuse, à l'ulcération, à la nécrose et à l'hémorragie.
Leucopénie	La chimiothérapie et la radiothérapie provoquent la myélosuppression. L'effet est particulièrement accentué à cause de la courte durée de vie des globules blancs. L'infection est la cause de morbidité et de décès la plus fréquente chez le client atteint de cancer. Les sites courants d'infection sont les appareils respiratoire et génito-urinaire.
Thrombopénie	La chimiothérapie et la radiothérapie provoquent la myélosuppression. Il y a infiltration de cellules tumorales dans la moelle osseuse et destruction des plaquettes en circulation. Lorsque le taux de plaquettes est inférieur à 20 000/µL, une hémorragie spontanée peut se produire.
Appareil tégumentaire Alopécie	L'alopécie est un effet indésirable de substances chimiothérapeutiques ou de la radiothérapie du crâne. La perte des cheveux causée par la chimiothérapie est généralement temporaire, tandis que la perte causée par la radiothérapie est permanente. Les cheveux commencent à tomber pendant la première semaine de traitement et la situation peut se poursuivre jusqu'à la perte totale des cheveux.
Réactions cutanées	L'extravasation d'agents chimiothérapeutiques vésicants (p. ex. la doxorubicine) administrés par voie intraveineuse cause de sérieuses nécroses des tissus exposés au médicament. Cela peut également se produire avec des dispositifs d'accès implantés si l'aiguille n'est pas bien insérée dans le septum (voir plus loin dans ce chapitre).

9

TABLEAU 9.11	Troubles causés par la radiothérapie et la chimiothérapie *(suite)*
Trouble	**Cause et commentaires**
Appareil génito-urinaire Cystite	Les cellules épithéliales du revêtement de la vessie sont détruites par la chimiothérapie (p. ex. la cyclophosphamide) ou par la radiothérapie lorsque la vessie est dans la zone de traitement. Les manifestations cliniques sont la miction impérieuse, la polyurie et l'hématurie.
Dysfonctionnement de l'appareil reproducteur	La chimiothérapie altère les cellules des testicules et des ovaires. La radiothérapie détruit ces cellules lorsqu'elles sont dans la zone de traitement.
Néphrotoxicité	L'accumulation d'agents chimiothérapeutiques et la lyse tumorale peuvent provoquer la nécrose des tubules rénaux.
Système nerveux Hypertension intracrânienne	Ce trouble peut provenir d'un œdème dû aux rayonnements touchant le système nerveux central. On ne comprend pas bien ce phénomène, mais il est facilement maîtrisé par des stéroïdes et des analgésiques.
Neuropathie périphérique	La paresthésie, l'aréflexie, la faiblesse musculosquelettique et le dysfonctionnement des muscles lisses (p. ex. iléus paralytique, constipation) résultent parfois des effets indésirables d'alcaloïdes de plante. (p. ex. vinblastine, vincristine) et du cisplatine.
Appareil respiratoire Pneumonie	Lorsque les poumons sont dans la zone de traitement, la congestion pulmonaire due aux rayonnements peut se manifester de 2 à 3 mois après le début du traitement. Elle est caractérisée par une quinte de toux sèche, de la fièvre et une dyspnée à l'effort. Après 6 à 12 mois apparaît une fibrose qui restera visible aux rayons X. Le risque d'infection respiratoire est plus élevé pour le client atteint de fibrose. Ce problème peut également survenir à la suite de la chimiothérapie (p. ex. bléomycine, busulfan).
Appareil cardiovasculaire Péricardite et myocardite	Ce trouble est rare lorsque le thorax est irradié. Il peut survenir jusqu'à un an après le traitement.
Cardiotoxicité	Les agents chimiothérapeutiques comme la doxorubicine et la daunorubicine peuvent entraîner des altérations électriques non spécifiques (p. ex. faible voltage) et rapidement conduire à une insuffisance cardiaque. Dans ce cas, la pharmacothérapie doit être modifiée.
Biochimique Hyperuricémie	La lyse tumorale contribue à augmenter le taux d'acide urique. Ce trouble peut causer une forme secondaire de goutte.
Hypomagnésémie	Ce trouble survient avec le cisplatine.
Psychoaffectif Fatigue	Avec le cancer, le métabolisme s'accélère et occasionne une dépense énergétique accrue. La destruction des cellules tumorales et des cellules normales par la chimiothérapie et la radiothérapie s'accompagne de la libération de métabolites dans le sang. Pour réparer les lésions causées par les traitements, la prolifération et la différenciation cellulaires s'accélèrent.
Douleur	Il y a compression ou infiltration des vaisseaux sanguins, des vaisseaux lymphatiques et des nerfs. Il y a obstruction des appareils digestif ou génito-urinaire et présence d'inflammation, d'ulcération ou de nécrose des tissus ou des organes. La peur, l'anxiété et la dépression sont souvent des réactions au diagnostic et au traitement du cancer.

également le cas lorsque la radiothérapie suit une chimiothérapie, alors que les réserves cellulaires de la moelle osseuse sont limitées. La formule sanguine de ces sujets, c'est-à-dire le décompte des leucocytes, des globules rouges et des plaquettes, doit être surveillé de près. La radiothérapie engendre rarement l'hémorragie et l'infection.

En cas d'anémie, l'hémoglobine devient inférieure à 100 g/L et l'administration de transfusions sanguines peut s'avérer nécessaire. La radiothérapie est plus efficace lorsque les cellules sont bien oxygénées. En conséquence, un taux d'hémoglobine inférieur à 100 g/L ne suffit probablement pas à oxygéner de façon adéquate les cellules de la zone de traitement.

Réactions cutanées. Les réactions cutanées se limitent habituellement à la zone traitée. L'équipement radiologique moderne permet de modérer ces réactions, qui peuvent être aiguës ou chroniques. La réaction cutanée la plus fréquente est un érythème qui apparaît entre 1 et 24 heures après le premier traitement. Elle est d'abord transitoire. Des réactions cutanées plus fortes se manifestent à la suite d'une dose d'environ 800 cGy. Les cellules de la peau se divisent rapidement et réagissent promptement au traitement. L'érythème est une réaction rapide suivie par la desquamation. Comme le rayonnement stimule les mélanocytes, les cellules deviennent noires, puis s'escarrifient. Les cellules basales de l'épiderme se desquament. La desquamation devient sèche lorsque les cellules tombent et que la quantité de cellules neuves compense celles qui tombent (voir figure 9.20). Si le taux d'escarrification est plus élevé que le taux de remplacement des cellules, il se produit une desquamation humide avec exposition du derme et suintement de sérum (voir figure 9.21). Les cellules survivantes formeront des îlots de cellules neuves qui croîtront ensemble pour réparer les lésions. Le rayonnement de très haute intensité a un effet plus marqué sur le derme que sur l'épiderme. Les réactions cutanées sont particulièrement visibles dans des endroits comprimés comme derrière les oreilles et les plis fessiers, le périnée, les seins, la ligne du cou et les proéminences osseuses.

Les réactions cutanées retardées varient en fonction de la dose de rayonnement totale. L'épiderme irradié devient plus fin et plus doux que celui qui est non irradié et peut perdre sa capacité de pigmentation. La peau peut devenir imberbe et ne plus contenir de glandes sébacées ou sudoripares. Cet épiderme fin devient plus vulnérable aux traumatismes et sa cicatrisation est retardée. Les réactions cutanées tardives peuvent produire de la fibrose et de l'hyperplasie fibreuse des vaisseaux sanguins, suivie de télangiectasie. Ces vaisseaux sont visibles dans la zone de traitement.

• Processus thérapeutique des réactions cutanées. Les soins cutanés varient selon le type de réaction. Les réactions sèches provoquent le prurit et les réactions humides, des écoulements. La peau sèche doit être lubrifiée avec une lotion sans métal, alcool, parfum ni ingrédients qui irritent. Les zones de réactions humides doivent être gardées propres et sèches. Le traitement doit prévenir l'infection et favoriser la cicatrisation. Le client immunosupprimé présente rarement des infections dans la zone irradiée.

Pour éviter les lésions, la peau irradiée doit être protégée des températures extrêmes. La zone de traitement ne doit pas être recouverte d'un coussin électrique, d'un sac de glace ni d'une bouillotte. Il faut éviter de porter des vêtements trop serrés et d'appliquer de la poudre, des parfums, des produits cosmétiques et des déodorants, qui peuvent irriter la peau. L'utilisation de corticostéroïdes et de peroxyde d'hydrogène peut retarder la cicatrisation des plaies. Comme il existe une grande variété de protocoles, les indications de l'encadré 9.3 doivent être acceptées par le radio-oncologue avant d'être appliquées.

Réactions de la bouche, de l'oropharynx et de l'œsophage. Les muqueuses de la bouche, de l'oropharynx et de l'œsophage sont sensibles à la radiothérapie. L'épithélium de la muqueuse buccale est détruit après le douzième jour de traitement. La réaction aiguë comprend l'engorgement capillaire, l'œdème et l'infiltration leucocytaire. Ces réactions se produisent à la suite de la radiothérapie tant interne qu'externe. Après le premier traitement, les glandes salivaires s'hypertrophient à cause d'un œdème interstitiel et d'une obstruction des conduits salivaires. La diminution du débit salivaire se transforme en une xérostomie (sécheresse de la bouche). Les glandes salivaires sont composées de cellules muqueuses et de cellules séreuses. Les cellules muqueuses produisent du mucus (salive visqueuse) et les

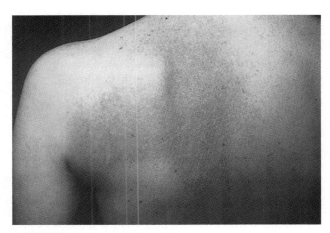

FIGURE 9.20 Desquamation sèche

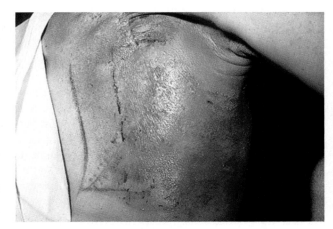

FIGURE 9.21 Desquamation humide

Réactions cutanées aux rayonnements

- Nettoyer délicatement la peau de la zone de traitement en utilisant un savon doux (Ivory, Dove) et de l'eau tiède. Rincer abondamment et tapoter pour sécher.
- Consulter votre médecin ou l'infirmière avant d'utiliser une crème, une poudre, un onguent, une lotion ou une pommade sur la région traitée. Certains produits sans ordonnance ou remèdes maison peuvent laisser un film sur votre peau qui réduira l'efficacité de votre traitement. (Société canadienne du cancer, 2003)
- Nettoyer les régions irradiées méticuleusement avec du peroxyde d'hydrogène et une solution saline. Il est préférable d'appliquer la solution avec une seringue à irrigation pour éviter le frottement. Rincer la zone avec une solution saline. Exposer la zone à l'air autant que possible. Si l'écoulement est abondant, il faut recouvrir la zone de tissus absorbants non adhésifs et les remplacer dès qu'ils sont humides. Examiner la zone quotidiennement pour déceler les signes d'infection.
- Éviter de porter des vêtements qui exercent une pression sur la zone de traitement, comme des soutiens-gorge, gaines et ceintures.

- Éviter de porter des tissus rudes comme la laine et le velours côtelé. Un vêtement en coton léger est préférable.
- Utiliser des détersifs doux pour laver les vêtements qui sont en contact avec la zone de traitement.
- L'exposition directe au soleil est à éviter. Si la zone risque d'être exposée au soleil, il est préférable de la recouvrir d'un vêtement protecteur.
- Éviter toutes les sources de chaleur (bouillottes, coussins chauffants et lampes solaires) sur la zone de traitement.
- Éviter d'exposer la zone de traitement aux températures froides (sac de glace ou temps froid).
- Éviter de nager en eau salée ou dans des piscines chlorées pendant la période de traitement.
- L'application de tout médicament, déodorant, parfum, poudre, cosmétique, ruban, pansement ou pansement adhésif doit être autorisée par le radiothérapeute. Éviter de raser les poils dans la zone de traitement. Après le traitement, il faut être prudent avec le rasoir.
- Après le traitement, tant que le processus de cicatrisation n'est pas complété, le client doit continuer à suivre les recommandations.

Note : les protocoles thérapeutiques reliés aux réactions cutanées doivent être autorisés par le radiothérapeute. Ces protocoles varient paradoxalement selon le centre hospitalier.

---

cellules séreuses sécrètent une salive aqueuse. Or, la radiothérapie touche davantage les cellules séreuses, d'où la présence accrue de salive épaisse et visqueuse.

Le pouvoir bactéricide de la salive est diminué, ce qui favorise la carie dentaire. La cavité buccale est moins lubrifiée et le bol alimentaire, moins humidifié. La digestion en est perturbée. Le sens gustatif s'atténue progressivement. C'est la raison pour laquelle les aliments perdent leur saveur. Avec des doses de rayonnements de 3000 cGy, le client peut à peine détecter le goût sucré d'une solution de saccharose dont la sucrosité équivaut à 25 cuillères à thé de sucre.

- Processus thérapeutique des réactions de la bouche, de l'oropharynx et de l'œsophage. L'état nutritionnel est altéré par les effets de la radiothérapie subis par la cavité buccale et l'œsophage. Pour éviter l'infection et faciliter l'ingestion des aliments, il faut évaluer la cavité buccale et intervenir rapidement. L'alimentation est perturbée par les troubles de déglutition qui caractérisent les réactions de l'œsophage. Les clients se plaignent de la difficulté à avaler la nourriture. Le client qui souffre d'un cancer du cou ou de la tête peut avoir de mauvaises habitudes alimentaires associées à l'alcool et au tabagisme. Ces facteurs compromettent son état nutritionnel et peuvent provoquer la malnutrition. La fatigue, la perte

du goût, l'anorexie, le mal de gorge, la toux et des changements salivaires sont des effets indésirables d'un cancer de la tête ou du cou.

L'infirmière doit enseigner au client comment examiner quotidiennement sa cavité buccale. Le client doit aviser son médecin lorsqu'il présente des douleurs et des rougeurs de la cavité buccale, des lésions sur les lèvres et de la difficulté à avaler. L'infirmière doit prévenir le client d'éviter les rince-bouche contenant de l'alcool, qui dessèchent la muqueuse buccale et sont susceptibles de provoquer des lésions. Elle doit recommander au client d'utiliser une brosse à dents à poils souples et la soie dentaire quotidiennement et d'éviter les dentifrices contenant des abrasifs. Ces mesures permettent d'éviter les lésions et de déloger les débris favorisant la carie dentaire. Des substituts de salive peuvent être employés, mais un apport hydrique approprié produit le même effet. Une solution saline composée de cinq millilitres de NaCl pour un litre d'eau est un agent nettoyant efficace. Cette solution élimine les débris, les bactéries et les sécrétions épaisses. On peut ajouter cinq millilitres de bicarbonate de soude à la solution physiologique pour réduire la mauvaise haleine, diminuer la douleur et dissoudre la mucine. Le brossage des dents et l'utilisation de la soie dentaire doivent se faire délicatement si la numération plaquettaire est diminuée, afin de prévenir le saignement de la muqueuse buccale. Le risque élevé de troubles hémorragiques est relié à l'association de plusieurs traitements.

Les analgésiques, les antibiotiques, les antiacides et les cytoprotecteurs (Sulcrate) employés seuls ou en association peuvent soulager la stomatite et le mal de gorge. On peut composer un rince-bouche en mélangeant des quantités égales d'antiacide, de diphenhydramine (Benadryl) et de lidocaïne (Xylocaine Visqueuse). Cette solution soulage la douleur et les malaises reliés à l'irritation ou à l'inflammation des muqueuses de la bouche, de l'oropharynx et de l'œsophage. L'infirmière doit recommander au client de se rincer la bouche à l'eau après l'utilisation de ce rince-bouche afin de prévenir l'accumulation de débris induisant la prolifération bactérienne.

L'infection, en particulier par *Candida*, peut survenir chez les sujets traités par radiothérapie au cou et à la tête. La fréquence de cette infection fongique augmente avec l'administration d'agents antinéoplasiques comme la bléomycine. Pour traiter cette infection, le médecin prescrit généralement de la nystatine par voie orale, du kétoconazole, du fluconazole ou du clotrimazole.

L'infirmière peut recommander au client de consommer des aliments mous, non irritants, afin de prévenir les lésions buccales. Les aliments très chauds ou très froids, le tabac et l'alcool devraient être évités. Le client peut consommer des suppléments alimentaires (p. ex. Ensure) pour pallier les besoins protéiques et énergétiques accrus. Il doit surveiller son poids régulièrement afin de prévenir une perte de poids excessive. Le client peut avoir besoin du soutien de sa famille ou nécessiter de l'aide à domicile.

Effets pulmonaires. La radiothérapie pulmonaire provoque des effets aigus et retardés. Les effets de l'irradiation pulmonaire sont accentués, car ils ne sont pas atténués par des tissus. Par conséquent, la dose de rayonnement administrée au poumon doit être plus faible. Lors de l'irradiation des poumons, les pneumocytes alvéolaires de type II sont endommagés. Les pneumocytes produisent le surfactant, un phospholipide dont le rôle est de réduire la tension superficielle et d'empêcher un affaissement des alvéoles. Or, lorsqu'ils sont irradiés, les pneumocytes de type II sécrètent davantage de surfactant en réaction contre la blessure. À l'arrêt du traitement, la diminution graduelle de surfactant produit un affaissement alvéolaire, ce qui accentue les lésions pulmonaires. Ces lésions entraînent la dyspnée et la toux. La pneumonie est une réaction aiguë reliée à la vésication des cellules endothéliales capillaires, à la thrombose des plaquettes et à l'obstruction intracavitaire. Cette réaction est souvent asymptomatique, malgré l'apparition de la toux, de la fièvre et de diaphorèse nocturne. La radiographie des poumons montre des infiltrations dont la forme épouse celle de la zone irradiée. L'administration de corticostéroïdes soulage les symptômes, mais ceux-ci réapparaissent dès que la prise de ces agents cesse. Les corticostéroïdes n'empêchent pas le développement de la fibrose. De ce fait, on préfère les bronchodilatateurs, les expectorants, le repos au lit et l'oxygénation.

Un à trois mois après le traitement, les cellules alvéolaires s'escarrifient. Ce phénomène s'accompagne d'une exsudation et d'une accumulation de liquides dans les espaces interstitiels. La fibrose pulmonaire avec sclérose des parois alvéolaires et perte de la fonction pulmonaire apparaît de trois à six mois après le traitement. À faibles doses de rayonnement, la fibrose est généralement négligeable.

• Processus thérapeutique des effets pulmonaires. Les effets pulmonaires de la radiothérapie peuvent exacerber les symptômes de la maladie. La toux augmente et devient plus productive, car les alvéoles comprimées par la tumeur se dilatent alors que la taille de celle-ci diminue. La toux devient sèche à cause des lésions subies par la muqueuse. Les antitussifs sont recommandés pour la nuit.

En cas de pneumonie, l'oxygène doit être administré judicieusement, surtout chez un client atteint de bronchopneumopathie chronique obstructive (voir chapitre 17). La fatigue, l'irritation cutanée, l'anorexie et le mal de gorge sont d'autres effets indésirables de la radiothérapie pulmonaire. La dyspnée peut créer une grande anxiété chez les clients. Elle peut être accentuée par l'isolement lors du traitement et la position couchée sur la civière. L'infirmière doit rassurer le client fréquemment. Elle doit l'informer que la dyspnée diminuera avec la résorption de la tumeur.

Effets gastro-intestinaux. Les cellules de la muqueuse gastro-intestinale prolifèrent rapidement. Les cellules situées en surface sont remplacées tous les deux à six jours. Le rayonnement perturbe la sécrétion gastrique à cause de la destruction des cellules. Après une semaine de traitement, la gastrite engendrée par le rayonnement se manifeste par l'hyperémie, l'hémorragie microscopique et l'exsudation. La sécrétion de mucus, d'acide chlorique et de pepsine diminue pendant le traitement. La muqueuse intestinale est le tissu le plus radiosensible. Un nouvel épithélium se forme 96 h après sa destruction. L'irradiation des tissus gastro-intestinaux entraîne des nausées, des vomissements et de la diarrhée. Les protéines, les lipides et les glucides sont moins bien absorbés. La production excessive de sels biliaires dans l'intestin peut provoquer la diarrhée. La cholestyramine peut soulager la diarrhée, car elle se lie aux sels biliaires et forme un complexe insoluble excrété dans les selles.

• Processus thérapeutique des effets gastro-intestinaux. Les nausées et les vomissements peuvent survenir à la suite de la libération de sérotonine par le tractus gastro-intestinal. Les chimiorécepteurs et le centre du vomissement situé dans le bulbe rachidien se trouvent ainsi stimulés. L'irritation gastro-intestinale résulte d'une destruction des cellules. Une heure avant le traitement, on recommande l'administration prophylactique d'antiémétiques et l'ingestion d'un repas léger composé d'aliments non irritants. Durant le traitement, le client peut souffrir de nausées et de vomissements anticipés. Cette réaction se manifeste chez le client souffrant continuellement de nausées et de vomissements. Les signaux qui déclenchent les nausées et les vomissements sont stimulés même en dehors de tout traitement. Chez certains clients, ce comportement subsiste après le traitement mais n'est pas observé chez les personnes qui reçoivent des antiémétiques en prophylaxie.

Les personnes souffrant de nausées et de vomissements peuvent présenter des signes de déshydratation. Un bilan liquidien permet d'évaluer les apports et les pertes hydriques.

Lorsque la zone irradiée cible l'abdomen et la région pelvienne, la diarrhée est provoquée par la mauvaise absorption des sels biliaires et l'irritation intestinale. L'intestin grêle est très sensible et ne tolère que de faibles doses de rayonnement. Durant le traitement, il est recommandé de maintenir la vessie pleine afin de protéger l'intestin grêle. Une alimentation non irritante, qui épargne le tractus gastro-intestinal, et l'administration d'antidiarrhéiques et d'antispasmodiques permettent d'atténuer la diarrhée. Des bains de siège à l'eau tiède peuvent soulager l'inconfort et nettoyer la région anale. Le client doit vérifier quotidiennement le nombre, la consistance et l'aspect de ses selles.

Effets sur l'appareil reproducteur. Les conséquences des rayonnements sur les ovaires et les testicules varient selon la dose administrée. Les testicules sont très radiosensibles et nécessitent une attention particulière. La numération des spermatozoïdes décroît temporairement pour des doses de 15 à 30 cGy et l'aspermatisme apparaît entre 35 et 230 cGy. Dans certains cas, une dose de 200 cGy peut entraîner un aspermatisme permanent. À des doses de 300 à 600 cGy, l'aspermatisme peut durer de deux à cinq ans ou être permanent. Chez les clients qui souffrent d'un cancer des testicules ou de la maladie de Hodgkin, on observe une numération de spermatozoïdes diminuée et une mobilité plus faible de ces cellules avant le début de la radiothérapie. Un traitement d'association ou une chimiothérapie avec des substances alkylantes intensifie et prolonge les effets des rayonnements sur les testicules. En général, la radiothérapie employée seule et à des doses contrôlées ne détruit pas la fonction testiculaire.

Chez les hommes, le dysfonctionnement érectile causé par des effets vasculaires et neurologiques engendrés par une radiothérapie pelvienne peut compromettre la fonction reproductrice. La fréquence du dysfonctionnement érectile provoqué par rayonnement est plus faible que celle d'une chirurgie entraînant une résection nerveuse. La curiethérapie administrée dans les cas de cancer de la prostate diminue ce risque.

La défaillance ovarienne varie selon la dose de rayonnement administrée et l'âge. L'arrêt des menstruations est observé chez 95 % des femmes de moins de 40 ans pour des doses de 500 à 1000 cGy et à des doses de 375 cGy pour les femmes de plus de 40 ans. Contrairement aux testicules, la perte de la fonction ovarienne est définitive. Il faut donc protéger les ovaires des rayonnements dans la mesure du possible.

La radiothérapie ciblant le col de l'utérus et l'endomètre peut compromettre la fonction reproductrice de la femme et sa sexualité. Ces organes peuvent recevoir des doses de rayonnement élevées avec un minimum de séquelles. De ce fait, les cancers de l'endomètre et du col de l'utérus peuvent être traités par radiothérapie externe et interne à des doses élevées. Toutefois, les réactions aiguës comme la sensibilité au toucher, l'irritation et la perte de lubrification perturbent l'activité sexuelle. Par ailleurs, les effets tardifs reliés à la fibrose raccourcissent la cavité vaginale et entraînent une perte d'élasticité et une lubrification moindre.

• Processus thérapeutique des effets sur l'appareil reproducteur. Le client et sa partenaire doivent être informés des effets indésirables du traitement sur la capacité de reproduction. L'infertilité peut poser un grave problème pour certaines personnes. Lorsque les fonctions sexuelles sont altérées, on peut suggérer un lubrifiant vaginal hydrosoluble et un dilatateur vaginal. L'infirmière doit encourager toute discussion entourant la sexualité, offrir des suggestions et diriger le client vers une ressource appropriée.

Stratégie d'adaptation à la radiothérapie. L'infirmière doit aider le client à vivre l'anxiété générée par la radiothérapie. Les traitements sont administrés quotidiennement pendant plusieurs semaines. Le client et sa famille doivent donc modifier plusieurs habitudes de vie. Le travailleur social peut aider le client à trouver des moyens de s'adapter aux perturbations.

Les incertitudes liées au traitement et la peur de la radiothérapie sont plus marquées au début du traitement. À la fin du traitement, le client est anxieux de ne pas connaître l'aboutissement de son traitement. Il peut essayer des techniques de relaxation et faire appel à l'humour afin de réduire son anxiété. L'information et le soulagement des symptômes permettent au client de supporter la radiothérapie et de maintenir une qualité de vie acceptable.

9.5.5 Chimiothérapie

La chimiothérapie traite le cancer à l'aide d'agents chimiques (médicaments). Dans les années 1940, la chimiothérapie était à son premier stade de développement. La moutarde azotée, un agent de guerre chimique utilisé lors des première et seconde guerres mondiales, fut alors employée pour traiter la leucémie aiguë. On remarqua qu'un antimétabolite, le 5-fluorouracile (5-FU), avait des propriétés antitumorales. De nombreuses expériences furent menées dans les années 1950. À cette époque, on n'utilisait qu'un seul agent antinéoplasique par traitement. Dans les années 1960, on mit l'accent sur la mise au point d'agents chimiothérapeutiques et leur utilisation en association. La chimiothérapie devint un traitement anticancéreux efficace dans les années 1970. Dans les années 1980, les essais cliniques évaluèrent les effets de fortes doses de substances antinéoplasiques pour le traitement de cancers résistants. De nos jours, la chimiothérapie est devenue le traitement de choix pour les leucémies et plusieurs lymphomes. Elle est également utilisée pour traiter de nombreuses tumeurs solides. La chimiothérapie est passée d'un traitement palliatif de dernier recours à une modalité de traitement capable de guérir certains cancers et d'en stabiliser d'autres pendant longtemps. Elle sert de traitement palliatif seulement lorsque la guérison et la stabilisation se révèlent impossibles (voir figure 9.22).

Effets sur les cellules. La chimiothérapie agit sur les cellules en les détruisant. Les substances chimiothérapeutiques sont classées selon leurs effets sur le cycle cellulaire : les agents qui agissent spécifiquement sur le cycle cellulaire et ceux qui ne le ciblent pas.

Les agents antinéoplasiques qui ne tiennent pas compte du cycle cellulaire agissent aussi bien sur les cellules qui sont dans la phase de reproduction et de prolifération que sur les cellules au repos.

Les antinéoplasiques qui agissent sur le cycle cellulaire produisent leurs effets uniquement sur les cellules en division ou en prolifération (G_1, S, G_2 ou M).

On administre souvent en association des agents qui ciblent le cycle cellulaire avec des agents qui ne le ciblent pas. Cette approche favorise l'effet thérapeutique, car elle emploie des substances aux mécanismes d'action différents.

Le but de la chimiothérapie est de réduire le nombre de cellules cancéreuses au foyer initial de la tumeur et aux sites secondaires (métastases). La réponse des cellules à la chimiothérapie dépend de plusieurs facteurs :

- L'activité mitotique du tissu tumoral. Plus elle est élevée, plus la chimiothérapie est efficace. La chimiothérapie est le traitement préférentiel pour la leucémie aiguë, le choriocarcinome du placenta, la tumeur de Wilms (en association avec une intervention chirurgicale) et le neuroblastome. Ces types de cellules cancéreuses ont un taux de prolifération élevé.
- La taille de la tumeur. L'action de la chimiothérapie est d'autant plus efficace que le nombre de cellules cancéreuses est faible.
- L'âge de la tumeur. L'efficacité de la chimiothérapie augmente lorsque les cellules sont jeunes. La proportion de cellules en prolifération dans les tumeurs cancéreuses encore jeunes est plus grande.
- L'emplacement de la tumeur. Certaines structures anatomiques sont protégées des effets de la chimiothérapie. Par exemple, seuls quelques médicaments (les nitrosourées et la bléomycine) peuvent franchir la barrière hématoencéphalique.
- La présence de cellules tumorales résistantes. Une mutation cellulaire peut survenir dans la tumeur, ce qui la rend résistante à la chimiothérapie. Une incapacité biochimique de certaines cellules cancéreuses à activer le médicament peut les rendre résistantes.
- L'état physiologique et psychologique du sujet. Un état de santé optimal et une attitude positive aideront le client à mieux réagir à la chimiothérapie.

Lorsque le cancer se déclare, la plupart des cellules se divisent activement. À mesure que la tumeur grossit, de plus en plus de cellules sont à l'état de repos. Comme les substances anticancéreuses sont plus efficaces contre les cellules en division, de nombreuses cellules évitent de se faire détruire en restant en phase de repos. Le problème majeur de la chimiothérapie du cancer est posé par la résistance aux antinéoplasiques des cellules au repos et de celles qui ne se divisent pas.

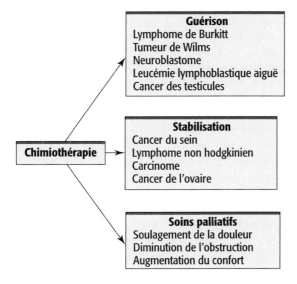

FIGURE 9.22 Objectifs de la chimiothérapie

La chimiothérapie administrée à fortes doses est une façon de prévenir le développement de cellules tumorales résistantes aux médicaments. Cette approche maximise les effets du traitement avant qu'apparaisse la résistance. Un exemple de chimiothérapie à fortes doses est l'utilisation de cytarabine (Ara-C) pour le traitement de la leucémie. La dose habituelle de cette substance est de 100 mg/m^2, alors que le traitement de choc a recours à des doses de 3000 mg/m^2.

Classification des médicaments antinéoplasiques.
Les agents antinéoplasiques sont classés suivant leur structure et leur mécanisme d'action (voir tableau 9.12).

Méthodes d'administration.
Les agents chimiothérapeutiques peuvent emprunter plusieurs voies (voir tableau 9.13), les voies orale et intraveineuse (IV) étant les plus usuelles. L'administration intraveineuse d'agents antinéoplasiques doit se faire avec la plus grande précaution puisque le médicament peut irriter la paroi de la veine ou, plus grave encore, produire une infiltration des agents dans les tissus entourant le site de perfusion. De nombreux agents antitumoraux sont des substances vésicantes : lorsqu'ils s'infiltrent accidentellement sous la peau, ils peuvent provoquer des lésions graves, ainsi que des nécroses. Voici quelques précautions à suivre pour l'administration de ces agents par voie IV.

- Commencer la perfusion IV avec une solution saline normale ou à 5 % de dextrose dans l'eau avec une aiguille courte à petite lumière ou un cathéter pour s'assurer de la perméabilité du cathéter intraveineux et de l'état du site de perfusion. Vérifier qu'il n'y a pas eu de ponctions veineuses récentes à proximité du site. Éviter d'utiliser un bras à faible drainage lymphatique ou qui a subi une radiothérapie.
- Choisir une veine suffisamment grosse pour permettre l'injection sans irriter l'intima de la veine. Lorsqu'on administre une substance vésicante, il faut éviter les veines de la main, du poignet et de la région antébrachiale, où le débit sanguin est faible (plus le débit sanguin est grand, moins la paroi veineuse risque de s'irriter).
- Demander au client de signaler immédiatement toute nouvelle sensation, spécialement les brûlures.
- Vérifier le retour du sang avant d'injecter les agents chimiothérapeutiques. Néanmoins, un retour de sang ne prouve pas toujours que la veine est intacte.
- S'il faut injecter plusieurs agents, administrer la substance vésicante en premier, alors que l'intégrité de la veine est optimale.

(Note : cette méthode est controversée. Certains pensent que les agents vésicants doivent être administrés en dernier et d'autres estiment qu'il faut les administrer entre deux substances non vésicantes).

- Injecter lentement les substances à administrer en utilisant la méthode par bolus. Délivrer en petites quantités de 0,5 à 1 ml. Attendre 30 à 60 secondes en laissant la perfusion IV s'écouler ; vérifier le retour du sang, puis, délicatement, injecter à nouveau 0,5 à 1 ml de la solution. Répéter jusqu'à épuisement et laisser la perfusion IV s'écouler pendant quelques minutes.
- Éviter les perfusions périphériques continues de substances vésicantes. L'état des tissus autour du site de perfusion périphérique d'une telle substance doit être surveillé en permanence.
- Cesser immédiatement la perfusion si le client signale une sensation de brûlure ou si l'on suspecte une infiltration. Si la substance est irritante, vérifier le retour du sang, et si le sang revient, poursuivre la perfusion. Si la substance est un agent vésicant, arrêter la perfusion et appliquer les procédures appropriées en cas d'extravasation.
- Pour maintenir le cathéter intraveineux en place, utiliser un pansement adhésif transparent afin que le site de perfusion soit visible.
- S'il y a extravasation :
  - arrêter immédiatement la perfusion IV ; prévenir le médecin ou mettre en application les consignes propres à la substance vésicante employée ;
  - retirer la tubulure de perfusion IV et aspirer le sang au maximum avec une seringue ;
  - délimiter la zone d'extravasation avec une marque faite au stylo ;
  - injecter l'antidote prescrit (le cas échéant) dans le cathéter de perfusion ou selon la méthode de la pelote d'épingle dans la peau entourant le site de perfusion ;
  - appliquer une crème corticostéroïde obtenue par ordonnance ;
  - surélever le site ;
  - appliquer des compresses froides durant les premières 24 à 48 h à moins qu'un alcaloïde de plante s'y soit infiltré ; en cas d'extravasation d'un alcaloïde de plante, il faut appliquer des compresses chaudes ;
  - observer le site à intervalles réguliers ;
  - donner au client des directives pour les soins à domicile.

La douleur est le symptôme le plus révélateur de l'extravasation, même si certaines extravasations ne sont pas douloureuses. La tuméfaction, la rougeur et la présence de vésicules sur la peau sont d'autres signes d'extravasation. Après quelques jours, le tissu peut s'ulcérer et se nécroser. L'évolution de ce processus peut aboutir à un cratère profond que l'on doit souvent fermer avec des greffes cutanées. Si une infection se déclare, le problème est sérieux et peut constituer un danger de mort.

TABLEAU 9.12 Classification des agents antinéoplasiques

Mécanismes d'action	Exemples
AGENTS ALKYLANTS **Agents qui ne ciblent pas le cycle cellulaire** Se lient à l'ADN, ce qui produit des brins d'ADN croisés. La séparation des brins n'est plus possible lors de la division cellulaire. Les cellules meurent immédiatement (cytocide) ou lorsqu'elles tentent de se multiplier (cytostatique). Effet des métaux lourds sur l'ADN.	Méchloréthamine (Moutarde azotée), cyclophosphamide (Cytoxan, Procytox), chlorambucil (Leukeran), melphalan (Alkeran), thiotépa (Thioplex), busulfan (Myleran), dacarbazine (DTIC), ifosfamide (Ifex), estramustine (Emcyt) Cisplatine (Cisplatine), carboplatine (Paraplatin-AQ)
ANTIMÉTABOLITES **Agents qui ciblent le cycle cellulaire** Interfèrent avec la synthèse de l'ADN en imitant certains métabolites cellulaires essentiels que les cellules incorporent dans l'ADN ; les cellules meurent immédiatement (cytocide).	Méthotrexate (MTX), cytarabine (Cytosar), Fluorouracile (5-FU, Adrucil, Efudex), 6-mercaptopurine (6-MP, Purinethol), thioguanine (Lanvis), fludarabine (Fludara), hydroxyurée (Hydrea)
ANTIBIOTIQUES ANTITUMORAUX **Agents qui ne ciblent pas le cycle cellulaire** Modifient la fonction de l'ADN et interfèrent avec la transcription de l'ARN ; les cellules meurent immédiatement (cytocide) ou lorsqu'elles tentent de se multiplier (cytostatique).	Doxorubicine (Adriamycin), bléomycine (Blenoxane), mitomycine (Mutamycin) daunorubicine (Cérubidine), dactinomycine (Cosmegen), idarubicine (Idamycin), mithramycine
ALCALOÏDES DE PLANTE (INHIBITEURS DE LA MITOSE) **Agents qui ciblent le cycle cellulaire** Interrompent la réplication cellulaire durant la mitose à la métaphase ; les cellules meurent immédiatement (cytocide).	Vinblastine (Vinblastine), vincristine (Vincristine), étoposide (Vepesid), paclitaxel (Taxol), vinorelbine (Navelbine), docetaxel (Taxotere), téniposide (Vumon)
NITROSOURÉES **Agents qui ne ciblent pas le cycle cellulaire** Ont des effets semblables aux substances alkylantes et bloquent également certains enzymes nécessaires à la synthèse de la purine ; les cellules meurent immédiatement (cytocide) ou lorsqu'elles tentent de se multiplier (cytostatique).	Carmustine (BICNU), streptozocine (Zanosar)
CORTICOSTÉROÏDES **Agents qui ne ciblent pas le cycle cellulaire** Brisent la membrane cellulaire et empêchent la synthèse de protéine ; diminuent le nombre de lymphocytes en circulation ; inhibent la mitose, inhibent le système immunitaire ; augmentent la sensation de bien-être.	Cortisone (Cortisone), hydrocortisone (Solu-Cortef), méthylprednisolone (Solu-Medrol), prednisone, dexaméthasone (Decadron)
HORMONES **Agents qui ne ciblent pas le cycle cellulaire** Stimulent le processus de différenciation cellulaire ; les lésions métastatiques sont moins capables de survivre dans un environnement défavorable ; diminuent le processus de prolifération cellulaire.	Testostérone (Delatestryl), œstrogènes (diéthylstilbœstrol [Honvol]), progestatifs (Provera, Megace)
DIVERS Détruit l'apport exogène de L-asparagine nécessaire à la prolifération cellulaire ; les cellules normales peuvent synthétiser l'enzyme, mais ce dernier ne peut pas être synthétisé par les cellules cancéreuses.	L-asparaginase (Kidrolase)
Anti-œstrogènes utilisés pour le cancer du sein.	Tamoxifène (Nolvadex, Tamofen)
Produit des ruptures de brin simple et double de l'ADN.	Amsacrine (AMSA P-D)
Inhibe la mitose à l'interphase, semble altérer l'ADN, l'ARN et les protéines préformées.	Procarbazine (Natulan)
Inhibe l'activité corticosurrénale, modifie le métabolisme périphérique des stéroïdes.	Mitotane (Lysodren)
Inhibe la synthèse de l'ADN et de l'ARN.	Mitoxantrone (Novantrone)

9

TABLEAU 9.13 Modes d'administration de la chimiothérapie	
Mode	**Exemples**
Voie orale	Cyclophosphamide
Voie intramusculaire	Bléomycine
Voie intraveineuse	Doxorubicine, vincristine
Voie endocavitaire (pleurale, péritonéale)	Radio-isotopes, substances alkylantes, méthotrexate
Voie intrathécale	Cytarabine
Voie intra-artérielle	Substances alkylantes
Perfusion	Méthotrexate
Perfusion continue	Cytarabine
Voie sous-cutanée	Cytarabine
Voie topique	Crème 5-F

On peut également administrer la chimiothérapie par un dispositif d'accès vasculaire. Les dispositifs d'accès vasculaire sont mis en place dans les gros vaisseaux (veines ou artères). L'accès vasculaire permet l'administration fréquente d'antinéoplasiques, d'agents de thérapie biologique ou d'autres substances en continu ou par intermittence. Cette voie d'administration évite l'installation de cathéters IV multiples. Les dispositifs d'accès vasculaire sont recommandés si l'accès vasculaire est limité, la chimiothérapie est intensive, la perfusion de substances vésicantes est continue et la chimiothérapie est de longue durée (plusieurs mois ou années). Ces dispositifs servent également à l'administration d'autres substances, comme les produits sanguins, l'alimentation parentérale, certains médicaments, et permettent les prélèvements sanguins. Parce qu'ils donnent accès à des vaisseaux sanguins à haut débit, ces dispositifs permettent de diluer rapidement les agents antinéoplasiques. Ils diminuent les risques d'extravasation et la fréquence des ponctions veineuses. Il existe quatre types de dispositifs pour l'accès vasculaire : les cathéters centraux tunnellisés, les cathéters centraux à insertion périphérique, les chambres à perfusion implantables et les pompes à perfusion (externes ou implantées).

Cathéters centraux tunnellisés. Les cathéters tunnellisés (Hickman, Broviac, Leonard et Groshong) sont des cathéters avec une lumière simple, double ou triple. Les cathéters dont le diamètre intérieur équivaut à un à deux millimètres mesurent environ 90 cm de longueur (voir figure 9.23). Ces cathéters sont implantés dans une veine centrale (sous-clavière, jugulaire interne et externe) sous anesthésie locale ou générale. Une extrémité du cathéter parvient à l'oreillette droite du cœur. L'autre extrémité traverse le tissu sous-cutané et ressort par une incision pratiquée sur la poitrine ou sur la paroi abdominale. Le cathéter est maintenu en place par un bracelet en Dacron qui diminue les risques d'infection. L'emplacement du cathéter est vérifié par radiographie. Les soins incluent le changement de l'obturateur, le rinçage avec une solution physiologique, l'héparinisation et la réfection du pansement. La fréquence et le protocole de ces soins varient selon l'établissement. Les complications propres à ces cathéters sont l'occlusion, l'infection, l'hémorragie, la thrombose veineuse, les problèmes techniques et l'infection locale au site de sortie.

Cathéters veineux centraux à insertion périphérique et cathéters médians. Les cathéters veineux centraux à insertion périphérique (CCIP) (p. ex. PICC-Line, Intracath) et les cathéters médians (CM) (Midline) sont à lumière simple ou double, ne sont pas tunnellisés et sont composés de polymère. En traitement oncologique, ils assurent un accès immédiat à une veine centrale lorsque le débit de perfusion recherché dépasse le débit offert par un cathéter intraveineux (voir figure 9.24). Ces cathéters sont employés pour le traitement IV de courte durée, l'administration fréquente de produits sanguins, les prélèvements sanguins et les perfusions de médicaments intermittentes ou continues. Ces cathéters doivent être mis en place par un médecin ou une infirmière spécialisée.

Les CCIP sont insérés à la fosse antébrachiale ou juste au-dessus. Leur extrémité est avancée jusqu'au tiers aval de la veine cave supérieure. Les cathéters de calibre 24 à 16 peuvent mesurer jusqu'à 60 cm de longueur. Ils peuvent rester en place durant six mois. Pour installer le CCIP, on traverse la peau et la paroi

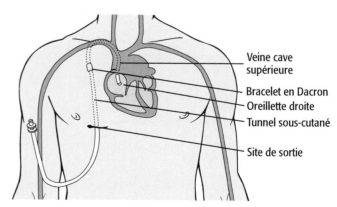

Veine cave supérieure
Bracelet en Dacron
Oreillette droite
Tunnel sous-cutané
Site de sortie

FIGURE 9.23 Positionnement du cathéter tunnellisé en silastic dans l'oreillette droite. Noter l'extrémité du cathéter dans l'oreillette droite.

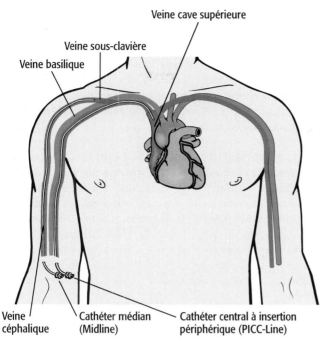

FIGURE 9.24 Positionnement des cathéters veineux centraux périphériques et des cathéters médians

veineuse avec une aiguille que l'on retire ; puis, le cathéter avance dans le vaisseau à l'aide d'un fil guide.

Les CM sont des cathéters placés entre la fosse antébrachiale et la tête de la clavicule. Ces cathéters sont plus courts que les CCIP (15 à 20 cm) et leur extrémité est logée dans les vaisseaux du bras supérieur. On peut utiliser les CCIP à cet effet, mais on a mis au point des CM spécifiques. Les CM s'installent au même endroit que les CCIP et selon le même protocole.

L'occlusion du cathéter et la phlébite figurent parmi les complications causées par les CCIP et les CM. On peut utiliser l'urokinase pour lyser le thrombus qui crée l'obstruction. Si elle apparaît, la phlébite se manifeste généralement de sept à dix jours après l'insertion. Les signes de phlébite sont la rougeur, l'œdème et la sensibilité au toucher le long du trajet du cathéter. Dans pareil cas, le cathéter doit être retiré et son extrémité analysée. Le bras dans lequel se trouve un CCIP ou un CM ne doit être utilisé ni pour mesurer la tension artérielle, ni pour prélever du sang (sauf par le CCIP ou le CM).

Chambres à perfusion implantables. Les chambres à perfusion implantables (Port-A-Cath, Vital-Port) sont munies d'un cathéter veineux central connecté à une ou deux chambres sous-cutanées (voir figure 9.25). Le cathéter est placé dans la veine choisie (sous-clavière, jugulaire interne ou externe, céphalique) et l'autre extrémité est reliée à une chambre suturée à un muscle de la paroi thoracique et implantée chirurgicalement

dans un espace sous-cutané de cette paroi. La chambre est constituée d'une cloison métallique dotée d'un septum autoscellant en silicone. On traverse le septum avec une aiguille à pointe Huber (embout biseauté) qui empêche l'évidage de la chambre. Les aiguilles à pointe Huber sont également offertes sur le marché avec une extrémité courbée à 90º pour les perfusions plus longues. Pour ce mode d'administration, les interventions à dispenser s'appliquent à l'irrigation et à l'héparinisation de la chambre. Les complications attribuées aux chambres à perfusion sont la coagulation, le déplacement du dispositif, l'infection, l'hémorragie, la thrombose, l'embolie gazeuse et l'infection au site de sortie, au site de perfusion ou à l'intérieur du dispositif. Des dépôts (accumulation de sang coagulé et précipités) risquent de se former dans le septum de la chambre. Ce risque est accentué par l'usure engendrée par l'aiguille à pointe Huber sur le plancher septal.

Pompes à perfusion. Dans le traitement du cancer, les pompes à perfusion sont surtout employées pour la perfusion d'agents antinéoplasiques par voie IV, sous-cutanée, intra-artérielle et épidurale. Les pompes à perfusion sont externes ou implantées dans l'organisme par intervention chirurgicale. Les différentes pompes à perfusion externes (Pousse-seringue, Travenol, IMED) se distinguent par leur mécanisme, leurs composants et leur capacité.

Les pompes à perfusion implantées (pompes internes) (Infusaid et Medtronic) servent principalement à l'administration de substances anticancéreuses par voie intra-artérielle (voir figure 9.26). Ce dispositif permet une perfusion continue des agents antinéoplasiques directement à la tumeur tout en épargnant les

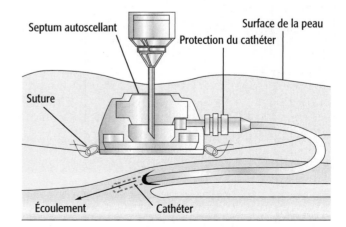

FIGURE 9.25 Coupe transversale d'une chambre à perfusion implantable montrant l'accès à la chambre avec l'aiguille à pointe Huber. Noter l'extrémité biseautée de l'aiguille à pointe Huber qui empêche l'évidage de la cloison de la chambre.

effets systémiques du médicament au client. Certaines pompes internes sont munies de deux septums de silicone. Le second septum peut être employé pour administrer les médicaments en bolus. L'utilisation la plus courante de cette méthode d'administration est la perfusion par l'artère hépatique pour le traitement des métastases du foie dérivées d'un cancer du côlon.

Les pompes internes sont reliées à un cathéter inséré dans l'artère sélectionnée. La pompe est munie de deux chambres ; la chambre interne sert de réservoir et la chambre externe pressurisée à la vapeur actionne la pompe. Le dispositif est implanté chirurgicalement dans un espace sous-cutané. On injecte le médicament au travers d'un septum en silicone par une aiguille à pointe Huber. Le débit de la pompe varie selon la concentration du médicament, la longueur et le diamètre du cathéter de silastic et la température corporelle du client. En conséquence, les doses sont modifiées si la température corporelle varie ou si le client subit les effets de l'altitude.

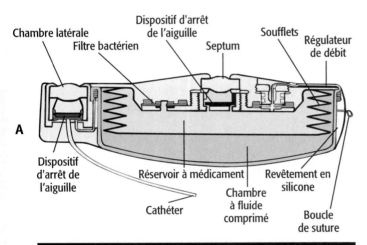

FIGURE 9.26 A. Coupe transversale de la pompe implantable avec ses deux chambres : le réservoir à médicament (intérieur) et la chambre à fluide comprimé. Lorsque le réservoir à médicament est rempli, les soufflets se détendent et compriment le fluide dans la chambre externe. La pression résultante pousse le médicament à travers une membrane filtre et un régulateur de débit précalibré, assurant ainsi un débit presque constant. B. Pompe Infusaid.

L'infection, la thrombose, la coagulation dans le cathéter et le mauvais fonctionnement de la pompe sont quelques problèmes observés avec les pompes internes.

Le cathéter de Tenckhoff, qui sert à l'administration intrapéritonéale de substances anticancéreuses, et le réservoir d'Ommaya, qui administre des substances directement au système nerveux central sont d'autres dispositifs d'accès.

Administration loco-régionale d'agents antinéoplasiques. En chimiothérapie, le traitement loco-régional consiste à administrer le médicament directement à la tumeur. De cette façon, on peut employer des concentrations plus élevées de médicament tout en réduisant la toxicité systémique. Pour la chimiothérapie loco-régionale, il existe plusieurs voies d'administration : intra-artérielle, intrapéritonéale, intrathécale ou intra-ventriculaire et intravésicale .

Chimiothérapie intra-artérielle. La chimiothérapie intra-artérielle se rapporte à l'administration d'un agent antinéoplasique à la tumeur par l'intermédiaire d'une artère qui l'alimente. Le sarcome ostéogénique, les cancers de la tête, du cou, de la vessie, du cerveau et du col utérin, les mélanomes, le cancer hépatique primaire et les métastases hépatiques sont des maladies susceptibles d'être traitées au moyen de la chimiothérapie intra-artérielle. L'administration intra-artérielle de médicaments par perfusion se fait par l'implantation chirurgicale d'un cathéter relié à une pompe à perfusion externe ou interne. En général, la toxicité systémique de la chimiothérapie intra-artérielle est réduite. La toxicité dépend du site de la tumeur.

Chimiothérapie intrapéritonéale. La chimiothérapie intrapéritonéale traite les métastases péritonéales dérivées de cancers primaires du côlon ou des ovaires, le mésothéliome et les ascites malignes par l'injection d'agents antitumoraux dans la cavité péritonéale. Des cathéters en silastic (Tenckhoff, Hickman et Groshong) sont placés de façon percutanée ou chirurgicale dans la cavité péritonéale pour l'administration de courte durée de substances antinéoplasiques ou une pompe à perfusion interne y est implantée. Les agents sont administrés dans le péritoine, où ils sont dilués dans un à deux litres de liquide. La solution y séjourne pendant une à quatre heures. Puis, le liquide est drainé hors du péritoine. Les complications de la chimiothérapie péritonéale sont, notamment, les douleurs abdominales, l'occlusion des cathéters, le déplacement de la pompe à perfusion interne ou du cathéter et l'infection.

Chimiothérapie intrathécale ou intraventriculaire. Les cancers tels que les cancers du sein, du poumon, de l'appareil digestif, des cellules sanguines, qui forment des métastases dans le SNC, sont difficiles à traiter. En effet, la barrière hématoencéphalique empêche la distribution des substances anticancéreuses au SNC. Les métastases du SNC se traitent donc par chimiothérapie intrathécale. Ce traitement fait intervenir une ponction lombaire et l'injection d'agents antinéoplasiques à travers la méninge externe et l'arachnoïde, dans l'espace sous-arachnoïdien. Cependant, ce mode d'administration ne distribue pas uniformément le médicament dans le SNC, puisque les agents ne parviennent pas aux zones ventriculaires et cisternales.

Souvent, pour assurer une distribution vers ces zones, on implante un réservoir Ommaya. Ce dispositif consiste en un disque de silastic, en forme de dôme, muni d'un cathéter inséré par chirurgie dans la boîte crânienne, par le biais d'un ventricule latéral. Le réservoir Ommaya permet d'éviter les ponctions lombaires répétées, qui sont douloureuses. Les céphalées, les nausées, les vomissements, la fièvre et la raideur de la nuque figurent parmi les complications de la chimiothérapie intrathécale et intraventriculaire.

Chimiothérapie intravésicale. Le carcinome de la vessie à cellules transitionnelles récidive souvent après un traitement chirurgical classique. C'est pourquoi l'instillation d'agents antinéoplasiques dans la vessie constitue un traitement de choix pour détruire les cellules cancéreuses et diminuer l'incidence de la maladie récurrente. De plus, ce traitement a l'avantage de minimiser les dysfonctionnements urinaire et sexuel. Les agents antitumoraux sont instillés dans la vessie, puis y séjournent durant une à trois heures avant d'être drainés hors de l'organe. La dysurie, la polyurie, l'hématurie et les spasmes de la vessie peuvent survenir après ce type de traitement.

Effets indésirables de la chimiothérapie. Les agents antinéoplasiques ne distinguent pas les cellules normales des cellules cancéreuses. Lorsque des cellules normales sont détruites, le client présente certains signes et symptômes reliés aux effets indésirables ou toxiques de la chimiothérapie. La destruction de cellules dont la prolifération est rapide, la réaction de l'organisme aux débris cellulaires (les métabolites provenant de la destruction cellulaire peuvent causer de la fatigue, de l'anorexie et l'altération du goût) et la toxicité de certains médicaments (voir tableau 9.14) peuvent expliquer les effets de la chimiothérapie.

Les effets indésirables de ces médicaments peuvent être aigus, retardés ou chroniques. Les réactions de toxicité aiguë comprennent, notamment, les vomissements, les réactions allergiques et les arythmies. Parmi les effets retardés, on compte la stomatite, l'alopécie et l'aplasie médullaire. La stomatite peut entraîner des lésions buccales, une gastrite et la diarrhée. La toxicité chronique peut conduire à des lésions cardiaques, hépatiques, rénales et pulmonaires.

Chimioprotecteurs. Pour freiner l'apparition des effets toxiques, des chimioprotecteurs sont administrés conjointement avec certains antinéoplasiques. Le mesna (Uromitexan), un cytoprotecteur, est combiné à l'ifosfamide et à la cyclophosphamide pour prévenir la cystite hémorragique. Pour diminuer les complications cardiaques engendrées par la doxorubicine et la daunorubucine, le dexrazoxane (Zinecard), un agent cardioprotecteur, est administré.

Plan de traitement. En chimiothérapie, plusieurs agents sont utilisés en association. Un agent est rarement administré seul. Les agents antinéoplasiques sont soigneusement choisis pour détruire efficacement les cellules cancéreuses tout en permettant aux cellules normales de se réparer et de proliférer. La dose de chaque agent est calculée en fonction du poids du client ou de sa surface corporelle. Le choix des agents à administrer repose sur les principes suivants :
- Le plan de traitement comprend des agents qui agissent contre le cancer à traiter.
- Les agents donnés en association produisent un effet synergique.
- L'association comprend des agents qui ciblent le cycle cellulaire, d'autres qui n'ont pas d'effet sur lui et d'autres encore dont le mécanisme d'action est différent.
- Les effets indésirables des agents administrés en association sont différents.
- Les nadirs provoqués par les agents administrés en association surviennent à différents intervalles. Le **nadir** représente le taux le plus bas de numération des cellules sanguines (en particulier les leucocytes). Il est causé par l'aplasie médullaire et survient de 7 à 28 jours après l'administration de la plupart des antinéoplasiques.

Les périodes d'administration d'agents antinéoplasiques doivent alterner avec des périodes de repos. La période de repos est essentielle, car elle permet aux cellules normales de se diviser et de réparer les lésions. Cette alternance peut se succéder un certain nombre de fois. La plupart des chimiothérapies durent au moins six mois. Le client est examiné avant chaque traitement pour s'assurer que la régénération cellulaire est suffisante.

Souvent, la décision la plus difficile porte sur l'arrêt de la chimiothérapie. L'état du client est évalué selon les critères suivants :
- Rémission complète. Absence totale de tout signe de cancer et retour aux activités quotidiennes ; la durée d'une rémission complète doit être supérieure à un mois.
- Rémission partielle. Régression supérieure à 50 % du processus morbide sans indice de progression de la maladie avec signes d'amélioration subjective. Une rémission partielle dure en général plusieurs mois.

TABLEAU 9.14 Effets secondaires toxiques de la chimiothérapie

Agents antinéoplasiques	Myélosup-pression	Mucosite	Nausées et vomisse-ments	Alopécie	Vésicant (V) / Irritant (I)	Réaction allergique	Autres toxicités spécifiques
Amsacrine (AMSA P-D)	+	0	+	0	+ (V)	0	Syndrome pseudo-grippal, maladie veino-occlusive, hépatotoxicité
Busulfan (Myleran)	+	0	±	0	0	0	Fibrose pulmonaire
Bléomycine (Blenoxane)	±	+	±	+	0	+	Pneumotoxicité, irritation cutanée
Carboplatine (Paraplatin-AQ)	+	0	+	0	0	0	Pigmentation au site d'injection, hépatotoxicité, neurotoxicité, néphrotoxicité, pneumo-toxicité
Carmustine (BICNU)	+	+	+	0	+ (I)	0	Hépatotoxicité
Chlorambucil (Leukeran)	+	0	±	0	0	0	
Cisplatine (Cisplatine)	+	0	+	0	0	+	Néphrotoxicité, neuropathie périphérique, ototoxicité
Cladribine (Leustatin)	+	–	+	–	–	–	Accès de fièvre, diarrhée, constipation, toux, souffle court, tachycardie, œdème
Cortisone	+	–	–	–	–	–	Irritation gastrique, hypergly-cémie, rétention d'eau et de sodium, hypokaliémie, modi-fications du comportement
Cyclophosphamide (Cytoxan, Procytox)	+	0	+	+	0	0	Cystite hémorragique, insuf-fisance cardiaque
Cytarabine (Cytosar)	+	+	+	+	0	0	Hépatotoxicité
Dacarbazine (DTIC)	+	0	+	0	+ (I)	+	Hypotension
Dactinomycine (Cosmegen)	+	+	+	+	+ (V)	0	Diarrhée
Daunorubicine (Cérubidine)	+	+	+	+	+	0	Cardiotoxicité
Diéthylstilboestrol (Honvol)	0	0	+	0	0	0	Insuffisance cardiaque congestive
Docetaxel (Taxotere)	+	–	–	+	–	+	Éruption, déséquilibre hydrique et électrolytique, œdème périphérique, épanchement pleural
Doxorubicine (Adriamycin)	+	+	+	+	+ (V)	0	Cardiotoxicité, diarrhée
Estramustine (Emcyt)	+	–	+	–	+ (V)	0	Diarrhée, hépatotoxicité, hypo-calcémie, hypophosphatémie, gynécomastie, insuffisance cardiaque congestive, thrombophlébite, éruption
Étoposide (VP-16)	+	0	+	+	+ (I)	±	Hépatotoxicité, neurotoxicité, hypotension
Fludarabine (Fludara)	+	+	+	–	–	–	Pneumotoxicité, épanchement péricardique, neurotoxicité
5-fluorouracile (5-FU, Adrucil, Efudex)	+	+	±	±	0	0	Diarrhée, photosensibilité
Gemcitabine (Gemzar)	+	–	+	–	–	–	Symptômes pseudo-grippaux

TABLEAU 9.14 Effets secondaires toxiques de la chimiothérapie *(suite)*

Agents antinéoplasiques	Myélosup- pression	Mucosite	Nausées et vomisse- ments	Alopécie	Vésicant (V) / Irritant (I)	Réaction allergique	Autres toxicités spécifiques
Hydroxyurée (Hydrea)	+	+	+	+	0	0	
Idarubicine (Idamycin)	+	+	+	+	0	0	Myocardiopathie
Ifosfamide (Ifex)	±	0	±	+	0	0	Hématurie, neurotoxicité, cystite hémorragique
L-asparaginase (Kidrolase)	0	0	+	0	0	+	Insuffisance des organes les plus importants
Lomustine (CeeNU)	+	+	+	±	0	0	Hépatotoxicité
Méchloréthamine (Moutarde azotée)	+	0	+	+	+ (V)	0	
Mégestrol, acétate de (Megace)	0	0	0	+	0	0	Rétention aqueuse
Melphalan (Alkeran)	+	±	±	+	0	0	Pneumotoxicité rare, malignité secondaire
6-mercaptopurine (6-MP)	+	+	+	0	0	0	Hépatotoxicité
Méthotrexate (MTX)	+	+	±	±	0	0	Néphrotoxicité
Mitomycine (Mutamycin)	+	+	+	+	+ (V)	0	Néphrotocité, toxicité pulmonaire
Mitotane (Lysodren)	–	–	+	–	–	–	Diarrhée, neurotoxicité, irrittion cutanée ou éruption
Mitoxantrone (Novantrone)	+	+	+	+	0	0	Fièvre médicamenteuse, diarrhée, augmentation des enzymes du foie
Paclitaxel (Taxol)	+	0	+	±	0	±	Neuropathie sensorielle
Prednisone	0	0	0	0	0	0	Effets secondaires des stéroïdes
Procarbazine (Natulan)	+	±	+	0	0	0	Inhibiteur de la monoamine oxydase
Streptozocine (Zanosar)	+	0	+	±	+ (I)	0	Néphrotoxicité
Tamoxifène (Nolvadex, Tamofen)	±	0	+	0	0	0	
Téniposide (Vumon)	+	–	+	+	+ (I)	+	Hypotension, hépatotoxicité, arythmie cardiaque, neuropathie périphérique
6-thioguanine (6-TG, Lanvis)	+	+	+	0	0	0	Hépatotoxicité
Thiotépa	+	–	+	–	–	+	Dysfonctionnement sexuel, malignités secondaires, étourdissements, maux de tête, fièvre
Vinblastine (Velban)	+	+	+	±	+ (V)	0	Neurotoxicité
Vincristine	0	0	0	+	+ (V)	0	Neurotoxicité
Vinorelbine (Navelbine)	+	+	+	+	+ (V)	–	Neurotoxicité, diarrhée, hépatotoxicité, réaction au site d'injection, dysfonctionnement sexuel/reproducteur

+ : très fréquent ; ± : fréquent ; 0 : rare ; – : sans effet.

- **Amélioration.** Régression de 25 à 50 % du processus morbide avec signes d'amélioration subjective.
- **Pas de réaction.** Régression d'au plus 25 % de la maladie sans signes d'amélioration subjective.
- **Progression.** Évolution du processus morbide.

Lorsque la rémission est complète depuis un certain temps, la chimiothérapie est interrompue, puis le client est examiné à intervalles réguliers. En cas de rémission partielle ou d'amélioration, on poursuit le même plan de traitement ou on applique un plan révisé pour une longue durée (plusieurs années) au cours de laquelle le client est examiné fréquemment. Une absence de réaction ou une évolution de la maladie entraîne une modification du plan de traitement ou l'application d'un traitement palliatif.

Préparation, administration et élimination sécuritaires des substances thérapeutiques. Manipuler des substances antinéoplasiques peut être dangereux pour les professionnels de la santé. La personne qui prépare ou qui administre les agents antitumoraux peut inhaler des particules de médicament lorsqu'elle reconstitue une poudre dans une ampoule ouverte. Les agents peuvent aussi pénétrer par la peau. Les liquides biologiques des clients en chimiothérapie peuvent également poser un risque.

Le seul danger bien documenté associé à la manipulation d'antinéoplasiques est la réaction cutanée consécutive à l'exposition à certains agents comme la carmustine (BICNU), la méchloréthamine (Moutarde azotée), la doxorubicine (Adriamycin) et d'autres substances vésicantes. La documentation qui accompagne ces médicaments met en garde les travailleurs de la santé contre l'exposition cutanée ou oculaire.

Des directives pour la manipulation sécuritaire des substances antinéoplasiques ont été élaborées. Ces directives sont résumées dans l'encadré 9.4.

9.5.6 Soins infirmiers : chimiothérapie

Le rôle de l'infirmière en chimiothérapie a pris beaucoup d'ampleur au cours des 10 dernières années. Quelle que soit la structure de l'établissement, c'est l'infirmière qui accueille le client en traitement ou ayant déjà subi une chimiothérapie. Une des responsabilités infirmières est de faire la distinction entre les signes de toxicité aux agents antinéoplasiques et la progression du processus malin. Elle doit également savoir reconnaître les effets indésirables tolérables et les effets toxiques aigus des substances anticancéreuses. Par exemple, les nausées et les vomissements sont des effets indésirables maîtrisables et susceptibles de survenir. S'il y a présence de paresthésie avec l'administration de vincristine ou des signes de défaillance cardiaque avec la doxorubicine, elle doit mentionner ces réactions graves au médecin en vue de modifier ou d'interrompre le traitement. Certains effets toxiques ne sont pas réversibles. Par exemple, au cours du traitement par le cisplatine, l'ototoxicité peut être irréversible, surtout à fortes doses. L'examen périodique des facultés auditives est nécessaire pour contrôler cette toxicité. L'encadré 9.5 présente les interventions infirmières reliées aux problèmes engendrés par la chimiothérapie.

Les nausées et les vomissements sont les effets indésirables les plus courants touchant l'appareil digestif. Les vomissements peuvent se produire une heure après l'administration des agents et durer plus de 24 heures. Il existe plusieurs médicaments antiémétiques (voir le chapitre 33 et le tableau 33.3). Le métoclopramide (Reglan), l'ondansétron (Zofran), le granisétron (Kytril) et la dexaméthasone (Decadron) sont aussi employés pour atténuer ces effets.

Il faut examiner les résultats des épreuves de laboratoire du client suivant une chimiothérapie et accorder une attention particulière à la leucocytémie (spécialement le taux de polynucléaires), à la numération plaquettaire et à l'érythrométrie. Si la leucocytémie devient inférieure à 2000 par µL (2×10^9/L), la posologie devra être modifiée ou le traitement devra cesser. Si possible, toute infection devra être évitée chez un client atteint de leucopénie (voir encadré 19.18). Si la numération plaquettaire devient inférieure à 50 000 par µL (50×10^9/L), il faut examiner le client pour déceler tout signe d'hémorragie et prendre des mesures pour l'éviter (voir encadré 19.14). Pour traiter l'anémie, des transfusions de concentrés de globules rouges, ainsi que des transfusions de plaquettes pourraient s'avérer nécessaires, ainsi que des transfusions d'érythrocytes. Les taux d'acide urique et de créatinine sont régulièrement surveillés. L'hydratation est cruciale pour éviter que des cristaux d'acide urique ne causent une uropathie obstructive. On administre souvent l'allopurinol en prophylaxie si on prévoit une destruction massive de cellules. Une perfusion d'une solution intraveineuse à débit rapide (hyperhydratation) prévient les complications rénales. Le bilan liquidien, l'examen des urines, le pH, la densité urinaire et la présence de globules rouges aident à évaluer la fonction rénale. Les épreuves diagnostiques varient selon l'agent utilisé. Par exemple, l'électrocardiogramme (ECG) et les fractions d'éjection cardiaque aident à évaluer les effets cardiotoxiques potentiels de la doxorubicine et de la daunorubicine.

Enseignement au client. En chimiothérapie, l'enseignement au client est primordial. Pour atténuer la peur et l'anxiété souvent associées à la chimiothérapie, l'infirmière doit informer le client du déroulement de son traitement et évaluer son attitude vis-à-vis de ce dernier. Il faut le renseigner sur les effets indésirables du traitement. Afin de ne pas le décourager indûment, elle doit évaluer la quantité de renseignements qu'il est prêt à

Mesures de sécurité pour la manipulation des substances antinéoplasiques ENCADRÉ 9.4

Préparation à la pharmacie
- Préparer toutes les substances antinéoplasiques dans un endroit centralisé sous une hotte à flux laminaire de classe II ou III dont l'air est évacué à l'extérieur.
- Les sacs de perfusion intraveineuse doivent être préparés par un pharmacien.
- À l'unité de soins, pendant la manipulation de substances antinéoplasiques, l'infirmière doit :
  - se vêtir d'une blouse protectrice jetable à manches longues et poignets élastiques et enfiler des gants chirurgicaux en latex sans talc ;
  - placer un revêtement en plastique sur la surface de travail ;
  - placer les signalisations de danger dans la zone de préparation ;
  - utiliser une technique aseptique ;
  - éviter de percer les gants ou de s'entailler la peau ;
  - porter des lunettes protectrices ;
  - utiliser les raccords claves ;
  - ne jamais rejeter l'air des seringues ni replacer les bouchons sur les aiguilles.

Élimination du matériel contaminé par des substances antinéoplasiques
- Porter des gants chirurgicaux en latex pendant l'élimination de tous les articles utilisés pour la préparation et l'administration de substances antinéoplasiques, des liquides organiques et de la literie.
- Placer tous les articles jetables (aiguilles, seringues, flacons et ampoules) entrant en contact avec une substance antinéoplasique dans un conteneur homologué étanche.

- Les conteneurs de rebuts doivent être détruits dans un incinérateur homologué.
- Placer la literie contaminée dans des sacs doubles étiquetés.

Déversements
- Porter des gants chirurgicaux en latex sans talc.
- Se vêtir d'une blouse protectrice jetable munie de poignets élastiques.
- Utiliser des trousses prévues à cet effet et contenant le matériel nécessaire pour une manipulation adéquate.

Exposition aux liquides biologiques pendant le traitement
- Pendant la manipulation des liquides biologiques :
  - porter des gants chirurgicaux en latex sans talc ;
  - porter une blouse et un masque jetables ;
  - placer un couvercle étanche sur le bassin hygiénique ou baisser l'abattant du siège des toilettes pour éviter les éclaboussures d'urine ou la contamination par les selles ;
  - tirer la chasse d'eau deux fois afin d'évacuer de façon sûre les liquides biologiques.

Recommandations personnelles
- Enseigner les précautions à prendre à toutes les personnes susceptibles d'être exposées aux agents antinéoplasiques ou aux excréments.
- Éviter que les femmes enceintes ou qui allaitent soient mises en contact avec des substances antinéoplasiques.
- Répartir les tâches afin de minimiser l'exposition des employés aux substances antinéoplasiques.
- Prévoir un bilan de santé périodique pour les personnes exposées.
- Consigner les tendances en matière d'exposition.

assimiler. Il faut le rassurer, lui faire comprendre que la situation est temporaire et que son état s'améliorera quelques semaines après le traitement. Il faut également l'informer qu'il peut recourir à des soins de soutien (p. ex. antiémétiques et antidiarrhéiques).

Alopécie. La perte des cheveux génère des réactions émotives comme la colère, l'affliction, l'embarras et la peur. Pour certains clients, il s'agit d'un des événements les plus stressants de la maladie. L'alopécie provoquée par les substances antinéoplasiques est généralement réversible. L'étendue de la calvitie et sa durée dépendent de l'état nutritionnel du client, des agents anticancéreux administrés et de leur dose. Il arrive parfois que les cheveux repoussent alors que le client est encore en traitement mais, la plupart du temps, il faut attendre la fin de la chimiothérapie. La nouvelle chevelure est souvent de teinte et de texture différentes.

Aide psychologique en matière de sexualité et de reproduction. Le dysfonctionnement sexuel peut être temporaire ou permanent et se manifester par la stérilité, une perturbation du cycle menstruel, l'impuissance ou des lésions chromosomiques. Il faut demander au

client d'utiliser un moyen de contraception efficace tant que dure la chimiothérapie ou la radiothérapie et jusqu'à deux ans après la fin du traitement. Cette précaution est nécessaire pour éviter les malformations congénitales découlant des lésions chromosomiques, pour permettre le rétablissement de la spermatogenèse et pour vérifier le pronostic du client. Avant de concevoir un enfant, une consultation médicale et génétique est nécessaire pour déterminer le risque de lésion chromosomique.

S'il utilise un moyen de contraception efficace, le client peut avoir des relations sexuelles pendant le traitement et après. Cependant, les rapports sexuels devront s'adapter à l'état du client et à ses capacités physiques.

La dénudation de la muqueuse vaginale peut provoquer une inflammation, un œdème et une ulcération. Il faut éviter les rapports sexuels en présence de mucosite ou d'ulcération. Les bains de siège, les bains chauds et une crème à base de stéroïdes offerte sur ordonnance peuvent aider la cliente. Pendant le rapport sexuel, on peut utiliser un lubrifiant hydrosoluble pour améliorer la lubrification du vagin et éviter un traumatisme à la muqueuse vaginale, l'inconfort et la douleur.

Plan de soins infirmiers*

Client atteint du cancer

DIAGNOSTIC INFIRMIER : douleur reliée aux effets de la maladie ou de son traitement se manifestant par un faciès crispé, des plaintes et une défense musculaire.

PLANIFICATION
Résultat escompté
• La douleur du client diminuera à un niveau tolérable.

INTERVENTIONS	**Justifications**
• Évaluer la douleur à l'aide d'une échelle de la douleur.	• Planifier le traitement analgésique approprié.
• Corriger les fausses croyances reliées à la dépendance médicamenteuse.	• Atteindre le degré de soulagement voulu.
• Employer une analgésie progressive (étape 1 : non opiacé, étape 2 : opiacé faible, étape 3 : opiacé fort) (voir figure 9.27).	• Tenir compte de l'augmentation de la douleur reliée à l'évolution de la maladie.
• Enseigner au client des techniques complémentaires pour soulager la douleur (imagerie, relaxation, rétroaction biologique, etc.).	• Augmenter les stratégies de soulagement de la douleur.

DIAGNOSTIC INFIRMIER : déficit nutritionnel relié à l'anorexie, aux nausées et aux vomissements se manifestant par la fatigue, un apport alimentaire insuffisant, rapporté ou observé, par rapport aux besoins quotidiens, avec ou sans perte de poids.

PLANIFICATION
Résultats escomptés
• Le client maintiendra son poids corporel et ses activités quotidiennes.
• Le client ressentira une diminution des nausées et des vomissements.

INTERVENTIONS	**Justifications**
• L'infirmière et le nutritionniste doivent éviter les commentaires punitifs ou moralisateurs relatifs à l'alimentation ou à la perte de poids.	• Maintenir une estime de soi et une attitude positive face à l'alimentation.
• Administrer les antiémétiques prescrits.	• Minimiser les effets de la chimiothérapie sur l'appareil digestif.
• Maintenir un environnement agréable, calme et reposant.	• Prévenir les nausées et les vomissements du client.
• Suggérer au client d'augmenter la consommation d'aliments et de suppléments à haute teneur calorique et protéique.	• Combler les besoins énergétiques accrus et maintenir un état nutritionnel optimal.
• Conseiller au client de prendre des repas légers et fréquents.	• Faciliter la vidange gastrique et éviter la satiété précoce.
• Enseigner au client à manger et à boire lentement.	• Éviter la distension gastrique et le ballonnement abdominal.
• Conseiller au client d'augmenter l'apport hydrique lors de la chimiothérapie.	• Diluer les agents antinéoplasiques et réduire la stimulation du centre du vomissement situé dans le bulbe rachidien.
• Suggérer au client d'éviter les aliments gazogènes comme le chou, le brocoli et le maïs.	• Ces aliments peuvent favoriser la nausée, donner une sensation de satiété et causer de l'inconfort (p. ex. crampes, ballonnement).
• Suggérer que les aliments soient présentés de manière attrayante et dans un environnement agréable.	• Stimuler l'appétit.

DIAGNOSTIC INFIRMIER : gestion inefficace du programme thérapeutique reliée à un manque de connaissances du traitement prolongé du cancer se manifestant par des questions fréquentes au sujet des autosoins, du traitement et de ses effets indésirables ; incapacité d'effectuer les autosoins.

PLANIFICATION
Résultats escomptés
• Le client ou sa famille seront capable d'assumer les soins à long terme.
• Le client ou sa famille auront les connaissances suffisantes pour réaliser les autosoins.

Plan de soins infirmiers

Client atteint du cancer (*suite*)

INTERVENTIONS	Justifications
• Évaluer les connaissances et les habiletés du client.	• Planifier un enseignement adapté aux besoins du client.
• Prévoir des moments pour évaluer les connaissances et les habiletés du client.	• Vérifier l'efficacité de l'enseignement.

DIAGNOSTIC INFIRMIER : atteinte à l'intégrité de la muqueuse buccale reliée à la chimiothérapie ou à la radiothérapie se manifestant par de la douleur, des rougeurs, de l'œdème ou des lésions buccales, de la xérostomie (sécheresse de la bouche), une gingivite hémorragique, de la leucoplasie, une stomatite ou une dysphagie.

PLANIFICATION

Résultats escomptés
• Le client ne ressentira pas de douleur buccale.
• Le client maintiendra l'intégrité de sa muqueuse buccale.

INTERVENTIONS	Justifications
• Observer quotidiennement la muqueuse buccale.	• Détecter une stomatite, qui peut se manifester de quatre à quatorze jours après le début du traitement.
• Suggérer au client de retirer ses prothèses dentaires la nuit.	• Éviter l'irritation des gencives.
• Faire la distinction entre la stomatite, la candidose et d'autres problèmes buccaux comme la xérostomie et l'herpès.	• Amorcer le traitement approprié.
• Enseigner les principes d'une bonne hygiène buccale.	• Éviter la prolifération bactérienne.
• Utiliser des rince-bouche à base de bicarbonate de soude, un mélange de bicarbonate de soude et de solution saline ou une solution saline toutes les deux heures.	• Diminuer l'inconfort et maintenir l'intégrité de la muqueuse buccale.
• Utiliser une brosse à dents à poils souples et la soie dentaire régulièrement, éviter les dentifrices contenant des abrasifs.	• Éviter les traumatismes et déloger les débris pouvant induire la carie dentaire.
• Éviter l'utilisation des bâtonnets imbibés de citron ou de glycérine.	• Ces bâtonnets accentuent la sécheresse et l'irritation.
• Appliquer des anesthétiques locaux comme la lidocaïne (Xylocaine Visqueuse).	• Soulager la douleur.
• Éviter les aliments très chauds, très froids ou épicés, le tabac et l'alcool.	• Éviter les lésions buccales.
• Humecter régulièrement la bouche ou utiliser un substitut de salive.	• Prévenir l'assèchement de la muqueuse.
• Appliquer régulièrement sur les lèvres de la glycérine ou d'autres substances hydratantes.	• Accroître le confort et éviter le dessèchement.

DIAGNOSTIC INFIRMIER : fatigue reliée aux effets de la maladie ou du traitement se manifestant par une diminution de l'énergie et l'incapacité d'accomplir les activités quotidiennes.

PLANIFICATION

Résultat escompté
• Le client maintiendra ses activités.

INTERVENTIONS	Justifications
• Informer le client que la fatigue est un effet secondaire du traitement et qu'elle débute en général au cours de la première semaine de traitement, atteint un maximum au bout de deux semaines, se poursuit puis disparaît graduellement de 2 à 4 semaines après la fin du traitement.	
• Encourager le client à se reposer lorsqu'il se sent fatigué, à maintenir le plus possible ses habitudes de vie et à ajuster ses activités en fonction de son niveau d'énergie.	• Les périodes de repos sont essentielles pour conserver l'énergie.

➡ Plan de soins infirmiers

ENCADRÉ 9.5

Client atteint du cancer (*suite*)

DIAGNOSTIC INFIRMIER : stratégies d'adaptation individuelles inefficaces reliées à la réaction psychologique occasionnée par le diagnostic et le traitement, à l'incertitude quant à l'évolution de la maladie, à la perturbation du mode de vie se manifestant par l'incapacité de s'adapter à une situation perturbante, par des menaces ou des tentatives de suicide, par des préoccupations relatives aux répercussions financières de la maladie.

PLANIFICATION
Résultats escomptés
- Le client adoptera des tratégies d'adaptation efficaces.
- Le client acceptera de demander du soutien et de l'aide.

INTERVENTIONS	Justifications
• Encourager le client à maintenir son autonomie dans les activités quotidiennes.	• Préserver l'estime de soi du client.
• Informer adéquatement le client.	• Permettre au client de faire des choix éclairés concernant le programme thérapeutique.
• Faciliter la communication entre le client et la famille.	• Favoriser le maintien d'un réseau de soutien.
• Diriger le client vers les ressources nécessaires pour recevoir une aide psychologique et financière répondant à ses besoins.	

DIAGNOSTIC INFIRMIER : perturbation de l'image corporelle reliée à l'alopécie, à une intervention chirurgicale mutilante et à la perte de poids se manifestant par la verbalisation d'inquiétudes relatives à l'altération de l'image corporelle, le refus d'interagir avec des visiteurs, l'isolement, des pleurs fréquents, le refus de prendre soin de soi ou de se regarder dans le miroir.

PLANIFICATION
Résultat escompté
- Le client acceptera les changements survenus dans son apparence physique et ses fonctions organiques.

INTERVENTIONS	Justifications
• Fournir un soutien psychologique et préparer le client à anticiper l'alopécie.	• Favoriser l'acceptation d'une image corporelle modifiée.
• Suggérer au client de choisir une perruque et de la porter avant l'apparition de l'alopécie ou de porter un foulard ou un turban pour dissimuler la perte des cheveux.	
• Recommander l'utilisation d'un shampoing doux à base de protéines et d'un revitalisant.	• Éviter le dessèchement des cheveux restants.
• Conseiller au client d'éviter les shampoings trop fréquents ou le brossage excessif.	• Réduire au minimum la perte des cheveux.
• Conseiller au client d'éviter l'emploi du sèche-cheveux, du fer à friser ou de produits capillaires.	• Minimiser l'irritation du cuir chevelu et atténuer la perte des cheveux.
• Rappeler au client que la valeur d'une personne ne dépend pas de son apparence physique.	
• Informer la famille des changements physiques possibles et conseiller les proches sur les moyens d'aider le client à les accepter.	• Favoriser le soutien familial.

DIAGNOSTIC INFIRMIER : perturbation de la dynamique familiale reliée au diagnostic se manifestant par des problèmes de communication observés entre les membres de la famille, un manque de soutien familial pour répondre aux besoins physiques, émotionnels et spirituels du client.

PLANIFICATION
Résultats escomptés
- Les membres de la famille communiqueront et collaboreront de manière efficace en regard des besoins du client.
- Les membres de la famille connaîtront les ressources qui répondront aux besoins du client.

Plan de soins infirmiers

Client atteint du cancer (*suite*)

INTERVENTIONS	Justifications
• Évaluer la structure familiale et le réseau de soutien.	• Déterminer l'efficacité du réseau de soutien du client.
• Enseigner à la famille les soins appropriés.	• Favoriser la participation aux soins.
• Encourager les membres de la famille à exprimer les difficultés rencontrées dans leur nouveau rôle d'aidants naturels.	• Favoriser l'acceptation de la situation.
• Aider les membres de la famille à fixer des objectifs réalistes.	• Prévenir l'épuisement.
• Informer les membres de la famille sur l'évolution de la maladie.	• Modifier le plan de traitement au besoin.

DIAGNOSTIC INFIRMIER : augmentation du risque d'infection reliée à la leucopénie, à l'affaiblissement du système immunitaire[‡].

Processus thérapeutique

COMPLICATIONS POSSIBLES : hémorragie reliée à la thrombocytopénie[†] ; hyperuricémie reliée à la chimiothérapie.

PLANIFICATION
Objectifs
• L'infirmière surveillera les signes d'hyperuricémie.
• L'infirmière signalera les écarts détectés.
• L'infirmière effectuera les interventions médicales et infirmières.

INTERVENTIONS	Justifications
• Surveiller l'azoturie et l'azotémie, les signes d'uropathie obstructive, de diminution du débit urinaire, de nausées, de vomissements ou de léthargie.	• Évaluer la fonction rénale.
• Surveiller le bilan liquidien.	• Évaluer l'équilibre hydrique et la diurèse.
• Favoriser l'hydratation.	• Prévenir l'obstruction des tubules rénaux par des cristaux d'acide urique.
• Administrer de l'allopurinol (Zyloprim) selon l'ordonnance médicale.	• Réduire la production d'acide urique.

*Ce plan de soins infirmiers ne contient que les diagnostics infirmiers qui s'appliquent à tous les types de cancer.
†Voir encadré 19.14.
‡Voir encadré 19.18.

Si le client présente un dysfonctionnement sexuel, il faut l'encourager à explorer d'autres contacts physiques qui procurent un plaisir sexuel. Embrasser, caresser, toucher, parler doucement sont des gestes agréables lorsque les rapports sexuels ne sont pas possibles. Le partenaire du client doit être présent lors des séances d'enseignement et d'aide psychologique pour être pleinement informé des changements permanents ou temporaires touchant aux fonctions sexuelles. Le couple doit prendre conscience du fait que les relations sexuelles seront perturbées pendant une longue période et qu'il faudra faire preuve de patience et de compréhension envers le partenaire.

9.5.7 Effets retardés de la radiothérapie et de la chimiothérapie

Grâce à l'amélioration des traitements, on observe des rémissions prolongées chez ceux qui survivent au cancer. Néanmoins, la radiothérapie et la chimiothérapie peuvent laisser des séquelles. Ces effets physiologiques retardés se manifestent au cours des mois ou des années suivant la fin du traitement. La radiothérapie et la chimiothérapie peuvent léser les systèmes et appareils anatomiques à différents degrés. Les effets des rayonnements sur les tissus résultent de l'hypoplasie des cellules souches (myélosuppression) et de l'altération des tissus vasculaires et conjonctifs. En plus de sa toxicité aiguë, la chimiothérapie peut aussi engendrer des effets retardés liés à la perte de la capacité de prolifération des cellules saines. Une chimiothérapie multiple, pendant ou après une radiothérapie, peut accroître de manière significative les effets physiologiques retardés. Le tableau 9.15 énumère quelques effets retardés de la radiothérapie et de la chimiothérapie.

Le client qui survit au cancer risque de voir apparaître des leucémies ou des malignités secondaires provoquées par le traitement du cancer primaire. Cependant, le risque de contracter une malignité secondaire ne justifie pas un refus de traitement, car la probabilité d'une complication néoplasique est faible et la période de latence peut être longue.

TABLEAU 9.15	Effets retardés possibles de la radiothérapie et de la chimiothérapie
Système ou appareil organique	**Effets**
Cardiaque	Cardiomyopathie chronique Fibrose du myocarde
Pulmonaire	Lésions alvéolaires diffuses Pneumonie Fibrose
Gastro-intestinal	Hépatotoxicité Entérite Œsophagite Formation de fistules
Rénal et urologique	Néphrotoxicité Néphrite Cystite hémorragique Nécrose tubulaire aiguë
Neurologique	Neuropathie Dystonie neurovégétative Perte de l'audition Myélopathie Leucoencéphalopathie nécrosante
Endocrinien	Insuffisance gonadique Destruction ovarienne Stérilité Dysfonctions sexuelles

Les antinéoplasiques alkylants et la radiothérapie constituent les traitements qui conduisent le plus souvent à l'apparition de tumeurs malignes secondaires. Les mécanismes d'oncogenèse de la radiothérapie et de la chimiothérapie ne sont pas très bien connus, mais ils pourraient être provoqués par l'interaction de plusieurs agents immunosuppresseurs, par des lésions cellulaires directes et par des facteurs environnementaux.

Des leucémies aiguës apparaissent souvent après un traitement de la maladie de Hodgkin, mais elles surviennent également chez les survivants des cancers de l'ovaire, du poumon et du sein. Certaines personnes souffrent d'un myélome multiple après une radiothérapie pour un cancer du sein, d'un lymphome non hodgkinien après un traitement pour la maladie de Hodgkin et de cancers de la vessie, du rein et de l'urètre après l'administration de cyclophosphamide. La radiothérapie administrée subséquemment aux cancers du sein, du poumon, de l'ovaire, de l'utérus et de la thyroïde a été associée à l'ostéosarcome secondaire des côtes, de l'omoplate, de la clavicule, de l'humérus, du sternum, de l'ilion et du bassin. On a rapporté l'apparition de fibrosarcomes plusieurs années après une radiothérapie pour l'astrocytome, le glioblastome et l'adénome pituitaire. Malheureusement, ces malignités secondaires résistent aux antinéoplasiques.

9.5.8 Thérapie biologique

La thérapie biologique, qui est maintenant reconnue comme la quatrième modalité de traitement du cancer, est efficace seule ou en association avec la chirurgie, la radiothérapie et la chimiothérapie. La thérapie biologique, ou thérapie modulant la réponse biologique, a recours à des substances qui modifient la relation entre l'hôte et la tumeur. Plus spécifiquement, ces substances stimulent la réponse biologique de l'hôte vis-à-vis des cellules tumorales. Les substances biologiques peuvent agir de trois façons sur les réactions hôte-tumeur : en occasionnant un effet antitumoral direct ; en restaurant, en stimulant ou en modulant les fonctions immunitaires de l'hôte ; en provoquant d'autres effets biologiques, comme atténuer le caractère métastatique ou la capacité de différenciation des cellules cancéreuses.

Depuis la fin des années 1980, Santé Canada a approuvé plusieurs agents biologiques pour le traitement du cancer. De nombreuses autres substances sont actuellement à l'étude. Les connaissances sur ces substances et l'expérimentation qui en découle progressent rapidement grâce à une meilleure compréhension du système immunitaire, aux percées en biologie moléculaire, aux anticorps monoclonaux et à la technologie moderne.

Interférons. Les interférons sont des protéines complexes de trois types : l'interféron-α, produit par les leucocytes ; l'interféron-β, sécrété par les fibroblastes et les macrophages ; l'interféron-γ, fabriqué par les lymphocytes T. Ces interférons sont des cytokines aux propriétés antivirales, antiprolifératives et immunomodulatrices (voir tableau 7.7). C'est en 1957 qu'a été mise en évidence l'activité antivirale des interférons. Ces derniers protègent les cellules déjà infectées par un virus contre les autres virus et inhibent la réplication de l'ADN viral (voir figure 7.5). L'activité inhibitrice des interférons sur la prolifération n'est pas encore totalement comprise. Toutefois, on a observé qu'ils inhibent la synthèse de l'ADN et des protéines des cellules tumorales et qu'ils stimulent l'expression d'antigènes associés aux tumeurs, ce qui accentue la réponse du système immunitaire contre les cellules tumorales. Grâce à leur interaction directe avec les lymphocytes, les monocytes et les macrophages, les interférons modulent la réponse du système immunitaire. Ils stimulent également l'activité d'autres cytokines comme l'IL-2 et le FNT et augmentent l'expression antigénique dans certains types de tumeurs. On a également observé que les interférons accentuent l'activité cytotoxique et le pouvoir de destruction des cellules TN.

De par leur nature protéinique, les interférons ne peuvent pas être ingérés. On les administre par perfusion intraveineuse, intramusculaire ou sous-cutanée. À ce jour, et pour un grand nombre de tumeurs malignes, on n'a pas encore déterminé la dose optimale, la voie préférentielle et la bonne fréquence d'administration. L'interféron-α a été approuvé par Santé Canada pour le traitement de la leucémie à tricholeucocytes, du sarcome de Kaposi (SK), des verrues génitales (causées par le papillomavirus), des hépatites B et C et comme traitement complémentaire du mélanome. L'efficacité de ces cytokines a également été démontrée pour le traitement du carcinome des cellules néphrétiques, de la leucémie myéloïde chronique, des lymphomes des lymphocytes T, du myélome multiple, du carcinome des ovaires et des tumeurs carcinoïdes. Les essais cliniques sur l'utilisation de l'interféron pour traiter d'autres malignités se poursuivent.

Interleukines. Même si de nombreuses interleukines ont été découvertes (voir tableau 7.7), elles ne font pas toutes l'objet d'études cliniques. Les interleukines font partie d'une famille de substances biologiques qui remplissent plusieurs fonctions. La plupart des interleukines provoquent de multiples effets biologiques qui se répercutent sur le système immunitaire ou qui altèrent les capacités fonctionnelles des cellules cancéreuses. Actuellement, le traitement du cancer ou d'autres maladies par les interleukines sont en phase de recherche clinique ou préclinique. L'aldesleukine (Proleukine), une forme recombinée de l'IL-2, a été approuvée pour le traitement du carcinome des cellules néphrotiques.

L'IL-2, une cytokine produite par les lymphocytes T, a d'abord été reconnue comme une substance apte à stimuler la prolifération des lymphocytes T. On s'est ensuite aperçu qu'elle activait également les cellules TN et les cellules tueuses activées par la lymphokine (TAL). Les cellules TN activées font partie d'un groupe de lymphocytes cytotoxiques qui catalysent une destruction induite par la lymphokine. L'IL-2 stimule également la libération d'autres cytokines, notamment l'interféron-γ, le FNT, l'IL-1 et l'IL-6. On administre l'IL-2 par bolus IV, par perfusion continue, par injection sous-cutanée et par perfusion péritonéale. L'IL-2 a été administrée seule ou en association avec d'autres agents antinéoplasiques, ainsi qu'avec des cellules TAL.

Une autre méthode d'administration de l'IL-2 fait intervenir une stimulation *in vitro* des lymphocytes de la tumeur. Ces cellules, baptisées lymphocytes infiltrant la tumeur (LIT), forment une sous-classe de lymphocytes. Une fois isolés, ils sont mis en culture, stimulés avec de l'IL-2, puis administrés de nouveau au client. On a constaté que l'activité cytotoxique de ces lymphocytes était plus importante que celle des cellules TAL.

Chez des clients atteints de cancer métastatique du rein ou de mélanome malin, on a obtenu des réponses cliniques favorables avec des cellules TAL stimulées à l'IL-2. Outre son utilisation avec des cellules TAL et des LIT, l'IL-2 a été administrée seule ou en association avec d'autres lymphokines comme les interférons-α, -β et -γ. Les recherches se poursuivent sur l'utilisation de l'IL-2 dans le traitement du cancer.

Anticorps monoclonaux. Les anticorps monoclonaux sont des anticorps, ou immunoglobulines, sécrétés par des lymphocytes B activés. Ces lymphocytes se fixent sur certaines cellules, notamment sur des cellules tumorales. De nombreux anticorps monoclonaux font actuellement l'objet d'études quant à leurs propriétés diagnostiques et thérapeutiques. (La technologie des hybridomes pour la production d'anticorps monoclonaux est décrite au chapitre 7.) Au plan du diagnostic, les anticorps monoclonaux servent à visualiser les tumeurs afin de localiser les zones de métastases. On les utilise également en laboratoire pour les dosages radio-immunologiques et immunoenzymatiques.

Les anticorps monoclonaux peuvent se conjuguer ou être fixés à d'autres agents, notamment les radio-isotopes, les toxines, les agents antinéoplasiques et d'autres agents biologiques. En traitement du cancer, l'objectif visé est le suivant : l'anticorps monoclonal achemine directement l'agent aux cellules tumorales pour les détruire.

On a constaté que les anticorps monoclonaux avaient une efficacité limitée pour le traitement des lymphomes, des leucémies lymphoblastiques aiguës, des leucémies à lymphocytes T et des cancers de l'ovaire, de l'estomac et du côlon. Deux anticorps monoclonaux ont été approuvés par Santé Canada ; il s'agit du rituximab (Rituxan) et du trastuzumab (Herceptin) (voir tableau 9.16).

Les anticorps monoclonaux sont administrés par perfusion. Leur administration présente un risque de choc anaphylactique qui, même s'il est rare, est néanmoins réel. En effet, la plupart des anticorps monoclonaux sont produits par des lymphocytes de souris et sont donc considérés comme étrangers par le corps humain. Le choc anaphylactique peut se déclarer dans les cinq minutes qui suivent le traitement et risque de mettre la vie en danger. S'il se manifeste, il faut cesser immédiatement l'administration, signaler un code d'urgence et administrer rapidement de l'adrénaline par voie intraveineuse (le chapitre 7 décrit les soins infirmiers à dispenser en cas d'anaphylaxie).

Facteurs de croissance hématopoïétiques. Les facteurs de croissance hématopoïétiques (FCH), ou facteurs de stimulation des colonies, forment une famille de glycoprotéines produites par diverses cellules. Les FCH stimulent la production, la maturation, la régulation et l'activation des érythrocytes et des leucocytes. Une fois produits, les FCH se fixent aux récepteurs des globules rouges et blancs et à leurs précurseurs hématopoïétiques (précurseurs des globules matures). Les FCH induisent ensuite la production de globules par la moelle osseuse et stimulent leur activité et leur maturation.

TABLEAU 9.16	Effets secondaires de la thérapie biologique				
	Interférons (interféron α-2a : Ruferonet, interféron α-2b : Intron)	**Interleukine-2 (IL-2)**	**Anticorps monoclonaux (rituximab, trastuzumab)**	**Facteur de stimulation des colonies de granulocytes (FSC-G) (filgrastim : Neupogen)**	**Érythropoïétine (époétine alpha : Eprex)**
Syndrome pseudo-grippal	Fièvre, frissons, malaise, fatigue	Fièvre, frissons, malaise, fatigue, myalgie	Fièvre, frissons, fatigue, myalgie	Fièvre, frissons, myalgie, céphalées	
Système nerveux central	Troubles de la concentration et de la mémoire, confusion, léthargie, somnolence, convulsions	Désorientation, troubles de la concentration et de la mémoire, somnolence, anxiété prononcée et agitation	Étourdissements, paresthésie		
Reins/Foie	Protéinurie, augmentation du taux de transaminase	Oligurie, anurie, azotémie, augmentation des taux d'azote urique du sang, de créatinine sérique, de bilirubine sérique et d'enzymes hépatiques, hypoalbuminémie, hépatomégalie			
Appareil digestif	Nausées, vomissements, diarrhée, anorexie	Nausées, vomissements, anorexie, diarrhée, stomatite	Nausées, vomissements, anorexie		
Système hématologique	Leucopénie, thrombocytopénie, anémie	Anémie, thrombocytopénie, lymphopénie, éosinophilie	Anémie, leucopénie, neutropénie, thrombopénie		
Appareil cardiovasculaire et appareil respiratoire	Hypotension, tachycardie, arythmie, ischémie myocardique	Syndrome de fuite capillaire, hypotension, tachycardie, arythmie, ischémie myocardique, rarement infarctus du myocarde, œdème pulmonaire	Hypotension, bronchospasme		Hypertension artérielle
Appareil tégumentaire	Alopécie, irritation au site d'injection	Éruption cutanée diffuse, prurigineuse et érythémateuse ; desquamation sèche ; réaction inflammatoire au site d'injection	Irritation au site d'injection, *rash*	Éruption cutanée généralisée	
Système endocrinien		Hypothyroïdisme, augmentation des taux d'ACTH, de cortisol, de prolactine, d'hormone de croissance et de protéines (en phase aiguë)		Éruption cutanée généralisée	
Divers	Photophobie, impuissance, diminution de la libido	Diminution de la libido, arthralgie	Douleur osseuse	Douleurs osseuses	

ACTH : hormone adrénocoticotrope.

Facteurs de stimulation des colonies. Ces facteurs sont, notamment, le facteur de stimulation des colonies de granulocytes (FSC-G), le facteur de stimulation des colonies de macrophages (FSC-M ou FSC-1) et le facteur de stimulation des multicolonies (IL-3).

Les FSC sont des protéines semblables aux hormones produites naturellement qui régulent l'hématopoïèse et les fonctions des leucocytes matures. Les FSC offrent plusieurs possibilités de traitement. Ils peuvent accélérer le rétablissement à la suite d'une myélosuppression consécutive à une chimiothérapie normale ou à haute dose ou à la suite d'une greffe de moelle osseuse. Les FSC peuvent également rétablir les fonctions de la moelle osseuse en cas d'anémie aplasique, de syndrome myélodysplasique et de leucémie. Ces facteurs peuvent aussi traiter la septicémie ou des infections parasitaires. Ils jouent un rôle crucial, car la neutropénie est une cause importante de la morbidité et de la mortalité associées au cancer et à son traitement.

Les FSC-G (filgrastim) stimulent la production de neutrophiles et leurs fonctions et peuvent être administrés par voie sous-cutanée ou par perfusion IV. La douleur osseuse médullaire, qui survient le plus souvent dans le bas du dos, le bassin et le sternum, est l'effet indésirable le plus fréquent du filgrastim. Cette douleur, qui dure environ 24 h, se déclare généralement lorsque le taux de neutrophiles est en voie de se rétablir. On la soulage par des analgésiques non narcotiques.

On a remarqué que l'IL-3 stimulait certaines cellules souches hématopoïétiques et qu'elle favorisait la croissance des neutrophiles, des monocytes, des éosinophiles, des basophiles et des lignées cellulaires plaquettaires. L'IL-3 est encore au stade expérimental pour le traitement du rejet de greffe de moelle osseuse. On évalue actuellement sa capacité à accélérer la production des cellules sanguines après une chimiothérapie, une radiothérapie et une greffe de moelle osseuse. On étudie également les FSC-M pour leur rôle dans le traitement du cancer.

Érythropoïétine. L'érythropoïétine (EPO), normalement fabriquée par les reins, est un FCH qui stimule la maturation des précurseurs de globules rouges. Elle est bien tolérée, mais entraîne parfois de l'hypertension artérielle.

Effets toxiques et secondaires des agents biologiques. D'ordinaire, l'administration d'un agent biologique entraîne la libération endogène d'autres agents biologiques qui provoquent des réactions immunitaires généralisées et de l'inflammation. La toxicité des agents biologiques dépend de la posologie. Le tableau 9.16 résume les effets secondaires de certains agents biologiques. Les symptômes pseudo-grippaux (les

céphalées, la fièvre, les frissons, la myalgie, la fatigue, le malaise, la faiblesse, la photosensibilité, l'anorexie et la nausée) sont des effets indésirables de ces agents. Ce syndrome se manifeste presque systématiquement avec l'administration d'interférons. Cependant, les symptômes finissent par s'estomper. L'administration d'acétaminophène à intervalles de quatre heures soulage ces malaises. Ce médicament peut être administré en prophylaxie pour éviter l'apparition des symptômes pseudo-grippaux ou en atténuer l'intensité. Une bonne hydratation aidera aussi à soulager le syndrome pseudo-grippal.

La tachycardie et l'hypotension orthostatique sont aussi couramment observées. L'IL-2 peut provoquer le syndrome de fuite capillaire, qui est susceptible d'entraîner un œdème pulmonaire. Le SNC, les systèmes rénal et hépatique et l'appareil cardiovasculaire peuvent subir d'autres effets toxiques et indésirables. Ces effets sont souvent causés par les interférons et l'IL-2.

9.5.9 Soins infirmiers : thérapie biologique

Le client soumis à une thérapie biologique rencontre des problèmes autres que ceux qui sont observés avec les traitements plus classiques du cancer. Par exemple, le syndrome de fuite capillaire et l'œdème du poumon observés à hautes doses d'IL-2 requièrent des interventions infirmières rapides. D'autres problèmes, comme l'aplasie médullaire et la fatigue, sont plus familiers. L'aplasie médullaire, occasionnée par la thérapie biologique est généralement transitoire et moins grave que celle qui est provoquée par la chimiothérapie. La fatigue associée à la thérapie biologique peut être grave au point d'être l'effet qui limite la dose.

L'administration d'acétaminophène avant le traitement et toutes les quatre heures après le traitement est l'une des interventions infirmières relatives au syndrome pseudo-grippal. Les frissons provoqués par certains agents biologiques peuvent être neutralisés par la perfusion IV de mépéridine. La surveillance de la température et des signes vitaux, la planification de périodes de repos et l'assistance aux activités journalières du client relèvent du travail de l'infirmière.

Une large gamme de déficits neurologiques a été observée au cours des traitements par les interférons et l'IL-2. La nature et l'étendue de ces problèmes ne sont pas encore élucidées. Néanmoins, ils effraient le client et sa famille, auxquels on doit enseigner à observer les troubles neurologiques (p. ex. confusion, perte de mémoire, difficulté à prendre des décisions, insomnie), à signaler leur apparition et à adopter des mesures de sûreté et de soutien efficaces.

TABLEAU 9.17	Maladies nécessitant des greffes de moelle osseuse	
Maladies malignes	**Maladies non malignes**
Leucémie myéloïde aiguë ou chronique	Drépanocytose
Leucémie lymphoblastique aiguë	Thalassémie
Syndrome myélodysplasique	Anémie aplasique
Maladie de Hodgkin	Maladie immunodéficitaire
Lymphome non hodgkinien	Maladies auto-immunes graves
Myélome multiple	
Cancer du sein	
Cancer des testicules	
Cancer des ovaires	

9.5.10 Greffe de moelle osseuse et de cellules souches

La greffe de moelle osseuse (GMO) est maintenant une intervention efficace qui permet de sauver la vie de nombreux clients atteints de maladies malignes et non malignes (voir tableau 9.17). Quand la maladie est incurable, la GMO est une source d'espoir, car elle représente l'un des traitements les plus prometteurs pour certains cancers. Que la maladie soit diagnostiquée maligne ou bénigne, l'objectif de la GMO est la guérison. Depuis les dernières années, les taux de guérison augmentent de façon continue. Même lorsqu'il n'y a pas guérison, la plupart des greffes entraînent une rémission. La GMO est une intervention exigeante et très risquée, et certains clients décèdent des complications qui en résultent ou des rechutes. Comme le traitement est très toxique, le client doit évaluer les chances de guérison par rapport aux risques de décès et aux risques d'échec du traitement (rechute).

La GMO permet d'utiliser sans danger la chimiothérapie ou la radiothérapie à hautes doses chez les clients pour qui les doses standard sont sans effet ou dont les tumeurs sont résistantes.

Types de greffe de moelle osseuse. Les greffes de moelle osseuse peuvent être allogéniques, autologues ou syngéniques. Dans le cas de la **greffe allogénique**, la moelle osseuse provient d'un donneur dont les antigènes leucocytaires du complexe majeur d'histocompatibilité (CMH ou HLA) sont compatibles avec ceux du receveur. Le typage des antigènes du CMH, c'est-à-dire leur détermination sur les globules blancs, permet de vérifier la compatibilité entre le donneur et le receveur. (Les antigènes du CMH sont abordés aux chapitres 7 et 38.) Le donneur est souvent un membre de la famille, mais il peut être non apparenté au receveur s'il a été trouvé au moyen d'un registre de donneurs de moelle osseuse. Le but visé par la greffe allogénique est la prise du greffon de moelle, suivie d'une prolifération et d'une différenciation normales des cellules sanguines du receveur. L'indication thérapeutique la plus courante pour la greffe allogénique est la leucémie.

Dans le cas de la **greffe autologue**, le client reçoit sa propre moelle osseuse. Cette méthode a pour but de permettre aux clients de recevoir une chimiothérapie ou une radiothérapie intensives tout en bénéficiant des effets de leur propre moelle osseuse. Dans le cas d'une greffe autologue, la moelle du client est prélevée, traitée, conservée, puis réinjectée à ce dernier.

La **greffe syngénique** consiste à obtenir les cellules souches du jumeau identique pour les injecter à l'autre jumeau. Les jumeaux identiques ont des antigènes du CMH parfaitement compatibles.

Collecte de moelle osseuse. La moelle osseuse est recueillie sous anesthésie générale ou sous rachianesthésie. On procède à des aspirations répétées de moelle osseuse de la crête iliaque ou du sternum. La collecte dure de une à deux heures, et le client peut quitter l'hôpital après avoir récupéré. Après la collecte, des analgésiques soulagent les douleurs au site de prélèvement. L'organisme du donneur remplacera la moelle osseuse prélevée en quelques semaines.

Après sa collecte, la moelle osseuse autologue est traitée (purge) avec de nombreux agents pharmacologiques, immunologiques, physiques ou chimiques pour éliminer les cellules cancéreuses. La moelle osseuse est ensuite congelée (cryopréservée) et conservée jusqu'à la transplantation. Pour les greffes allogéniques, la moelle osseuse peut être recueillie, traitée et injectée au receveur quelques heures après le don.

Administration. Dans le cas de maladies malignes, la GMO vise à préserver la moelle osseuse avant qu'elle ne soit détruite par l'administration de fortes doses de chimiothérapie avec ou sans radiothérapie. Le client est traité à hautes doses de chimiothérapie avec ou sans irradiation une fois que la moelle a été récoltée. On peut irradier tout l'organisme à des fins d'immunosuppression ou de traitement.

Après le traitement, on dégèle la moelle qui a été prélevée et on l'administre au client par voie intraveineuse pour remplacer la moelle détruite. Les cellules souches reconstituent alors le système hématopoïétique du receveur. Il faut compter en général entre deux et quatre semaines pour que la moelle greffée commence à produire des cellules hématopoïétiques. Durant cette période pancytopénique, il est essentiel que le client soit en isolement protecteur et qu'il reçoive des soins de soutien. De plus, on lui transfuse généralement des globules rouges et des plaquettes.

Complications. Les infections bactériennes, virales et fongiques sont communes après une GMO, mais leur fréquence diminue avec un traitement anti-infectieux prophylactique. La réaction du greffon contre l'hôte est une complication grave de la greffe allogénique. Elle se produit lorsque les lymphocytes T de la moelle du donneur (greffon) perçoivent le receveur (hôte) comme un étranger et attaquent certains organes comme la peau, le foie et les intestins. La réaction du greffon contre l'hôte est décrite au chapitre 7.

Greffe de cellules souches périphériques. La greffe de cellules souches périphériques est un nouveau type de greffe qui semble prometteur. Cette technique s'appuie sur le principe que les cellules souches périphériques ou en circulation sont capables de reconstituer la moelle osseuse. La différence entre ce genre de greffe et la GMO réside surtout dans la méthode de collecte des cellules souches. Les cellules souches dans le sang sont en plus petit nombre que dans la moelle osseuse. La mobilisation des cellules souches dans le sang périphérique se fait à l'aide de la chimiothérapie ou de facteurs de croissance hématopoïétiques. Les facteurs de croissance couramment utilisés sont les FSC-G.

Le sang du donneur est recueilli par aphérèse, intervention au cours de laquelle le donneur est relié à une machine qui extrait les cellules souches périphériques puis les renvoie au donneur. Cette opération appelée leucophérèse dure entre deux et quatre heures. Dans les greffes autologues, on purge les cellules souches en détruisant les cellules cancéreuses, puis on les congèle et on les conserve jusqu'au moment de la greffe. Bien que la plupart des étapes (collecte, chimiothérapie intensive, réadministration) soient les mêmes que pour la GMO, dans le cas de la greffe de cellules souches périphériques, les fonctions de la moelle osseuse sont rétablies plus rapidement et les complications sont moins nombreuses et moins graves.

Cellules souches du cordon ombilical. Le sang du cordon ombilical est riche en cellules souches hématopoïétiques. C'est la raison pour laquelle des greffes allogéniques ont été réalisées avec succès à partir de cette source. On peut déterminer le typage du CMH des cellules sanguines du cordon ombilical et les conserver par cryocongélation. L'inconvénient de cette méthode est lié au fait que le nombre de cellules souches est insuffisant pour permettre une greffe sur un adulte.

9.5.11 Thérapie génique

La thérapie génique est à l'étude pour le traitement du cancer. Elle est décrite au chapitre 7.

9.5.12 Recommandations nutritionnelles

Les troubles alimentaires les plus fréquents chez le client atteint d'un cancer sont la malnutrition, l'anorexie, l'altération du goût, les nausées, les vomissements, la diarrhée, la stomatite et la mucosite. Ces troubles peuvent être causés par une combinaison de facteurs, parmi lesquels on trouve la toxicité des agents antinéoplasiques, les effets de la radiothérapie, la tumeur elle-même, une chirurgie récente, la détresse psychologique et les difficultés à ingérer ou à digérer les aliments. Si le client ne s'alimente pas correctement, les cellules ne pourront pas se rétablir des effets du traitement et le système immunitaire sera affaibli par l'appauvrissement des réserves de protéines.

Malnutrition. En général, le client cancéreux est sujet à une carence protéique et calorique qui se traduit par une perte de graisse et de tissu musculaire. (L'évaluation du degré de malnutrition est présentée au chapitre 32.) Le tableau 9.18 suggère des aliments riches en protéines favorisant la régénération cellulaire. Le tableau 9.19 présente les aliments à haute teneur calorique qui donnent de l'énergie et minimisent la perte de poids.

L'infirmière devrait requérir la prescription d'un supplément alimentaire dès que la perte de poids atteint 5 % ou dès que le client présente une carence protéique et calorique. Les taux d'albumine et de préalbumine devraient être surveillés. L'état nutritionnel est difficile à maintenir après une perte de poids de 4,5 kg. On peut apprendre au client à remplacer le lait par des suppléments alimentaires dans les plats cuisinés et dans la pâtisserie. Les omelettes, le pouding, la sauce, la purée de pommes de terre, les céréales et les crèmes sont autant d'aliments auxquels on peut aisément ajouter des suppléments. Les sachets de petits déjeuners instantanés peuvent être utilisés tels quels, mais on peut également en saupoudrer les céréales, les desserts et les plats.

Si la malnutrition ne peut pas être corrigée par un apport alimentaire, l'alimentation entérale ou parentérale pourrait s'avérer un mode d'alimentation d'appoint. (Les modes d'alimentation entérale et parentérale sont présentés au chapitre 32.)

Anorexie. Il faut être conscient du fait que l'anorexie chez un client atteint du cancer est difficile à traiter. Une intervention peut être efficace un jour et inefficace le lendemain. Ce trouble ne peut être traité que par une évaluation et des interventions continues. L'encadré 9.5 suggère quelques solutions.

Altération du goût. On pense que les cellules cancéreuses libèrent des substances semblables aux acides aminés qui stimulent les papilles gustatives détectant le goût amer. Il est possible que les goûts sucré, aigre et salé soient altérés. Le client trouve parfois que la viande est amère. On ne connaît pas encore les fondements physiologiques de ces altérations du goût. Le tableau 9.11 présente d'autres causes possibles. Il faut

9

RECOMMANDATIONS NUTRITIONNELLES

TABLEAU 9.18 Sources de protéines (de haute valeur biologique)

Lait

Lait entier (1 tasse ; 250 ml) = 9 g de protéines
  Lait enrichi (1 litre de lait entier plus une tasse de lait écrémé en poudre, mélangé et refroidi) :
  1 tasse (250 ml) = 18 g de protéines
Lait frappé (1 tasse de crème glacée plus une tasse de lait enrichi) = 12 g de protéines pour 1 tasse (250 ml)
Employer du lait enrichi ou de la crème dans la préparation des plats mijotés, des céréales chaudes, des sauces, poudings, laits frappés et soupes
Yogourt (normal ou glacé) – vérifier les étiquettes et acheter la marque ayant la plus haute teneur en protéines : 1 tasse (250 ml) = 10 g de protéines

Œufs

1 oeuf = 6 g de protéines
Lait de poule (1 tasse ; 250 ml) = 10 g de protéines
  Ajouter des œufs dans les salades, les pommes de terre en purée, les plats mijotés, les sauces et les sandwiches
Desserts contenant des œufs : gâteau des anges, gâteau mousseline, crème anglaise et gâteau au fromage

Fromage

Cottage	1/2 tasse (125 ml)	15 g de protéines
Cheddar	1 tranche	7 g de protéines
À la crème	1 c. à soupe (15 ml)	1 g de protéines

Manger du fromage en sandwich ou en collation
Ajouter du fromage dans les salades, les plats mijotés, les sauces et les pommes de terre au four ; gratiner les légumes et les pâtes alimentaires
Le fromage tartiné sur des craquelins constitue une collation complète et pratique puisqu'elle peut être préparée à l'avance et conservée au réfrigérateur

Viande, volailles, poisson

Bœuf	85 g	environ 24 g de protéines
Porc (jambon)	85 g	environ 19 g de protéines
Poulet	1/2 poitrine	environ 30 g de protéines
Poisson	85 g	environ 24 g de protéines
Thon	185 g	environ 50 g de protéines

Ajouter de la viande, de la volaille ou du poisson aux salades, aux plats mijotés et aux sandwiches
Ajouter des viandes en purée et des préparations de viandes pour bébés aux soupes et aux plats mijotés
Du jambon sur des craquelins constitue une collation complète et pratique qui peut être préparée à l'avance et conservée au réfrigérateur

RECOMMANDATIONS NUTRITIONNELLES

TABLEAU 9.19 Aliments à haute teneur en énergie

Mayonnaise	1 c. à soupe (15 ml) = 102 kilocalories
Beurre	1 c. à soupe (15 ml) = 103 kilocalories
Crème sûre (14,1 % m.g.)	1 c. à soupe (15 ml) = 22 kilocalories
Beurre d'arachides	1 c. à soupe (15 ml) = 95 kilocalories
Crème fouettée (35 % m.g.)	1 c. à soupe (15 ml) = 49 kilocalories
Huile de maïs	1 c. à soupe (15 ml) = 123 kilocalories
Crème glacée	1 c. à soupe (15 ml) = 22 kilocalories
Miel	1 c. à soupe (15 ml) = 64 kilocalories
Margarine	1 c. à soupe (15 ml) = 98 kilocalories

enseigner au client dont le goût est altéré d'éviter les aliments qu'il n'aime pas. Souvent, le client s'oblige à manger certains aliments, car il pense qu'ils lui seront profitables. Il faut lui apprendre à utiliser des épices ou d'autres assaisonnements pour tenter de masquer le mauvais goût. Le jus de citron, les oignons, la menthe, le basilic et les marinades peuvent améliorer le goût de certaines viandes ou de certains poissons. Des morceaux de bacon, les oignons et des morceaux de jambon peuvent relever le goût des légumes.

9.5.13 Méthodes non éprouvées de traitement du cancer

Les méthodes non éprouvées de traitement du cancer, que l'on qualifie parfois de « charlatanisme », remontent aussi loin qu'à l'apparition de la maladie. Le charlatanisme se définit comme l'intention de présentation de moyens retardant ou empêchant le client de se faire traiter par le médecin traditionnel ou l'application fallacieuse de ceux-ci. De nos jours, en Amérique du Nord, le charlatanisme est une industrie multimillionnaire. La peur est le principal motif qui pousse le client à rechercher des remèdes soi-disant miraculeux. Les autres raisons qui incitent les individus à faire appel à ces traitements sont l'impatience vis-à-vis des progrès lents du traitement en cours, le besoin de maîtriser les activités de la vie quotidienne, l'approche impersonnelle des travailleurs de la santé, un besoin d'espoir lorsque la phase terminale de la maladie devient une réalité, un manque d'information sur les méthodes éprouvées et l'impression que le système de santé n'offre pas le traitement le plus efficace.

Le charlatanisme représente un danger, car il retarde ou empêche l'accès aux méthodes de diagnostic et de traitement éprouvées. Ce délai fait toute la différence entre la guérison et la stabilisation, et la maladie terminale. L'infirmière a un rôle important à jouer pour éviter ou minimiser le recours au charlatanisme. Elle peut :

- fournir au client des renseignements exacts sur les avantages des méthodes éprouvées de traitement du cancer ;
- aviser l'association médicale provinciale, le ministère de la Santé et le bureau local de protection du consommateur lorsqu'elle apprend que le client a été contacté par des personnes qui vantent des méthodes non éprouvées de traitement de cancer ;
- discuter des dangers associés aux traitements non éprouvés du cancer avec le client et sa famille.

Le charlatanisme recourt à des substances chimiques et à des médicaments, à des modifications de l'alimentation, à des techniques occultes et à des dispositifs mécaniques.

Modifications nutritionnelles. Les ouvrages qui proposent des remèdes contre le cancer énumèrent les aliments à consommer ou à éviter, offrent des recettes spéciales et recommandent l'emploi d'un mélangeur coûteux pour assurer l'efficacité des mélanges obtenus. Voici quelques exemples de modifications nutritionnelles proposées : manger des aliments crus ; observer des périodes de jeûne prolongées ; suivre un régime à base de raisin, de jus de carotte ou de café et de Coca-Cola, ou même faire des lavements au café, au babeurre ou au yogourt en suivant un régime spécial. Aucun de ces régimes n'a donné de résultat positif. Les modifications nutritionnelles peuvent avoir des répercussions sur le client atteint du cancer. Il est essentiel que le client ait un apport alimentaire adéquat pour maintenir son poids et éviter que le bilan azoté ne devienne négatif.

Soins de soutien. L'un des meilleurs atouts du charlatan est le soutien émotif qu'il apporte au client et à sa famille ; ceci démontre à l'infirmière qu'il est important de fournir un soutien psychologique adéquat au client et à ses proches, de faire preuve de sollicitude et d'être à leur écoute. L'infirmière doit être disponible, écouter et conseiller le client au moment de l'apparition des effets indésirables, si le traitement n'est pas efficace et lorsque le client est en proie à la peur, à la colère ou à la dépression.

Si le client choisit un traitement non éprouvé, l'infirmière doit le soutenir et ne pas porter de jugement. Elle doit essayer de le convaincre de poursuivre le traitement éprouvé et de maintenir son état nutritionnel le temps qu'il recourt à une méthode de traitement non éprouvée. Croire aux effets bénéfiques du traitement peut toutefois engendrer un effet placebo. Il est important de laisser le client revenir à la médecine traditionnelle sans qu'il éprouve de peur ni de culpabilité.

9.6 COMPLICATIONS RÉSULTANT DU CANCER

Le client peut être sujet à des complications provoquées par la progression de la malignité ou par les effets indésirables du traitement.

9.6.1 Infection

Le client atteint d'un cancer décède souvent à cause d'une infection pulmonaire, génito-urinaire, buccale, rectale, péritonéale ou sanguine (septicémie). L'infection provient de l'ulcération et de la nécrose tumorale, de la compression des organes vitaux par la tumeur ou de la neutropénie grave qui accompagne le processus morbide ou le traitement. Les clients neutropéniques ont une morbidité élevée qui peut devenir rapidement fatale si l'infection n'est pas immédiatement traitée. Les manifestations classiques d'une infection sont rares chez le client atteint de neutropénie et dont le système immunitaire est déprimé (le chapitre 19 traite de la neutropénie).

9.6.2 Urgences oncologiques

Les urgences oncologiques risquent d'être mortelles. Elles peuvent être d'origine obstructive ou métabolique ou être causées par une infiltration.

Urgences obstructives. Les urgences obstructives résultent principalement de l'obstruction d'un organe ou d'un vaisseau sanguin par la tumeur. Elles comprennent les syndromes de la veine cave supérieure et de compression de la moelle épinière, la séquestration dans un troisième compartiment et l'occlusion intestinale.

Syndrome de la veine cave supérieure. Le syndrome de la veine cave supérieure survient lorsque cette dernière est obstruée par une tumeur. Ce syndrome se manifeste cliniquement par un œdème facial, un œdème périorbital, une distension des veines du cou (jugulaires) et de la poitrine, des céphalées et des convulsions. La présence d'une masse médiastinale est souvent visible à la radiographie pulmonaire. Ce syndrome se déclare le plus souvent dans la maladie de Hodgkin, le lymphome non hodgkinien et le cancer du poumon. Le syndrome de la veine cave supérieure est un problème médical sérieux dont le traitement requiert une radiothérapie du site obstrué et le traitement de la tumeur primaire. La chimiothérapie peut être administrée parallèlement à la radiothérapie pour faire diminuer rapidement la taille de la masse.

Compression de la moelle épinière. La compression de la moelle épinière découle de la présence d'une tumeur maligne dans l'espace épidural de la moelle épinière. Les tumeurs du sein, du poumon, de la prostate, du mélanome et des reins engendrent le plus souvent ce symptôme. Les lymphomes constituent également un risque si du tissu lymphatique envahit l'espace épidural. Le syndrome se manifeste par une douleur lombaire intense, localisée et persistante, accompagnée d'une sensibilité vertébrale que la manœuvre de Valsalva aggrave ; par un affaiblissement et un dysfonctionnement moteur ; par une paresthésie et une perte sensorielle et par une perte d'autonomie. On emploie la radiothérapie en cas de pertes neurologiques légères et progressives et si la tumeur est radiosensible. La chirurgie est envisagée quand les signes neurologiques évoluent rapidement et que la tumeur résiste à la radiothérapie. L'intervention de l'infirmière consiste à limiter les activités du client et à soulager sa douleur.

Séquestration dans un troisième compartiment. La séquestration dans un troisième compartiment se rapporte à un mouvement de liquide de l'espace vasculaire à l'espace interstitiel. Ce phénomène se produit après une chirurgie majeure, une thérapie biologique ou un choc septique. Les premiers signes sont l'hypovolémie se manifestant par de l'hypotension, de la tachycardie, une basse pression veineuse centrale, une faible diurèse et l'augmentation de la densité urinaire. Le traitement consiste à remplacer les liquides, les électrolytes et les protéines du plasma. Une hypervolémie peut se produire pendant la phase de rétablissement et entraîner l'hypertension, une pression veineuse centrale élevée, un gain de poids et un essoufflement. La réduction de l'apport liquidien et la surveillance de l'équilibre hydrique font partie du traitement.

Occlusions intestinales. Une description complète des occlusions intestinales est donnée au chapitre 34.

Urgences métaboliques.
Les urgences métaboliques sont consécutives à la production d'hormones ectopiques par la tumeur. Les hormones ectopiques proviennent de tissus qui ne les sécrètent pas habituellement. Les cellules cancéreuses retournent à un état embryonnaire. Les urgences métaboliques comprennent l'hypercalcémie, le syndrome d'antidiurèse inappropriée, le choc septique, le syndrome de lyse tumorale aiguë et la coagulation intravasculaire disséminée.

Syndrome d'antidiurèse inappropriée. Le syndrome d'antidiurèse inappropriée résulte d'une production anormale ou constante de l'hormone antidiurétique (ADH) (voir chapitre 41). Il se manifeste le plus souvent en présence d'un carcinome du poumon et parfois d'un cancer du pancréas, du duodénum, du cerveau, de l'œsophage, du côlon, des ovaires, de la prostate, des bronches et du rhinopharynx, et en cas de leucémie, de

mésothéliome, de sarcome des cellules réticulaires, de maladie de Hodgkin, de thymome et de lymphosarcome. Dans ces types de tumeurs, les cellules cancéreuses sont capables de fabriquer l'ADH, de la stocker et de la libérer. Les agents antinéoplasiques vincristine et cyclophosphamide amènent également l'hypophyse ou les cellules cancéreuses à produire de l'ADH. Les symptômes du syndrome d'antidiurèse inappropriée sont le gain de poids, la faiblesse, l'anorexie, les nausées, les vomissements, les changements de personnalité, les convulsions et le coma. Le traitement consiste à limiter l'apport liquidien et, dans les cas graves, à administrer par voie intraveineuse une solution de chlorure de sodium à 3 %.

Hypercalcémie. L'hypercalcémie peut survenir en présence d'un cancer des os, notamment en cas de maladie métastatique des os ou de myélome multiple. En l'absence de métastase osseuse, il arrive que les cellules cancéreuses sécrètent une substance s'apparentant à l'hormone parathyroïdienne. L'hypercalcémie consécutive à des cancers avec métastases survient le plus souvent chez les clients atteints d'un cancer du poumon, du sein, du rein, du côlon, de l'ovaire ou de la thyroïde. L'hypercalcémie résultant de la sécrétion d'une substance analogue à l'hormone parathyroïdienne se produit le plus souvent en cas d'hypernéphromes, de carcinomes spinocellulaires du poumon, de tumeurs à la tête, au cou, au col de l'utérus ou à l'œsophage, de lymphomes et de leucémie. L'immobilité et la déshydratation peuvent favoriser l'hypercalcémie.

Les principales manifestations de l'hypercalcémie sont l'apathie, la dépression, la fatigue, la faiblesse musculaire, une modification de l'électrocardiogramme, la polyurie et la nycturie, l'anorexie, les nausées et les vomissements. Un taux sérique de calcium supérieur à 3 mmol/L peut menacer le pronostic vital (voir chapitre 10). L'hypercalcémie chronique peut provoquer une néphrocalcinose et une insuffisance rénale irréversible. Le traitement à long terme de l'hypercalcémie vise la maladie primaire. L'hypercalcémie aiguë se traite par l'hydratation (3 L/jour) et par l'administration de diurétiques (en particulier de diurétiques de l'anse). Pour inhiber la résorption osseuse, on peut prescrire de l'étidronate disodique (Didronel), du pamidronate (Aredia), de la calcitonine et des phosphates sous forme orale.

Syndrome de lyse tumorale. Le syndrome de lyse tumorale est une complication métabolique déclenchée par la chimiothérapie. Elle est due à la destruction rapide d'un grand nombre de cellules tumorales, laquelle peut occasionner un dangereux déséquilibre biochimique. Le syndrome de lyse tumorale accompagne souvent les tumeurs à prolifération rapide et très sensibles à la chimiothérapie. S'il n'est pas décelé et traité rapidement, le syndrome risque de conduire à une insuffisance rénale irréversible.

Les quatre signes caractéristiques du syndrome de lyse tumorale sont l'hyperuricémie, l'hyperphosphatémie, l'hyperkaliémie et l'hypercalcémie. Le syndrome se manifeste en général dans les 24 à 48 heures après le début de la chimiothérapie et peut persister pendant cinq à sept jours environ. Le principal objectif du traitement est d'éviter l'insuffisance rénale et de graves déséquilibres électrolytiques. Le traitement primaire comprend une hyperhydratation par voie intraveineuse pour stimuler la diurèse et l'administration d'allopurinol pour baisser le taux d'acide urique.

Choc septique et coagulation intravasculaire disséminée. Le choc septique est décrit au chapitre 27 et la coagulation intravasculaire disséminée, au chapitre 19.

Urgences causées par l'infiltration. L'urgence provoquée par l'infiltration survient lorsque des cellules tumorales s'infiltrent dans les principaux organes ou à la suite d'une thérapie anticancéreuse. Les urgences les plus fréquentes sont la tamponnade cardiaque et la rupture de la carotide.

Tamponnade cardiaque. La tamponnade cardiaque est occasionnée par une accumulation de liquide dans l'espace péricardique, par une constriction du péricarde par la tumeur ou par une péricardite consécutive à une radiothérapie thoracique. La tamponnade cardiaque se manifeste par une sensation d'oppression thoracique, l'essoufflement, la tachycardie, la toux, la dysphagie, le hoquet, l'enrouement, les nausées, les vomissements, une diaphorèse, l'altération de l'état de conscience, un pouls paradoxal, des bruits cardiaques distants ou assourdis et une extrême anxiété. Le traitement d'urgence a pour but de réduire la quantité de liquide autour du cœur et comprend la mise en place chirurgicale d'une fenêtre péricardique ou d'un cathéter péricardique permanent. Le traitement de soutien consiste en une oxygénothérapie, une hydratation intraveineuse et un traitement vasopresseur.

Rupture de la carotide. La rupture de la carotide se manifeste le plus souvent chez des clients atteints de tumeur à la tête ou au cou et survient à la suite d'une invasion de la paroi de l'artère par la tumeur ou d'une érosion de celle-ci après une intervention chirurgicale ou la radiothérapie. Le saignement peut se manifester par un léger suintement ou des giclées de sang s'il y a éclatement de l'artère. En cas d'éclatement, il faut exercer une pression au site de la rupture, puis administrer des liquides et produits sanguins par voie intraveineuse pour stabiliser l'état du client avant le traitement chirurgical. Ce dernier consiste à faire une ligature de la carotide au-dessus et en dessous du point de rupture et à réduire la tumeur locale.

9.7 SOUTIEN PSYCHOLOGIQUE

Le soutien psychologique du client est un aspect fondamental des soins. Étant donné l'efficacité des traitements, de nombreux clients guérissent du cancer ou parviennent à stabiliser leur maladie pendant longtemps. Compte tenu de cette tendance, on s'efforce désormais de maintenir une qualité de vie optimale après le diagnostic du cancer. Une attitude positive de la part du client, de la famille et des personnes soignantes vis-à-vis du cancer et du traitement peut avoir un effet favorable sur la qualité de vie du client. Cette attitude positive peut aussi influer sur le pronostic.

Pour la plupart des gens, le diagnostic du cancer est synonyme de crise. Les craintes les plus fréquentes sont la défiguration, la dépendance, la souffrance, l'émaciation, les difficultés financières, l'abandon et la mort.

Pour vaincre ces peurs, diverses réactions comportementales peuvent apparaître : choc, colère, déni, négociation, dépression, impuissance, désespoir, rationalisation, acceptation et intellectualisation. Ces comportements peuvent se manifester à n'importe quel stade de la maladie, mais certaines réactions surviennent plus fréquemment ou plus intensément à des étapes particulières. Les facteurs suivants peuvent déterminer la façon dont le client s'adapte au diagnostic du cancer :

- Capacité de surmonter certains événements antérieurs stressants (p. ex. la perte d'un emploi, une grosse déception). L'infirmière demande au client comment il s'est adapté à certains événements stressants afin de connaître ses stratégies d'adaptation habituelles, d'évaluer si elles sont efficaces et de connaître son délai d'adaptation.
- Disponibilité des proches. Un réseau de soutien efficace aide à surmonter plus facilement la situation.
- Capacité d'exprimer ses émotions et ses craintes. L'expression des émotions et des besoins et la recherche d'aide favorisent l'adaptation.
- Âge au moment du diagnostic. Les stratégies d'adaptation dépendent beaucoup de l'âge. Par exemple, une jeune mère atteinte du cancer aura sans doute des préoccupations différentes de celles d'une femme de 70 ans.
- Gravité de la maladie. Il est généralement plus facile de s'adapter à la guérison ou à la stabilisation de la maladie qu'à la réalité d'une maladie terminale.
- Perturbation de l'image corporelle. Une image corporelle altérée (p. ex. dissection cervicale radicale, alopécie, mastectomie) risque d'intensifier les réactions psychologiques au cancer.

- Présence de symptômes. Les symptômes, notamment la fatigue, les nausées, la diarrhée et la douleur, peuvent intensifier les réactions psychologiques au cancer.
- Expérience antérieure de cancer. Si les expériences antérieures de cancer ont été pénibles, le client aura tendance à percevoir son état présent de manière défavorable.
- Attitude vis-à-vis du cancer. Un client qui a l'impression de maîtriser la situation et qui a une attitude positive vis-à-vis du cancer et du traitement s'adapte mieux au diagnostic et au traitement que celui qui n'a pas d'espoir, se sent impuissant et sans emprise sur la situation.

Pour aider le client à garder espoir et pour le soutenir, lui et sa famille, durant les divers stades de la maladie, l'infirmière devrait :

- être disponible et continuer de l'être, en particulier durant les moments difficiles ;
- démontrer une compréhension empathique ;
- écouter attentivement l'expression des peurs et des préoccupations ;
- fournir les renseignements essentiels concernant le cancer, les soins et les organismes de soutien ;
- maintenir une relation de confiance et de loyauté ; avoir une approche ouverte, honnête et compréhensive ;
- se servir du toucher pour exprimer sa sollicitude. Le fait de serrer la main ou de serrer dans ses bras exprime une sollicitude qui va au-delà des mots ;
- aider le client à se fixer des objectifs à court terme et à long terme qui soient réalistes ;
- aider le client à maintenir son mode de vie ;
- entretenir l'espoir, qui est l'élément clé de l'efficacité du traitement. L'espoir dépend de l'état du client. Celui-ci peut espérer que les symptômes ne seront pas graves, que le traitement apportera la guérison, qu'il restera autonome, que sa douleur sera soulagée, que sa vie sera prolongée ou qu'il pourra mourir en paix. L'espoir donne une sensation d'emprise sur ce qui arrive et constitue le point de départ d'une attitude positive envers le cancer et les soins ;
- l'adresser à un psychologue.

La plupart des clients atteints d'un cancer à un stade avancé savent qu'ils vont bientôt mourir. Si l'on essaie de leur dissimuler la vérité, ils en ont généralement conscience et éprouvent alors de la méfiance et de l'hostilité. La meilleure approche à adopter est donc une approche honnête et directe. Les personnes soignantes sont souvent surprises par de nombreux clients qui se montrent soulagés lorsqu'on veut bien aborder le sujet de leur mort imminente, puisque c'est ce qui les préoccupe le plus.

9.7.1 Soulagement des douleurs liées au cancer

Le client atteint du cancer ressent souvent des douleurs, lesquelles peuvent être causées par la maladie et par le traitement. Il est fréquent qu'on ne soulage pas suffisamment ces douleurs.

Il est essentiel de déterminer l'intensité de la douleur éprouvé par le client atteint du cancer. L'infirmière doit s'informer sur la localisation de la douleur, son intensité, sa nature, les éléments déclencheurs et les moyens que le client prend pour la soulager. Le tableau 9.20 présente des questions d'évaluation susceptibles de faciliter la collecte des données.

Les interventions pharmacologiques, notamment l'administration de médicaments anti-inflammatoires non stéroïdiens, d'analgésiques narcotiques et non narcotiques, doivent se conformer aux normes établies par l'Organisation mondiale de la santé (voir figure 9.27). On doit administrer les analgésiques sans interruption et prévoir des doses supplémentaires pour les poussées de douleurs. Il est préférable d'administrer les médicaments par voie orale. Avec les médicaments à base d'opium comme la morphine, la dose à administrer est celle qui soulage la douleur avec un minimum d'effets indésirables. Il faut également observer les principes de l'analgésie contrôlée par le client. La peur de la pharmacodépendance n'est pas justifiée, mais le sujet doit être abordé dans le cadre de l'enseignement au client, car cette peur devient un obstacle important au soulagement efficace de la douleur.

Les interventions non pharmacologiques, notamment la relaxation et l'imagerie mentale, peuvent donner des résultats. D'autres méthodes de soulagement de la douleur sont présentées au chapitre 5.

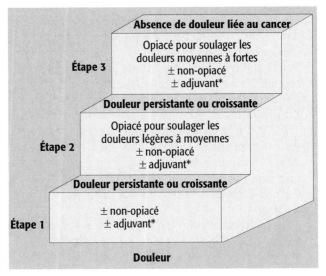

FIGURE 9.27 Échelle analgésique à trois niveaux de l'Organisation mondiale de la santé (OMS)

* Médicament à potentiel synergique.

MOTS CLÉS

Carcinome... 244

Cancer.. 244

Oncogènes.. 247

Initiation... 247

Promotion.. 250

Période de latence................................ 250

Progression....................................... 251

Angiogenèse tumorale............................. 251

Saut de métastase................................ 252

Antigènes associés aux tumeurs................... 252

Immunosurveillance............................... 252

Échappement immunologique...................... 254

Modulation antigénique........................... 254

Facilitation immunitaire.......................... 254

Stadification..................................... 256

Carcinome *in situ* 256

Nadir.. 279

Greffe allogénique................................ 292

Greffe autologue................................. 292

Greffe syngénique................................ 292

BIBLIOGRAPHIE

Version originale

1. *Cancer Facts and Figures—1998*, Atlanta, 1998, American Cancer Society.
2. DeVita VT, Helman S, Rosenberg SA, editors: *Cancer: principles and practice of oncology*, Philadelphia, 1997, Lippincott-Raven.
3. LeMarbre PJ, Groenwald SL: Biology of cancer. In Groenwald SL and others, editors: *Cancer nursing: principles and practice,* ed 4, Boston, 1997, Jones & Bartlett.
4. Yarbro JW: Carcinogenesis. In Groenwald SL and others, editors: *Cancer nursing: principles and practice,* ed 4, Boston, 1997, Jones & Bartlett.
5. Marks R: Prevention and control of melanoma: the public health approach, *CA Cancer J Clin* 46:4, 1996.
6. Dudjak LA: Cancer metastasis, *Semin Oncol Nurs* 8:40, 1992.
7. Kim YS, Liotta LA, Kohn EC: Cancer invasion and metastasis, *Hosp Pract* 28:92, 1993.
8. Folkman J: Angiogenesis in cancer, vascular, rheumatoid and other diseases, *Nature Med* 1:27, 1995.
9. Hubbard SM, Liotta LA: The biology of metastases. In Baird SB, editor: *Cancer nursing: a comprehensive textbook,* ed 2, Philadelphia, 1996, Saunders.
10. Post-White J: The immune system, *Semin Oncol Nurs* 12:2, 1996.
11. Workman ML, Ellerhorst-Ryan J, Hargrave-Koertge V: *Nursing care of the immunocompromised patient*, Philadelphia, 1993, Saunders.
12. *Cancer-related checkups: If you're between 18 and 39: if you're 40 or over,* Atlanta, 1996, American Cancer Society.
13. Perez C, Brady L: Preface. In Perez C, Brady L, editors: *Principles and practice of radiation oncology*, ed 3, Philadelphia, 1998, Lippincott.
14. Kaplan H: Historic milestones in radiobiology and radiation therapy, *Semin Oncol* 4:479, 1979.
15. Stein J: Some observations of the history of irradiation therapy, *Endocur Hyperthermia Oncology* 1:59, 1985.
16. Withers HR: Biological basis of radiation therapy for cancer, *Lancet* 339:156, 1992.
17. Chapman J, Allalunis-Turner M: Cellular and molecular targets in normal tissue radiation injury. In Gutin P, Leibel SL, Sheline G, editors: *Radiation injury to the central nervous system,* New York, 1991, Raven Press.
18. Withers HR: Biologic basis of radiation therapy. In Perez C, Brady L, editors: *Principles and practice of radiation oncology*, ed 3, Philadelphia, 1998, Lippincott.
19. Blackmar A: Radiation-induced skin alterations, *Medsurg Nurs* 6:172, 1997.
20. Phillips T: Early and late effects of radiation on normal tissues. In Gutin P, Leibel S, Sheline G, editors: *Radiation injury to the central nervous system,* New York, 1991, Raven Press.
21. Hilderly L, Dow K: Radiation oncology. In Baird S, McCorkle R, Grant M, editors: *Cancer nursing: a comprehensive textbook,* ed 2, Philadelphia, 1996, Saunders.
22. Winningham M: Walking program for people with cancer: getting started, *Cancer Nurs* 4:270, 1991.
23. Mock V and others: Effects of exercise on fatigue, physical functioning and emotional distress during radiation for breast cancer, *Oncol Nurs Forum* 24: 991, 1997.
24. Chahbazian C: The skin. In Cox J: *Moss' radiation oncology: rationale, technique, results,* ed 7, St. Louis, 1994, Mosby.
25. Marcial V: The oral cavity and oropharynx. In Cox J: *Moss' radiation oncology: rationale, technique, results,* ed 7, St. Louis, 1994, Mosby.
26. Iwamoto R: Alterations in oral status. In Baird S, McCorkle R, Grant M, editors: *Cancer nursing: a comprehensive textbook,* ed 2, Philadelphia, 1996, Saunders.
27. Schover LR: *Sexuality and fertility after cancer,* New York, 1997, Wiley.
28. Dembo A: The ovary. In Cox J: *Moss' radiation oncology: rationale, technique, results,* ed 7, St. Louis, 1994, Mosby.
29. Oberst M and others: Self-care burden, stress appraisal, and mood among persons receiving radiotherapy, *Cancer Nurs* 14:71, 1991.
30. Christman N: Uncertainty and adjustment during radiotherapy, *Nurs Res* 39:17, 1990.
31. Krakoff IH: Systemic treatment of cancer, *CA Cancer J Clin* 46:134, 1996.
32. Bender CM: Nursing implications of antineoplastic therapy. In Itano J, Taoka K, editors: *The core curriculum for oncology nursing practice,* ed 3, Philadelphia, 1997, Saunders.
33. Baranowski L: Central venous access devices: current technologies, uses and management, *J Intravenous Nurs* 16:3, 1993.
34. Ryder MA: Peripherally inserted central venous catheters, *Nurs Clin North Am* 28:4, 1993.
35. Gullo SM: Implanted ports: technologic advances and nursing care issues, *Nurs Clin North Am* 28:4, 1993.
36. Barton-Burke M, Wilkes GM, Ingwersen K, editors: *Cancer chemotherapy: a nursing process approach,* Boston, 1996, Jones & Bartlett.
37. Oncology Nursing Society: *Cancer chemotherapy guidelines and recommendations for practice,* Pittsburgh, 1996, Oncology Nursing Society Press.
38. Wujcik D: Infection control in cancer patients, *Nurs Clin North Am* 28:639, 1993.
39. Wilkes GM: Potential toxicities and nursing management. In Barton-Burke M, Wilkes GM, Ingwersen K, editors: *Cancer chemotherapy: a nursing process approach,* Boston, 1996, Jones & Bartlett.
40. Aggarwal BB, Puri R, editors: *Human cytokines: their role in disease and therapy,* 1995, Blackwell Scientific.
41. Reiger PT: Biotherapy: the fourth modality. In Barton-Burke M, Wilkes GM, Ingersen K, editors: *Cancer chemotherapy: a nursing process approach,* Boston, 1996, Jones & Bartlett.
42. Farrell MM: Biotherapy and the oncology nurse, *Semin Oncol* 12:82, 1996.
43. Bender CM: Cognitive dysfunction associated with cancer and cancer therapy, *Medsurg Nurs* 4:5, 1995.
44. Bone marrow transplantation. In Groenwald SL and others, editors: *Cancer nursing: principles and practice,* ed 4, Boston, 1997, Jones & Bartlett.
45. Whedon MB, Wujcik D, editors: *Blood and marrow stem cell transplantation: principles, practice, and nursing insights,* ed 2, Sudbury, Mass, 1997, Jones & Bartlett.
46. Thomas ED: Stem cell transplantation: past, present and future, *Arch Immunol Ther Exp* 45:1, 1997.
47. Henke Yarbro C: Questionable methods of cancer therapy. In Groenwald SL and others, editors: *Cancer nursing: principles and practice,* ed 4, Boston, 1997, Jones & Bartlett.
48. Held JL, Peahota A: Nursing care of the patient with spinal cord compression, *Oncol Nurs Forum* 20, 1993.
49. Clayton K: Cancer-related hypercalcemia, *AJN* 97:42, 1997.
50. Agency for Health Care Policy and Research: *Clinical practice guidelines, management of cancer pain,* Rockville, Md, 1994, US Department of Health and Human Services.
51. Wallace KG: Analysis of recent literature concerning relaxation and imagery interventions for cancer pain, *Cancer Nurs* 20:79, 1997.

Édition de langue française

1. Institut national du cancer du Canada : *Statistiques canadiennes sur le cancer 2003,* Toronto, 2003.
2. MARIEB, Élaine N. *Anatomie et physiologie humaines,* Montréal, ERPI, 1999, 1194 p.

9

Chapitre **10**

Guylaine Paquin
Inf., B. Sc.
Cégep F.-X. Garneau

Lucie Rhéaume
Inf., B. Sc.
Cégep F.-X. Garneau

DÉSÉQUILIBRES HYDROÉLECTRO-LYTIQUES ET ACIDOBASIQUES

PLAN DU CHAPITRE

10.1 HOMÉOSTASIE 301

10.2 TENEUR EN EAU DE L'ORGANISME . . 301

10.3 ÉLECTROLYTES 302

10.4 MÉCANISMES DE RÉGULATION HYDROÉLECTROLYTIQUE 303

10.5 ÉCHANGES LIQUIDIENS DANS LES CAPILLAIRES 306

10.6 MOUVEMENT DE LIQUIDE ENTRE LE LEC ET LE LIC 307

10.7 RÉGULATION DE L'ÉQUILIBRE HYDRIQUE 307

10.8 DÉSÉQUILIBRES HYDROÉLECTROLYTIQUES 310

10.9 DÉSÉQUILIBRES SODIQUE ET VOLUMIQUE 310

10.10 DÉSÉQUILIBRES POTASSIQUES 315

10.11 DÉSÉQUILIBRES CALCIQUES 319

10.12 DÉSÉQUILIBRES ACIDOBASIQUES . . 324

10.13 ÉVALUATION DES DÉSÉQUILIBRES HYDRIQUES, ÉLECTROLYTIQUES ET ACIDOBASIQUES 330

OBJECTIFS D'APPRENTISSAGE

APRÈS AVOIR LU CE CHAPITRE, VOUS DEVRIEZ ÊTRE EN MESURE :

- DE CONNAÎTRE LA COMPOSITION DES PRINCIPAUX COMPARTIMENTS LIQUIDIENS ;

- DE DÉCRIRE LES MODES DE TRANSPORT ET LES FORCES QUI RÉGULENT LE MOUVEMENT DES LIQUIDES ET DES IONS ENTRE LES COMPARTIMENTS LIQUIDIENS : DIFFUSION, OSMOSE, FILTRATION, PRESSION HYDROSTATIQUE, PRESSION ONCOTIQUE ET PRESSION OSMOTIQUE ;

- DE DÉCRIRE L'ÉTIOLOGIE, LES RÉSULTATS DE LABORATOIRE, LES MANIFESTATIONS CLINIQUES ET LES SOINS INFIRMIERS QUI SE RATTACHENT AUX PROBLÈMES SUIVANTS :

- DÉSÉQUILIBRES HYDRIQUES (DÉSHYDRATATION, HYDRATATION HYPOTONIQUE ET ŒDÈME) ;

- DÉSÉQUILIBRE SODIQUE (HYPERNATRÉMIE ET HYPONATRÉMIE) ;

- DÉSÉQUILIBRE POTASSIQUE (HYPOKALIÉMIE ET HYPERKALIÉMIE) ;

- DÉSÉQUILIBRE MAGNÉSIEN (HYPOMAGNÉSÉMIE ET HYPERMAGNÉSÉMIE) ;

- DÉSÉQUILIBRE CALCIQUE (HYPOCALCÉMIE ET HYPERCALCÉMIE) ;

- DÉSÉQUILIBRE PHOSPHATIQUE (HYPOPHOSPHATÉMIE ET HYPERPHOSPHATÉMIE) ;

- DÉSÉQUILIBRES ACIDOBASIQUES (ACIDOSE ET ALCALOSE MÉTABOLIQUES, ACIDOSE ET ALCALOSE RESPIRATOIRES) ;

- DE DÉCRIRE LA COMPOSITION DES SOLUTIONS INTRAVEINEUSES COURAMMENT EMPLOYÉES.

10.1 HOMÉOSTASIE

L'organisme est constitué de nombreux espaces liquidiens. Chez une personne en bonne santé, le volume et la composition de chaque espace restent constants. Les nutriments sont acheminés vers les cellules, les déchets sont éliminés, et l'eau et les électrolytes migrent d'un espace à l'autre sans perturber la composition des différents compartiments liquidiens. Cet équilibre, appelé **homéostasie**, est maintenu malgré les échanges et les mélanges perpétuels. Le présent chapitre décrit les mécanismes qui assurent l'équilibre hydroélectrolytique, les problèmes qui découlent d'une perturbation de l'homéostasie, les signes et les symptômes ressentis par un client aux prises avec un tel dérèglement et les interventions permettant de prévenir ou de traiter les déséquilibres hydroélectrolytiques.

La maladie et les traumatismes modifient généralement la régulation de l'équilibre hydroélectrolytique. Les soins à prodiguer au client consistent à surveiller, prévenir et traiter les troubles hydroélectrolytiques.

10.2 TENEUR EN EAU DE L'ORGANISME

L'eau est le principal constituant de l'organisme. Il s'agit du solvant dans lequel les sels, les nutriments et les déchets se dissolvent et sont transportés dans l'organisme. La teneur en eau varie selon le sexe, la masse corporelle et l'âge de la personne (voir figure 10.1). À l'inverse d'un organisme principalement constitué de tissu adipeux, un organisme avec une masse musculaire substantielle renferme une plus grande teneur en eau

(20 % par rapport à 65 % d'eau, respectivement). Chez un adulte, la teneur en eau représente en moyenne de 50 à 60 % du poids et chez le nourrisson, elle compte pour 70 à 80 % du poids. Dans le cas des personnes âgées, la teneur en eau diminue entre 45 à 55 %, ce qui contribue à augmenter le risque d'un déséquilibre.

10.2.1 Compartiments liquidiens

Les deux principaux compartiments liquidiens de l'organisme sont les compartiments intracellulaire et extracellulaire (voir figure 10.2). Environ les deux tiers de l'eau de l'organisme se trouvent dans les cellules et forment le **liquide intracellulaire (LIC)**. Le LIC représente environ 42 % du poids corporel. Le corps d'un homme de 70 kg contiendrait approximativement 42 L d'eau, dont 30 L seraient situés dans les cellules. Le **liquide extracellulaire (LEC)** comprend le liquide situé entre les cellules (liquide interstitiel et lymphe) et le plasma. Le LEC représente le tiers de l'eau du corps, ou environ 17 % du poids total, ce qui équivaut à environ 11 L d'eau chez un homme de 70 kg. Le plasma représente environ le tiers du LEC (soit 3 L dans notre exemple), et le liquide interstitiel équivaut aux deux tiers du LEC (soit 8 L dans notre exemple).

Un troisième compartiment liquidien, petit mais tout de même important, est l'**espace transcellulaire**. Cet espace représente généralement 1 L d'eau. Le liquide contenu dans l'espace transcellulaire est sécrété et réabsorbé par les cellules épithéliales. Il s'agit des liquides du tube digestif, et des liquides céphalorachidien, pleural, synovial et péritonéal. Des déséquilibres

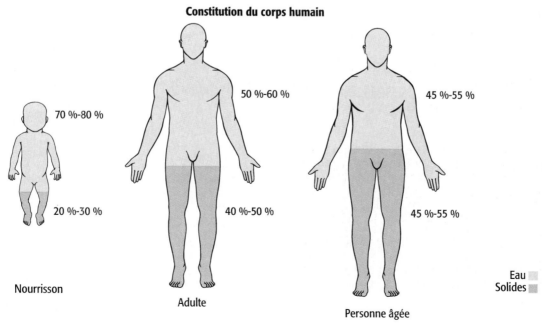

Constitution du corps humain

70 %-80 %

50 %-60 %

45 %-55 %

20 %-30 %

40 %-50 %

45 %-55 %

Eau
Solides

Nourrisson

Adulte

Personne âgée

FIGURE 10.1 Modification de la teneur en eau du corps en fonction de l'âge

hydroélectrolytiques graves peuvent survenir lorsque le liquide transcellulaire n'est pas réabsorbé mais évacué (p. ex. lors de vomissements).

La notion de **volémie** est importante pour comprendre l'équilibre hydroélectrolytique. La volémie se rapporte au volume sanguin total en circulation dans les réservoirs sanguins, c'est-à-dire le plasma et les globules réunis. Ce volume de sang irrigue les tissus. La régulation de la volémie fait intervenir des récepteurs volémiques. La volémie varie normalement avec le volume du LEC. Dans certaines manifestations cliniques (p. ex. ascite, brûlure, néphrose), la volémie est inversement proportionnelle au volume de liquide interstitiel : la volémie diminue tandis que le volume interstitiel et le LEC augmentent.

On se réfère parfois au terme **espace liquidien** pour décrire la répartition de l'eau dans l'organisme. Le **premier espace** décrit la répartition hydrique du LIC et du LEC. Le **deuxième espace** se manifeste avec l'accumulation anormale de liquide dans le compartiment interstitiel (p. ex. de l'œdème). Quant au **troisième espace**, il correspond à une accumulation de liquide dans des espaces qui ont normalement peu ou pas de liquide, par exemple, lors de brûlure ou de formation d'ascite.

10.2.2 Calcul de l'apport ou de la perte hydrique

Un litre d'eau pèse 1 kg. Si un client boit 250 ml de liquide, il prendra 227 g. Un client qui reçoit un traitement diurétique et qui perd 2 kg en 24 heures subira une perte hydrique d'environ 2 l. Un adulte qui jeûne peut perdre de 0,454 à 0,907 kg par jour. Une modification du poids corporel est un bon indicateur d'une perte ou d'un apport hydrique.

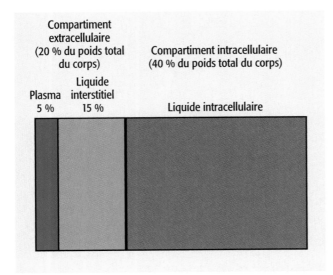

FIGURE 10.2 Compartiments liquidiens dans le corps

10.3 ÉLECTROLYTES

Les **électrolytes** sont des substances dont les molécules se dissocient ou se séparent en ions lorsqu'elles sont en solution. Les **ions** sont des particules chargées. Les **cations** sont des ions chargés positivement, par exemple, l'ion sodium (Na$^+$), l'ion potassium (K$^+$), l'ion calcium (Ca^{2+}), et l'ion magnésium (Mg^{2+}). Les **anions** sont des ions chargés négativement, comme l'ion bicarbonate (HCO$_3^-$), l'ion chlorure (Cl$^-$) et l'ion phosphate (PO$_4^{3-}$). La majorité des protéines sont chargées négativement et sont, par conséquent, des anions. La charge électrique d'un ion est appelée **valence**. Les cations et les anions se lient selon leur valence. (La terminologie liée à la chimie des liquides organiques est présentée au tableau 10.1.)

10.3.1 Mesure

La concentration d'électrolytes peut être mesurée en milligrammes par décilitre (mg/dl), en millimoles par litre (mmol/L) ou en milliéquivalents par litre (mEq/L). La norme internationale de mesure des électrolytes est exprimée en mmol/L. La capacité de combinaison des électrolytes est mesurée en mEq/L. Par exemple, 2,3 mg/dl (ou 23 mg/L), 1 mmol/L et 1 mEq/L d'ion sodium (Na$^+$)

TABLEAU 10.1	Terminologie liée à la chimie des liquides organiques
Anion	Ion chargé négativement.
Cation	Ion chargé positivement.
Électrolyte	Substance capable de se dissocier en ions (particules chargées) lorsqu'elle est mise en solution ; une molécule de chlorure de sodium (NaCl) devient Na$^+$ Cl$^-$ en solution.
Non-électrolyte	Substance qui ne se dissocie pas en ions lorsqu'elle est mise en solution ; par exemple le glucose et l'urée.
Osmolalité	Concentration moléculaire de toutes les particules par kilogramme de solvant.
Osmolarité	Concentration moléculaire de toutes les particules par litre de solution.
Soluté	Substance dissoute dans un solvant.
Solution	Mélange homogène de solutés dissous dans un solvant.
Solvant	Substance dans laquelle un soluté (liquide ou gaz) est dissout.
Valence	Capacité de combinaison d'un ion.

expriment la même concentration de sodium. Les milliéquivalents sont égaux aux millimoles multipliées par la valence de l'ion : mEq/L = mmol/L × valence.

Le poids d'un électrolyte ne détermine pas le nombre d'ions, ni la charge électrique transportée par un électrolyte. Étant donné que les milliéquivalents expriment la capacité de combinaison d'un électrolyte dans une solution, les ions s'associent en fonction des milliéquivalents et non en fonction des millimoles. Par exemple, 1 mEq (1 mmol) de sodium se combine avec 1 mEq (1 mmol) de chlorure, et 1 mEq (0,5 mmol) de calcium s'associe avec 1 mEq (1 mmol) de chlorure.

10.3.2 Composition en électrolytes des compartiments liquidiens

La composition en électrolytes diffère d'un compartiment à l'autre (EC-IC). Globalement, la concentration d'électrolytes reste semblable, sauf dans le cas de certains ions spécifiques (voir figure 10.3). Le cation que l'on trouve le plus fréquemment dans le LIC est le potassium. On y décèle aussi de petites quantités de magnésium et de sodium. Le LIC compte également des anions tels que le phosphate, l'anion le plus courant, des protéines et une petite quantité de bicarbonate. Quant au LEC, le principal cation qui s'y trouve est le sodium, bien qu'on y décèle aussi de petites quantités de potassium, de calcium et de magnésium. Parmi les anions du LEC figurent le chlorure (le plus abondant), le bicarbonate, le sulfate et le phosphate (en petites quantités). Le LIC contient de fortes concentrations de protéines ; le plasma, des concentrations modérées ; et l'espace interstitiel, de faibles concentrations.

10.4 MÉCANISMES DE RÉGULATION HYDROÉLECTROLYTIQUE

Le mouvement de l'eau et des électrolytes entre le LIC et LEC est régi par plusieurs mécanismes. Les électrolytes se déplacent selon leur concentration et leur charge électrique vers les compartiments ayant une plus faible concentration et une charge opposée. Les principaux modes de transport sont la diffusion simple, la diffusion facilitée et le transport actif. Le mouvement de l'eau est aussi déterminé par la pression hydrostatique et la pression osmotique.

10.4.1 Diffusion

La **diffusion** représente le passage de molécules d'un milieu à concentration élevée à un milieu de faible concentration (voir figure 10.4). Les solutions, les gaz et les matières solides empruntent ce mode de transport. Le

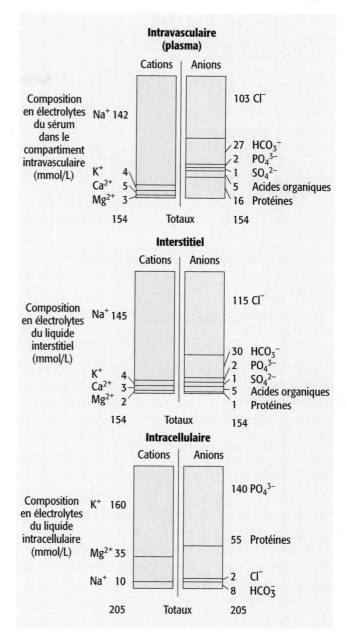

FIGURE 10.3 Teneur en électrolytes des compartiments liquidiens

mouvement des molécules cesse lorsque l'équilibre est atteint. La membrane plasmique qui sépare les deux milieux doit être suffisamment perméable pour permettre le passage des molécules. La diffusion simple ne fait appel à aucune source d'énergie. Les gaz tels que l'oxygène, l'azote, le gaz carbonique et l'urée traversent la membrane plasmique avant de se répartir dans tout l'organisme.

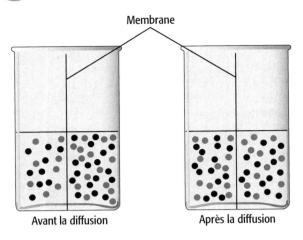

FIGURE 10.4 Mouvement des molécules d'un milieu à forte concentration à un milieu de faible concentration (diffusion)

10.4.2 Diffusion facilitée

Selon la composition des membranes plasmiques, les molécules diffusent plus ou moins lentement dans la cellule. Cependant, la vitesse de diffusion augmente lorsque les molécules sont associées à des transporteurs protéiques. Tout comme dans le cas de la diffusion simple, la **diffusion facilitée** favorise le transfert des molécules d'un milieu de concentration élevée vers un milieu à faible concentration. La diffusion facilitée est passive et ne nécessite aucune énergie. Le glucose est transporté dans la cellule par ce mode de transport.

10.4.3 Transport actif

Le **transport actif** est le processus par lequel les molécules se déplacent contre leur gradient de concentration en utilisant une énergie externe, celle d'une pompe à soluté (transporteurs protéiques qui ressemblent à des enzymes). Les concentrations de sodium et de potassium intracellulaires diffèrent grandement des concentrations extracellulaires (voir figure 10.3). C'est par transport actif que le sodium peut sortir de la cellule et le potassium, y entrer. Ainsi, les différences de concentration entre le LIC et le LEC sont maintenues (voir figure 10.5). La source d'énergie de la pompe sodium-potassium est l'adénosine triphosphate (ATP) produite par les mitochondries.

10.4.4 Osmose

L'osmose est le mouvement de l'eau entre deux compartiments séparés par une membrane à perméabilité sélective, c'est-à-dire perméable à l'eau et imperméable aux molécules de soluté. L'eau traverse la membrane d'un milieu à faible concentration de soluté vers un milieu à forte concentration de soluté (voir figure 10.6). En d'autres

termes, l'eau passe du compartiment qui est le plus dilué (qui a le plus d'eau) au compartiment le plus concentré (qui a le moins d'eau). L'osmose ne nécessite aucune énergie et cesse lorsque l'équilibre est atteint (même concentration des deux côtés de la membrane) ou lorsque la pression hydrostatique (force exercée par un liquide contre une paroi) est égale à la **pression osmotique** (force qui attire les molécules d'eau à cause de la présence de solutés non diffusibles à travers la membrane plasmique à perméabilité sélective). Donc, la pression osmotique est la force nécessaire pour freiner le débit osmotique de l'eau.

La diffusion et l'osmose sont deux modes de transport membranaires qui jouent un rôle crucial dans la régulation hydroélectrolytique.

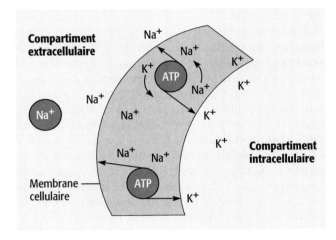

FIGURE 10.5 Pompe sodium-potassium. À mesure que le sodium (Na+) pénètre dans la cellule et que le potassium (K+) en sort, un système de transport actif nécessitant de l'énergie expulse le sodium dans le compartiment extracellulaire et renvoie le potassium dans le compartiment intracellulaire.

ATP : adénosine triphosphate.

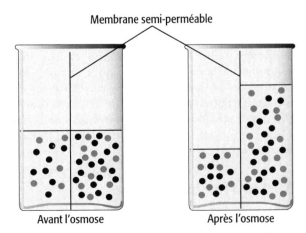

FIGURE 10.6 L'osmose est le processus de diffusion de l'eau à travers une membrane semi-perméable d'un milieu à faible concentration à un milieu de forte concentration.

La pression osmotique est déterminée par la concentration de molécules de soluté dans une solution. Elle se mesure en milliosmoles et est appelée **osmolarité** ou **osmolalité**. L'osmolalité correspond au nombre de molécules de soluté dissoutes dans un kilogramme de solution (mOsm/kg ou mmol/kg) ; l'osmolarité est la concentration totale de toutes les molécules de soluté dans un litre de solution (mOsm/L). En présence de liquides biologiques, les termes osmolarité et osmolalité sont utilisés indifféremment. L'épreuve mesurant l'osmolalité évalue la concentration plasmatique et urinaire d'un soluté donné.

Mesure de l'osmolalité. L'osmolalité est presque identique d'un compartiment liquidien à l'autre. La mesure de l'osmolalité plasmatique permet d'évaluer l'équilibre hydrique. L'osmolalité plasmatique normale se situe entre 280 et 300 mOsm/kg. Une osmolalité supérieure à 300 mOsm/kg indique que la concentration de particules est trop élevée ou qu'il manque de liquide ; on est alors en présence d'un **déficit de volume liquidien**. En revanche, une osmolalité inférieure à 280 mOsm/kg indique que la concentration de soluté est trop faible pour la quantité d'eau ou qu'il y a trop d'eau pour la quantité de soluté ; ce phénomène donne lieu à un **excès de volume liquidien**.

Les principaux facteurs qui influent sur l'osmolalité plasmatique sont les sels de sodium, le glucose et l'urée. L'osmolalité plasmatique repose sur la concentration de ces composés et se calcule par la formule suivante :

Osmolalité plasmatique = $2 \times [Na^+]p + [glucose]/18$.

Dans cette formule, $[Na^+]p$ et $[glucose]$ représentent les concentrations plasmatiques du sodium et du glucose exprimées en mEq/L et en mg/dl respectivement. La concentration de sodium est multipliée par deux pour représenter un nombre équivalent d'anions. La concentration de glucose est divisée par un dixième de son poids moléculaire pour calculer le nombre de particules osmotiquement actives par litre.

Afin d'obtenir une osmolalité plasmatique plus précise, on peut ajouter une troisième composante à la formule, soit le taux d'azote uréique sanguin (+ BUN/2,8). Le taux de BUN est exprimé en mg/dl. L'urée se déplace librement d'un compartiment liquidien à l'autre ; elle n'a donc pas d'effet sur le passage de l'eau à travers les membranes plasmiques. Ainsi, cette molécule peut être qualifiée d'« osmole inefficace ». La mesure de l'osmolalité plasmatique sans le taux de BUN est une estimation physiologique plus significative. L'osmolalité de l'urine peut varier entre 100 et 1300 mOsm/kg, selon la quantité d'hormone antidiurétique (ADH) sécrétée et la régulation rénale.

L'équilibre hydrique est conservé lorsque l'apport d'eau est égal à la déperdition d'eau. L'apport liquidien est régi par le mécanisme de la soif, qui entraîne la consommation d'eau. L'action de l'ADH sur les reins détermine l'excrétion de liquide. C'est l'hypothalamus qui régule la soif et la libération de l'ADH. Lorsque l'osmolalité augmente (déficit de volume liquidien), une sensation de soif incite la personne à boire si elle en est capable. Le déficit de volume liquidien stimule l'hypothalamus, particulièrement la neurohypophyse, à sécréter de l'ADH. La libération d'une plus grande quantité d'ADH se solde par une réabsorption de l'eau par les reins, ce qui corrige le déficit de volume liquidien. Lorsqu'il y a un excès de volume liquidien, la soif est inhibée, la libération d'ADH est ralentie, une moins grande quantité d'ADH est libérée et une plus grande quantité d'eau est excrétée par les reins.

Mouvement osmotique des liquides. Toute variation de l'osmolalité entraîne un gain ou une perte d'eau dans la cellule. Une solution est dite **isotonique** lorsque sa concentration est égale à la concentration intracellulaire ; elle est **hypotonique** si sa concentration est plus faible que la concentration intracellulaire ; et elle est **hypertonique** quand sa concentration est plus élevée que la concentration intracellulaire (voir tableau 10.2).

Normalement, le LEC et le LIC sont isotoniques : il n'y a aucun mouvement d'eau entre les compartiments. Cependant, il y a un échange constant de solutés entre les compartiments cellulaires, sans toutefois entraîner un gain ou une perte d'eau.

Lorsqu'elle est entourée de liquide hypotonique, la cellule peut éclater, car l'eau y pénètre et peut produire un gonflement excessif. Si elle baigne dans un liquide hypertonique, la cellule s'atrophie et est détruite, car l'eau s'échappe pour diluer le LEC.

10.4.5 Pression hydrostatique

La **pression hydrostatique** est la force exercée par un liquide contre une paroi. La pression hydrostatique des vaisseaux sanguins est la pression sanguine causée par la contraction cardiaque et le volume sanguin, et exercée

TABLEAU 10.2	Équilibre et tonicité de l'eau du corps (H_2O)	
Bilan hydrique	**Osmolalité**	**Effet sur la dimension de la cellule**
Excès hydrique (hypotonique)	Moins de 280 mmol/kg	Gonflement
Équilibre hydrique (isotonique)	280 à 300 mmol/kg	Aucun effet
Déficit liquidien (hypertonique)	Plus de 300 mmol/kg	Rétrécissement

10

contre les parois des capillaires. Cette pression diminue progressivement à mesure que le sang s'écoule des artères vers les capillaires artériels pour atteindre 40 mm Hg. La taille des lits capillaires et le mouvement liquidien dans l'espace interstitiel abaisse la pression capillaire à 10 mm Hg à l'extrémité veineuse des lits capillaires. La pression hydrostatique est la force qui évacue l'eau des vaisseaux sanguins contenus dans les lits capillaires.

10.4.6 Pression oncotique

La **pression oncotique** (pression osmotique colloïdale) se rapporte à la pression créée par de grosses molécules non diffusibles dans un liquide. Dans le plasma, les molécules protéiques attirent l'eau et maintiennent la pression oncotique plasmatique à 26 mm Hg. Contrairement aux électrolytes, les grosses molécules telles que les protéines plasmatiques ne peuvent pas quitter l'espace vasculaire par les pores des parois capillaires. Toutefois, certaines protéines sont présentes dans l'espace interstitiel et exercent une pression oncotique d'environ 1 mm Hg.

10.5 ÉCHANGES LIQUIDIENS DANS LES CAPILLAIRES

Un échange continuel de liquide se produit entre les capillaires et l'espace interstitiel. La quantité de liquide qui traverse les capillaires et la direction empruntée par le liquide sont déterminées par des forces opposées telles que : la pression hydrostatique capillaire, la pression oncotique plasmatique, la pression hydrostatique interstitielle et la pression oncotique interstitielle.

La pression hydrostatique capillaire et la pression oncotique interstitielle provoquent une expulsion d'eau hors des capillaires. La pression oncotique plasmatique et la pression hydrostatique interstitielle concourent à l'absorption d'eau par le lit capillaire. À l'extrémité artérielle du lit capillaire (voir figure 10.7), la pression hydrostatique capillaire est supérieure à la pression oncotique plasmatique. En conséquence, le liquide est déplacé vers l'espace interstitiel. À l'extrémité veineuse du lit capillaire, la pression hydrostatique capillaire est inférieure à la pression oncotique plasmatique produite par les protéines plasmatiques. Donc, le liquide est ramené vers le lit capillaire.

10.5.1 Échanges liquidiens

Lorsque la pression capillaire ou interstitielle varie, l'échange liquidien peut être difficile. Du point de vue clinique, les échanges liquidiens anormaux les plus fréquents se produisent du compartiment vasculaire vers l'espace interstitiel, ce qui entraîne de l'œdème, et

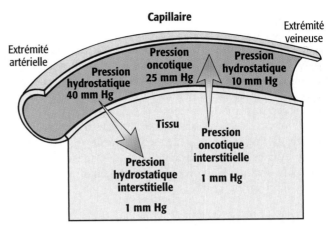

FIGURE 10.7 Échanges liquidiens entre les capillaires et les tissus. Il existe un équilibre entre les forces qui expulsent les liquides des capillaires et les forces qui attirent les liquides dans les capillaires. Il est à noter que la pression hydrostatique est plus élevée à l'extrémité artérielle du lit capillaire qu'à l'extrémité veineuse. La pression de l'extrémité artérielle du lit capillaire provoque un déplacement de liquide vers le tissu. À l'extrémité veineuse, on remarque un mouvement net de liquide vers le capillaire.

de l'espace interstitiel vers l'espace vasculaire, ce qui occasionne la déshydratation.

Échanges liquidiens entre le plasma et le liquide interstitiel. Le liquide s'accumule dans l'espace interstitiel (œdème) lorsque la pression hydrostatique veineuse augmente, la pression oncotique plasmatique baisse ou la pression oncotique interstitielle s'élève. L'œdème peut aussi se manifester lors d'obstruction des voies lymphatiques.

Augmentation de la pression hydrostatique veineuse. L'augmentation de la pression à l'extrémité veineuse du lit capillaire empêche le mouvement de liquide vers l'extrémité artérielle du lit capillaire. La pression veineuse accrue peut être consécutive à un excès de volume liquidien, à une insuffisance cardiaque congestive, à une insuffisance hépatique, à un retour veineux vers le cœur entravé (p. ex. garrot, vêtement trop serré, thrombose veineuse) et à une insuffisance veineuse (p. ex. veines variqueuses).

Diminution de la pression oncotique plasmatique. L'accumulation de liquide dans l'espace interstitiel est causée par une pression oncotique plasmatique trop faible. Le liquide ne peut être expulsé vers le lit capillaire. La pression oncotique s'abaisse lorsque la concentration de protéines plasmatiques est faible. Cette diminution du taux protéique peut être occasionnée par une perte excessive de protéines (syndrome néphrotique), par une altération de la synthèse protéique (maladie du foie) et par un apport protéique carencé (malnutrition).

Augmentation de la pression oncotique interstitielle. Les traumatismes, les brûlures et les inflammations peuvent endommager les parois capillaires et entraîner une accumulation de protéines plasmatiques dans l'espace interstitiel. L'élévation de la pression oncotique interstitielle qui en résulte peut entraîner une accumulation de liquide dans l'espace interstitiel.

Échanges liquidiens entre les espaces interstitiel et plasmatique. Le liquide s'accumule dans l'espace plasmatique si la pression oncotique plasmatique (osmotique colloïdale) augmente. Cette accumulation peut survenir avec l'administration de colloïdes, de dextran, de solution de mannitol ou de solution hypertonique. Le liquide quitte l'espace interstitiel et les cellules par osmose et migre vers l'espace vasculaire. Ce mouvement équilibre l'osmolalité entre le LIC et le LEC.

L'augmentation de la pression hydrostatique peut être provoquée par une insuffisance des valvules veineuses. On recommande le port de bas de soutien afin de réduire l'œdème périphérique.

Lors de choc hypovolémique, le système nerveux sympathique stimule une vasoconstriction intense et diminue la pression hydrostatique à l'extrémité artérielle et veineuse du lit capillaire. Ces réactions induisent un déplacement de liquide interstitiel vers le plasma. Le volume vasculaire est alors augmenté et le volume sanguin, partiellement rétabli.

10.6 MOUVEMENT DE LIQUIDE ENTRE LE LEC ET LE LIC

Les variations de l'osmolalité du LEC modifient le volume hydrique des cellules. Une augmentation de l'osmolalité du LEC (déficit de volume liquidien) expulse l'eau des cellules jusqu'à ce que l'osmolalité des deux compartiments soit égale. Ce déficit de volume liquidien cause une atrophie des cellules cérébrales, nuit par le fait même au fonctionnement du système nerveux central (SNC), et produit des symptômes neurologiques. Une faible osmolalité du LEC induit un gain ou une rétention excessive d'eau (excès de volume liquidien). Les cellules prennent alors de l'expansion. Cette introduction massive d'eau provoque aussi des symptômes neurologiques.

10.7 RÉGULATION DE L'ÉQUILIBRE HYDRIQUE

10.7.1 Régulation hypothalamique

L'équilibre osmotique est régi par l'hypothalamus. Les osmorécepteurs de l'hypothalamus peuvent détecter une variation de l'osmolarité aussi faible que 1 mmol/L. Lorsque l'osmolalité est augmentée, (c.-à-d. que la concentration de solutés est élevée), la soif est ressentie et de l'ADH est libérée. L'ADH est une hormone synthétisée par l'hypothalamus. Elle est entreposée et libérée par l'hypophyse postérieure. La soif incite la personne à boire. L'ADH agit sur le tube contourné distal et les tubes collecteurs pour que l'eau soit réabsorbée par les reins. Ainsi, ces facteurs contribuent à augmenter le volume liquidien dans l'organisme et à diminuer l'osmolalité. Inversement, une osmolarité diminuée inhibe la sensation de soif et la sécrétion de l'ADH, et diminue la réabsorption d'eau et augmente l'excrétion d'urine diluée.

L'ingestion d'eau est régulée par les récepteurs de la soif (osmorécepteurs), situés dans l'hypothalamus. Le mécanisme de la soif est stimulé par l'hypotension et par la hausse de l'osmolalité plasmatique. Ce mécanisme constitue la principale protection de l'organisme contre l'hyperosmolalité. La personne qui est incapable de ressentir la soif ou d'y réagir peut souffrir d'un déficit de volume liquidien et d'hyperosmolalité (voir figure 10.8). Le besoin de boire s'atténue avec l'âge.

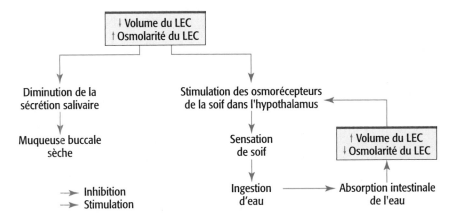

FIGURE 10.8 Mécanisme de la soif

La sensation de soif peut aussi être influencée par des facteurs sociaux et psychologiques non associés à l'équilibre hydrique. L'assèchement de la muqueuse buccale stimule la soif et pousse l'individu à boire, même s'il n'y a pas de déficit de volume liquidien apparent. Si la personne peut boire, possède un mécanisme de la soif et des reins fonctionnels, et sécrète suffisamment d'ADH, son ingestion d'eau est habituellement proportionnelle aux pertes encourues.

10.7.2 Régulation de l'hypophyse

Sous l'influence de l'hypothalamus, l'hypophyse postérieure (neurohypophyse) sécrète de l'ADH, une hormone qui régule la rétention d'eau par les reins. En réponse à l'ADH, les tubes distaux et collecteurs des reins deviennent de plus en plus perméables à l'eau, ce qui augmente la volémie et diminue l'excrétion d'urine diluée. L'augmentation de l'osmolalité plasmatique ou la diminution de la volémie stimule la sécrétion d'ADH. D'autres facteurs induisent la sécrétion d'ADH : le stress, les nausées, la nicotine et la morphine en sont des exemples. Ces facteurs sont généralement liés aux variations perpétuelles de l'osmolalité. En période postopératoire, l'osmolalité plasmatique du client est plus basse en raison du stress opératoire et de la médication (analgésique narcotique), d'où une diminution de sa diurèse.

Une sécrétion anormale d'ADH (hypersécrétion ou sécrétion ectopique) peut provoquer le **syndrome de sécrétion inappropriée d'hormone antidiurétique (SIADH)** (voir chapitre 41). Ce syndrome s'observe chez les personnes atteintes d'affections cérébrales telles qu'une tumeur, un abcès ou une lésion, ou de maladies pulmonaires comme la pneumonie ou la tuberculose. Cette anomalie sécrétoire se caractérise par une rétention d'eau, une hypoosmolalité plasmatique et une hyperosmolalité urinaire accompagnées d'une diminution du volume liquidien.

Une sécrétion de l'ADH plus faible conduit au diabète insipide (voir chapitre 41). Une grande quantité d'urine diluée est excrétée en raison de l'incapacité des tubules rénaux à réabsorber l'eau. Le diabète insipide se manifeste par une polyurie et une polydipsie. Des symptômes de déshydratation et d'hypernatrémie peuvent apparaître lorsque les pertes hydriques ne sont pas suppléées.

10.7.3 Régulation corticosurrénalienne

Plusieurs hormones participent à la régulation du volume du LEC. L'ADH agit sur la réabsorption de l'eau. Les hormones sécrétées par le cortex surrénal (glucocorticoïdes et minéralocorticoïdes) régissent le mouvement de l'eau et des électrolytes. Les glucocorticoïdes ont une action anti-inflammatoire et élèvent le taux de

glycémie, tandis que les minéralocorticoïdes (p. ex. l'aldostérone) augmentent la rétention de sodium et la sécrétion de potassium (voir figure 10.9). La rétention de sodium entraîne une réabsorption de l'eau, ce qui déclenche des variations osmotiques.

Le cortisol est le glucocorticoïde produit en plus grande quantité par l'organisme. La sécrétion de cortisol en quantités élevées engendre les mêmes effets que la sécrétion de glucocorticoïdes (augmentation de la glycémie et effet anti-inflammatoire) et de minéralocorticoïdes (rétention sodique). La libération de cortisol est stimulée par le stress. Le cortisol agit sur plusieurs organes qui influent sur l'équilibre hydroélectrolytique (voir figure 10.10).

L'aldostérone est un minéralocorticoïde synthétisé par l'organisme, qui favorise la rétention de sodium et l'excrétion de potassium. La sécrétion d'aldostérone peut être induite par la diminution de la perfusion rénale ou la diminution de l'apport sodique dans le tubule rénal distal. Les reins réagissent en sécrétant de la rénine dans le plasma. L'angiotensinogène, une protéine plasmatique produite par le foie, est libérée dans la circulation sanguine et transformée en angiotensine I, sous l'influence de la rénine, puis est convertie en angiotensine II. Le cortex surrénal est alors stimulé à sécréter de l'aldostérone. En plus du mécanisme rénine-angiotensine, une augmentation du potassium plasmatique, une diminution du sodium plasmatique et une plus grande sécrétion d'hormone corticotrophine (ACTH)

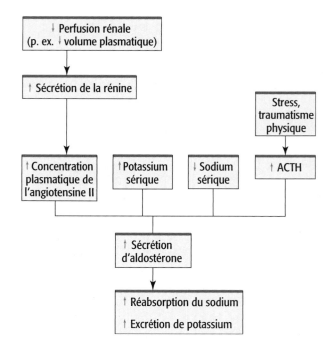

FIGURE 10.9 Facteurs influant sur la sécrétion d'aldostérone
ACTH : hormone corticotrophine.

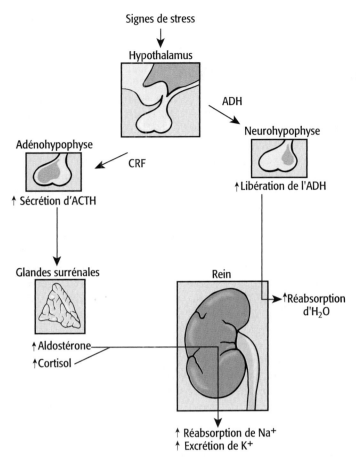

FIGURE 10.10 Effets du stress sur l'équilibre hydroélectrolytique
CRF : corticolibérine ; ACTH : corticotrophine ; ADH : hormone antidiurétique.

par l'hypophyse antérieure activent le cortex surrénal à sécréter l'aldostérone (voir figure 10.9).

10.7.4 Régulation rénale

Les reins sont les principaux organes responsables de l'équilibre hydroélectrolytique (voir chapitre 36). Ils modifient le volume d'urine et l'excrétion des électrolytes afin de maintenir un équilibre entre le gain et la perte d'eau et d'électrolytes. Les reins filtrent la totalité du volume plasmatique plusieurs fois par jour. Chez l'adulte moyen, les reins réabsorbent 99 % de ce filtrat, et produisent environ 1,5 L d'urine quotidiennement. À mesure que ce filtrat se déplace dans le tubule rénal, la réabsorption sélective de l'eau et des électrolytes et l'excrétion d'électrolytes entraînent une production d'urine dont la composition et la concentration diffèrent de celles du plasma. Ce phénomène favorise le maintien de l'osmolalité plasmatique et de la volémie, et l'équilibre électrolytique et acidobasique. L'ADH et l'aldostérone agissent sur les tubules rénaux.

Lorsque la fonction rénale est perturbée, les reins ne peuvent plus assurer l'équilibre hydroélectrolytique. Ces altérations provoquent de l'œdème, la rétention de potassium et de phosphore, l'acidose et d'autres déséquilibres électrolytiques (voir chapitre 38). Chez la personne âgée, la fonction rénale est diminuée (réduction de la capacité à concentrer l'urine), ce qui peut augmenter les risques de déséquilibres hydroélectrolytiques.

10.7.5 Régulation cardiaque

Le facteur natriurétique auriculaire (FNA) est une hormone sécrétée par les oreillettes du cœur en réaction à l'augmentation de la pression artérielle. La sécrétion de FNA est stimulée par une expansion du volume cardiaque ou une augmentation de la pression de remplissage (p. ex. lors d'insuffisance cardiaque congestive). Le FNA a un effet vasodilatateur et favorise l'excrétion de sodium et d'eau dans l'urine.

10.7.6 Régulation gastro-intestinale

Les ingesta et excreta quotidiens d'eau se situent entre deux et trois litres (voir tableau 10.3). La majeure partie de l'apport liquidien provient du tractus gastro-intestinal. Les apports liquidiens comprennent les liquides, l'eau produite par le métabolisme des nutriments et l'eau présente dans les aliments solides. La teneur en eau de la viande maigre est d'environ 70 % alors que celle des fruits et des légumes se situe autour de 100 %.

La majorité de l'eau qui se trouve dans l'organisme est excrétée par les reins. Une petite quantité d'eau est absorbée par les intestins et éliminée dans les matières fécales par le tractus gastro-intestinal.

10.7.7 Perte hydrique insensible

La perte hydrique insensible, c'est-à-dire l'eau évacuée par les poumons et la peau, aide à réguler la température corporelle. Normalement, une personne perd environ

TABLEAU 10.3	Équilibre hydrique normal chez l'adulte
Ingesta	
Liquides	1200 ml
Aliments solides	1000 ml
Eau provenant de l'oxydation	300 ml
	2500 ml
Excreta	
Perte insensible (peau et poumons)	900 ml
Matières fécales	100 ml
Urine	1500 ml
	2500 ml

900 ml d'eau par jour. La quantité d'eau perdue est plus grande lorsque le métabolisme de l'organisme est accéléré, c'est-à-dire lorsque la température corporelle et l'intensité de l'exercice physique sont élevées.

La perte d'eau par la peau ne doit pas être confondue avec la perspiration cutanée insensible, qui représente l'eau excrétée par les glandes sudoripares. L'hyperhidrose (ou perspiration excessive par les glandes sudoripares), est provoquée par l'hyperthermie ou une température ambiante élevée et peut entraîner une perte significative d'eau et d'électrolytes.

10.8 DÉSÉQUILIBRES HYDROÉLECTROLYTIQUES

Les déséquilibres hydroélectrolytiques surviennent plus fréquemment lors d'une maladie ou d'une lésion grave (brûlures, insuffisance cardiaque), car ces affections perturbent l'homéostasie. Plus rarement, certaines mesures thérapeutiques (p. ex. remplacement liquidien par voie intraveineuse, diurétiques) peuvent occasionner des déséquilibres hydroélectrolytiques.

Les déséquilibres hydroélectrolytiques résultent de surcharges ou de carences en électrolytes. Chaque déséquilibre sera abordé séparément (voir tableau 10.4 pour connaître les valeurs normales). En situation clinique, le client peut présenter plusieurs déséquilibres à la fois. Par exemple, une aspiration nasogastrique prolongée entraîne une perte de Na^+, de K^+, de H^+ et de Cl^-. Ces pertes peuvent se solder par une carence en sodium et potassium, une alcalose métabolique et un déficit de volume liquidien.

TABLEAU 10.4	Valeurs normales d'électrolytes sériques
Anions	**Valeurs normales**
Bicarbonate (HCO_3^-)	21-28 mmol/L
Chlorure (Cl^-)	95-105 mmol/L
Phosphate (PO_4^{3-})	0,97-1,45 mmol/L
Protéines	60-80 g/L
Cations	**Valeurs normales**
Potassium (K^+)	3,5-4,9 mmol/L
Magnésium (Mg^{2+})	0,74-1,19 mmol/L
Sodium (Na^+)	135-145 mmol/L
Calcium (Ca^{2+}) (total)	2,1-2,6 mmol/L
Calcium (ionisé)	1,12-1,32 mmol/L

10.9 DÉSÉQUILIBRES SODIQUE ET VOLUMIQUE

Le sodium joue un rôle important dans le maintien de la concentration et du volume du LEC (voir tableau 32.4). Le sodium est le cation le plus abondant du LEC et détermine son osmolalité. Les déséquilibres sodiques sont généralement associés à des variations de l'osmolalité. En raison de son effet sur l'osmolalité, le sodium agit sur la répartition de l'eau entre le LEC et le LIC. Le sodium est également important dans la production des influx nerveux et leur transmission, de même que dans la régulation de l'équilibre acidobasique. Le sodium sérique est mesuré en milliéquivalents par litre (mEq/L) ou en millimoles par litre (mmol/L).

Le tractus gastro-intestinal absorbe le sodium contenu dans les aliments. Généralement, l'apport quotidien de sodium dépasse considérablement les besoins quotidiens de l'organisme. Le sodium est excrété par l'urine, la sueur et les matières fécales. Les reins sont les principaux régulateurs de l'équilibre sodique. L'aldostérone induit l'excrétion du sodium excédant par l'urine. Les reins régulent la concentration de sodium du LEC en excrétant ou en réabsorbant l'eau sous l'action de l'ADH. Le taux de sodium sérique reflète la proportion de sodium présente dans l'eau et ne représente pas la perte ou l'apport de sodium. Ainsi, les variations du taux de sodium sérique peuvent indiquer un déséquilibre hydrique, un déséquilibre sodique ou les deux. Les déséquilibres sodiques sont généralement associés aux déséquilibres du LEC (voir figures 10.11 et 10.12).

10.9.1 Hypernatrémie

L'hypernatrémie se caractérise par un taux de sodium sérique élevé qu'une perte d'eau ou un apport excessif de sodium engendre. Les principales causes d'hypernatrémie sont énumérées au tableau 10.5. Le sodium étant le principal facteur déterminant de l'osmolalité du LEC, l'hypernatrémie entraîne nécessairement une hyperosmolalité. L'hyperosmolalité expulse l'eau hors des cellules, d'où l'atrophie cellulaire.

Comme il a été mentionné précédemment, la principale protection de l'organisme contre l'hyperosmolalité demeure la soif. Quand l'osmolalité plasmatique augmente, le centre de la soif situé dans l'hypothalamus est stimulé et incite la personne à boire. L'augmentation de la sécrétion d'ADH contribue à réguler l'hypernatrémie.

L'hypernatrémie survient rarement chez une personne en bonne santé et capable de réagir à l'aide du mécanisme de la soif. L'hypernatrémie causée par une carence en eau est souvent reliée à une perturbation de l'état de conscience ou à une impossibilité d'obtenir du liquide. Le client inconscient, la personne âgée, le malade dont le centre de la soif est moins sensible et la

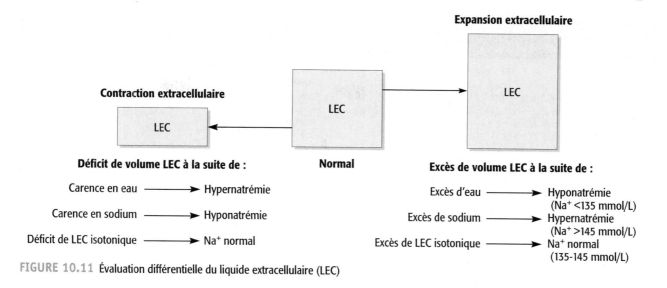

FIGURE 10.11 Évaluation différentielle du liquide extracellulaire (LEC)

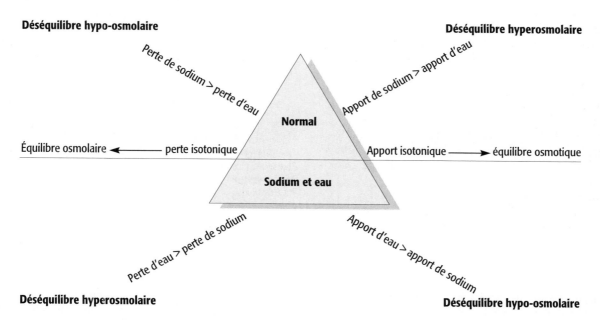

FIGURE 10.12 Les apports et les pertes isotoniques perturbent principalement le compartiment de liquide extracellulaire (LEC), avec peu ou aucun mouvement de liquides dans les cellules. Dans les déséquilibres hypertoniques, le liquide est expulsé de la cellule et gagne le LEC pour diluer le sodium concentré, ce qui entraîne une atrophie de la cellule. Les déséquilibres hypotoniques font en sorte que l'eau pénètre dans la cellule, ce qui entraîne son hypertrophie.

personne à mobilité réduite présentent un risque élevé d'hypernatrémie.

Plusieurs problèmes de santé peuvent entraîner une perte hydrique et une hypernatrémie. Une inhibition complète de la sécrétion de l'ADH par l'hypophyse postérieure (diabète insipide central) ou une diminution de la réponse des reins à l'ADH (diabète insipide néphrogénique) peut entraîner une diurèse importante qui mène vers une carence en eau ou l'hypernatrémie. Les causes les plus fréquentes sont l'alimentation entérale

avec des solutions hyperosmolaires, la diurèse osmotique produite par l'hyperglycémie (diabète non contrôlé de type I et II) ou l'administration de diurétiques osmotiques (mannitol). Les autres causes comprennent les pertes d'eau accompagnant l'hyperthermie, les diarrhées graves et l'hyperhidrose sans suppléance hydrique.

Un apport sodique plus grand qu'un apport hydrique peut également entraîner l'hypernatrémie (voir tableau 32.4). L'administration par voie intraveineuse de bicarbonate de sodium ou de solution saline hypertonique,

TABLEAU 10.5 Déséquilibres hydrique et sodique : causes et manifestations cliniques

Surplus hydrique : hyponatrémie (Na⁺<135 mmol/L)	Déficit hydrique : hypernatrémie (Na⁺>145 mmol/L)

CAUSES

Perte sodique	**Perte hydrique**
Pertes GI : diarrhée, vomissement, fistules, aspiration gastrique	Augmentation de la perte hydrique insensible ou de la transpiration (forte fièvre, coup de chaleur)
Pertes rénales : diurétiques, insuffisance surrénalienne, néphropathie augmentant l'excrétion de Na⁺	Diabète insipide
Pertes cutanées : brûlures, drainage de plaie	Diurèse osmotique
Apport hydrique	**Apport sodique**
SIADH	Administration IV de solution hypertonique (NaCl 3 %)
Insuffisance cardiaque congestive	Administration IV de bicarbonate de sodium
Quantité excessive de soluté intraveineux hypotonique	Administration IV de solution hypotonique (NaCl 0,9 %) en quantité excessive
Polydipsie primaire	Hyperaldostéronisme primaire
	Quasi-noyade en mer

MANIFESTATIONS CLINIQUES

Diminution du volume du LEC (perte sodique)	**Diminution du volume du LEC (perte hydrique)**
Irritabilité, inquiétude, confusion	Soif intense, langue sèche et enflée
Hypotension orthostatique	Instabilité psychomotrice, agitation, contraction musculaire
Tachycardie	Convulsions, coma
Pouls rapide et filiforme	Faiblesse
Faible PVC	Hypotension orthostatique
Diminution de la pression de remplissage jugulaire	Perte de poids
Nausées, vomissements	
Muqueuses sèches	
Perte de poids	
Tremblements, convulsions, coma	
Stabilité ou augmentation du volume du LEC (apport hydrique)	**Stabilité ou augmentation du volume du LEC (apport sodique)**
Céphalées, lassitude, apathie, faiblesse, confusion	Soif intense
Nausées, vomissements	Instabilité psychomotrice, agitation, contraction musculaire
Prise de poids	Convulsions, coma
Pression artérielle élevée, PVC élevée	Bouffée vasomotrice
Spasmes musculaires, convulsions, coma	Prise de poids
	Œdème périphérique et pulmonaire
	Pression artérielle élevée, PVC élevée

GI : gastro-intestinal ; IV : intraveineux ; LEC : liquide extracellulaire ; PVC : pression veineuse centrale ; SIADH : syndrome d'antidiurèse inappropriée.

la consommation de médicaments contenant du sodium, l'absorption orale excessive de sodium (ingestion d'eau de mer) ou l'aldostéronisme primaire causé par une tumeur des glandes surrénales sont des facteurs déclencheurs de l'hypernatrémie.

Le tableau 10.5 décrit les manifestations cliniques de l'hypernatrémie. Les symptômes sont occasionnés par une variation de l'osmolalité plasmatique et une modification du volume intracellulaire. Les manifestations neurologiques comme la soif, la léthargie, l'agitation, les convulsions et même le coma sont provoquées par l'atrophie des neurones. L'excès de sodium augmente l'irritabilité et la conductibilité des cellules nerveuses. Le client souffrant d'hypernatrémie présente aussi les symptômes d'un déséquilibre hydrique.

Soins infirmiers. Le traitement de l'hypernatrémie imputable à une perte hydrique ou à un apport excessif en sodium vise les causes sous-jacentes. Dans le cas d'un déficit hydrique primaire, on doit prévenir la perte d'eau continue et remplacer l'eau perdue. Des solutés de dextrose à 5 % en solution aqueuse ou en solution saline hypotonique peuvent d'abord être administrés par voie intraveineuse lorsque le client est incapable d'ingérer des liquides par voie orale. Les concentrations de sodium sérique doivent être réduites graduellement pour éviter que l'échange liquidien entre les cellules soit trop rapide et provoque un œdème cérébral. Les risques sont plus élevés lorsque l'hypernatrémie est présente depuis plusieurs jours.

Les familles qui s'occupent d'une personne âgée handicapée ou comateuse à domicile doivent être informées de l'importance d'un apport hydrique suffisant afin de prévenir des complications. Les solutions iso-osmolaires et hypo-osmolaires ne contiennent pas suffisamment d'eau libre pour compenser les pertes hydriques excessives. Lors d'excès sodique, l'objectif du traitement consiste à diluer la concentration de sodium et de favoriser l'excrétion du surplus de sodium. Les solutés de dextrose à 5 % en solution aqueuse sont généralement administrés avec des diurétiques. L'apport en sodium est également réduit. (Voir chapitre 41 concernant le traitement spécifique du diabète insipide.)

10.9.2 Hyponatrémie

L'hyponatrémie résulte d'une perte de liquide contenant du sodium ou d'un apport hydrique excessif, et se caractérise par un taux de sodium sérique faible. L'hyponatrémie favorise l'entrée d'eau dans les cellules et provoque l'hypo-osmolalité.

Les principales causes de l'hyponatrémie reliée à un apport liquidien excessif sont l'administration inadéquate de soluté intraveineux hypotonique ou sans sodium à la suite d'une chirurgie ou d'un traumatisme majeur, ou lors d'insuffisance rénale ou de troubles mentaux. Le SIADH entraîne une hyponatrémie de dilution en raison de la rétention hydrique excessive. (Le chapitre 41 traite des causes du SIADH.)

Les pertes de liquides biologiques riches en sodium (provenant du tractus gastro-intestinal, des reins et de la peau) n'entraînent pas une hyponatrémie, car ces liquides sont isotoniques ou hypotoniques. Par conséquent, la quantité de sodium perdue est égale ou inférieure à la quantité d'eau perdue. Cependant, la réaction physiologique à cette perte volumique (c.-à-d. la sécrétion d'ADH et la soif) peut entraîner une hyponatrémie reliée à la rétention d'eau.

Les manifestations cliniques d'un apport hydrique excessif comprennent le gain de poids et l'augmentation de la pression veineuse centrale (PVC). Des symptômes neurologiques se manifestent lorsque l'hyponatrémie est secondaire à une diminution de l'osmolalité plasmatique et à un échange liquidien anormal dans les cellules cérébrales. Le tableau 10.5 présente les manifestations cliniques de l'hyponatrémie.

Soins infirmiers. Lorsque l'hyponatrémie est attribuable à un apport hydrique excessif, la restriction liquidienne représente un traitement de choix. Lors de symptômes graves (p. ex. des convulsions), de petites quantités de solution saline hypertonique (3 % NaCl) peuvent être administrées par voie intraveineuse afin de restaurer la concentration sérique normale de sodium pendant que l'organisme rétablit l'équilibre hydrique. Le traitement de l'hyponatrémie liée à une perte excessive de liquide comprend le remplacement liquidien avec des solutions salines. À domicile, les solutions commerciales contenant des électrolytes peuvent aider à prévenir l'apparition de l'hyponatrémie. Comme pour l'hypernatrémie, l'hyponatrémie chronique doit être corrigée lentement afin de prévenir les lésions neurologiques secondaires à une myélinolyse (destruction de la myéline).

10.9.3 Déséquilibres du liquide extracellulaire

Les déficits de LEC (hypovolémie) et les excès de LEC (hypervolémie) sont fréquents (voir tableau 10.6). Les déséquilibres de volume du LEC sont généralement accompagnés de un ou de plusieurs autres déséquilibres électrolytiques. Les déséquilibres volumiques sont souvent associés aux variations de concentration de sodium sérique. Les déficits de volume liquidien peuvent survenir lorsqu'il y a des pertes excessives de liquides biologiques (p. ex. diarrhée, fistule, écoulement, hémorragie, polyurie), un faible apport en liquides ou un transfert de liquide plasmatique vers le compartiment interstitiel. L'excès de volume liquidien peut apparaître à la suite d'un apport excessif de liquide, d'une rétention excessive de liquide (p. ex. insuffisance cardiaque congestive, insuffisance rénale) ou d'un transfert de liquide interstitiel vers le plasma. Bien qu'ils ne modifient pas l'ensemble du volume du LEC, les échanges liquidiens entre le plasma et l'espace interstitiel entraînent une modification du volume intravasculaire.

Soins infirmiers. Le traitement du déficit de volume liquidien a pour but de corriger la cause sous-jacente et de remplacer l'eau et les électrolytes. On administre généralement des solutions intraveineuses d'électrolytes isotoniques comme le Lactate Ringer. On peut également administrer une solution de chlorure de sodium isotonique (NaCl 0,45 %) pour remplacer rapidement le liquide perdu. On administre une transfusion sanguine seulement lorsque la perte volumique est secondaire à une perte sanguine.

TABLEAU 10.6 Causes des déséquilibres du LEC	
Déficit de volume de LEC	**Excès de volume de LEC**
Augmentation de la perte	**Augmentation de la rétention**
Vomissements	Insuffisance cardiaque congestive
Diarrhée	Syndrome de Cushing
Écoulement provenant d'une fistule	Maladie du foie chronique accompagnée d'hypertension portale
Aspiration gastrique	
Hyperhidrose	Usage à long terme de corticostéroïdes
Échange de liquide interstitiel (p. ex. brûlures, occlusion intestinale)	Insuffisance rénale
Abus de diurétiques	
Hémorragie	
Diminution de l'apport	**Augmentation de l'apport**
Nausées	Rare lorsque la fonction rénale est adéquate
Anorexie	
Incapacité de boire	Administration excessive de liquide par voie intraveineuse
Incapacité à obtenir de l'eau	

Le traitement de l'excès de volume liquidien vise à retirer le sodium et l'eau sans modifier la concentration des électrolytes ou l'osmolalité du LEC. Les diurétiques et la restriction liquidienne permettent de traiter le problème. La restriction sodique peut aussi être indiquée. Une thoracocentèse est parfois nécessaire en cas d'épanchement pleural causé par un excès liquidien. En présence d'ascite, une paracentèse peut être utile pour évaluer l'excès liquidien dans la cavité péritonéale.

10.9.4 Soins infirmiers : déséquilibres sodique et volumique

Diagnostics infirmiers. Pour le client atteint de différents déséquilibres liquidiens ou sodiques, les diagnostics infirmiers comprennent entre autres :

Dans le cas d'un excès de volume liquidien extracellulaire :
- augmentation du volume liquidien relié à la rétention excessive de liquides et de sodium ;
- risque d'atteinte à l'intégrité de la peau relié à l'œdème ;
- perturbation de l'image corporelle reliée à la modification de l'apparence corporelle secondaire à l'œdème ;
- risque d'altération de l'échange gazeux relié à une accumulation excessive de LEC.

Dans le cas d'un déficit de volume liquidien extracellulaire :
- déficit de volume liquidien relié à une perte excessive de LEC ou à une diminution de l'apport liquidien ;
- risque de complication cardiogénique reliée à une diminution excessive de LEC.

Dans le cas de l'hypernatrémie :
- risque de blessure relié à une altération sensorielle, à une perturbation de l'état de conscience et à des convulsions secondaires au fonctionnement anormal du SNC.

Dans le cas de l'hyponatrémie :
- risque de blessure relié à une altération sensorielle et à une perturbation de l'état de conscience secondaires au fonctionnement anormal du SNC.

Interventions infirmières

Ingesta et excreta. La mesure des ingesta et des excreta sur une période de 24 heures permet de déceler les déséquilibres hydriques. Les apports ou les pertes liquidiennes excessives doivent être notés séparément. Les ingesta regroupent tous les liquides pris par voie orale, par voie intraveineuse et par voie gastro-entérique. Les excreta comprennent l'urine, la transpiration excessive, l'écoulement des plaies chirurgicales, l'aspiration gastrique, les vomissements et la diarrhée. Les pertes liquidiennes imputables aux plaies ou à la transpiration sont estimées. La densité de l'urine représente une mesure de la concentration de l'urine et sert à évaluer la capacité des reins à conserver ou à éliminer le liquide. Une densité

urinaire supérieure à 1,025 indique une urine concentrée et une densité inférieure à 1,010, une urine diluée.

Signes vitaux. Les signes et les symptômes liés à un excès de volume de LEC comprennent une modification de la pression artérielle, de la fréquence cardiaque, de la fréquence respiratoire, de la pression veineuse centrale (PVC) et des bruits pulmonaires. Lorsqu'il y a un excès de volume liquidien, la stimulation du système nerveux sympathique engendre une tachycardie. Le pouls est rapide, bondissant et difficile à palper. La fréquence respiratoire est rapide, la pression sanguine et la PVC sont élevées. Le client souffre de congestion pulmonaire et d'œdème, et présente de la dyspnée et des râles sous crépitants à l'auscultation.

En présence d'un déficit de volume liquidien léger à modéré, les mécanismes compensateurs comprennent la stimulation cardiaque et la vasoconstriction périphérique induites par le système nerveux sympathique. La stimulation cardiaque accélère la fréquence cardiaque et, associée à la vasoconstriction, maintient une pression artérielle normale. Le passage de la position couchée à la position assise ou debout peut entraîner une accélération de la fréquence cardiaque ou une baisse de la pression artérielle (hypotension orthostatique). Le client souffrira d'hypotension en position couchée si la vasoconstriction et la tachycardie ne compensent pas suffisamment. En présence d'un déficit de volume liquidien grave, le pouls peut être faible, filant et difficile à palper. La PVC est faible. La fréquence respiratoire augmente à la suite d'une diminution de l'irrigation des tissus et de l'hypoxie. Un déficit liquidien grave non traité provoque un choc hypovolémique.

Modifications neurologiques. Un déséquilibre sodique et liquidien peut donner lieu à des manifestations neurologiques. En présence d'un volume liquidien excessif et d'hyponatrémie, l'eau pénètre dans les cellules cérébrales par osmose. À l'inverse, lors d'un déficit du volume liquidien et d'hypernatrémie, l'eau sort des cellules cérébrales, qui s'atrophient. Un grave déficit de volume liquidien peut entraîner une altération sensorielle et une perturbation de l'état de conscience à la suite d'une plus faible irrigation des tissus cérébraux.

L'évaluation des fonctions neurologiques porte sur : l'état de conscience, c'est-à-dire la réponse verbale et motrice aux stimuli, l'identification des personnes et l'orientation (espace, temps) ; la réaction pupillaire à la lumière (taille et symétrie des pupilles) ; et la coordination du mouvement, le tonus, la force musculaire et les réflexes.

Poids quotidien. La pesée quotidienne permet d'évaluer l'état volumique du client. Une augmentation de 1 kg est égale à une rétention liquidienne de 1 L (en supposant que la personne ait conservé le même apport alimentaire ou qu'elle n'ait pas jeûné). Les variations de poids sont fiables si les données ont été recueillies dans des conditions semblables. Afin de pouvoir comparer objectivement les données, l'infirmière doit peser le client au même moment de la journée, sur le même pèse-personne et avec les mêmes vêtements.

Examen et soins de la peau. Il est possible de déceler des signes d'excès ou de déficit de volume liquidien en observant l'élasticité et la turgescence de la peau. En général, la peau se soulève facilement et se replace dès qu'elle est relâchée. On évalue l'élasticité tissulaire à l'aide des régions situées sur le sternum et sur le dessus de l'avant-bras (voir figure 10.13).

En présence d'un déficit de volume liquidien, la peau est moins élastique et ne reprend pas sa forme initiale immédiatement après avoir été pincée. La peau peut être froide et humide si une vasoconstriction sympathique compense la diminution du volume liquidien. L'hypovolémie légère ne stimule généralement pas une réaction compensatoire ; par conséquent, la peau sera chaude, sèche et ridée. La peau perd son élasticité avec l'âge. C'est pourquoi il est parfois difficile d'évaluer un déficit liquidien chez une personne âgée. Un déficit de volume liquidien se manifeste par une muqueuse buccale sèche, une langue plissée et le client se plaint de soif. Des soins buccaux quotidiens sont essentiels pour le confort du client déshydraté ou qui subit une restriction liquidienne à la suite d'un excès de volume liquidien.

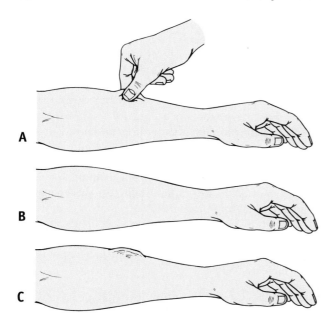

FIGURE 10.13 Examen de l'élasticité de la peau. A et B. Une peau normale qui est pincée redevient lisse en quelques secondes. C. Une peau qui reste plissée pendant 10 à 30 secondes a subi une perte d'élasticité.

La peau œdémateuse est tendue, luisante et froide au toucher en raison de la pression sur les vaisseaux et le ralentissement du débit sanguin causés par l'accumulation de liquide. Pour évaluer l'importance de l'œdème, on appuie avec le pouce et l'index sur la région œdémateuse pendant cinq secondes, puis on relâche la pression. Lorsqu'on laisse une marque sur la région œdémateuse, il s'agit d'œdème à godet. La profondeur du godet, mesurée en millimètres, détermine le degré d'œdème. Un godet de deux millilitres, par exemple, équivaut à un œdème de 1+. Pour déceler un œdème, les régions à examiner sont les régions où des tissus mous recouvrent un os. Les régions privilégiées sont celles qui recouvrent le tibia, le péroné et le sacrum.

Les personnes qui souffrent d'un excès ou d'un déficit de volume liquidien doivent surveiller régulièrement l'intégrité de leur peau. Les régions œdémateuses doivent être protégées du chaud et du froid, d'une pression prolongée et d'un traumatisme. Des soins fréquents et des changements de position réguliers permettent de prévenir la détérioration des tissus cutanés. L'élévation des régions œdémateuses facilite le retour veineux et la réabsorption liquidienne. L'application de crème ou d'huile hydratante permet d'augmenter la rétention de l'humidité et de stimuler la circulation. On doit éviter l'utilisation de savon pour prévenir l'assèchement de la peau.

Autres interventions infirmières. Le débit de perfusion des solutés intraveineux doit être étroitement contrôlé. Il faut accélérer le débit avec prudence, notamment lorsque de grandes quantités de liquides ou certains électrolytes sont utilisés. Cette précaution est particulièrement cruciale chez le client souffrant de troubles cardiaques, rénaux ou neurologiques. L'infirmière doit encourager et aider le client âgé ou handicapé à maintenir un apport hydrique adéquat. La solution du client qui reçoit une alimentation entérale doit contenir l'eau nécessaire à ses besoins hydriques quotidiens.

Un client ayant une aspiration gastrique doit éviter de boire de l'eau puisque la perte d'électrolytes sera accentuée. Pour son confort, le client peut sucer des glaçons. La sonde gastrique doit toujours être irriguée avec une solution saline isotonique et non avec de l'eau. En effet, les électrolytes diffusent dans l'eau et sont entraînés dans l'estomac où ils sont aspirés par le tube naso-gastrique.

10.10 DÉSÉQUILIBRES POTASSIQUES

Le potassium est le cation le plus abondant du LIC. Quatre-vingt-dix-sept pour cent du potassium que l'on retrouve dans l'organisme est intracellulaire. Par exemple, le taux de potassium dans les cellules musculaires est d'environ 140 mmol/L, alors que le taux de potassium dans le LEC est de 3,5 à 5,5 mmol/L. La pompe sodium-potassium située dans la membrane cellulaire maintient cette différence de concentration en pompant le potassium dans la cellule et en expulsant le sodium hors d'elle. Ce processus est alimenté par la dégradation de l'ATP (transport actif).

La petite quantité de potassium contenue dans le LEC est extrêmement importante. En effet, le taux de potassium du LEC détermine le potentiel membranaire au repos de la plupart des cellules excitables. Les variations du taux de potassium dans le LEC modifient l'excitabilité des muscles, des neurones et de nombreux autres tissus, y compris les cellules pancréatiques sécrétrices d'insuline. En raison de ses effets sur l'excitabilité cellulaire, le potassium du LEC contribue au maintien du rythme cardiaque, à la transmission et à la conduction des influx nerveux, à la contraction des muscles squelettiques, et au fonctionnement des muscles lisses et de nombreux tissus endocriniens. Le potassium du LIC intervient dans le métabolisme et les fonctions cellulaires pour régir la synthèse des protéines et du glycogène.

Afin d'évaluer l'équilibre potassique d'un client, on procède à l'analyse des ingesta et excreta de potassium et des échanges de potassium entre le LIC et le LEC. En général, l'alimentation quotidienne des Occidentaux contient environ 50 à 100 mmol/L de potassium, et celui-ci provient principalement des fruits frais, des fruits séchés et des légumes (voir tableau 32.4). De nombreux succédanés de sel contiennent une quantité appréciable de potassium. Le client peut recevoir du potassium par voie parentérale sous forme de perfusion intraveineuse, de transfusion sanguine ou de pénicilline G potassique.

Environ 90 % de l'élimination du potassium se fait par les reins ; le 10 % résiduel est éliminé dans les selles et par la transpiration. Chez le client qui a une fonction rénale adéquate, de nombreux facteurs influent sur la quantité de potassium éliminée par les reins. Parmi ces facteurs, on compte notamment le potassium contenu dans le LEC et le LIC, le sodium qui se trouve dans le LEC, et le volume sanguin. Il existe une relation inverse entre la réabsorption du sodium et du potassium par les reins. Les facteurs qui causent la rétention de sodium (p. ex. hypovolémie, taux élevé d'aldostérone) entraînent la perte de potassium dans l'urine. Un grand volume urinaire peut être associé à une perte excessive de potassium dans l'urine. Il est possible que le potassium soit retenu au point d'atteindre un taux toxique lorsque la fonction rénale est grandement perturbée.

Un dérèglement de l'équilibre entre le potassium du LIC et celui du LEC entraîne souvent des problèmes cliniques. Les médecins font intervenir les mécanismes en jeu dans cet équilibre pour corriger l'hypokaliémie et l'hyperkaliémie. Parmi les facteurs qui déplacent le potassium du LEC au LIC, figurent l'insuline, la stimulation bêta-adrénergique (comme lorsque l'adrénaline est sécrétée en présence de stress, d'ischémie cardiaque, de delirium tremens, ou lorsqu'elle est administrée chez le client souffrant d'asthme ou la cliente qui accouche prématurément), l'alcalose, la prolifération rapide de cellules (comme lors de l'anémie mégaloblastique, où on administre de l'acide folique ou de la cobalamine [vitamine B_{12}] pour stimuler de la production de plaquettes ou d'érythrocytes). Les facteurs qui entraînent un mouvement de potassium du LIC au LEC comprennent l'acidose, les traumatismes cellulaires (comme lors de lésions importantes des tissus mous ou du syndrome de lyse tumorale) et l'exercice. Les médicaments semblables à la digoxine et les inhibiteurs β-adrénergiques (comme le propranolol [Inderal]) peuvent nuire à l'absorption de potassium par les cellules, ce qui entraîne une hausse de la concentration de potassium dans le LEC. Les causes de déséquilibre potassique sont résumées au tableau 10.7. Le tableau 32.4 résume le rôle du potassium dans l'organisme.

10.10.1 Hyperkaliémie

L'hyperkaliémie peut être causée par un apport excessif de potassium, une mauvaise excrétion rénale, un déplacement du potassium du LIC au LEC, ou par une combinaison de ces facteurs. La cause la plus fréquente d'hyperkaliémie est l'insuffisance rénale. L'hyperkaliémie est souvent associée à l'hyperglycémie dans les cas de diabète non contrôlé de type I et II, chez le client souffrant de destruction massive des cellules (p. ex. brûlure, lésion par écrasement ou syndrome de lyse tumorale), qui subit une transfusion sanguine rapide, ou qui présente un état catabolique (p. ex. infections graves). Lors d'acidose métabolique, notamment en présence d'un taux de chlorure normal, il se produit un mouvement de cation potassium (K^+) du LIC vers le LEC à mesure que les ions hydrogène entrent dans la cellule. L'insuffisance surrénalienne entraîne la rétention de K^+ dans le sérum en raison de la déficience en aldostérone. Certains médicaments, comme les diurétiques hyperkaliémiants et les inhibiteurs de l'enzyme de conversion de l'angiotensine (IECA) peuvent contribuer à l'apparition de l'hyperkaliémie. Ces deux types de médicaments réduisent la capacité de sécrétion des reins et, par le fait même, l'excrétion du surplus de potassium (voir tableau 10.7).

Manifestations cliniques. L'hyperkaliémie entraîne une dépolarisation des membranes, et par conséquent, perturbe l'excitabilité des cellules. Les muscles squelettiques s'affaiblissent ou paralysent. Le client peut éprouver des crampes aux membres inférieurs. Bien que les muscles des jambes soient touchés, les muscles respiratoires sont

TABLEAU 10.7   Déséquilibres potassiques : causes et manifestations cliniques

Hypokaliémie (K⁺ <3,5 mmol/L)	Hyperkaliémie (K⁺ >5,5 mmol/L)
CAUSES	
Perte de potassium Pertes GI : diarrhée, vomissements, fistules, aspiration NG Pertes rénales : diurétiques, taux élevé d'aldostérone, perte de magnésium Pertes cutanées : diaphorèse Dialyse	**Excès d'apport en potassium** Administration par voie parentérale rapide ou excessive Médicaments contenant du potassium (p. ex. pénicilline G potassique) Succédanés de sel contenant du potassium
Échange de potassium entre les cellules Augmentation de la libération d'insuline (p. ex. administration rapide de dextrose par voie IV) Alcalose Réparation tissulaire Augmentation de la libération d'adrénaline (p. ex. stress)	**Échange de potassium sortant des cellules** Acidose Catabolisme tissulaire (p. ex. fièvre, infection, brûlures) Lésion par écrasement Syndrome de lyse tumorale
Carence d'apport en potassium Inanition Alimentation faible en potassium Échec à inclure du potassium dans les liquides administrés par voie parentérale en cas de NPO	**Échec à éliminer le potassium** Néphropathie Diurétiques hyperkalémiants Insuffisance surrénale Inhibiteurs de l'ECA
MANIFESTATIONS CLINIQUES	
Fatigue, faiblesse musculaire Crampes dans les membres inférieurs Nausées, vomissements, iléus Muscles flasques Paresthésie, diminution des réflexes Pouls faible et irrégulier Polyurie Hyperglycémie	Irritabilité Anxiété Crampes abdominales, diarrhée Faiblesse des membres inférieurs Paresthésie Pouls irrégulier Arrêt cardiaque lorsque l'hyperkaliémie est soudaine ou grave
Variations de l'ECG Dépression du segment ST Onde T aplatie Présence d'onde U Arythmies ventriculaires (p. ex. ESV) Bradycardie Effet digitalique prononcé	**Variations de l'ECG** Onde T ample et pointue Allongement de l'intervalle PR Dépression du segment ST Disparition de l'onde P Élargissement du complexe QRS Fibrillation ventriculaire Arrêt des contractions ventriculaires

ECA : enzyme de conversion de l'angiotensine ; ESV : extrasystole ventriculaire ; NPO : aucune ingestion par la bouche.

épargnés. Les cellules cardiaques se dépolarisent également, un phénomène qui entrave la conduction et crée des arythmies qui peuvent s'avérer mortelles. Une fibrillation ventriculaire ou un arrêt cardiaque peut survenir. La dépolarisation cardiaque est altérée, ce qui entraîne l'aplatissement de l'onde P et l'élargissement du complexe QRS. La repolarisation survient plus rapidement. Il en résulte une diminution de l'intervalle QT. L'onde T, quant à elle, devient plus pointue et sa base devient plus étroite. Le tableau 10.7 présente d'autres manifestations cliniques.

Soins infirmiers : hyperkaliémie

Diagnostics infirmiers. Lors d'hyperkaliémie, les diagnostics infirmiers comprennent entre autres :
- le risque de blessure relié à une faiblesse des membres inférieurs et à des convulsions ;

- le risque d'arythmies cardiaques reliées à l'hyperkaliémie.

Interventions infirmières. Le traitement de l'hyperkaliémie consiste à :
- diminuer les apports de potassium par voie orale ou parentérale (voir tableaux 38.5 et 32.4) ;
- augmenter l'élimination de potassium, soit au moyen de diurétiques, de la dialyse ou en utilisant des résines d'échange cationique comme le sulfonate de polystyrène de sodium (Kayexalate). Un plus grand apport liquidien peut accroître l'élimination de potassium par voie rénale ;
- forcer le potassium à migrer du LEC au LIC en administrant de l'insuline par voie intraveineuse (accompagnée de glucose de manière à ce que le client ne devienne pas hypoglycémique) ou en administrant du

bicarbonate de sodium par voie intraveineuse. Parfois, on administre un médicament adrénergique (p. ex. adrénaline) ;

- administrer du gluconate de calcium par voie intraveineuse. L'ion calcium peut inverser les effets de la dépolarisation sur l'excitabilité de la cellule. Il en résulte une diminution du taux de potassium dans le LEC ;
- limiter l'apport en potassium et favoriser son élimination ;
- administrer les résines d'échange cationique. À mesure qu'il se déplace dans l'intestin, le Kayexalate se lie aux ions de potassium, puis la résine est éliminée dans les selles (voir chapitre 38) ;
- surveiller l'ECG.

Dans les cas où l'augmentation de potassium est légère et où les reins fonctionnent normalement, éliminer le potassium de l'alimentation et des sources intraveineuses, et augmenter l'élimination rénale en administrant des liquides ou des diurétiques peut être suffisant. Le client qui souffre d'une hyperkaliémie cliniquement significative doit être suivi à l'aide d'un moniteur cardiaque afin de déceler les arythmies et de surveiller les effets du traitement. L'hémodialyse est un moyen efficace d'éliminer le potassium de l'organisme lors d'insuffisance rénale.

10.10.2 Hypokaliémie

L'hypokaliémie peut être causée par des pertes anormales de potassium à la suite d'un mouvement de potassium du LEC au LIC, ou plus rarement, par un apport de potassium insuffisant. Les causes les plus fréquentes d'hypokaliémie sont les pertes anormales subies par les reins ou par le tractus gastro-intestinal. Les pertes anormales surviennent lorsque le client prend des diurétiques, notamment ceux qui ont un taux élevé d'aldostérone. Lors d'hypovolémie, l'aldostérone est sécrétée et il s'ensuit une rétention de sodium par les reins et une perte de potassium dans l'urine. Une carence en magnésium peut conduire à une déplétion en potassium secondaire à une excrétion urinaire accrue. Les pertes gastro-intestinales dues à la diarrhée, aux vomissements et au drainage d'une iléostomie peuvent provoquer une hypokaliémie.

L'alcalose métabolique peut entraîner une entrée de potassium dans les cellules, diminuer ainsi la quantité de potassium dans le LEC et se solder par une hypokaliémie symptomatique. Le traitement de l'acidocétose diabétique s'accompagne parfois d'hypokaliémie, car l'administration d'insuline et la correction de l'acidose donnent lieu à des pertes significatives de potassium dans l'urine et à une entrée de potassium dans les cellules. La prolifération cellulaire soudaine peut aussi conduire à l'hypokaliémie, quoique le

phénomène soit relativement rare. Par exemple, citons le cas de la prolifération d'érythrocytes consécutive au traitement de l'anémie avec la cobalamine (vitamine B_{12}), l'acide folique ou l'érythropoïétine.

Manifestations cliniques. L'hypokaliémie modifie le potentiel de la membrane à l'état de repos. Elle est généralement associée à une hyperpolarisation ou à une augmentation de la charge négative dans la cellule, ce qui a pour effet d'engendrer des problèmes d'excitabilité pour de nombreux types tissulaires. Les problèmes cliniques les plus graves sont les troubles cardiaques. Les arythmies cardiaques peuvent même menacer le pronostic vital. Le client doit être surveillé à l'aide d'un moniteur cardiaque et d'électrocardiogrammes (ECG) pour déceler les signes d'hypokaliémie, par exemple, une défaillance de la repolarisation, qui se manifeste par un aplatissement de l'onde T et l'apparition de l'onde U. En outre, l'amplitude de l'onde P peut s'accroître et former des pointes. L'hypokaliémie rend le myocarde plus sensible à la digoxine, d'où un risque d'intoxication plus élevé à ce médicament cardiotonique.

Lors d'hypokaliémie, la faiblesse musculaire et la paralysie peuvent se manifester. Comme dans le cas de l'hyperkaliémie, les symptômes les plus fréquents sont observés dans les membres inférieurs. Les muscles respiratoires et ceux innervés par les nerfs crâniens ne sont pas touchés. Les crampes musculaires et la destruction du muscle strié (connu sous le nom de rhabdomyolyse) peuvent survenir et peuvent s'accompagner de myoglobinurie ou de présence de myoglobine dans le plasma. Une insuffisance rénale peut alors en découler.

L'hypokaliémie altère le fonctionnement des muscles lisses. Les répercussions sont une motilité gastro-intestinale perturbée (p. ex. iléus paralytique), une altération de la fonction respiratoire, et une mauvaise régulation du débit sanguin artériel. Finalement, l'hypokaliémie peut aussi nuire au fonctionnement du tissu non contractile. La polyurie ou la polydipsie et la diminution de la libération d'insuline par le pancréas (accompagnée d'hyperglycémie) en sont des exemples. Les manifestations cliniques de l'hypokaliémie sont présentées au tableau 10.7.

Soins infirmiers : hypokaliémie

Diagnostics infirmiers. Lors d'hypokaliémie, les diagnostics infirmiers comprennent entre autres :

- le risque de blessure relié à la faiblesse musculaire et à l'hyporéflectivité ;
- le risque d'arythmie cardiaque reliée à l'hypokaliémie.

Interventions infirmières. L'hypokaliémie est traitée en administrant des suppléments de chlorure de potassium et en augmentant l'apport alimentaire de potassium. Les suppléments de chlorure de potassium (KCl) peuvent être administrés par voie orale ou par voie intraveineuse. On prescrit du KCl uniquement lors de carences graves ou si l'excrétion d'urine est supérieure à 0,5 ml/kg du poids corporel par heure. Les suppléments de KCl ajoutés aux perfusions intraveineuses ne doivent jamais dépasser 60 mmol/L. Le taux idéal est 40 mmol/L. La vitesse de perfusion par voie intraveineuse de KCl ne doit pas excéder 10 à 20 mmol par heure pour prévenir les risques d'hyperkaliémie et d'arrêt cardiaque. Lorsque le KCl est administré par voie intraveineuse, le potassium peut causer des douleurs et une phlébite au site de perfusion et augmenter le risque d'arythmie cardiaque et de phlébite. C'est la raison pour laquelle il est contre-indiqué d'administrer le potassium par voie intraveineuse directe. On doit utiliser un cathéter intraveineux central lorsque l'hypokaliémie doit être corrigée rapidement. Le potassium peut également être administré sous la forme de phosphate de potassium.

Le client qui prend des diurétiques (en particulier des diurétiques thiazidiques et des diurétiques de l'anse) doit être informé de la nécessité d'augmenter son apport alimentaire en potassium (voir tableau 38.5). Il peut s'avérer nécessaire de lui prescrire des suppléments de KCl par voie orale ou des succédanés de sel avec potassium. On doit le renseigner au sujet des aliments riches en potassium, et lui apprendre à reconnaître les manifestations cliniques de l'hypokaliémie et à les signaler au personnel soignant (voir tableau 32.4). Lorsqu'un client doit également prendre des préparations digitaliques, la concentration de potassium sérique doit être étroitement surveillée, car l'hypokaliémie intensifie l'action de la digitale et augmente son risque de toxicité.

10.11 DÉSÉQUILIBRES CALCIQUES

Le calcium est obtenu par l'alimentation. Cependant, le tractus gastro-intestinal n'absorbe qu'environ 30 % du calcium ingéré. Plus de 99 % de la totalité du calcium de l'organisme est combiné au phosphore et est concentré dans l'appareil locomoteur. La quantité de calcium normalement présente dans le sérum est inversement proportionnelle à la quantité de phosphore ; si l'un augmente, l'autre diminue. Le calcium joue un rôle dans la transmission des influx nerveux, la contraction cardiaque et musculaire, la coagulation sanguine, et la formation des dents et des os. Le tableau 32.4 présente un résumé du rôle crucial joué par le calcium dans l'organisme.

Le calcium se présente sous trois formes dans le sérum : libre ou ionisé, lié à une protéine (principalement l'albumine), ou combiné au phosphate, au citrate ou au carbonate. La forme ionisée est biologiquement active. Environ la moitié du calcium sérique total est ionisé.

En général, la concentration de calcium sérique reflète la concentration de calcium total (les trois formes). On peut aussi mesurer la concentration de calcium ionisé. Les concentrations énumérées au tableau 10.8 représentent des concentrations de calcium total. Les variations de pH sanguin modifient la concentration de calcium ionisé sans toutefois altérer la concentration de calcium total. L'acidose empêche la liaison du calcium à l'albumine, ce qui entraîne une augmentation du taux de calcium ionisé, tandis que l'alcalose augmente la liaison du calcium. Les variations du taux d'albumine sérique modifient la concentration de calcium total. Une faible concentration d'albumine entraîne une chute de la concentration de calcium total, bien que la concentration de calcium ionisé ne change pratiquement pas.

L'équilibre calcique est régi par la sécrétion d'hormones parathyroïdes (PTH) et de calcitonine, et par la présence de la vitamine D. La vitamine D est formée par l'action des rayons ultraviolets (UV) sur un précurseur présent dans la peau ou provenant de l'alimentation. Cette vitamine est cruciale pour l'absorption du calcium dans le tractus gastro-intestinal.

La PTH est produite par la glande parathyroïde. Une faible concentration de calcium sérique stimule sa production et sa sécrétion. La PTH favorise la résorption osseuse (excrétion de calcium des os), augmente l'absorption gastro-intestinale de calcium et accroît la réabsorption de calcium par le tubule rénal.

La calcitonine est sécrétée par la glande thyroïde et est stimulée par une concentration élevée de calcium sérique. Son effet s'oppose à celui de la PTH et, par conséquent, elle abaisse la concentration de calcium sérique en diminuant l'absorption gastro-intestinale, en inhibant la résorption osseuse et en favorisant l'excrétion rénale. Les causes des déséquilibres calciques sont énumérées au tableau 10.8.

10.11.1 Hypercalcémie

L'hypercalcémie est généralement associée aux états suivants : tumeur maligne avec ou sans métastases aux muscles squelettiques, myélomes multiples, hyperparathyroïdie, surdose de vitamine D et immobilisation prolongée. L'hypercalcémie survient rarement à la suite d'une augmentation de l'apport de calcium (p. ex. ingestion d'antiacides contenant du calcium ou administration excessive de calcium lors d'un arrêt cardiaque).

Manifestations cliniques. L'excès de calcium sérique cause des troubles de mémoire, la confusion, la désorientation, la fatigue, la faiblesse musculaire, la constipation et des arythmies cardiaques (voir tableau 10.8).

TABLEAU 10.8 Déséquilibres calciques : causes et manifestations cliniques

Hypocalcémie (Ca^{2+} <2,1 mmol/L)	Hypercalcémie (Ca^{2+} >2,6 mmol/L)

CAUSES

Hypocalcémie (Ca^{2+} <2,1 mmol/L)	Hypercalcémie (Ca^{2+} >2,6 mmol/L)
Diminution du calcium total Insuffisance rénale chronique Concentration élevée de phosphore Hypoparathyroïdie primaire Carence en vitamine D Carence en magnésium Pancréatite aiguë Diurétiques de l'anse Alcoolisme chronique Diarrhée Diminution de l'albumine sérique (le client est généralement asymptomatique en raison du taux normal de calcium ionisé)	**Augmentation de la concentration de calcium total** Myélome multiple Autre tumeur Immobilisation prolongée Hyperparathyroïdie Surdose de vitamine D Diurétiques thiazidiques Syndrome du lait et des alcalins
Diminution de calcium ionisé Alcalose Administration excessive de sang additionné de citrate	**Augmentation de la concentration de calcium ionisé** Acidose

MANIFESTATIONS CLINIQUES

Hypocalcémie (Ca^{2+} <2,1 mmol/L)	Hypercalcémie (Ca^{2+} >2,6 mmol/L)
Prédisposition à la fatigue Dépression, anxiété, confusion Engourdissements et fourmillements aux extrémités et autour de la bouche Hyperréflectivité, crampes musculaires Signe de Chvostek Signe de Trousseau Laryngospasmes Tétanie, convulsions	Léthargie, faiblesse Réflexes diminués Troubles de la mémoire Confusion, troubles de personnalité, psychose Anorexie, nausées, vomissements Douleur osseuse, fractures Polyurie, déshydratation Calcul néphritique Stupeur, coma
Variations de l'ECG Allongement du segment ST Allongement de l'intervalle QT Tachycardie ventriculaire	**Variations de l'ECG** Raccourcissement du segment ST Raccourcissement de l'intervalle QT Arythmies ventriculaires Augmentation de l'effet digitalique

Soins infirmiers : hypercalcémie

Diagnostics infirmiers. Lors d'hypercalcémie, les diagnostics infirmiers comprennent entre autres :
- le risque de blessure relié aux changements neuro-musculaires et sensoriels ;
- le risque d'arythmie cardiaque reliée à l'hypercalcémie.

Interventions infirmières. Le traitement de base de l'hypercalcémie vise à favoriser l'excrétion de calcium dans l'urine en administrant un diurétique de l'anse (du furosémide [Lasix] ou de l'acide éthacrynique [Édecrin]) et en hydratant le client avec des perfusions de solution saline isotonique. Le client doit boire de 3 à 4 L de liquide par jour pour favoriser l'excrétion rénale de calcium et diminuer les risques de formation de calculs rénaux.

La calcitonine synthétique peut aussi être administrée pour réduire la concentration de calcium sérique. Une alimentation faible en calcium peut être prescrite. On recommande au client de faire des exercices avec mise en charge pour freiner la résorption osseuse. Dans le cas d'une hypercalcémie associée à une tumeur maligne, le médicament de choix est le pamidronate (Aredia), qui inhibe l'activité des ostéoclastes.

10.11.2 Hypocalcémie

Tout état qui entraîne une diminution de la production de PTH est susceptible de provoquer une hypocalcémie. Celle-ci peut survenir lors de l'ablation chirurgicale d'une partie des glandes parathyroïdes ou d'une lésion secondaire à une chirurgie thyroïdienne ou cervicale. La pancréatite aiguë est une autre cause potentielle de l'hypocalcémie. Le client qui reçoit de nombreuses transfusions sanguines peut développer une hypocalcémie, car le citrate qui est utilisé comme anticoagulant se lie au calcium. Une alcalose soudaine peut aussi se produire à la suite d'une hypocalcémie symptomatique en raison d'un taux de calcium ionisé plus faible, même si le taux de calcium sérique est normal. L'hypocalcémie peut se manifester si l'alimentation est faible en calcium

Déséquilibres hydroélectrolytiques et acidobasiques | chapitre 10

ou s'il y a une perte importante de calcium causée par un abus de laxatif ou par un syndrome de malabsorption. (Voir tableau 10.8 pour les manifestations cliniques et les causes de l'hypocalcémie.)

Manifestations cliniques. Étant donné le rôle crucial du calcium dans la conduction de l'influx nerveux et la contraction musculaire, les épreuves qui servent à évaluer l'irritabilité neuromusculaire sont utiles pour mesurer le taux de calcium sérique. Le **signe de Trousseau** renvoie aux spasmes carpopédaux (adduction et extension du pouce et de l'index) induits par la compression d'un brassard gonflé sur le bras (voir figure 10.14). On gonfle le brassard à une pression supérieure à la pression systolique pendant une à cinq minutes afin d'interrompre la circulation artérielle. Les spasmes carpopédaux font leur apparition en l'espace de trois minutes s'il y a présence d'hypocalcémie. Le **signe de Chvostek** est une contraction des muscles faciaux (à proximité du nez et de la bouche), observée lorsqu'on percute doucement le nerf facial devant l'oreille (voir figure 10.14). Cette contraction indique la présence d'hypocalcémie accompagnée de tétanie latente.

La **tétanie** est un état d'hyperexcitabilité musculaire qui se manifeste par une contraction musculaire soutenue. L'hypocalcémie en est la cause.

L'imminence de la tétanie est révélée par l'apparition des signes de Chvostek et de Trousseau (voir figure 10.14), le stridor des nouveau-nés, la dysphagie et des engourdissements et des fourmillements péri-buccaux ou aux extrémités. Le tableau 10.8 présente d'autres manifestations cliniques de l'hypocalcémie.

Soins infirmiers : hypocalcémie

Diagnostics infirmiers. Lors d'hypocalcémie, les diagnostics infirmiers comprennent entre autres :
- le risque de blessure relié à la tétanie et aux convulsions ;
- le risque d'arrêt cardiorespiratoire relié à l'hypocalcémie.

Interventions infirmières. Le traitement de l'hypocalcémie vise principalement les causes de la maladie. L'hypocalcémie peut être traitée avec des suppléments de calcium administrés par voie orale (carbonate de calcium) ou par voie intraveineuse (gluconate de calcium). Quand elle s'accompagne de tétanie, de convulsions, d'hypotension, d'arythmies cardiaques ou de laryngospasmes, l'hypocalcémie est traitée en priorité. Les soins d'urgence comprennent l'administration par voie intraveineuse d'une dose initiale de calcium accompagnée d'une perfusion continue de calcium. Une surveillance étroite de la perfusion intraveineuse de calcium s'impose, car l'infiltration du calcium dans les tissus sous-cutanés peut causer des escarres. L'administration

de calcium ne se fait jamais par voie intramusculaire (IM), car le calcium risque de précipiter dans les muscles et de causer une nécrose tissulaire. Une alimentation riche en calcium et des suppléments de vitamine D peuvent être prescrits (voir tableau 32.4). On peut également administrer de la PTH synthétique. Si on soupçonne une hypocalcémie, la douleur et l'anxiété du client doivent être traités adéquatement, car l'hyperventilation peut induire une alcalose respiratoire et accentuer les symptômes de l'hypocalcémie. Tout client qui a subi une chirurgie thyroïdienne ou cervicale doit être surveillé étroitement pour déceler les manifestations d'hypocalcémie, car la chirurgie peut avoir lésé les glandes parathyroïdes.

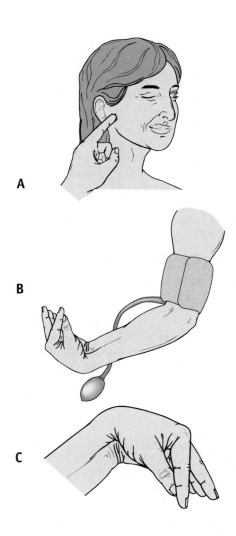

A

B

C

FIGURE 10.14 Tests pour déceler l'hypocalcémie. A. Le signe de Chvostek est caractérisé par une contraction des muscles faciaux observée lorsque l'on percute doucement le nerf facial devant l'oreille. **B.** Signe de Trousseau. Un brassard est gonflé à une pression supérieure à la pression systolique pendant quelques minutes. **C.** Spasme carpopédal.

10.11.3 Déséquilibres phosphatiques

Le phosphore est l'anion le plus abondant du LIC et est essentiel au fonctionnement des muscles, des érythrocytes et du système nerveux. Tout comme le calcium, il se dépose dans la structure des os et des dents. Le phosphore intervient dans l'équilibre acidobasique, la production d'énergie mitochondriale (ATP), l'absorption cellulaire, l'utilisation du glucose, et dans le métabolisme des glucides, des protéines et des lipides. Il est important que les reins fonctionnent correctement pour maintenir l'équilibre du phosphore, car ils représentent la principale voie d'excrétion du phosphore. Une petite quantité de phosphore est excrétée dans les selles. Il existe une relation inversement proportionnelle entre le phosphore et le calcium, c'est-à-dire qu'un taux élevé de phosphate sérique entraîne une faible concentration de calcium sérique. Le tableau 32.4 résume le rôle du phosphore dans l'organisme.

Hyperphosphatémie. L'une des principales causes de l'hyperphosphatémie est l'insuffisance rénale aiguë ou chronique, laquelle empêche les reins d'excréter le phosphate. Parmi les autres causes, on compte les médicaments antinéoplasiques pour traiter certaines tumeurs malignes (lymphomes), l'ingestion excessive de lait ou de laxatifs contenant du phosphate et l'apport excessif de vitamine D, qui augmente l'absorption gastro-intestinale du phosphore (voir tableau 10.9). Les manifestations cliniques de l'hyperphosphatémie (présentées au tableau 10.9) sont principalement causées par les précipités de phosphate de calcium métastatiques. Généralement, le calcium et le phosphate se déposent uniquement dans les os. Cependant, une concentration élevée de phosphate sérique accompagnée de précipités de calcium peut entraîner une calcification des dépôts dans les tissus mous comme les articulations, les artères, la peau, les reins et la cornée (voir chapitre 38). Il existe d'autres manifestations de l'hyperphosphatémie comme l'irritabilité neuromusculaire et la tétanie. Celles-ci sont reliées à la faible concentration de calcium sérique souvent associée au taux élevé de phosphate sérique.

La prise en charge de l'hyperphosphatémie vise à cerner et à traiter les causes sous-jacentes. L'ingestion d'aliments et de liquides riches en phosphore (p. ex. les produits laitiers) doit être restreinte (voir tableau 32.4). Une bonne hydratation peut favoriser l'excrétion rénale de phosphate. Les mesures prises pour réduire le taux de phosphate sérique chez le client souffrant d'insuffisance rénale regroupent les suppléments de calcium, les agents ou les gels liant le phosphate et les restrictions alimentaires (voir chapitre 38).

Hypophosphatémie. L'hypophosphatémie peut apparaître chez les clients qui sont dénutris ou qui souffrent du syndrome de malabsorption. Les autres causes sont le sevrage d'alcool, l'alimentation parentérale avec un remplacement inadéquat de phosphore et le syndrome de récupération nutritionnelle (reprise de l'alimentation après une privation alimentaire prolongée). Le phosphore pénètre dans les cellules pendant l'anabolisme. Le tableau 10.9 énumère les causes des déséquilibres du phosphore.

La plupart des manifestations cliniques de l'hypophosphatémie (présentées au tableau 10.9) dérivent d'une carence en ATP ou en 2,3-diphosphoglycérate (2,3-DPG), une enzyme érythrocytaire. Ces deux états sont causés par une altération des ressources énergétiques des cellules et d'une oxygénation inadéquate des tissus. L'anémie hémolytique peut survenir en raison de la fragilité des

TABLEAU 10.9 Déséquilibres phosphatiques : causes et manifestations cliniques	
Hypophosphatémie (PO_4^{-3} <0,97 mmol/L)	**Hyperphosphatémie (PO_4^{-3} > 1,45 mmol/L)**
Causes	
Syndrome de malabsorption Syndrome de récupération nutritionnelle Administration de glucose Alimentation parentérale totale Sevrage d'alcool Récupération après une acidocétose diabétique Alcalose respiratoire	Insuffisance rénale Agents chimiothérapeutiques Lavements contenant du phosphore (p. ex. lavement Fleet) Ingestion excessive (p. ex. lait, laxatifs contenant du phosphate) Apport important de vitamine D Hypoparathyroïdie
Manifestations cliniques	
Dysfonctionnement du système nerveux central (confusion, coma) Rhabdomyolyse Excrétion de Mg^{+2}, Ca^{+2} et HCO_3^- par les tubules rénaux Troubles cardiaques (arythmies, diminution du volume systolique) Faiblesse musculaire, y compris la faiblesse des muscles respiratoires et la difficulté de sevrage d'une respiration assistée Ostéomalacie	Hypocalcémie Troubles musculaires, tétanie Dépôt de précipités de phosphate de calcium dans la peau, les tissus mous, la cornée, les viscères et les vaisseaux sanguins

érythrocytes. Les manifestations aiguës comprennent la dépression du SNC, la confusion et d'autres problèmes psychologiques. La faiblesse, la douleur musculaire, les arythmies et la cardiomyopathie figurent parmi les autres manifestations de l'hypophosphatémie.

Une carence légère en phosphore peut se soigner par l'apport d'un supplément de phosphate par voie orale et l'ingestion d'aliments riches en phosphore (p. ex. les produits laitiers). L'hypophosphatémie sévère peut nécessiter l'administration de phosphate de sodium ou de phosphate de potassium par voie intraveineuse. Une surveillance fréquente du taux de phosphate sérique est essentielle pour guider la thérapie intraveineuse. L'hypocalcémie symptomatique soudaine, secondaire à une augmentation de la liaison phosphore-calcium, constitue une complication éventuelle de l'administration de phosphore par voie intraveineuse.

10.11.4 Déséquilibres magnésiens

Le magnésium est le deuxième cation que l'on trouve en plus grande quantité dans le LIC. Il sert de coenzyme dans le métabolisme des glucides et des protéines. Le magnésium joue également un rôle dans le métabolisme des protéines et des acides nucléiques. Bien que la régulation du magnésium ne soit pas très bien comprise, de nombreux facteurs qui maintiennent l'équilibre calcique (p. ex. la PTH, la vitamine D) influencent également l'équilibre du magnésium. De 50 à 60 % du magnésium contenu dans l'organisme se trouve dans les os. Le magnésium est principalement excrété par les reins (voir tableau 32.4). Les causes des déséquilibres magnésiens sont énumérées au tableau 10.10. L'excitabilité neuromusculaire est grandement réduite par les variations du taux de magnésium sérique.

Hypermagnésémie. En général, l'hypermagnésémie se manifeste uniquement en présence d'une insuffisance rénale. Un client qui souffre d'une insuffisance rénale chronique et qui ingère des produits contenant du magnésium (p. ex. Maalox, lait de magnésie) aura de la difficulté à éliminer ce sel minéral. Une femme enceinte qui prend du sulfate de magnésium pour traiter l'éclampsie peut souffrir d'un excès de magnésium.

Les premières manifestations cliniques d'un taux moyennement élevé de magnésium sérique sont la léthargie, la somnolence, les nausées et les vomissements. À mesure que le taux de magnésium sérique augmente, on remarque une perte des réflexes ostéotendineux, suivie de la somnolence ; les arrêts respiratoire et cardiaque peuvent ensuite survenir.

La prise en charge de l'hypermagnésémie doit être axée sur la prévention. Les personnes atteintes d'insuffisance rénale ne doivent pas prendre de médicaments contenant du magnésium et doivent vérifier soigneusement la composition des médicaments sans ordonnance. Le traitement d'urgence de l'hypermagnésémie consiste à administrer du chlorure de calcium ou du gluconate de calcium par voie intraveineuse afin de contrecarrer les effets physiologiques du magnésium sur le muscle cardiaque. Une bonne hydratation favorise l'élimination du magnésium par les reins. Un client dont la fonction rénale est altérée devra avoir recours à la dialyse puisque l'excrétion de magnésium se fait principalement par les reins.

Hypomagnésémie. L'hypomagnésémie a tendance à se manifester graduellement. L'alimentation parentérale intraveineuse sans supplément de magnésium et les pertes excessives de liquides par le tractus gastro-intestinal sont des causes potentielles, mais l'alcoolisme chronique et les diabètes non contrôlés de type I et II figurent parmi les causes les plus fréquentes. Les manifestations cliniques les plus fréquentes comprennent la confusion, des réflexes ostéotendineux exagérés, les tremblements et les convulsions. Une carence en magnésium prédispose le sujet aux arythmies cardiaques, aux cardiopathies ischémiques et au syndrome de mort subite. Une diminution du taux de magnésium intracellulaire peut entraîner l'hypertension, une tolérance anormale au glucose et une résistance à l'insuline. L'hypomagnésémie peut favoriser l'apparition d'une hypocalcémie. L'hypomagnésémie peut également être associée à une hypokaliémie qui ne répond pas au remplacement de potassium. Cet état survient étant donné que le magnésium intracellulaire est essentiel au fonctionnement normal de la pompe sodium-potassium.

Les carences légères en magnésium peuvent être traitées par des suppléments oraux et une augmentation de l'apport d'aliments riches en magnésium (voir tableau 32.4). Lorsque l'état est grave, on doit administrer du magnésium (p. ex. sulfate de magnésium) par voie parentérale (intraveineuse ou intramusculaire). On doit faire

TABLEAU 10.10 Causes des déséquilibres en magnésium	
Hypomagnésémie	**Hypermagnésémie**
Diarrhée	Insuffisance rénale (en particulier
Vomissement	si des dérivés de magnésium
Alcoolisme chronique	sont administrés au client)
Déficience de l'absorption gastro-intestinale	Administration excessive de magnésium pour traiter
Syndrome de malabsorption	l'éclampsie
Malnutrition prolongée	Insuffisance surrénale
Diurèse importante	
Aspiration nasogastrique	
Diabètes de type I et II mal contrôlés	
Taux élevé d'aldostérone	

10

très attention de ne pas administrer le magnésium trop rapidement pour éviter un arrêt cardiaque ou respiratoire.

10.11.5 Déséquilibres protéiques

Les protéines plasmatiques, notamment l'albumine, déterminent le volume plasmatique. En raison de leur grande taille moléculaire, elles demeurent dans l'espace vasculaire et contribuent à la pression oncotique. Les causes des déséquilibres protéiques sont énumérées au tableau 10.11. L'hypoprotéinémie peut apparaître avec le temps. Les causes liées à un déficit de l'apport protéique sont l'anorexie, la malnutrition, l'inanition, un régime miracle et une alimentation végétarienne mal équilibrée. La mauvaise absorption de protéines peut survenir dans certains cas de malabsorption gastro-intestinale. En présence d'une inflammation, les protéines peuvent quitter l'espace intravasculaire. La dégradation des protéines augmente en présence d'une activité métabolique accélérée et d'états cataboliques, comme la fièvre, une infection et certaines tumeurs malignes. Le métabolisme protéique est stimulé en période de croissance et de réparation cellulaire, à la suite de plaies chirurgicales ou de brûlures, par exemple. Les hémorragies avec perte d'érythrocytes peuvent être une cause de carence en protéines. Les reins peuvent excréter une grande quantité de protéines, surtout de l'albumine, lors de syndrome néphrotique.

Les manifestations cliniques d'une carence en protéines comprennent l'œdème (causé par une baisse de la pression oncotique), une guérison lente, l'anorexie, la fatigue, l'anémie et la perte de la masse musculaire à la suite de la détérioration des tissus du corps pour répondre aux besoins en protéines de l'organisme. La formation d'ascite, qui est un exemple d'échange liquidien avec le troisième espace, peut apparaître avec l'hypoprotéinémie.

Le traitement de la carence protéique consiste à favoriser une alimentation riche en glucides et en protéines et à administrer des suppléments protéiques. Il est possible qu'une alimentation entérale ou parentérale totale soit nécessaire lorsque le client est incapable d'ingérer suffisamment de protéines pour combler ses besoins (le chapitre 32 traite de la carence protéino-calorique).

Bien qu'elle soit rare, l'hyperprotéinémie peut survenir en présence d'hémoconcentration induite par la déshydratation.

10.12 DÉSÉQUILIBRES ACIDOBASIQUES

10.12.1 Concentration d'ions hydrogène

L'acidité ou l'alcalinité d'une solution dépend de sa concentration en ions hydrogène (H^+). Une augmentation de la concentration d'ions H^+ entraîne l'acidité; une diminution, l'alcalinité. (Les définitions des termes reliés à l'équilibre acidobasique sont présentées au tableau 10.12.).

Malgré une production quotidienne d'acides, la concentration d'ions hydrogène des liquides organiques demeure minime (0,0004 mmol/L) dans l'organisme. Cette concentration doit être maintenue à un faible taux afin d'assurer une fonction cellulaire optimale. La concentration d'ions hydrogène est généralement exprimée sous la forme d'un logarithme négatif (symbolisé par le pH) plutôt qu'en millimoles. La présence du logarithme négatif signifie que plus le pH est bas, plus la concentration d'ions hydrogène est élevée. Ainsi, la concentration d'ions

TABLEAU 10.12 Terminologie utilisée en physiologie acidobasique	
Acide	Donneur de protons (H^+); substance qui libère des ions H^+.
Acidémie	État qui se caractérise par un abaissement du pH sanguin au-dessous de 7,35.
Acidose	État qui se caractérise par l'addition d'un acide au LEC ou la perte d'une base.
Alcalémie	État qui se caractérise par une élévation du pH sanguin au-dessus de 7,45.
Alcalose	État qui se caractérise par l'addition d'une base au LEC ou la perte d'un acide.
Base	Accepteur de protons; substance qui capture des ions H^+ dans une solution contenant une base; le bicarbonate (HCO_3^-) est la principale base du liquide organique.
Tampon	Substance qui réagit avec un acide ou une base pour prévenir les variations importantes du pH.
pH	Logarithme négatif de la concentration d'une solution réelle d'H^+.

TABLEAU 10.11 Causes des déséquilibres protéiques	
Hypoprotéinémie	**Hyperprotéinémie**
Diminution de l'apport alimentaire	Déshydratation
Inanition	Hémoconcentration
Problèmes hépatiques	
Brûlures sévères	
Néphropathie avec perte d'albumine	
Infections sévères	

hydrogène équivalente à un pH de 8 sera dix fois plus faible que celle correspondante à un pH de 7.

Le pH d'une solution chimique varie de 1 à 14. Une solution qui a un pH de 7 est considérée comme neutre. Le pH d'une solution acide est inférieur à 7, et le pH d'une solution alcaline est supérieur à 7. Le sang est légèrement alcalin (pH de 7,35 à 7,45). Si le pH est inférieur à 7,35, la personne souffre d'une **acidose**, même si le sang ne devient jamais vraiment acide. Si le pH est supérieur à 7,45, la personne souffre d'une **alcalose** (voir figure 10.15). Un pH sanguin inférieur à 7 réduit l'activité du système nerveux central au point de possiblement induire un coma fatal. Un pH sanguin supérieur à 7,8 cause une hyperexcitation du système nerveux central qui se manifeste par le tétanos, des convulsions, puis la mort.

Le pH du sang est calculé avec l'équation d'Henderson-Hasselbalch (voir encadré 10.1). Cette équation montre que le pH est déterminé par le rapport de la base (bicarbonate) sur l'acide (acide carbonique). Une relation de 20 à 1 doit être maintenue pour garder le pH à un niveau normal (voir figure 10.15).

10.12.2 Régulation acidobasique

Le métabolisme produit constamment des acides qui doivent être neutralisés et excrétés pour maintenir l'équilibre acidobasique. Normalement, l'organisme fait appel à trois mécanismes de régulation de l'équilibre acidobasique pour maintenir le pH artériel entre 7,35 et 7,45. Ces mécanismes font intervenir le système tampon, l'appareil respiratoire et l'appareil urinaire.

Les mécanismes de régulation ne fonctionnent pas tous à la même vitesse. Les tampons réagissent immédiatement ; l'appareil respiratoire agit en quelques minutes et atteint son efficacité maximale après quelques heures ; l'appareil urinaire met de deux à trois jours pour répondre, mais peut assurer l'équilibre pendant une longue période.

Système tampon. Les effets du système tampon, qui est le principal mécanisme régulateur de l'équilibre acidobasique, se font sentir le plus rapidement. Les tampons exercent leur action chimique en convertissant les bases et les acides forts en bases et en acides plus faibles ou en se liant aux acides ou aux bases afin de les neutraliser. Les tampons de l'organisme comprennent le système tampon bicarbonate-acide carbonique, les phosphates inorganiques (HPO_4^- et H_2PO_4), les protéines intracellulaires et plasmatiques, et l'hémoglobine.

Un système tampon est constitué d'un acide faible et de son sel, qui sert de base faible. Il vise à minimiser l'effet des acides sur le pH sanguin jusqu'à ce qu'ils puissent être excrétés de l'organisme. Le système tampon bicarbonate (HCO_3^-) - acide carbonique (H_2CO_3) neutralise l'acide chlorhydrique (HCl) de la manière suivante :

$$H^+Cl^- \quad + \quad Na^+HCO_3^- \quad \rightarrow \quad NaCl \quad + \quad H_2CO_3$$

Acide fort   Base forte   Sel   Acide faible

De cette manière, on prévient les fluctuations trop importantes de pH provoquées par le HCl. Davantage de H_2CO_3 est produit. L'acide carbonique, pour sa part, est décomposé en H_2O et en CO_2. Le CO_2 est expiré par les poumons. Dans ce processus, le système tampon maintient un rapport de 20 pour 1 entre le bicarbonate et l'acide carbonique, et le pH demeure normal.

Le système tampon phosphate est composé de sodium et d'autres cations en combinaison avec les anions HPO_4^{2-} et $H_2PO_4^-$. Ce système tampon agit de la même manière que le système bicarbonate. Les acides forts

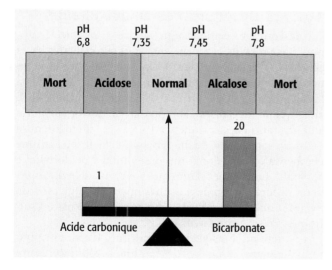

FIGURE 10.15 Normalement, le pH plasmatique se situe entre 7,35 et 7,45. Le pH normal est maintenu par un ratio de 1 part d'acide carbonique pour 20 parts de bicarbonate.

Équation de Henderson-Hasselbalch	ENCADRÉ 10.1

$$pH = pK \text{ (constant)} + \log \frac{\text{base}}{\text{acide}}$$

$$= 6,1 + \log \frac{HCO_3^-}{H_2CO_3} \frac{\text{(rénal)}}{\text{(poumon)}}$$

$$= 6,1 + \log \frac{25,4 \text{ mEq}}{1,27}$$

$$= 6,1 + \log \frac{20}{1}$$

$$= 6,1 + 1,3$$

$$= 7,4$$

sont neutralisés pour former des acides de dihydrogénophosphate de sodium faibles (NaH_2PO_4) qui peuvent être excrétés dans l'urine, et du chlorure de sodium : $Na_2HPO_4 + HCl \rightarrow NaCl + NaH_2PO_4$. Lorsqu'une base forte s'ajoute au système, elle est neutralisée pour former une base faible et du H_2O :

$$NaOH + Na_2H_2PO_4 \rightarrow Na_2HPO_4 + H_2O$$

Les protéines intracellulaires et extracellulaires constituent un système tampon efficace dans l'organisme. Leur effet est semblable à celui du système bicarbonate. Certains acides aminés des protéines contiennent des groupements acides, -COOH, qui peuvent se dissocier en CO_2 et en H. Les autres acides aminés ont des groupements basiques, $-NH_3OH$, et peuvent être dissociés en NH_3^+ et en OH^-, qui peuvent se combiner à H^+ et former du H_2O.

L'hémoglobine contribue au maintien du pH en échangeant à travers la membrane érythrocytaire le chlorure pour du bicarbonate. Cet échange est régulé par la teneur en oxygène du sang.

Dans la cellule, le mouvement des ions hydrogène à travers la membrane peut aussi tenir lieu de tampon. Alors que les ions H^+ s'accumulent dans le LEC, le LIC peut accepter l'hydrogène en échange d'un autre cation (p. ex. le sodium ou le potassium).

L'organisme réussit à mieux tamponner un excès d'acide qu'à neutraliser un excès de base. Les tampons sont incapables de maintenir le pH sans l'aide des appareils respiratoire et de urinaire.

Appareil respiratoire. Les poumons expirent le gaz carbonique et la vapeur d'eau, qui sont des sous-produits du métabolisme cellulaire. Lorsqu'il est libéré dans la circulation, le CO_2 pénètre dans les érythrocytes et se combine à l'H_2O pour former le H_2CO_3. L'acide carbonique se dissocie en ions hydrogène et en bicarbonate. L'hydrogène libre est tamponné par les molécules d'hémoglobine et le bicarbonate diffuse dans le plasma. Ces réactions sont inversées dans les capillaires pulmonaires ; le CO_2 est formé, puis expiré par les poumons. L'équation réversible est exprimée ainsi :

$$CO_2 + H_2O \leftrightharpoons H_2CO_3 \leftrightharpoons H^+ + HCO_3^-$$

La quantité de CO_2 dans le sang est directement proportionnelle à la concentration d'acide carbonique et à la concentration d'ions hydrogène. Plus la fréquence respiratoire s'accélère, moins il reste de CO_2 dans le sang, ce qui entraîne une diminution de l'acide carbonique et des ions H^+. Inversement, plus la fréquence respiratoire ralentit, plus il reste de CO_2 dans le sang et plus les quantités d'acide carbonique et d'ions hydrogène augmentent.

La vitesse d'expiration du CO_2 est régie par le centre respiratoire situé dans le bulbe rachidien. En présence de concentrations élevées de CO_2 et d'hydrogène, le centre respiratoire accélère le rythme et la profondeur de la respiration. La respiration est ralentie lorsque le centre respiratoire perçoit une faible concentration sanguine de H^+ ou de CO_2.

En tant que mécanisme compensatoire, le système respiratoire agit sur le côté $CO_2 + H_2O$ de la réaction en modifiant le rythme et la profondeur de la respiration pour éliminer ou retenir le gaz carbonique. Si l'appareil respiratoire perd sa capacité à corriger les altérations du pH, il s'ensuit un déséquilibre acidobasique (p. ex. insuffisance respiratoire). L'appareil urinaire tente alors de compenser.

Appareil urinaire. Dans des conditions normales, les reins réabsorbent et conservent le bicarbonate qu'ils filtrent. Les reins sont en mesure de produire davantage d'ions bicarbonate et d'éliminer l'excès d'ions hydrogène pour compenser l'acidose. Les trois mécanismes qui éliminent l'acidité comprennent : la sécrétion de petites quantités d'ions hydrogène libres dans les tubules rénaux ; la combinaison d'ions hydrogène et d'ammoniac (NH_3) pour former l'ion ammonium (NH_4^+) ; et l'excrétion des acides faibles.

L'organisme a besoin des reins pour excréter l'acide généré par le métabolisme cellulaire. Par conséquent, les reins excrètent une urine acide (pH d'environ 6). Les reins agissent sur la portion $H^+ + HCO3^-$ de la réaction. Le mécanisme compensatoire peut maintenir le pH de l'urine entre 5,5 et 7,5. Lorsque l'appareil urinaire devient incapable de corriger les altérations du pH (p. ex. lors d'une insuffisance rénale), il en résulte un déséquilibre acidobasique. On constate habituellement une acidose métabolique chez les clients atteints d'insuffisance rénale.

10.12.3 Déséquilibres acidobasiques

Un déséquilibre acidobasique survient lorsque le rapport 1 pour 20 de la teneur en acides sur celle des bases est altéré (voir tableau 10.13). Une atteinte initiale ou un processus morbide peut modifier un côté du ratio (p. ex. la rétention de CO_2 en cas de maladie pulmonaire), alors que le mécanisme compensatoire corrigera l'autre côté du ratio en conséquence (p. ex. en augmentant la réabsorption rénale du bicarbonate). Si le mécanisme compensatoire échoue, un déséquilibre acidobasique apparaît. La compensation peut être inadéquate pour deux raisons : le processus physiopathologique est trop exigeant ou le mécanisme compensatoire n'a pas eu suffisamment de temps pour agir.

Les déséquilibres acidobasiques sont d'ordre respiratoire ou métabolique. Les déséquilibres respiratoires ont des effets sur la concentration d'acide carbonique et les déséquilibres métaboliques font varier la concentration de bicarbonate. L'acidose est causée par une augmentation de l'acide carbonique (acidose respiratoire) ou par

TABLEAU 10.13   Déséquilibres acidobasiques

Causes fréquentes	Physiopathologie	Résultats de laboratoire
Acidose respiratoire Mauvais échanges gazeux ou ventilation pulmonaire déficiente (hypoventilation) BPCO Surdose de barbituriques ou de sédatifs Anomalie de la cage thoracique (p. ex. obésité) Pneumonie grave Atélectasie Faiblesse des muscles respiratoires (p. ex. syndrome de Guillain-Barré) Hypoventilation mécanique	Augmentation de la résistance dans les voies respiratoires et inefficacité de l'expiration entraînant une rétention de CO_2 et une augmentation de H^+ Réaction compensatoire : rétention de HCO_3^- par les reins	↓ pH sanguin (<7,4) ↑ PCO_2 (>45 mm Hg) HCO_3^- normal (décompensé) ↑ HCO_3^- (compensé) pH de l'urine <6 (compensé)
Alcalose respiratoire Demande exagérée d'O_2 Hyperventilation (causée par l'hypoxie, une embolie pulmonaire, l'anxiété, la peur, la douleur, l'exercice, la fièvre) Lésion cérébrale causant une stimulation du centre respiratoire Maladie neurologique dégénérative Tumeur Septicémie Encéphalite Empoisonnement au salicylate	Augmentation de l'excrétion de CO_2 due à l'hyperventilation Atteinte des structures du centre respiratoire Réaction compensatoire : excrétion de HCO_3^- par les reins	↑ pH sanguin (>7,4) ↓ PCO_2 (<35 mm Hg) ↓ HCO_3^- (compensé) HCO_3^- normal (décompensé) pH de l'urine > 6 (compensé)

Acidose métabolique
Perte d' HCO_3^-
   Diarrhée
   Fistules gastro-intestinales
   Néphropathie
Accumulation de metabolites acides
   Alcoolisme
   Inanition
   Acidocétose
Incapacité à excréter un acide
   Hyperkaliémie
 	
   Néphropathie
	Pertes d'ions HCO_3^- par les liquides biologiques
	Incapacité du rein à réabsorber les bicarbonates et à excréter les ions H^+
	
	Production d'un excès d'acide dans le sang
	Utilisation des lipides comme source d'énergie
	
	Les ions K^+ entrent en compétition avec les H^+ pour leur sécrétion par les tubules rénaux
	Incapacité des reins à éliminer les métabolites (dont ceux acides)
	Réaction compensatoire : respiration de Kussmaul pour excréter du CO_2 et excrétion accrue d'acides par les reins
		↓ pH sanguin (<7,4)
		↓ PCO_2 (compensé)
		↓ HCO_3^- (<22 mmol/L)
		pH de l'urine <6 (compensé)

Alcalose métabolique
Perte d'ions H^+
   Vomissements
   Aspiration des liquides gastriques (p. ex. tube nasogatrique)
Hypokaliémie
   Diurétiques
   Carence en potassium
 	
Excès de l'apport en bicarbonate
   Antiacide
Excès d'aldostérone
   Tumeur surrénalienne
	Des ions H^+ sont perdus par le liquide gastrique. Donc, des ions H^+ sanguins les remplacent.
	
	La perte ou le déficit d'ions K^+ stimule la sécrétion de H^+ par les tubules rénaux.
	
	Les bicarbonates migrent facilement vers le LEC. L'hormone aldostérone favorise la réabsorption de Na^+, ce qui entraîne une excrétion d'ions H^+ dans l'urine.
	Réaction compensatoire : rétention du CO_2 par les poumons (respiration lente) et augmentation de l'excrétion de bicarbonates par les reins.
		↑ pH sanguin (>7,4)
		↑ HCO_3^- (>26 mmol/L)
		↑ PCO_2 (compensé)
		pH de l'urine >6 (compensé)

10

une diminution de bicarbonate (acidose métabolique). L'alcalose tire son origine d'une diminution de l'acide carbonique (alcalose respiratoire) ou d'une augmentation de bicarbonate (alcalose métabolique). Les déséquilibres peuvent être classés comme aigus ou chroniques. Les déséquilibres chroniques se caractérisent par une période prolongée précédant la compensation.

Acidose respiratoire. L'acidose respiratoire (excès d'acide carbonique) se manifeste en présence d'hypoventilation (voir tableau 10.13). Le gaz carbonique, puis l'acide carbonique, s'accumulent dans le sang. En se dissociant, l'acide carbonique libère des ions H^+ et entraîne une baisse du pH. Lorsque le gaz carbonique s'accumule dans le sang et qu'il ne parvient pas à être éliminé, une acidose s'ensuit (voir figure 10.16, A).

Les reins conservent le bicarbonate et excrètent dans l'urine des concentrations élevées d'ions hydrogène. En présence d'acidose respiratoire aiguë, les mécanismes de compensation rénaux s'amorcent en l'espace de 24 heures. Le taux de bicarbonate sérique demeure généralement normal jusqu'à ce que les reins compensent pour le déséquilibre.

Alcalose respiratoire. L'alcalose respiratoire (déficit en acide carbonique) se manifeste lors d'hyperventilation (voir tableau 10.13). L'anxiété, les maladies neurodégénératives, les septicémies et l'hyperventilation mécanique sont des états qui augmentent la ventilation et diminuent la PCO_2. Une diminution de l'acide carbonique et une alcalose en découlent (voir figure 10.16, A).

L'alcalose respiratoire compensée est rare, à moins que le client ait été maintenu sous respirateur ou qu'il soit atteint d'un trouble du SNC. Le taux de bicarbonate de l'alcalose respiratoire décompensée est plus faible que celui de l'alcalose respiratoire compensée.

Acidose métabolique. L'acidose métabolique (déficit de bicarbonate) survient avec l'accumulation d'un acide autre que l'acide carbonique ou avec la perte de bicarbonate par des liquides biologiques (voir tableau 10.13 et figure 10.16, B). Dans les deux cas, il y a un déficit de bicarbonate. L'accumulation de corps cétoniques en présence d'une acidocétose diabétique et l'accumulation d'acide lactique en situation de choc cardiogénique sont des exemples d'accumulation d'acides. Les diarrhées graves entraînent une perte de bicarbonate. Lors de

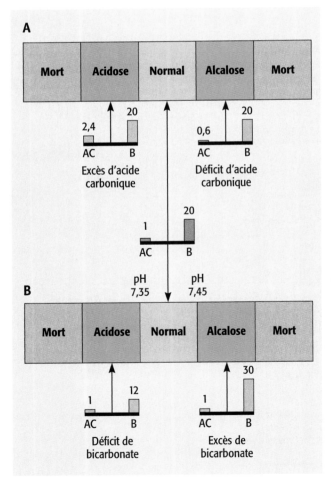

FIGURE 10.16 Déséquilibres acidobasiques. A. Déséquilibres respiratoires causés par un excès et un déficit d'acide carbonique (AC). B. Déséquilibres métaboliques causés par un déficit et un excès de bicarbonate (B).

TABLEAU 10.14 Manifestations cliniques de l'acidose	
Respiratoire (↑ PCO_2)	**Métabolique (↓ HCO_3^-)**
Apparence Somnolence Coma	Somnolence Coma
Comportement Désorientation Étourdissements	Confusion
Cardiovasculaire Hypotension Fibrillation ventriculaire Vasodilatation périphérique	Hypotension Arythmies Vasodilatation périphérique
Gastro-intestinale Aucune observation significative	Nausées, vomissements, diarrhée, douleurs abdominales
Neuromusculaire Céphalées Convulsions	Céphalées
Respiratoire Respiration rapide et superficielle ou hypoventilation accompagnée d'hypoxie	Respirations profondes et rapides

néphropathie, les reins perdent leur capacité à réabsorber le bicarbonate et excrètent des ions hydrogène.

Pour compenser, les poumons expirent davantage de CO_2 (p. ex. avec la respiration de Kussmaul : respirations profondes et rapides) et les reins tenteront d'excréter le surplus d'acide.

Alcalose métabolique. L'alcalose métabolique (excès de bicarbonate) est causée par une perte d'acide (vomissement ou aspiration gastrique prolongé) ou un apport excessif de bicarbonate (ingestion de bicarbonate de soude) (voir tableau 10.13 et figure 10.16, B). L'organisme compense en ralentissant la fréquence respiratoire dans le but d'augmenter le taux de CO_2. L'excrétion de bicarbonate par les reins est aussi augmentée.

Déséquilibres acidobasiques mixtes. Les déséquilibres acidobasiques mixtes se définissent comme étant la présence simultanée de plus de deux déséquilibres simples. Le pH varie en fonction de la nature et de la gravité de chacun des déséquilibres en cause. L'acidose respiratoire combinée à l'alcalose métabolique (p. ex. la bronchopneumopathie chronique obstructive [BPCO] traitée avec un diurétique) peut se traduire par un pH presque normal. Dans le même ordre d'idées, une acidose respiratoire combinée à une acidose métabolique entraînera une diminution de pH plus marquée que celle engendrée par un seul de ces déséquilibres. Par exemple, une acidose mixte peut se manifester chez un client en arrêt cardiorespiratoire. L'hypoventilation augmente la concentration de gaz carbonique et le métabolisme anaérobie produit de l'acide lactique. Le cas d'un client qui est en hyperventilation en raison de douleurs postopératoires et qui subit également une perte d'acide consécutive à une aspiration nasogastrique est un exemple d'alcalose mixte.

10.12.4 Manifestations cliniques

Les manifestations cliniques de l'acidose et de l'alcalose sont résumées aux tableaux 10.14 et 10.15. Les manifestations des déséquilibres acidobasiques sont générales et non spécifiques puisqu'un pH normal est essentiel à toutes les réactions cellulaires. Les mécanismes de compensation occasionnent également certaines manifestations cliniques. Les respirations profondes et rapides chez un client atteint d'acidose métabolique en sont un exemple. Dans le cas d'une alcalose, il peut également y avoir présence d'une hypocalcémie qui est responsable de nombreuses manifestations cliniques.

Valeurs des gaz sanguins. Les gaz sanguins fournissent des renseignements essentiels pour évaluer les déséquilibres acidobasiques. Le pH, la PCO_2 et la concentration de HCO_3^- sont des paramètres qui indiquent la présence ou l'absence d'un déséquilibre acidobasique ou d'un mécanisme compensatoire. La corrélation entre le pH, la PCO_2 et la concentration de HCO_3^- doit être vérifiée (voir encadré 10.2). Premièrement, il est essentiel de déterminer si le pH est alcalin (> 7,45) ou acide (< 7,35), et si la PCO_2 ou la concentration de HCO_3^- est la principale cause de la variation du pH. Par exemple, une acidose peut être causée par un taux élevé de CO_2 ou une faible concentration de HCO_3^-. Deuxièmement, il faut déterminer si l'organisme tente de compenser la variation de pH. Si le déséquilibre principal est l'acidose respiratoire, (pH bas et une PCO_2 élevée), les reins compensent-ils en réabsorbant plus de bicarbonate (voir encadré 10.2) ? Si les mécanismes compensatoires fonctionnent, le pH s'abaissera autour de 7,40. L'organisme ne surcompensera pas pour les variations de pH. (Voir les résultats de laboratoire au tableau 10.13 pour connaître les gaz sanguins responsables des quatre principaux déséquilibres acidobasiques.) La connaissance de la situation clinique du client et le degré de compensation rénale et respiratoire permettent au médecin et à l'infirmière de diagnostiquer les déséquilibres acidobasiques mixtes.

TABLEAU 10.15 Manifestations cliniques de l'alcalose	
Respiratoire (↓ PCO_2)	**Métabolique (↑ HCO_3^-)**
Apparence	
Léthargie	Étourdissements
Comportement	
Légers étourdissements	Irritabilité
Confusion	Nervosité
	Confusion
Cardiovasculaire	
Tachycardie	Tachycardie
Arythmies	Arythmies
Gastro-intestinale	
Nausées	Anorexie
Vomissements	Nausées
Douleurs épigastriques	Vomissements
Neuromusculaire	
Tétanie	Tremblements
Engourdissements	Muscles hypertoniques
Fourmillements aux extrémités	Crampes musculaires
Hyper-réflectivité	Tétanie
Convulsions	Fourmillements dans les doigts et les orteils
	Convulsions
Respiratoire	
Hyperventilation	Hypoventilation

10

L'analyse des gaz sanguins permet aussi de mesurer la PCO_2 et de déterminer le taux de saturation en oxygène. Ces valeurs servent à diagnostiquer l'hypoxémie. Généralement, les gaz sanguins sont mesurés à partir de sang artériel. Les valeurs diffèrent légèrement entre les échantillons artériels et veineux (voir tableau 10.16). (Le chapitre 14 traite des gaz sanguins.)

10.13 ÉVALUATION DES DÉSÉQUILIBRES HYDRIQUES, ÉLECTROLYTIQUES ET ACIDOBASIQUES

10.13.1 Données subjectives

Information importante concernant la santé

Antécédents de santé. L'infirmière doit questionner le client quant à ses antécédents de problèmes rénaux, cardiaques, gastro-intestinaux ou pulmonaires qui pourraient perturber l'équilibre hydroélectrolytique actuel. Elle doit également lui demander s'il souffre, ou a déjà souffert, de diabète, de diabète insipide, de BPCO, de colite ulcéreuse ou de maladie de Crohn.

Médication. Il est important de vérifier la médication actuelle et antérieure du client. On doit considérer les nombreux médicaments vendus sans ordonnance (p. ex. les médicaments contenant du sodium, du potassium, du calcium, du magnésium et d'autres électrolytes). De nombreux médicaments d'ordonnance peuvent aussi causer des troubles hydroélectrolytiques, par exemple, les diurétiques, les corticostéroïdes et les suppléments hydroélectrolytiques.

Chirurgie ou autres traitements. On doit questionner le client pour savoir s'il suit un traitement de dialyse rénale ou s'il a déjà subi une chirurgie rénale ou une chirurgie qui a nécessité l'installation temporaire ou permanente d'un appareil collecteur externe comme une colostomie ou de néphrostomie.

Modes fonctionnels de santé

Mode perception et gestion de la santé. Si le client éprouve des déséquilibres hydroélectrolytiques, il doit être capable de décrire la maladie, y compris le moment de l'apparition, l'évolution et les traitements.

Mode nutrition et métabolisme. Le client doit être questionné sur son alimentation, en particulier s'il suit un régime amaigrissant à faible teneur en sodium ou un régime « miracle ». Si le client est astreint à une alimentation spéciale, comme une alimentation faible en sodium ou riche en potassium, l'infirmière doit déterminer s'il observe les consignes nutritionnelles.

Mode élimination. Des notes doivent être prises concernant le transit intestinal et urinaire. La diarrhée, la nycturie ou la polyurie doivent être consignées.

Mode activité et exercice. Étant donné que l'hyperhidrose secondaire à l'exercice peut entraîner un trouble hydroélectrolytique, il est important de savoir quelles sont les activités physiques pratiquées par le client. De plus, on lui demande si son travail, la pratique de sports ou des activités physiques l'exposent à des températures élevées, et quels moyens il emploie pour remplacer les pertes hydroélectrolytiques encourues.

Mode cognition et perception. On doit questionner le client pour savoir s'il perçoit des sensations différentes, comme des engourdissements, des fourmillements, de la fasciculation ou de la faiblesse musculaire qui pourraient indiquer la présence d'un trouble hydroélectrolytique. On doit aussi lui demander si lui ou les membres de sa famille ont remarqué des altérations de son état de conscience ou de sa vivacité d'esprit, comme la confusion, les troubles de la mémoire ou la léthargie.

10.13.2 Données objectives

Examen physique. Les anomalies décelées au cours de l'examen des principaux systèmes anatomiques peuvent indiquer un déséquilibre hydroélectrolytique (voir tableau 10.17).

TABLEAU 10.16 Valeurs normales des gaz du sang artériel et veineux		
Paramètres	**Sang artériel**	**Sang veineux**
pH	7,35 – 7,45	7,35 – 7,45
PCO_2	35 – 45 mm Hg	40 – 45 mm Hg
Bicarbonate ($\uparrow HCO_3^-$)	21 – 28 mmol/L	21 – 28 mmol/L
PO_2*	80 – 100 mm Hg	40 – 50 mm Hg
Saturation en oxygène	96 – 100 %	60 % – 85 %
Excès de base**	+/- 2,0 mmol/L	+/- 2,0 mmol/L

*Diminue au-dessus du niveau de la mer et avec l'âge.
**Anions tampons autres que HCO_3^- (Hb, phosphate, protéines).

Démarche pour analyser les valeurs des gaz sanguins	ENCADRÉ 10.2

- Déterminer si le pH est alcalin ou acide.
- Déterminer la cause de la variation de pH : vérifier les variations de PCO_2 et de HCO_3^-.
- Y a-t-il une compensation ? Dans l'affirmative, est-elle rénale ou respiratoire ?

ANOMALIES COURANTES DÉCELÉES AU COURS DE L'EXAMEN PHYSIQUE

TABLEAU 10.17 Déséquilibres hydriques et électrolyques

Constatations	Causes possibles
Peau	
Faible élasticité de la peau	Déficit de volume liquidien
Peau moite et froide	Déficit sodique, mouvement de liquide du plasma vers le liquide interstitiel
Œdème à godet	Excès de volume liquidien
Peau sèche et irritée	Excès sodique
Pouls	
Pouls bondissant	Excès de volume liquidien, mouvement de liquide du liquide interstitiel vers le plasma
Pouls rapide, faible et fuyant	Mouvement de liquide du plasma vers le liquide interstitiel, déficit sodique, déficit de volume liquidien
Pouls faible, irrégulier et rapide	Déficit potassique grave
Pouls faible, irrégulier et lent	Excès potassique grave
Pression artérielle	
Hypotension	Déficit de volume liquidien, mouvement de liquide du plasma vers le liquide interstitiel, déficit sodique
Hypertension	Excès de volume liquidien, mouvement de liquide du liquide interstitiel vers le plasma
Respirations	
Respiration profonde et rapide	Acidose métabolique
Respiration superficielle, lente et irrégulière	Alcalose métabolique
Essoufflement	Excès de volume liquidien
Râle sous crépitant	Excès de volume liquidien, mouvement de liquide du liquide interstitiel vers le plasma
Muscles squelettiques	
Crampes des muscles solicités	Déficit calcique, déficit en magnésium, alcalose
Spasme carpopédal (Signe de Trousseau)	Déficit calcique, déficit en magnésium, alcalose
Muscles flasques	Déficit potassique
Signe positif de Chvostek	Déficit calcique, déficit en magnésium, alcalose
Comportement ou état mental	
Tripote les couvertures	Déficit potassique, déficit en magnésium
Indifférence	Déficit du volume liquidien, déficit sodique
Appréhension	Mouvement de liquide du plasma vers le liquide interstitiel
Extrême instabilité psychomotrice	Excès de potassium, déficit de volume liquidien
Confusion et irritabilité	Déficit en potassium, excès de volume liquidien, excès calcique, excès de magnésium, excès de H_2O
Diminution du niveau de conscience	Excès de H_2O

Données de laboratoire. Les résultats de laboratoire des électrolytes sériques permettent de diagnostiquer les déséquilibres hydroélectrolytiques (voir tableau 10.4). Cependant, ils fournissent souvent des renseignements superficiels. Bien qu'elles représentent la concentration d'électrolytes dans le LEC, les valeurs des électrolytes sériques ne fournissent pas nécessairement de renseignements concernant la concentration d'électrolytes dans le LIC. Par exemple, la majorité du potassium de l'organisme est situé dans le LIC. Les variations des valeurs de potassium sérique peuvent être causées par un déficit ou un excès potassique réel ou peuvent signaler un échange de potassium entre la cellule et son milieu.

Un taux anormal de sodium sérique peut indiquer la présence d'un trouble sodique ou, vraisemblablement, un trouble hydrique. Une valeur réduite de l'hématocrite peut signaler la présence d'anémie ou être causée par un excès de volume liquidien.

Les autres épreuves de laboratoire qui aident à évaluer la présence ou le risque de déséquilibres hydroélectrolytiques comprennent l'osmolalité sérique et urinaire, le taux de glucose sanguin, le taux de BUN (azotémie), la créatinine, la densité urinaire et les électrolytes urinaires. Lors d'un déséquilibre hydroélectrolytique, les résultats urinaires permettent au médecin de déterminer si les reins corrigent le déséquilibre ou s'ils contribuent au déséquilibre. Le client qui souffre d'hypokaliémie aura un faible taux de potassium urinaire si les reins compensent le déficit. En revanche, le taux de potassium urinaire sera élevé si les reins sont incapables de compenser (p. ex. en raison d'une thérapie diurétique).

Outre les gaz artériels et veineux, les électrolytes sériques peuvent fournir des renseignements cruciaux sur l'équilibre acidobasique du client. Les concentrations de bicarbonate sérique anormales indiquent la présence d'une acidose ou d'une alcalose métabolique. Le calcul de l'écart ionique (taux de sodium sérique moins les taux de chlorure et de bicarbonate) peut aider à déterminer la source de l'acidose métabolique. L'écart ionique est élevé en présence d'une acidose métabolique associée à un apport d'acide (p. ex. acidose lactique, acidocétose diabétique) et est normal (10 à 14 mmol/L) en présence d'une acidose métabolique causée par une perte de bicarbonate (p. ex. diarrhée).

10.13.3 Remplacement liquidien et électrolytique par voie orale

Dans tous les cas de déséquilibres hydroélectrolytiques et acidobasiques, ce traitement vise à corriger la cause sous-jacente. Les maladies et les troubles spécifiques qui entraînent ces déséquilibres sont abordés dans différents chapitres du présent ouvrage. Les déficits hydriques ou électrolytiques légers peuvent être corrigés avec des solutions de réhydratation orale contenant de l'eau, des électrolytes et du glucose. En plus de fournir des calories, le glucose favorise l'absorption de sodium dans l'intestin grêle. Des solutions de réhydratation orale commerciales sont vendues dans les pharmacies.

10.13.4 Remplacement liquidien et électrolytique par voie intraveineuse

On utilise la thérapie liquidienne et électrolytique par voie intraveineuse pour traiter divers déséquilibres hydroélectrolytiques. La thérapie liquidienne d'entretien par voie intraveineuse est indiquée lorsque le client est incapable de s'hydrater (p. ex. pendant et après une chirurgie). D'autres clients ont besoin d'une thérapie liquidienne pour remplacer les pertes hydriques (p. ex. gastro-entérite). La quantité et le type de solution sont déterminés en fonction des besoins quotidiens d'entretien et en fonction des déséquilibres diagnostiqués grâce aux résultats de laboratoires. Les besoins quotidiens en électrolytes sont les suivants :

Électrolytes : Na^+–100 à 150 mmol ; K^+–40 à 60 mmol.

Liquide : 1500 ml/m^2 de surface corporelle (2650 ml pour un adulte pesant 70 kg et dont la surface corporelle est de 1,76 m^2).

Le tableau 10.18 présente un exemple d'une thérapie liquidienne d'entretien par voie intraveineuse.

Solutions

Solution hypotonique. Une solution hypotonique fournit davantage d'eau que d'électrolytes et dilue ainsi le LEC. L'osmose produit ensuite un mouvement liquidien du LEC au LIC. Une fois qu'un équilibre osmotique est atteint, le LEC et le LIC ont la même osmolalité, et les deux compartiments ont pris de l'expansion. Le tableau 10.19 présente des exemples de liquides hypotoniques. Les liquides d'entretien sont généralement des solutions hypotoniques (p. ex. NaCl 0,45 %) puisque les liquides perdus quotidiennement dans des conditions normales sont hypotoniques. Des électrolytes additionnels (p. ex. KCl) peuvent être ajoutés pour maintenir ou rétablir la concentration sanguine de ces derniers.

Les solutés de dextrose à 5 % en solution aqueuse sont considérés comme des solutions isotoniques. Toutefois, comme le dextrose est métabolisé rapidement, on administre à toutes fins pratiques de l'eau libre (hypotonique). Alors, il y a une augmentation proportionnellement égale du LEC et du LIC. L'administration d'eau pure par voie intraveineuse peut entraîner une hémolyse des érythrocytes ; cette intervention est donc à proscrire. Un litre de soluté de dextrose à 5 % en solution aqueuse fournit 50 g de dextrose et 850 kJ. Même si cette quantité de dextrose n'est pas suffisante pour répondre aux besoins caloriques, elle aide à prévenir l'acidocétose associée à l'inanition.

Solution isotonique. L'administration d'une solution isotonique accroît seulement le volume du LEC. Il n'y a ni perte et ni gain de volume du LIC. Les solutions isotoniques sont les liquides de remplacement idéaux pour le client atteint d'un déficit de volume du LEC. Parmi les solutions isotoniques qui existent, citons le soluté Lactate Ringer et le NaCl 0,9 %. Le Lactate Ringer contient environ la même concentration de sodium, de potassium, de chlorure, de calcium et de lactate (le précurseur du bicarbonate) que le LEC. Toutefois, il est contre-indiqué en présence d'acidose lactique, car la capacité de l'organisme à convertir le lactate en bicarbonate est réduite.

La solution isotonique de chlorure de sodium (NaCl 0,9 %) contient une concentration de sodium (154 mmol/L) qui est légèrement supérieure à celle du plasma (135 à 145 mmol/L), et une concentration de chlorure (154 mmol/L) beaucoup plus élevée que le

TABLEAU 10.18 Besoins quotidiens pour assurer le maintien de l'équilibre hydroélectrolytique				
Thérapie d'entretien par IV	Volume	Na^+ et Cl^-	K^+	Glucose
Soluté de dextrose à 5 % et solution saline normale à 0,45 % avec 20 mmol de KCl/L	2000 ml	154 mmol	40 mmol	100 g (50 g/L)
Soluté de dextrose à 10 % ($D_{10}W$)	1000 ml			100 g (100 g/L)
	3000 ml	154 mmol	40 mmol	200 g

TABLEAU 10.19	Composition et usage des solutions cristaloïdes couramment prescrites				
Solution	Tonicité	mmol/kg*	Glucose (g/l)	Indications et considérations	
Dextrose en solution aqueuse					
5 %	Isotonique	278	50	• Contient l'eau libre nécessaire à l'excrétion rénale des solutés.	
				• Utilisée pour remplacer les pertes hydriques et pour traiter l'hypernatrémie.	
				• Contient 850 KJ/L.	
10 %	Hypertonique	556	100	• Ne contient pas d'électrolyte.	
				• Contient 1700 KJ/L.	
Saline					
0,45 %	Hypotonique	154	0	• Contient de l'eau libre, du Na^+ et du Cl^-.	
				• Utilisée pour remplacer les pertes liquidiennes hypotoniques.	
				• Utilisée comme solution d'entretien bien qu'elle ne remplace pas les pertes quotidiennes des autres électrolytes.	
				• Ne contient pas de calories.	
0,9 %	Isotonique	308	0	• Utilisée pour accroître le volume intravasculaire et remplacer les pertes de LEC.	
				• Seule solution qui peut être administrée avec des produits sanguins.	
				• Contient plus de Na^+ et de Cl^- que le plasma.	
				• Ne contient pas d'eau libre, de calories ni d'autres électrolytes.	
				• Peut causer une surcharge intravasculaire ou une acidose hyperchlorémique.	
3,0 %	Hypertonique	1026	0	• Utilisée pour traiter l'hyponatrémie symptomatique.	
				• Doit être administrée lentement et avec précaution car elle peut entraîner une surcharge du volume intravasculaire et un œdème pulmonaire dangereux.	
Dextrose en solution saline					
5 % dans 0,225 %	Isotonique	355	50	• Contient du Na^+, du Cl^- et de l'eau libre.	
				• Utilisée pour remplacer les pertes hypotoniques et pour traiter l'hypernatrémie.	
				• Contient 850 KJ/L.	
5 % dans 0,45 %	Hypertonique	432	50	• Identique au NaCl 0,45 % sauf qu'elle contient 850 KJ/L.	
5 % dans 0,9 %	Hypertonique	586	50	• Identique au NaCl 0,9 % sauf qu'elle contient 850 KJ/L.	
Solution d'électrolytes multiples					
Soluté Lactate Ringer	Isotonique	274	0	• Même composition que le plasma normal sauf qu'il ne contient pas de Mg^{2+}.	
				• Utilisé pour traiter les pertes causées par les brûlures et le tractus gastro-intestinal inférieur.	
				• Peut être utilisé pour traiter l'acidose métabolique légère, mais ne doit pas être utilisé pour traiter l'acidose lactique.	
				• Ne contient pas d'eau libre ni de calories.	
				• Peut être utilisée pour compenser les pertes de LEC.	

Adapté de HORNE, M.M., SWEARINGEN P.L. *Pocket guide to electrolyte, and acide-base balance*, 3e éd., St. Louis, Mosby.
* Osmolarité sanguine normale : 280-300 mmol/kg.

taux de chlorure sanguin (95 à 105 mEq/L). Par conséquent, une dose trop élevée de solution isotonique de NaCl peut augmenter le taux de sodium et de chlorure.

Solution hypertonique. Au départ, une solution hypertonique augmente l'osmolalité du LEC et la quantité de volume plasmique. Des exemples sont énumérés au tableau 10.19. De plus, la pression osmotique élevée expulse l'eau des cellules dans le LEC. Les solutions hypertoniques (p. ex. NaCl 0,3 %) nécessitent une surveillance fréquente de la pression artérielle, des bruits pulmonaires et du taux de sodium sérique, et doivent être administrées avec précaution en raison des risques d'excès de volume intravasculaire.

Bien que les solutés de dextrose en solution aqueuse (10 % de dextrose ou plus) soient des solutions hypertoniques, on se trouve à administrer de l'eau une fois que le dextrose est métabolisé. Ainsi, l'eau libre fournie par ces solutions augmente à la fois le LEC et le LIC. L'objectif principal de ces solutions est de fournir des calories. Les solutions de dextrose concentrées peuvent être combinées à des solutions d'acides aminés, des électrolytes, des vitamines et des oligo-éléments afin d'assurer une alimentation parentérale complète (voir chapitre 32). Des solutions contenant au plus 10 % de dextrose peuvent être administrées par perfusion intraveineuse périphérique. Les solutions dont la concentration de dextrose est supérieure à 10 % doivent être administrées par voie centrale.

Additifs intraveineux. En plus des solutions de base qui fournissent de l'eau et une quantité minimale de calories et d'électrolytes, il existe des additifs qui servent à remplacer des pertes spécifiques. Ces additifs ont été abordés dans la section portant sur les déséquilibres électrolytiques. Le KCl, le chlorure de calcium, le sulfate de magnésium et le bicarbonate de sodium sont des additifs courants que l'on trouve dans les solutions intraveineuses de base.

Bien que les recommandations concernant l'administration de potassium varient, on considère que la quantité jugée sécuritaire pour une administration systématique est généralement inférieure à 10 mmol. Le potassium peut être dilué sans danger à une concentration de 40 mmol/L de solution jusqu'à un maximum de 60 mmol/L. Les précautions à prendre lors d'administration intraveineuse de sels minéraux ont déjà été traitées dans ce chapitre.

Dérivés sanguins. Les dérivés sanguins demeurent dans l'espace vasculaire et augmentent la pression osmotique. Les dérivés sanguins comprennent les colloïdes, le dextran et l'hydroxyéthylamidon (Pentastarch). Les colloïdes sont des solutions protéiques comme le plasma, l'albumine et les solutions commerciales de plasma (p. ex. Pentaspan). Les solutions d'albumine existent à deux concentrations différentes : 5 % et 25 %. La concentration d'albumine d'une solution à 5 % est similaire à la concentration plasmatique de la protéine et a pour effet d'augmenter le liquide intravasculaire. À l'inverse, la solution d'albumine à 25 % est hypertonique, augmente la pression oncotique et entraîne une diminution du liquide interstitiel. Le dextran est un composé de glucose. Étant donné que le dextran se métabolise lentement, il peut demeurer dans le système vasculaire pendant une longue période. Le dextran a la propriété d'attirer du liquide supplémentaire dans l'espace intravasculaire. L'hydroxyéthylamidon est un substitut colloïdal qui agit comme le dextran.

Lors d'une perte sanguine, du sang entier ou un concentré de globules rouges peut être administré au client pour rétablir le taux d'hémoglobine. Les concentrés de globules rouges ont l'avantage de fournir principalement des érythrocytes. Le sang entier peut entraîner une surcharge circulatoire car sa transfusion fournit un volume additionnel de liquide. Les concentrés de globules rouges ont la capacité d'augmenter la pression oncotique et d'attirer le liquide dans l'espace intravasculaire. Les diurétiques de l'anse peuvent être administrés avec le sang pour prévenir les symptômes d'excès de volume liquidien chez le client anémique qui ne souffre pas d'hypervolémie.

MOTS CLÉS

Homéostasie 301
Liquide intracellulaire (LIC) 301
Liquide extracellulaire (LEC) 301
Espace transcellulaire 301
Volémie 302
Espace liquidien 302
Premier espace 302
Deuxième espace 302
Troisième espace 302
Électrolytes 302
Ions 302
Cations 302
Anions 302
Valence 302
Diffusion 303
Diffusion facilitée 304
Transport actif 304
Pression osmotique 304
Osmolarité 305
Osmolalité 305
Déficit de volume liquidien 305
Excès de volume liquidien 305
Isotonique 305
Hypotonique 305
Hypertonique 305
Pression hydrostatique 305
Pression oncotique 306
Syndrome de sécrétion inappropriée d'hormone
 antidiurétique (SIADH) 308
Signe de Trousseau 321
Signe de Chvostek 321
Tétanie 321
Acidose 325
Alcalose 325

BIBLIOGRAPHIE

Version originale

1. Horne MM, Heitz UE, Swearingen PL: *Pocket guide to fluids and electrolytes,* ed 3, St Louis, 1997, Mosby.

2. O'Donnell ME: Assessing fluid and electrolyte balance in elders, *AJN* 95:41, 1995.

3. Lee CAB, Barrett CA, Ignatavicius DD: *Fluids and electrolytes: a practical approach,* ed 4, Philadelphia, 1996, Davis.

4. Lee CAB and others: *Fluids and electrolytes: a practical approach,* ed 4, Philadelphia, 1996, FA Davis.

5. Laureno R, Karp BI: Myelinolysis after correction of hyponatremia, *Ann Intern Med* 126:57, 1997.

6. Halperin ML, Goldstein MB: *Fluid, electrolyte, and acid-base physiology—a problem based approach,* ed 2, Philadelphia, 1994, Saunders.

7. Fabius DB: How to recognize electrolyte imbalances on an ECG, *Hosp Nurs* 32:1, 1998.

8. Locker FG: Hormonal regulation of calcium homeostasis, *Nurs Clin North Am* 31:797, 1996.

9. Kaplan M: Hypercalcemia of malignancy: a review of advances in physiology, *Oncol Nurs Forum* 21:1039, 1994.

10. Reber PM, Heath H: Hypocalcemic emergencies, *Med Clin North Am* 79:93, 1995.

11. Toffaletti J: Physiology and regulation—ionized calcium, magnesium and lactate measurements in critical care settings, *Am J Clin Pathol* 104(4 suppl 1):88, 1995.

12. Tosiello L: Hypomagnesemia and diabetes mellitus, *Arch Intern Med* 156:1143, 1996.

13. Tasota FJ, Wesmiller SW: Balancing act: keeping blood pH in equilibrium, *Nursing* 28:34 1998.

10

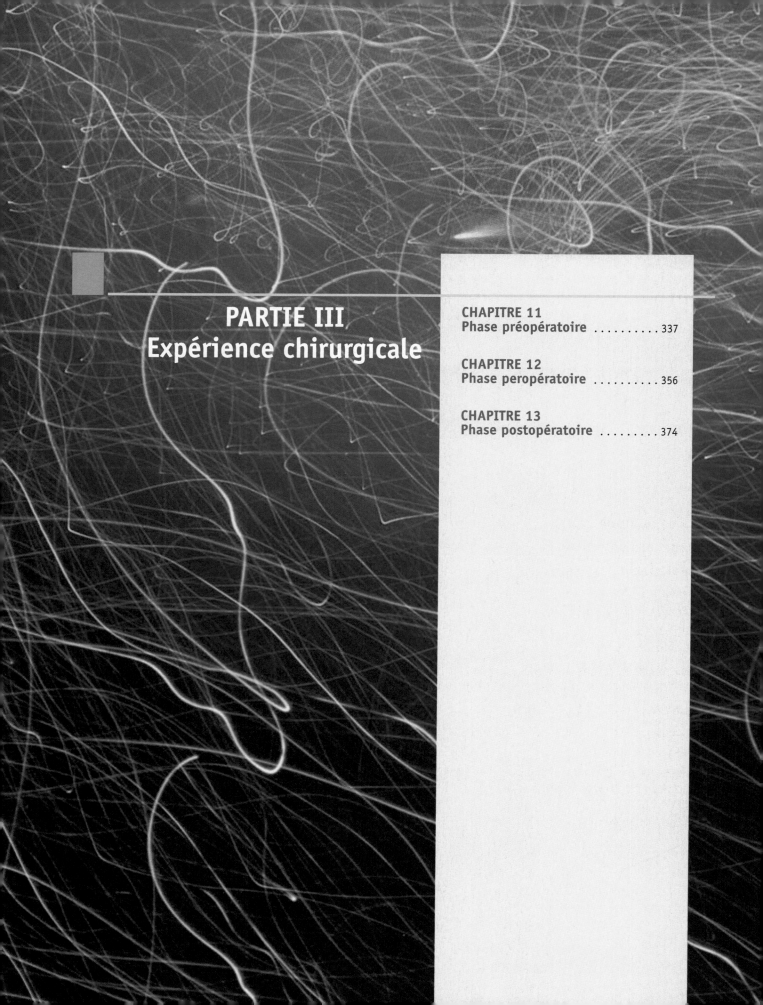

PARTIE III
Expérience chirurgicale

CHAPITRE 11
Phase préopératoire 337

CHAPITRE 12
Phase peropératoire 356

CHAPITRE 13
Phase postopératoire 374

Chapitre 11

Hélène Boissonneault
B. Sc. inf., D.A.P.
Cégep de Limoilou

Marlène Fortin
B. Sc. inf.
Cégep de Limoilou

PHASE PRÉOPÉRATOIRE

PLAN DU CHAPITRE

11.1 MILIEUX CHIRURGICAUX 338

11.2 RÉACTIONS PSYCHOSOCIALES À
LA CHIRURGIE 340
11.2.1 Peurs fréquentes 340

11.3 ENTREVUE AVEC LE CLIENT 341

11.4 ÉVALUATION DU CLIENT EN PHASE
PRÉOPÉRATOIRE 341
11.4.1 Données subjectives 342
11.4.2 Données objectives 346
11.4.3 Soins infirmiers :
phase préopératoire 346
11.4.4 Information juridique
en vue de la chirurgie 350
11.4.5 Jour de la chirurgie 351
11.4.6 Prémédication 353
11.4.7 Transport du client vers
la salle d'opération 354

OBJECTIFS D'APPRENTISSAGE

APRÈS AVOIR LU CE CHAPITRE, VOUS DEVRIEZ ÊTRE EN MESURE :

DE CONNAÎTRE LES PRINCIPAUX OBJECTIFS D'UNE CHIRURGIE ;

DE DÉCRIRE L'OBJECTIF ET LES COMPOSANTES DE L'ÉVALUATION PRÉOPÉRATOIRE ;

D'INTERPRÉTER LES DONNÉES LIÉES À L'ÉTAT DE SANTÉ DU CLIENT EN PHASES PRÉOPÉRATOIRE ET PEROPÉRATOIRE ;

D'EXPLIQUER L'OBJECTIF ET LES COMPOSANTES D'UN CONSENTEMENT ÉCLAIRÉ DANS LE CADRE D'UNE CHIRURGIE ;

DE DÉCRIRE LE RÔLE DE L'INFIRMIÈRE DANS LA PRÉPARATION PSYCHOLOGIQUE DU CLIENT ET L'ENSEIGNEMENT AU CLIENT EN PHASE PRÉCHIRURGICALE ;

DE DISCUTER DE LA PRÉPARATION DU CLIENT LE JOUR DE SA CHIRURGIE ;

DE CONNAÎTRE LES TYPES DE PRÉMÉDICATION ANESTHÉSIQUE ET LEURS EFFETS ESCOMPTÉS ;

DE FORMULER LES FACTEURS PARTICULIERS À CONSIDÉRER EN PHASE PRÉOPÉRATOIRE CHEZ LES PERSONNES ÂGÉES.

*O*n peut définir la **chirurgie** comme étant à la fois l'art et la science de traiter les maladies, les lésions et les déformations par une opération et des instruments. L'intervention chirurgicale nécessite une interaction entre le client, le chirurgien et l'infirmière. Elle peut être pratiquée pour l'un des motifs suivants :

- *diagnostique* : biopsie (p. ex. biopsie du ganglion lymphatique ou du tissu pulmonaire par bronchoscopie) ;
- *thérapeutique* : ablation (p. ex. de l'appendice ou d'un kyste ovarien bénin) ;
- *palliatif* : rhizotomie (incision d'une racine nerveuse) afin de supprimer les symptômes de douleur ou création d'une colostomie pour contourner une occlusion intestinale inopérable ;
- *esthétique* : p. ex. réparer une cicatrice de brûlure ou modifier la forme des seins (mammoplastie) ;
- *préventif* : p. ex. ablation d'une portion du côlon en présence d'une polypose familiale pour prévenir le cancer ;
- *exploratif* : p. ex. laparotomie pour déterminer l'étendue ou la nature d'une maladie.

On utilise généralement des suffixes spécifiques pour désigner les parties du corps ou les organes dans la dénomination des interventions chirurgicales (voir tableau 11.1).

11.1 MILIEUX CHIRURGICAUX

Une chirurgie peut être prévue et soigneusement planifiée ; c'est une chirurgie élective. Mais une intervention chirurgicale peut aussi être imprévue et urgente ; on la nomme alors chirurgie d'urgence. Les chirurgies électives ou d'urgence peuvent être pratiquées dans divers milieux. Celui dans lequel une chirurgie peut être pratiquée de manière efficace et sécuritaire dépend de la complexité de la chirurgie, des complications potentielles et de l'état de santé du client. Selon l'évaluation du client, un formulaire de demande d'admission en centre hospitalier (CH) ou d'intervention chirurgicale en externe sera rempli (voir figure 11.1).

Auparavant, un client qui devait subir une intervention chirurgicale était admis en CH le jour précédant l'intervention, afin que soient réalisés l'examen préopératoire et les épreuves de laboratoire appropriées pour la chirurgie. L'intervention était habituellement pratiquée en salle d'opération au CH et nécessitait ensuite une hospitalisation de plusieurs jours. Aujourd'hui, en raison des nombreuses compressions budgétaires et des progrès technologiques, la plupart des clients devant subir une chirurgie sont admis en CH le jour même de l'intervention ou encore ne nécessitent pas d'hospitalisation et sont suivis en externe, soit en chirurgie d'un jour.

Le nombre et les types d'interventions chirurgicales pratiquées à titre ambulatoire ne cessent d'augmenter dans les services d'urgence, les cabinets de médecins, les cliniques privées et les unités de soins de consultation externe des CH. Une intervention chirurgicale ambulatoire peut être réalisée sous anesthésie générale, régionale ou locale. La durée de ce type d'intervention est généralement inférieure à deux heures, la période en salle de réveil dure moins de trois heures et le client n'a pas à passer la nuit en CH.

La popularité de la chirurgie ambulatoire a augmenté de façon constante au cours de la dernière décennie. En général, les clients et les médecins préfèrent les chirurgies ambulatoires pour plusieurs raisons, par exemple le fait qu'elles sont plus commodes pour les clients et qu'elles offrent une meilleure flexibilité en ce qui a trait à la planification pour les chirurgiens. La chirurgie ambulatoire comprend normalement moins d'épreuves de laboratoire, moins de médication préopératoire et postopératoire, moins de stress psychologique (surtout chez les jeunes enfants et les personnes âgées) et moins de risques de contracter une infection nosocomiale.

Peu importe le milieu où l'intervention est pratiquée, l'infirmière joue un rôle majeur dans la préparation du client en le surveillant pendant l'intervention, en prévenant les complications et en facilitant son réveil postopératoire. Afin de jouer ce rôle avec efficacité, l'infirmière doit posséder plusieurs notions de base. Premièrement, elle doit vérifier la nature du problème qui nécessite une intervention, ainsi que tout processus morbide présent chez le client. Deuxièmement, elle doit connaître la réaction du client face à une situation stressante. Troisièmement, elle doit analyser les résultats des épreuves diagnostiques effectuées avant l'intervention. Enfin, elle doit tenir compte des changements physiques, des complications et des risques potentiels liés à l'intervention chirurgicale.

TABLEAU 11.1 Suffixes décrivant les interventions chirurgicales

Suffixe	Signification	Exemple
-ectomie	Excision ou retrait de	Appendicectomie
-lyse	Destruction de	Fibrinolyse
-rraphie	Réparation ou suture de	Herniorraphie
-scopie	Examen interne de	Endoscopie
-stomie	Création d'une ouverture dans	Colostomie
-tomie	Ouverture dans / incision de	Trachéotomie
-plastie	Réparation ou reconstruction de	Mammoplastie

CH✍ Centre hospitalier
affilié universitaire
de Québec

☐ **DEMANDE D'ADMISSION EN CHIRURGIE**
☐ **DEMANDE D'INTERVENTION CHIRURGICALE**

Nom : _____ Prénom : _____
Rue : _____
Ville : _____ Code postal : _____
Tél. : Rés. _____ Bur. _____
Sexe : _____ Âge : _____ N° dossier médical : _____
NAM : _____ Exp. : _____

ADMISSION   ☐ Pavillon St-Sacrement   ☐ Pavillon Enfant-Jésus

Date d'admission : ____ / ____ / ____   Heure : _____   N° de chambre : _____

Provenance : _____   Nom du médecin référant : _____

☐ Chirurgie d'un jour   Court séjour : ☐ 24 h   ☐ 48 h   ☐ 72 h   ☐ Moyen séjour (>72 h)   ☐ USI   ☐ Soins intermédiaires

☐ Traumatologie   ☐ Urgent   ☐ Semi-urgent   ☐ Électif   ☐ Chambre privée   ☐ Chambre semi-privée   ☐ Salle

Remarque : _____

Durée probable d'hospitalisation : _____ Jour(s) préopératoire(s) : _____ Jour(s) postopératoire(s) : _____

INTERVENTION

Date d'admission : ____ / ____ / ____   ☐ À opérer tôt, raison : _____

Chirurgien : _____   Heure désirée : _____

Diagnostic (en lettres moulées) : _____

Intervention proposée : _____   Durée : _____

☐ Aseptique   ☐ Septique   ☐ Scopie peropératoire   ☐ Sang, nombre d'unités : _____   ☐ Sang autologue

Anesthésie : ☐ Générale   ☐ Régionale   ☐ Narcose   ☐ Locale   ☐ Aucune

Diabète : ☐ Insulinodépendant   ☐ Non insulinodépendant   Poids du client : _____ kg

Position : _____   Films requis : _____

EXAMENS PRÉOPÉRATOIRES

☐ Aucun examen nécessaire   ☐ R.X. poumons   ☐ Observation médicale (anamnèse par médecin de famille)

☐ Hb et Ht   ☐ T. Quick (R.I.N.)   ☐ Consultations préopératoires : _____

☐ Hémogramme   ☐ T. céphaline   _____

☐ S.M. urines   ☐ T. saignement   Renseignements cliniques ou remarques : _____

☐ Glucose   ☐ Urée   _____

☐ Na, K, Cl   ☐ Créatinine   _____

☐ Groupement sanguin   ☐ Croisement   Schéma :   ☐ Localisation à l'aiguille (chirurgie du sein)

☐ ECG (obligatoire si plus de 40 ans)   ☐ Autres : _____
                                                    Spécifier
_____

_____

ORDONNANCES PRÉOPÉRATOIRES

MÉDICATION : _____

_____

SOLUTÉS : _____

_____

AUTRES : _____

| VALIDÉ PAR | _____ |

Date : _____ Signature du médecin : _____   LE _____

À L'USAGE DU BLOC OPÉRATOIRE

Salle N° : _____

CODE / CHARIOT   ITEMS SUPPLÉMENTAIRES   CODE / CHARIOT   ITEMS SUPPLÉMENTAIRES

| | | | | | | _____ _____ | | | | | | | _____ _____

6209011 REV. 99-03   **ADMISSION CHIRURGIE / INTERVENTION CHIRURGICALE**   **DOSSIER**

FIGURE 11.1 Admission en chirurgie
Reproduit avec l'autorisation du Centre hospitalier *affilié* universitaire de Québec.

11

Les interventions infirmières préopératoires comprises dans ce chapitre sont celles qui s'appliquent à la préparation générale de tout client pour une chirurgie. Certaines mesures spécifiques de la préparation d'interventions chirurgicales particulières (p. ex. chirurgie abdominale, thoracique ou orthopédique) sont traitées dans d'autres chapitres du présent ouvrage.

11.2 RÉACTIONS PSYCHOSOCIALES À LA CHIRURGIE

Même si une chirurgie est bien planifiée, elle demeure une expérience psychologique et physiologique qui suscite une réaction de stress. La réaction de stress est un mécanisme souhaitable puisqu'elle permet au corps de s'adapter et de guérir pendant la période postopératoire. Cependant, si les agents stressants ou la réaction aux agents stressants sont excessifs, la réaction de stress peut augmenter et nuire au rétablissement. L'infirmière qui est au courant des agents stressants perçus ou réels propres au client peut l'encourager et l'informer au cours de la phase préopératoire afin d'éviter que son stress ne se transforme en détresse (voir chapitre 4 pour une description plus complète).

Les réactions émotionnelles face à une chirurgie imminente et à l'hospitalisation s'intensifient souvent avec l'âge. L'hospitalisation peut représenter, pour certains clients, une détérioration physique et une perte de leur état de santé, de leur mobilité et de leur autonomie. Pour les personnes âgées, le CH peut être synonyme de mouroir ou de placement en centre de soins de longue durée. L'infirmière peut aider le client à vaincre ses peurs et ses angoisses et ainsi maintenir et rehausser l'estime de soi de la personne âgée au cours de l'expérience chirurgicale (voir encadré 11.1).

11.2.1 Peurs fréquentes

La **peur de la douleur et des malaises** est universelle. Cette peur englobe la crainte de ressentir de la douleur pendant et après la chirurgie. L'infirmière peut rassurer le client et lui faire comprendre que la chirurgie ne débutera pas tant que les effets de l'anesthésique ne seront pas enclenchés et que l'anesthésie sera maintenue tout au long de l'intervention. Elle peut encourager le client à discuter avec le personnel responsable de l'anesthésie s'il a besoin de clarification. Elle peut aussi rassurer un client qui craint les douleurs postopératoires en insistant sur l'efficacité et l'accessibilité des analgésiques.

| Le client âgé en phase préopératoire | ENCADRÉ 11.1 |

- Environ 24 % de toutes les interventions chirurgicales sont pratiquées chez des clients âgés de 65 ans et plus. Les interventions pratiquées le plus souvent chez les personnes âgées sont l'extraction des cataractes, la prostatectomie, l'herniorraphie, la cholécystectomie et la réduction de la fracture de la hanche.
- Les risques associés à l'anesthésie et à la chirurgie augmentent avec l'âge. En général, plus le client est âgé, plus les risques de complications postopératoires sont élevés. Les risques chirurgicaux chez la personne âgée relèvent des changements physiologiques normaux, engendrés par le vieillissement, qui nuisent au bon fonctionnement des organes et limitent la capacité de l'organisme de s'adapter au stress. Le tableau 3.1 présente les changements physiologiques associés au vieillissement. Cette diminution de la capacité d'adaptation au stress, jumelée à une ou plusieurs maladies chroniques, à l'anxiété et à la chirurgie elle-même, augmente le risque de complications. Les risques élevés ne sont pas seulement le résultat du vieillissement, mais sont aussi causés par la prévalence accrue de la comorbidité et par le déclin des fonctions de l'organisme. Il est important de ne pas seulement tenir compte de l'âge du client lors de la planification des soins, mais aussi de son état de santé.
- Lors de la préparation d'un client âgé en phase préopératoire, il est important d'obtenir des antécédents de santé détaillés et de procéder à un examen physique complet. Il est fréquent qu'une consultation médicale soit demandée à un

médecin spécialiste pour approbation. Les épreuves de laboratoire préopératoires, dont l'ECG et la radiographie pulmonaire, sont très importantes dans la planification et le choix des techniques d'anesthésie. Il est aussi essentiel de s'assurer que le client a tout le soutien familial nécessaire. En raison de l'augmentation des interventions chirurgicales sans hospitalisation et des hospitalisations postopératoires de courte durée, il est indispensable de tenir compte du soutien familial dans la continuité des soins aux personnes âgées.

- L'infirmière ne doit pas oublier que le processus cognitif et les facultés intellectuelles de certaines personnes âgées peuvent être ralentis ou détériorés. De plus, leur vision et leur ouïe peuvent aussi être diminuées. C'est pourquoi les personnes âgées peuvent avoir besoin de plus de temps que les autres pour compléter les tests préopératoires, se vêtir pour la chirurgie, comprendre les instructions préopératoires et compléter tout autre préparatif préopératoire.
- En raison du changement et de l'inconfort causés par la situation, les appréhensions par rapport à la chirurgie peuvent prendre de l'ampleur chez les personnes âgées et devenir accablantes. Ces appréhensions peuvent nuire à leur adaptation en affectant leur autonomie, leur mode de vie et leur estime de soi. L'infirmière doit être particulièrement vigilante lors des soins ou de l'évaluation des clients âgés qui doivent subir une chirurgie. Un événement pouvant avoir peu de répercussions pour un jeune client peut s'avérer pénible pour une personne âgée.

La **peur de l'inconnu** est aussi très fréquente. Cette peur provient d'un manque d'information ou de compréhension par rapport au déroulement de la chirurgie et de l'incertitude quant aux résultats escomptés. La hantise du cancer, si fréquent dans notre société, contribue souvent à alimenter cette peur, que ce soit dans le cas de chirurgies à des fins de diagnostic ou lorsque le diagnostic est déjà connu. Le client peut avoir des appréhensions complètement irréalistes quant à la chirurgie qui sera pratiquée. Ces appréhensions peuvent provenir d'expériences antérieures ou encore des multiples expériences relatées par l'entourage et les médias, notamment la télévision. L'infirmière peut atténuer la peur du client en lui fournissant de l'information précise et spécifique. Le chirurgien doit être informé si le client a réellement besoin de plus d'information ou si sa peur semble excessive.

La **peur de la mutilation** ou du changement de l'image corporelle peut aussi être un facteur majeur de stress, non seulement lorsqu'une chirurgie radicale ou une amputation s'impose, mais aussi dans les cas de chirurgies moins importantes. L'idée de perdre du sang provoque de l'anxiété chez certaines personnes. La présence d'une cicatrice sur le corps en répugne d'autres. La perception qu'a une personne d'une menace par rapport à son image corporelle est unique. L'infirmière doit écouter attentivement le client et comprendre ses inquiétudes quant à cet aspect de la chirurgie en adoptant une attitude favorisant l'ouverture d'esprit et en évitant de porter des jugements.

La **peur de la mort** peut être encore plus grande si le client sait qu'il a une tumeur maligne ou s'il existe un risque chirurgical. Toutefois, cette peur peut se manifester chez des clients envisageant une chirurgie mineure. Une chirurgie peut être reportée si le client est persuadé qu'il va mourir sur la « table d'opération », car l'attitude et l'état émotionnel du client influent sur le résultat de l'intervention. Si le client craint pour sa vie, l'infirmière doit en aviser le chirurgien.

La **peur de l'anesthésie** peut comporter certaines inquiétudes quant à une induction désagréable, des risques ou des complications (comme une lésion cérébrale ou une paralysie), ou une perte de contrôle pendant que le client est sous anesthésie. L'infirmière peut rassurer le client en lui indiquant que l'anesthésie n'a pas l'effet du « sérum de vérité ». Le personnel responsable de l'anesthésie peut fournir de l'information détaillée au client à propos des effets à anticiper pour chacun des agents utilisés.

La **peur de la perturbation du mode de vie** peut être présente à différents degrés. Elle peut se traduire par la peur d'une invalidité permanente ou par une simple crainte de ne pas pouvoir pratiquer ses loisirs (p. ex. jouer au golf) pendant quelques semaines. Les inquiétudes quant au fait d'être séparé de sa famille et les préoccupations pour le partenaire et les enfants à la maison sont fréquentes. Les soucis financiers peuvent être liés à une perte de revenu familial anticipée.

11.3 ENTREVUE AVEC LE CLIENT

La recherche de problèmes potentiels avant la chirurgie débute normalement par l'entrevue avec le client. Celle-ci permet de créer une relation de confiance entre le client et l'infirmière. Elle est souvent le premier contact du client avec l'unité de chirurgie et le moment où le client se fera une opinion générale de ce qui l'attend. Cette entrevue avec le client peut se faire le jour même de la chirurgie ou avant.

Les objectifs de l'entrevue en période préopératoire sont les suivants :
- obtenir de l'information sur le client ;
- informer le client sur l'anesthésie et la chirurgie ;
- obtenir le consentement du client pour la chirurgie.

L'entrevue sert également à préciser les points suivants :
- évaluation de l'état émotionnel et préparation physique du client ;
- connaissance des attentes du client quant à la chirurgie ;
- renforcement et clarification des attentes du client.

L'entrevue permet au client et à sa famille de poser des questions sur l'anesthésie, la chirurgie, les soins postopératoires et d'évaluer la réaction du client et de sa famille relativement à la chirurgie. L'infirmière qui a une connaissance de la perception du client et de sa famille face aux agents stressants sera en mesure de répondre à leurs besoins pendant la phase préopératoire afin d'éviter que le stress ne se transforme en détresse. Les réactions émotionnelles à la chirurgie et à l'anesthésie varient. L'étendue des peurs du client et de sa famille peut être influencée par des expériences antérieures, la connaissance du sujet, des espoirs sur le résultat de l'intervention et les mécanismes d'adaptation personnels.

L'infirmière inscrit au dossier les données recueillies auprès du client lors de l'entrevue afin de les utiliser comme référence pendant les phases peropératoire et postopératoire, ainsi que pour planifier et personnaliser les soins postopératoires.

11.4 ÉVALUATION DU CLIENT EN PHASE PRÉOPÉRATOIRE

Bien que la collecte de données et l'intervention soient traitées séparément, en pratique les deux se font souvent simultanément. Le but général de l'évaluation préopératoire est la sécurité du client et comprend les éléments spécifiques suivants :
- déterminer si l'état de santé du client est considéré comme acceptable pour qu'il puisse subir la chirurgie en question ;

11

- établir et corriger (si possible) les facteurs de risque liés à l'intervention ;
- déterminer si l'intervention nécessitera l'hospitalisation du client ou non et si le client sera admis en CH le jour même de l'intervention ;
- établir des données initiales pour d'éventuelles comparaisons au cours de la période postopératoire ;
- planifier et entreprendre les soins préopératoires ;
- choisir la technique d'anesthésie et les types d'agents anesthésiques convenant le mieux au client, ainsi que le type d'intervention qui sera pratiquée.

11.4.1 Données subjectives

Évaluation psychosociale. Une évaluation psychosociale du client en phase préopératoire permet de consigner suffisamment d'information sur sa perception de l'expérience chirurgicale (voir encadré 11.2). Cette information peut être collectée par l'infirmière lors de l'entrevue d'admission et au fur et à mesure que la relation entre le client et l'infirmière se développe. Le client extrêmement anxieux nécessitera davantage d'attention lors du processus d'évaluation. L'infirmière doit s'abstenir d'employer des termes ou des concepts susceptibles d'augmenter l'anxiété du client et de perturber davantage son processus de pensée et sa capacité cognitive.

Antécédents de santé. Au départ, l'infirmière doit vérifier la compréhension du client quant à la nécessité de la chirurgie, ainsi que les problèmes spécifiques l'ayant poussé à avoir recours à des soins médicaux. Par exemple, un client devant subir une arthroplastie totale du genou peut avoir des problèmes de douleur croissante et de mobilité réduite.

S'il s'agit d'une femme, il est important de vérifier ses antécédents obstétricaux, ainsi que les données spécifiques quant à son cycle menstruel, y compris la date des dernières menstruations. Le but de ces renseignements est d'éviter l'exposition d'une mère potentielle et de son fœtus à une anesthésie au cours du premier trimestre de la grossesse. Comme ce type de questions peut être embarrassant pour une adolescente en présence de ses parents ou d'un tuteur, l'infirmière peut faire en sorte de poser ces questions à l'adolescente en privé.

L'information sur les antécédents de santé des membres de la famille est aussi importante, notamment toute réaction indésirable ou problème lié à l'anesthésie. Ainsi, des anesthésistes ont été informés d'un phénomène étrange, nommé par la suite « hyperthermie maligne », lorsqu'un jeune homme d'Australie mentionna que 10 membres de sa famille étaient décédés des suites d'une anesthésie. La prédisposition génétique à l'hyperthermie maligne est maintenant bien documentée (voir chapitre 12 pour une description plus complète de l'hyperthermie maligne).

ENCADRÉ 11.2 — Évaluation psychosociale du client en phase préopératoire

Changements causés par la situation
- Déterminer si le client a l'appui nécessaire de sa famille, des proches, d'un groupe ou d'une institution, ainsi que le soutien religieux et spirituel dont il a besoin.
- Déterminer son degré de maîtrise de soi, de prise de décision et d'autonomie.
- L'inciter à prendre conscience de l'impact et des effets potentiels de la chirurgie et de l'hospitalisation sur son mode de vie.

Préoccupations relatives à l'inconnu
- Déterminer les facteurs de préoccupation.
- Préciser les attentes du client relatives à la chirurgie, les changements par rapport à son état de santé actuel et les effets de l'environnement.

Préoccupations relatives à l'image corporelle
- Cerner les rôles, les relations et la perception de soi du client.
- Déterminer les changements de rôles ou de relations prévus ou potentiels, ainsi que leur impact sur son image corporelle.

Expériences antérieures
- Revoir les expériences chirurgicales, les hospitalisations et les traitements antérieurs du client.
- Établir les réactions du client face à ses expériences antérieures (positives et négatives).
- Déceler les perceptions actuelles qu'a le client de l'intervention chirurgicale relativement à ce qui précède et à l'information reçue par d'autres (p. ex. la perception qu'a un voisin de chambre d'une expérience chirurgicale personnelle).

Manque de connaissances
- Déterminer le niveau de compréhension du client relativement à l'intervention chirurgicale, y compris la préparation, les soins, les interventions, les activités, les restrictions et les résultats escomptés.
- Vérifier l'exactitude de l'information donnée par l'équipe soignante, la famille, les amis et les proches.

Des antécédents familiaux de maladies cardiaques et endocrinienne doivent faire l'objet de recherches plus approfondies. Des antécédents familiaux de mort subite, d'infarctus du myocarde et de coronaropathie sont des signes démontrant à l'infirmière que le client est susceptible de présenter des affections semblables. Des antécédents familiaux de diabète doivent faire l'objet de recherches en raison de la diathèse familiale au diabète de types 1 et 2.

La dernière composante des antécédents du client consiste à passer en revue les appareils et les systèmes anatomiques. Il est important de poser des questions spécifiques pour confirmer la présence ou l'absence de maladie. Des altérations de certains appareils ou systèmes peuvent influer sur le choix des techniques et des agents anesthésiques, ainsi que sur les priorités de surveillance peropératoire et le type de soins postopératoires à prodiguer. Si l'évaluation initiale du client est faite le jour précédant la chirurgie, il faut se baser sur la revue des appareils et des systèmes et revoir les données de l'anamnèse pour déterminer si des épreuves de laboratoire supplémentaires s'imposent avant la chirurgie. Beaucoup d'agents stressants de nature physiologique peuvent augmenter les risques de complications chirurgicales, que l'intervention soit élective ou urgente. Une évaluation physiologique du client en phase préopératoire est décrite à l'encadré 11.3.

Appareil cardiovasculaire. Le but de l'évaluation de la fonction cardiovasculaire du client est de vérifier la présence de maladies préexistantes ou de troubles fonctionnels (p. ex. prolapsus valvulaire mitral) susceptibles d'augmenter les risques périopératoires. Il est primordial de demander l'ensemble des détails concernant des antécédents de troubles cardiaques comme l'hypertension, l'angine, l'arythmie ou l'infarctus du myocarde. Le client comprendra et répondra mieux si les questions à propos d'antécédents d'hypertension, de douleurs thoraciques, de palpitations ou d'infarctus lui sont posées en langage populaire. Il est aussi important de connaître les antécédents d'insuffisance cardiaque et d'œdème (p. ex. inflammation ou rétention hydrique). L'infirmière doit aussi vérifier avec le client s'il a déjà consulté un cardiologue, s'il prend des médicaments contre les maladies cardiaques ou s'il a déjà subi une intervention chirurgicale au cœur comme un cathétérisme, l'implantation d'un stimulateur cardiaque, un pontage ou autre.

Après un infarctus du myocarde, un client doit théoriquement attendre au moins six mois avant de subir une chirurgie élective, et ce, afin de réduire les risques qu'il ne subisse un autre infarctus. Si le client a des antécédents d'hypertension, il est recommandé de s'adresser au chirurgien ou au médecin pour une approbation médicale de l'intervention prévue. S'il présente des antécédents de maladies cardiaques congénitales, rhumatismales ou valvulaires, on peut avoir recours à une antibioprophylaxie avant la chirurgie afin de diminuer les risques d'endocardite bactérienne (voir chapitre 25).

Le client est habituellement observé par électrocardiogramme (ECG) pendant et après la chirurgie. S'il prend de la digoxine (Lanoxin), son taux de potassium sérique sera surveillé de près afin d'éviter les effets indésirables et toxiques des agents anesthésiques. La déshydratation peut nécessiter une correction préopératoire par thérapie liquidienne. Bien qu'on doive procéder à une évaluation préopératoire de l'équilibre hydrique pour tous les clients, cette mesure est indispensable dans le cas des personnes âgées puisque leur capacité d'adaptation réduite laisse peu de marge de sécurité entre l'hyperhydratation et la déshydratation.

Appareil respiratoire. Il est important de demander au client s'il a des antécédents de dyspnée (au repos ou à

Évaluation physiologique du client en phase préopératoire   ENCADRÉ 11.3

État cardiovasculaire
- Relever toute affection aiguë ou chronique, notamment la présence d'angine, d'hypertension, d'insuffisance cardiaque congestive et les antécédents d'infarctus du myocarde récents.
- Prendre les pouls apical, radial et pédieux et en évaluer les caractéristiques (comparer les deux côtés).
- Vérifier la présence d'œdème (y compris les zones orthostatiques) et en noter l'emplacement et la gravité.
- Vérifier s'il y a distension des veines cervicales.

État respiratoire
- Relever toute affection aiguë ou chronique et noter la présence d'infection ou de bronchopneumopathie obstructive (BPCO).
- Noter les antécédents de tabagisme, entre autres le temps écoulé depuis la dernière cigarette et le nombre de paquets consommés par année. Il ne faut pas oublier que, même si le client est incité à cesser de fumer avant l'intervention, certaines personnes sont incapables de le faire pendant une telle période d'anxiété.
- Ausculter les bruits respiratoires pour déceler les bruits normaux et surajoutés, déterminer le rythme et le mode respiratoire, ainsi que l'utilisation des muscles accessoires.

État tégumentaire et musculosquelettique
- Vérifier l'état des muqueuses (humides ou rosées).
- Déterminer l'état de la peau ; déceler la sécheresse, les contusions et les lacérations sur l'ensemble de la surface corporelle.
- Noter toute limitation de mouvement, faiblesse ou perte de mobilité.
- Déterminer les médicaments pouvant nuire à la coagulation (p. ex. acide acétylsalicylique [AAS] et anti-inflammatoires stéroïdiens [AINS]).

État nutritionnel
- Peser le client.
- Noter toute perte de masse récente (p. ex. un équilibre azoté négatif peut causer des complications postopératoires comme des problèmes de cicatrisation des plaies, un déséquilibre hydrique et une infection).
- Évaluer les habitudes alimentaires du client (les personnes âgées ont souvent des carences alimentaires préexistantes).
- Déterminer les médicaments pouvant nuire à l'équilibre électrolytique. Il faut tenir compte des médicaments sur ordonnance et en vente libre (p. ex. les diurétiques d'épargne potassique ou un abus de laxatifs et d'antiacides).
- Inspecter la dentition et noter la présence d'une prothèse dentaire (une prothèse ou une dent lâche pourrait être délogée pendant l'intubation).

11

l'effort), de toux (sèche ou productive), d'hémoptysie et d'asthme. Si le client a des antécédents d'asthme, l'infirmière doit lui demander s'il utilise des bronchodilatateurs, ainsi que la fréquence et les éléments déclencheurs de ses crises d'asthme.

Il est aussi important de demander au client s'il a présenté une infection quelconque des voies respiratoires supérieures, chronique ou récente. Dans les situations où un client est atteint d'une infection des voies respiratoires supérieures, la chirurgie élective est généralement annulée ou retardée, puisque le client court un risque élevé de bronchospasme, de laryngospasme, de faible saturation en oxygène et de présence de sécrétions. Le client ayant des antécédents de bronchopneumopathie chronique obstructive (BPCO) et d'asthme est aussi grandement prédisposé à des complications pulmonaires postopératoires, comme l'hypoxémie et l'atélectasie.

Il est important de demander à un client fumeur de s'abstenir de fumer pendant la phase préopératoire, mais il est possible que cela lui demande un effort considérable s'il est très anxieux, et l'infirmière devra en tenir compte. Toute autre affection physique susceptible de nuire à la fonction respiratoire doit être notée. Ces affections comprennent, entre autres, l'obésité et les déformations de la colonne vertébrale, du thorax et des voies respiratoires. Selon les antécédents du client et l'examen physique, il est possible qu'un examen initial de la fonction pulmonaire et des gaz artériels soit nécessaire en phase préopératoire.

Système nerveux. L'évaluation préopératoire du système neurologique comprend l'évaluation de la capacité du client à répondre aux questions, à suivre des instructions et à maîtriser des concepts cognitifs. On doit évaluer la pertinence des réponses et du processus cognitif. Cet aspect est particulièrement important dans le cas où le client en phase préopératoire doit compléter sa préparation en milieu externe. Si des déficiences se présentent, une évaluation plus approfondie doit permettre de déterminer leur étendue ainsi que la possibilité de les corriger avant la chirurgie. Lorsqu'il est impossible de résoudre le problème, il faut déterminer si le client dispose de toutes les ressources nécessaires en matière de soutien et d'assistance de la part de son entourage.

Il est aussi important de demander au client s'il a déjà été victime d'un accident vasculaire cérébral (AVC), d'une ischémie cérébrale transitoire (ICT), de lésions médullaires ou encore d'une atteinte du système nerveux telle que l'infirmité motrice cérébrale, la myasthénie grave, la maladie de Parkinson ou la sclérose en plaques.

Reins. Puisqu'un grand nombre de personnes présentent des maladies rénales, il est important d'inclure dans l'anamnèse des questions concernant les maladies rénales préexistantes. Le dysfonctionnement rénal est associé à certaines altérations, notamment les déséquilibres hydroélectrolytiques, les troubles de coagulation, les risques élevés d'infection et les défauts dans le processus de cicatrisation des plaies. Un autre point non négligeable est le fait que les reins assurent le métabolisme et l'excrétion des médicaments. Une fonction rénale réduite peut nuire à la réaction aux médicaments ainsi qu'à leur élimination.

Foie. Le foie contribue à l'équilibre du glucose, au métabolisme lipidique, à la synthèse des protéines, au métabolisme des médicaments et des hormones, ainsi qu'à la formation et à l'excrétion de bilirubine. Le foie assure la métabolisation de plusieurs médicaments anesthésiques et complémentaires. Un dysfonctionnement hépatique peut donc entraîner des effets systémiques importants et dangereux. De plus, le client présentant une maladie du foie peut avoir des problèmes d'équilibre du glucose, de coagulation et de réaction aux effets des médicaments, ce qui augmente considérablement les risques périopératoires.

Appareil locomoteur. Il est important, surtout chez les personnes âgées, de demander au client s'il a des antécédents d'affections musculosquelettiques. Si le client souffre d'arthrite, il faut noter les articulations affectées. Une mobilité réduite peut modifier les positionnements peropératoire et postopératoire, ainsi que la déambulation postopératoire. Lorsque le cou est affecté, l'intubation et l'assistance respiratoire peuvent être difficiles. Le jour de la chirurgie, il est important que le client ait en sa possession toute aide fonctionnelle, tels une canne, un déambulateur ou des béquilles, dont il a ou aura besoin en période postopératoire.

État nutritionnel. L'évaluation de l'état nutritionnel comprend la prise en considération de deux problèmes pouvant augmenter les risques chirurgicaux : l'obésité et la carence alimentaire. L'obésité est un agent stressant pour l'appareil cardiorespiratoire. L'obésité rend l'accès au site chirurgical plus difficile et prolonge ainsi la durée de la chirurgie. Cet état prédispose le client à la déhiscence, à l'infection des plaies et à la formation d'une hernie incisionnelle, puisque les tissus adipeux nuisent au maintien du rapprochement des lèvres de la plaie et sont moins vascularisés que les autres tissus. Les agents anesthésiques inhalés sont absorbés et emmagasinés par les tissus adipeux, puis éliminés pendant la phase postopératoire. Par conséquent, le client obèse nécessite une dose d'agents anesthésiques supérieure et prend donc plus de temps à se rétablir de ses effets.

Les carences alimentaires en protéines et en vitamines A, B et C sont non négligeables puisque chacun de ces nutriments est essentiel à la cicatrisation des plaies. Les personnes âgées sont souvent prédisposées à la malnutrition et au déficit hydrique associé à de mauvaises habitudes alimentaires, à une dentition déficiente et à des restrictions économiques. Les carences alimentaires nuisent à un prompt rétablissement postopératoire. La chirurgie peut être reportée jusqu'à ce que le client ait pris ou perdu du poids, selon le cas, et que les carences soient corrigées. Il est important de ne pas oublier que les clients obèses peuvent aussi avoir des carences en protéines et en vitamines. L'infirmière doit aussi tenir compte des clients dont l'alimentation est déficiente en raison de troubles gastro-intestinaux.

Système endocrinien. Le diabète est un facteur de risque pour l'anesthésie et la chirurgie. Le client diabétique risque de souffrir d'hypoglycémie, d'acidocétose, d'altérations cardiovasculaires, d'un retard de cicatrisation des plaies et d'infection. Il est important de clarifier auprès du chirurgien ou du personnel responsable de l'anesthésie si le client doit recevoir la dose habituelle d'insuline le jour de la chirurgie ou si une perfusion avec insuline doit être installée. Certains médecins préfèrent que le client ne prenne que la moitié de la dose habituelle ; d'autres préfèrent qu'il la prenne au complet ou qu'il n'en prenne pas du tout. Lorsqu'un client doit recevoir une dose d'insuline, son taux de glycémie est surveillé périodiquement et la dose est modifiée, s'il y a lieu, par une dose d'insuline à action rapide.

Infection. Bien que la présence d'infection aiguë entraîne souvent l'annulation de la chirurgie élective, il est possible que les clients atteints d'une infection chronique comme le syndrome d'immunodéficience acquise (SIDA) et la tuberculose subissent tout de même l'intervention chirurgicale jugée nécessaire. Il est important de tenir compte des précautions contre les maladies infectieuses lors de la préparation du client en phase préopératoire (voir chapitre 6 sur les précautions contre l'infection).

Médication. Il est indispensable de demander les détails au sujet des médicaments que le client prend actuellement, y compris les médicaments en vente libre. Cet aspect est primordial puisque certains médicaments peuvent interagir avec les agents anesthésiques et en augmenter ou en réduire la puissance et l'efficacité. De plus, il est crucial de tenir compte des effets des médicaments pris dans les cas de cardiopathies, d'hypertension ou comme substituts endocriniens, ainsi que des immunosuppresseurs et des anticoagulants.

L'infirmière peut aussi obtenir et évaluer les résultats des épreuves de laboratoire si elle juge que le type de médicaments consommés actuellement par le client nécessite cette attention. Par exemple, si le client prend de la warfarine (Coumadin) ou de l'acide acétylsalicylique (Aspirin), il est important de vérifier sa vitesse de coagulation sanguine. Le client qui suit un traitement diurétique peut nécessiter une analyse de son taux de potassium. S'il prend des médicaments antiarythmiques, il est important qu'il passe un ECG avant la chirurgie. L'insuline ou les agents hypoglycémiants utilisés pour équilibrer le diabète peuvent nécessiter un ajustement du dosage pendant la phase préopératoire en raison du métabolisme basal élevé, du faible apport en calories, du stress et de l'anesthésie. Les agents anxiolytiques potentialisent l'effet des barbituriques et des narcotiques utilisés pour l'anesthésie. Les antihypertenseurs peuvent prédisposer le client à un choc causé par la combinaison de l'effet des médicaments et de l'effet vasodilatateur de certains agents anesthésiques.

L'infirmière doit être en mesure de déterminer si le client prend correctement les médicaments qui lui sont prescrits actuellement. Le client suit-il la posologie prescrite ou a-t-il cessé de prendre ses médicaments à cause du coût, des effets secondaires ou parce qu'il croit qu'il n'en a plus besoin.

Quand on pose des questions sur la médication, il est primordial de demander au client s'il a des intolérances ou des allergies à certains médicaments. L'intolérance à un médicament se traduit normalement par des effets secondaires désagréables pour le client, mais ne mettent pas sa vie en danger. Ces effets comprennent la nausée, la diarrhée, la constipation et l'érythème. Une véritable allergie à un médicament provoque une réaction anaphylactique, entraînant des conséquences cardiovasculaires comme l'hypotension, la tachycardie, les bronchospasmes et l'œdème pulmonaire. C'est en tenant compte des intolérances et des allergies aux médicaments du client qu'il est possible d'assurer son confort, sa sécurité et la stabilité de son état. Lorsqu'une intolérance ou une allergie est notée, le dossier du client doit être identifié en conséquence et le client doit porter un bracelet indiquant l'allergie.

Il est aussi important de demander au client s'il présente d'autres types d'allergies, comme une allergie à certains aliments, à des produits chimiques ou au pollen. Le client ayant des antécédents de réaction allergique a plus de chances d'avoir des réactions d'hypersensibilité aux médicaments qui lui seront administrés lors de l'anesthésie.

Les clients devraient aussi subir un dépistage pour des allergies potentielles au latex. Certains centres établissent le test en fonction des cinq points suivants :
- les facteurs de risque ;
- la dermatite de contact ;
- l'urticaire de contact ;
- les réactions aux aérosols ;
- les antécédents de réactions susceptibles d'être liées à une allergie au latex.

Les facteurs de risque comprennent les expositions multiples et de longue durée aux produits en latex. Ils touchent

11

particulièrement le personnel soignant et les travailleurs de l'industrie du caoutchouc. D'autres facteurs de risque existent, notamment les antécédents de rhume des foins ou d'asthme ainsi que certaines allergies alimentaires (p. ex. avocats, kiwis, bananes, pommes de terre, pêches, abricots). Le chapitre 7 traite des allergies au latex.

Il est important de demander au client s'il consomme des drogues, à quelle fréquence et s'il en est dépendant. Les drogues les plus souvent consommées sont le tabac, l'alcool, la marijuana et la cocaïne. Ces questions doivent être posées directement et le client doit être encouragé à dire la vérité. Lorsque les clients sont informés des interactions potentielles entre ces drogues et les agents anesthésiques, la plupart disent la vérité sur leur consommation afin de diminuer les risques. En ce qui concerne les fumeurs, ils doivent normalement cesser de fumer environ six semaines avant la chirurgie afin de réduire les risques de complications respiratoires peropératoires et postopératoires. L'alcool, consommé de façon chronique, devient un risque pour le client. Le métabolisme des agents anesthésiques est prolongé, l'état nutritionnel est altéré et les risques de complications postopératoires sont élevés lorsque la fonction hépatique est diminuée.

Chirurgie et autres traitements. Le client doit être interrogé sur ses antécédents d'intervention chirurgicale et d'anesthésie. Ces renseignements permettent d'évaluer l'exposition du client aux agents anesthésiques et d'éventuelles complications postopératoires. Par exemple, le client peut indiquer qu'il a déjà eu une réaction allergique à un médicament quelconque ou qu'il a déjà fait une pneumonie à la suite d'une chirurgie.

Modes fonctionnels de santé. Il est important de revoir chacun des modes fonctionnels de santé du client avant la chirurgie. Les questions à poser au client en phase préopératoire sont présentés dans l'encadré 11.4.

11.4.2 Données objectives

Examen physique. On doit retrouver au dossier du client admis en salle d'opération un rapport bien documenté de son examen physique. Cet examen peut être fait le jour de la chirurgie ou avant et peut être effectué par une infirmière praticienne, un chirurgien, un interne ou un anesthésiste.

En tenant compte de l'entrevue avec le client et de son examen physique, le personnel responsable de l'anesthésie assignera une notation au client selon l'échelle d'évaluation de son état physique. Cette notation sert d'indicateur des risques périopératoires et des résultats escomptés. Le tableau 11.2 traite de l'échelle d'évaluation de l'état physique actuellement utilisée.

Épreuves de laboratoire. En théorie, les épreuves de laboratoire préopératoires doivent être exigées en fonction des antécédents du client et de son examen physique. Toutefois, un grand nombre d'établissements ont leur propre protocole écrit en ce qui concerne les épreuves de laboratoire préopératoires (voir figure 11.1). Les épreuves de laboratoire les plus courantes sont présentées au tableau 11.3. L'infirmière a la responsabilité de veiller à ce que tous les résultats des épreuves de laboratoire soient inscrits au dossier du client en phase préopératoire. Dans certains établissements, c'est l'infirmière qui doit analyser les résultats, déceler les anomalies et en informer le chirurgien et le personnel responsable de l'anesthésie.

11.4.3 Soins infirmiers : phase préopératoire

Enseignement préopératoire. Lorsque le client est hospitalisé, l'enseignement préopératoire auprès de ce dernier et de sa famille doit normalement se faire la veille de la chirurgie. Si le client n'est pas hospitalisé avant la

TABLEAU 11.2	Échelle de risque selon l'état physique en phase préopératoire
Évaluation	**Exemples**
I. Client en santé sans maladie systémique.	Le client n'a pas d'antécédents médicaux importants.
II. Maladie systémique bénigne sans limitation fonctionnelle.	Le client a des antécédents d'asthme maîtrisé par un β agoniste en inhalation.
III. Maladie systémique grave associée à des limitations fonctionnelles définies.	Le client a des antécédents d'asthme chronique maîtrisé par un β agoniste et des stéroïdes en inhalation ; absence de *wheezing*.
IV. Maladie systémique grave mettant en danger la vie du client.	Le client a des antécédents d'asthme à peine maîtrisé par un β agoniste en inhalation et des stéroïdes par voie orale ; PaO_2 50 mm Hg ; *wheezing* ; modifications aux radiographies pulmonaires.
V. Client dont les chances de survie pendant plus de 24 heures sont minces ou inexistantes avec ou sans chirurgie.	Le client est en état de mal asthmatique (*status asthmaticus*), il est intubé et ventilé, des corticostéroïdes et de l'aminophylline (Phyllocontin) lui sont administrés par voie intraveineuse.

ANTÉCÉDENTS DE SANTÉ

Phase préopératoire

Mode perception et gestion de la santé
- Quelles sont les explications données par votre médecin à propos de votre chirurgie ?
- Est-ce votre première chirurgie ?*
- Est-ce que vous ou un membre de votre famille avez déjà éprouvé des problèmes d'anesthésie ?*
- Est-ce que vous fumez ?* Dans l'affirmative, combien de cigarettes par jour ? Depuis combien d'années ?
- Souffrez-vous d'une maladie chronique quelconque ?*
- Prenez-vous des médicaments ?* Êtes-vous allergique à certains médicaments ?*
- Quelles sont vos habitudes de consommation d'alcool ?

Mode nutrition et métabolisme
- Combien mesurez-vous ? Quel est votre poids ?
- Avez-vous perdu ou gagné du poids récemment ?*
- Avez-vous des préférences ou des aversions alimentaires ?*
- Avez-vous de la difficulté à mastiquer ou à avaler ?*
- Prenez-vous des vitamines ?*
- Avez-vous des problèmes de cicatrisation ?*
- Avez-vous déjà présenté des maladies de foie ?*

Mode élimination
- Avez-vous des problèmes de constipation ?*
- Avez-vous des problèmes urinaires ?*

Mode activité et exercice
- Avez-vous des antécédents d'hypertension ou de maladies cardiaques ?*
- Avez-vous des antécédents de dyspnée, de toux, d'hémoptysie, de maladies pulmonaires aiguës ou chroniques ?*
- Souffrez-vous actuellement d'une infection des voies respiratoires supérieures ?*
- Souffrez-vous de troubles musculosquelettiques pouvant nuire à votre positionnement lors de la chirurgie ou nuire à vos activités après la chirurgie ?*
- La mobilité de votre cou est-elle réduite ?*

- Avez-vous besoin d'un appareil quelconque pour vous déplacer ?*

Mode sommeil et repos
- Décrivez tout problème de sommeil éprouvé.
- Prenez-vous des somnifères ?*

Mode cognition et perception
- Portez-vous des lunettes, des lentilles cornéennes ou des aides auditives ?*
- Comment décririez-vous votre tolérance à la douleur ?
- Quelles méthodes trouvez-vous efficaces pour soulager la douleur ?

Mode perception et concept de soi
- Comment vous sentez-vous à l'idée de subir cette chirurgie ?
- Y a-t-il des changements dans la façon de vous percevoir ou de percevoir votre corps ?*

Mode relation et rôle
- Cette chirurgie va-t-elle créer des problèmes dans vos relations ou vos rôles habituels ?*
- Pensez-vous avoir tout le soutien dont vous aurez besoin à votre sortie du CH ?

Mode sexualité et reproduction
- Croyez-vous que cette chirurgie aura un effet sur votre sexualité ?*

Mode adaptation et tolérance au stress
- Comment vous sentez-vous relativement à cette chirurgie ?
- Croyez-vous que vous serez en mesure de vous débrouiller après la chirurgie ?

Mode valeurs et croyances
- Cette chirurgie entre-t-elle en conflit avec vos valeurs ou vos croyances ?*

*Dans l'affirmative, décrivez la situation.

chirurgie, ce qui est le plus fréquent, l'enseignement est normalement dispensé dans le bureau du chirurgien ou à la clinique avant l'admission, puis répété le jour de la chirurgie. Certains centres de soins ambulatoires font en sorte qu'un membre du personnel téléphone au client à son domicile afin de répondre à des questions de dernière minute et de répéter l'enseignement.

L'enseignement préopératoire comprend de l'information sur les éléments préopératoires courants, comme le temps approximatif nécessaire à la chirurgie et au rétablissement postopératoire, ainsi que sur la raison et les objectifs des soins postopératoires en salle de réveil. Le client peut avoir besoin d'information sur les techniques de respiration, de mobilisation précoce, sur l'utilisation de la spirométrie incitative et d'une pompe d'analgésie autocontrôlée. Il a également besoin de ren-

seignements spécifiques sur sa chirurgie. L'infirmière enseignera par exemple à un client devant subir une arthroplastie totale de la hanche comment utiliser un coussin d'abduction. Le client devant subir une chirurgie cardiaque doit être informé des activités de réalisation courante à l'unité de soins intensifs.

L'enseignement préopératoire comprend aussi de l'information sur les préparatifs préopératoires nécessaires comme, une douche vaginale ou un lavement évacuant. Le client doit également être renseigné sur les restrictions alimentaires et hydriques préopératoires. On demande normalement au client de ne rien prendre (*nil per os*), ni nourriture ni liquide, après minuit la veille de la chirurgie. Ce protocole peut varier lorsque l'intervention nécessite uniquement une anesthésie locale. Étant donné que les protocoles peuvent être

TABLEAU 11.3	Épreuves de laboratoire préopératoires courantes
Épreuves de laboratoire	**Zones examinées**
Analyse d'urine	État de la fonction rénale, hydratation, infection et maladie des voies urinaires
Radiographie pulmonaire	Troubles pulmonaires, hypertrophie cardiaque
Formule sanguine : GR, Hb, Ht, formule leucocytaire	Anémie, état du système immunitaire, infection
Électrolytes	État de l'activité métabolique, de la fonction rénale ; effets secondaires des diurétiques
GSA, oxymétrie	Fonction pulmonaire et fonction métabolique
Temps de prothrombine (TP) ou temps de céphaline activé (TCA)	Tendances hémorragiques
Glycémie	État de l'activité métabolique, diabète
Créatinine	Fonction rénale
Azote uréique sanguin (BUN)	Fonction rénale
Électrocardiogramme	Cardiopathie, anomalies électrolytiques
Tests de fonction pulmonaire	État de la fonction pulmonaire
Tests de fonction hépatique	État de la fonction hépatique
Groupe sanguin et compatibilité croisée	Disponibilité de sang en vue d'une transfusion (les clients en chirurgie élective peuvent avoir recours à une transfusion autologue)
Test de grossesse	État de l'appareil reproducteur

GR : globules rouges ; Hb : hémoglobine ; Ht : hématocrite ; GSA : gaz du sang artériel.

différents d'un établissement à l'autre, il est important de vérifier le protocole propre à chacun en matière de restrictions d'ingestion orale lors de l'enseignement au client. Les restrictions alimentaires et hydriques sont conçues afin de prévenir l'aspiration bronchopulmonaire lors de l'induction des agents anesthésiques et de diminuer les risques de nausées et de vomissements en phase postopératoire. Il est possible que la chirurgie doive être reportée ou annulée si le client ne se conforme pas à ces instructions, c'est pourquoi il est primordial qu'il les comprenne et les respecte.

Les effets positifs de l'enseignement préopératoire comprennent la satisfaction accrue du client envers les soins infirmiers, ainsi qu'une diminution considérable des symptômes comme la peur et l'anxiété, les vomissements et les douleurs postopératoires, de même qu'une plus faible utilisation d'analgésiques. La réduction du nombre de complications, de la durée de l'hospitalisation et du temps de convalescence après le congé sont également au nombre des éléments positifs d'une bonne préparation. De plus, le client a le droit de savoir ce qui l'attend et comment il peut participer au succès de l'expérience chirurgicale.

Lors de la préparation psychologique du client à la chirurgie, l'infirmière doit faire la distinction entre le fait de ne pas donner suffisamment de détails au client, ce qui augmentera son anxiété, et le fait de trop lui en fournir, ce qui n'est pas mieux, car il se sentira dépassé par la surinformation. L'infirmière qui observe et écoute attentivement le client sera en mesure de déterminer la quantité d'information nécessaire.

L'infirmière doit tenir compte des effets de l'anxiété sur l'apprentissage et prévoir du temps pour réviser les notions avec le client et évaluer sa compréhension. L'enseignement doit être noté au dossier du client. L'encadré 11.5 présente un guide d'enseignement au client.

Enseignement préopératoire pour les clients non hospitalisés.

Quelque temps avant le jour de la chirurgie, le client non hospitalisé et sa famille doivent être informés notamment du lieu de l'enregistrement, de la tenue vestimentaire requise et du stationnement, ainsi que de la nécessité de prévoir l'aide d'un adulte responsable pour reconduire le client chez lui après la chirurgie.

FORMULAIRE DE CONSENTEMENT
(CH) (CLSC)

1. Consentement général
2. Consentement à une intervention chirurgicale
3. Consentement à une intervention chirugicale stérilisante
4. Consentement à l'anesthésie
5A, 5B. Consentement à des examens ou traitements particuliers
6A, 6B. Refus de subir un examen ou un traitement particulier
7. Départ sans congé

N.B. : On doit s'assurer que les signataires de ce formulaire sont autorisés à le faire conformément aux textes législatifs en vigueur. Le cas échéant, prière de mentionner à quel titre (curateur ou titulaire de l'autorité parentale) la personne est autorisée à signer.

1- CONSENTEMENT GÉNÉRAL (à remplir à l'admission)

Nom de l'établissement _____

J'autorise les médecins, les dentistes et les membres du personnel traitant à me dispenser les soins ou services nécessaires. De plus, j'autorise l'établissement ainsi que les médecins, les dentistes et les membres du personnel traitant à fournir au ministère de la Santé et des Services sociaux les renseignements nécessaires sur la présente hospitalisation, et à la Régie de l'assurance-maladie du Québec, les renseignements nécessaires pour exercer les recours prévus à l'article 10 de la Loi sur l'assurance hospitalisation ou à l'article 78 de la Loi sur les services sociaux et modifiant diverses dispositions législatives et à l'article 151 de la Loi sur les services de santé et les services sociaux pour les Autochtones, Cris et Inuits. Les renseignements transmis au MSSS et à la RAMQ sont régis par la Loi sur l'accès aux documents des organismes publics et sur la protection des renseignements personnels et par la Loi sur l'assurance-maladie.

Date Année Mois Jour	Signataire : usager ou personne autorisée	Témoin à la signature

2- CONSENTEMENT À UNE INTERVENTION CHIRURGICALE

J'autorise le docteur _____ à pratiquer l'intervention chirurgicale qui comprend la ou les opérations indiquées ci-après _____

Je reconnais avoir été informé-e de la nature et des risques ou effets possibles de l'intervention indiquée ci-dessus.
J'autorise toute autre opération non prévisible mais qui s'avérerait nécessaire lors de cette intervention chirurgicale et pour laquelle il serait alors impossible d'obtenir mon consentement.
J'autorise également l'établissement à disposer des tissus ou des organes prélevés.

Date Année Mois Jour	Signataire : usager ou personne autorisée	Témoin à la signature
Date Année Mois Jour	*Contresignataire : médecin ou dentiste responsable de l'intervention	Témoin à la signature

3- CONSENTEMENT À UNE INTERVENTION CHIRURGICALE STÉRILISANTE

J'autorise le docteur _____ à pratiquer l'intervention chirurgicale stérilisante qui comprend la ou les opérations indiquées ci-après _____

Je reconnais avoir été informé-e de la nature et des risques ou effets possibles de l'intervention indiquée ci-dessus.
Je reconnais que la nature de l'intervention proposée et les conséquences qu'elle comporte m'ont été expliquées par le docteur _____ et qu'elle est faite dans le but de me rendre stérile. Toutefois, j'ai été informé-e qu'il en résultera pour moi une stérilisation permanente et qu'il me sera donc impossible d'engendrer ou de concevoir un enfant.
J'autorise toute autre opération non prévisible mais qui s'avérerait nécessaire lors de cette intervention chirurgicale et pour laquelle il serait alors impossible d'obtenir mon consentement.
J'autorise également l'établissement à disposer des tissus ou des organes prélevés.

Date Année Mois Jour	Signataire : usager ou personne autorisée	Témoin à la signature
Date Année Mois Jour	*Contresignataire : médecin ou dentiste responsable de l'intervention	Témoin à la signature

4- CONSENTEMENT À L'ANESTHÉSIE

Je consens à ce que, à l'occasion de _____ me soit administrée une anesthésie générale ou _____ par le docteur _____ ou un autre médecin de l'établissement ayant des privilèges en anesthésie.
Je reconnais avoir été informé-e de la nature et des risques ou effets possibles de l'intervention indiquée ci-dessus.

Date Année Mois Jour	Signataire : usager ou personne autorisée	Témoin à la signature
Date Année Mois Jour	*Contresignataire : médecin ou dentiste responsable de l'intervention	Témoin à la signature

* Par sa signature, le contresignataire marque son engagement solidaire avec le contenu du document

FIGURE 11.2 Formulaire de consentement opératoire
Reproduit avec l'autorisation du ministère de la Santé et des Services sociaux du Québec.

5A- CONSENTEMENT À DES EXAMENS OU TRAITEMENTS PARTICULIERS

J'autorise le docteur _____ à me faire subir l'examen
ou le traitement suivant : _____ .
Le nombre de traitements de SISMOTHÉRAPIE autorisé, le cas échéant, est de _____ à _____
Je reconnais que le médecin ou le dentiste traitant m'a expliqué la nature et les risques ou effets possibles de cet examen ou traitement.

Date Année Mois Jour	Signataire : usager ou personne autorisée	Témoin à la signature

6A- REFUS DE SUBIR UN EXAMEN OU UN TRAITEMENT PARTICULIER

Je refuse de subir l'examen ou le traitement suivant : _____

Cet examen ou ce traitement m'a été recommandé par : _____
Je reconnais avoir été informé-e des risques ou des conséquences que peut entraîner mon refus de subir l'examen ou le traitement qui m'a été recommandé.

Date Année Mois Jour	Signataire : usager ou personne autorisée	Témoin à la signature

5B- CONSENTEMENT À DES EXAMENS OU TRAITEMENTS PARTICULIERS

J'autorise le docteur _____ à me faire subir l'examen
ou le traitement suivant : _____ .
Le nombre de traitements de SISMOTHÉRAPIE autorisé, le cas échéant, est de _____ à _____
Je reconnais que le médecin ou le dentiste traitant m'a expliqué la nature et les risques ou effets possibles de cet examen ou traitement.

Date Année Mois Jour	Signataire : usager ou personne autorisée	Témoin à la signature

6B- REFUS DE SUBIR UN EXAMEN OU UN TRAITEMENT PARTICULIER

Je refuse de subir l'examen ou le traitement suivant : _____

Cet examen ou ce traitement m'a été recommandé par : _____
Je reconnais avoir été informé-e des risques ou des conséquences que peut entraîner mon refus de subir l'examen ou le traitement qui m'a été recommandé.

Date Année Mois Jour	Signataire : usager ou personne autorisée	Témoin à la signature

7- DÉPART SANS CONGÉ

Je déclare quitter cet établissement de ma propre initiative, sur ma demande et contre l'avis des médecins ou dentistes traitants ;
je dégage donc l'établissement, son personnel et les médecins ou dentistes traitants de toute responsabilité découlant d'un tel départ.

Date Année Mois Jour	Signataire : usager ou personne autorisée	Témoin à la signature

FIGURE 11.2 Formulaire de consentement opératoire *(suite)*

ENSEIGNEMENT AU CLIENT ET À SA FAMILLE

Phase préopératoire
ENCADRÉ 11.5

- Informer le client des procédures préopératoires
  - Heure de la chirurgie
  - Restrictions alimentaires et hydriques
  - Consentement éclairé
  - Préparation physique nécessaire (préparation liée aux intestins ou à la peau).
- Informer le client des activités peropératoires
  - L'environnement de la salle d'opération
  - Les rôles du personnel responsable de l'anesthésie, de l'infirmière en service interne et de l'infirmière en service externe
- Informer le client des procédures postopératoires
  - L'évaluation en salle de réveil
  - Le but de la prise fréquente des signes vitaux
  - Les analgésiques et autres mesures de confort
  - L'importance de bouger, de tousser et de respirer profondément
- Encourager le client et les membres de sa famille à verbaliser leurs inquiétudes.
- Évaluer les inquiétudes du client ainsi que celles des membres de sa famille et répondre correctement.

De plus, le client doit être informé de l'heure à laquelle il doit se présenter au centre afin de remplir tous les documents, de faire la préparation préopératoire et de s'assurer que tous les résultats des épreuves de laboratoire nécessaires ont été obtenus. Il doit aussi être avisé de l'heure prévue de la chirurgie.

11.4.4 Information juridique en vue de la chirurgie

Avant qu'une chirurgie élective puisse être pratiquée légalement, le client doit signer un consentement éclairé, de son plein gré, en présence d'un témoin. Ce document protège le client, le chirurgien, le CH et ses employés (voir figure 11.2). Le consentement éclairé est un processus décisionnel actif entre le personnel soignant et le client.

Trois conditions s'imposent pour que le consentement soit valide. Premièrement, il faut fournir une **divulgation adéquate** des diagnostics ; la nature et la raison du traitement proposé ; les risques et les conséquences du traitement proposé ; la probabilité du succès de l'intervention ; l'existence, les avantages et les risques de traitements

CONSIDÉRATIONS ÉTHIQUES
Consentement éclairé   ENCADRÉ 11.6

Situation

L'infirmière discute avec une cliente dans la salle d'attente préopératoire à propos de sa chirurgie imminente. La cliente a signé le formulaire de consentement, mais il est clair qu'elle n'a pas été suffisamment informée des alternatives possibles à la chirurgie. Que doit faire l'infirmière ?

Discussion

Pour qu'un consentement soit éclairé, il faut que le client soit suffisamment informé du besoin de chirurgie, de la nature de celle-ci et des autres options de traitement. Étant donné que la cliente n'a pas été suffisamment informée des autres possibilités, elle n'a pas pu donner un consentement éclairé pour cette chirurgie. Personne ne peut tenter de convaincre un client de signer un formulaire de consentement ni servir de témoin si le formulaire n'a pas bien été expliqué. L'infirmière doit donc s'assurer que la cliente discute avec le chirurgien et pose toutes les questions nécessaires avant d'être anesthésiée. Les devoirs de l'infirmière en matière de divulgation sont beaucoup plus importants que la simple tâche de veiller au respect de l'horaire.

Considérations d'ordre éthique et juridique

- Un consentement éclairé exige la divulgation complète des risques, des avantages et des solutions de rechange ; le client doit avoir une bonne compréhension de l'information véhiculée, il doit être en mesure de prendre lui-même une décision et sa décision doit être volontaire (aucune contrainte).
- L'intégrité physique et l'autonomie du client sont mieux respectées et protégées par le biais d'une divulgation complète des risques, des avantages et des solutions de rechange.
- Le paternalisme médical soutient les arguments suivants : 1) les professionnels de la santé savent pertinemment ce qu'il y a de mieux pour les clients ; 2) les clients ne peuvent jamais avoir une compréhension suffisamment approfondie pour donner un consentement parfaitement éclairé ; 3) le contrat avec le client implique un consentement au traitement approprié. Toutefois, il est illégal et contraire à l'éthique de ne pas informer correctement le client sous prétexte qu'une divulgation complète serait pire qu'une abstention à offrir de l'information ou à fournir d'autres options de traitement.

complémentaires, ainsi que le pronostic si le traitement n'est pas donné. Deuxièmement, le client doit démontrer une **compréhension suffisante et éclairée** de l'information donnée. Puisque la prémédication anesthésique peut diminuer la compréhension du client, le consentement doit être signé avant que toute prémédication anesthésique ne lui soit administrée. Troisièmement, le client doit donner un **consentement volontaire et éclairé**. Le client ne doit jamais être influencé, persuadé ni contraint de subir l'intervention chirurgicale.

Bien que le médecin soit la personne responsable d'obtenir le consentement, l'infirmière peut avoir la responsabilité d'obtenir la signature du client sur le formulaire de consentement et peut aussi servir de témoin. À ce moment, l'infirmière peut agir comme « *représentante* » et peut défendre les intérêts du client en s'assurant qu'il (ou un membre de sa famille) a reçu l'information nécessaire à sa chirurgie, qu'il comprend le formulaire de consentement et ce qu'il implique. L'infirmière joue ce rôle important en s'assurant que le consentement à la chirurgie est bel et bien volontaire et éclairé. Elle doit prévenir le chirurgien si le client a besoin d'information supplémentaire concernant l'intervention chirurgicale. Le client doit être informé qu'il peut retirer son consentement en tout temps, même après la signature du formulaire.

Le consentement peut être signé par un adulte responsable de la famille lorsque le client est mineur, inconscient ou atteint d'incapacité mentale l'empêchant de le faire. Les politiques de chaque établissement doivent être examinées pour obtenir davantage d'information à ce sujet.

Lorsque des soins médicaux immédiats sont nécessaires pour sauver la vie d'une personne ou pour prévenir de graves insuffisances et que le client n'est pas en mesure de donner son consentement, un parent peut le faire à sa place. S'il n'est pas possible de rejoindre le plus proche parent, le médecin peut dispenser les soins nécessaires sans consentement à condition que la situation présente un risque pour la vie du client. Une note sera jointe au dossier pour appuyer la nécessité médicale de l'intervention. L'infirmière doit être au courant des pratiques du pays ou de la province ainsi que des politiques de l'établissement qui s'appliquent à ce genre de situation.

11.4.5 Jour de la chirurgie

Le jour de la chirurgie, la préparation sera très différente s'il s'agit d'un client hospitalisé ou non. Ainsi, lorsque le client est hospitalisé, c'est l'infirmière qui a la responsabilité de veiller à ce qu'il soit bien préparé pour la chirurgie. Par contre, si le client n'est pas hospitalisé, c'est ce dernier ou un membre de sa famille qui devra s'occuper de la préparation préopératoire. Le matin de la chirurgie, l'infirmière a la responsabilité de préparer le client, de vérifier si toutes les directives ont été suivies et de voir à ce que le dossier du client soit complet et prêt pour la salle d'opération.

Le client doit bénéficier de toute l'assistance nécessaire pour se vêtir avant la chirurgie. La plupart des établissements exigent que le client porte une jaquette d'hôpital sans aucun sous-vêtement. Les clients ne doivent pas appliquer de maquillage ni de vernis à ongles puisqu'il est important de surveiller la coloration de la peau au cours de la procédure, à l'aide d'un saturomètre qui sera placé sur le bout du doigt pour

11

Centre hospitalier
affilié universitaire
de Québec

1401, 18ᵉ Rue, Québec
(Québec) G1J 1Z4

VÉRIFICATION PRÉOPÉRATOIRE
Cochez s'il y a lieu.

CONSENTEMENT À L'INTERVENTION ET À L'ANESTHÉSIE
- ☐ Feuille AH 110
- ☐ Curatelle
- ☐ Téléphonique (2 personnes)

PRÉPARATION PHYSIQUE
- ☐ Bracelet d'identification
- ☐ Bracelet d'allergie(s)
- ☐ À jeun
- ☐ Rasage
- ☐ Lavement
- ☐ Sonde vésicale

- ☐ Bain
- ☐ Maquillage enlevé
- ☐ Ongles sans vernis
- ☐ Chemise de malade revêtue
- ☐ Vessie vidée

OBJETS PERSONNELS DU CLIENT :
- ☐ Lentilles cornéennes
- ☐ Bijou(x)
- ☐ Prothèses dentaires ☐ Haut ☐ Bas

- ☐ Prothèse auditive ☐ G ☐ D
- ☐ Jouets
- ☐ Autres

PRÉPARATION MÉDICALE
DOSSIER COMPLÉTÉ :
- ☐ Examen physique
- ☐ Examen urines au dossier
- ☐ E.C.G. (> 40 ans)
- ☐ S.V. enregistrés
- ☐ Dossier antérieur

- ☐ Formule sanguine au dossier
- ☐ Demande de sang
- ☐ rX (films spécifiques)
- ☐ Prémédication donnée
- ☐ Plaque

MÉDICATION (cartes et médicaments accompagnant le malade) :
- ☐ En cours
- ☐ Per-op.
- ☐ Post-op.
- ☐ Ponctions veineuses post-opératoires (réquisition au dossier)

- ☐ I.V.
- ☐ Gouttes ophtalmiques
- ☐ Sang

CONDITION DU BÉNÉFICIAIRE
- ☐ Calme
- ☐ Anxieux

- ☐ Conscient
- ☐ Inconscient

- ☐ Précaution universelle
- ☐ Handicap physique
  (lequel _____)

PARTICULARITÉ
- ☐ Demande USI
- ☐ Langue parlée et comprise
- ☐ Autre(s)_____

- ☐ Transfert de chambre (N°   )
- ☐ Français ☐ Anglais ☐ Autre(s)

Date : _____   Signature de l'infirmière_____

RL/lg
1988 12 13

FIGURE 11.3 Liste de vérification préopératoire
Reproduit avec l'autorisation du Centre hospitalier *affilié* universitaire de Québec.

mesurer la saturation en oxygène. Un bracelet d'identification doit être placé autour du poignet du client, de même qu'un bracelet d'allergie s'il y a lieu. Selon les protocoles établis par les différents établissements, tous les objets de valeur du client doivent être remis à un membre de la famille ou conservés sous clé. On demande au client d'enlever les prothèses comme les dentiers, les lentilles cornéennes et les lunettes afin d'éviter les pertes et les bris. Les aides auditives sont généralement laissées en place afin de permettre au client de bien suivre les instructions. Il est important de tenir compte de l'intimité et des besoins d'estime de soi du client.

Le client doit uriner avant l'intervention, et de préférence avant l'administration de la prémédication anesthésique. Un grand nombre de ces agents perturbent l'équilibre et le jugement, ce qui peut entraîner une chute. Uriner avant l'intervention permet de prévenir toute incontinence et diminue ainsi les risques de lésions accidentelles de la vessie pendant la chirurgie, en plus de réduire la possibilité de rétention urinaire pendant la phase de réveil postanesthésique.

La liste de vérification préopératoire (voir figure 11.3) permet au personnel de s'assurer qu'aucun oubli n'a été fait. L'infirmière doit s'assurer que toutes les procédures ont été suivies et que le dossier du client comprend la documentation requise avant d'administrer la prémédication anesthésique. Il est important de vérifier si les documents suivants sont annexés au dossier : le consentement préopératoire signé ; les résultats des épreuves de laboratoire et des radiographies requises ; un rapport sur les antécédents de santé et l'examen médical ; un dossier sur les consultations antérieures ; les signes vitaux ; les notes de l'infirmière prises jusqu'à ce jour.

11.4.6 Prémédication

La prémédication anesthésique est administrée pour plusieurs raisons, comme l'explique l'encadré 11.7. Un client peut recevoir un seul médicament ou une association de plusieurs médicaments (voir tableau 11.4). Les benzodiazépines et les barbituriques sont utilisés pour leurs effets amnésiques et sédatifs. Les anticholinergiques servent à réduire les sécrétions. Les narcotiques peuvent être administrés pour réduire les besoins anesthésiques peropératoires et atténuer la douleur associée à l'insertion de cathéters intraveineux ou d'autres dispositifs de surveillance. Les antiémétiques peuvent être administrés afin de réduire les nausées et les vomissements.

D'autres médicaments peuvent être administrés avant la chirurgie, notamment des antibiotiques, de l'héparine, des gouttes ophtalmiques ou les médicaments prescrits que le client prend régulièrement. Des antibiotiques peuvent être prescrits si le client a des antécédents de cardiopathie valvulaire ou congénitale afin de prévenir l'endocardite bactérienne. Certains antibiotiques peuvent également être prescrits lorsque l'intervention présente des risques d'infection de la plaie (p. ex. une intervention chirurgicale de l'appareil gastro-intestinal) ou si une infection de la plaie risque d'entraîner des conséquences postopératoires graves (p. ex. une intervention chirurgicale de remplacement articulaire). Les antibiotiques sont généralement administrés par voie intraveineuse, et l'administration peut débuter avant la chirurgie ou en salle d'opération.

L'administration d'une petite dose d'héparine ou d'énoxaparine (entre 5 000 et 10 000 unités administrées par voie sous-cutanée de 6 à 12 heures avant la chirurgie)

PHARMACOTHÉRAPIE

TABLEAU 11.4   Agents de prémédication anesthésique courants

Classes	Buts et effets	Médicaments
Benzodiazépines	Réduire l'anxiété Induire la sédation Induire l'anesthésie	Midazolam (Versed) Diazépam (Valium) Lorazépam (Ativan)
Narcotiques	Soulager l'inconfort pendant les procédures préopératoires	Morphine Mépéridine (Demerol) Fentanyl (Sublimaze)
Antagonistes des récepteurs de l'histamine (H$_2$)	Augmenter le pH gastrique Diminuer le volume des sucs gastriques	Cimétidine (Tagamet) Famotidine (Pepcid) Ranitidine (Zantac)
Antiacides	Augmenter le pH gastrique	Citrate de sodium
Antiémétiques	Augmenter la vidange gastrique Diminuer les nausées et les vomissements	Métoclopramide Dropéridol
Anticholinergiques	Diminuer les sécrétions respiratoires et buccales Prévenir la bradycardie	Atropine Glycopyrrolate

11

Objectifs de la prémédication anesthésique — **ENCADRÉ 11.7**

- Diminuer l'appréhension et l'anxiété.
- Favoriser la sédation et l'anesthésie.
- Faciliter l'induction de l'anesthésie.
- Prévenir les nausées et les vomissements.
- Diminuer les besoins anesthésiques.
- Diminuer les sécrétions des voies respiratoires et gastro-intestinales.

permet de réduire le risque de thrombose veineuse profonde et d'embolie pulmonaire d'environ 60 %. Puisque la plupart des clients ne sont pas admis en CH avant le jour de l'intervention, il a aussi été démontré que le traitement à l'héparine peut débuter jusqu'à deux jours après la chirurgie et donner les mêmes résultats.

L'administration d'une prémédication anesthésique est plus simple quand les médicaments sont classés sur deux listes, la première comprenant les médicaments toujours administrés le jour de la chirurgie et la deuxième comprenant les médicaments jamais administrés le jour de la chirurgie. Ces listes facilitent l'enseignement à la clientèle et éliminent la confusion. Malheureusement, de telles listes n'existent pas dans tous les centres. La plupart des clients sont avisés de prendre leurs antihypertenseurs et leurs médicaments contre l'asthme le jour de la chirurgie. Il est important de bien vérifier les consignes préopératoires écrites et de déterminer quels médicaments doivent être pris le jour de la chirurgie. Si le client est atteint de diabète insulinodépendant, il faut s'assurer que la dose d'insuline à administrer le matin de la chirurgie a été prescrite.

La prémédication peut être administrée par voie orale, intraveineuse, sous-cutanée ou intramusculaire. Les médicaments administrés par voie orale doivent être pris entre 60 et 90 minutes avant l'arrivée en salle d'opération. Il est important que le client prenne sa médication avec peu d'eau (30 ml) puisqu'il doit restreindre les liquides avant l'intervention. Le client doit être informé qu'il ne peut en aucun cas boire de l'eau, même s'il a la bouche sèche, lorsqu'un médicament anticholinergique est administré. Les injections intramusculaires et sous-cutanées doivent être faites entre 30 et 60 minutes avant l'arrivée en salle d'opération (minimum 20 minutes). Les médicaments injectés par voie intraveineuse sont habituellement administrés au client après son arrivée en salle d'opération. Une fois les médicaments administrés, le dossier du client doit être complété puisque celui-ci est maintenant prêt pour le transport vers la salle d'opération. La prémédication doit être administrée une fois la préparation préopératoire terminée. L'infirmière doit informer le client que la prémédication a pour but la détente et qu'il pourrait se sentir endormi.

11.4.7 Transport du client vers la salle d'opération

Lorsque le client est déjà hospitalisé, un brancardier procède au transport du client de sa chambre vers la salle d'opération. L'infirmière aide au transfert du client de son lit à la civière de la salle d'opération et voit à ce que les ridelles de la civière soient relevées et bien fixées. Elle doit s'assurer de remettre le dossier du client et de fournir tout matériel nécessaire comme un inhalateur si le client est asthmatique. Un grand nombre d'établissements permettent à la famille d'accompagner le client jusqu'à la salle d'attente de la salle d'opération.

Lorsque le client n'est pas hospitalisé, il peut être transporté à la salle d'opération sur civière ou en chaise roulante ; il peut aussi marcher jusqu'à la salle d'opération, accompagné d'un membre du personnel, si on ne lui a pas administré de prémédication. Dans tous les cas, l'infirmière doit veiller à la sécurité du transport du client.

Puisque le client quitte l'unité de soins généraux ou l'unité de soins ambulatoires pour la chirurgie, il est important que l'infirmière indique à la famille du client l'endroit approprié pour attendre durant la chirurgie. Un grand nombre d'établissements ont une salle d'attente pour la chirurgie, où les membres de la famille du client sont tenus informés de l'état du client. C'est dans cette salle d'attente que le chirurgien peut rejoindre les membres de la famille après une intervention et les aviser que la chirurgie est terminée.

Pendant l'intervention, l'infirmière doit préparer la chambre du client en tenant compte de ses besoins postopératoires. Le lit est refait et, au besoin, des piqués sont placés en vue d'éventuels écoulements. L'infirmière doit aussi penser à tout autre équipement nécessaire comme une tige pour les perfusions intraveineuses, le matériel d'oxygénothérapie, un système de drainage, ainsi que des oreillers additionnels pour le positionnement du client. La chambre doit être disposée de sorte que la civière ne rencontre aucun obstacle à l'arrivée du client dans la chambre. Ainsi, si tout l'équipement nécessaire est en place et que la chambre est bien préparée, le transfert du client de la salle de réveil ou de la salle d'opération vers sa chambre se fera sans problème.

MOTS CLÉS

Chirurgie 338
Peur de la douleur et des malaises 340
Peur de l'inconnu 341
Peur de la mutilation 341
Peur de la mort 341
Peur de l'anesthésie 341
Peur de la perturbation du mode de vie 341

Divulgation adéquate 350
Compréhension suffisante et éclairée 351
Consentement volontaire et éclairé 351

BIBLIOGRAPHIE
Version originale

1. Malone M: Top patient concerns: comfort and education, *Same Day Surg* 6:69, 1996.
2. Williams G: Preoperative assessment and health history interview, *Nurs Clin North Am* 32:395, 1997.
3. Pasternak L: Preanesthesia evaluation of the surgical patient, *ASA Refresher Courses in Anesthesiology* 16:205, 1996.
4. McGoldrick K: *Ambulatory anesthesiology,* Baltimore, 1995, Williams & Wilkins.
5. Brooks-Brunn J: Minimizing pulmonary complications, *Heart Lung* 24:94, 1995.
6. Litwack K: *Postoperative pulmonary complications,* Sacramento, 1995, CME Resource.
7. Litwack K: *The elderly surgical patient,* Sacramento, 1995, CME Resource.
8. Litwack K: Care of the special needs patient, *Nurs Clin North Am* 32:457, 1997.
9. Guidelines for the management of latex allergies and safe use of latex in perioperative practice settings, *AORN J* 66:726, 1997.
10. Lancaster K: Patient teaching in ambulatory surgery, *Nurs Clin North Am* 32:417, 1997.
11. Ireland D: Legal issues in ambulatory surgery, *Nurs Clin North Am* 32:469, 1997.
12. Berrio M, Levesque M: Advance directives. Most patients don't have one. Do yours? *AJN* 96:25, 1996.
13. Litwack K: *Postanesthesia care nursing,* ed 2, St Louis, 1995, Mosby.

11

Hélène Boissonneault
B. Sc. inf., D.A.P.
Cégep de Limoilou

Marlène Fortin
B. Sc. inf.
Cégep de Limoilou

Chapitre **12**

PHASE PEROPÉRATOIRE

OBJECTIFS D'APPRENTISSAGE

APRÈS AVOIR LU CE CHAPITRE, VOUS DEVRIEZ ÊTRE EN MESURE :

- DE DÉCRIRE LE MILIEU PHYSIQUE DE LA SALLE D'OPÉRATION ET DE LA SALLE D'ATTENTE ;

- DE DÉCRIRE LA FONCTION DES MEMBRES DE L'ÉQUIPE CHIRURGICALE ;

- DE NOMMER LES BESOINS DU CLIENT QUI SUBIT UNE INTERVENTION CHIRURGICALE ;

- DE DÉCRIRE LE RÔLE DE L'INFIRMIÈRE EN SOINS PÉRIOPÉRATOIRES LORSQU'ELLE EFFECTUE LA PLANIFICATION DES SOINS INFIRMIERS DU CLIENT QUI SUBIT UNE CHIRURGIE ;

- DE DÉCRIRE LES PRINCIPALES MÉTHODES D'ASEPSIE UTILISÉES EN SALLE D'OPÉRATION ;

- D'EXPLIQUER LA DIFFÉRENCE ENTRE L'ANESTHÉSIE GÉNÉRALE, RÉGIONALE ET LOCALE, Y COMPRIS LEURS AVANTAGES ET LEURS INCONVÉNIENTS, ET CE QUI EN JUSTIFIE LE CHOIX ;

- DE NOMMER LES PRINCIPALES TECHNIQUES ET LES PRINCIPAUX MÉDICAMENTS UTILISÉS POUR INDUIRE ET MAINTENIR UNE ANESTHÉSIE GÉNÉRALE ;

- DE DISCUTER DES TECHNIQUES D'ANESTHÉSIE LOCALE OU RÉGIONALE ;

- DE DISCUTER DES CARACTÉRISTIQUES DES COMPLÉMENTS D'ANESTHÉSIE UTILISÉS LORS DE L'ANESTHÉSIE GÉNÉRALE.

PLAN DU CHAPITRE

12.1 MILIEU PHYSIQUE 357
    12.1.1 Salle d'opération 357
    12.1.2 Salle d'attente 358

12.2 ÉQUIPE CHIRURGICALE 358
    12.2.1 Infirmière. 358
    12.2.2 Équipe chirurgicale 359
    12.2.3 Équipe d'anesthésie 359

12.3 PHASE PRÉOPÉRATOIRE 361
    12.3.1 Évaluation psychosociale . . 361
    12.3.2 Examen physique. 361
    12.3.3 Examen du dossier 362
    12.3.4 Admission du client 362

12.4 PHASE PEROPÉRATOIRE 362
    12.4.1 Préparation de la salle 362
    12.4.2 Transfert du client 362
    12.4.3 Brossage des mains et port
           de la blouse et des gants . . 363
    12.4.4 Techniques d'asepsie
           chirurgicale 363
    12.4.5 Assistance au personnel
           d'anesthésie 364
    12.4.6 Positionnement du client . . 364
    12.4.7 Préparation du site
           opératoire 364
    12.4.8 Facteurs de sécurité. 365

12.5 PHASE POSTOPÉRATOIRE 365

12.6 CLASSIFICATION DE L'ANESTHÉSIE . . 365
    12.6.1 Anesthésie générale. 366
    12.6.2 Anesthésie locale 370
    12.6.3 Autres méthodes
           d'anesthésie 371
    12.6.4 Situations d'urgence
           en salle d'opération 372

*L*es soins infirmiers périopératoires nécessitent une connaissance de la chirurgie et des interventions chirurgicales. Cette connaissance permet à l'infirmière de surveiller la réaction du client aux agents stressants liés à la chirurgie. Le recours aux soins infirmiers au cours de la chirurgie est nécessaire puisqu'ils servent à structurer la prestation des soins. Les besoins du client déterminent le type de soins infirmiers à prodiguer. Ces besoins sont déterminés en fonction de l'état de santé du client et du type d'intervention chirurgicale prévue.

Traditionnellement, les interventions chirurgicales se déroulaient au bloc opératoire du centre hospitalier (CH). Les progrès réalisés dans le domaine de la technologie chirurgicale et des techniques d'anesthésie, ainsi que les changements survenus en matière de soins de santé, ont eu des répercussions sur le lieu où sont pratiquées les chirurgies ainsi que sur la manière dont elles le sont. Étant donné que le nombre d'interventions chirurgicales pratiquées en centre ambulatoire a augmenté, le nombre de chirurgies pratiquées en milieu hospitalier a diminué. On constate, dans les centres hospitaliers, une diminution des chirurgies avec hospitalisation et une augmentation des chirurgies d'un jour. Bien que toutes les spécialités de la chirurgie soient pratiquées en milieu de chirurgie ambulatoire, les domaines qui comptent le plus grand nombre de clients sont l'ophtalmologie, la gynécologie, la chirurgie esthétique et l'oto-rhino-laryngologie (ORL).

L'infirmière en soins périopératoires doit se rappeler que l'intervention chirurgicale comporte les mêmes risques de complications peu importe le milieu où elle est pratiquée. Les craintes et les besoins du client et des membres de sa famille ne différeront pas en fonction de l'endroit où est pratiquée l'intervention. L'infirmière doit s'assurer que les conditions d'asepsie en milieu chirurgical sont respectées, demeurer à l'affût des percées technologiques et continuer d'agir dans l'intérêt et la sécurité du client.

Lorsque l'on compare la chirurgie ambulatoire à la chirurgie traditionnelle avec hospitalisation, on remarque qu'en chirurgie ambulatoire, les interventions sont moins longues, que les clients sont en meilleure santé, qu'ils récupèrent plus vite, mais aussi que le temps accordé à l'enseignement périopératoire au client et à sa famille est plus restreint.

Pour les besoins du présent chapitre, le rôle et la fonction de l'infirmière en soins périopératoires, dans un bloc opératoire traditionnel, serviront à discuter de la gestion des soins donnés au client au cours de la chirurgie.

12.1 MILIEU PHYSIQUE

12.1.1 Salle d'opération

Le bloc opératoire est un milieu de soins de courte durée unique qui est isolé des autres unités de soins du CH. On contrôle ainsi le lieu géographique, l'environnement ainsi que les bactéries, et on limite les allées et venues du personnel (voir figure 12.1). Il est préférable que la salle de réveil et l'unité de soins intensifs en chirurgie se trouvent à proximité de la salle d'opération afin d'effectuer un transport rapide du client après la chirurgie et d'être près de l'équipe d'anesthésie si des complications survenaient. Cela permet aussi une étroite collaboration entre le personnel de la salle de réveil et celui des soins intensifs. Un aménagement et un contrôle adéquat du milieu physique aident à prévenir les risques d'infection, tout en assurant la sécurité et le bien-être du client.

Plusieurs méthodes sont utilisées pour prévenir la transmission des infections. Les filtres et les systèmes de ventilation à air contrôlé constituent une mesure contre les poussières et microorganismes en suspension dans l'environnement. Une pression d'air positive est maintenue dans les salles pour éviter que l'air des corridors ne s'infiltre dans la salle d'opération. On élimine les surfaces pouvant recueillir la poussière, comme les étagères ouvertes et les fenêtres à rebords. On utilise des matériaux résistant à la corrosion en raison des désinfectants puissants utilisés. Enfin, une disposition fonctionnelle facilite l'application des techniques d'asepsie par l'équipe chirurgicale.

La sécurité physique et le confort sont améliorés grâce au mobilier qui est réglable, facile d'entretien et simple à déplacer. On vérifie régulièrement tout l'équipement pour s'assurer qu'il n'y a pas de défectuosités électriques. L'éclairage est conçu de manière à fournir différentes intensités de lumière pour bien observer le site opératoire.

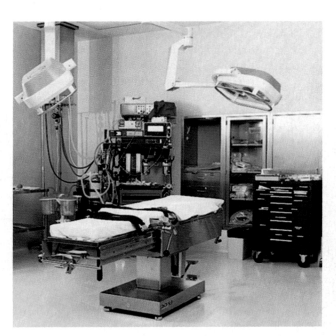

FIGURE 12.1 Salle d'opération conventionnelle

12

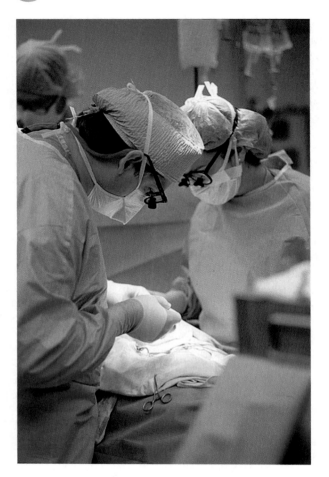

FIGURE 12.2 La complexité de l'intervention justifie la non-affluence de personnel supplémentaire ou de visiteurs.

Un système de communication pour émettre des messages de routine ou d'urgence est aussi installé.

La température de la pièce doit être maintenue entre 20 °C et 24 °C et le degré d'humidité, réglé à plus de 50 % afin que le client soit à l'aise sous les champs opératoires, que l'équipe se sente bien pendant l'intervention et que le milieu ne soit pas propice à l'incubation et à la prolifération bactériennes.

L'intimité du client est respectée en limitant les allées et venues du personnel hospitalier et des visiteurs. Des autorisations spéciales peuvent être accordées pour avoir accès au bloc opératoire pendant l'intervention chirurgicale, mais généralement le personnel extérieur et les visiteurs ne sont pas admis (voir figure 12.2).

12.1.2 Salle d'attente

La salle d'attente est spécialement aménagée à l'intérieur ou à proximité du bloc opératoire. Il peut s'agir d'une pièce centrale conçue pour recevoir plusieurs clients ou d'un espace situé à l'extérieur de la salle d'opération.

C'est dans la salle d'attente que l'infirmière en soins périopératoires effectue les dernières identifications et évaluations avant que le client ne soit transféré dans une salle d'opération pour sa chirurgie. Quelquefois, selon le CH, des interventions mineures peuvent être pratiquées dans la salle d'attente, comme l'insertion d'un cathéter intraveineux ou artériel, l'ablation d'un plâtre et l'administration de médicaments.

Dans certains milieux, les termes *aire d'admission*, *aire d'observation* et *aire de congé* sont employés pour désigner la salle d'attente. Cette salle est spécialement conçue pour l'arrivée des clients admis tôt le matin pour une chirurgie, ceux admis en chirurgie d'un jour et les clients hospitalisés qui attendent d'entrer au bloc opératoire. Dans cette salle d'attente, l'infirmière peut effectuer une entrevue avec le client pour recueillir des données préopératoires, l'observer à la fois avant et après la chirurgie, et s'assurer que la période de réveil est adéquate avant d'autoriser le client à retourner à son domicile ou à sa chambre. Cette salle joue un rôle important dans la durée de séjour du client en chirurgie ambulatoire et permet d'éviter que le client ne passe inutilement une nuit en CH.

Dans certains établissements, on autorise la famille et les proches à attendre avec le client jusqu'au moment de son transport à la salle d'opération, car on estime que cela atténue l'anxiété du client avant la chirurgie.

12.2 ÉQUIPE CHIRURGICALE

12.2.1 Infirmière

L'infirmière est généralement le premier membre de l'équipe chirurgicale que le client rencontre lorsqu'il arrive à la salle d'attente pour sa chirurgie. Elle procède à l'évaluation finale et effectue les tâches nécessaires avant la chirurgie, tout en s'assurant que le client se sent à l'aise. En lui parlant, elle peut lui toucher la main afin d'atténuer son anxiété.

L'infirmière en soins périopératoires donne des soins au client en s'appuyant sur la démarche de soins infirmiers. Ses tâches peuvent comprendre des interventions précises en service interne (activités stériles) ou en service externe (activités non stériles). Une infirmière occupe les fonctions d'**infirmière en service externe** lorsqu'elle reste à l'extérieur du champ stérile et n'est pas tenue d'effectuer un brossage chirurgical des mains, de revêtir une blouse ni d'enfiler des gants stériles. Par contre, l'infirmière qui demeure à l'intérieur du champ stérile occupe les fonctions d'**infirmière instrumentiste ou infirmière en service interne** et se doit d'effectuer un brossage chirurgical des mains, de revêtir une blouse et d'enfiler des gants stériles. L'encadré 12.1 énumère quelques activités peropératoires propres à chacune de ces fonctions.

Activités de l'infirmière en soins periopératoires

L'infirmière en service externe (activités non stériles)
- S'informe de l'intervention chirurgicale à venir ;
- Aide à préparer la salle ;
  - Collabore aux activités des autres intervenants ;
  - S'assure que les instruments requis sont disponibles et stériles ;
  - Vérifie l'équipement mécanique, électrique et la qualité environnementale ;
  - Voit à l'aménagement de la salle en prévision de la chirurgie à venir ;
- Identifie et observe le client, planifie et coordonne les soins infirmiers peropératoires ;
- Vérifie le dossier médical et rapporte à l'équipe les données pertinentes ;
- Fait entrer le client dans la salle d'opération ;
- Aide à transférer le client sur la table d'opération ;
- Participe à l'insertion et à la pose des différents dispositifs de surveillance ;
- Protège le client lors de l'induction anesthésique ;
- Positionne le client ;
- Prépare la peau du client pour l'intervention chirurgicale ;
- Surveille la mise en place des champs chirurgicaux et l'ensemble des activités qui requièrent une asepsie ;
- Complète le dossier peropératoire ;
- Note, étiquette et envoie pour analyse les prélèvements tissulaires et les cultures cellulaires ;
- Mesure les pertes sanguines et liquidiennes ;
- Note la quantité de médicaments utilisés lors de l'anesthésie locale ;
- Coordonne toutes les activités dans la salle avec les membres de l'équipe et les unités de soins ;

- Fait le décompte des compresses, des aiguilles et des autres instruments ;
- Surveille les techniques d'asepsie qu'elle utilise et que les autres utilisent ;
- Évalue les quantités de solutions d'irrigation utilisées pour juger de la quantité la plus exacte possible de sang perdue ;
- Note le nom et la quantité de solution médicamenteuse utilisée pour l'anesthésie locale par le personnel d'anesthésie ;
- Accompagne le client jusqu'à la salle de réveil ;
- Rapporte les renseignements pertinents aux infirmières de la salle de réveil.

L'infirmière en service interne (brossage des mains et activités stériles)
- S'informe de l'intervention chirurgicale à venir ;
- Aide à préparer la salle ;
- Effectue le brossage chirurgical des mains, enfile une blouse et des gants stériles et aide les autres membres de l'équipe chirurgicale à se revêtir ;
- Prépare la table d'instruments et dispose l'équipement stérile pour un usage fonctionnel ;
- Aide à la mise en place des champs chirurgicaux ;
- Distribue les instruments au chirurgien et aux assistants en anticipant leurs besoins ;
- Fait le décompte des compresses, des aiguilles et des instruments ;
- Surveille les techniques d'asepsie utilisées par l'ensemble de l'équipe ;
- Évalue les quantités de solutions d'irrigation utilisées pour juger de la quantité la plus exacte possible de sang perdue.

Les fonctions de l'infirmière en soins periopératoires consistent à donner des soins avant, pendant et après l'intervention et ne sont pas uniquement axées sur des tâches spécifiques (voir tableau 12.1).

12.2.2 Équipe chirurgicale

Le chirurgien est le médecin qui effectue l'intervention chirurgicale. Il peut être le médecin traitant ou encore un médecin choisi par le médecin traitant ou par le client lui-même. Le chirurgien est principalement responsable des éléments suivants :

- les antécédents préopératoires du client et l'examen physique, y compris la nécessité de l'intervention chirurgicale, le choix de l'intervention chirurgicale et la prise en charge du bilan préopératoire ;
- la sécurité du client et la prise en charge dans la salle d'opération ;
- les soins postopératoires du client.

L'assistant est habituellement un médecin qui aide le chirurgien pendant l'intervention chirurgicale. Par exemple, il tient généralement les écarteurs pour exposer les zones chirurgicales, aide à faire l'hémostase et les

sutures. Dans certaines situations, notamment dans un centre universitaire, l'assistant peut effectuer une certaine partie de l'intervention chirurgicale sous la supervision directe du chirurgien.

Il peut arriver, dans certains milieux, que l'assistant du chirurgien soit une infirmière (voir encadré 12.2) ou une personne autre qu'un médecin qui aide le chirurgien sous la supervision directe de ce dernier. Les politiques de l'établissement doivent définir le rôle de l'assistant et les responsabilités du médecin lorsqu'une personne autre qu'un médecin agit à titre d'assistant.

12.2.3 Équipe d'anesthésie

Le terme **équipe d'anesthésie** peut être défini comme « un groupe de personnes chargées d'induire et de maintenir une anesthésie » et peut s'appliquer aussi bien à l'anesthésiste qu'à l'inhalothérapeute. Un anesthésiste est un médecin qui a fait son internat en anesthésie. L'anesthésiste et l'inhalothérapeute sont tous deux qualifiés pour induire une anesthésie chez un client et pour assurer la responsabilité du maintien de l'hémostase physiologique pendant tout la durée de l'intervention chirurgicale.

TABLEAU 12.1	Exemples d'interventions infirmières liées à la chirurgie	
Phase préopératoire	**Phase peropératoire**	**Phase postopératoire**

Phase préopératoire	Phase peropératoire	Phase postopératoire
COLLECTE DE DONNÉES **À domicile/En consultation externe/Dans la salle d'attente** Effectue la collecte de données préopératoire. Planifie les méthodes d'enseignement qui répondent aux besoins du client. Fait participer la famille à l'entrevue. **Salle d'attente préopératoire** Complète la collecte de données préopératoire. Coordonne l'enseignement au client avec les autres membres du personnel infirmier. Élabore un plan de soins. **Bloc opératoire** Vérifie le site opératoire. Examine l'état de conscience, l'intégrité de la peau, la mobilité, l'état émotionnel et les limites fonctionnelles du client. Révise le dossier. Identifie le client. **PLANIFICATION** Établit un plan de soins.	**EXÉCUTION** **Maintien de la sécurité** S'assure que le nombre de compresses, d'aiguilles et d'instruments est juste. Positionne le client. Procure un alignement corporel fonctionnel. Expose le site opératoire. Maintient la position pendant toute la durée de l'intervention. Voit à l'insertion et à la pose de dispositifs de surveillance. Assure un soutien physique. **Surveillance de l'état physique** Surveille les modifications des signes vitaux, de saturation et avise, au besoin. Fait la distinction entre les données cardio-pulmonaires normales et anormales. Surveille les pertes sanguines. Surveille, au besoin, l'élimination urinaire. **Surveillance de l'état psychologique** Assure un soutien émotionnel au client. Se tient près du client ou le touche pendant l'intervention et l'induction. Continue de surveiller l'état émotionnel du client. Transmet aux autres membres de l'équipe soignante les renseignements relatifs à l'état émotionnel du client. **Communication des renseignements peropératoires** Spécifie le nom du client. Spécifie le type de chirurgie effectuée. Énumère les facteurs peropératoires contributifs (p. ex. drain, cathéters et pertes sanguines). Spécifie les limitations physiques. Spécifie les perturbations causées par la chirurgie. Fait rapport de l'état de conscience du client pendant la chirurgie. Spécifie l'équipement nécessaire.	**ÉVALUATION** **Postanesthésie/Salle de réveil** Détermine la réaction immédiate du client à l'intervention chirurgicale. **Unité de soins de chirurgie** S'assure de la qualité des soins infirmiers en salle d'opération. Détermine le degré de satisfaction du client en fonction des soins administrés pendant la chirurgie. Évalue les produits utilisés pour le client dans la salle d'opération. Détermine l'état psychologique du client. Aide à planifier le départ. **À domicile/En consultation externe** Cherche à connaître la perception que le client a de la chirurgie par rapport aux effets des anesthésiques, à l'impact sur l'image corporelle et à l'immobilisation. Détermine les perceptions que la famille a de la chirurgie.

On appelle souvent cette manière de procéder la **démarche de l'équipe d'anesthésie**. Lorsqu'il travaille en équipe, l'anesthésiste supervise le travail de l'inhalothérapeute qui administre l'anesthésie. Lorsque l'inhalothérapeute administre seulement une anesthésie, le chirurgien supervise son travail. Le personnel d'anesthésie est également régi par les lois sur l'exercice de la profession et par les politiques du CH.

Le rôle de l'anesthésiste et de son équipe consiste à :
- évaluer le client avant la chirurgie afin de choisir le type d'anesthésie qui est le plus sécuritaire en fonction des besoins précis du client et de l'intervention chirurgicale prévue ;
- prescrire les médicaments préopératoires et les compléments d'anesthésie ;
- surveiller l'état cardiorespiratoire du client ;
- surveiller les signes vitaux du client pendant toute la durée de l'intervention ;
- administrer les anesthésiques pendant l'intervention chirurgicale et prévenir le chirurgien lorsque des complications surviennent ;
- au besoin, administrer les liquides et les électrolytes, les médicaments et les produits sanguins pendant la durée de l'intervention chirurgicale ;
- superviser le réveil du client à la salle de réveil et rédiger un rapport des 24 premières heures qui suivent le réveil du client.

Afin d'assurer les meilleurs soins possibles au client, tous les membres de l'équipe chirurgicale (l'infirmière en service externe, l'infirmière en service interne, le

12

Infirmière première assistante ENCADRÉ 12.2

- L'évolution scientifique et technologique, le développement de la profession d'infirmière, les contraintes budgétaires et le contingement des médecins résidents dans les hôpitaux universitaires influent sur les pratiques professionnelles et sur le contexte de travail en général, notamment en salle d'opération.
- Au Québec, les infirmières travaillant dans le domaine des soins infirmiers périopératoires, particulièrement celles œuvrant en salle d'opération, ont acquis, au fil des années, une expertise sans pareil, qui met en lumière leurs contributions particulières à ce secteur névralgique d'activité.
- Fort de sa mission d'assurer la protection du public en surveillant l'exercice de la profession par ses membres et conscient de sa responsabilité quant à la qualité des soins infirmiers offerts à la population, l'Ordre tient à se prononcer en faveur de la reconnaissance de la fonction d'infirmière première assistante dans le contexte des soins infirmiers périopératoires.
- Les activités d'assistance doivent nécessairement être déterminées par chaque établissement et encadrées par des règles de pratique et des règles administratives entérinées par les diverses instances concernées.
- Dans le contexte du suivi systématique, l'infirmière clinicienne en soins périopératoires est intégrée à l'équipe pour assurer le suivi des clients opérés dans une spécialité donnée. Ses interventions sont variées et couvrent une gamme d'activités de soins offerts au cours des périodes préopératoires, peropératoires et postopératoires.
- Avant d'assumer la fonction de première assistante, il importe que l'infirmière réponde à certaines exigences en matière de formation et d'expérience en vue d'assurer la qualité et la sécurité de ses interventions.

Tiré de l'Ordre des infirmières et infirmiers du Québec. Soins infirmiers périopératoires: la fonction d'infirmière première assistante, 1994.

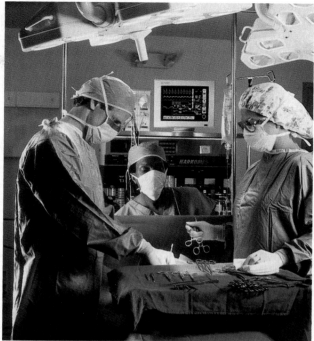

FIGURE 12.3 Les membres de l'équipe chirurgicale collaborent aux soins du client avant, pendant et après l'intervention chirurgicale.

chirurgien, l'assistant et le personnel d'anesthésie) collaborent à la préparation et à l'exécution de l'intervention chirurgicale (voir figure 12.3).

12.3 PHASE PRÉOPÉRATOIRE

L'examen préopératoire du client en chirurgie sert à déterminer les données initiales en vue des soins peropératoires et postanesthésiques. Les données recueillies dans la salle d'attente auprès du client et de sa famille, ainsi que les données fournies par l'unité de soins sont vérifiées. Elles jouent un rôle essentiel dans l'établissement d'un plan de traitement.

12.3.1 Évaluation psychosociale

L'infirmière responsable des soins périopératoires du client dans la salle d'opération connaît bien les activités qui se dérouleront au bloc opératoire. Ses connaissances permettent entre autres à l'infirmière d'informer et de rassurer les clients, en particulier ceux qui sont anxieux. L'infirmière en soins périopératoires peut généralement répondre à des questions d'ordre général relativement à la chirurgie ou à l'anesthésie telles que celles-ci : « À quel moment vais-je m'endormir ? », « Qui sera dans la salle ? », « À quel moment mon chirurgien arrivera-t-il? », « Quelles parties de mon corps seront exposées et qui les verra ? », « Aurai-je froid ? », « À quel moment vais-je me réveiller ? ». Les questions portant sur les détails de l'intervention chirurgicale et de l'anesthésie sont adressées au chirurgien ou au personnel d'anesthésie.

Il est particulièrement important que l'infirmière en soins périopératoires connaisse les habitudes et les croyances religieuses et culturelles du client, car elle doit s'assurer du respect de ses droits et privilèges.

12.3.2 Examen physique

Les données de l'examen physique qui sont essentielles aux soins infirmiers peropératoires comprennent les signes vitaux, la taille, la masse, l'âge, les réactions allergiques aux aliments et aux médicaments, l'état et la propreté de la peau, les atteintes musculo-squelettiques, les troubles de la perception, l'état de conscience, le fait d'être à jeun et le nombre d'heures de jeûne (par voie orale), de même que toute forme de douleur ou de malaise. Les signes vitaux sont des données importantes lorsque des médicaments et des anesthésiques doivent être administrés. Ces données permettent d'évaluer les effets des médicaments peropératoires. La taille et la masse du client serviront à déterminer les doses de médicaments et d'anesthésiant à administrer. L'âge peut indiquer un besoin de chaleur supplémentaire, en raison d'une baisse du métabolisme associée au vieillissement.

Certaines réactions allergiques peuvent être prévenues simplement en utilisant une autre solution pour la préparation du champ opératoire ou un autre type de diachylon pour la réfection des pansements à la fin de la chirurgie. Les réactions majeures peuvent également être évitées si l'on sait que le client est allergique au latex avant le début de l'intervention. (Voir plus loin Réactions anaphylactiques pour les allergies au latex. Ces allergies sont également abordées aux chapitres 11 et 12.)

L'état et la propreté de la peau déterminent la quantité et le type de solution de préparation cutanée à employer pendant la chirurgie et éveillent l'attention de l'équipe aux risques d'infection à la suite de lésions cutanées. Les blessures peuvent être prévenues lors du positionnement si l'on sait que le client souffre de troubles musculo-squelettiques. Les troubles de la perception, comme une déficience visuelle ou auditive, aident l'infirmière à adapter les techniques de communication en fonction des besoins du client. Une personne dont l'état de conscience est altéré a besoin de mesures de sécurité et de protection supplémentaires. De plus, informer les autres membres de l'équipe de soins des sources de douleur du client permet de prévenir toute souffrance inutile chez celui-ci.

12.3.3 Examen du dossier

Les données requises pour le dossier varient en fonction de la politique du CH, de l'état de santé du client et de l'intervention chirurgicale. Parmi les données qui sont recueillies lors de l'examen préopératoire, on retrouve :

- l'anamnèse et l'examen physique ;
- l'analyse d'urine ;
- la formule sanguine complète (FSC) ;
- les résultats des électrolytes sériques ;
- les radiographies pulmonaires ;
- l'électrocardiogramme (ECG) ;
- les épreuves diagnostiques supplémentaires (p. ex. IRM, TDM)
- l'état sérologique (dans certains cas) ;
- le test de grossesse (pour les personnes en âge de procréer) ;
- le consentement opératoire ;
- les allergies ;
- le groupe sanguin et le test de croisement, le cas échéant.

Le fait d'avoir pris connaissance des données qui figurent dans le dossier permet de comprendre les antécédents du client, son état cardiorespiratoire et les risques d'infection.

12.3.4 Admission du client

La politique du CH définit la procédure à suivre lorsqu'un client est admis dans la salle d'attente ou au bloc opératoire. Habituellement, l'infirmière procède à l'accueil du client, établit un contact humain et chaleureux avec lui et effectue son identification. Ce processus consiste à lui demander son nom, le nom de son chirurgien, le type d'intervention et la région où il sera opéré. Par la suite, elle vérifie la concordance entre son numéro d'identification du CH, celui qui figure sur son bracelet d'identification ainsi que celui de son dossier. Le chirurgien vérifie également l'identification du client avant l'induction anesthésique. Selon la préférence des établissements, l'identification peut s'effectuer dans la salle d'attente ou dans la salle d'opération.

Au cours de l'admission, l'infirmière réévalue le client et prévoit du temps pour des questions de dernière minute. Elle revoit les données mentionnées ci-dessus et note tout changement ou toute anomalie. Elle vérifie si ses bijoux et ses prothèses sont enlevés et l'heure à laquelle il a mangé et bu pour la dernière fois. Si un médicament préopératoire a été prescrit, elle s'assure que le client a reçu le bon médicament. Elle offre une couverture chaude et un oreiller au client, et le positionne autrement s'il est mal à l'aise. La plupart des CH exigent que les cheveux du client soient couverts d'un bonnet juste avant d'entrer dans la salle d'opération afin de prévenir la contamination par la chute accidentelle de cheveux.

12.4 PHASE PEROPÉRATOIRE

12.4.1 Préparation de la salle

Avant que le client ne soit transféré à la salle d'opération prévue, l'infirmière consacre beaucoup de temps à préparer la salle afin de respecter son intimité, d'assurer sa sécurité et de prévenir les infections. Toutes les personnes qui entrent dans le bloc opératoire doivent porter des vêtements chirurgicaux, c'est-à-dire des vêtements de salle d'opération (pantalon et chemise), un masque, des lunettes de protection et un bonnet chirurgical (voir figure 12.4). L'infirmière s'assure que tout l'équipement électrique et mécanique fonctionne bien. La technique d'asepsie doit être observée chaque fois qu'un instrument chirurgical est ouvert et placé systématiquement sur la table à instruments. Les compresses, aiguilles et instruments doivent être comptés pour s'assurer qu'ils seront tous retirés à la fin de l'intervention.

12.4.2 Transfert du client

Une fois que le client est identifié et que la salle est prête, le client est transporté dans la salle d'opération.

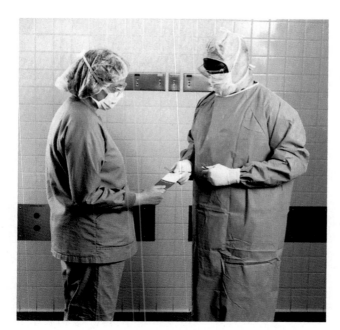

FIGURE 12.4 Toute personne qui entre dans le bloc opératoire doit porter des vêtements chirurgicaux.

On doit s'assurer que les roues de la civière sont bloquées chaque fois qu'un client est transféré d'un lit à l'autre. Il doit également y avoir suffisamment de personnes pour soulever et déplacer le client afin de prévenir toute chute accidentelle. C'est généralement à ce moment-là qu'on installe les différents appareillages (p. ex. les électrodes de l'ECG, les appareils à pression, le saturomètre), de même que les cathéters intraveineux, si cela n'a pas déjà été fait.

12.4.3 Brossage des mains et port de la blouse et des gants

Tous les membres de l'équipe chirurgicale qui se trouveront dans l'environnement stérile pendant l'intervention (l'infirmière instrumentiste, le chirurgien et l'assistant) doivent exécuter un brossage chirurgical des mains et des avant-bras avant d'entrer dans la salle d'opération. Ce type de brossage des mains sert à réduire les risques de prolifération de micro-organismes ainsi qu'à prévenir la prolifération de la flore bactérienne normale sous les gants et la blouse chirurgicale. Le type de savon utilisé doit être un antiseptique à large spectre. Les mains doivent être frottées vigoureusement pendant au moins deux minutes à l'aide d'une brosse chirurgicale stérile spécialement conçue à cet effet. Le brossage chirurgical des mains doit se faire à partir du bout des doigts jusqu'aux coudes en maintenant toujours les mains plus haut que les coudes pour éviter que la mousse savonneuse et l'eau coulent de la région déjà nettoyée (mains et doigts) vers la région non lavée (en haut des coudes).

Une fois que les mains sont brossées, les membres de l'équipe peuvent entrer dans la salle d'opération pour enfiler une blouse et des gants chirurgicaux. Étant donné que les blouses et les gants sont stériles, les personnes qui se sont brossées les mains et ont enfilé des gants stériles peuvent manipuler et préparer tout le matériel stérile qui sera utilisé pendant l'intervention.

12.4.4 Technique d'asepsie chirurgicale

La technique d'asepsie chirurgicale doit être observée dans la salle d'opération afin d'éviter que des micro-organismes ne pénètrent dans la plaie chirurgicale et ne causent une infection. Cette technique est appliquée grâce à la création et au maintien d'un environnement stérile (voir figure 12.5). L'incision chirurgicale est pratiquée au centre du champ stérile qui est fenêtré. Le matériel déposé sur le champ stérile principal comprend les autres champs, les compresses et tous les instruments chirurgicaux qui ont été stérilisés au moyen de méthodes de stérilisation adéquates.

Il existe certains principes que les membres de l'équipe doivent maîtriser pour appliquer la technique d'asepsie chirurgicale. Autrement, il est possible que la

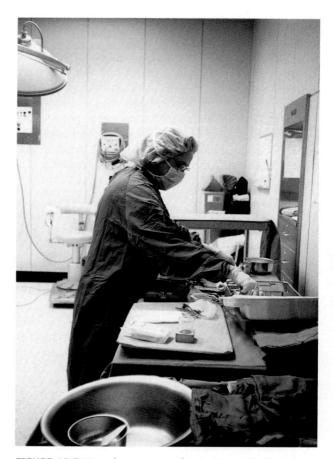

FIGURE 12.5 Un environnement stérile est créé avant la chirurgie.

sécurité du client soit compromise et que les risques d'infection postopératoire soient plus élevés.

En plus de devoir respecter les principes de la technique d'asepsie chirurgicale énumérés dans l'encadré 12.3, l'équipe doit prendre des mesures afin de se protéger et de protéger le client contre les micro-organismes pathogènes à diffusion hématogène. Des règles axées sur les principes de prévention de la contamination doivent être respectées lors de la préparation de l'aménagement du milieu de travail, ainsi que pendant l'application des méthodes de travail et l'utilisation d'équipement de protection individuelle, comme les gants, les blouses, les tabliers, les bonnets, les écrans faciaux, les masques et les lunettes de protection. Ces directives sont particulièrement importantes dans la salle d'opération puisque le risque d'exposition aux micro-organismes pathogènes à diffusion hématogène est élevé.

12.4.5 Assistance au personnel d'anesthésie

Pendant que l'infirmière vérifie la salle d'opération pour terminer les préparatifs, l'équipe d'anesthésie prépare le client à recevoir son anesthésie. L'infirmière doit comprendre la façon dont l'anesthésie est administrée et les effets pharmacologiques des anesthésiques. Elle doit savoir où sont situés tous les médicaments et le matériel d'urgence dans la salle d'opération. L'infirmière en service externe périopératoire peut être appelée à positionner les appareils de surveillance (p. ex. une sonde urinaire, des électrodes pour ECG) qui seront utilisés pendant l'intervention. Lorsque le client doit subir une anesthésie générale, l'infirmière demeure à ses côtés pour assurer sa sécurité et assister le personnel d'anesthésie. Ses fonctions peuvent comprendre la prise de la pression artérielle, l'insertion d'une perfusion IV et la protection du client en cas de chute.

12.4.6 Positionnement du client

En général, l'infirmière place le client après l'induction d'un anesthésique. Le personnel d'anesthésie lui indiquera à quel moment le faire lorsqu'une technique d'anesthésie épidurale ou locale est utilisée. Au moment de positionner le client, l'infirmière doit prendre certaines précautions qui permettront : 1) d'aligner le corps adéquatement ; 2) de prévenir la pression inutile sur les saillies osseuses, les yeux et la peau ; 3) d'assurer une bonne expansion pulmonaire ; 4) de prévenir l'occlusion des artères et des veines ; 5) de prévenir l'étirement ou la compression des tissus nerveux ; 6) de respecter la pudeur ; 7) de reconnaître et de respecter les besoins de chaque client par rapport aux douleurs et déformations rapportées au préalable. Selon le type d'intervention, l'infirmière peut être responsable de fixer les extrémités,

ENCADRÉ 12.3 — Principes d'asepsie chirurgicale

- Tout le matériel qui entre dans le champ stérile doit être stérile.
- La stérilisation est l'unique moyen pour qu'un instrument soit considéré comme stérile ; il devient contaminé s'il entre en contact avec un instrument non stérile.
- Les instruments contaminés doivent être immédiatement retirés du champ stérile.
- L'infirmière en service interne et l'équipe chirurgicale doivent porter des vêtements stériles ; une fois vêtus pour l'intervention, ils doivent être conscients que seule la partie avant de la blouse est aseptique, de la partie supérieure du thorax à la taille.
- Les mouvements des membres de l'équipe doivent être délicats afin de respecter le principe de stérile à stérile et de non stérile à non stérile.
- Seul le dessus des tables est considéré comme stérile et les instruments qui se trouvent au-dessous de ce niveau sont jugés comme contaminés.
- Les rebords (environ 2 cm) d'un emballage stérile sont considérés comme contaminés une fois ouvert.
- Les courants d'air et les mouvements peuvent transporter les bactéries vers le champ stérile.
- La moisissure et les liquides transportent des bactéries par action capillaire d'une surface à une autre, ce qui produit la contamination.
- Le brossage chirurgical des mains et le port d'un bonnet et d'un masque sont obligatoires puisque les bactéries s'infiltrent dans les cheveux, la peau et les voies respiratoires du client et des membres de l'équipe.

de placer suffisamment de rembourrage autour de la table et de fournir un soutien adéquat ; elle peut se prévaloir d'une aide physique ou mécanique pour éviter tout effort inutile de sa part ou de celle du client.

Diverses positions peuvent être utilisées pour installer le client sur la table : décubitus dorsal, décubitus ventral, position de Trendelenburg, décubitus latéral, position déclive, position dorso-sacrée, position en ciseaux et position assise. La position en décubitus dorsal est la plus fréquemment utilisée et convient aux chirurgies abdominales, cardiaques et mammaires. La position en décubitus ventral permet un accès facile pour les chirurgies lombaires (p. ex. une laminectomie). La position dorso-sacrée est utilisée pour certains types de chirurgies aux organes pelviens (p. ex. une hystérectomie vaginale).

12.4.7 Préparation du site opératoire

Le but de la préparation de la peau est de réduire le nombre de micro-organismes susceptibles de migrer sur la plaie chirurgicale. Cette tâche est généralement confiée à l'infirmière en service externe.

La peau est préparée en désinfectant la zone autour du site opératoire à l'aide d'un antimicrobien hypoallergène. Lorsque le client présente une pilosité importante, ou si les poils risquent de nuire à l'intervention, l'infirmière les coupera avec une tondeuse juste avant de procéder à l'incision. La région est ensuite nettoyée en faisant des mouvements circulaires. En tout temps, la désinfection doit s'effectuer de la région propre (site de l'incision) vers la région considérée comme moins propre (périphérie). Une zone assez grande autour du site opératoire est nettoyée afin d'assurer une meilleure protection et d'être préparé à toute éventualité pouvant survenir pendant l'intervention.

Une fois que la peau est nettoyée, la zone opératoire est couverte de champs stériles par un des membres de l'équipe chirurgicale « considéré comme stérile ». Seul le site de l'incision reste exposé.

12.4.8 Facteurs de sécurité

Toute intervention chirurgicale, peu importe la région où elle a lieu, risque de provoquer des lésions qui peuvent être de diverses natures. Elles peuvent être causées par une infection, par une blessure physique due à la position du client ou à l'équipement utilisé, ou encore par la chirurgie elle-même. De plus, les appareils à laser et les nouveaux appareils utilisés en électrochirurgie peuvent blesser le client et le personnel chirurgical. Par ailleurs, l'infirmière en soins périopératoires doit bien connaître les règles de sécurité en cas d'incendie afin de protéger le client et le personnel contre les brûlures. On emploi régulièrement des systèmes d'évacuation de la fumée dans les salles d'opération afin de réduire celle-ci en milieu périopératoire, lors d'une cautérisation par exemple (voir figure 12.6).

12.5 PHASE POSTOPÉRATOIRE

Grâce à une surveillance constante au cours de la chirurgie, le personnel d'anesthésie est en mesure d'anticiper la fin de l'intervention chirurgicale et d'utiliser le type et la dose adéquats d'anesthésiques, de manière que leurs effets s'estompent vers la fin de l'intervention chirurgicale. Cette procédure permet également d'exercer un meilleur contrôle physiologique sur le client lors du transfert à la salle de réveil.

L'équipe d'anesthésie et le chirurgien, ou un autre membre de l'équipe chirurgicale, accompagnent le client à la salle de réveil. Ils font un rapport de l'état du client et de l'intervention. L'infirmière en salle d'opération évalue la réaction du client aux soins infirmiers en s'appuyant sur les résultats escomptés décrits dans le plan de soins (voir encadré 12.4).

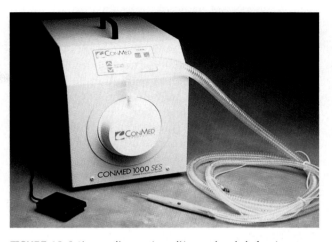

FIGURE 12.6 L'usage d'un système d'évacuation de la fumée est recommandé lorsqu'un appareil d'électrochirurgie est utilisé.

Résultats escomptés chez le client qui subit une chirurgie   ENCADRÉ 12.4

- Démonstration des connaissances relatives aux réactions physiologiques et psychologiques à l'intervention chirurgicale.
- Absence d'infection.
- Maintien de l'intégrité de la peau.
- Aucune lésion liée à la position, à des objets étrangers ou à des agents chimiques, matériels ou électriques.
- Maintien de l'équilibre hydro-électrolytique.
- Soulagement adéquat de la douleur.
- Participation au processus de réadaptation.

12.6 CLASSIFICATION DE L'ANESTHÉSIE

La technique d'anesthésie et les anesthésiques sont choisis par le personnel d'anesthésie, en collaboration avec le chirurgien et le client. Les facteurs qui contribuent à la décision sont : l'état de santé du client et ses antécédents, sa stabilité émotionnelle ainsi que les facteurs liés à l'intervention chirurgicale (p. ex. la durée, la position, la région). Le personnel d'anesthésie valide cette information lors de l'examen préopératoire, obtient le consentement à l'anesthésie, prescrit la prémédication et détermine la classification de l'anesthésie pour le client. Cette classification, qui sert de ligne directrice pour le personnel d'anesthésie, est basée sur l'état physiologique du client et ne tient pas compte de l'intervention chirurgicale qui sera pratiquée. Une échelle de 1 à 5 est utilisée pour déterminer l'état du client. Le chiffre 1 représente une personne en santé et le chiffre 5 représente un client en phase moribonde qui subit une intervention comme dernier recours ou comme mesure de réanimation. Les risques de complications peropératoires sont plus importants lorsque la classification est élevée.

L'anesthésie est classée en fonction de ses effets sur le système nerveux central et la perception de la douleur. **L'anesthésie générale** est définie comme une perte de sensation accompagnée d'une perte de conscience, d'un relâchement des muscles squelettiques, d'une analgésie et d'une diminution des réactions somatiques, autonomes et endocriniennes, comme la toux, les nausées, les vomissements et l'activité sympathique. **L'anesthésie locale** est définie comme une perte de sensibilité sans perte de conscience. Elle peut être induite de manière topique ou encore par injection intradermique ou sous-cutanée. La **sédation sous narcose** (« sommeil crépusculaire ») est définie comme un état de dépression du système nerveux central à la suite de l'administration par voie intraveineuse de benzodiazépine, généralement combinée avec un narcotique. Cette sédation permet au client de respirer par lui-même et de répondre adéquatement à une commande verbale, tout en améliorant son bien-être psychologique et physique lors d'une intervention douloureuse (p. ex. une coloscopie). **L'anesthésie régionale** est définie comme la perte de sensation d'une partie du corps lorsqu'un nerf ou un groupe de nerfs est bloqué par l'administration d'un anesthésique local, sans toutefois entraîner une perte de conscience (p. ex. une anesthésie rachidienne, épidurale ou par blocage nerveux).

12.6.1 Anesthésie générale

L'anesthésie générale est la technique de choix pour les clients suivants : 1) ceux qui doivent subir une intervention chirurgicale exigeant un relâchement musculaire important, dont la durée sera longue et la position inconfortable en raison de la région opératoire, et qui nécessitera une intubation pour contrôler la respiration ; 2) ceux qui sont extrêmement anxieux ; 3) ceux qui refusent l'anesthésie locale ou régionale ou pour qui ces deux types d'anesthésies ne sont pas recommandés ; 4) ceux qui résistent en raison de leur état psychologique, de leur manque de maturité, d'une intoxication, d'un traumatisme crânien ou d'un processus physiopathologique et ne peuvent, par conséquent, rester immobiles pendant une période donnée. Une anesthésie générale peut être administrée par voie intraveineuse, par inhalation ou par voie rectale (voir tableau 12.2).

Agents d'induction intraveineux. Presque toutes les anesthésies générales pratiquées sur les adultes commencent par l'administration d'un agent d'induction intraveineux. Ces agents ont un début d'action rapide que les clients apprécient et ils induisent un sommeil agréable. Bien qu'elle ne fasse effet que quelques minutes, une seule dose dure suffisamment longtemps pour introduire

---

PHARMACOTHÉRAPIE
TABLEAU 12.2   Médicaments utilisés lors de l'anesthésie générale

Agents intraveineux
Barbiturique
   Thiopental (Pentothal)
Non barbiturique
   Propofol (Diprivan)

Agents d'inhalation
Liquides volatils
   Enflurane
   Isoflurane
   Desflurane (Suprane)
   Sévoflurane (Sevorane AF)
Agent chimique gazeux
   Oxyde nitreux

Compléments d'anesthésie
Narcotiques
   Fentanyl
   Sufentanil (Sufenta)
   Sulfate de morphine
   Mépéridine (Démérol)
   Alfentanil (Alfenta)
   Rémifentanil (Ultiva)
Sédatifs hypnotiques
   Midazolam (Versed)
   Diazépam (Valium)
   Lorazépam (Ativan)
Agents relaxants musculaires
   Dépolarisants
      Succinylcholine
   Non dépolarisants
      Vécuronium (Norcuron)
      Atracurium
      Pancuronium (Pavulon)
      Doxacurium (Nuromax)
      Rocuronium (Zemuron)
      Mivacurium (Mivacron)
Antiémétiques
   Dropéridol
   Ondansétron (Zofran)
   Métoclopramide
   Prochlorpérazine (Stemetil)
   Prométhazine (Phénergan)

Anesthésique dissociatif
Hydrochloride de kétamine (Ketalar)

---

un tube endotrachéal et commencer l'administration de l'agent d'inhalation. Les agents d'induction sont classés à titre d'hypnotiques barbituriques ou d'hypnotiques non barbituriques.

Barbituriques. Dans le passé, les agents intraveineux utilisés pour induire l'anesthésie générale étaient des barbituriques à action de courte durée. Parmi tous les barbituriques, le plus utilisé est le thiopental (Pentothal). Une petite quantité de cet agent est suffisante pour produire une induction rapide. Pris en plus grande quantité, cet agent peut perturber la fonction cardiovasculaire et causer une hypotension, une tachycardie et une dépression respiratoire. Cependant, comme la durée d'action de cet agent est très brève (moins de cinq minutes), il est rare qu'on doive en gérer les effets secondaires au moyen d'une intervention. De nos jours, il est peu fréquent que l'on administre par voie rectale des barbituriques à action de courte durée puisqu'il existe des agents pharmacologiques parallèles qui sont satisfaisants.

Hypnotiques non barbituriques. Le propofol (Diprivan), un hypnotique non barbiturique, est un nouvel agent d'induction. Classé comme un hypnotique intraveineux, le propofol à une action rapide et présente également l'avantage de pouvoir maintenir à la fois l'anesthésie et l'induction. Étant donné que le propofol est un hypnotique non barbiturique, l'organisme est en mesure de l'éliminer rapidement. C'est pourquoi on le considère comme l'agent idéal pour les interventions de courte durée sans hospitalisation. De plus, le propofol cause moins de nausées et de vomissements que les autres agents d'induction et certains signes laissent supposer qu'il aurait des actions antiémétiques directes.

Agents d'inhalation. Les agents d'inhalation sont la base de l'anesthésie générale. Ils existent sous forme de liquide volatil ou de gaz, s'ils sont à température ambiante. Après avoir été mélangés à un gaz vecteur, l'oxygène, les liquides volatils sont administrés à l'aide de vaporisateurs spécialement conçus à cet effet.

Les agents d'inhalation pénètrent dans l'organisme par les alvéoles pulmonaires et peuvent être administrés au moyen d'un masque, d'un tube endotrachéal ou d'une trachéotomie. Ce sont des agents intéressants parce qu'ils sont faciles à administrer et que leurs effets sont de courte durée. Toutefois, l'un des effets indésirables de ces agents est qu'ils irritent les voies respiratoires. Les complications qui peuvent survenir sont la toux, les laryngospasmes, les bronchospasmes, une augmentation des sécrétions et une dépression respiratoire.

Les agents d'inhalation sont généralement administrés par le biais d'un tube endotrachéal introduit dans la trachée, après que le client a reçu un agent d'induction intraveineux. Le tube endotrachéal permet de contrôler la ventilation et de protéger les voies respiratoires, pour favoriser la perméabilité et prévenir les risques d'aspiration. Les complications découlant de l'intubation endotrachéale sont associées à l'insertion et au retrait du tube, par exemple les lésions aux dents et aux lèvres, les laryngospasmes, l'œdème de la glotte, les maux de gorge postopératoires et une raucité de la voix causée par une lésion ou encore une irritation des cordes vocales ou des tissus périphériques.

Liquides volatils. On utilise actuellement quatre types d'anesthésiques volatils, soit l'enflurane, l'isoflurane, le desflurane (Suprane) et le sévoflurane (Sevorane AF). Bien qu'il existe certaines différences entre ces agents, ce sont tous des bronchodilatateurs, des vasodilatateurs, des dépresseurs myocardiques et des agents relaxants musculaires. L'incidence de nausées et de vomissements postopératoires est relativement faible avec ces agents. Cependant, il peut arriver que certaines personnes éprouvent de tels symptômes en raison de la variabilité des effets des gaz sur les clients, des facteurs d'intervention et des compléments d'anesthésie. Étant donné que ces agents sont éliminés rapidement de l'organisme et que l'analgésique n'a plus beaucoup d'effet, on doit évaluer le client pour déceler des signes de douleur.

L'enflurane est un vasodilatateur efficace. Il dilate toutes les artérioles en relaxant directement les muscles lisses. L'augmentation du débit sanguin cérébral est généralement accompagné d'une hausse de la pression intracrânienne. On a remarqué des signes de convulsions lorsque de fortes concentrations d'enflurane étaient utilisées. Le principal inconvénient de l'enflurane est son taux élevé de solubilité lipidique qui entraîne une durée d'action prolongée qu'il est impossible de préciser. Ce type de liquide est rarement utilisé.

L'isoflurane agit plus rapidement que l'enflurane et ses effets durent plus longtemps. Il est très peu métabolisé et n'est pratiquement pas toxique pour les organes. L'isoflurane est toléré plus facilement par les clients puisqu'il entraîne une moins grande dépression cardiovasculaire que l'enflurane.

La structure du desflurane (Suprane) est comparable à celle de l'isoflurane à l'exception d'une particularité chimique. Le desflurane est relativement insoluble dans le sang et dans les tissus, ce qui permet une induction et un réveil rapides. Par conséquent, cet anesthésique peut être avantageux pour les clients qui subissent une chirurgie d'un jour. Les effets cardiovasculaires du desflurane sont semblables à ceux de l'isoflurane. Ce liquide volatil ne semble pas causer de toxicité rénale ni hépatique. De nos jours, le desflurane est l'anesthésique volatil le plus souvent utilisé.

Le sévoflurane (Sevorane AF) est le dernier anesthésique approuvé par Santé Canada. Tout comme le desflurane, il est insoluble, il a un métabolisme très faible et ses effets sur le système cardiovasculaire et respiratoire sont prévisibles. De plus, l'induction et le réveil de l'anesthésie sont rapides, et il n'irrite pas les voies respiratoires.

Oxyde nitreux. L'oxyde nitreux est l'agent chimique gazeux le plus utilisé, principalement en raison de ses actions complémentaires pour potentialiser les autres anesthésiques volatils. Le personnel d'anesthésie peut ainsi employer de plus petites quantités d'agents volatils, diminuant par le fait même les effets néfastes de ces

12

agents, et augmentant la vitesse d'induction. Le principal inconvénient de l'oxyde nitreux est qu'il n'est pas suffisamment puissant et ne peut donc pas être utilisé seul. L'oxyde nitreux est administré avec un agent volatil et de l'oxygène pour prévenir l'hypoxémie.

Compléments d'anesthésie utilisés lors de l'anesthésie générale.

Il est peu fréquent qu'on utilise un seul agent lors d'une anesthésie générale. Les médicaments qui sont combinés à un anesthésique par inhalation (autre qu'un agent d'induction intraveineux) sont appelés **compléments**. Ces agents sont ajoutés au schéma posologique de l'anesthésie, notamment pour provoquer l'inconscience, l'analgésie, l'amnésie, la relaxation musculaire ou le contrôle du système nerveux autonome. Étant donné qu'aucun agent ne peut produire à lui seul tous les résultats souhaités d'une anesthésie générale, de nombreux médicaments sont utilisés pour atteindre cet objectif. Les compléments comprennent les opiacés, les sédatifs hypnotiques (benzodiazépines), les agents bloquants neuromusculaires (relaxants musculaires) et les antiémétiques.

Opiacés.

Les opiacés sont aussi appelés **narcotiques**. Les narcotiques sont utilisés avant la chirurgie pour la sédation et l'analgésie (morphine), pendant la chirurgie pour l'induction et le maintien de l'anesthésie (fentanyl, sufentanil [Sufenta], rémifentanil [Ultiva], alfentanil [Alfenta]) et après la chirurgie pour soulager la douleur (fentanyl [Sublimaze], mépéridine [Demerol], morphine). Les narcotiques qui sont employés pendant la chirurgie sont principalement des dérivés de la morphine.

Les narcotiques sont utilisés pour modifier la perception de la douleur et la réaction à la douleur. Ceux qui sont administrés pendant la chirurgie procurent une analgésie suffisante pour réduire ou empêcher les réactions du système nerveux aux stimuli chirurgicaux. Lorsqu'ils le sont avant la fin de l'intervention chirurgicale, il est fréquent que les effets de l'anesthésie se poursuivent jusqu'à l'arrivée du client à l'unité de soins, ce qui fait que ce dernier ne ressent pratiquement aucune douleur à son réveil.

Tous les narcotiques provoquent une dépression respiratoire proportionnelle à la dose administrée. Comme la dépression respiratoire peut être difficile à percevoir dans la salle d'opération, une surveillance étroite et une saturométrie sont nécessaires. Une dépression respiratoire peut être interrompue avec du naloxone (Narcan). Cependant, son usage est également souvent associé à l'interruption des effets analgésiques des narcotiques.

Les effets secondaires cardiovasculaires des narcotiques sont minimes lorsqu'on administre une dose régulière d'analgésique. Toutefois, il y a des risques de bradycardie et de vasodilatation périphérique lorsqu'on administre une dose élevée, combinée à d'autres anesthésiques. Les narcotiques ont également un effet stimulant direct sur le centre du vomissement situé dans la région médullaire. Il est possible qu'une broncho-aspiration survienne si l'effet des sédatifs est trop puissant et que le client est incapable de respirer par lui-même.

Sédatifs hypnotiques (benzodiazépines).

Les sédatifs hypnotiques (benzodiazépines) sont couramment utilisés comme prémédication avant une chirurgie en raison de leurs effets amnésiques. Ces agents peuvent servir à l'induction et au maintien de l'anesthésie, à la sédation consciente, à la sédation intraveineuse supplémentaire lors d'une anesthésie locale ou régionale et à la diminution de l'anxiété et de l'agitation postopératoires. Actuellement, on emploie trois médicaments appartenant à la classe des benzodiazépines : le diazépam (Valium), le midazolam (Versed) et le lorazépam (Ativan). Le midazolam (Versed) est le plus couramment utilisé en raison de ses actions amnésiques, de sa courte durée d'action et de l'absence de douleur lors de l'injection. Il est généralement administré par voie intraveineuse ou intramusculaire. Il s'agit du complément d'anesthésie qu'on utilise le plus souvent en chirurgie ambulatoire et en sédation sous narcose. L'emploi des autres agents est moins fréquent en raison de leur action prolongée. Les benzodiazépines potentialisent les effets des narcotiques, car ils augmentent les risques de dépression respiratoire. Le flumazénil (Anexate) est un antagoniste spécifique des benzodiazépines qui peut servir à renverser les effets d'un autre agent.

Agents bloquants neuromusculaires.

Les agents bloquants neuromusculaires (agents relaxants musculaires) sont utilisés comme compléments lors de l'anesthésie générale pour faciliter l'insertion du tube endotrachéal et améliorer le travail durant la chirurgie en relaxant (paralysant) les muscles. Les agents bloquants neuromusculaires permettent d'interrompre la transmission des impulsions nerveuses au niveau de la plaque motrice. En fonction de leurs mécanismes d'action, les agents bloquants neuromusculaires sont classés comme des agents relaxants musculaires dépolarisants ou non dépolarisants.

Les agents relaxants musculaires dépolarisants reproduisent l'action de l'acétylcholine. Ils s'imbriquent aux sites récepteurs cholinergiques sur les cellules musculaires, causant ainsi la dépolarisation de la membrane cellulaire (voir figure 12.7). Tant et aussi longtemps que les cellules restent dépolarisées, le muscle est incapable de répondre à une stimulation subséquente de l'acétylcholine, entraînant ainsi un blocage neuromusculaire. La succinylcholine (Quelicin) est actuellement le seul relaxant musculaire dépolarisant utilisé. Étant donné qu'elle a un début d'action rapide (30 à 60 secondes) et

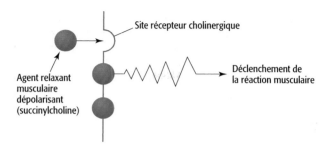

FIGURE 12.7 Dépolarisation provoquée par la succinylcholine

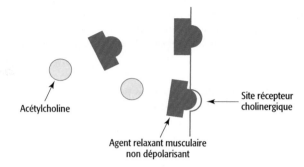

FIGURE 12.8 Mode d'action des agents relaxants musculaires non dépolarisants

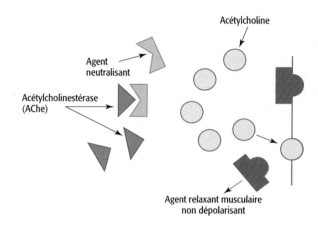

FIGURE 12.9 Renversement du blocage neuromusculaire

de courte durée (3 à 5 minutes), la succinylcholine est considérée comme un agent idéal pour l'intubation.

Les agents non dépolarisants (voir tableau 12.2) sont en concurrence avec l'acétylcholine au niveau du site récepteur cholinergique. La forte concentration d'agents relaxants musculaires non dépolarisants empêche l'acétylcholine d'atteindre la plaque motrice de la cellule musculaire. L'inhibition de la transmission neuromusculaire entraîne un blocage neuromusculaire (voir figure 12.8).

La durée d'action des agents non dépolarisants est courte (10 à 20 minutes), moyenne (20 à 40 minutes) ou prolongée (50 à 105 minutes). Le choix d'un agent non dépolarisant pour un client donné dépend de la durée de l'intervention qui sera effectuée, de la voie d'élimination du médicament (en tenant compte de la fonction rénale et hépatique du client), des effets secondaires possibles et de la capacité du client à les tolérer. Les effets des agents relaxants musculaires non dépolarisants peuvent être renversés par des anticholinestérases, tels que la néostigmine (Prostigmin), la pyridostigmine (Mestinon) et l'édrophonium (Enlon). Les anticholinestérases permettent de régénérer la fonction neuromusculaire en se mélangeant à l'acétylcholinestérase et en l'activant. À mesure que les effets de l'acétylcholinestérase diminuent, les taux d'acétylcholine peuvent se régénérer. Ensuite, l'acétylcholine déplace l'agent relaxant musculaire non dépolarisant, permettant ainsi le retour à une transmission neuromusculaire normale (voir figure 12.9).

Les inconvénients liés à l'administration d'agents relaxants musculaires sont une source de préoccupation pour le personnel d'anesthésie et l'infirmière en salle de réveil. Il peut arriver que leur durée d'action soit plus longue que la durée de l'intervention chirurgicale ou que les agents neutralisants soient incapables d'éliminer complètement les effets résiduels. On doit surveiller étroitement la perméabilité des voies respiratoires et le mouvement respiratoire du client. L'absence de mouvement ou la faible récupération des réflexes et de la force musculaire peuvent nécessiter l'utilisation d'un tube pharyngé ou d'un ventilateur. Lorsqu'un client est intubé, on ne doit jamais retirer le tube endotrachéal avant d'avoir minutieusement évalué le retour de la force musculaire,

de l'état de conscience et du débit-volume (volume courant multiplié par la fréquence par minute).

Antiémétiques. Les antiémétiques sont des médicaments utilisés pour prévenir et traiter les nausées et les vomissements, qui constituent les effets secondaires les plus fréquents de l'anesthésie. De nombreux facteurs sont associés aux nausées et aux vomissements postopératoires, dont les techniques d'anesthésie, les anesthésiques, les narcotiques, le sexe (femme), le poids (obésité), le type d'intervention chirurgicale, la douleur et les antécédents de nausées et de vomissements ou de mal des transports.

Même si de nombreux antiémétiques sont utilisés cliniquement, chacun possède un mécanisme d'action distinct. Le dropéridol contrecarre les effets émétiques des narcotiques. La métoclopramide augmente la vidange gastrique et possède des actions antiémétiques directes. L'ondansétron (Zofran) est un antagoniste sélectif des récepteurs de la sérotonine et sert à prévenir les nausées et les vomissements. D'autres antiémétiques, comme la prochlorpérazine (Stémétil) et la prométhazine (Phénergan), sont parfois prescrits, mais leur usage se limite habituellement au milieu postopératoire. Un antiémétique peut être administré seul ou combiné

12

avec d'autres antiémétiques. Une prophylaxie antiémétique est le traitement par excellence, à la fois pour le bien-être du client et la période de récupération postopératoire.

Anesthésie dissociative. L'anesthésie dissociative permet d'interrompre les impressions sensitives des voies nerveuses tout en bloquant la chaîne sensorielle. Le client semble catatonique, est amnésique et éprouve une analgésie profonde ; les effets perdurent jusqu'à la période postanesthésique. L'hydrochloride de kétamine (Ketalar) est l'agent qu'on administre le plus souvent comme anesthésique de dissociation. Il est particulièrement avantageux parce qu'il est possible de l'administrer par voie intraveineuse ou intramusculaire, et ses effets analgésiques et amnésiques sont efficaces.

Ce type d'anesthésique est utilisé pour les interventions diagnostiques ou thérapeutiques n'impliquant pas une relaxation musculaire, mais nécessitant une analgésie profonde et une amnésie (p. ex. le débridement de brûlures ou le changement de pansements). Étant donné que la kétamine est un dérivé de la phencyclidine (PCP), le médicament peut provoquer des hallucinations et des cauchemars, notamment chez les clients adultes, ce qui limite grandement son utilisation. L'administration de benzodiazépine avec la kétamine réduit les risques d'effets indésirables.

12.6.2 Anesthésie locale

Les anesthésiques locaux empêchent le déclenchement et la transmission d'impulsions électriques le long des fibres nerveuses en diminuant la perméabilité membranaire aux ions sodium. Cette diminution permet de ralentir le rythme de la dépolarisation cellulaire. Un blocage de la conduction survient parce qu'il n'y a aucun potentiel d'action qui est généré. Il est à noter que les augmentations progressives de la concentration de l'anesthésie locale empêche la transmission des impulsions motrices automatiques, somatosensorielles et somatiques. Cela entraîne un blocage du système nerveux autonome, une anesthésie et une paralysie musculaire dans la région du nerf touché. Lorsqu'on désire obtenir uniquement un blocage autonome ou sensoriel, comme dans le cas de l'épidurale, on utilisera une concentration plus faible d'anesthésiques locaux. La procaïne (Novocain), la tétracaïne (Pontocaine), la lidocaïne (Xylocaine), la mépivacaïne (Carbocaine), la bupivacaïne (Marcaine) et la ropivacaïne (Naropin) sont au nombre des anesthésiques locaux les plus fréquemment administrés.

L'anesthésie locale permet de pratiquer une intervention chirurgicale sur une région donnée du corps sans perte de conscience ni sédation. La durée d'action de l'anesthésie locale se poursuit souvent jusqu'à la phase postopératoire, ce qui assure une analgésie continue au

client. De plus, une anesthésie loco-régionale est une solution de rechange à l'anesthésie générale pour les clients dont les fonctions physiologiques sont altérées.

Les inconvénients des anesthésiques locaux comprennent : la difficulté technique et le malaise associés à l'injection des anesthésiques ; l'administration intraveineuse accidentelle pouvant entraîner de l'hypotension et des convulsions ; l'incapacité de faire adéquatement correspondre la durée d'action des agents administrés avec la durée de l'intervention chirurgicale.

Modes d'administration. Les anesthésiques locaux peuvent être administrés selon différents modes (voir encadré 12.5). L'application topique consiste à appliquer un agent directement sur la peau, les muqueuses ou une plaie ouverte. La crème anesthésique EMLA, un mélange de lidocaïne et de prilocaïne, peut être appliquée sur la peau pour produire une anesthésie locale cutanée (voir chapitre 5). Il a été démontré que la crème EMLA était efficace chez les enfants au moment d'installer une perfusion intraveineuse. L'infiltration locale consiste à injecter un agent dans les tissus où l'incision chirurgicale sera effectuée.

Le bloc nerveux régional et le bloc plexique s'effectuent au moyen d'une injection d'anesthésique local dans un nerf ou un groupe de nerfs précis, ou en périphérie. Le blocage nerveux peut être utilisé à titre d'anesthésie peropératoire, d'analgésique postopératoire, ou encore à des fins de diagnostic et de traitement de la douleur chronique. Les techniques de blocage les plus couramment utilisées sont le blocage du plexus (p. ex. le plexus brachial), le blocage du nerf intercostal et le blocage du nerf rétrobulbaire. Le bloc nerveux régional par voie intraveineuse, ou anesthésie rachidienne de Bier, consiste à injecter un anesthésique local par voie intraveineuse dans un membre après avoir effectué une exsanguination mécanique à l'aide d'un brassard compressif et d'un garrot. En plus d'induire une anesthésie, ce type de blocage permet au chirurgien de travailler dans une région non hémorragique. L'anesthésie rachidienne et l'anesthésie épidurale sont également des types d'anesthésie régionale.

Anesthésie rachidienne et épidurale. Une anesthésie rachidienne nécessite l'injection d'un anesthésique local dans le liquide céphalorachidien situé dans l'espace sous-arachnoïdien, généralement sous la deuxième vertèbre lombaire (L-2). L'anesthésique local se mélange au liquide céphalorachidien et permet divers niveaux d'anesthésie selon la vitesse à laquelle il se disperse. L'anesthésie rachidienne entraîne un blocage du système nerveux autonome et sensorimoteur, étant donné que l'anesthésique local est administré directement dans le liquide céphalorachidien. Une fois que la vasodilatation se produit, il est possible qu'un client devienne hypotendu ; il ne ressentira aucune

Modes d'administrations de l'anesthésie locale ENCADRÉ 12.5

- Application topique
- Infiltration locale
- Injection régionale
- Bloc plexique
- Blocage nerveux régional par voie intraveineuse (anesthésie rachidienne de Bier)
- Anesthésie rachidienne (blocage)
- Anesthésie épidurale (blocage)

douleur en raison du blocage sensoriel et peut être incapable de se mouvoir en raison du blocage moteur. La durée d'action de l'anesthésique rachidien dépend de l'agent choisi et de la dose administrée. Un anesthésique rachidien peut être utilisé pour les interventions chirurgicales à l'aine, au périnée ou à un membre inférieur.

Une anesthésie épidurale nécessite l'injection d'un anesthésique local dans l'espace épidural (extradural) au niveau des vertèbres lombaires. Les anesthésiques locaux se fusionnent aux racines nerveuses à mesure qu'ils pénètrent et s'échappent de la moelle épinière. Une faible concentration d'anesthésiques locaux bloque la chaîne sensorielle tout en laissant les nerfs moteurs intacts. Une plus forte concentration bloque à la fois la chaîne sensorielle et les nerfs moteurs (voir figure 12.10). Il est possible d'utiliser l'anesthésie épidurale comme anesthésique exclusif lors d'une intervention chirurgicale. Un cathéter peut également être introduit pour permettre une utilisation peropératoire et un usage continu pour l'analgésie en phase postopératoire, où l'on administrera une faible dose d'anesthésique local par épidurale, combinée avec des narcotiques. L'anesthésie épidurale est généralement utilisée pour les accouchements, les interventions vasculaires d'un membre inférieur ou les arthroplasties de la hanche ou du genou.

Lorsque l'anesthésie épidurale ou rachidienne est utilisée (voir figure 12.10) pour une intervention chirurgicale, le client peut demeurer parfaitement conscient ou une sédation peut être effectuée par voie intraveineuse. Bien que le début d'action de l'anesthésie rachidienne soit plus rapide que celui de l'épidurale, les résultats sont généralement semblables pour ces deux types d'anesthésie. Il est important de surveiller attentivement le client au cours de l'intervention afin de déceler tout signe de blocage du système nerveux autonome, y compris les signes d'hypotension, de bradycardie, de nausées et de vomissements. Il est possible que le client ait une réponse ventilatoire inadéquate et présente des périodes d'apnée si l'anesthésie est trop puissante. Le niveau du bloc sensoriel et sympathique est contrôlé par les composantes suivantes : le site d'injection, la dose et la puissance du médicament, la vitesse d'injection, la

taille, la masse et la condition physique du client ainsi que la densité de la solution utilisée.

L'un des avantages de l'injection épidurale (extradurale) par rapport à l'injection rachidienne (sous-arachnoïdienne) est que l'incidence des céphalées est plus faible. Un écoulement de liquide céphalorachidien au niveau du site d'injection serait à l'origine des céphalées éprouvées après une anesthésie rachidienne. L'utilisation d'une aiguille de ponction rachidienne de plus petit calibre (calibres 25 à 27) et l'usage d'une aiguille mousse peuvent réduire l'incidence des céphalées. Il est possible qu'un client ait des céphalées après une épidurale si une aiguille de calibre 17 ou 18 a été introduite trop loin et a perforé la dure-mère, entraînant ainsi un écoulement du liquide céphalorachidien.

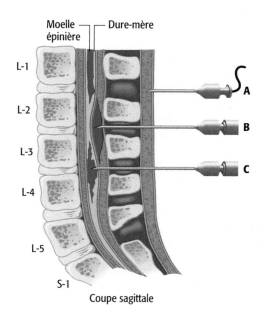

Coupe sagittale

FIGURE 12.10 Zone où l'on doit insérer la pointe de l'aiguille et injecter l'anesthésique par rapport à la dure-mère. A. Cathéter pour anesthésie épidurale. B. Épidurale à injection unique. C. Anesthésie rachidienne. (Les sites les plus fréquemment utilisés sont entre la 4e et la 5e vertèbre lombaire [L4-5], entre la 3e et la 4e vertèbre lombaire [L3-4] et entre la 2e et la 3e vertèbre lombaire [L2-3].)

12.6.3 Autres méthodes d'anesthésie

Plusieurs autres méthodes qui aident à l'anesthésie lors des interventions chirurgicales peuvent être utilisées. L'**hypotension contrôlée** est une technique utilisée pour abaisser la pression artérielle afin d'éviter les hémorragies lors de l'administration d'une anesthésie. L'**hypothermie** consiste à abaisser intentionnellement la température corporelle afin de ralentir le métabolisme et diminuer du même coup les besoins en oxygène et la quantité d'anesthésiques. La **cryanesthésie** nécessite le

12

GÉRONTOLOGIE

Client âgé en phase peropératoire ENCADRÉ 12.6

- Bien que les anesthésiques soient de plus en plus sécuritaires et prévisibles, les personnes âgées ont souvent des réactions adverses aux médicaments. Par conséquent, il est important que les anesthésiques soient bien dosés lorsqu'ils doivent être administrés à des personnes âgées. En plus de modifier la réaction aux anesthésiques, les changements physiologiques liés à l'âge peuvent aussi modifier la réaction du client aux pertes et remplacements sanguins et liquidiens, à l'hypothermie, à la douleur, à la tolérance à l'intervention chirurgicale et à la position. Les progrès réalisés en pharmacologie, une meilleure compréhension des changements physiologiques liés à l'âge et la technologie de pointe qui permet de surveiller étroitement les réactions du client rendent l'anesthésie plus sécuritaire chez les personnes âgées. Toute réaction à un anesthésique doit être surveillée étroitement et le réveil postopératoire du client âgé doit être évalué minutieusement en salle de réveil avant son transfert dans l'unité de chirurgie.

- En raison de problèmes visuels et auditifs, plusieurs personnes âgées éprouvent des difficultés pour communiquer et suivre les consignes données par l'infirmière en période postopératoire immédiate. Ces altérations des perceptions sensorielles imposent à l'équipe soignante de communiquer de façon claire et précise en salle d'opération, notamment lorsque la sédation préopératoire vient amplifier le déficit sensoriel. Étant donné qu'elle a perdu son élasticité en raison d'une perte de collagène, la peau d'une personne âgée est plus sensible aux lésions causées par les diachylons, les électrodes, les couvertures refroidissantes et chauffantes et certains types de pansements. De plus, une personne âgée peut présenter des problèmes d'ostéoporose ou encore souffrir d'arthrite ou d'arthrose. Ces facteurs justifient l'utilisation de bonnes techniques de transfert, de soulèvement et de positionnement.

refroidissement ou la congélation d'une région déterminée en vue de bloquer les impulsions nerveuses. L'**hypnoanesthésie** a recours à l'hypnose pour altérer la perception de la douleur. L'analgésie par **acupuncture** permet d'obtenir une perte de sensations en stimulant des points stratégiques sur le corps à l'aide de fines aiguilles.

12.6.4 Situations d'urgence en salle d'opération

Des événements imprévus peuvent parfois survenir pendant la chirurgie. Bien qu'il soit possible d'anticiper certains de ces événements (p. ex. un arrêt cardiaque chez un client instable, une hémorragie importante lors d'une chirurgie traumatologique), il peut arriver que d'autres surviennent rapidement et qu'ils nécessitent une intervention immédiate de tous les membres de l'équipe chirurgicale. Deux de ces événements sont les réactions anaphylactiques et l'hyperthermie maligne.

Réactions anaphylactiques. L'anaphylaxie est la forme la plus grave de réaction allergique (voir chapitre 7). Elle se manifeste par des complications pulmonaires et circulatoires qui mettent la vie du client en péril. Lors d'une intervention chirurgicale, il est possible que le personnel d'anesthésie administre divers médicaments au client, comme des anesthésiques, des antibiotiques, des produits sanguins, des dérivés de plasma. Étant donné que tout médicament administré par voie parentérale est susceptible d'entraîner une réaction allergique, la vigilance et une intervention rapide de la part du personnel sont primordiales. Une réaction anaphylactique peut causer de l'hypotension, de la tachycardie, des bronchospasmes et de l'œdème pulmonaire. La majorité des réactions allergiques périopératoires sont causées par les antibiotiques.

L'allergie au latex est devenue un risque important en milieu périopératoire puisqu'on utilise des gants, des cathéters, des sondes, des tubes endotrachéaux et d'autres instruments contenant du latex (voir chapitres 7 et 11). Les réactions au latex varient de l'urticaire à l'anaphylaxie, dont les symptômes peuvent apparaître immédiatement ou plus tard pendant l'intervention chirurgicale. Le client doit être traité dès l'apparition des symptômes. Des protocoles relatifs à l'allergie au latex doivent être établis dans chaque établissement afin qu'on y retrouve un milieu sans latex pour les personnes à risque. Ces personnes comprennent les travailleurs de la santé, les personnes souvent exposées au latex (p. ex. les clients qui ont fréquemment besoin d'interventions chirurgicales) et celles qui ont déjà fait des réactions (p. ex. des démangeaisons, des érythèmes) aux objets contenant du latex, comme des ballons.

Il est possible d'éliminer les réactions allergiques potentielles si elles sont bien ciblées dans la phase préopératoire. Les questions posées lors de la collecte de données préopératoire peuvent permettre de déceler une sensibilité insoupçonnée (p. ex. « Sentez-vous que vos lèvres sont engourdies lorsque vous soufflez des ballons ? »).

Hyperthermie maligne. L'hyperthermie maligne est une maladie métabolique rare qui se caractérise par une hyperthermie souvent mortelle et par une rigidité musculaire. Elle survient chez les clients atteints qui sont exposés à certains anesthésiques. La succinylcholine, surtout lorsqu'elle est combinée avec d'autres anesthésiques volatils, serait la principale responsable de cette maladie, bien que d'autres facteurs, comme le stress, un traumatisme et la chaleur, puissent également être en cause. En général, l'hyperthermie maligne survient pendant l'anesthésie générale, mais elle peut aussi se manifester pendant la période de réveil. Il s'agit d'une affection héréditaire autosomique-dominante. Cependant, la pénétrance (fréquence avec laquelle un gène manifeste ses effets) est variable, ce qui signifie que les pronostics établis en fonction des antécédents familiaux sont importants, mais peuvent être contradictoires. La principale anomalie est l'hypermétabolisme des muscles causé par une mauvaise régulation du calcium intracellulaire, ce qui entraîne des contractions musculaires, de l'hyperthermie, de l'hypoxémie, de l'acidose lactique ainsi que des troubles hémodynamiques et cardiaques.

La tachycardie, la tachypnée, l'hypercapnie et l'arythmie ventriculaire peuvent survenir, mais elles ne sont pas caractéristiques de l'hyperthermie maligne. L'hyperthermie maligne est généralement diagnostiquée une fois que toutes les autres causes ont été éliminées. Une hyperthermie n'est pas l'un des premiers signes de l'hyperthermie maligne. À moins qu'elle ne soit rapidement détectée pour procéder à une intervention rapide et adéquate, l'hyperthermie maligne peut entraîner un arrêt cardiaque et la mort. Le traitement définitif de l'hyperthermie maligne est l'administration rapide de dantrolène sodique (Dantrium), qui ralentit le catabolisme au même titre que le soutien symptomatique visant à corriger l'instabilité hémodynamique, l'acidose, l'hypoxémie et la température élevée. Afin de prévenir l'hyperthermie maligne, il est important que l'infirmière recueille soigneusement les antécédents familiaux et qu'elle soit attentive au moindre signe de son apparition pendant la chirurgie. Le client qui est à risque ou soupçonné de l'être peut être anesthésié sans trop de dangers si les précautions appropriées sont prises. Les clients souffrant d'hyperthermie maligne doivent être informés de leur état afin que les membres de leur famille pouvant être prédisposés à cette maladie subissent des tests.

MOTS CLÉS

Infirmière en service externe 358
Infirmière instrumentiste ou infirmière en
  service interne 358
Équipe d'anesthésie 358
Démarche de l'équipe d'anesthésie 358
Anesthésie générale 366
Anesthésie locale 366
Sédation sous narcose 366
Anesthésie régionale 366
Compléments 368
Narcotiques 368
Application topique 370
Infiltration locale 370
Bloc nerveux régional 370
Bloc plexique 370
Bloc nerveux régional par voie intraveineuse 370
Anesthésie rachidienne de Bier 370
Hypotension contrôlée 371
Hypothermie 371
Cryanesthésie 371
Hypnoanesthésie 372
Acupuncture 372

BIBLIOGRAPHIE

Version originale

1. American Association of Nurse Anesthetists: Latex allergy protocol, AANA 61:223, 1993.
2. Association of Operating Room Nurses: Patient outcome standards. In AORN standards and recommended practices, Denver, 1997, Association of Operating Room Nurses.
3. Association of Operating Room Nurses: Recommended practices for maintaining a sterile field. In AORN standards of practice, Denver, 1997, Association of Operating Room Nurses.
4. Atkinson LJ: Berry and Kohn's operating room techniques, ed 8, St Louis, 1996, Mosby.
5. Booth M: Clinical aspects of nurse anesthesia practice. Sedation and monitored anesthesia care, Nurs Clin North Am 31:667, 1996.
6. Burney TL, Badlani GH: Anesthetic considerations in the geriatric patient, Urol Clin North Am 23:19, 1996.
7. DeLong DL: Preoperative holding area, AORN J 55:563, 1992. Longinow LT, Rzeszewski LB: The holding room, AORN J 57:914, 1993.
8. Department of Labor, Occupational Safety and Health Administration, Federal Register 56(235):part 1920, 1991.
9. Dodds C: Anaesthetic drugs in the elderly, Pharmacol Ther 66:369, 1995.
10. Fairchild SS: Perioperative nursing, ed 2, Boston, 1996, Jones & Bartlett.
11. Groah L: Operating room nursing, ed 2, San Mateo, Calif, 1995, Appleton & Lange.
12. Malignant Hyperthermia Association of the United States: Suggested therapy for malignant hyperthermia emergency, Darien, Conn, 1998, MHaus International.
13. Meeker MH, Rothrock JC: Alexander's care of the patient in surgery, ed 11, St Louis, 1999, Mosby.
14. Phippen ML, Wells MP: Perioperative nursing practice, Philadelphia, 1993, Saunders.
15. Siler JN, Fisher SM, Boon P: A comparative study of total intravenous anesthesia technique versus a standard anesthetic technique for outpatient surgical procedures, Semin Anes 11:14, 1992.
16. Walker JR: What is new with inhaled anesthetics: part 2, J Perianesth Nurs 11:404, 1996.
17. Walker JR: Neuromuscular relaxation and reversal: an update, J Perianesth Nurs 12:264, 1997.
18. White PF: Ambulatory anesthesia and surgery, London, 1997, Saunders.

Édition de langue française

1. Ordre des infirmières et infirmiers du Québec. *Soins infirmiers periopératoires: la fonction d'infirmière première assistante*, [En ligne]. [http://www.oiiq.org/act_pub/publications/pério-constat. html] (Page consultée le 16 mars 2003).

Hélène Boissonneault
B. Sc. inf., D.A.P.
Cégep de Limoilou

Marlène Fortin
B. Sc. inf.
Cégep de Limoilou

Chapitre 13

PHASE POSTOPÉRATOIRE

OBJECTIFS D'APPRENTISSAGE

APRÈS AVOIR LU CE CHAPITRE, VOUS DEVRIEZ ÊTRE EN MESURE :

- DE NOMMER LES COMPOSANTES DE L'ÉVALUATION INITIALE À LA SALLE DE RÉVEIL ;

- DE NOMMER LES RESPONSABILITÉS DE L'INFIRMIÈRE LORS DE L'ADMISSION DES CLIENTS À LA SALLE DE RÉVEIL ;

- D'EXPLIQUER L'ÉTIOLOGIE, LA COLLECTE DE DONNÉES ET LES SOINS INFIRMIERS PORTANT SUR LES PROBLÈMES QUI PEUVENT SE PRÉSENTER EN SALLE DE RÉVEIL ;

- DE DÉCRIRE LES ÉTAPES INITIALES DE LA COLLECTE DE DONNÉES ET DES SOINS INFIRMIERS IMMÉDIATEMENT APRÈS LE TRANSFERT DE LA SALLE DE RÉVEIL À L'UNITÉ DE SOINS GÉNÉRAUX ;

- D'EXPLIQUER L'ÉTIOLOGIE, LA COLLECTE DE DONNÉES ET LES SOINS INFIRMIERS PORTANT SUR LES PROBLÈMES QUI PEUVENT SE PRÉSENTER AU COURS DE LA PHASE POSTOPÉRATOIRE ;

- DE DÉTERMINER L'INFORMATION DONT LE CLIENT EN PHASE POSTOPÉRATOIRE AURA BESOIN À SA SORTIE DU CENTRE HOSPITALIER.

PLAN DU CHAPITRE

13.1 SOINS POSTOPÉRATOIRES EN SALLE DE RÉVEIL. 375
   13.1.1 Admission à la salle de réveil 375
   13.1.2 Altérations possibles de la fonction respiratoire 376
   13.1.3 Altérations possibles de la fonction cardiovasculaire . . 382
   13.1.4 Altérations possibles de la fonction neurologique 384
   13.1.5 Hypothermie. 384
   13.1.6 Douleur et malaise. 385
   13.1.7 Nausées et vomissements . . 385
   13.1.8 Soins chirurgicaux en salle de réveil 385
   13.1.9 Congé de la salle de réveil . 386

13.2 SOINS POSTOPÉRATOIRES À L'UNITÉ DE SOINS 387
   13.2.1 Altérations possibles de la fonction respiratoire 388
   13.2.2 Altérations possibles de la fonction cardiovasculaire . . 393
   13.2.3 Altérations possibles de la fonction urinaire 395
   13.2.4 Altérations possibles de la fonction gastro-intestinale . 396
   13.2.5 Altérations possibles de la fonction tégumentaire 397
   13.2.6 Altérations possibles de la fonction neurologique 398
   13.2.7 Altérations possibles de la fonction psychologique . . . 400
   13.2.8 Planification du congé et du suivi 402

*L*e client est en phase postopératoire dès que la chirurgie est terminée et jusqu'à ce qu'il puisse quitter le centre hospitalier (CH). Le présent chapitre porte sur les caractéristiques générales des soins infirmiers postopératoires auprès du client devant subir une intervention chirurgicale. Les problèmes et les soins infirmiers reliés à certains types d'interventions chirurgicales seront traités dans d'autres chapitres de cet ouvrage.

13.1 SOINS POSTOPÉRATOIRES EN SALLE DE RÉVEIL

La période de réveil immédiate du client est supervisée par une infirmière de la salle de réveil, qui est une infirmière spécialiste qualifiée travaillant dans un milieu muni d'équipements spéciaux. La salle de réveil est habituellement située à proximité de la salle d'opération afin de limiter la durée de transport du client immédiatement après la chirurgie et de permettre à ce dernier de profiter de la présence de l'anesthésiste et de l'équipe chirurgicale.

13.1.1 Admission à la salle de réveil

L'admission du client à la salle de réveil est un travail conjoint du personnel d'anesthésie et de l'infirmière de la salle de réveil. Cette collaboration favorise un transfert sécuritaire du client et permet d'offrir des soins de qualité. Afin d'assurer la sécurité du client et la continuité des soins, le personnel d'anesthésie transmet verbalement un compte rendu à l'infirmière de la salle de réveil. Un compte rendu précis et complet porte sur les détails de l'évolution chirurgicale et anesthésique, sur l'état préopératoire justifiant ou influençant le résultat chirurgical ou anesthésique ainsi que sur les plans de traitement en salle de réveil. L'encadré 13.1 résume les composantes d'un compte rendu d'anesthésie exhaustif.

La collecte de données constitue l'une des priorités lors de l'admission du client à la salle de réveil. Elle est conçue pour :

- déterminer l'état physiologique du client au moment de son admission à la salle de réveil ;
- permettre une évaluation périodique du client de sorte que les modifications subtiles des paramètres physiologiques deviennent apparentes ;
- établir les paramètres initiaux du client ;
- examiner l'état du site opératoire ;
- évaluer la phase de réveil après l'anesthésie et noter les effets résiduels ;
- permettre la comparaison de l'état du client avec les résultats préopératoires et les critères de départ du CH.

ENCADRÉ 13.1

Rapport d'admission aux soins postanesthésiques et plan d'intervention

Information générale
- Nom du client
- Âge
- Intervention chirurgicale
- Chirurgien
- Personnel d'anesthésie

Soins peropératoires
- Anesthésiques
- Autres médicaments reçus avant et pendant l'intervention
- Hémorragie
- Total du remplacement liquidien, y compris les transfusions sanguines
- Diurèse et pertes sanguines

Cheminement peropératoire
- Réactions ou symptômes anesthésiques inattendus
- Réactions ou symptômes chirurgicaux inattendus
- Surveillance particulière des signes vitaux
- Résultats des analyses de laboratoire peropératoires

Antécédents de santé du client
- Indications pour la chirurgie
- Antécédents médicaux, médicaments, allergies

Plan d'intervention en salle de réveil
- Problèmes possibles et escomptés (accompagnés d'un plan d'intervention)
- Interventions proposées à la salle de réveil
- Paramètres acceptables pour les résultats d'analyses de laboratoire
- Planification de la sortie de la salle de réveil

L'une des priorités spécifiques de la collecte de données est l'évaluation de l'état respiratoire et circulatoire. L'examen portera sur la perméabilité des voies respiratoires du client ainsi que sur la fréquence et la qualité de ses respirations. Les différents lobes pulmonaires doivent être auscultés pour détecter la présence de bruits respiratoires surajoutés.

Le client bénéficiera d'une oxygénothérapie s'il a subi une anesthésie générale ou si l'ordonnance de l'anesthésiste l'indique. L'oxygénothérapie est administrée à l'aide de lunettes nasales ou d'un masque facial. Elle permet d'éliminer les gaz anesthésiques et de satisfaire la demande accrue d'oxygène lors de la phase postopératoire immédiate. Si le client a besoin d'une meilleure aération, un ventilateur sera mis à sa disposition. L'infirmière utilisera la saturométrie (oxymétrie pulsée) pour surveiller de façon non effractive la saturation en oxygène (voir chapitre 14).

Lors de l'examen initial, l'infirmière doit relever tous les signes qui démontrent une oxygénation et une ventilation inadéquates (voir encadré 13.2), car tout signe d'insuffisance respiratoire exige une intervention rapide.

13

Les troubles respiratoires fréquemment observés chez les clients en phase postanesthésique sont abordés dans la section suivante.

Au départ, le client doit faire l'objet d'une surveillance ECG afin de déterminer son rythme cardiaque ; tout écart par rapport aux résultats préopératoires doit être noté et évalué. La pression artérielle doit être mesurée et comparée aux lectures initialement prises afin de servir de mesures de référence. L'infirmière doit amorcer la surveillance effractive (p. ex. la surveillance de la pression artérielle par canulation artérielle) et examiner la température corporelle ainsi que la coloration et l'état de la peau, car tout signe de circulation inadéquate exige une intervention rapide. Les troubles cardiovasculaires fréquemment observés chez les clients en phase postanesthésique sont abordés dans la section « Altérations possibles de la fonction cardiovasculaire ».

L'examen neurologique initial portera sur l'état de conscience, l'orientation, l'état sensoriel et moteur ainsi que sur la taille, la symétrie et la réactivité des pupilles. Le client peut être réveillé, somnolent mais facilement éveillé, ou profondément endormi. Parfois, le client peut être agité au réveil ; c'est ce qu'on appelle le phénomène d'émergence au réveil. Il est possible que le blocage sensoriel ou moteur soit encore présent chez un client ayant subi une anesthésie régionale (p. ex. rachidienne ou épidurale).

Manifestations cliniques d'une oxygénation insuffisante ENCADRÉ 13.2

Système nerveux central
- Instabilité psychomotrice
- Agitation
- Contraction musculaire
- Convulsions
- Coma

Système cardiovasculaire
- Hypertension
- Hypotension
- Tachycardie
- Bradycardie
- Arythmies

Système tégumentaire
- Cyanose
- Ralentissement du remplissage capillaire
- Bouffée vasomotrice ou peau moite

Système respiratoire
- Effort respiratoire accru ou absent
- Utilisation des muscles accessoires
- Bruits respiratoires anormaux
- Gaz sanguins artériels anormaux

Système rénal
- Diurèse < 0,5 ml/kg/h

L'examen du système urinaire est axé sur l'évaluation des ingesta et excreta ainsi que sur le bilan électrolytique. L'ensemble des liquides administrés au cours de l'intervention doit être noté dans le rapport d'anesthésie. L'infirmière de la salle de réveil doit inscrire la présence de tous les cathéters intraveineux, toutes les solutions d'irrigation et les perfusions et toutes les voies de sortie, y compris les cathéters et les systèmes de drainage de la plaie opératoire. Les perfusions intraveineuses doivent être administrées conformément aux ordonnances postopératoires.

L'infirmière de la salle de réveil doit également examiner le site opératoire et vérifier l'état des pansements ainsi que le type et la quantité d'écoulement. Elle doit suivre les ordonnances postopératoires portant sur les soins du site opératoire. Toutes les données recueillies lors de l'examen d'admission sont notées au dossier, sur un formulaire de soins postanesthésiques et postopératoires (voir figure 13.1).

Même un client qui a été bien informé des symptômes postchirurgicaux peut être inquiet ou confus au moment de se réveiller dans un milieu inhabituel. Étant donné que l'ouïe est le premier sens recouvré par le client endormi, l'infirmière doit lui expliquer toutes les activités, de l'admission jusqu'à la salle de réveil. Elle doit donc indiquer au client que la chirurgie est maintenant terminée, qu'il se trouve dans la salle de réveil et que la famille ou un proche a été avisé. Elle doit également lui mentionner le nom de l'infirmière responsable de ses soins, lui expliquer les interventions qui sont effectuées et lui donner l'heure régulièrement.

Une fois que l'examen initial est terminé, l'infirmière de la salle de réveil continue de mettre en pratique ses compétences au cours de l'évaluation continue du client, du diagnostic infirmier et de l'exécution du plan d'intervention. Elle doit également noter la réaction du client à l'intervention. L'objectif des soins de la salle de réveil vise à déceler les problèmes actuels et possibles pouvant se manifester chez le client après l'anesthésie et l'intervention chirurgicale et à intervenir en conséquence.

On compte parmi les problèmes postopératoires courants : l'atteinte des voies respiratoires (obstruction), l'insuffisance respiratoire (hypoxémie et hypercapnie), l'atteinte cardiaque (hypotension, hypertension et arythmies), l'atteinte neurologique (phénomène d'émergence au réveil et réveil retardé), l'hypothermie, la douleur ainsi que les nausées et les vomissements (voir figure 13.2). Chacun de ces problèmes et chacune des interventions infirmières pertinentes sont traités dans ce chapitre.

13.1.2 Altérations possibles de la fonction respiratoire

Étiologie. L'obstruction, l'hypoxémie et l'hypoventilation sont les causes les plus courantes des problèmes respiratoires au cours de la phase postanesthésique immédiate (voir tableau 13.1). Les clients prédisposés à ces risques sont ceux qui ont subi une chirurgie sous anesthésie générale, les personnes âgées, les personnes qui fument beaucoup, les personnes souffrant de maladie pulmonaire, les personnes obèses ou les personnes ayant subi une chirurgie des voies respiratoires, du thorax ou de l'abdomen. Cependant, des complications respiratoires peuvent se manifester chez tous les clients ayant subi une anesthésie.

Dans la plupart des cas, l'**obstruction des voies respiratoires** est attribuable au blocage des voies respiratoires par la langue du client (voir figure 13.3). La base de la langue bascule vers l'arrière contre le voile du palais et obstrue le pharynx. Cette obstruction est plus fréquente chez le client installé en décubitus dorsal ou chez celui qui demeure très endormi après la chirurgie. Parmi les causes moins fréquentes d'obstruction des voies respiratoires, on compte les laryngo-spasmes, la rétention des sécrétions et l'œdème laryngé.

L'**hypoxémie**, notamment une PaO_2 inférieure à 60 mm Hg, est caractérisée par une variété de signes et de symptômes cliniques non spécifiques, allant de l'agitation à la somnolence, de l'hypertension à l'hypotension et de la tachycardie à la bradycardie. La saturométrie indiquera une faible saturation en oxygène (moins de 90 à 92 %). Par conséquent, l'analyse des gaz du sang artériel doit être utilisée pour confirmer l'hypoxémie lorsque la saturométrie indique une faible saturation en oxygène.

La cause la plus fréquente d'hypoxémie postopératoire est l'**atélectasie**. L'atélectasie peut être attribuable à une obstruction des bronches causée par la rétention des

TABLEAU 13.1   Complications respiratoires courantes en phase postopératoire immédiate

Complications et causes	Mécanismes	Manifestations	Interventions
Obstruction des voies respiratoires Langue basculant vers l'arrière	Flaccidité musculaire associée à une diminution de l'état de conscience et aux relaxants musculaires	Utilisation des muscles accessoires Respiration ronflante Obstruction au passage de l'air	Client stimulé Subluxation de la mâchoire Soulèvement du menton Canule oropharyngée (de Guedel)
Rétention de sécrétions épaisses	Stimulation des sécrétions par les anesthésiques Déshydratation du mucus	Respirations bruyantes Ronchi	Succion Respiration profonde et toux Hydratation intraveineuse RPPI* avec un agent mucolytique Kinésithérapie de drainage
Laryngospasme	Irritation causée par une sonde endotrachéale ou des gaz anesthésiques Plus susceptible de survenir après le retrait de la sonde endotrachéale	Stridor inspiratoire Rétraction sternale Détresse respiratoire aiguë	O_2 Ventilation à pression positive Relaxant musculaire intraveineux Lidocaïne / Corticostéroïdes
Œdème laryngé	Réaction allergique aux médicaments Irritation mécanique causée par l'intubation Surcharge hydrique	Semblable au laryngospasme	O_2 Antihistaminiques ou corticostéroïdes Sédatifs Intubation possible
Hypoxémie Atélectasie	Obstruction des bronches causée par des sécrétions ou une diminution du volume d'air inspiré	↓ Bruits respiratoires ↓ Saturation en O_2	O_2 humidifiée Respiration profonde Spirométrie incitative Mobilisation précoce
Œdème pulmonaire	↑ Pression hydrostatique ↓ Pression interstielle ↑ Perméabilité capillaire	Râles crépitants Infiltrats sur la radiographie pulmonaire Surcharge hydrique ↓ Saturation en O_2	Oxygénothérapie Diurétiques Restriction liquidienne
Embolie pulmonaire	Thrombus délogé de la périphérie qui se loge dans l'artère pulmonaire	Tachypnée aiguë Dyspnée Tachycardie Hypotension ↓ Saturation en O_2	Oxygénothérapie Réanimation cardiorespiratoire Héparinothérapie

13

TABLEAU 13.1 Complications respiratoires courantes en phase postopératoire immédiate *(suite)*

Complications et causes	Mécanismes	Manifestations	Interventions
Aspiration	Bronchoaspiration du contenu gastrique	Bronchospasme Atélectasie Râles crépitants Détresse respiratoire ↓ Saturation en O_2	Oxygénothérapie Surveillance cardiaque Antibiotiques / Corticostéroïdes
Bronchospasme	Augmentation de la tonicité du muscle lisse et fermeture des petites voies respiratoires	Respiration sifflante *(wheezing)* Dyspnée Tachypnée ↓ Saturation en O_2	Oxygénothérapie Bronchodilatateurs
Hypoventilation Dépression du centre respiratoire	Dépression médullaire causée par les anesthésiques, les narcotiques et les sédatifs	Respiration superficielle ↓ Fréquence respiratoire, apnée ↓ PaO_2 ↑ $PaCO_2$	Stimulation Administrtion d'antagonistes Ventilation mécanique
Faible tonicité du muscle respiratoire	Blocage neuromusculaire Maladie neuromusculaire	Idem	Annulation de l'effet paralysant Ventilation mécanique
Restriction mécanique	Plâtres ou pansements trop serrés, positionnement et obésité empêchant l'expansion pulmonaire	Idem	Relever la tête du lit Repositionnement Pansements non compressifs
Douleur	Respiration superficielle pour ne pas ressentir la douleur au site opératoire	Idem Plainte de douleur Position antalgique	Prescription d'analgésiques et administration

*RPPI : respirateur à pression positive intermittente.

sécrétions ou une diminution de l'amplitude respiratoire. Les états d'hypotension et un faible débit cardiaque peuvent aussi favoriser l'atélectasie. Les autres causes d'hypoxémie pouvant survenir à la salle de réveil sont l'œdème pulmonaire, l'aspiration et les bronchospasmes.

L'œdème pulmonaire est causé par une accumulation de liquide dans les alvéoles, engendrée par une surcharge hydrique, une insuffisance ventriculaire gauche, une obstruction prolongée des voies respiratoires, une infection ou une aspiration. L'œdème pulmonaire est caractérisé par l'hypoxémie, les râles crépitants à l'auscultation, la diminution de la compliance pulmonaire et la présence d'infiltrats sur les radiographies pulmonaires.

L'aspiration du contenu gastrique dans les voies respiratoires constitue une urgence qui peut s'avérer grave. On compte parmi les symptômes de l'aspiration bronchique : les bronchospasmes, l'hypoxémie, l'atélectasie, l'œdème interstitiel, l'hémorragie alvéolaire et l'insuffisance respiratoire. L'aspiration gastrique peut aussi provoquer des laryngospasmes, de l'infection et de l'œdème pulmonaire. En raison des conséquences graves de l'aspiration du contenu gastrique, l'objectif est de la prévenir plutôt que de la traiter. Il est possible que les clients à risque (p. ex. les personnes obèses, les femmes enceintes, les personnes ayant des antécédents de hernie hiatale, de

reflux gastro-œsophagien pathologique, d'ulcère gastro-duodénal ou de traumatisme) reçoivent une prémédication à base d'antihistaminique avant l'induction de l'anesthésie, ce qui diminuera les sécrétions et, par le fait même, l'encombrement bronchique. L'équipe d'anesthésie prendra des précautions particulières pour protéger les voies respiratoires durant l'induction de l'anesthésie et le réveil.

Le **bronchospasme** est attribuable à une augmentation de la tonicité du muscle lisse bronchique entraînant la fermeture des petites voies respiratoires. Il se caractérise par un œdème des voies respiratoires et l'accumulation de sécrétions. Le client présente les réactions suivantes : *wheezing*, dyspnée, utilisation des muscles accessoires de la respiration (tirage), hypoxémie et tachypnée. Le bronchospasme peut être causé par l'aspiration, l'intubation endotrachéale, la succion, la libération d'histamine provenant de mastocytes qui ont été stimulés par la médication ou une réaction allergique. Le bronchospasme survient plus fréquemment chez les clients souffrant d'asthme et de bronchopneumopathie chronique obstructive (BPCO), souvent appelée maladie pulmonaire obstructive chronique (MPOC).

L'hypoventilation, une complication courante lors du réveil, se caractérise par une diminution de la fréquence ou de l'effort respiratoire, de l'hypoxémie et une augmentation

Nom de l'établissement	L'HÔTEL-DIEU DE QUÉBEC DU CHUQ			
Date a m d	Salle			

Signes vitaux
P.A.   R.C.   R.R.   T° Rectale
Buccale

Chirurgien

Anesthésiologiste   Anesthésiologiste remplaçant

Inhalothérapeute   Inhalothérapeute remplaçante

Résident   Stagiaire

MÉDICAMENT HEURE   15   30   45   15   30   45   15   30   45

FiO₂
.O/AIR
ISO/SEVO/DES(%ET.)

MONITORAGE
E.C.G. : II/V5
T.A.N.I. :
BRAS DRT/GCH
SONDE THERMIQUE
MATELAS   160
CHAUFFANT
COUVERTURE   140
CHAUFFANTE
STIM. NEURO :   120
DRT/GCH CUB/FAC
E.E.G./LIFESCAN/BIS
                        100
VENTILATION
CIRCUIT : VÉRIFIÉ □   80
BAIN/CERCLE
RESPIRATEUR : DRÄGER
FRÉQUENCE (MIN.) 60
V.C. (C.C.)
                        40
APPAREIL
NARKIMED : VÉRIFIÉ □
MODE VENTILATION 20
POSITION

Sao(%)₂
ETCO₂(mmHg)
PA
TVC/WEDGE
T°
SOLUTÉ IV
SOLUTÉ IV
SANG et DÉRIVÉS
DIURÈSE (ml)
PERTES SANGUINES ▶
Opération ▶

REGIONALE

POSITION : ASSISE/LATÉRALE
STÉRILITÉ : B G C M
DÉSINFECTION : CHLORHEXIDINE
NIVEAU
AIGUILLE
A.L.

CANULATION
VEINEUSE
  ENDROIT : DRT/GCH
  CALIBRE :
VEINEUSE
  ENDROIT : DRT/GACH
  CALIBRE :
ARTÉRIELLE
  ENDROIT : DRT/GCH
  CALIBRE :
CENTRALE
  SWAN-GANZ/TVC
  ENDROIT : DRT/GCH
  CALIBRE : 1-2-3 LUMIÈRES

POSITION ET PROTECTION
VÉRIFIÉE   □
POINTS D'APPUI   □
  PLANCHES/COUDIÈRES
OCULAIRE ODRT/OGCH
  DYACHYLON/POMMADE/COUSSINET

CANULE
ORO /NASOTRACHÉAL
GASTRIQUE :
  NDTR/NGCH/P.O.
  LEVINE / SALEM
GAZE PHARYNGÉE

INTUBATION
SÉQUENCE RAPIDE   □
VENTILATION MASQUE   □
FACILE □   DIFFICILE   □
LARYNGOSCOPIE
• LAME   MAC 3   □
WIS □   MILLER   □
•PRESSION THYROÏDE   □
•SELLICK   □
• VISUALISATION :
  TOUTES LES C.V.   □
  VUE PARTIELLE DES C.V.   □
  CARTILLAGES SEULEMENT   □
  ÉPIGLOTTE SEULEMENT   □
  PHARYNX SEULEMENT   □
• TECHNIQUE :
  FIBRE OPTIQUE   □
  AUTRES _____
TET #
ORO ≠ NASO DRT≠GCH
ENDOTEST
ML #

FIGURE 13.1 Formulaire de soins anesthésiques (recto)
Reproduit avec l'autorisation de l'Hôtel-Dieu de Québec du CHUQ, département d'anesthésiologie.

13

Âge :	Masse :	Chambre :	Nom :	Prénom :	Numéro de dossier :

LABORATOIRES	MÉDICATIONS	ANTÉCÉDENTS

E.C.G.

Autres examens

Évaluation cardiovasculaire

ECHO :   CORONARO :
TAPIS ROULANT :   E   C   MIBI :

Voies respiratoires

M   TM   EC   DENTITION

Système cardio-vasculaire

ANGINE   /IV   PAC :
INFARCTUS   DILATATION :
H.T.A.   VALVULOPATHIE :
SOUFFLE CARDIAQUE
PACEMAKER

PA :   RC :

Système respiratoire

DYSPNÉE   /IV
ASTHME
BPCO
I.V.R.S.
TABAC

VOIES AÉRIENNES

tfp

VEMS

CVF

GAZ ART   ☐
CAP   ☐

Neurologie

ÉPILEPSIE
PARALYSIE

Endocrinologie

DIABÈTE
THYROÏDE

Gastro-intestinale

HÉPATITE
R.G.O.
ULCUS

Génito-urinaire

INSUF. RÉNALE
DIALYSE
GROSSESSE

Hématologie

COAGULOPATHIE

Musculo-squelettique

ARTHRITE RHUMATOÏDE
Rx COLONNE CERVICALE

Opération proposée

Allergie / intolérance

Anesthésie

Antérieure :

Générale   ☐

Régionale   ☐   Refusée   ☐

Analgésie sécifique   ACP   ☐   Épidurale acceptée   ☐

ASA :   1   2   3   4   5   U   refusée   ☐

Remarques

À l'induction :   Héparine retardée   ☐

Signature : _____

Anesthésiologiste qui conduit l'anesthésie ☐ Le même ☐ A pris connaissance

Date : |___|___|___|___|___|

Signature : _____

VISITE PRÉANESTHÉSIE

FIGURE 13.1 Formulaire de soins anesthésiques (verso)
Reproduit avec l'autorisation de l'Hôtel-Dieu de Québec du CHUQ, département d'anesthésiologie.

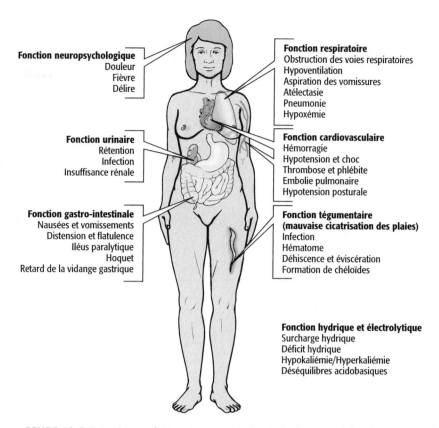

Fonction neuropsychologique
Douleur
Fièvre
Délire

Fonction respiratoire
Obstruction des voies respiratoires
Hypoventilation
Aspiration des vomissures
Atélectasie
Pneumonie
Hypoxémie

Fonction urinaire
Rétention
Infection
Insuffisance rénale

Fonction cardiovasculaire
Hémorragie
Hypotension et choc
Thrombose et phlébite
Embolie pulmonaire
Hypotension posturale

Fonction gastro-intestinale
Nausées et vomissements
Distension et flatulence
Iléus paralytique
Hoquet
Retard de la vidange gastrique

**Fonction tégumentaire
(mauvaise cicatrisation des plaies)**
Infection
Hématome
Déhiscence et éviscération
Formation de chéloïdes

Fonction hydrique et électrolytique
Surcharge hydrique
Déficit hydrique
Hypokaliémie/Hyperkaliémie
Déséquilibres acidobasiques

FGURE 13.2 Symptômes qui peuvent se présenter lors de la phase postopératoire

du $PaCO_2$ (hypercapnie). L'hypoventilation peut être attribuable à la dépression du centre de la respiration (à la suite de l'anesthésie ou de la prise d'analgésiques), à une faible tonicité du diaphragme, principal muscle respiratoire, (secondaire à un blocage neuromusculaire ou à une maladie) se traduisant par du tirage ou à une combinaison des deux.

Soins infirmiers : complications respiratoires

Collecte de données. Afin de recueillir des données pertinentes sur la respiration, l'infirmière doit procéder à l'examen de la perméabilité des voies respiratoires, de la symétrie du thorax, de l'amplitude et de la fréquence respiratoire ainsi que des caractéristiques de la respiration. L'infirmière peut placer sa main en cuillère près du nez et de la bouche du client afin d'évaluer la force avec laquelle l'air est expiré.

L'infirmière place doucement une main sur l'appendice xyphoïde du client et observe la cage thoracique afin d'évaluer la symétrie du mouvement. Elle vérifie aussi si le client utilise ses muscles abdominaux ou accessoires pour respirer (tirage). Si les muscles se soulèvent excessivement, cela peut être un signe de détresse respiratoire.

Les bruits respiratoires doivent être auscultés sur les faces antérieure, latérale et postérieure du thorax, car celles-ci correspondent à chacun des lobes pulmonaires.

Une diminution ou une absence de bruits respiratoires sera décelée si le débit d'air diminue ou est obstrué. Le personnel d'anesthésie doit être avisé s'il y a présence de râles crépitants ou de respiration sifflante (*wheezing*).

La surveillance régulière des signes vitaux et l'utilisation du saturomètre permettent à l'infirmière de reconnaître les signes précoces de détresse respiratoire. La présence d'hypoxémie, quelle qu'en soit la cause, peut se manifester par une respiration rapide, un hoquet, de l'appréhension, une instabilité psychomotrice et un pouls rapide ou filant. Des troubles de ventilation peuvent être décelés, dans un premier temps, par l'observation d'un ralentissement de la respiration ou d'une diminution du mouvement de la cage thoracique et de l'abdomen pendant le cycle respiratoire.

Les caractéristiques des expectorations ou du mucus doivent être notées au dossier. Le mucus provenant de la trachée et de la gorge est incolore et de consistance liquide, alors que celui provenant des poumons et des bronches est épais et légèrement jaunâtre.

Diagnostics infirmiers. Les diagnostics infirmiers et le processus thérapeutique reliés aux complications respiratoires possibles chez le client qui récupère en salle de réveil incluent notamment :

- le dégagement inefficace des voies respiratoires ;

13

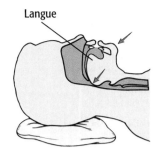

Langue

Occlusion des voies respiratoires
par la langue

Élévation manuelle du mandibule
pour dégager les voies respiratoires

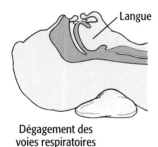

Langue

Dégagement des
voies respiratoires

FIGURE 13.3 Étiologie et soulagement de l'obstruction des voies respiratoires causée par la langue du client

- un mode de respiration inefficace ;
- des échanges gazeux perturbés ;
- un risque d'aspiration ;
- une complication possible : l'hypoxémie.

Exécution. Les interventions infirmières en phase postanesthésique sont conçues pour prévenir et traiter les problèmes respiratoires. Il est indispensable de bien positionner le client afin de faciliter sa respiration et de protéger ses voies respiratoires. Le client inconscient ou très endormi est installé en position latérale, sauf en cas de contre-indications en raison du type de chirurgie (voir figure 13.4). Une fois éveillé, le client est souvent repositionné en décubitus dorsal, et la tête du lit est surélevée à 30°. Cette position permet de maximiser l'expansion thoracique en diminuant la pression exercée sur le diaphragme par le contenu abdominal.

L'infirmière doit encourager le client à respirer profondément dans le but de faciliter les échanges gazeux

FIGURE 13.4 Position du client lors de son réveil après l'anesthésie générale

et de favoriser le retour à l'état d'éveil. Elle doit lui enseigner à respirer lentement et profondément, idéalement par le nez, à retenir sa respiration et ensuite à expirer doucement. Le client peut respirer de façon autonome ou à l'aide d'un appareil de spirométrie. Ce type de respiration peut également servir de moyen de détente lorsqu'il est anxieux ou éprouve de la douleur. Le tableau 13.1 présente d'autres interventions infirmières expressément conçues pour traiter certaines causes de complications respiratoires.

13.1.3 Altérations possibles de la fonction cardiovasculaire

Étiologie. Les complications les plus courantes au cours de la phase postanesthésique immédiate sont l'hypotension, l'hypertension et l'arythmie. Les clients les plus vulnérables aux problèmes de la fonction cardiovasculaire sont les personnes souffrant d'altérations de la fonction respiratoire, celles qui ont des antécédents cardiaques, les personnes âgées, les personnes affaiblies et celles présentant déjà d'autres maladies importantes et invalidantes avant la chirurgie.

L'hypotension se manifeste par des signes d'hypoperfusion des organes vitaux, notamment au cerveau, au cœur et aux reins. Des signes cliniques de désorientation, de perte de conscience, de douleur thoracique, d'oligurie et d'anurie démontrent de l'hypoxémie et une perte de compensation physiologique. Il faut intervenir sans tarder pour prévenir les complications majeures de l'ischémie ou de l'infarctus du myocarde, de l'ischémie cérébrale, de l'ischémie rénale et de l'infarctus intestinal.

Les principales causes de l'hypotension en phase postanesthésique sont l'hémorragie et l'absence de remplacement hydrique. Par conséquent, le traitement doit être orienté vers le rétablissement du volume sanguin. Si l'organisme ne réagit pas à l'administration de liquide, un dysfonctionnement myocardique pourrait être à l'origine de l'hypotension.

Un dysfonctionnement myocardique primaire, pouvant se manifester dans le cas d'un infarctus du myocarde, d'une tamponnade cardiaque ou d'une embolie pulmonaire, entraîne une chute marquée du débit cardiaque. Un dysfonctionnement myocardique secondaire est dû à l'effet chronotrope négatif (fréquence) et ino-trope négatif (force) des médicaments, comme les bêta-bloquants, la digoxine ou les narcotiques.

Les autres causes de l'hypotension comprennent la diminution de la résistance vasculaire systémique, l'aryth-mie et les erreurs de mesure qui peuvent survenir lorsque le brassard servant à prendre la pression artérielle est mal ajusté.

L'**hypertension** est une élévation de la pression artérielle de 20 à 30 % au-dessus de la pression artérielle au repos. L'hypertension, qui est fréquemment observée en phase postanesthésique, est souvent attribuable à une stimulation sympathique pouvant être causée par la douleur, l'anxiété, un globe vésical ou une détresse respiratoire. L'hypertension peut aussi être attribuable à de l'hypothermie et à une hypertension préexistante. Elle peut également se manifester après une chirurgie vasculaire et cardiaque en raison d'une revascularisation.

Les causes de l'**arythmie** sont souvent identifiables contrairement aux causes des lésions myocardiques. Les principales causes de l'arythmie comprennent l'hypo-kaliémie, l'hypoxémie, l'hypercapnie, les altérations de l'équilibre acidobasique, l'instabilité circulatoire et la mala-die cardiaque préexistante. L'arythmie peut également être causée par l'hypothermie, la douleur, le stress chirurgi-cal et l'utilisation de certaines substances anesthésiques.

Soins infirmiers : complications cardiovasculaires

Collecte de données. L'aspect essentiel de l'évaluation du système cardiovasculaire est la surveillance fréquente des signes vitaux. Ils sont normalement vérifiés toutes les 15 minutes ou à des intervalles plus rapprochés jusqu'à ce qu'ils se soient stabilisés ou encore selon le protocole ou l'ordonnance médicale. Ensuite, ils sont observés à des intervalles plus espacés. Les lectures postopératoires des signes vitaux doivent être comparées aux lectures préopératoires et intra-opératoires afin de déterminer le moment où les signes vitaux se stabilisent à un niveau normal en fonction de la situation du client. Le person-nel d'anesthésie ou le chirurgien doit être avisé si les troubles suivants se manifestent :

- pression artérielle systolique inférieure à 90 mm Hg ou supérieure à 160 mm Hg ;
- rythme cardiaque au repos inférieur à 60 bpm ou supérieur à 120 bpm ;
- diminution de la pression différentielle ;
- diminution graduelle de la pression artérielle au cours de plusieurs lectures consécutives ;
- apparition d'un rythme cardiaque irrégulier ;
- variation significative par rapport aux données pré-opératoires.

La surveillance de la fonction cardiaque est recom-mandée pour les clients qui ont des antécédents de maladie cardiaque et pour tous les clients âgés qui ont subi une chirurgie majeure, peu importe s'ils ont déjà présenté des problèmes cardiaques ou non. L'infirmière doit prendre attentivement le pouls apical et radial et rapporter toute irrégularité.

L'évaluation de la coloration de la peau, de sa tempéra-ture et de son humidité fournit souvent de l'information importante visant à déceler des troubles cardiovascu-laires. L'hypotension accompagnée d'une pulsation nor-male et d'une peau chaude, sèche et rosée est souvent attribuable aux effets vasodilatateurs résiduels de l'anes-thésie, ce qui indique que l'observation attentive doit se poursuivre. L'hypotension accompagnée d'un pouls rapide et d'une peau froide, moite et pâle peut être causée par un choc hypovolémique imminent et elle nécessite un traitement immédiat.

Diagnostics infirmiers. Les diagnostics infirmiers et le processus thérapeutique reliés aux complications car-diovasculaires possibles chez le client qui récupère en salle de réveil incluent notamment :

- la diminution du débit cardiaque ;
- le déficit de volume liquidien ;
- la diminution de l'irrigation tissulaire ;
- une complication possible : le choc hypovolémique.

Exécution. Les interventions infirmières en phase post-anesthésique sont conçues pour prévenir et traiter les complications cardiovasculaires. Le traitement de l'hypo-tension doit toujours commencer par une oxygénothé-rapie. L'infirmière doit examiner l'adéquation du volume sanguin et exclure les erreurs de mesure de la pression artérielle. Étant donné que la principale cause de l'hypo-tension est la perte hydrique, il est possible que l'on doivent administrer des bolus de solution intraveineuse dans le but de normaliser la pression artérielle. Un dys-fonctionnement myocardique primaire peut nécessiter une intervention pharmacologique tandis qu'un dysfonc-tionnement myocardique secondaire peut requérir l'arrêt de la médication en cause. Quant à la vasodilatation péri-phérique, elle peut nécessiter la prise d'agents vasocons-tricteurs afin de normaliser la résistance vasculaire systémique.

Le traitement de l'hypertension vise à déterminer la cause de la stimulation sympathique et à l'éliminer. Ce traitement peut comprendre l'utilisation d'analgésiques, de diurétiques et les soins des troubles respiratoires. Le réchauffement corrigera l'hypertension induite par l'hypothermie. Une intervention pharmacologique visant à réduire la pression artérielle s'avère souvent nécessaire lorsque le client est atteint d'une hypertension préexis-tante ou a subi une chirurgie cardiaque ou vasculaire.

Comme il est possible d'en déceler la cause la plupart du temps, l'arythmie postanesthésique peut être corrigée par le traitement des altérations physiologiques. En cas d'arythmie mortelle, on doit appliquer les procédures de réanimation cardiorespiratoire (RCR) (voir chapitre 24).

13.1.4 Altérations possibles de la fonction neurologique

Étiologie. Le phénomène d'émergence au réveil est l'altération neurologique qui constitue la plus grande source de préoccupation pour le médecin. Le **phénomène d'émergence au réveil** est défini comme un état caractérisé par des altérations extrêmes sur le plan de l'activation, de l'orientation, de la perception, de l'affect et de l'attention. Le client est souvent combatif. Les principales causes de ce phénomène comprennent l'hypoxémie, les réactions indésirables aux anesthésiques, la chimiodépendance, les altérations métaboliques, la douleur, la présence d'un globe vésical et l'hypothermie.

Le **réveil retardé** peut aussi représenter un problème postopératoire. Heureusement, contrairement aux lésions neurologiques, la principale cause du réveil retardé est l'action prolongée des médicaments, notamment des narcotiques, des sédatifs et des anesthésiques inhalés.

Soins infirmiers : complications neurologiques

Collecte de données. L'infirmière doit évaluer l'état de conscience et l'orientation du client ainsi que sa capacité à suivre les instructions. Elle doit aussi considérer la taille, la réactivité et la symétrie des pupilles du client, ainsi que vérifier son état sensoriel et moteur. Si l'état neurologique est altéré, elle doit en déterminer les causes possibles.

Diagnostics infirmiers. Les diagnostics infirmiers reliés aux complications neurologiques possibles chez le client qui récupère en salle de réveil incluent notamment :
- les altérations des perceptions sensorielles ;
- le risque de blessure ;
- l'altération des opérations de la pensée ;
- l'altération de la communication verbale.

Exécution. L'hypoxémie constitue la principale cause d'agitation postopératoire. Ainsi, on doit porter une attention particulière à l'évaluation de la fonction respiratoire. Une fois que l'hypoxémie a été exclue comme cause possible du délirium postopératoire et que toutes les causes connues ont été éliminées, la sédation peut s'avérer bénéfique pour maîtriser l'agitation du client et assurer sa sécurité ainsi que celle du personnel. Le **délirium**, comme phénomène d'émergence au réveil, a une durée limitée et doit être soigné, avant que le client ne reçoive son congé médical de la salle de réveil. Étant donné que l'action prolongée des médicaments constitue la principale cause du réveil retardé, le client se réveillera spontanément à un moment donné. S'il y a lieu, il est possible de renverser l'effet des benzodiazépines et des narcotiques au moyen d'antagonistes spécifiques selon l'agent utilisé.

Il incombe à l'infirmière de la salle de réveil de défendre les intérêts du client et de maintenir sa sécurité en tout temps jusqu'à ce qu'il soit réveillé et capable de communiquer efficacement. L'infirmière doit donc s'assurer que les ridelles du lit sont relevées et que les cathéters intraveineux et le tube endotrachéal sont bien en place. Elle doit aussi surveiller l'état des fonctions physiologiques et vérifier si le client porte son bracelet d'identification et un bracelet MedicAlert, s'il y a lieu.

13.1.5 Hypothermie

Étiologie. L'hypothermie, que l'on définit comme une baisse de la température corporelle au-dessous de 35,5 °C, survient lorsque le corps perd plus de chaleur qu'il n'en produit. L'hypothermie peut être attribuable à une perte de chaleur par radiation (perte de chaleur du corps dans une salle d'opération froide), par convection (perte de chaleur du corps à l'air ambiant), par conduction (perte de chaleur du corps placé sur une table d'opération froide) ou par évaporation (perte de chaleur causée par un viscère exposé à l'air).

Bien que tous les clients soient susceptibles de souffrir d'hypothermie, le client âgé, affaibli ou intoxiqué court un plus grand risque. Le client qui subit une longue intervention chirurgicale nécessitant l'administration prolongée d'anesthésiques est également davantage prédisposé à souffrir d'hypothermie.

L'hypothermie peut compromettre la stabilité physiologique et augmente le risque périopératoire. Les mécanismes métaboliques ralentissent, ce qui a pour effet de ralentir le métabolisme, allongeant ainsi la période d'élimination des anesthésiques. La fonction rénale diminue, le rythme et la fréquence cardiaques risquent d'être perturbés, et la dépression du système nerveux central (SNC) s'accroît. La résistance vasculaire systémique augmente en raison de la vasoconstriction périphérique.

Soins infirmiers : hypothermie

Collecte de données. L'infirmière doit vérifier les signes vitaux et la température. La température peut être prise par voies buccale, tympanique ou axillaire. Il est rare qu'on prenne la température rectale (sauf en pédiatrie), et la température cutanée n'est pas fiable. L'infirmière doit aussi vérifier la coloration et la température de la peau.

Diagnostic infirmier. Le diagnostic infirmier pour le client souffrant d'hypothermie inclut notamment un risque d'altération de la température corporelle.

Exécution. Le réchauffement passif (c.-à-d. les tremblements) élève le métabolisme basal. Un réchauffement actif exige l'emploi de dispositifs de réchauffement, comme une couverture chaude, un appareil de réchauffement par rayonnement, un ventilateur à air chaud ou un matelas chauffant. Lorsqu'un dispositif de réchauffement externe est utilisé, l'infirmière doit surveiller la température corporelle à toutes les 15 minutes afin de prévenir les brûlures. De plus, on fait appel à l'oxygénothérapie pour traiter la demande accrue en oxygène qui accompagne l'augmentation de la température corporelle.

13.1.6 Douleur et malaise

Étiologie. Bien qu'on puisse avoir recours à un grand nombre d'analgésiques et de techniques pour la soulager, la douleur reste néanmoins un problème courant qui constitue pour le client une source importante de peur en phase postanesthésique au cours du rétablissement postopératoire. La douleur peut être due à la manipulation chirurgicale, au positionnement sur la table d'opération ou à la présence de dispositifs internes, comme un tube endotrachéal, ou encore elle peut survenir lorsque le client commence à se mouvoir après la chirurgie. Les autres sources de malaise physique et émotionnel comprennent l'anxiété par rapport au résultat de la chirurgie, la gêne du retrait de la prothèse dentaire, les tremblements et une vessie pleine.

Soins infirmiers : douleur

Collecte de données. L'infirmière doit observer le client pour déceler tout signe de douleur (p. ex. l'instabilité psychomotrice). De plus, elle doit questionner le client sur le degré et les caractéristiques de la douleur.

Diagnostics infirmiers. Les diagnostics infirmiers chez le client qui ressent de la douleur et un malaise incluent notamment :
- la douleur ;
- l'anxiété.

Exécution. Les interventions visant à soulager la douleur comprennent la pharmacothérapie et la thérapie comportementale. Les narcotiques intraveineux permettent de soulager la douleur très rapidement. Ces médicaments sont dosés et administrés lentement afin de soulager efficacement la douleur, tout en ayant le moins d'effets secondaires possible. Un soulagement plus soutenu peut être obtenu en administrant un anesthésique par épidurale, une analgésie contrôlée par le client (ACC) ou un blocage nerveux régional. D'autres mesures comme le toucher, la visite de la famille et le réchauffement contribuent aussi au bien-être du client.

La douleur a plus de chance d'être soulagée si le client, l'équipe d'anesthésie et l'infirmière de la salle de réveil collaborent au plan de soins. Les objectifs sont de choisir la thérapie, la médication et la dose qui seront le plus efficace et de déterminer quelle sera la meilleure réaction à la thérapie. Une fois que le client obtient son congé de la salle de réveil et est transféré dans une unité de soins généraux, une autre infirmière prend la relève afin de soulager la douleur. Une description plus complète de la collecte de données et des soins infirmiers auprès de clients qui éprouvent de la douleur est présentée au chapitre 5.

13.1.7 Nausées et vomissements

Étiologie. Les nausées et les vomissements constituent des problèmes importants lors de la phase postopératoire immédiate. Ils sont responsables des hospitalisations dues à des complications imprévisibles après une chirurgie d'un jour, de l'augmentation du malaise chez le client, de retards dans le congé du CH et de l'insatisfaction du client concernant son expérience chirurgicale.

On a identifié de nombreux facteurs qui contribuent à l'apparition de nausées et de vomissements, notamment les anesthésiques et les techniques d'anesthésie, le sexe (féminin), la masse (obésité), le type de chirurgie (oculaire, testiculaire et gynécologique) et les antécédents de nausées et de vomissements après une chirurgie ou le mal des transports.

Soins infirmiers : nausées et vomissements

Collecte de données. L'infirmière doit demander au client s'il a des nausées. Si le client vomit, il est important de déterminer la quantité, les caractéristiques et la couleur des vomissements.

Diagnostics infirmiers. Les diagnostics infirmiers pour le client qui a des nausées et qui vomit incluent notamment :
- les nausées ;
- le risque de déficit de volume liquidien.

Exécution. L'administration d'antiémétiques ou d'agents procinétiques est la principale intervention pour contrer les nausées et les vomissements (voir chapitre 33). En salle de réveil, les liquides administrés par voie orale doivent l'être uniquement sur ordonnance et selon la tolérance du client. Les liquides intraveineux permettent de maintenir l'hydratation jusqu'à ce que le client soit capable de tolérer les liquides par voie orale. L'infirmière doit prévenir la broncho-aspiration chez le client qui vomit et qui est encore sous l'effet de l'anesthésie. L'appareil d'aspiration doit être placé à proximité du client et être prêt à être utilisé. Tourner la tête du client de côté permet également de prévenir l'aspiration des sécrétions.

13.1.8 Soins chirurgicaux en salle de réveil

En plus de répondre aux besoins postanesthésiques du client qui récupère en salle de réveil, l'infirmière doit lui donner des soins liés à la chirurgie (chirurgie abdominale ou thoracique par exemple). L'évaluation et les soins

13

infirmiers auprès de clients qui subissent une intervention chirurgicale spécifique sont traitées dans des chapitres particuliers de cet ouvrage.

13.1.9 Congé de la salle de réveil

Normalement, l'anesthésiste doit signer l'autorisation de congé de la salle de réveil. Le client peut alors être transféré vers une unité de soins intensifs, de soins généraux ou de soins ambulatoires, ou bien retourner à son domicile. Le choix du lieu de transfert dépend de la condition physique du client, de l'accessibilité au suivi médical et de la possibilité de complications postopératoires.

Le congé de la salle de réveil exige que le client réponde à certains critères. Des exemples de critères d'autorisation de départ sont présentés à l'encadré 13.3.

Congé de la chirurgie ambulatoire. Lorsqu'il s'agit d'une chirurgie ambulatoire, l'infirmière dispose d'un temps limité pour prodiguer des soins préopératoires et postopératoires. Elle relève de nombreux défis en quelques heures seulement. Par exemple, elle doit évaluer le client et ses ressources, planifier les soins devant être dispensés après le congé, exécuter le plan d'interventions et évaluer la compréhension du client ou de sa famille en ce qui concerne l'information qu'ils ont reçue et leur capacité de donner des soins à domicile.

Pour obtenir son congé de la chirurgie ambulatoire et retourner à son domicile, le client doit être capable, dans une certaine mesure, de gérer ses soins, ce qui signifie qu'il

---

Suivi des clients non hospitalisés ENCADRÉ 13.4

Article : Twersky R, Fishman D et Homel P : What happens after discharge ? Return hospital visits after ambulatory surgery, *Anesth Analg*, 84 : 319,197.

Objectif : évaluer le nombre de clients ayant subi une chirurgie ambulatoire qui reviennent au centre hospitalier (CH) après avoir reçu leur autorisation de sortie et déceler les signes avant-coureurs de ce retour.

Méthodologie : un examen rétrospectif des données recueillies auprès de tous les clients qui sont retournés au même CH dans les 30 jours après que leur chirurgie ambulatoire ait été effectuée. Les données portant sur les clients qui sont retournés au CH et qui ont dû être hospitalisés de nouveau (soit dans une unité des soins, en chirurgie ambulatoire ou au service des urgences pour être traités) ont été consignées.

Résultats et conclusions : parmi les 6243 clients qui ont subi une chirurgie ambulatoire, 187 (3 %) sont retournés au même CH et près de la moitié de ces retours étaient dus à des complications. En ce qui concerne les retours, 54 % des clients ont été admis au service des urgences ; 46 % ont été réadmis dans une unité de soins ou à l'unité de chirurgie ambulatoire. L'hémorragie pour laquelle 76,5 % des clients ont été traités au service des urgences et y ont reçu leur autorisation de sortie constituait la principale cause de ces retours (41,5 %). Les autres raisons fréquentes répertoriées comprenaient la fièvre et l'infection (15 %), la douleur (9,8 %), l'inflammation (7,3 %), la rétention urinaire (6,1 %) et la rupture de la plaie (5,9 %). Les clients ayant subi une chirurgie génito-urinaire ont connu le taux de retour le plus élevé. Les clients de moins de 40 ans étaient plus susceptibles de quitter le CH après avoir été traités, alors que les clients de plus de 65 ans étaient généralement réadmis.

Incidences sur la pratique : étant donné que les clients souffrant d'hémorragie étaient plus susceptibles de se rendre au service des urgences, puis de retourner à leur domicile, un meilleur enseignement préopératoire et postopératoire pourrait réduire cette occurrence. Une meilleure information des clients sur le pronostic d'hémorragie et les traitements complémentaires pourrait réduire le nombre de visites au service des urgences. Une attention particulière doit être portée au moment de donner les consignes de départ sur les complications postopératoires fréquentes, comme l'hémorragie et l'infection, notamment aux clients âgés de plus de 65 ans.

Critères de congé postanesthésique et de départ après la chirurgie ambulatoire ENCADRÉ 13.3

Critères de congé postanesthésique
- Client réveillé
- Signes vitaux stables
- Aucun signe d'hémorragie ni de drainage excessif
- Aucune dépression respiratoire
- Saturation en oxygène > 90 %
- Rapport transmis

Critères de départ après la chirurgie ambulatoire
- Tous les critères de congé postanesthésique sont satisfaits
- Aucune administration de narcotiques intraveineux durant les 30 dernières minutes
- Peu de nausées et de vomissements
- Première miction faite (selon l'intervention chirurgicale pratiquée ou l'ordonnance)
- Capacité de se mouvoir, selon l'âge, et s'il n'y a pas de contre-indications
- Présence d'un adulte responsable pour accompagner le client
- Les consignes pour le départ ont été données et sont comprises

---

doit être alerte et autonome. La douleur, les nausées et les vomissements postopératoires doivent donc être soulagés. Dans l'ensemble, l'état du client doit être stable et son autonomie doit être sensiblement la même qu'à la phase préopératoire. Au moment de la sortie, on doit donner des explications précises quant au type d'anesthésie administrée et à la chirurgie effectuée. Ces renseignements doivent être appuyés par des consignes écrites. Le type d'information fourni lors de l'enseignement est détaillé plus loin dans ce chapitre. Le client ne doit pas conduire une automobile et doit être accompagné d'un adulte qui le reconduira au moment de sa sortie. Une évaluation de suivi est ensuite effectuée par téléphone pour vérifier l'état du client et répondre à toutes questions ou préoccupations qu'il pourrait avoir.

Bien que les interventions chirurgicales ambulatoires soient très peu effractives, l'infirmière doit être en mesure de déterminer si le client est prêt à quitter le CH et quels sont ses besoins en matière de soins à domicile. Il est important qu'elle sache si le client aura de l'aide une fois à la maison (p. ex. famille et amis), s'il peut se rendre à une pharmacie pour obtenir ses médicaments, s'il peut téléphoner en cas d'urgence et s'il pourra respecter ses rendez-vous de suivi avec l'équipe de chirurgie.

13.2 SOINS POSTOPÉRATOIRES À L'UNITÉ DE SOINS

Avant que le client obtienne son autorisation de congé de la salle de réveil, l'infirmière responsable doit fournir à l'infirmière de relève un rapport de l'état du client. Ce compte rendu doit résumer les phases peranesthésiques et postanesthésiques.

L'infirmière qui reçoit le client à l'unité de soins généraux doit aider le personnel affecté au transport à transférer le client de la civière au lit. Ils doivent s'assurer de protéger les cathéters intraveineux, les cathéters vésicaux, les drains des plaies, les pansements et les appareils de traction. Le transfert se fera plus facilement avec l'aide de plusieurs personnes et en utilisant un tapis de déplacement.

L'infirmière doit prendre les signes vitaux et comparer l'état du client avec le compte rendu fourni par l'infirmière de la salle de réveil. La documentation relative au transfert est alors complétée et un examen plus approfondi est effectué (voir encadré 13.5). Puis, les ordonnances postopératoires sont exécutés et les soins infirmiers appropriés sont donnés.

Même si un bon nombre de problèmes pouvant survenir à la salle de réveil se limitent à la phase postopératoire immédiate, certaines autres complications peuvent se manifester pendant la phase prolongée de rétablissement postopératoire à l'unité de soins généraux. L'évaluation et les soins infirmiers sont fondés sur la sensibilisation aux complications possibles d'une chirurgie, ainsi qu'aux complications spécifiques à l'intervention chirurgicale. L'encadré 13.6 présente un plan de soins infirmiers destiné au client en phase postopératoire.

L'ambulation précoce constitue la principale intervention infirmière visant à prévenir les complications

---

Évaluation et soins lors de l'admission à l'unité de soins   ENCADRÉ 13.5

- Consigner l'heure de l'arrivée du client à l'unité de soins
- Prendre les signes vitaux
  – Examiner les voies respiratoires et les bruits respiratoires
- Examiner l'état neurologique, notamment l'état de conscience et le mouvement des extrémités
- Examiner les plaies, les pansements et les tubes de drainage
  – Noter le type et la quantité de drainage
  – Brancher le tube au drainage par gravité ou aspiration
- Examiner la coloration et l'apparence de la peau
- Évaluer la condition urinaire
  – Noter l'heure de l'évacuation de l'urine
  – Noter la présence de cathéters et la diurèse
  – Vérifier la présence de globe vésical ou de l'urgence mictionnelle
  – Noter la perméabilité du cathéter
- Évaluer la douleur et le malaise
  – Noter la dernière dose et le degré de soulagement de la douleur
  – Noter l'intensité de la douleur actuelle
- Trouver une position pour assurer le maintien de l'ouverture des voies respiratoires, le bien-être, la sécurité (lit en position basse, ridelles lit relevées)
- Vérifier la perfusion intraveineuse
  – Noter le type de solution
  – Noter la quantité de liquide restante
  – Noter le débit
  – Vérifier l'intégrité du site d'insertion du cathéter
- Placer la cloche d'appel à portée de main du client et lui montrer comment l'utiliser
- S'assurer qu'il y a un bassin réniforme et des papiers mouchoirs à proximité
- Déterminer l'état émotionnel du client et le soutien dont il dispose
  – Vérifier si des membres de la famille ou des proches sont présents
- Vérifier et exécuter les ordonnances postopératoires

---

postopératoires. Les bienfaits de l'ambulation précoce ont fait leur preuve depuis qu'elle a été préconisée pour la première fois il y a près de 40 ans. Ainsi, l'exercice associé à la marche procure les bienfaits suivants :

- amélioration du tonus musculaire ;
- amélioration de la fonction du tractus gastro-intestinal et des voies urinaires ;
- stimulation de la circulation ;
- augmentation de la capacité vitale et maintien de la fonction respiratoire à un niveau optimal.

L'ambulation est particulièrement importante pour les personnes âgées en raison des risques reliés à l'immobilité qui se manifestent plus tôt et dont les effets peuvent durer plus longtemps.

13

13.2.1 Altérations possibles de la fonction respiratoire

Étiologie. L'atélectasie et la pneumonie peuvent se manifester chez le client en phase postopératoire et sont particulièrement fréquentes après une chirurgie abdominale et thoracique. L'atélectasie se produit lorsque le mucus obstrue les bronchioles ou lorsqu'il y a réduction de la quantité de surfactant alvéolaire (voir figure 13.5). L'alvéole s'affaisse lorsque l'air reste emprisonné au-dessus de l'obstruction qui est habituellement causée par l'accumulation de mucus et qu'il est absorbé par la suite. L'atélectasie peut toucher une partie ou la totalité des lobes pulmonaires.

L'apparition de bouchons de mucus en phase postopératoire et la diminution de la production de surfactant sont directement liées aux causes suivantes : hypoventilation, position couchée prolongée, toux inefficace et tabagisme. Les sécrétions bronchiques augmentent lorsque les voies respiratoires sont irritées par l'abus de tabac, une infection ou une maladie pulmonaire aiguë ou chronique, et le dessèchement des muqueuses causé par l'intubation, l'inhalation d'anesthésiques et la déshydratation. Sans intervention, l'atélectasie peut dégénérer en pneumonie lorsque les microorganismes pathogènes croissent dans le mucus stagnant pour causer une infection.

Soins infirmiers : complications respiratoires postopératoires

Collecte de données. La collecte de données portant sur la fréquence respiratoire, les modes de respiration et les bruits respiratoires est essentielle afin de pouvoir déceler d'éventuels problèmes respiratoires.

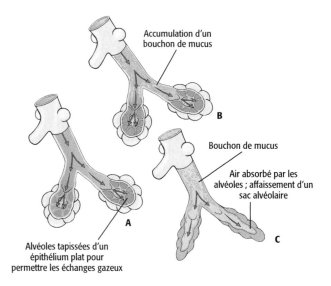

Accumulation d'un bouchon de mucus

Bouchon de mucus

Air absorbé par les alvéoles ; affaissement d'un sac alvéolaire

Alvéoles tapissées d'un épithélium plat pour permettre les échanges gazeux

FIGURE 13.5 Atélectasie postopératoire. A. Bronchioles et alvéoles normales. B. Bouchon de mucus dans les bronchioles. C. Affaissement des alvéoles dû à l'atélectasie.

Diagnostics infirmiers. Les diagnostics infirmiers et le processus thérapeutique reliés aux complications respiratoires possibles chez le client en phase postopératoire incluent notamment :
- le dégagement inefficace des voies respiratoires ;
- un mode de respiration inefficace ;
- des échanges gazeux perturbés ;
- deux complications possibles : la pneumonie et l'atélectasie

Exécution. Les techniques de respiration profonde et de toux permettent au client de prévenir l'affaissement des alvéoles et d'acheminer les sécrétions vers les plus grandes voies respiratoires afin d'en faciliter l'expulsion. L'infirmière doit aider le client à respirer profondément environ 10 fois par heure. L'utilisation d'un appareil de spirométrie est utile pour recueillir des données visuelles de l'effort respiratoire. La respiration diaphragmatique ou abdominale s'effectue en inspirant lentement et profondément par le nez, en retenant la respiration quelques secondes et en expirant lentement et complètement par la bouche. Les mains du client doivent être placées sur les côtes inférieures et le haut de l'abdomen, ce qui lui permet de sentir son abdomen monter en inspirant et descendre en expirant.

Après quatre ou six respirations profondes, le client doit tousser profondément à partir de ses poumons plutôt que de la gorge. Lorsqu'il y a présence de sécrétions dans les voies respiratoires, la respiration profonde permet souvent de les faire remonter pour stimuler le réflexe de la toux sans effort volontaire du client et elles peuvent alors être plus facilement expulsées.

L'adoption d'une position antalgique à l'aide d'un oreiller ou d'une couverture roulée sur l'incision permet de soutenir les muscles affaiblis, de protéger les incisions abdominales, et aussi de tousser et d'expectorer les sécrétions (voir figure 13.6). L'appareil de spirométrie peut être utilisé comme complément à la respiration profonde et aux techniques de toux traditionnelles.

On recommande de changer la position du client toutes les une à deux heures afin de favoriser l'amplitude thoracique complète et d'augmenter ainsi la perfusion des deux poumons. Au lieu de maintenir le client assis sur une chaise, on préconise l'ambulation active dès que le médecin donne son approbation. Des analgésiques doivent être administrés régulièrement, car la douleur incisionnelle constitue le principal obstacle à la participation du client à une ventilation et une ambulation efficaces. L'infirmière doit aussi rassurer le client en l'informant que ces activités n'entraîneront pas une déhiscence de la plaie. Une hydratation adéquate, par voie parentérale ou orale, est essentielle afin de maintenir l'intégrité des muqueuses et de garder les sécrétions liquides et fluides pour en faciliter l'expectoration.

Plan de soins infirmiers

Phase postopératoire*

DIAGNOSTIC INFIRMIER : douleur reliée à l'incision chirurgicale et aux spasmes musculaires, qui se manifeste par des gémissements de douleur, une posture tendue et antalgique, des grimaces, de l'instabilité psychomotrice, de l'irritabilité, de la diaphorèse et de la tachycardie.

PLANIFICATION
Résultats escomptés
- Le client est satisfait du soulagement de sa douleur.
- Rien ne perturbe son rétablissement postopératoire.

INTERVENTIONS	Justifications
• Évaluer la douleur pour déterminer son caractère, sa localisation et l'efficacité des mesures de soulagement.	• Planifier des interventions appropriées.
• Trouver une position antalgique.	• Soulager la douleur.
• Enseigner au client la façon de bien utiliser l'ACC.	• Assurer l'efficacité et le soulagement de la douleur.
• En plus des analgésiques, utiliser des méthodes non pharmacologiques comme la distraction, le massage et l'imagerie.	• Réduire la douleur.

DIAGNOSTIC INFIRMIER : nausées reliées à la distension gastro-intestinale et aux médicaments ou aux effets de l'anesthésie, qui se manifestent par le refus de boire et de manger, l'observation ou le signalement de vomissements.

PLANIFICATION
Résultat escompté
- Le client présentera une diminution ou une absence de nausées et de vomissements.

INTERVENTIONS	Justifications
• Examiner les facteurs précipitants et les éliminer dans la mesure du possible (p. ex. les odeurs désagréables et la douleur).	• Prévenir les nausées et de les vomissements.
• Maintenir la perméabilité du tube nasogastrique, s'il y a lieu.	• Prévenir l'accumulation du contenu gastrique ainsi que les vomissements et l'aspiration bronchique ultérieurs.
• Ausculter les bruits intestinaux.	• Déterminer leur présence, leur fréquence et leurs caractéristiques.
• Encourager l'alimentation progressive en fonction de la tolérance du client.	
• Surveiller les effets gastro-intestinaux des médicaments, surtout ceux des narcotiques.	• Déterminer s'ils provoquent les nausées.
• Administrer des antiémétiques conformément à l'ordonnance.	

DIAGNOSTIC INFIRMIER : risque d'infection relié à l'incision chirurgicale, l'apport nutritionnel et hydrique inadéquat, la présence de microorganismes pathogènes environnementaux, l'insertion de cathéters effractifs et l'immobilité.

PLANIFICATION
Résultat escompté
- Le client ne présentera aucun signe d'infection, tel que la fièvre, une douleur ou une inflammation au site opératoire, ou un drainage purulent de la plaie.

INTERVENTIONS	Justifications
• Surveiller et signaler les symptômes suivants : fièvre ; rougeur, œdème et chaleur autour du site de l'incision, des cathéters ou des tubes à demeure ; leucocytose élevée ; pouls et fréquence respiratoire élevés ; drainage purulent de la plaie.	• Déterminer la présence d'une infection.
• Utiliser une technique d'asepsie rigoureuse lors des soins de la plaie, notamment en se brossant les mains et en utilisant une technique aseptique.	• Prévenir la contamination de la plaie.

13

→ Plan de soins infirmiers

Phase postopératoire* *(suite)*

INTERVENTIONS	Justifications
• Administrer des antibiotiques, s'il y a lieu.	
• Maintenir une alimentation d'au moins 2000 calories et de 2500 ml de liquide par jour (augmenter l'apport si les exigences métaboliques sont plus élevées).	• S'assurer qu'une quantité suffisante de calories est ingérée dans le but de réparer les tissus.
• Peser le client quotidiennement et aviser le médecin s'il y a une perte de masse supérieure à 5 % comparativement à celle de l'admission.	• Modifier le plan nutritionnel.
• Réduire l'exposition aux microorganismes pathogènes environnementaux en évitant le contact entre le client et des personnes atteintes d'une infection.	• Prévenir la contamination croisée.
• Aider le client à se mouvoir, à tousser et à respirer profondément toutes les heures ou toutes les deux heures lorsqu'il est réveillé.	• Prévenir une infection respiratoire.

DIAGNOSTIC INFIRMIER : dégagement inefficace des voies respiratoires relié à une toux infructueuse et à des sécrétions tenaces, qui se manifeste par des bruits respiratoires anormaux, des respirations profondes et une toux non productive.

PLANIFICATION
Résultats escomptés
• Le client présentera des bruits respiratoires normaux.
• Le client aura une toux productive.

INTERVENTIONS	Justifications
• Administrer un analgésique avant de procéder aux exercices de toux et de respiration profonde.	• Favoriser la coopération du client et s'assurer qu'il n'éprouvera aucune douleur.
• Donner au moins 2500 ml de liquide par jour, sauf en cas de contre-indications.	• Liquéfier les sécrétions pour en faciliter l'élimination.
• Aider le client à se mouvoir, à tousser et à respirer profondément toutes les heures ou toutes les deux heures lorsqu'il est réveillé.	• Éliminer les sécrétions et prévenir la formation d'un bouchon de mucus.
• Surveiller l'utilisation de l'appareil de spirométrie.	• Permettre une expansion pulmonaire complète.
• Déconseiller l'usage du tabac.	
• Aspirer les sécrétions si nécessaire.	• Enlever les sécrétions que le client est incapable d'éliminer sans aide.
• Surveiller les bruits respiratoires et la température.	• Déceler les signes précoces d'infection.
• Aider le client à se mouvoir dès que possible.	• Augmenter l'expansion pulmonaire.

DIAGNOSTIC INFIRMIER : anxiété reliée au manque de connaissances en matière de suivi, qui se manifeste par de nombreuses questions sur l'autogestion des soins à domicile et une grande préoccupation quant aux difficultés possibles.

PLANIFICATION
Résultat escompté
• Le client sera satisfait de ses connaissances personnelles et de son niveau d'habileté ou du plan thérapeutique à domicile.

INTERVENTIONS	Justifications
• Indiquer au client et à sa famille les signes et symptômes d'infection devant être observés et signalés, les besoins nutritionnels, les restrictions en ce qui concerne l'activité, le soin des plaies et les besoins en matière de médication.	• Réduire l'anxiété et augmenter l'assurance.
• S'assurer des compétences du client ou d'un membre de sa famille à l'égard de l'autogestion des soins avant qu'il ne reçoive son autorisation de départ ou le référer à un service de soins à domicile.	• Assurer la continuité des soins.
• Allouer suffisamment de temps au client ou à un membre de sa famille afin qu'il puisse acquérir les compétences nécessaires pour changer le pansement.	• Lui donner confiance.
• Déceler avec le client les soins qui nécessitent de l'aide.	• L'orienter vers les services appropriés.
• Aider le client à planifier ses rendez-vous avec le chirurgien.	• Assurer un meilleur suivi.

Plan de soins infirmiers

Phase postopératoire* *(suite)*

DIAGNOSTIC INFIRMIER : constipation reliée à un apport nutritionnel inadéquat, une diminution de l'activité physique et la prise de médicaments qui ralentissent le péristaltisme intestinal, qui se manifeste par des selles dures et sèches, un effort à la défécation ou moins de trois selles par semaine.

PLANIFICATION
Résultat escompté
- Le client aura repris ses habitudes d'élimination intestinale.

INTERVENTIONS	Justifications
• Évaluer l'élimination intestinale.	• Déterminer le besoin d'intervention.
• Maintenir un apport hydrique quotidien de 2500 ml ou plus.	• Ramollir les selles.
• Accroître, s'il y a lieu, l'apport en fibres.	• Augmenter le volume fécal et la rétention de liquide dans les selles.
• Accroître l'activité selon la tolérance.	• Augmenter le péristaltisme intestinal.
• Administrer des émollients fécaux selon l'ordonnance.	• Ramollir les selles.

PROCESSUS THÉRAPEUTIQUE
COMPLICATION POSSIBLE : hémorragie reliée à une suture vasculaire inefficace ou à des altérations de la coagulation.

PLANIFICATION
Objectif
- Absence d'hémorragie.

INTERVENTIONS	Justifications
• Observer régulièrement le site opératoire et les pansements.	• Déceler les signes de saignements.
• Surveiller régulièrement les signes vitaux q15min ou q1-4h selon les indications.	• Détecter les signes d'hypovolémie.
• Signaler toutes les anomalies, comme une diminution de la pression artérielle, un pouls et une respiration rapides, une peau froide et moite, de la pâleur, du sang rouge clair sur le pansement.	
• Surveiller des modifications de l'état de conscience, notamment l'instabilité psychomotrice et un sentiment de danger imminent.	• Elles sont des indicateurs d'une perfusion cérébrale inadéquate.
• Surveiller les taux d'hématocrite et d'hémoglobine.	• Une diminution peut révéler une hémorragie.
• Surveiller la numération plaquettaire.	• Une diminution peut révéler une tendance à faire des hémorragies.
• Surveiller les tests de coagulation.	• Une élévation peut révéler une tendance à faire des hémorragies.

COMPLICATION POSSIBLE : thromboembolie reliée à la déshydratation, à l'immobilité ou à une lésion.

PLANIFICATION
Objectif
- Absence de complications thromboemboliques.

INTERVENTIONS	Justifications
• Vérifier s'il y a présence de signes de thromboembolie : rougeur, inflammation, douleur ; augmentation de la chaleur le long de la veine ; signe d'Homans positif ; œdème ou douleur au niveau des extrémités ; douleur thoracique ; hémoptysie ; tachypnée ; dyspnée ; instabilité psychomotrice.	• Signaler toute modification des paramètres acceptables.
• Administrer de l'héparine sous-cutanée (selon l'ordonnance).	• Réduire la formation de caillots sanguins.

13

Plan de soins infirmiers

Phase postopératoire* *(suite)*

INTERVENTIONS	Justifications
• Enseigner ou aider le client à effectuer des exercices d'amplitude articulaire des jambes et favoriser l'ambulation précoce postopératoire.	• Maintenir les contractions musculaires et un débit vasculaire adéquat.
• Éviter la pression au creux poplité, exercée par le lit ou les oreillers.	• Prévenir toute compression des veines, toute constriction de la circulation ou toute accumulation et stase du sang.
• Enfiler des bas compressifs et installer un appareil de compression séquentielle (jambières pneumatiques), selon l'ordonnance médicale. Enlever 1hq8-10h.	• Vérifier la peau.
• Maintenir une hydratation adéquate.	• Prévenir l'hypovolémie et l'agrégation plaquettaire.

COMPLICATION POSSIBLE : rétention urinaire reliée à la position en décubitus, à la douleur, à la crainte, aux analgésiques et aux anesthésiques ou à l'intervention chirurgicale.

PLANIFICATION
Objectif
• Reprise des habitudes d'élimination urinaire.

INTERVENTIONS	Justifications
• Vérifier s'il y a présence de douleur et de globe vésical, ou s'il y a diminution ou absence de diurèse.	• Déterminer la manifestation d'un problème urinaire.
• Surveiller les ingesta et excreta.	• Mieux contrôler l'équilibre hydrique.
• Percuter régulièrement la vessie au cours des premières 48 heures après la chirurgie.	• Déterminer s'il y a présence de globe vésical.
• Aviser le médecin s'il n'y a aucune diurèse dans les 6 heures suivant la chirurgie.	• Prendre des mesures pour assurer l'élimination urinaire.
• Installer le client dans la position la plus confortable possible.	• Permettre l'élimination urinaire.
• Assurer l'intimité du client.	
• Utiliser les mesures appropriées pour soulager la douleur.	• Réduire l'anxiété et faciliter la miction.
• Fournir des explications.	• Dissiper les craintes du client.
• Surveiller la rétention urinaire.	• Elle est secondaire aux effets des analgésiques et des anesthésiques.

COMPLICATION POSSIBLE : iléus paralytique relié à la chirurgie intestinale, à l'immobilité, aux analgésiques et aux anesthésiques.

PLANIFICATION
Objectif
• Reprise du péristaltisme intestinal.

INTERVENTIONS	Justifications
• Vérifier s'il y a présence de distension abdominale, de gaz intestinaux, de bruits intestinaux ou de nausées et de vomissements.	• Déterminer s'il s'agit d'un iléus paralytique.
• Ne rien administrer par voie orale jusqu'au retour du péristaltisme et assurer la perméabilité du tube nasogastrique.	• Prévenir les vomissements.
• Dispenser régulièrement des soins buccodentaires.	• Assurer le bien-être du client.

*Il s'agit d'un plan de soins infirmiers général, conçu pour le client en phase postopératoire. Il doit être accompagné d'un plan de soins infirmiers adapté au type de chirurgie effectué.

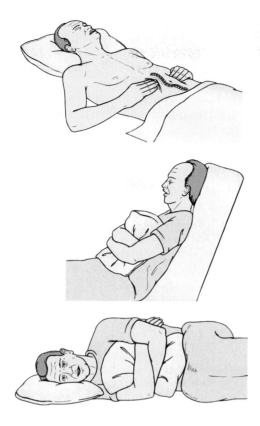

FIGURE 13.6 Postures antalgiques lors d'exercices de toux profonde en phase postopératoire

13.2.2 Altérations possibles de la fonction cardiovasculaire

Étiologie. Les déséquilibres hydro-électrolytiques postopératoires contribuent à altérer la fonction cardiovasculaire. Ils peuvent être attribuables à une combinaison de facteurs : réaction normale du corps au stress de la chirurgie, perte hydrique excessive et remplacement liquidien par voie intraveineuse inadéquat. L'état hydrique de l'organisme influe directement sur le débit cardiaque. La rétention hydrique au cours des deux à cinq jours suivant la chirurgie peut être due à la réaction au stress (voir chapitre 4). Cette réaction du corps sert à maintenir à la fois le volume sanguin et la pression artérielle (voir figure 4.6). La rétention hydrique est causée par deux hormones sécrétées et libérées par l'hypophyse : l'hormone adrénocorticotrope (ACTH) et l'hormone antidiurétique (ADH). L'ACTH stimule le cortex surrénal pour que ce dernier sécrète des quantités modérées d'aldostérone qui favorise la rétention du sodium et de l'eau, ce qui entraîne une augmentation de la volémie. L'ADH libère des conducteurs afin d'augmenter la réabsorption d'eau et de diminuer la diurèse, ce qui entraîne éventuellement une augmentation du volume sanguin.

Au cours de cette période de rétention hydrique, une surcharge liquidienne peut se produire dans les situations suivantes : les liquides intraveineux sont administrés trop rapidement, le client est atteint d'une maladie chronique (p. ex. insuffisance cardiaque ou rénale) ou le client est âgé. À l'inverse, un déficit de volume liquidien peut être lié à un remplacement lent ou inadéquat, ce qui entraîne une diminution du débit cardiaque et de la perfusion tissulaire. Une déshydratation préopératoire non traitée ou des pertes peropératoires ou postopératoires, causées par des vomissements, une hémorragie, un drainage de la plaie ou une aspiration, peuvent contribuer à un déficit du volume liquidien.

L'hypokaliémie, qui survient lorsque le potassium n'est pas remplacé par voie intraveineuse, peut être due à des pertes au niveau des voies urinaires ou gastro-intestinales. La perte de potassium agit directement sur la contractilité du cœur et peut contribuer à la diminution du débit cardiaque et de la perfusion tissulaire générale. Un remplacement adéquat de potassium est normalement de 40 mEq par jour. Cependant, on ne doit pas administrer de potassium tant que la fonction rénale n'est pas rétablie.

L'état cardiovasculaire est également affecté par l'état de la perfusion tissulaire ou celui du débit sanguin. Chez le client en phase postopératoire, la réaction au stress contribue à accroître la coagulation en augmentant la production de plaquettes et les taux de corticostéroïdes circulants. Une thrombose veineuse profonde des membres inférieurs peut se manifester en raison de l'inactivité, de la position ou d'une pression sur une partie du corps, et entraîner par la suite un ulcère variqueux et une diminution de la perfusion. La thrombose veineuse profonde, qui atteint surtout les personnes âgées, obèses ou immobilisées, constitue une complication qui peut être mortelle, car elle peut provoquer une embolie pulmonaire. On doit soupçonner une embolie pulmonaire lorsque le client présente de la tachypnée, de la dyspnée et de la tachycardie, surtout lorsqu'il est déjà sous oxygénothérapie. La douleur thoracique, l'hypotension, l'hémoptysie, l'arythmie et l'insuffisance cardiaque congestive sont au nombre des symptômes que peut présenter le client. Dans une telle situation, il sera indispensable de procéder à une scintigraphie de ventilation et de perfusion afin d'établir un diagnostic définitif. Une **thrombophlébite superficielle** est une complication désagréable, mais moins alarmante. Elle peut se former dans une veine d'une jambe à cause d'une stase veineuse ou dans une veine du bras en raison d'une irritation provoquée par les cathéters ou les solutions intraveineuses. Lorsqu'une partie du caillot sanguin se détache et atteint les poumons, ce caillot peut provoquer un infarctus pulmonaire.

Une **lipothymie** (perte de conscience) est un autre facteur qui reflète l'état cardiovasculaire. Elle peut indiquer une diminution du débit cardiaque, un déficit de volume

13

liquidien ou une anomalie dans la perfusion des tissus cérébraux. La lipothymie est souvent liée à une hypotension orthostatique lorsque le client effectue son premier lever ou lorsqu'il commence à circuler. Les personnes âgées ou celles qui sont immobilisées depuis longtemps sont les plus susceptibles d'en souffrir. Normalement, lorsqu'une personne se lève rapidement, les barorécepteurs artériels réagissent à la chute de la pression artérielle et à la stimulation nerveuse sympathique qui l'accompagne, ce qui a pour effet de provoquer une vasoconstriction. Cette réaction du système nerveux sympathique fait augmenter et, par conséquent, maintient la pression artérielle. Une diminution de ces fonctions sympathiques et vasomotrices peut se manifester chez la personne âgée, celle immobilisée ou celle en phase postanesthésique, et aura pour conséquence d'entraîner une lipothymie lorsque le client se lève trop rapidement ou qu'il marche.

Soins infirmiers : complications cardiovasculaires

Collecte de données. L'évaluation relative à la fonction cardiovasculaire comprend la surveillance régulière de la pression artérielle, de la fréquence cardiaque, du pouls ainsi que de la température et de la coloration de la peau du client. Les résultats doivent être comparés à ceux de l'état préopératoire et aux observations postopératoires immédiates et peropératoires.

Diagnostics infirmiers. Les diagnostics infirmiers et le processus thérapeutique reliés aux complications cardiovasculaires possibles en phase postopératoire incluent notamment :
- la diminution du débit cardiaque ;
- le déficit de volume liquidien ;
- l'excès de volume liquidien ;
- l'altération de la perfusion tissulaire ;
- l'intolérance à l'activité ;
- une complication possible : la thromboembolie.

Exécution. Au cours de la phase postopératoire, l'infirmière doit consigner au dossier du client des renseignements précis concernant les ingesta et excreta et surveiller les résultats de laboratoire (p. ex. électrolytes, hématocrite). Les interventions infirmières relatives à la thérapie intraveineuse sont particulièrement importantes pendant cette phase. L'infirmière doit être attentives aux symptômes liés à un remplacement liquidien trop lent ou trop rapide. Elle doit vérifier les sites d'insertion des cathéters de perfusion pour tout malaise et risque associé à l'administration intraveineuse de liquide. L'administration intraveineuse de potassium entraîne une douleur intense le long du trajet de la veine. L'administration trop rapide de liquide ou de potassium peut avoir des conséquences graves et peut même conduire à l'arrêt cardiaque. En phase postopératoire, la soif constitue l'un des malaises les plus dérangeants que le client doive supporter. Elle peut

être attribuable à l'assèchement des muqueuses dû aux médicaments anticholinergiques ou aux gaz anesthésiants ainsi qu'à un déficit de volume liquidien. Des soins buccodentaires adéquats et réguliers sont importants lorsque le client ne peut ni manger ni boire.

L'infirmière doit encourager le client à faire des exercices des membres inférieurs (voir figure 13.7), de 10 à 12 fois, à chaque heure ou aux 2 heures. La contraction musculaire que produisent ces exercices et l'ambulation précoce permettent de faciliter le retour veineux des extrémités inférieures. Au lieu de traîner ses pieds en marchant, le client doit les lever afin d'améliorer le retour veineux. Lorsqu'il est alité, il doit fléchir les jambes et les allonger. S'il est assis sur une chaise ou étendu sur un lit, aucune pression ne doit être exercée au creux poplité afin de ne pas gêner le retour veineux. Le client doit éviter de croiser les jambes et de placer des oreillers derrière les genoux.

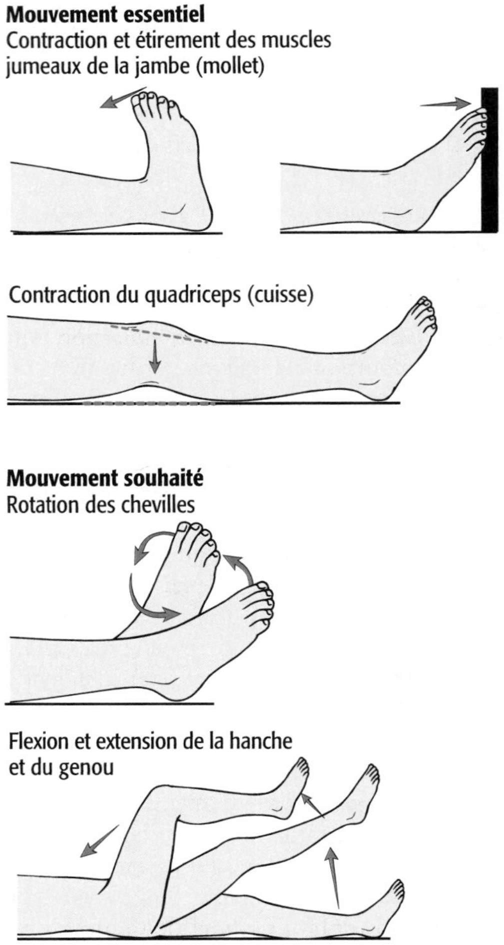

Mouvement essentiel
Contraction et étirement des muscles jumeaux de la jambe (mollet)

Contraction du quadriceps (cuisse)

Mouvement souhaité
Rotation des chevilles

Flexion et extension de la hanche et du genou

FIGURE 13.7 Exercices des jambes en phase postopératoire

Certains chirurgiens prescrivent régulièrement le port de bas anti-emboliques (supports ou élastiques) ou des aides mécaniques, comme un appareil de compression séquentielle (jambières pneumatiques), qui permettent de stimuler et d'améliorer l'effet de compression et de relâchement transmis aux veines par la contraction des muscles des jambes. L'infirmière ne doit pas oublier que ces aides s'avèrent inutiles si le client ne fait aucun exercice pour les jambes et qu'elles peuvent même réduire la circulation si les jambes sont inactives ou si les appareils ne sont pas de la bonne taille ou sont mal installés. L'infirmière doit enfiler des bas anti-emboliques au client avant le lever, s'il y a lieu, et les lui enlever au moins deux fois par jour pour lui donner des soins et inspecter sa peau, puis les lui remettre. La peau des talons et de la partie postérieure des tibias est particulièrement vulnérable à l'augmentation de la pression et à la détérioration.

L'administration d'une faible dose d'héparine (5000 à 10000 unités par voie sous-cutanée toutes les 8 à 12 heures) ou bien l'administration d'énoxaparine (Lovenox) constituent deux mesures prophylactiques contre la thrombose veineuse et l'embolie. Ces deux médicaments n'augmentent pas significativement le risque d'hémorragie pendant la chirurgie ou la phase postopératoire.

L'infirmière peut prévenir la perte de conscience en mobilisant le client lentement. Il est possible de l'amener progressivement à l'ambulation en levant d'abord la tête de lit et en le laissant dans cette position pendant une à deux minutes. Ensuite, l'infirmière peut l'aider à s'asseoir sur le bord du lit, tout en surveillant la fréquence et la qualité de son pouls radial. Si aucun changement n'est noté et que le client ne présente aucune contre-indication, l'infirmière peut commencer à le faire marcher. Par contre, s'il se sent étourdi et sur le point de s'évanouir, elle peut l'aider à se rasseoir sur le bord du lit, tout en continuant à surveiller son pouls. Si des changements surviennent ou si le client présente un malaise pendant qu'il marche, l'infirmière doit l'aider à s'asseoir sur la chaise la plus proche ou sur le plancher. Le client ne doit pas être déplacé tant que la stabilité des signes vitaux ne démontre pas son rétablissement ; ensuite, l'infirmière peut l'aider à retourner à son lit. Un client qui s'évanouit peut être aussi angoissant pour l'infirmière non préparée que pour le client. Bien que la lipothymie ne pose aucun danger physiologique réel, des blessures peuvent survenir en cas de chute.

13.2.3 Altérations possibles de la fonction urinaire

Étiologie. Une faible diurèse (800 à 1500 ml) peut apparaître dans les premières 24 heures, peu importe l'apport hydrique. Ce faible débit est causé par une augmentation d'aldostérone et d'hormone antidiurétique, qui est provoquée par le stress de la chirurgie, la restriction hydrique préopératoire, la perte hydrique due à l'évaporation pendant la chirurgie, le drainage et la diaphorèse. En général, la diurèse augmente deux à trois jours après la chirurgie, une fois que le liquide circule et que la réaction au stress immédiat est atténuée.

Une rétention urinaire aiguë peut se manifester au cours de la phase postopératoire pour diverses raisons. L'anesthésie ralentit le système nerveux, notamment l'arc réflexe de miction et les centres plus élevés du système nerveux qui l'influencent, ce qui permet à la vessie de se remplir plus qu'à l'habitude avant que le client ne ressente une envie pressante d'uriner. L'anesthésie empêche aussi la miction volontaire. Les anticholinergiques et les narcotiques peuvent également nuire à la capacité d'uriner ou de vider complètement la vessie.

La rétention urinaire est plus susceptible de se produire après une chirurgie pelvienne ou de la région inférieure de l'abdomen, car les spasmes ou la réaction des muscles abdominaux et pelviens nuisent à la miction normale. La douleur peut altérer la perception et, par conséquent, le client peut être moins conscient que sa vessie se remplit. C'est probablement l'immobilité et la position couchée qui perturbent le plus la capacité d'uriner. En fait, le manque d'activité au niveau des muscles squelettiques réduit la tonicité des muscles lisses (détrusor de la vessie) et la position en décubitus dorsal réduit la capacité de détendre les muscles périnéaux et le sphincter externe.

L'oligurie, qui est caractérisée par une diminution de la diurèse, peut être attribuable à une insuffisance rénale aiguë et représente un trouble moins fréquent. Toutefois, cet état peut s'avérer sérieux après une chirurgie. L'oligurie peut être due à une ischémie rénale, causée par une perfusion rénale inadéquate ou une altération de la fonction cardiaque, et doit être signalée rapidement au médecin.

Soins infirmiers : complications urinaires
Collecte de données. L'infirmière doit évaluer la quantité et la qualité de l'urine du client en phase postopératoire. Elle doit noter la couleur, la quantité, l'aspect et l'odeur de l'urine et examiner les sondes à demeure pour en vérifier la perméabilité. Par ailleurs, la diurèse doit être d'au moins 0,5 ml/kg/h. S'il n'a aucune sonde, le client doit être capable d'éliminer environ 200 ml d'urine après la chirurgie. En général, la majorité des gens urinent dans les six à huit heures suivant la chirurgie. Par contre, si il n'y a aucune miction, l'infirmière doit examiner la forme de l'abdomen ainsi que palper et percuter la vessie pour déceler toute distension vésicale qui signalerait la présence d'un globe vésical.

Diagnostics infirmiers. Les diagnostics infirmiers et le processus thérapeutique reliés aux complications urinaires possibles du client en phase postopératoire incluent notamment :

- l'altération de l'élimination urinaire ;
- une complication potentielle : la rétention urinaire aiguë.

Exécution. L'infirmière peut faciliter l'élimination urinaire en plaçant le client dans une position normale pour uriner, soit en position assise pour la femme, soit debout pour l'homme ; ou bien, elle peut rassurer le client sur sa capacité à uriner et utiliser des techniques, comme faire couler de l'eau, faire boire de l'eau, verser de l'eau chaude sur le pubis ou encore y appliquer une débarbouillette humide chaude. L'ambulation vers la salle de bain ou l'utilisation d'une chaise d'aisance constituent d'autres moyens pour favoriser l'élimination urinaire.

Souvent, le chirurgien prescrit un cathétérisme vésical intermittent toutes les 6 à 8 heures au besoin, si le client ne parvient pas à uriner dans les 8 à 12 heures après la chirurgie. En raison des possibilités d'infection nosocomiale liées à la pose d'une sonde vésicale, l'infirmière doit avant tout essayer de trouver d'autres moyens pour favoriser l'élimination urinaire et confirmer que la vessie est pleine. En présence d'une surdistension, la vessie risque d'être lésée et davantage prédisposée aux infections lors de l'insertion du cathéter vésical. Au moment d'évaluer le besoin d'un cathétérisme, l'infirmière doit tenir compte de l'apport hydrique pendant et après la chirurgie et déterminer la plénitude de la vessie (globe vésical) qui se manifeste par un malaise lorsqu'une pression est exercée au-dessus de la vessie, ou par un besoin pressant d'uriner. Le cathétérisme intermittent doit être privilégié à l'installation d'une sonde à demeure puisque cette dernière comporte des risques plus importants d'infection.

13.2.4 Altérations possibles de la fonction gastro-intestinale

Étiologie. Un ralentissement de la mobilité gastro-intestinale et une altération dans les habitudes alimentaires peuvent provoquer plusieurs symptômes postopératoires pénibles pouvant être plus marqués après une chirurgie abdominale. Les nausées et les vomissements peuvent être dus aux anesthésiques et aux narcotiques, à un retard dans la vidange gastrique, à un ralentissement du péristaltisme attribuable à la manipulation de la vessie pendant la chirurgie et à l'ingestion de liquides ou d'aliments trop tôt après la chirurgie.

La distension abdominale est un autre problème fréquent dû à une diminution du péristaltisme en raison de la manipulation de l'intestin pendant la chirurgie et à un faible apport alimentaire avant et après la chirurgie. Même si l'intestin grêle retrouve sa motilité dans les premières 24 heures après la chirurgie, il est possible que celle du gros intestin soit réduite pendant 3 à 5 jours. L'air et les sécrétions gastro-intestinales aspirés peuvent s'accumuler dans le côlon, ce qui a pour effet de produire des flatulences et des douleurs provoquées par les gaz.

Le **hoquet** est un spasme intermittent du diaphragme provoqué par l'irritation du nerf phrénique, lequel innerve le diaphragme. Après une chirurgie, le nerf phrénique peut être directement irrité par une distension gastrique, une obstruction intestinale, une hémorragie intra-abdominale et un abcès sous-phrénique, ou être indirectement irrité par des déséquilibres acido-basiques et électrolytiques. Cette irritation causant le hoquet peut être attribuable à l'ingestion de liquides chauds ou froids ou à la présence d'un tube nasogastrique. En général, le hoquet dure peu de temps et prend fin spontanément. Il peut parfois persister pendant un bon moment, mais il est rarement pathologique.

Soins infirmiers : complications gastro-intestinales

Collecte de données. L'infirmière doit ausculter les quatre quadrants de l'abdomen pour déterminer la présence, la fréquence et les caractéristiques des bruits intestinaux. Ces derniers sont souvent absents ou faibles en phase postopératoire immédiate lorsqu'il y a diminution du péristaltisme. Si le client vomit, on doit examiner la couleur, la consistance et la quantité des vomissements.

Diagnostics infirmiers. Les diagnostics infirmiers et le processus thérapeutique reliés aux complications gastro-intestinales possibles chez le client en phase postopératoire peuvent inclure notamment :
- les nausées ;
- le déficit nutritionnel ;
- deux complications possibles : l'iléus paralytique ou le hoquet.

Exécution. Selon la nature de la chirurgie, le client peut recommencer à s'alimenter dès le retour du réflexe nauséeux et de la déglutition. Il arrive parfois que le client ne puisse reprendre l'alimentation par voie orale tant que le péristaltisme intestinal n'a pas été entendu à l'auscultation. Dans ce cas, on doit lui administrer des perfusions intraveineuses pour maintenir son équilibre hydroélectrolytique. Un tube nasogastrique peut être utilisé pour décomprimer l'estomac afin de prévenir les nausées et les vomissements ainsi que la distension abdominale. Quand l'alimentation par voie orale est permise après le retour du péristaltisme intestinal, le client peut commencer à boire des liquides clairs, tout en continuant à recevoir, à un débit moindre, une perfusion intraveineuse. Si le client tolère bien l'alimentation orale, on cessera la perfusion intraveineuse et on rétablira progressivement l'alimentation solide.

Lorsque le client ne reçoit rien par voie orale, il est indispensable de lui administrer des soins buccodentaires réguliers pour favoriser son bien-être et stimuler ses glandes salivaires. Les nausées et les vomissements peuvent être prévenus ou soulagés au moyen d'un antiémétique administré par voie orale, IM, IV, ou IR. Dans certains cas, si les symptômes persistent, un tube nasogastrique est installé afin de réduire le malaise.

Une ambulation précoce et fréquente ainsi que la reprise d'un régime alimentaire normal permettent de stimuler le péristaltisme intestinal et peuvent prévenir ou diminuer la distension abdominale. L'infirmière doit examiner le client régulièrement pour vérifier le rétablissement du péristaltisme intestinal, qui se manifeste par la présence des bruits intestinaux et l'expulsion de gaz. Le tube nasogastrique doit être clampé et le système d'aspiration doit être fermé au moment d'ausculter la région abdominale.

Il peut s'avérer nécessaire de rassurer le client et de l'encourager à évacuer les gaz intestinaux, en lui indiquant qu'ils sont nécessaires et souhaitables. Les douleurs provoquées par les gaz, qui ont tendance à être plus prononcées au cours des deuxième et troisième jours après la chirurgie, peuvent être soulagées par la marche et un changement fréquent de position. La position latérale sur le côté droit permet aux gaz de monter le long du côlon transverse et facilite leur libération. Une prescription de suppositoires de bisacodyl (Dulcolax) pour stimuler le péristaltisme et favoriser l'expulsion des gaz intestinaux peut être nécessaire en cas de besoin.

Le client en phase postopératoire qui a le hoquet doit d'abord être examiné pour en déterminer la cause. Dans bien des cas, le problème est résolu par une simple irrigation du tube nasogastrique qui permet d'en restaurer la perméabilité.

13.2.5 Altérations possibles de la fonction tégumentaire

Étiologie. Lors d'une chirurgie, on pratique généralement une incision de la peau et des tissus sous-jacents. Une incision produit une rupture de la barrière protectrice de la peau et une plaie qui doit se cicatriser, ce qui constitue l'une des principales sources de préoccupation lors de la phase postopératoire.

Un état nutritionnel adéquat est essentiel pour la cicatrisation des plaies. Les acides aminés doivent être facilement disponibles pour le processus de cicatrisation en raison des effets cataboliques des hormones liées au stress (p. ex. cortisol, catécholamines). En général, un client qui a une bonne alimentation avant l'opération est en mesure de tolérer le délai postopératoire de l'apport nutritionnel. Cependant, les personnes qui ont des déficits nutritionnels préexistants, comme c'est le cas pour celles qui sont atteintes de maladies chroniques (p. ex. diabète, colite ulcéreuse, alcoolisme), sont davantage prédisposées aux problèmes de cicatrisation des plaies.

La cicatrisation des plaies est également une source de préoccupation chez les personnes âgées et est retardée par de nombreux facteurs.

L'infection d'une plaie peut être due à sa contamination par trois sources principales :
- la flore exogène présente dans l'environnement et sur la peau ;
- la flore orale ;
- la flore intestinale.

L'incidence de l'infection est plus élevée chez les personnes qui présentent de la malnutrition, les personnes immunodéprimées, les personnes âgées, et celles qui sont hospitalisées depuis longtemps ou qui ont subi une longue intervention chirurgicale (plus de trois heures). Les clients qui subissent une chirurgie intestinale, notamment à la suite d'une lésion traumatique, courent eux aussi un risque particulièrement élevé. L'infection peut atteindre toute l'incision et migrer vers les couches de tissus plus profondes. Un abcès peut se former localement ou l'infection peut pénétrer dans toutes les cavités et causer des problèmes encore plus sérieux, comme la péritonite. Cela peut prendre de trois à cinq jours avant que des signes suivants d'infection apparaissent localement : rougeur, inflammation, augmentation de la douleur et de la sensibilité au niveau du site opératoire. Ils peuvent aussi être systémiques et être accompagnés de fièvre et d'une leucocytose élevée.

Une accumulation de liquide dans une plaie peut créer de la pression, entraver la circulation et la cicatrisation de la plaie, et favoriser l'infection. Par conséquent, il est possible que le chirurgien place un drain dans l'incision ou en pratique une autre, à côté de la première pour permettre le drainage. Il utilisera soit un drain de caoutchouc flexible (p. ex. drain Penrose) qui draine le liquide dans un pansement ; soit un cathéter rigide fixé à un drain Hemovac ; soit une autre source d'aspiration faible, telle que le drain Jackson Pratt. Le chapitre 6 traite de la cicatrisation des plaies et des complications qui peuvent se produire.

Gestion des soins infirmiers : plaies chirurgicales
Collecte de données. L'évaluation de l'état de la plaie et des pansements nécessite des connaissances en matière de types de plaies, de drains et de drainage escompté par rapport au type de chirurgie. Il est fréquent de voir s'échapper une petite quantité d'écoulement séreux de tout type de plaie. On peut s'attendre à un écoulement, de modéré à abondant, lorsqu'un drain est installé. Par exemple, on sait qu'une incision abdominale, dans laquelle un drain a été inséré, devrait produire une quantité modérée d'écoulement sérosanguin dans les premières 24 heures, alors qu'une herniorraphie inguinale ne devrait produire qu'une très faible quantité d'écoulement séreux pendant la phase postopératoire. En général, le

13

drainage passe de sanguin (rouge) à sérosanguin (rose), puis à séreux (couleur paille) en l'espace de quelques heures à quelques jours. Un drainage sanguin peut être normal après certains types de chirurgie (p. ex. une chirurgie thoracique). Une hémorragie continue ou une augmentation de drainage, une fois que l'hémorragie s'est atténuée, indique souvent une complication. Dans le cas d'une infection de la plaie, il peut y avoir présence de pus. Une déhiscence de plaie (séparation et rupture des lèvres de la plaie qui étaient réunies) peut être précédée d'un drainage spontané de couleur brune, rose ou claire.

Diagnostics infirmiers. Les diagnostics infirmiers reliés aux plaies chirurgicales chez le client en phase postopératoire incluent notamment :
- l'atteinte à l'intégrité des tissus ;
- le risque d'infection.

Exécution. Lorsque le drainage est absorbé par un pansement, l'infirmière doit noter le type, la quantité, la couleur, la consistance et l'odeur de l'écoulement. Le tableau 13.2 présente la quantité de liquides escomptée à partir des cathéters et des sondes. L'infirmière doit aussi examiner l'effet du changement de position sur le drainage. Elle doit aviser le chirurgien de tout drainage excessif ou anormal et de tout changement important des signes vitaux.

Tout d'abord, l'incision peut être couverte d'un pansement immédiatement après la chirurgie. Ensuite, s'il n'y a aucun signe d'écoulement après 24 à 48 heures, l'incision peut être laissée à l'air libre. La politique de l'établissement détermine si l'infirmière peut changer le pansement opératoire initial ou si elle doit simplement le renforcer en ajoutant un autre pansement par-dessus lorsqu'il est saturé.

Au moment de changer un pansement, l'infirmière doit noter le nombre et le type de tubes de drainage présents. Elle doit aussi prendre soin de ne pas déloger les drains en enlevant le pansement. Une fois le pansement enlevé, elle examine attentivement le site d'incision. Il est possible que la zone entourant les sutures soit légèrement rougie et œdémateuse, ce qui s'avère être la réaction inflammatoire escomptée. Cependant, la couleur et la température de la peau autour de l'incision doivent être normales. Les observations d'anormalités comprennent une peau anormalement chaude autour de l'incision, une zone pourpre et dure au site d'incision (probablement due à une hémorragie tissulaire) et d'autres signes d'infection. L'infirmière doit porter des gants lorsqu'elle enlève un pansement et utiliser une technique stérile lors de la réfection du pansement. Une seule couche de pansement suffira lorsque la cicatrisation se fait par première intention, s'il n'y a pas d'écoulement ou très peu et si un drain Jackson Pratt est utilisé. Cependant, un pansement multicouches s'avérera nécessaire si un drain Penrose a été posé. Le drainage variera alors de modéré à abondant et la cicatrisation se fera par deuxième ou troisième intention. Le chapitre 6 traite des soins des plaies et des pansements.

13.2.6 Altérations possibles de la fonction neurologique

Étiologie. La douleur et la fièvre sont deux manifestations cliniques qui peuvent présager des complications pour le client en phase postopératoire. L'évaluation et la

TABLEAU 13.2	Drainage escompté à partir des sondes et des cathéters			
Liquides biologiques	**Quantité quotidienne**	**Couleur**	**Odeur**	**Consistance**
Sonde à demeure Urine	500-700 ml, 1 à 2 jours après l'opération ; 1500 à 2500 ml par la suite	Jaune, limpide	Ammoniaque	Aqueuse
Tube de gastrostomie Contenus gastriques	Plus de 1500 ml/jour	Pâle, jaune verdâtre Teintée de sang après la chirurgie gastro-intestinale	Sulfureuse	Aqueuse
Tube nasogastrique Contenus gastriques	Plus de 1500 ml	Teintée de sang après la chirurgie gastro-intestinale	Sulfureuse	Aqueuse
Drain Hemovac Drainage de plaie	Varie en fonction de l'intervention	Varie en fonction de l'intervention Souvent sérosanguine	Neutre	Variable
Tube en T Bile	500 ml	Jaune à vert foncé	Acide	Épaisse, visqueuse

gestion des soins infirmiers chez le client qui éprouve de la douleur sont traitées au chapitre 5. La douleur postopératoire est causée par l'interaction de plusieurs facteurs physiologiques et psychologiques. Au cours de la chirurgie, la peau et les tissus sous-jacents ont été traumatisés par l'incision et la rétraction. Des spasmes musculaires réflexes peuvent également survenir au pourtour de l'incision. L'anxiété et la peur, qui sont parfois liées à l'anticipation de la douleur, provoquent une tension et augmentent la tonicité et les spasmes musculaires. L'effort et le mouvement associés à une respiration profonde, la toux et le changement de position peuvent accentuer la douleur en exerçant une pression ou en étirant la zone d'incision.

Le client ne ressent aucune douleur lorsque que les viscères internes sont coupés, car ces derniers sont dépourvus de récepteurs de la douleur. C'est la pression exercée contre les viscères qui provoque la douleur. Par conséquent, une douleur viscérale profonde peut signaler la présence d'une complication, comme une distension intestinale, une hémorragie ou la formation d'un abcès.

La douleur postopératoire est normalement plus prononcée dans les premières 48 heures et s'atténue par la suite. Le degré de douleur peut varier considérablement en fonction du type d'intervention pratiquée et du seuil de tolérance à la douleur du client ou de sa perception de la douleur.

Les variations de température fournissent des renseignements utiles sur l'état du client lors de la phase postopératoire. Il est possible qu'un client souffre d'hypothermie au moment de la phase postopératoire immédiate, alors qu'il se rétablit des effets de l'anesthésie et de la perte de chaleur subie au cours de la chirurgie. La fièvre peut survenir à n'importe quel moment au cours de la phase postopératoire (voir tableau 13.3). Une élévation moyenne (jusqu'à 38 °C) au cours des premières 48 heures est souvent attribuable à la réaction au stress chirurgical. Une élévation modérée (supérieure à 38 °C) est souvent causée par une congestion respiratoire ou une atélectasie, et plus rarement par une déshydratation. Après les premières 48 heures, une élévation de modérée à élevée (supérieure à 37,7 °C) est souvent provoquée par une infection.

L'infection d'une plaie, notamment causée par des microorganismes aérobies, s'accompagne souvent d'une fièvre qui est plus élevée en fin de journée et qui s'estompe le matin. Les voies respiratoires peuvent être infectées à la suite de la stase des sécrétions dans les zones d'atélectasie, et les voies urinaires peuvent l'être après un cathétérisme. Une thrombophlébite superficielle peut se manifester aux sites d'injection ou dans les veines de la jambe. Dans ce dernier cas, une élévation de la température peut se manifester de 7 à 10 jours après la chirurgie.

Une fièvre élevée intermittente, accompagnée de frissons, de tremblements et de diaphorèse, peut indiquer une septicémie. Cette infection peut se manifester à n'importe quel moment au cours de la phase postopératoire si des microorganismes pathogènes se sont introduits dans la circulation sanguine pendant la chirurgie, surtout lors d'une chirurgie gastro-intestinale ou génito-urinaire. Une septicémie peut également se contracter plus tard au site d'une plaie ou par une infection urinaire ou veineuse.

Soins infirmiers : complications neurologiques postopératoires

Collecte de données. L'aspect initial de l'évaluation neurologique est déterminé par l'état de conscience. En général, un client anesthésié reprend conscience de façon prévisible. Un client qui est ramené à l'unité de soins est habituellement réveillé ou peut l'être facilement. L'infirmière doit être attentive à l'intensification possible des effets de l'anesthésie, surtout lorsque des analgésiques ont été administrés dès le début de la phase postopératoire.

La douleur peut être difficile à évaluer au début de la phase postopératoire si le client est incapable de verbaliser la présence ou l'intensité de la douleur. Par conséquent, l'infirmière doit observer les indices de douleur, tels que les grimaces ou le froncement des sourcils, le serrement des poings, les gémissements, la diaphorèse et une augmentation de la fréquence du pouls.

Diagnostics infirmiers. Les diagnostics infirmiers reliés aux complications neurologiques possibles chez le client en phase postopératoire incluent notamment :
- les altérations des perceptions sensorielles ;
- la douleur ;
- le risque d'altération de la température corporelle.

TABLEAU 13.3 Signification des changements de température en phase postopératoire		
Durée	**Température**	**Causes possibles**
12 premières heures	Hypothermie à 34,5 °C	Effets de l'anesthésie Perte de chaleur corporelle lors de la chirurgie
24 à 48 heures après la chirurgie	Élévation à 38 °C	Réaction inflammatoire au stress chirurgical
	Au-dessus de 38 °C	Congestion pulmonaire, atélectasie Déshydratation
3ᵉ jour et jours suivants	Élévation au-dessus de 37,7 °C	Infection de la plaie Infection urinaire Infection respiratoire Phlébite

13

Exécution. La douleur postopératoire fait partie des responsabilités de l'infirmière puisque le chirurgien lui remet généralement une ordonnance d'analgésiques et lui indique les mesures de bien-être à appliquer au besoin. Au cours des premières 48 heures ou plus, les analgésiques narcotiques (p. ex. la morphine) sont nécessaires pour soulager la douleur pouvant varier de modérée à intense. Après cette période, les analgésiques narcotiques, comme les anti-inflammatoires non stéroïdiens (AINS), peuvent s'avérer suffisants lorsque la douleur est moins intense.

Au cours des premières 24 à 48 heures, l'infirmière doit administrer les médicaments au besoin et de façon régulière toutes les 3 à 4 heures, pour les raisons suivantes :
- le client obtient un meilleur soulagement lorsque l'analgésique est administré dès qu'il éprouve de la douleur au lieu d'attendre que la douleur soit plus prononcée ;
- une période de bien-être physique est essentielle pour obtenir la collaboration du client aux activités de respiration profonde, de toux, de changement de position et d'ambulation.

Il est important d'administrer rapidement l'analgésique au client lorsqu'il le demande, puisque la douleur altère sa perception du temps et que les minutes peuvent lui sembler des heures.

L'infirmière doit noter l'heure de l'administration de l'analgésique afin de s'assurer que ses bienfaits sont ressentis pendant les activités pouvant occasionner de la douleur chez le client, comme l'ambulation. Bien que les analgésiques narcotiques soient souvent indispensables au bien-être du client en phase postopératoire, ils entraînent certains effets secondaires indésirables. La constipation, les nausées, les vomissements, la dépression respiratoire, la diminution du réflexe tussigène et l'hypotension sont au nombre des effets secondaires les plus souvent observés lors de la prise d'opiacés.

Avant d'administrer des analgésiques, l'infirmière doit d'abord examiner la nature de la douleur du client, notamment son emplacement, ses caractéristiques et son intensité. Par exemple, l'administration d'un analgésique est bénéfique lorsque le client éprouve une douleur au site de l'incision. Par contre, s'il éprouve une douleur au thorax ou aux jambes, la médication ne fera que masquer une complication qui doit être signalée et notée au dossier. S'il s'agit d'une douleur occasionnée par des gaz intestinaux, les narcotiques peuvent aggraver le problème. L'infirmière doit aviser le médecin et lui demander de modifier l'ordonnance si l'analgésique ne réussit pas à soulager la douleur ou rend le client très léthargique ou somnolent.

L'ACC et l'analgésie épidurale représentent deux approches différentes visant le soulagement de la douleur. Les buts de l'ACC consistent à fournir une analgésie immédiate et à maintenir une concentration sanguine constante de l'agent analgésique. L'ACC implique que le client s'administre lui-même des doses prédéterminées d'analgésiques par voie intraveineuse, épidurale ou orale (voir chapitre 5).

L'analgésie épidurale consiste à perfuser des analgésiques dans un cathéter, qui est placé dans l'espace épidural entourant la moelle épinière, afin qu'ils pénètrent directement dans ses récepteurs opiacés. L'administration peut être intermittente ou continue et est surveillée par l'infirmière. L'efficacité générale et la technique d'administration se traduisent par une taux de circulation constant et une diminution de la dose totale de médicaments.

D'autres mesures peuvent aider à prévenir ou soulager la douleur postopératoire. Si le client a subi une chirurgie abdominale, l'infirmière doit lui enseigner comment utiliser ses membres plutôt que ses muscles abdominaux pour se mouvoir et se lever du lit. Des techniques de contrôle de la respiration ou de relaxation peuvent être utilisées pour soulager la douleur. Ces deux méthodes ont des motifs semblables, soit la réduction de l'anxiété, la distraction, la relaxation musculaire et la sensation de maîtriser son expérience de la douleur.

Le rôle de l'infirmière à l'égard de la fièvre en phase postopératoire peut être d'ordre préventif, diagnostique et thérapeutique. Des conditions rigoureuses d'asepsie doivent être maintenues afin de prévenir l'infection de la plaie et du site d'injection, et de fréquentes vérifications doivent être effectuées afin de déceler tout signe précoce d'inflammation.

En général, la température du client est prise toutes les 4 heures pendant les premières 48 heures suivant l'intervention chirurgicale, puis cette fréquence diminue si aucune fièvre n'apparaît. En cas de fièvre, il est possible qu'on prenne des radiographies pulmonaires ou qu'on effectue un prélèvement pour une culture de la plaie, de l'urine ou du sang, selon la cause soupçonnée. Lorsque la fièvre est provoquée par une infection, on doit administrer des antibiotiques dès que les cultures ont été faites. Dans le cas de fièvre extrême (41 °C), on doit administrer au client des antipyrétiques et utiliser des mesures visant à diminuer la température corporelle.

13.2.7 Altérations possibles de la fonction psychologique

Étiologie. Le client en phase postopératoire peut présenter de l'anxiété et des signes de dépression. Ces états peuvent être plus prononcés chez les clients qui ont subi une chirurgie radicale (p. ex. une colostomie) ou une amputation, ou encore chez ceux dont les résultats semblent indiquer un pronostic défavorable (p. ex. une tumeur inopérable). L'infirmière doit être consciente qu'un client ayant des antécédents de troubles névrotiques ou psychotiques risque de souffrir d'anxiété et de dépression postopératoires. Cependant, ces réactions peuvent se manifester chez tout client qui vit un processus de deuil à la suite de la perte d'un organe ou d'une modification de son image corporelle, et elles peuvent être accentuées par une diminution de la réaction au stress.

La confusion et le délirium peuvent être causés par diverses sources psychologiques et physiologiques, notamment les déséquilibres hydroélectrolytiques, l'hypoxémie, la toxicité des médicaments, le manque de sommeil, l'âge, l'altération sensorielle, la privation ou la surcharge sensorielle. Le *delirium tremens* provoqué par le sevrage alcoolique peut être responsable de 25 % de tous les déliriums postopératoires. Le *delirium tremens* est caractérisé par de l'instabilité psychomotrice, de l'insomnie et des cauchemars, de la tachycardie et des hallucinations auditives ou visuelles. Ce délirium peut être traité par l'administration de sédatifs et par la contention du client.

Soins infirmiers : fonction psychologique

Diagnostics infirmiers. Les diagnostics infirmiers reliés aux altérations possibles de la fonction psychologique chez le client en phase postopératoire incluent notamment :

- l'anxiété ;
- les stratégies d'adaptation individuelle inefficaces ;
- la modification de l'image corporelle.

Exécution. L'infirmière doit tenter de prévenir les problèmes psychologiques pendant la phase postopératoire en fournissant un soutien adéquat au client. Ces mesures consistent à prendre le temps d'écouter le client, de lui parler, de lui donner des explications et de le rassurer en demeurant authentique et respectueuse. Il faut de plus encourager la présence et l'aide des proches. L'infirmière doit observer et évaluer le comportement du client et être en mesure de différencier une réaction normale à la situation de stress d'une réaction qui devient anormale ou excessive. La manifestation d'un syndrome de sevrage alcoolique chez un client dont on ignorait qu'il était alcoolique présente un défi particulier. Tout comportement inhabituel ou perturbant doit être signalé immédiatement afin qu'on puisse établir un diagnostic et un traitement adéquats.

GÉRONTOLOGIE
Le client en phase postopératoire

- En général, le rétablissement postopératoire des clients âgés est plus difficile et plus long. La personne âgée est aux prises avec une diminution de la fonction respiratoire, notamment en ce qui a trait à la capacité de tousser, à la compliance thoracique et aux tissus pulmonaires. Ces altérations de la fonction pulmonaire engendrent une augmentation de l'effort de ventilation et diminuent la capacité d'éliminer facilement les agents pharmacologiques. Les réactions aux anesthésiques doivent être surveillées attentivement et leur élimination postopératoire doit être examinée, tandis que le client est encore sous surveillance étroite. La pneumonie constitue une complication postopératoire courante chez les clients âgés.

- La fonction vasculaire de la personne âgée est altérée en raison de la formation de plaques athéromateuses et d'une diminution de l'élasticité des vaisseaux sanguins. La fonction cardiaque est souvent compromise et les réactions compensatoires de changement de la pression artérielle et du volume sanguin sont plus limitées. Les paramètres cardiovasculaires doivent être surveillés étroitement pendant toute la chirurgie et la phase postopératoire.

- Normalement, la perfusion rénale diminue chez la personne âgée. Par conséquent, cela peut entraîner une réduction de la capacité à éliminer les médicaments qui sont excrétés par les reins, ce qui augmente la vulnérabilité du client à l'insuffisance rénale. La fonction rénale doit être examinée attentivement lors de la phase postopératoire.

- L'observation des changements sur le plan cognitif constitue une partie importante des soins postopératoires chez les personnes âgées. Le délire postopératoire est fréquent chez les personnes âgées. Des facteurs comme l'âge, l'abus d'alcool, la présence d'un état cognitif déjà altéré, une perturbation métabolique importante, de l'hypoxie, de l'hypertension et le type de chirurgie semblent contribuer au délire postopératoire. Les anesthésiques, notamment les anticholinergiques et les benzodiazépines, augmentent le risque de délire. Malgré les recommandations ci-dessus, le délire postopératoire chez la personne âgée n'est pas bien compris. Un des moyens qui permet à l'infirmière de distinguer le délire de la démence consiste à observer les signes d'altérations de l'état de conscience, car ceux-ci peuvent indiquer du délire et non de la démence. Une cause potentiellement réversible doit être considérée chez le client manifestant des signes aigus de changement de son état mental, comme une infection ou les effets secondaires des analgésiques.

- La douleur postopératoire tend à être sous-traitée chez tous les clients, notamment les personnes âgées. Beaucoup d'entre elles hésitent à demander des médicaments analgésiques. Elles ont tendance à croire que la douleur constitue une conséquence inévitable de la chirurgie et qu'elles doivent la tolérer. De plus, il est possible que les infirmières n'évaluent pas suffisamment la douleur chez les clients qui ne la signalent pas. Certaines personnes âgées hésitent à apprendre comment utiliser l'ACC. L'infirmière ne doit pas ignorer que la chirurgie engendre de la douleur et que celle-ci risque d'avoir un effet néfaste sur le rétablissement si elle n'est pas traitée. L'infirmière doit bien souligner au client et à sa famille qu'un soulagement adéquat de la douleur favorise même le rétablissement.

13

13.2.8 Planification du congé et du suivi

La préparation du congé du client est un processus continu qui débute à la phase préopératoire et se poursuit tout au long de l'expérience chirurgicale. Un client informé du déroulement de la chirurgie assume davantage de responsabilités quant à la prise en charge de ses soins pendant la phase postopératoire. À l'approche de la sortie du CH, l'infirmière doit s'assurer que le client a reçu l'information suivante :

- les soins de la plaie et les changements de pansements, y compris les recommandations en ce qui concerne le bain ;
- les actions et les effets secondaires des médicaments, ainsi que le moment et la façon de les prendre ;
- les activités permises et défendues, et le moment où elles peuvent être reprises sans danger (p. ex. conduire un véhicule, retourner au travail, avoir des relations sexuelles et s'adonner à des loisirs) ;
- les restrictions ou les modifications alimentaires ;
- les symptômes devant être signalés (p. ex. l'apparition d'une sensibilité au site d'incision ou l'augmentation du drainage, un malaise ressenti dans une autre partie du corps) ;
- le lieu et la date du rendez-vous de suivi chirurgical ;
- toutes les réponses à ses questions ou préoccupations personnelles.

Si le médecin n'a donné aucune information au client quant à l'adoption d'un régime particulier ou à la prescription et à la restriction d'activités, l'infirmière doit demander au client de s'informer à ce sujet, ou du moins l'y encourager. L'infirmière qui s'assure que le client a reçu toutes les consignes nécessaires avant son congé lui évite ainsi toute détresse inutile. Les instructions écrites sont importantes pour appuyer l'information verbale. L'infirmière doit consigner au dossier toutes les instructions que le client et sa famille ont reçues en vue de son congé. Pour le client, la phase postopératoire se poursuit jusqu'à la phase de rétablissement. L'examen et l'évaluation du client après son congé peuvent se faire au moyen d'un appel de suivi ou d'une visite à domicile par l'équipe du CLSC.

Étant donné qu'ils obtiennent leur congé du CH de plus en plus rapidement, les clients ont souvent besoin de nombreux soins médicaux et chirurgicaux à domicile. On s'attend donc à ce qu'ils obtiennent de l'aide de leur famille, d'amis ou du personnel médical afin de poursuivre la prise en charge des soins à domicile. Ces soins peuvent comprendre les changements de pansements, les soins de la plaie et les soins du cathéter ou du tube de drainage. L'infirmière qui est affectée à la planification des congés (l'infirmière de liaison) doit faciliter la transition des soins du CH au domicile dans le but de ne pas compromettre leur qualité.

MOTS CLÉS

Obstruction des voies respiratoires. 377
Hypoxémie 377
Atélectasie 377
Œdème pulmonaire 378
Aspiration 378
Bronchospasme 378
Hypoventilation 378
Hypotension 382
Hypertension. 383
Arythmie 383
Phénomène d'émergence au réveil 384
Réveil retardé 384
Délirium 384
Hypothermie 384
Thrombophlébite superficielle 393
Lipothymie 393
Hoquet. 396

BIBLIOGRAPHIE
Version originale

1. Litwack K: *Post anesthesia care nursing*, ed 2, St Louis, 1995, Mosby.
2. Litwack K: *Immediate postoperative care: a problem-oriented approach*. In Vender J, Spiess B, editors: *Post anesthesia care*, Philadelphia, 1992, Saunders.
3. Litwack K: *Postanesthesia assessment: what medical-surgical nurses need to know*, Medsurg Nurs 2:294, 1993.
4. American Society of Perianesthesia Nurses: *Standards for perianesthesia nursing practice*, Richmond, 1998, The Society.
5. Cole MG, Primeau F, McCusker J: *Effectiveness of interventions to prevent delirium in hospitalized patients: a systematic review*, Can Med Assoc J 155:1263, 1996.
6. Dougherty J: *Same-day surgery: the nurse's role*, Orthop Nurs 15:15, 1996.
7. Verhaeghe R, Verstraete M: *Prophylaxis of venous thromboembolism in surgery*, Acta Chir Belg 97:106, 1997.
8. Litwack K: *The elderly surgical patient*, Sacramento, 1995, CME Resource.
9. Richardson J, Sabanathan S: *Prevention of respiratory complications after abdominal surgery*, Thorax 52(suppl 3):S35, 1997.
10. Bergquist D: *New approaches to prevention of deep vein thrombosis*, Thrombos Haemost 78:684, 1997.
11. Briggs M: *Principles of closed surgical wound care*, J Wound Care 6:288, 1997.
12. Hunt TK, Hopf HW: *Wound healing and wound infection. What surgeons and anesthesiologists can do*, Surg Clin North Am 77:587, 1997.
13. Kravitz M: *Outpatient wound care*, Crit Care Nurs Clin North Am 8:217, 1996.
14. McCaffery M: *Pain assessment and intervention in clinical practice*, ed 2, St Louis, 1999, Mosby.
15. Pasero CL, McCaffery M: *Managing postoperative pain in the elderly*, AJN 96:38, 1996.
16. Nusbaum NJ: *How do geriatric patients recover from surgery?* South Med J 89:950, 1996.
17. Parikh SS, Chung F: *Postoperative delirium in the elderly*, Anesth Analg 80:1223, 1995.

ANNEXE

ANALYSES DE LABORATOIRE

Cecilia C. Dail, Sally Sperry Steen et Lee Danielson

Note importante à l'intention du lecteur

Vous trouverez dans cette annexe des tableaux présentant les principales analyses réalisées en laboratoire médical avec leurs valeurs normales de référence et les causes possibles des valeurs anormales. Les données de laboratoire peuvent varier selon les principes analytiques (chimiques, immunochimiques ou autres) propres aux méthodes utilisées en laboratoire médical et les règles gouvernant l'établissement des intervalles de valeurs normales de référence qui permettent d'interpréter les résultats d'analyse. C'est pourquoi le lecteur moins au fait de ces règles est souvent étonné de trouver dans un volume tel que celui-ci, pour une analyse donnée, des valeurs normales qui sont différentes, par exemple, de celles qui sont fournies par le laboratoire médical de son milieu de pratique professionnelle, hospitalier ou autre. Les différences sont parfois assez importantes pour que le lecteur en déduise qu'il vient de déceler une erreur de la part des auteurs. Le même phénomène survient communément à la lecture de dossiers médicaux contenant des résultats d'analyses provenant de laboratoires différents. Pourquoi en est-il ainsi?

Il faut comprendre, tout d'abord, que pour chacune des analyses offertes par un laboratoire, il existe en général plusieurs méthodes d'analyse, dont la précision, l'exactitude, la sensibilité et la spécificité peuvent être différentes, **sans toutefois altérer la valeur des renseignements cliniques qu'elles fournissent.** Cette situation est particulièrement courante avec les analyses d'enzymes sériques (activité enzymatique) ou les analyses d'hormones, mais se retrouve également avec des paramètres aussi communs que la glycémie.

Un autre facteur important, en partie responsable des différences observées dans les intervalles de valeurs normales de référence, est la variabilité biologique. Tout être vivant en santé travaille à maintenir son homéostasie et connaît des variations normales des compositions biochimique et biologique. Ainsi, l'âge, le sexe, la race, l'état de jeûne, les habitudes alimentaires, le poids corporel, l'activité physique, le stade du cycle ovarien chez la femme, le lieu de résidence et même la posture et l'état psychologique lors du prélèvement biologique peuvent, à des degrés divers, influer sur les résultats d'analyse qui seront obtenus.

Tous ces éléments font en sorte que chaque laboratoire médical est tenu d'établir, pour chacune des analyses offertes, ses propres intervalles de valeurs normales de référence, et ce, pour les méthodes d'analyse utilisées et pour les populations précises de la région où il dispense ses services. Vous pourrez obtenir beaucoup plus d'information à ce sujet en vous adressant, par exemple, au biochimiste responsable du laboratoire de votre milieu de formation ou de travail. Les valeurs normales que vous trouverez ici en annexe vous seront très utiles pour apprendre à connaître les unités du système international (SI) qui s'y appliquent. Cependant, durant votre formation et dans le cours de la pratique professionnelle, **un résultat d'analyse ne devra être interprété qu'avec les valeurs normales de référence du laboratoire ayant fait l'analyse.** C'est d'ailleurs pourquoi, en général, le résultat d'une analyse pour un client sera toujours accompagné des valeurs normales de référence qui serviront à l'interpréter. Si ce n'est pas le cas, n'hésitez pas à les demander.

Enfin, la transmission des résultats d'analyses de laboratoire fait appel à nombre d'abréviations universellement reconnues, mais qui peuvent paraître hermétiques au premier abord. Pour faciliter la lecture des tableaux qui figurent dans la présente annexe, les abréviations employées sont donc définies comme suit :

<	=	plus petit que
>	=	plus grand que
L	=	litre
mEq	=	milliéquivalent
ml	=	millilitre
dl	=	décilitre
mm Hg	=	millimètre de mercure
fl	=	femtolitre (10^{-15})
mm	=	millimètre
g	=	gramme
mg	=	milligramme (10^{-3})
µg	=	microgramme (un millionième de gramme) (10^{-6})
ng	=	nanogramme (un milliardième de gramme) (10^{-9})
pg	=	picogramme (un millième de milliardième de gramme) (10^{-12})
µU	=	micro-unité
µL	=	microlitre
UI	=	unité internationale
mOsm	=	milliosmole
U	=	unité
mmol	=	millimole
µmol	=	micromole
nmol	=	nanomole
pmol	=	picomole
kPa	=	kilopascal
µkat	=	microkatal

TABLEAU 1	Analyse chimique du sérum, du plasma et du sang entier			
	Valeurs normales		**Cause possible d'anomalie**	
Épreuve	**Unités anciennes**	**Unités du SI**	**Probabilité élevée**	**Probabilité faible**

Acétone
  Quantitative
  Qualitative
	0,3-2,0 mg/dl
	Négatif
		52-344 μmol/L
		Négatif
			Acidocétose diabétique, régime hyperlipidique, régime à faible teneur en glucides, inanition	

Acide ascorbique	0,4-1,5 mg/dl	23-85 μmol/L	Hypervitaminose C	Affections des tissus conjonctifs, hépatopathie, néphropathie, rhumatisme articulaire aigu, carence en vitamine C
Acide folique	3-25 ng/ml	7-57 nmol/L	Hypothyroïdie	Alcoolisme, anémie hémolytique, apport alimentaire insuffisant, syndrome de malabsorption, anémie mégaloblastique
Acide lactique	5-20 μg/dl	0,56-2,2 mmol/L	Acidose, insuffisance cardiaque congestive, choc	

Acide urique
  Homme
  Femme
	4,5-6,5 mg/dl
	2,5-5,5 mg/dl
		149-327 μmol/L
		268-387 μmol/L
			Goutte, destruction des tissus, régime alimentaire hyperprotéinique, leucémie, insuffisance rénale, éclampsie	Administration d'uricosuriques

Activité en rénine
  Décubitus dorsal
  Station debout
	1,4-2,9 ng/ml/h
	0,4-4,5 ng/ml/h
		0,39-0,81 ng/L/s
		0,11-1,25 ng/L/s
			Hypertension rénale, diminution du volume (p. ex. hémorragie)	Augmentation de l'apport sodique, aldostéronisme primaire

Albumine	3,5-5,0 g/dl	35-50 g/L	Déshydratation	Hépatopathie chronique, malabsorption, syndrome néphrotique, grossesse
Aldolase	1,0-7,5 U/L	0,02-0,13 μkat/L**	Maladie des muscles squelettiques	Néphropathie
α1-antitrypsine	78-200 mg/dl	0,78-2,0 g/L	Inflammation aiguë et chronique, arthrite, syndrome de stress	Maladie pulmonaire chronique (apparition précoce), malnutrition, syndrome néphrotique
α-fœtoprotéine (AFP)	<15 ng/ml	<15 μg/L	Cancer des testicules et des ovaires, hépatocarcinome	
Ammoniaque	30-70 μg/dl	17,6-41,1 μmol/L	Hépatopathie grave	
Amylase	0-130 U/L (selon la méthode)	0-2,17 μkat/L**	Pancréatite aiguë et chronique, oreillons (affection des glandes salivaires), ulcère perforé	Alcoolisme aigu, cirrhose du foie, destruction généralisée du pancréas
Antigène prostatique spécifique (PSA)	<4 ng/ml	<4 μg/L	Cancer de la prostate	

TABLEAU 1   Analyse chimique du sérum, du plasma et du sang entier (*suite*)

Épreuve	Valeurs normales		Cause possible d'anomalie	
	Unités anciennes	Unités du SI	Probabilité élevée	Probabilité faible
Azote uréique du sang (BUN)	10-30 mg/dl	2,8-8,2 mmol/L	Augmentation du catabolisme des protéines (fièvre, stress), néphropathie, infection des voies urinaires	Malnutrition, lésion grave au foie
Bicarbonate	20-30 mEq/L	20-30 mmol/L	Acidose respiratoire compensée, alcalose métabolique	Alcalose respiratoire compensée, acidose métabolique
Bilirubine Totale Non conjuguée Conjuguée	0,2-1,3 mg/dl 0,1-1,0 mg/dl 0,1-0,3 mg/dl	3,4-22,0 μmol/L 1,7-17,0 μmol/L 1,7-5,1 μmol/L	Obstruction des voies biliaires, altération de la fonction hépatique, anémie hémolytique, anémie pernicieuse, jeûne prolongé	
Calcium	9-11 mg/dl (4,5-5,5 mEq/L)	2,25-2,74 mmol/L	Ostéoporose aiguë, hyperparathyroïdie, intoxication à la vitamine D, myélome multiple	Pancréatite aiguë, hypoparathyroïdie, hépatopathie, syndrome de malabsorption, insuffisance rénale, carence en vitamine D
Calcium ionisé	4-4,6 mg/dl (2-2,3 mEq/L)	1,0-1,15 mmol/L		
Carotène	10-85 μg/dl	0,19-1,58 μmol/L	Fibrose kystique, hypothyroïdie, insuffisance pancréatique	Carence alimentaire, troubles de l'absorption
Chlorure	95-105 mEq/L	95-105 mmol/L	Décompensation cardiaque, acidose métabolique, alcalose respiratoire, corticothérapie, urémie	Maladie d'Addison, diarrhée, alcalose métabolique, acidose respiratoire, vomissements

Cholestérol
HDL (lipoprotéines de haute densité)
  Homme
  Femme
LDL (lipoprotéines de faible densité)
	140-200 mg/dl (selon l'âge)
	
	>45 mg/dl
	>55 mg/dl
	<130 mg/dl
		3,6-5,2 mmol/L
		
		>1,2 mmol/L
		>1,4 mmol/L
		<3,4 mmol/L
			Obstruction des voies biliaires, hypothyroïdie, hypercholestérolémie essentielle, néphropathie, diabète non équilibré	Hépatopathie généralisée, hyperthyroïdie, malnutrition, corticothérapie

Cholinestérase (érythrocyte) Pseudocholinestérase (plasma)	0,65-1,00 pH (méthode Michel) 5-12 U/ml	Identique aux unités anciennes 5000-12 000 U/L	Exercice	Infections aiguës, intoxication aux insecticides, hépatopathie, dystrophie musculaire
Cortisol	8 h : 5-25 μg/dl 20 h : <10 μg/dl	0,14-0,69 μmol/L <0,28 μmol/L	Syndrome de Cushing, pancréatite, stress	Insuffisance surrénale, panhypopituitarisme
Créatine	0,2-1,0 mg/dl	15,3-76,3 μmol/L	Polyarthrite rhumatoïde, obstruction des voies biliaires, hyperthyroïdie, affections rénales, myopathie grave	Diabète

TABLEAU 1	Analyse chimique du sérum, du plasma et du sang entier (*suite*)			
	Valeurs normales		**Cause possible d'anomalie**	
Épreuve	**Unités anciennes**	**Unités du SI**	**Probabilité élevée**	**Probabilité faible**
Créatine-kinase (CK) Homme Femme	 15-105 U/L 10-80 U/L	 0,26-1,79 µkat/L** 0,17-1,36 µkat/L**	Lésion ou affection musculosquelettique, infarctus du myocarde, myocardite grave, exercice, nombreuses injections intramus-culaires, lésion au cerveau	
CK-MB	0-9 U/L	<0,1 µkat/L**	Infarctus aigu du myocarde	
Créatinine	0,5-1,5 mg/dl	44-133 µmol/L	Néphropathie grave	
Cuivre	80-150 µg/dl	12,6-23,6 µmol/L	Cirrhose, femmes prenant des contraceptifs	Maladie de Wilson
Dioxyde de carbone (teneur en CO_2)	20-30 mEq/L	20-30 mmol/L	Identique au bicarbonate	
Fer (capacité de fixation)	250-410 µg/dl	45-73 µmol/L	Carence en fer, contracep-tifs oraux, polycythémie	Cancer, infections chroniques, anémie pernicieuse, urémie
Fer total	50-150 µg/dl	9,0-26,9 µmol/L	Destruction excessive d'érythrocytes	Anémie ferriprive, anémie consécutive à une affection chronique
Ferritine Homme Femme	 20-300 ng/ml 10-120 ng/ml	 20-300 µg/L 10-120 µg/L	Anémie sidéroblastique, anémie liée à une affection chronique (infection, inflammation, hépatopathie)	Anémie ferriprive
γ-glutamyl-transférase (GGT)	0-30 U/L	0-0,5 µkat/L**		Hépatopathie, mononu-cléose infectieuse
Gazométrie du sang artériel (GSA)* pH artériel pH veineux PCO_2 artérielle PCO_2 veineuse PO_2 artérielle PO_2 veineuse	 7,35-7,45 7,35-7,45 35-45 mm Hg 42-52 mm Hg 75-100 mm Hg 30-50 mm Hg	 Identique aux unités anciennes Identique aux unités anciennes 4,67-6,00 kPa** 5,60-6,93 kPa** 10,0-13,33 kPa** 4,0-6,67 kPa**	 Alcalose Alcalose métabolique compensée Acidose respiratoire Administration d'une forte concentration d'oxygène	 Acidose Acidose métabolique compensée Alcalose respiratoire Maladie pulmonaire chronique, diminution du débit cardiaque
Glucose à jeun	70-120 mg/dl	3,89-6,66 mmol/L	Stress aigu, lésions cérébrales, maladie de Cushing, diabète, hyperthyroïdie, insuffisance pancréatique	Maladie d'Addison, hépa-topathie, hypothyroïdie, surdose d'insuline, tumeur du pancréas, insuffisance hypophysaire, syndrome de chasse post-gastrectomie

TABLEAU 1   Analyse chimique du sérum, du plasma et du sang entier (*suite*)

Épreuve	Valeurs normales		Cause possible d'anomalie	
	Unités anciennes	Unités du SI	Probabilité élevée	Probabilité faible
Glucose (tolérance) (épreuve d'hypergly-cémie provoquée)			Diabète	Hyperinsulinisme
À jeun	70-120 mg/dl	3,89-6,66 mmol/L		
30 min	30-60 mg/dl supérieur à la glycémie à jeun	1,67-3,33 mmol/L		
60 min	20-50 mg/dl supérieur à la glycémie à jeun	1,11-2,78 mmol/L		
120 min	5-15 mg/dl supérieur à la glycémie à jeun	0,28-0,83 mmol/L		
180 min	Égale ou inférieur à la glycémie à jeun	Égale ou inférieur à la glycémie à jeun		
Haptoglobine	26-185 mg/dl	260-1850 mg/L	Processus infectieux et inflammatoires, tumeurs malignes	Anémie hémolytique, mononucléose, toxoplas-mose, hépatopathie chronique
Hormone thyréotrope (TSH)	0,3-5,4 μU/ml	0,3-5,4 mU/L	Myxœdème, hypothyroïdie primaire, maladie de Graves	Hypothyroïdie secondaire
Insuline	4-24 μU/ml	29-172 pmol/L	Acromégalie, adénome des cellules sécrétrices d'in-suline, diabète léger de type 2 non traité	Diabète, obésité
Lacticodéshydrogénase (LDH)	50-150 U/L	0,83-2,5 μkat/L**	Insuffisance cardiaque congestive, troubles hémolytiques, hépatite, hépatome malin, infarc-tus du myocarde, anémie pernicieuse, embolie pulmonaire, lésion musculosquelettique	
Lacticodéshydrogénase (isoenzymes)				
LDH_1	20-35 %	0,20-0,35	Infarctus du myocarde, anémie pernicieuse	
LDH_2	30-40 %	0,30-0,40	Embolie pulmonaire, crises d'anémie à hématies falciformes	
LDH_3	15-25 %	0,15-0,25	Lymphome malin, embolie pulmonaire	
LDH_4	0-10 %	0-0,10	Lupus érythémateux, infarctus pulmonaire	
LDH_5	4-12 %	0,04-0,12	Insuffisance cardiaque congestive, hépatite, embolie et infarctus pulmonaires, lésion musculosquelettique	
Lipase	0-160 U/L	0-2,66 μkat/L**	Pancréatite aiguë, troubles hépatiques, ulcère gastroduodénal perforé	

TABLEAU 1	Analyse chimique du sérum, du plasma et du sang entier (*suite*)			
	Valeurs normales		Cause possible d'anomalie	
Épreuve	Unités anciennes	Unités du SI	Probabilité élevée	Probabilité faible
Magnésium	1,5-2,5 mEq/L	0,62-1,03 mmol/L	Maladie d'Addison, hypothyroïdie, insuffisance rénale	Alcoolisme chronique, hyperparathyroïdie, hyperthyroïdie, hypoparathyroïdie, malabsorption grave
Osmolalité	285-295 mOsm/kg	285-295 mmol/kg	Néphropathie chronique, diabète	Maladie d'Addison, traitement diurétique
pH	Voir Gazométrie du sang artériel			
Phénylalanine	0-2 mg/dl	0-121 μmol/L	Phénylcétonurie (PCU)	
Phosphatase acide	0-5,5 U/L	0-90 nkat/L	Maladie osseuse de Paget avancée, cancer de la prostate, hyperparathyroïdie	
Phosphatase alcaline	30-120 U/L	30-120 U/L	Maladies osseuses, hyperparathyroïdie marquée, obstruction des voies biliaires, rachitisme	Hypervitaminose D, hypothyroïdie, syndrome de Burnett
Phosphore inorganique	2,8-4,5 mg/dl	0,90-1,45 mmol/L	Consolidation d'une fracture, hypoparathyroïdie, néphropathie, intoxication à la vitamine D	Diabète, hyperparathyroïdie, carence en vitamine D
Potassium	3,5-5,5 mEq/L	3,5-5,5 mmol/L	Maladie d'Addison, acidocétose diabétique, destruction massive des tissus, insuffisance rénale	Syndrome de Cushing, diarrhées (graves), traitement diurétique, fistules gastro-intestinales, obstruction pylorique, inanition, vomissements
Protéines Totales Albumine Globuline Rapport albumine/globuline	6,0-8,0 g/dl 3,5-5,0 g/dl 2-3,5 g/dl 1,5:1-2,5:1	60-80 g/L 35-50 g/L 20-35 g/L Identique aux unités anciennes	Brûlures, cirrhose (fraction globulinique), déshydratation Myélomes multiples (fraction globulinique), choc, vomissements	Agammaglobulinémie, hépatopathie, malabsorption Malnutrition, syndrome néphrotique, protéinurie, néphropathie, brûlures graves
Saturation artérielle en oxygène (SaO_2)	95-98 %	0,95-0,98	Polycythémie	Anémie, décompensation cardiaque, troubles respiratoires
Sodium	135-145 mEq/L	135-145 mmol/L	Déshydratation, altération de la fonction rénale, aldostéronisme primaire, corticothérapie	Maladie d'Addison, acidocétose diabétique, traitement diurétique, perte excessive provenant du tractus gastro-intestinal, diaphorèse, intoxication hydrique

TABLEAU 1   Analyse chimique du sérum, du plasma et du sang entier (*suite*)

Épreuve	Valeurs normales		Cause possible d'anomalie	
	Unités anciennes	Unités du SI	Probabilité élevée	Probabilité faible
T_4 totale (thyroxine)	5-12 µg/dl	64-154 nmol/L	Hyperthyroïdie, thyroïdite	Hypothyroïdie congénitale, hypothyroïdie, myxœdème
T_4 libre (thyroxine)	0,8-2,3 ng/dl	10-30 pmol/L		
T_3 (triiodothyronine)	110-230 ng/dl	1,7-3,5 nmol/L	Hyperthyroïdie	Hypothyroïdie
T_3 (fixation)	25-35 %	0,25-0,35	Hyperthyroïdie, néoplasmes métastatiques	Hypothyroïdie, grossesse
Testostérone Homme Femme	300-1200 ng/dl 25-90 ng/dl	10,4-41,6 nmol/L 0,87-3,1 nmol/L	Syndrome des ovaires polykystiques, tumeurs virilisantes	Hypofonction testiculaire
Transaminases Sérum glutamo-oxalacétique transaminase (SGOT) ou aspartate amino-transférase (AST) Sérum glutamo-pyruvique transminase (SGPT) ou alanine-aminotransférase (ALT)	7-40 U/L 5-36 U/L	0,12-0,67 µkat/L** 0,08-0,6 µkat/L**	Hépatopathie, infarctus du myocarde, infarctus pulmonaire, hépatite aiguë Hépatopathie, choc	
Triglycérides	40-150 mg/dl	0,45-1,69 mmol/L	Diabète, hyperlipidémie, hypothyroïdie, hépatopathie	Malnutrition
Vitamine A	15-60 µg/dl	0,52-2,09 µmol/L	Hypervitaminose A	Carence en vitamine A
Vitamine B_{12}	200-1000 pg/ml	148-738 pmol/L	Leucémie myéloïde chronique	Végétalisme, syndrome de malabsorption, anémie pernicieuse, gastrectomie totale ou partielle
Zinc	50-150 µg/dl	7,6-22,9 µmol/L		Cirrhose alcoolique

*Étant donné que l'altitude influe sur la gazométrie du sang artériel, la valeur de la PO_2 diminue à mesure que l'altitude augmente. Une valeur faible est normale à une altitude de 1,61 km.
** Les unités du SI ne sont pas utilisées au Québec.

TABLEAU 2	Hématologie			
Épreuve	**Valeurs normales**		**Cause possible d'anomalie**	
	Unités anciennes	**Unités du SI**	**Probabilité élevée**	**Probabilité faible**
Concentration globulaire moyenne en hémoglobine	32-36 %	0,32-0,36	Sphérocytose	Anémie hypochrome
D-dimères	Négatifs	Négatifs	CID, infarctus du myocarde, thrombose veineuse profonde (TVP), angine instable	
Fibrinogène	200-400 mg/dl	2,0-4,0 g/L	Brûlures (après les 36 premières heures), maladie inflammatoire	Brûlures (pendant les 36 premières heures), CID, hépatopathie grave
Formule leucocytaire Neutrophiles multilobaires	50-70 %	0,50-0,70	Infections bactériennes, collagénoses, maladie de Hodgkin	Anémie aplastique, infections virales
Neutrophiles non segmentés	0-8 %	0-0,08	Infections aiguës	
Lymphocytes	20-40 %	0,20-0,40	Infections chroniques, leucémie lymphoblastique, mononucléose, infections virales	Corticothérapie, radiothérapie du corps entier
Monocytes	4-8 %	0,04-0,08	Troubles inflammatoires chroniques, malaria, leucémie monocytaire, infections aiguës, maladie de Hodgkin	
Éosinophiles	0-4 %	0-0,04	Réactions allergiques, leucémie éosinophile et granulocytaire, troubles parasitaires, maladie de Hodgkin	Corticothérapie
Basophiles	0-2 %	0-0,02	Hyperthyroïdie, colite ulcéreuse, syndrome myéloprolifératif	Hyperthyroïdie, stress
Hématocrite (varie en fonction de l'altitude)** Homme Femme	40-54 % 38-47 %	0,40-0,54 0,38-0,47	Déshydratation, haute altitude, polycythémie	Anémie, hémorragie, hyperhydratation
Hémoglobine (varie en fonction de l'altitude)** Homme Femme	13,5-18,0 g/dl 12,0-16,0 g/dl	135-180 g/L 120-160 g/L	BPCO, haute altitude, polycythémie	Anémie, hémorragie
Hémoglobine glycosylée	4,0-6,0 %	Identique aux unités anciennes	Diabète mal équilibré	Drépanocytose Insuffisance rénale chronique Grossesse

Épreuve	Valeurs normales		Cause possible d'anomalie	
	Unités anciennes	Unités du SI	Probabilité élevée	Probabilité faible
TABLEAU 2 Hématologie (suite)				

Méthode de Westergren (vitesse de sédimentation globulaire [VSG])
Homme <50 ans
       >50 ans
Femme <50 ans
       >50 ans
	<15 mm/h
	<20 mm/h
	<20 mm/h
	<30 mm/h
		Identique aux unités anciennes
		Identique aux unités anciennes
			Augmentation modérée : hépatite aiguë, infarctus du myocarde ; polyarthrite rhumatoïde ; augmentation prononcée : infections bactériennes aiguës et graves, tumeurs malignes, maladie inflammatoire pelvienne	Malaria
				Hépatopathie grave
				Drépanocytose

Numération érythrocytaire** (en fonction de l'altitude) Homme Femme	$4,5\text{-}6,0 \times 10^6/\mu L$ $4,0\text{-}5,0 \times 10^6/\mu L$	$4,5\text{-}6,0 \times 10^{12}/L$ $4,0\text{-}5,0 \times 10^{12}/L$	Déshydratation, hautes altitudes, polycythémie vraie, diarrhée grave	Anémie, leucémie post-hémorragique
Numération leucocytaire**	$4,0\text{-}11,0 \times 10^3/\mu l$	$4,0\text{-}11,0 \times 10^9/L$	Processus inflammatoires et infectieux, leucémie	Anémie aplastique, effets indésirables de la chimiothérapie et de la radiothérapie
Numération plaquettaire (thrombocytes)	$150\text{-}400 \times 10^3/\mu l$	$150\text{-}400 \times 10^9/L$	Infections aiguës, leucémie granulocytaire, pancréatite aiguë, cirrhose, collagénoses, polycythémie, postsplénectomie	Leucémie aiguë, CID, purpura thrombopénique
Numération réticulocytaire (manuelle)	0,5-1,5 % de la numération érythrocytaire	Identique	Anémie hémolytique, polycythémie vraie	Anémie hypoproliférative, anémie macrocytaire, anémie microcytaire
Produits de dégradation de la fibrine (PDF)	<10 $\mu g/ml$	Identique aux unités anciennes	CID aiguë, hémorragie massive, fibrinolyse primaire	
Répartition érythrocytaire	10,2-14,5 %	Identique aux unités anciennes		Anisocytose, anémie macrocytaire, anémie microcytaire
Temps de céphaline activée (TCA)	30-45 s*	Identique aux unités anciennes	Déficit en facteurs I, II, V, VIII, IX, X, XI et XII ; hémophilie, hépatopathie, héparinothérapie	
Temps de prothrombine (TP) ou temps de Quick	10-14 s*	Identique aux unités anciennes	Traitement à la warfarine, déficit en facteurs I, II, V, VII et X, carence en vitamine K, hépatopathie	

TABLEAU 2	Hématologie (*suite*)			
	Valeurs normales		**Cause possible d'anomalie**	
Épreuve	**Unités anciennes**	**Unités du SI**	**Probabilité élevée**	**Probabilité faible**
Temps de saignement (Simplate)	3,0-9,5 min	180-570 s	Anomalies de la fonction plaquettaire, thrombopénie, maladie de von Willebrand-Jürgens, ingestion d'acide acétylsalicylique, affection vasculaire	
Teneur globulaire moyenne en hémoglobine	27-33 pg	Identique aux unités anciennes	Anémie macrocytaire	Anémie microcytaire
Test de solubilité des hématies falciformes	Négatif	Négatif	Drépanocytose	
Volume globulaire moyen (VGM)	82-98 fl	Identique aux unités anciennes	Anémie macrocytaire	Anémie microcytaire

*Les données varient en fonction des réactifs et des instruments utilisés.
**Composants de la formule sanguine.
CID : coagulation intravasculaire disséminée ; BPCO : bronchopneumopathie chronique obstructive.

TABLEAU 3   Sérologie-immunologie

Épreuve	Valeurs normales		Cause possible d'anomalie	
	Unités anciennes	Unités du SI	Probabilité élevée	Probabilité faible
Anticorps anti-ADN	Négatif ou titre <1:10 ou liaison <20 %	Identique aux unités anciennes	Lupus érythémateux disséminé	
Anticorps anti-RNP	Négatif	Négatif	Callogénoses mixtes, polyarthrite rhumatoïde, lupus érythémateux disséminé, syndrome de Sjögren, sclérodermie	
Anticorps anti-Sm (Smith)	Négatif	Négatif	Lupus érythémateux disséminé	
Anticorps antinucléaire	Négatif ou titre <1:10	Identique aux unités anciennes	Hépatite chronique, polyarthrite rhumatoïde, sclérodermie, lupus érythémateux disséminé	
Anticorps antithyroïde	Titre ≤1:10	Identique aux unités anciennes	Thyroïdite chronique de Hashimoto, carcinome de la thyroïde, hypothyroïdie précoce, anémie pernicieuse, lupus érythémateux disséminé, maladie de Graves	
Anticorps de l'hépatite A	Négatif	Négatif	Hépatite A	
Anticorps de l'hépatite C	Négatif	Négatif	Hépatite C	
Antigène carcino-embryonnaire (ACE)	≤2,5 ng/ml	≤2,5 µg/L	Carcinome du côlon, du foie, du pancréas ; tabagisme chronique ; maladie intestinale inflammatoire ; autres cancers	
Antigène de surface de l'hépatite B (Ag HB$_s$)	Négatif	Négatif	Hépatite B	
Antistreptolysine-O (ASO)	≤166 unités Todd ou ≤1:85	Identique aux unités anciennes	Glomérulonéphrite aiguë, rhumatisme articulaire aigu, infection streptococcique	
Facteur rhumatoïde	Négatif ou titre <1:20	Identique aux unités anciennes	Polyarthrite rhumatoïde, syndrome de Sjögren, lupus érythémateux disséminé	
Immunofluorescence absorbée (FTA-Abs)	Non réactive	Négative	Syphilis	

TABLEAU 3	Sérologie-immunologie (*suite*)			
	Valeurs normales		**Cause possible d'anomalie**	
Épreuve	**Unités anciennes**	**Unités du SI**	**Probabilité élevée**	**Probabilité faible**
Immunoglobuline				
IgA	90-400 mg/dl	0,9-4,0 g/L	Myélome à IgA, hépatopathie chronique, infection chronique, polyarthrite rhumatoïde, troubles auto-immuns	Brûlures, télangiectasie héréditaire, syndrome de malabsorption
IgD	0,5-12 mg/dl	5-120 mg/L	Infection chronique, maladie des tissus conjonctifs	
IgE	<1 mg/dl	<10 mg/L	Choc anaphylactique, callogénoses (allergies), infections parasitaires	
IgG	650-1800 mg/dl	6,5-18,0 g/L	Infections aiguës ou chroniques, hépatite, dysglobulinémie monoclonale à l'IgG, lupus érythémateux disséminé	Déficiences congénitales, déficiences acquises, syndrome néphrotique, brûlures, immunodépression
IgM	55-300 mg/dl	0,5-3,0 g/L	Infections aiguës, polyarthrite rhumatoïde, hépatopathie	Immunodéficiences congénitales et acquises, leucémie lymphocytaire, entéropathies par perte protéique
Monospot ou Mono-Test	Négatif	Négatif	Mononucléose infectieuse	
Protéine C réactive (PCR)	Négative ou ≤1,2 mg/dl	Identique aux unités anciennes	Infections aiguës, tout état inflammatoire, tumeurs malignes généralisées	
Protéines du complément				Glomérulonéphrite aiguë, lupus érythémateux disséminé, polyarthrite rhumatoïde, endocardite maligne lente, maladie du sérum
C1q	11-21 mg/dl	0,11-0,21 g/L		
C3	80-180 mg/dl	0,8-1,8 g/L		
C4	15-50 mg/dl	0,15-0,5 g/L		
Test direct à l'antiglobuline ou test de Coombs direct	Négatif	Négatif	Anémie hémolytique auto-immune, anémie aiguë curable du nouveau-né, réactions aux médicaments, réactions transfusionnelles	
Test RPR	Non réactif	Identique aux unités anciennes	Syphilis, lupus érythémateux disséminé, polyarthrite rhumatoïde, lèpre, malaria, maladies fébriles, usage abusif de drogues par voie intraveineuse	
Test VDRL	Non réactif	Identique aux unités anciennes	Syphilis	

ADN : acide désoxyribonucléique ; RNP : ribonucléoprotéine ; RPR : (test) rapide de la réagine plasmatique ; VDRL : *Venereal Disease Research Laboratory*.

TABLEAU 4   Analyse chimique de l'urine

Épreuve	Échantillons	Valeurs normales		Cause possible d'anomalie	
		Unités anciennes	Unités du SI	Probabilité élevée	Probabilité faible
Acétone	Aléatoire	Négative	Négative	Diabète, régime alimentaire hyperlipidique et à faible teneur en glucides, état d'inanition	
Acide 5-hydroxy-indole acétique (5-HIA)	24 h	2-9 mg/jour	10,5-47,1 μmol/jour	Syndrome carcinoïde malin	
Acide pyruvique	Aléatoire	Négatif	Négatif	Phénylcétonurie	
Acide urique	24 h	250-750 mg/jour	1,5-4,5 mmol/jour	Goutte, leucémie	Néphrite
Acide vanillyl-mandélique	24 h	1-8 mg/jour 1,5-7 μg/mg de créatine	5-40 μmol/jour	Phéochromocytome	
Acidité titrable	24 h	20-50 mmol/jour	Identique aux unités anciennes	Acidose métabolique	Alcalose métabolique
Aldostérone	24 h	1-80 μg/jour (selon le sodium urinaire)	2,7-222 nmol/jour	Aldostéronisme primaire : tumeurs corticosurrénales ; aldostéronisme secondaire : insuffisance cardiaque, cirrhose, dose massive d'ACTH, syndrome de déplétion sodique	Carence en ACTH, maladie d'Addison, corticothérapie
Amylase	24 h	1-17 U/24 h	Identique aux unités anciennes	Pancréatite aiguë	
Bilirubine	Aléatoire	Négative	Négative	Hépatite	
Calcium	24 h	100-250 mg/jour	2,5-6,3 mmol/jour	Tumeur osseuse, hyper-parathyroïdie, syndrome de Burnett	Hypoparathyroïdie, malab-sorption du calcium et de la vitamine D
Catécholamines Adrénaline Noradrénaline	24 h	<20 μg/jour <100 μg/jour	<118 nmol/jour <591 nmol/jour	Phéochromocytome, dystrophie musculaire progressive, insuffisance cardiaque	
Chlorure	24 h	110-250 mEq/jour	110-250 mmol/jour	Maladie d'Addison	Brûlures, diaphorèse, vomissements, diarrhée, menstruation
Coproporphyrine	24 h	50-200 μg/jour	76-305 nmol/jour	Saturnisme, usage de contraceptifs oraux, poliomyélite	
Corps cétoniques	24 h	20-50 mg/jour	0,34-0,86 mmol/jour	Cétonurie marquée	

TABLEAU 4	Analyse chimique de l'urine (*suite*)				
		Valeurs normales		**Cause possible d'anomalie**	
Épreuve	**Échantillons**	**Unités anciennes**	**Unités du SI**	**Probabilité élevée**	**Probabilité faible**
Créatine	24 h	<100 mg/jour	<763 μmol/jour	Hépatocarcinome, hyperthyroïdie, diabète, maladie d'Addison, infections, brûlures, dystrophie musculaire, atrophie des muscles squelettiques	Hypothyroïdie
Créatinine	24 h	0,8-2,0 g/jour	7,1-17,7 mmol/jour	Anémie, leucémie, amyotrophie, salmonelle	Néphropathie
Créatinine (clairance)	24 h	85-135 ml/min	1,42-2,25 ml/s		Néphropathie
Cuivre	24 h	<30 μg/jour	<0,5 μmol/jour	Cirrhose, maladie de Wilson	
Densité	Aléatoire	1,003-1,030	Identique aux unités anciennes	Albuminurie, déshydratation, glycosurie	Diabète insipide
Glucose	Aléatoire	Négatif	Négatif	Diabète, faible seuil rénal de dissolution du glucose, stress physiologique, troubles hypophysaires	
Hémoglobine	Aléatoire	Négative	Négative	Brûlures importantes, glomérulonéphrite, anémie hémolytique, réactions hémolytiques transfusionnelles	
Métanéphrine	24 h	<1,3 mg/jour	<7,1 μmol/jour	Phéochromocytome	
Myoglobine	Aléatoire	Négative	Négative	Lésion par écrasement, électrocution, effort physique extrême	

Œstrogènes
  Femme
    Pic préovulatoire
    Pic lutéal
    Grossesse
 	
    Ménopause
  Homme
	24 h	
		
		28-100 μg/jour
		22-80 μg/jour
		Jusqu'à
		  45 000 μg/jour
		1,4-19,6 μg/jour
		5-18 μg/jour
			
			104-370 nmol/jour
			81-296 nmol/j
			Jusqu'à
			  166 455 nmol/jour
			5,2-72,5 nmol/jour
			18-67 nmol/jour
				Tumeur gonadique ou surrénale	Agénésie des ovaires, trouble endocrinien, dysfonctionnement ovarien, ménopause

pH	Aléatoire	4,0-8,0	Identique aux unités anciennes	Insuffisance rénale chronique, phase compensatoire de l'alcalose, intoxication salicylée, végétarisme	Phase compensatoire de l'acidose, déshydratation, emphysème
Phosphore inorganique	24 h	0,9-1,3 g/jour	29-42 mmol/jour	Fièvre, hypoparathyroïdie, épuisement dû à la nervosité, rachitisme, tuberculose	Infections aiguës, néphrite

TABLEAU 4   Analyse chimique de l'urine (*suite*)

Épreuve	Échantillons	Valeurs normales Unités anciennes	Valeurs normales Unités du SI	Cause possible d'anomalie Probabilité élevée	Cause possible d'anomalie Probabilité faible
Plomb	24 h	<100 µg/jour	<0,48 µmol/jour	Saturnisme	
Porphobilinogène	Aléatoire 24 h	Négatif <2,0 mg/jour	Négatif <9 µmol/jour	Porphyrie aiguë intermittente, troubles hépatiques	
Protéines (bandelette réactive)	Aléatoire	Négatives	Négatives	Insuffisance cardiaque congestive, néphrite, syndrome néphrotique, stress physiologique	
Protéines (quantitatives)	24 h	<150 mg/jour	<0,15 g/jour	Insuffisance cardiaque, inflammation des voies urinaires, néphrite, syndrome néphrotique, toxémie, hypertension gravidique	
Protéine de Bence Jones	Aléatoire	Négative	Négative	Myélome multiple, obstruction des voies biliaires	
Sodium	24 h	40-250 mEq/jour	40-250 mmol/jour	Nécrose tubulaire aiguë	Hyponatrémie
Urobilinogène urinaire	24 h	0,5-4,0 UE/jour	0-6,8 µmol/24 h	Maladie hémolytique, lésion hépatique parenchymateuse, hépatopathie	Obstruction complète des voies biliaires
	Aléatoire	<1,0 UE	Identique aux unités anciennes		
Uroporphyrine	Aléatoire	Aléatoire	Identique aux unités anciennes	Porphyrie	

ACTH : hormone adrénocorticotrope ; UE : unité Ehrlich.

TABLEAU 5	Analyse du contenu gastrique			
Épreuve	**Valeurs normales**		**Cause possible d'anomalie**	
	Unités anciennes	**Unités du SI**	**Probabilité élevée**	**Probabilité faible**
Basal				
Acide chlorhydrique libre	0-40 mEq/L	0-40 mmol/L	Hypermotilité de l'estomac	Anémie pernicieuse
Acidité totale	15-45 mEq/L	15-45 mmol/L	Ulcères gastriques et duodénaux, syndrome de Zollinger-Ellison (SZE)	Cancer de l'estomac, gastrites graves
Poststimulation				
Acide chlorhydrique libre	10-130 mEq/L	10-13 mmol/L		
Acidité totale	20-150 mEq/L	20-150 mmol/L		

TABLEAU 6	Analyse des selles			
Épreuve	**Valeurs normales**		**Cause possible d'anomalie**	
	Unités anciennes	**Unités du SI**	**Probabilité élevée**	**Probabilité faible**
Couleur				
Brune			Couleurs variées selon le régime alimentaire	
Argile			Obstruction des voies biliaires ou présence de sulfate de baryum	
Goudron			Plus de 100 ml de sang dans le tractus gastro-intestinal	
Rouge			Présence de sang dans le gros intestin	
Noire			Présence de sang dans le tractus gastro-intestinal supérieur ou médicaments à base de fer	
Graisses fécales	<6 g/24 h	Identique aux unités anciennes	Pancréatopathie chronique, obstruction de la voie biliaire principale, syndrome de malabsorption	
Mucus	Négatif	Négatif	Syndrome du côlon irritable, constipation spasmodique	
Pus	Négatif	Négatif	Dysenterie bacillaire chronique, colite ulcéreuse chronique, abcès localisés	
Sang*	Négatif	Négatif	Fissures anales, hémorroïdes, tumeur maligne, ulcères gastroduodénaux, maladie intestinale inflammatoire	
Urobilinogène fécale	30-220 mg/100 g de selles	51-372 μmol/100 g de selles	Anémie hémolytique	Obstruction complète des voies biliaires

*L'ingestion de viandes peut entraîner un résultat faux positif. Un régime végétarien peut être prescrit au client trois jours avant le test.

TABLEAU 7 — Analyse du liquide céphalorachidien

Épreuve	Valeurs normales		Cause possible d'anomalie	
	Unités anciennes	Unités du SI	Probabilité élevée	Probabilité faible
Chlorure	100-130 mEq/L	100-130 mmol/L	Urémie	Infections bactériennes du SNC (méningite, encéphalite)
Glucose	40-75 mg/dl	2,5-4,2 mmol/L	Diabète, infections virales du SNC	Infections bactériennes et tuberculose du SNC
Numération globulaire (selon l'âge) Leucocytes	0-5 cellules/μL	0-5 cellules $\times$ 10^6/L	Inflammation ou infections du SNC	
Érythrocytes	0	0 $\times$ 10^6/L		
Pression	60-150 mm H_2O	Identique aux unités anciennes	Hémorragie, tumeur intracrânienne, méningite	Traumatisme crânien, tumeur de la moelle épinière, hématome sous-dural
Protéine Lombaire	15-45 mg/dl	0,15-0,45 g/L	Syndrome de Guillain-Barré, poliomyélite, choc traumatique	
Cisternale Ventriculaire	15-25 mg/dl 5-15 mg/dl	0,15-0,25 g/L 0,05-0,15 g/L	Syphilis du SNC Méningite aiguë, tumeur cérébrale, infections chroniques du SNC, sclérose en plaques	
Sang	Négatif	Négatif	Hémorragie intracrânienne	

SNC : système nerveux central.

TABLEAU 8   Toxicologie des médicaments et des substances d'usage courant

Épreuve	Valeurs thérapeutiques		Toxicité	
	Unités anciennes	Unités du SI	Unités anciennes	Unités du SI
Acétaminophène (Tylenol)	0,2-0,6 mg/dl	13-40 μmol/L	>5 mg/dl	>330 μmol/L

Barbituriques
  Action brève
 	
  Action intermédiaire
  Action prolongée
	
	1-2 mg/dl
	
	1-5 mg/dl
	15-35 mg/dl
		Varie en fonction la composition du mélange	
			>5 mg/dl
			
			>10 mg/dl
			>40 mg/dl	

Chlordiazépoxide (Librax)	0,05-5,0 mg/L	2-17 μmol/L	>10 mg/L	>33 μmol/L
Chlorpromazine (Largactil)	0,5 μg/ml	1,6 μmol/L	>2,0 μg/ml	>6,3 μmol/L
Diazépam (Valium)	0,10-0,25 mg/L	0,35-0,88 μmol/L	>1,0 mg/L ≥2,0 mg/L (létal)	>3,5 μmol/L

Gentamicine (Garamycin)
  Pic
  Creux
	
	4-10 mg/L
	<2 mg/L
		
		9-22 μmol/L
		<4 mmol/L
			
			>10 mg/L
			>2 mg/L
				
				>22 μmol/L
				>4 μmol/L

Monoxyde de carbone
(carboxyhémoglobine)
  Valeurs normales
 	
  Non-fumeurs en milieu
    urbain
  Non-fumeurs en milieu
    rural
  Fumeurs
 	
  Gros fumeurs
	
	<5 % saturation de l'hémoglobine
	<5 % saturation de l'hémoglobine
	0,5-2 % saturation de l'hémoglobine
	5-9 % saturation de l'hémoglobine
	>9 % saturation de l'hémoglobine
		
		<0,05
		
		<0,05
		
		0,005-0,02
		
		0,05-0,09
		
		>0,09
			
			Symptôme lorsque la saturation est >20 %
				
				>0,20

Phénytoïne (Dilantin)	10-20 mg/L	40-80 μmol/L	>30 mg/L	>120 μmol/L
Préparations digitaliques Digoxine (Lanoxin)	 0,8-2,4 ng/ml	 1,0-3,1 nmol/L	 >2,5 ng/ml	 >2,6 nmol/L
Propranolol (Indéral)	50-100 ng/ml	192-386 nmol/L	>200 ng/ml	>771 nmol/L
Salicylates	10-20 mg/dl	0,724-1,45 mmol/L	>20 mg/dlà	>1,45 mmol/L
Alcool			>60 mg/dl (létal)	>4,34 mmol/L

INDEX

3TC. *Voir* Lamivudine
5-ASA (Mesasal, Asacol, Pantasa), t3-172
5-FU. *Voir* Fluorouracile
6-MP (Purinethol), t3-182

A

AAS. *Voir* Acide acétylsalicylique
AAT. *Voir* Antigènes, associés aux tumeurs
Abcès anorectal, t3-211
Abcès cérébral, t4-255
Abcès périamygdalien, t2-48
Abcès pulmonaire, t2-99
Abciximab (Reopro), t2-382
Abdomen
    examen, t3-15
    soins d'urgence, t3-165
    structures dans les régions abdominales, t3-16
    traumatisme, t3-164
    Voir aussi Douleur abdominale
Abdomen et bassin, évaluation secondaire à l'urgence, t2-721
Acarbose (Prandase), t3-454
Accident vasculaire cérébral (AVC), t2-725, t4-259-290
    alimentation
        autonome, t4-286
            orale, t4-282
        altérations intellectuelles, t4-267
        altérations proprioceptives, t4-268, t4-283, t4-287
        communication et langage, t4-266-267, t4-283, t4-288
        déficits moteurs, t4-266
        dépistage précoce, recherche, t4-280
        facteurs de risque, t4-259
        gérontologie, t4-289
        intégration communautaire, t4-288
        manifestations cliniques, t4-265-266
        prévention, t4-269
        processus diagnostique et thérapeutique, t4-270
            enseignement d'exercices, t4-280-281
            épreuves diagnostiques, t3-268
            interventions infirmières, t4-280
            mesures d'urgence, t4-271
            pharmacothérapie, t4-269, t4-272
            plan de soins infirmiers, t4-275-278
            soins ambulatoires et soins à domicile, t4-284
            soins en phase aiguë, t4-270
            soins infirmiers, t4-274
        réadaptation, t4-273, t4-284-285
        recommandations nutritionnelles, t4-286
        signes avant-coureurs, t4-279

stratégie d'adaptation, t4-284, t4-288
        traitement chirurgical, t4-270, t4-273
        troubles d'élimination, t4-268, t4-287
        types
            complet, t4-265
            embolique, t4-263
            évolutif, t4-265
            hémorragie intracérébrale, t4-264
            hémorragie sous-arachnoïdienne, t4-264
            temporal, t4-265
            thrombotique, t4-262
Accolate. *Voir* Zafirlukast
Accomodation visuelle, t4-4, t4-7
ACD. *Voir* Association canadienne de dermatologie
Acébutolol (Sectral, Monitan), t2-384
Acétaminophène (Tylenol), t1-119, t2-282, t2-497, t2-600, t3-398, t3-400, t3-620
    arthrose, t4-485
    AVC et, t4-273
    céphalée, t4-295-296
    goutte, t4-510
Acétonide de triamcinolone (Kenalog), t4-106
Acétylcholine (ACh), t4-186, t4-391
Acétylcystéine nébulisée (Mucomyst), t2-622
Achlorhydrie, t3-110
Acide acétylsalicylique (AAS), t1-119, t1-143, t1-187, t2-96, t2-136, t2-156, t2-246, t2-250, t2-301, t2-377, t2-382-383, t2-391, t2-448, t2-454, t2-497, t2-547, t2-555-556, t3-109, t3-113, t3-121, t3-123-124, t3-127, t3-192, t3-297, t3-419
    céphalée, t4-296
    et butalbital (Fiorinal, Tecnal, Trianal), t4-296
    polyarthrite rhumatoïde, t4-496
    prévention de l'AVC, t4-269, t4-273
    produits contenant, t2-250
Acide alginique, t3-100
Acide epsilon aminocaproïque (Amicar), t2-261
Acide éthacrynique (Edecrin), t2-433, t3-355
    augmentation de la PIC, t4-221
Acide folique (vitamine B$_9$), carence, t2-235
    suppléments, t3-208
Acide hyaluronique (Synvisc, NeoVisc)
    arthrose, t4-485
Acide nicotinique (niacine), t2-374
Acide transrétinoïque (trétinoïne), t2-267
Acide trichloracétique (TCA), t3-624
Acide valproïque (Depakene), t4-344

Acide zolédronique (Zometa), t3-521
Acidocétose diabétique, t3-474
    processus thérapeutique, t3-475
    soins d'urgence, t3-477
    soins infirmiers, t3-478
Acidose, t1-328
Acidose métabolique, t3-94, t3-353, t3-362
Acilac. *Voir* Lactulose
Acné juvénile, t4-105
ACP. *Voir* Amplification en chaîne par polymérase
Acromégalie, t3-490
ACTH. *Voir* Adrénocorticotrophine ; Corticotrophine ; Hormone adrénocorticotrope
Acticoat. *Voir* Pansements d'argent
Activase rt-PA. *Voir* Alteplase
Activateur tissulaire du plasminogène (Alteplase), t4-272
Activité électrique sans pulsation, t2-478
Activité et troubles cutanés, t4-102
Activité physique. *Voir* Exercice
Actonel. *Voir* Risédronate
Actos. *Voir* Pioglitazone
ACTP. *Voir* Angioplastie coronarienne transluminale percutanée
Acuité visuelle
    affaiblissement, t4-6
    évaluation, t4-12, t4-16
Acupression, t1-129
Acupuncture, t1-131, t1-372
    anesthésie par, t1-372
    et céphalée, t4-295
Acyclovir (Zovirax), t3-620
    encéphalite, t4-255
    paralysie de Bell et herpès simplex, t4-348
Adalat. *Voir* Nifédipine
Addison, maladie d'. *Voir* Maladie d'Addison
Adénocarcinome de l'œsophage. *Voir* Œsophage, cancer
Adénohypophyse, t3-413
Adénosine (Adenocard), t2-128, t2-470
Adénosine triphosphate (ATP), t1-304
Adénosine triphosphorique (ATP), t4-392
ADH. *Voir* Hormone antidiurétique
Adhérences, t1-157
ADN, recombinaison de, t1-205-206
Adolescents
    anorexie mentale, jeune adulte, t3-41
    nutrition, t3-33
Adrenalin. *Voir* Épinéphrine
Adrénaline, t2-136
Adrénocorticotrophine (ACTH), t4-313
Adriamycin. *Voir* Doxorubicine
Adulte d'âge moyen

concept et estime de soi, t1-42
développement familial, t1-47
promotion de la santé, t1-49
sexualité, t1-45
stress relatif à la maladie, t1-51
Adulte, développement de, t1-35-53
    biologique, t1-36
    caractéristiques selon les modèles théoriques, t1-41
    changements physiologiques, t1-48
    concept et estime de soi, t1-41
    intelligence, t1-43
    mémoire, t1-45
    passage de la vie à la mort, t1-42
    processus sociaux, t1-46
    psychologique, t1-38
    sexualité, t1-45
    stress lié à la maladie, t1-50
    tâches familiales et, t1-46
    théorie d'Erikson, t1-38
    théorie de Havighurst, t1-40
    théorie de Levinson, t1-40
    théorie de Peck, t1-40
    théories des stades du, t1-40
Adulte, jeune
    concept et estime de soi, t1-41
    développement familial, t1-46
    promotion de la santé, t1-48
    sexualité, t1-44
    stress relatif à la maladie, t1-50
Advair Diskus. *Voir* Salmétérol
Advil. *Voir* Ibuprofène
Aérosols-doseurs, problèmes d'utilisation, t2-151
Aérosols nasaux, t2-41
Aérosolthérapie, t2-180
Affect (labilité) et AVC, t4-267, t4-287
Affections cardiovasculaires liées au LED, t4-513
Affections cutanées bénignes, t4-124-125
Affections de la vulve, du vagin et du col, t3-658
    processus thérapeutique, t3-659
    soins infirmiers, t3-659
Affections dermatologiques
    aiguës, t4-103
    agents topiques, t4-104
    bains thérapeutiques, t4-111
    biopsie à l'emporte-pièce, t4-107
    cryochirurgie, t4-108
    curetage, t4-107
    effets physiologiques, t4-112
    excision, t4-108
    grattage cutané, t4-107
    maladies systémiques, manifestations dermatologiques, t4-121, t4-126-127
    médicaments topiques, t4-111
    pansements humides, t4-108, t4-111
    pharmacothérapie, t4-105
    photothérapie, t4-104

plan de soins infirmiers, t4-109-110
prévention, t4-111-112
prurit, traitement du, t4-111
radiothérapie, t4-104
soins infirmiers, t4-108
traitement au laser, t4-105
Affections mammaires, t3-574
bénignes, t3-580
écoulement mamelonnaire, t3-582
infections, t3-580
fibroadénome, t3-581
gynécomastie, t3-582-583
mastalgie, t3-580
mastose sclérokystique, t3-580
biopsie, techniques, t3-579
dépistage précoce, t3-574
diagnostics différentiels de diverses masses, t3-578
évaluation, t3-576
gérontologie, t3-584
mammographie, t3-578
suivi, t3-576
Voir aussi Sein, cancer
Âge et auto-immunité, t1-196
Âge, comme variable
apprentissage, t1-23
changements physiologiques liés à, t1-56
coronaropathie, t2-366
coup de chaleur, t2-729
enseignement, t1-22
populations vulnérables, t1-9
prolapsus valvulaire mitral, t2-519
Agents antinéoplasiques et système hématologique, t1-274-275, t2-209
administration loco-régionale, t1-278
mesures de sécurité pour la manipulation, t1-282-283
Agents bloquants neuro-musculaires, t1-368-369
Agents d'induction intraveineux, t1-366
Agents d'inhalation, t1-367
Agents pathogènes, t1-143
Agents stressants, t1-82
collecte de données, t1-95
liés à la maladie, t1-93
liés au travail, t1-92
stratégies et, t1-94
Âgisme, t1-56
Agnosie, t4-268
Agonistes adrénergiques, t2-136, t2-142, t2-144, t2-150, t2-156-157, t2-170, t2-191, t2-344, t2-357, t2-431
Agression sexuelle, t3-654-658
enseignement, prévention, t3-657
évaluation, liste de contrôle, t3-657
processus thérapeutique, t3-655
soins d'urgence, t3-656
soins infirmiers, t3-656
AI. *Voir* Air inspiratoire

Aidants naturels, t1-21
AINS. *Voir* Anti-inflammatoires non stéroïdiens
Air inspiratoire (AI), t2-676
Aire de Little, t2-37
Alcalose, t1-328-329
Alcalose métabolique, t3-94
Alcool, t2-642
appareil digestif et abus, t3-12
cancer de la bouche, t3-88
cancer de l'estomac, t3-140
cancer de l'œsophage, t3-104
cancer de la tête et du cou, t2-61, t2-65
cirrhose, t3-229
diabète, t3-444
extrasystole ventriculaire, t2-476
fibrillation auriculaire, t2-471
gastrite, t3-109
hypertension, t2-343
hypertrophie bénigne de la prostate, t3-692
insuffisance hépatique fulminante, t3-249
pancréatite, t3-251-252, t3-260
système hématologique, t2-209
ulcères gastriques, t3-123-124
Alcoolisme, évaluation préopératoire et, t1-346
Aldactone. *Voir* Spironolactone
Aldara. *Voir* Imiquimod
Aldomet. *Voir* Méthyldopa
Aldostérone, t1-90, t3-415
Alendronate (Fosamax), t4-478-479
Alfenta. *Voir* Alfentanil
Alfentanil (Alfenta), t1-368
Alimentation
entérale, t3-51
complications, t3-55-56
gastrostomie et jéjunostomie, t3-53-54
gérontologie, t3-59
interventions, t3-54
plan de soins infirmiers, t3-56-57
sondes nasogastriques et nasointestinales, t3-52
parentérale totale, t3-55
à domicile, t3-65
administration, t3-60-61
cathéter, mise en place, t3-61
complications, t3-61
composition, t3-57
émulsion lipidique intraveineuse (Intralipid), t3-65
indications, t3-60
plan de soins infirmiers, t3-63-64
sevrage, t3-62
soins infirmiers, t3-62
Voir aussi Nutrition
Aliments à teneur élevée en fibres, t3-158
Alkeran. *Voir* Melphalan
Alkylants, t2-281
Allaitement et infection mammaire, t3-580

Allegra. *Voir* Fexofénadine
Allergènes, catégories, t1-189
Allergènes et asthme, t2-134
Allergies
au latex, t1-195, t1-372
choc anaphylactique, t2-596
chroniques, t1-192
collecte de données, t1-189-190
dermite de contact, t4-102
formule sanguine complète (FSC), t1-190
médiateurs de réactions allergiques, t1-184
opacifiant et réaction, t4-204
pharmacothérapie, t1-192-193
prédispositions héréditaires, t1-183
réactions cutanées, t4-123
soins d'urgence, t1-191
tests cutanés, t1-190
transfusion sanguine, t2-286
venin, t4-117
Voir aussi Morsures et piqûres
Allopurionol (Zyloprim), t2-150, t2-246, t2-281, t4-510
Alopécie et chimiothérapie, t1-282
Alpha-bloquants
hypertrophie bénigne de la prostate, t3-689
incontinence urinaire, t3-335
Alphahydroxyacides, t4-125
Alport, syndrome d'. *Voir* Syndrome d'Alport
Alprazolam (Xanax), t3-645
Alprostadil (MUSE, Caverject), t3-712
Altace. *Voir* Ramipril
Alteplase (Activase rt-PA), t2-567. *Voir* Activateur tissulaire du plasminogène
Aluminium, hydroxyde de (Amphojel, Basaljel), t3-116, t3-138, t3-366
Alupent. *Voir* Orciprénaline
Alzheimer, maladie de. *Voir* Maladie d'Alzheimer
Amantadine, chlorhydrate, (Symmetrel), t2-81, t2-45, t4-323
Amaryl. *Voir* Glimépiride
Ambu. *Voir* Ballon de réanimation
Aménorrhée, t3-647-648
Amerge. *Voir* Naratriptan
Amicar. *Voir* Acide epsilon aminocaproïque
Amiloride (Midamor), t3-236
Aminophylline, t2-144, t2-476
Aminosides, t2-196, t2-264
insuffisance rénale, t3-367
lésions néphrotoxiques, t3-351
Amiodarone (Cordarone), t2-412, t2-452, t2-472
Amitriptyline (Elavil), t3-44
fibromyalgie, t4-526
migraine, t4-296
Amlodipine (Norvasc), t2-385
Amoxicilline (Novamoxin), t2-170, t3-622
avec clavulanate (Clavulin), t2-170
maladie de Lyme, t4-508

otite moyenne aiguë, t4-72
Amphétamines
crise hypertensive, t2-356
intoxication, t2-739
Amphojel. *Voir* Aluminium, hydroxyde de
Amphotéricine B, t2-96
Ampicilline, t4-251
Amplification en chaîne par polymérase (ACP), t4-255
Ampoule de Vater, t3-9
Amputation, t4-453
enseignement, t4-459
facteurs particuliers à considérer, t4-460
gérontologie, t4-460
interventions d'urgence, t4-457
ouverte (ou en section plane), t4-456
processus diagnostique et thérapeutique, t4-453
soins ambulatoires et soins à domicile, t4-459
soins infirmiers, t4-456
Amylose et néphropathie, t3-329
Analgésie par blocage nerveux, t1-132
Analgésiques, t2-586, t2-692, t2-730, t2-736, t3-367
brûlure, t4-159
choix, t1-119
d'étape 1, t1-119, t1-121-122
d'étape 2, t1-120, t1-123
d'étape 3, t1-123-124
dosage, t1-119
dose d'analgésique équivalent, t1-118
échelle, t1-119-120
effets secondaires des médicaments d'étapes 2 et 3, t1-127
posologie, t1-118
spasmes musculaires, t4-417
voies d'administration, t1-125
Anandron. *Voir* Nilutamide
Anaphylatoxines, t1-150
Anaphylaxie, t1-184-185, t1-191, t1-372
allergènes causant le choc, t1-185
chirurgie et, t1-372
soins d'urgence, t1-191
Anaplasie, t1-143
Anastrozole (Arimidex), t3-594
Androgènes surrénaliens, t3-415
Anémie, t2-202, t2-224-244, t3-362, t3-367
aplastique, t2-236
soins infirmiers, t2-237
par augmentation de la destruction des érythrocytes, t2-238-244
par diminution de la production d'érytrocytes, t2-229-236
classification, t2-224
épreuves diagnostiques, et résultats, t2-230-231

ferriprive, t2-229
manifestations cliniques,
t2-230
processus thérapeutique,
t2-231-232
soins infirmiers, t2-232
gérontologie, t2-227
hémolytique chronique
(drépanocytose), t2-239
acquise, t2-244
hypothyroïdie, t3-516
liée à une maladie chronique,
t2-235-236
manifestations cliniques,
t2-225-226
mégaloblastique, t2-233
classification, t2-234
par perte de sang, t2-237-238
pernicieuse, t2-233, t3-140
soins infirmiers, t2-234
plan de soins infirmiers,
t2-228-229
recommandations
nutritionnelles, t2-231
soins infirmiers, t2-226
tachycardie, sinusale, t2-466
Anémie hémolytique auto-
immune, t1-197
Anesthésie
assistance à l'anesthésiste,
t1-364
dissociative, t1-370
épidurale, t1-370-371
équipe, t1-359
générale, t1-366
compléments d'anesthésie,
t1-368
médicaments, t1-366-367
locale, t1-370
mode d'administration,
t1-371
peur de, t1-341
prémédication, t1-353-354
rachidienne, t1-370
rôle de l'anesthésiste, t1-360
soins postanesthésiques, rapport
d'admission aux, t1-375
sortie postanesthésique, critères,
t1-386
Anesthésie par blocage nerveux,
t4-345
Anesthésiques locaux, t1-105,
t1-370
Anesthésiques volatils, t1-367
Anévrisme, t2-531-539, t4-264
clampage et enrobage, t4-264
classification, t2-531
complications, t2-533
épreuves diagnostiques, t2-533
faux, t2-531-532
intervention en phase aiguë,
t2-536
manifestations cliniques,
t2-532
plan de soins infirmiers,
t2-537-538
processus thérapeutique,
t2-533
rupture, t2-533
soins ambulatoires et soins à
domicile, t2-539

soins infirmiers, t2-536
traitement chirurgical, t2-534
ventriculaire, t2-390, t2-449
Anévrisme disséquant, t2-539
complications, t2-540
épreuves diagnostiques, t2-540
processus thérapeutique,
t2-541
soins infirmiers, t2-541
Angéite des petits vaisseaux
sanguins, t4-493
Angine, t2-375-387
complications, t2-379
douleur, comparaison avec
l'infarctus du myocarde,
t2-378
épreuves diagnostiques,
t2-379-380
facteurs de risque, t2-376
intervention en phase aiguë,
t2-386
manifestations cliniques,
t2-378
pharmacothérapie, t2-383
processus thérapeutique,
t2-380-381
soins ambulatoires et soins à
domicile, t2-386
soins d'urgence, t2-381
soins infirmiers, t2-385
types, t2-376
Angiogenèse tumorale, t1-251
Angiographie cérébrale, t4-204,
t4-220, t4-240, t4-303
Angiographie et AVC, t4-269
Angiographie numérique avec
soustraction, t3-296
Angiome stellaire, t3-231
Angioplastie au laser, t2-382
Angioplastie coronarienne transluminale percutanée (ACTP),
t2-381, t2-398
complication, t2-382
Angioplastie transluminale percutanée, t2-545
Anorexie
cancer et, t1-293
radiothérapie et, t1-266
Anorexie mentale, t3-41
nausées, t3-93
Anovulants, t3-563
saignements vaginaux,
utilisation thérapeutique,
t3-649
Voir aussi Contraceptifs oraux ;
Méthodes contraceptives
Anse de Henlé, t3-277
Antagonistes de l'angiotensine,
t2-344, t2-434
Antagonistes du calcium, effets
sur l'appareil urinaire, t3-282
Anthracycline, t2-280
Antiacides, t3-129-130
gastrite, t3-111
hernie hiatale, t3-102
œsophagite, t3-107
ostéodystrophie rénale, t3-366
pancréatite, t3-261
reflux gastro-œsophagien,
t3-100
ulcère gastroduodénal, t3-116,
t3-127-128

Antiacide (Gaviscon), t3-100
Antiarythmiques, t2-412,
t2-478-479, t2-521
Antibiotiques, t3-131
IV, ostéomyélite, t4-451
affections dermatologiques
aiguës, t4-105
bronchopneumopathie
chronique obstructive,
t2-181
chirurgie de l'anévrisme
aortique, t2-534, t2-538
complications de la ventilation
mécanique, t2-679
drépanocytose et syndrome
pulmonaire aigu, t2-243
endocardite infectieuse,
prophylaxie, t2-497
épanchement de l'oreille
moyenne, t4-74
fibrose kystique, t2-197
gastrite, t3-111
infections pulmonaires, t2-624
insuffisance rénale, t3-367
morsures, t2-736
neutropénie, t2-264
organismes résistants, t1-159
péricardite, t2-505
prostatite, t3-704
réaction anaphylactique, t1-372
résistance, t3-612
soins dans la famille, t1-160
SRIS et SDMV, t2-605
syndrome myélodysplasique,
t2-267
systémiques, otite externe,
t4-70
topiques, brûlure, t4-158,
t4-160
ulcère gastroduodénal, t3-127
utilisation inadéquate, t1-158
Antibiotiques systémiques, t3-304
Anticholinergiques, t1-353, t2-151,
t2-170, t3-131, t4-323
achalasie, t3-109
affections de la vésicule
biliaire, t3-268
hémorragie des voies
gastro-intestinales, t3-116
pancréatite, t3-261
ulcère gastroduodénal, t3-127
Anticholinestérases, t1-369
Anticoagulants, t2-128, t2-207,
t2-556, t2-558
enseignement, t2-561
interactions médicamenteuses,
t2-557
systémiques, t2-377
Anticonvulsivants, t1-105
Anticorps, t1-179
Anticorps monoclonaux, t1-205,
t1-289, t3-400
OKT3, t3-251
Antidépresseurs, t2-301
effets sur l'appareil urinaire,
t3-282
intoxication, t2-738
troubles alimentaires, t3-44
Antidépresseurs imipraminiques,
t4-526
Antidépresseurs tricycliques,

t1-114, t1-125, t4-296
Antidiabétiques, évaluation du
traitement, t3-455
Antidiarrhéiques, t3-151
Antiémétique de phénothiazine
(Stémétil), t1-128. Voir aussi.
Prochlorpérazine
Antiémétiques, t1-353, t1-369
chirurgie abdominale, t3-163
gastrite, t3-111
hépatite, t3-222
vomissements, t3-94
Antigène leucocytaire humain,
t1-199
Antigènes, t1-174
associés aux tumeurs (AAT),
t1-252
induits par les virus, t1-255
oncofœtaux, t1-254
Antigènes d'histocompatibilité,
t3-438
Antigènes HLA-B27, maladies
associées, t4-505-507
Antihistaminiques, t1-187, t1-192,
t2-41-42, t2-250, t2-734
affections dermatologiques
aiguës, t4-106, t4-111
effets sur l'appareil urinaire,
t3-282
épanchement de l'oreille
moyenne, t4-74
maladie de Parkinson, t4-323
vomissements, t3-95
Antihypertenseurs, t2-454, t2-536,
t2-541
Anti-inflammatoires bronchiques,
t2-150
Anti-inflammatoires non stéroïdiens (AINS), t1-119, t1-151,
t3-121, t3-123-124
arthrose, t4-485
asthme, t2-136, t2-153
azotémie, t3-351
bursite, t4-416
céphalée, t4-296
choc et température corporelle,
t2-600
dysménorrhée, t3-647
fibromyalgie, t4-526
gastrite, t3-109
hémorragies des voies
gastro-intestinales,
t3-113-114
hernie discale, t4-469
myélome multiple, t2-282
péricardite, t2-391, t2-505
spasmes musculaires, t4-417
thrombophlébite veineuse
profonde, t2-555
thyroïdite, t3-513
ulcère gastroduodénal, t3-127
Antileucotriènes, t2-142
Antimuscariniques, t3-95
Antinéoplasiques, t2-281
Antiphlogistine Rub A-535. Voir
Capsaïcine
Antiprurigineux, t1-194
Antipyrétiques, t2-586
Antithrombine, t2-207
Antithrombine III (AT III),
t2-261

Antivert. *Voir* Bonamine et acide nicotinique
Anus. *Voir* Rectum et Anus
Anxiété
  choc, t2-601
  infarctus du myocarde, t2-404
  insuffisance respiratoire, t2-624
  réduction, et insuffisance cardiaque congestive, t2-429
  soins intensifs, t2-637
  tachycardie, sinusale, t2-466
Apex élargi, t2-308
Aphakie, t4-35
Aphasie, t4-266-267
  communication avec un client souffrant d', t4-283
Apnée obstructive du sommeil, t2-49
  obésité, t3-67-68
  plan de soins infirmiers, t2-51-52
  soins infirmiers et processus thérapeutique, t2-50
Apo-Chlorpropamide. *Voir* Chlorpropamide
Apo-Timol. *Voir* Timolol
Apo-Tolbutamide. *Voir* Tolbutamide
Apo-Trihex. *Voir* Trihexyphénidyle
Appareil auditif, évaluation de, t4-19-32
  acuité auditive, test, t4-29-30
  anomalies courantes, t4-27
  données objectives, t4-26
  données subjectives, t4-23
  épreuves diagnostiques, t4-28
  évaluation, t4-23
  examen clinique et gérontologique, t4-22
  oreille externe, t4-19
  oreille interne, t4-22
  oreille moyenne, t4-21
  vieillissement, effets, t4-22
  Voir aussi Troubles de l'ouïe
Appareil cardiovasculaire, t2-293-323
  anomalies courantes, t2-307-308
  artériopathies oblitérantes, t2-542-552
  arythmie, t2-459-491
  AVC, t4-279
  brûlure, t4-149
  cardiopathies, t2-494-528
  chirurgie, t2-447-456
  choc, t2-599
  complications de la ventilation mécanique, t2-677
  complications postopératoires, t1-382-383, t1-393
  coronaropathie, t2-360-415
  cycle cardiaque, t2-295
  données objectives, t2-305
  données subjectives, t2-301
  effets de l'infarctus du myocarde, t2-389
  épreuves diagnostiques, t2-310-322
    effractives, t2-321
    non effractives, t2-310
  évaluation préopératoire, t1-343

examen clinique et gérontologique, t2-301
examen physique normal, t2-310
fonction cardiaque, amélioration, t2-429
fréquence cardiaque et lésion médullaire, t4-372
hypertension, t2-325-358
insuffisance cardiaque congestive, t2-419-440
insuffisance rénale chronique, t3-363
lésion médullaire, t4-357
maladies affectant, t2-303
maladie cardiaque et sclérodermie systémique, t4-522
maladie vasculaire et greffe de rein, t3-401
manifestation de l'anémie, t2-225
manifestations relatives aux problèmes, t2-302
myocardiopathie, t2-440-446
régulation, t2-298
régulation hydrique, t1-309
SRIS et SDMV, changement dus aux, t2-603
système vasculaire, t2-297
troubles aortiques, t2-531-541
veines, affections, t2-552-565
vieillissement, effets, t2-300
Voir aussi Cœur
Appareil digestif, t3-3-28
  absorption, t3-7
  anomalies courantes, t3-20-21
  appareil gastro-intestinal, angiographie, t3-115
    barrière muqueuse, t3-121
    bruits intestinaux, évaluation, t3-17
    hormones contrôlant les sécrétions, t3-7
    insuffisance rénale chronique, t3-363
    opération de Billroth I et II, t3-136, t3-142
    pyloroplastie, t3-137
    sécrétion gastrique, phases, t3-7
    sécrétions liées à la digestion, t3-6
    troubles des voies gastro-intestinales inférieures, t3-149-212
    troubles des voies gastro-intestinales supérieures, t3-84-146
    vagotomie, t3-137
  complications de la ventilation mécanique, t2-679
  digestion, t3-5
  données objectives, t3-15-18
  données subjectives, t3-11-15
  effets du système nerveux autonome, t3-3
  élimination, t3-8
  endoscopie, t3-26, t3-115, t3-126
  épreuves diagnostiques, t3-19, t3-22-26

examen clinique et gérontologique, t3-12
examen radiologique, t3-19
structures et fonctions, t3-3-11
troubles du foie, des voies biliaires et du pancréas, t3-215-271
vieillissement, effets, t3-11
Voir aussi Abdomen ; Bouche ; Dents ; Estomac ; Foie ; Intestin ; Œsophage ; Pancréas
Appareil gastro-intestinal
  AVC, t4-282
    troubles d'élimination, t4-268, t4-287
  brûlure, t4-162
  choc, t2-600
  complications postopératoires, t1-396-397
  effets de la radiothérapie, t1-271
  lésion médullaire, t4-361
  recherche, t4-374
  problèmes, et fibrose kystique, t2-194
  régulation hydrique, t1-309
  SRIS et SDMV, changement dus aux, t2-603
  Voir Appareil digestif
Appareil génito-urinaire masculin
  évaluation, t3-563
  score international des symptômes de prostatines, t3-687
  structure et fonction, t3-546-547
  troubles, t3-686-715
    cancer de la prostate, t3-698-703
    dysfonctionnement érectile, t3-710-713
    hypertrophie bénigne de la prostate, t3-686-698
    infertilité, t3-714-715
    pénis, affections, t3-704-705
    prostatite, t3-703-704
    scrotum, affections, t3-705-706
    vasectomie, t3-709
  Voir aussi Appareil reproducteur
Appareil locomoteur, t2-680, t4-387-480
  anomalies courantes, t4-400
  antécédents de santé, t4-395
  appareil d'assistance, t4-436
  arthrocentèse, t4-406
  arthroscopie, t4-405
  AVC, t4-266, t4-280, t4-285
  brûlure, t4-162
  complications de la ventilation mécanique, t2-677
  données normales, t4-399
  données subjectives, t4-394
  enzymes musculaires, dosages, t4-406
  épreuves diagnostiques, t4-399, t4-401-405
  épreuves sérologiques, t4-406
  évaluation, t4-197
  examen clinique et gérontologique, t4-393-394

examen physique, t4-397
examens radiologiques, t4-399
fonction motrice et augmentation de la PIC, t4-219
imagerie par résonance magnétique (IRM), t4-405
marche, t4-435
myasthénie grave, t4-328
prévention des troubles chez la personne âgée, t4-393
problèmes liés au LED, t4-513
vieillissement, effets, t4-392
Appareil locomoteur, évaluation préopératoire, t1-344
Appareil locomoteur, insuffisance rénale chronique, t3-364
Appareil rénal
  évaluation préopératoire, t1-344
  régulation hudrique, t1-309
Appareil reproducteur
  anomalies courantes, t3-565-567
  chirurgies, t3-559
  épreuves diagnostiques, t3-565, t3-569-572
  évaluation
    données objectives, t3-563-564
    données subjectives, t3-555-563
    examen clinique et gérontologique, t3-556
    questions types, t3-561
  homologues structurels, t3-554
  insuffisance rénale chronique, t3-365
  maladies, t3-556-557
  phases de la réponse sexuelle, t3-554-555
  régulation gonadique, t3-552
  régulation neuro-endocrinienne, t3-551
  vieillissement, effets, t3-555
  Voir aussi Infertilité
Appareil reproducteur féminin
  organes externes, t3-550, t3-564
  organes pelviens, t3-547-550, t3-564
  seins, t3-547, t3-564
  troubles, t3-631-683
    affections de la vulve, du vagin et du col, t3-658-659
    endométriose, t3-662-668
    grossesse ectopique, t3-649-651
    fistules, t3-682-683
    léiomyomes, t3-665, t3-668
    maladie inflammatoire pelvienne, t3-660-663
    polypes cervicaux, t3-669
    saignements vaginaux, t3-647-649
    support pelvien, problèmes, t3-680-682
    tumeurs bénignes de l'ovaire, t3-669
    tumeurs malignes, t3-669-680
      col utérin, t3-669

endomètre, t3-671
interventions chirurgicales,
  t3-674, t3-676,
  t3-678-679
ovaire, t3-673
radiothérapie, t3-675, t3-680
soins infirmiers, t3-677
vagin, t3-674
vulve, t3-674
Voir aussi Appareil
  reproducteur ; Avortement ;
  Infertilité ; Méthodes
  contraceptives
Appareil reproducteur masculin.
  Voir Appareil génito-urinaire
  masculin
Appareil respiratoire, t2-3-34,
  t4-149
aspiration du contenu gastrique,
  t1-378
choc, t2-600
complications de la ventilation
  mécanique, t2-677
complications postopératoires,
  t1-376-378, t1-381, t1-388
dialyse, complications
  pulmonaires, t3-383
données objectives, t2-19
données subjectives, t2-13-19
effets de la fumée de cigarette,
  t2-161
épreuves diagnostiques,
  t2-26-28
  biopsie pulmonaire, t2-32
  épreuves à l'effort, t2-33
  examen des expectorations,
    t2-28
  examens endoscopiques,
    t2-32
  examens radiologiques,
    t2-29
  spirométrie, t2-33
  tests cutanés, t2-28-29
  thoracentèse, t2-33
évaluation physique normale,
  t2-25
évaluation préopératoire, t1-343
examen physique et
  gérontologique, t2-14
fonction respiratoire et
  augmentation de la PIC,
  t4-227
infection, et syndrome de
  Guillain-Barré, t4-350
insuffisance rénale chronique,
  t3-363
insuffisance respiratoire,
  t2-609-632
lésion médullaire, t4-359,
  t4-371
maladie vasculaire et greffe de
  rein, t3-401
obstruction des voies, t1-377
problèmes, indices, t2-17
problèmes restrictifs,
  t2-122-127
  causes extrapulmonaires,
    t2-125
  causes intrapulmonaires,
    t2-126
régulation acidobasique, t1-326

sons de percussion, t2-17
vieillissement, effets, t2-12
Voir aussi Voies respiratoires ;
  Respiration
Appareil tégumentaire, t4-85-135
anomalies courantes, t4-95
AVC, t4-281
complications postopératoires,
  t1-397
données objectives, t4-91
données subjectives, t4-89
épreuves diagnostiques,
  t4-96-97
évaluation, t4-88
examen clinique, t4-88
fonctions, t4-87
lésion médullaire, t4-361
modifications dues à l'anémie,
  t2-225
réactions cutanées à la radiothérapie, t1-269-270
risques environnementaux,
  t4-100
troubles, t4-113
vieillissement, effets, t4-87
Voir aussi Affections
  dermatologiques aiguës
Appareil tégumentaire, insuffis-
  sance rénale chronique, t3-364
Appareil urinaire
agents néphrotoxiques, t3-282
anomalies courantes, t3-286
AVC, t4-282
  troubles d'élimination,
    t4-268, t4-287
brûlure, t4-151
chirurgie, t3-339-347
choc et fonction rénale, t2-600
complications postopératoires,
  t1-395
débit urinaire et insuffisance
  rénale aiguë, t3-352
données objectives, t3-285
données subjectives, t3-282
endoscopie, t3-297
épreuves diagnostiques,
  t3-287-293
  épreuves radiologiques,
    t3-292
  résultats des analyses
    d'urine, t3-293
étude urodynamique, t3-298
examen clinique et
  gérontologique, t3-281
examen postanesthésique,
  t1-376
infections des voies urinaires,
  t3-301-310
infection, et syndrome de
  Guillain-Barré, t4-350
instrumentation, t3-336-339
insuffisance due aux SRIS et
  aux SDMV, t2-603
insuffisance rénale chronique,
  manifestations cliniques,
  t3-360
lésion médullaire, t4-361
obstruction, t3-316
  calculs urinaires, t3-317-325
  sténoses, t3-325
production de l'urine, t3-276

prostaglandines, synthèse et
  rôle, t3-279
régulation acidobasique, t1-326
structures et fonctions, t3-275
  appareil urétrovésical,
    t3-280
  fonction glomérulaire,
    t3-276
  fonction tubulaire, t3-277
  fonctions des segments des
    néphrons, t3-277
  rein, t3-275, t3-311
  uretères, t3-279
  urètre, t3-280
  vessie, t3-279
troubles, t3-301-336
  manifestations cliniques,
    t3-284
vieillissement, effets, t3-281
Voir aussi Rein ; Uretères ;
  Urètre ; Vessie
Appareil visuel, évaluation,
  t4-1-18
acuité visuelle, t4-6, t4-12,
  t4-16
anomalies courantes, t4-14-16
données objectives, t4-12
données subjectives, t4-9
épreuves diagnostiques, t4-20
évaluation, t4-8
  techniques, t4-13, t4-19
gérontologie, t4-7
globe oculaire, t4-3
milieu réfringent, t4-3
pression intra-oculaire,
  évaluation, t4-17
structures externes, t4-4
  évaluation, t4-18
structures internes, t4-6
  évaluation, t4-18
vieillissement, effets, t4-7
voies optiques, t4-4
Appendicite, t3-165
soins infirmiers, t3-166
Appétit, centre de régulation, t3-5
Apprentissage chez les adultes
facteurs favorisants, t1-25
mode, t1-28
moyens favorisants, t1-32
rédaction d'objectifs spécifiques,
  t1-29
Apraxie, t4-268
Apresoline. *Voir* Hydralazine
Arachnoïde, t4-189
Arava. *Voir* Léflunomide
Aredia. *Voir* Pamidronate
Aricept. *Voir* Donépézil
Arimidex. *Voir* Anastrozole
Artère basilaire, t4-186
Artère carotide interne, t4-186
Artère pulmonaire
cathéter, t2-9, t2-645-650
mesure de la pression, t2-646
rupture, t2-650
Artères et artérioles, t2-297
Artériographie, t4-269
Artériopathie oblitérante aiguë,
  t2-542
Artériopathie oblitérante
  chronique, t2-542-551
  insuffisance veineuse,

comparaison, t2-544
maladie des membres
  inférieurs, t2-543
  complications, t2-544
  épreuves diagnostiques,
    t2-544-545
  pharmacothérapie, t2-547
  plan de soins infirmiers,
    t2-549-550
  processus thérapeutique,
    t2-545
  recherche, t2-547
  recommandations
    nutritionnelles, t2-547
  soins infirmiers, t2-547
Artériosclérose oblitérante, t2-543
Arthrite aiguë suppurée (infectieuse ou bactérienne), t4-507
Voir aussi Arthrose
Arthrocentèse, t4-406
Arthrodèse, t4-530
Arthrographie, t4-415
Arthropathie neurogène, t4-355
Arthroplastie, t4-527
coudes et épaules, t4-529
doigts, t4-529
genou, t4-529
hanche, t4-528
plan de soins infirmiers,
  t4-531-533
Arthroscopie, t4-405, t4-415
Arthrose, t4-482-491
colonne vertébrale, t4-484
comparaison avec la
  polyarthrite rhumatoïde,
  t4-492
enseignement, t4-490
genoux, t4-484
hanches, t4-483
interventions en phase aiguë,
  t4-489
manifestations cliniques et
  complications, t4-492
nodosités de Heberden et de
  Bouchard, t4-483
pharmacothérapie, t4-485-489
processus diagnostique et
  thérapeutique, t4-484
soins ambulatoires et soins à
  domicile, t4-490
soins infirmiers, t4-485
Arthrotec, t4-485
Articulations, t4-389
arthrose, t4-482
chirurgies et complications,
  t4-527
  arthrodèse, t4-530
  arthroplastie, t4-527-529
  complications, t4-530
  débridement, t4-527
  enseignement au client,
    t4-531
  ostéotomie, t4-527
  plan de soins infirmiers,
    t4-531-533
  synovectomie, t4-527
enseignement de la protection,
  t4-490, t4-503
mouvements, t4-398
polyarthrite rhumatoïde,
  t4-491

synoviales (diarthroses),
t4-389-390
Arythmie, t1-383
Arythmie cardiaque, t2-427,
t2-459
caractéristiques, t2-467
causes courantes, t2-465
chirurgie d'anévrisme, t2-536
choc, t2-590
défibrillation, t2-479
effet de l'infarctus du
myocarde, t2-390
évaluation, t2-465
mécanismes électrophysiques,
t2-463
pharmacologie, t2-479
plan de soins infirmiers,
t2-468-469
postopératoire, t2-452
prolapsus valvulaire mitral,
t2-519
soins d'urgence, t2-465
stimulateurs cardiaques,
t2-481-484
thermoablation, t2-485
Arythmie jonctionnelle, t2-472
Asacol. *Voir* 5-ASA
Ascites, t3-232
dérivation périnéoveineuse du
liquide ascitique, t3-236
facteurs de développement,
t3-234
soins infirmiers, t3-246
traitement, t3-236
Aspermatisme et radiothérapie,
t1-272
Aspirin, t1-119, t1-187. *Voir aussi*
Acide acétylsalicylique
Association canadienne de
dermatologie (ACD), t4-112
Asthme, t1-185, t1-194,
t2-134-157
classification, t2-139-140
complications, t2-139
débitmètre de pointe,
enseignement, t2-159-160
déclencheurs des crises,
t2-134-135
épreuves diagnostiques,
t2-141-142
insuffisance respiratoire, t2-614
intervention en phase aiguë,
t2-156
manifestations cliniques,
t2-138
correspondance avec
l'analyse des gaz
sanguins, t2-141
pharmacothérapie, t2-145-148
plan de soins infirmiers,
t2-154-156
prévention, t2-153
processus thérapeutique,
t2-142
professionnel, t2-102
soins ambulatoires et soins à
domicile, t2-157
soins infirmiers, t2-153
traitement
approche progressive, t2-143
plan de, t2-158

triade, t2-136
Astigmatisme, t4-4, t4-35
Astrocytes, t4-175
Astrocytome, t4-240
Asystolie, t2-478
AT III. *Voir* Antithrombine III
Atarax. *Voir* Hydroxyzine
Atélectasie, t1-377, t1-388, t2-6,
t2-126, t2-627, t4-279
par absorption, t2-173
Atélectasie et lésion médullaire,
t4-359
Aténolol (Tenormin), t2-384,
t3-505, t3-513, t4-296
Athérectomie, t2-382, t2-546
Athérosclérose, t2-360, t4-260
anévrisme, t2-531
hypertension, t2-337
mécanismes de l'information,
t2-364
stades de développement,
t2-362
Ativan. *Voir* Lorazépam
Atopie, t1-183-184
Atorvastatine (Lipitor), t2-375
ATP. *Voir* Adénosine triphospho-
rique; Adénosine triphosphate
Atrésie, t3-548
Atrophie, t1-142
Atropine, t2-466, t2-472-473,
t2-475, t2-478, t2-659, t3-268,
t3-333
Atrovent. *Voir* Ipratropium
Audiométrie, t4-29-30
Auto-immunité, phénomène,
t1-196
Avandia. *Voir* Rosiglitazone
AVC. *Voir* Accident vasculaire
cérébral
Aveeno. *Voir* Huile de farine
d'avoine
Avonex. *Voir* Interféron β-1a
Avortement, t3-640-643
considérations éthiques, t3-643
provoqué, t3-641-642
spontané, t3-640-641
Axid. *Voir* Nizatidine
Axone, t4-175
Azathioprine (Imuran), t2-130,
t2-249, t2-450, t2-508, t3-182,
t3-229, t3-251, t3-398
polymyosite et dermato-
myosite, t4-524
sclérose en plaques, t4-313
Azithromycine (Zithromax),
t3-613, t3-622

B

β-bloquants
anévrisme disséquant, t2-541
angine, t2-377
arythmies, t2-470, t2-472-473
asthme, t2-136
cardiopathie valvulaire, t2-521
contractilité, t2-642
coronaropathie, t2-384
infarctus du myocarde, t2-399
maladie de Raynaud, t2-552
myocardiopathie
hypertrophique, t2-445

β-bloquants, t3-505
Bacille de Calmette-Guérin,
t3-332
Bacitracine, t4-105
Bactéries, types, t1-147
Ballon de réanimation (Ambu),
t2-682
Barbituriques, t1-353, t1-366,
t2-642, t2-659
Barorécepteurs, t2-298, t2-327
Barotraumatisme
complication de la ventilation
mécanique, t2-677
complication du syndrome de
détresse respiratoire aiguë,
t2-629
Barrett, syndrome de. *Voir*
Syndrome de Barrett
Barrière hémato-encéphalique,
t4-186
augmentation de la perméa-
bilité, t4-216
rupture, t4-204
Basajel. *Voir* Aluminium,
hydroxyde de
Basiliximab (Simulect), t3-398,
t3-400
Bassin, t3-550
BAV. *Voir* Bloc auriculoventricu-
laire
Bell, paralysie de. *Voir* Paralysie de
Bell
Belladone, t3-333
Benadryl. *Voir* Diphenhydramine
Bentylol. *Voir* Dicyclomine
Benuryl. *Voir* Probénécide
Benzocaïne, t3-210
Benzodiazépines, t1-353, t1-368,
t2-601
dépendance, t4-296
Voir aussi Sédatifs hypnotiques
Benztropine (Cogentin), t4-323
Besoins métaboliques et lésion
médullaire, t4-361
Betaseron. *Voir* Interféron β-1b
Béthanéchol (Duvoid,
Urecholine), t3-100, t3-163,
t3-485
Bextra. *Voir* Valdécoxib
Bicalutamide (Casodex), t3-701
Bicarbonate de soude, t4-111
BiCNU. *Voir* Carmustine
Biguanides, t3-454
Bile, t3-9-10
Bilirubine
métabolisme, t3-10
anomalie, t3-215, t3-235
BiPAP. *Voir* Pression positive expi-
ratoire à deux niveaux
Biphosphonates, t4-478
Bisacodyl (Dulcolax), t3-155,
t3-287, t4-379
Bisoprolol (Monocor), t2-384,
t2-434
Blenoxane. *Voir* Bléomycine
Bléomycine (Blenoxane), t3-90
Blépharite, t4-43
Bloc auriculoventriculaire (BAV),
t2-465

du 1er degré, t2-473
du 2e degré de type I, t2-473
du 2e degré de type II, t2-473
du 3e degré, t2-474
Bloqueurs neuromusculaires,
t2-601, t2-624, t2-659, t2-676,
t2-680, t2-692
Bonamine et acide nicotinique
(Antivert), t4-76
Bonefos. *Voir* Clodronate
Borborygmes, t3-16
Botulisme, t4-352
manifestations cliniques,
t4-352
pharmacothérapie, t4-352
soins infirmiers, t4-353
Bouche, t3-5
cancer, t3-87-91
intervention en phase aiguë,
t3-91
manifestations cliniques,
t3-89
processus diagnostique et
thérapeutique, t3-89-90
recommandations nutritionnelles, t3-90
soins infirmiers, t3-90
traitement chirurgical,
t3-89-90
examen, t2-19, t3-15
fracture de la mandibule, t3-91
soins infirmiers, t3-92
hygiène, t3-86, t3-91-92
infections et inflammations,
t3-87-88
Bougirage, t3-109
Boulimie, t3-43
Bourses séreuses, t4-392, t4-416
BPCO. *Voir* Bronchopneumopathie chronique obstructive
Bradycardie et lésion médullaire,
t4-359
Bradycardie sinusale, t2-466
Brevibloc. *Voir* Esmolol
Bricanyl. *Voir* Terburtaline
Bromocriptine (Parlodel), t3-491,
t3-493, t3-640, t3-712
maladie de Parkinson, t4-323
syndrome des jambes sans
repos, t4-340
Bronchiectasie, t2-96
épreuves diagnostiques, t2-97
manifestations cliniques, t2-97
processus thérapeutique, t2-98
soins infirmiers, t2-98
Bronchite aiguë, t2-75
Bronchite chronique, t2-160
aggravation, t2-168
comparaison avec
l'emphysème, t2-165
manifestations cliniques,
t2-166
physiopathologie, t2-164
soins infirmiers, t2-182
Voir aussi Bronchopneumopathie chronique obstructive
Bronchodilatateurs, t2-150,
t2-168, t2-170, t2-196,
t2-622-623
Bronchopneumopathie chronique
obstructive (BPCO), t2-134,
t2-160-192

aérosolthérapie, t2-180
alimentation, t2-181
comparaison de l'emphysème
    et de la bronchite
    chronique, t2-165
complications, t2-166
épreuves diagnostiques, t2-169
étiologie, t2-160
insuffisance respiratoire, t2-614
intervention en phase aiguë,
    t2-188
pharmacothérapie, t2-170
physiopathologie, t2-163
plan de soins infirmiers,
    t2-183-187
pression positive en fin
    d'expiration, contre-
    indication, t2-676
processus thérapeutique,
    t2-170
recherche, t2-191
rééducation respiratoire, t2-177
soins ambulatoires et soins à
    domicile, t2-188
soins dans la famille, t2-189
soins infirmiers, t2-182
toux productive, t2-178
traitement chirurgical, t2-177
Bronchospasme, t1-378
soulagement, t2-623
Brown-Séquard, syndrome de.
    Voir Syndrome de
    Brown-Séquard
Bruits adventices (anormaux),
    t2-25
Brûlure, t4-139-172
besoins affectifs du client,
    t4-170
besoins du personnel infirmier,
    t4-171
chimique, t4-139
    soins d'urgence, t4-145
classification selon l'American
    Burn Association, t4-144
électrique, t4-141
    soins d'urgence, t4-146
étendue, t4-143
exposition toxique pour le
    développement humain,
    t4-139
facteurs de risque, t4-144
gérontologie, t4-169
localisation, t4-143
par inhalation, t4-140
    soins d'urgence, t4-146
phase aiguë, t4-161
    complications, t4-162
    débridement et greffe,
        t4-164
    recommandations
        nutritionnelles, t4-167
    soins infirmiers et processus
        thérapeutique t4-163
    soulagement de la douleur,
        t4-166
phase de réadaptation, t4-168
    complications, t4-149
    inflammation et
        cicatrisation, t4-148
    manifestations cliniques,
        t4-149-150

modifications hydro-
    électrolytiques, t4-147
modifications immunitaires,
    t4-149
pharmacothérapie,
    t4-159-160
plan de soins infirmiers,
    t4-152-155
processus diagnostique et
    thérapeutique, t4-151
recommandations
    nutritionnelles, t4-160
remplacement liquidien,
    t4-156
soins des plaies, t4-157
soins respiratoires, t4-151
sources de greffons, t4-158
phase de réanimation, t4-147
profondeur, t4-142-143
soins préhospitaliers, t4-145
thermique, t4-139
    soins d'urgence, t4-148
Budésonide (Pulmicort), t2-149
Bumétanide (Burinex), t2-428,
    t2-433, t3-355, t4-221
Bupivacaïne (Marcaine), t1-105,
    t1-370
Bupropion (Zyban), t2-170
Burinex. Voir Bumétanide
Bursite, t4-416
BuSpar. Voir Buspirone
Buspirone (BuSpar), t3-645
Busulfan (Myleran), t2-246
Butorphanol (Stadol), t1-125

C

Cabergoline (Dostinex), t3-493
Caféine, t1-128
    extrasystole ventriculaire,
        t2-476
    tachycardie, sinusale, t2-466
    tachycardie, supraventriculaire
        paroxystique, t2-470
Cafergot. Voir Ergotamine
Cage thoracique. Voir Thorax
Calcimar. Voir Calcitonine
Calcitonine (Calcimar), t1-125,
    t2-281, t4-478-479
Calcitonine SC, t3-522
Calcitriol (Rocaltrol), t3-366,
    t3-526
Calcium, t1-319, t2-641
    teneur des aliments, t4-477
    teneur des préparations orales,
        t4-478
Calcium, carbonate, t3-116
Calcium et insuffisance rénale
    aiguë, t3-353
Calculs urinaires, t3-317
    facteurs de risque, t3-318
    hyperparathyroïdie, t3-520
    interventions endo-
        urologiques, t3-321
    lithotripsie, t3-322
    plan de soins infirmiers,
        t3-324-325
    processus thérapeutique,
        t3-319
    recommandations nutrition-
        nelles, t3-321-322

soins infirmiers, t3-323
traitement chirurgical, t3-322
types, t3-318-319
Calmette-Guérin, bacille de. Voir
    Bacille de Calmette-Guérin
Caltine. Voir Calcitonine
Camphre, t4-111
Camptosar. Voir Irinotécan
Cancer, t1-243-299
    adaptation, t1-262
    antigènes induits par les virus,
        t1-255
    antigènes oncofœtaux, t1-254
    biologie, t1-244
    carcinogènes chimiques,
        t1-248-249
    carcinogènes physiques, t1-249
    chimiothérapie, t1-273
    classification, t1-255-256
    complications, t1-295
        infection, t1-295
        urgences causées par
            l'infiltration, t1-297
        urgences métaboliques,
            t1-296
        urgences obstructives, t1-295
    dépistage, t1-258
    diagnostic, t1-257
    douleur, soulagement de la,
        t1-298
    échappement immunologique,
        t1-254
    essais cliniques, t1-260
    facteurs de développement,
        t1-251
    greffe de moelle osseuse et de
        cellules souches, t1-292
    incidence, t1-244-246
    initiation, t1-247
    interventions chirurgicales,
        t1-261
    lié à l'administration de médi-
        caments, t1-248-249
    médicaments antinéoplasiques,
        t1-274-275
    période de latence, t1-250
    plan de soins infirmiers,
        t1-284-287
    prévention et détection, t1-256
    progression, t1-251
    promotion, t1-250
    radiothérapie, t1-262
    recommandations nutrition-
        nelles, t1-293-294
    signes précurseurs, t1-257
    soutien psychologique, t1-297
    susceptibilité génétique, t1-250
    taux d'incidence selon l'âge et le
        sexe, t1-246
    taux de mortalité selon l'âge et
        le sexe, t1-246
    thérapie biologique, t1-288
        effets toxiques et secon-
            daires, t1-290-291
        soins infirmiers, t1-291
    traitement, objectifs et modes,
        t1-259-260
        méthodes non éprouvées,
            t1-294
Cancer de la peau, t4-113
    affections cutanées pré-

cancéreuses et cancéreuses,
    t4-115-116
facteurs de risque, t4-113
rayons ultraviolets, t4-100
Cancer de la tête et du cou. Voir
    Tête et cou, cancer
Cancer des os, t4-460
    lésions osseuses métastatiques,
        t4-461
    myélome multiple, t4-460
    ostéoclastome, t4-461
    ostéosarcome, t4-460
    sarcome d'Ewing, t4-461
    soins infirmiers, t4-462
Cancer du poumon. Voir Poumon,
    cancer
Candidose, t2-48
Canesten. Voir Clotrimazole
Canule à réservoir,
    fonctionnement, t2-176
Canule de trachéostomie,
    t2-53-57, t2-658
CAOP (cyclophosphamide,
    doxorubicine, vincristine,
    prednisone), t2-280
Capillaires, t2-298
Capoten. Voir Captopril
Capsaïcine (Zostrix), t1-126
Capsaïcine (Zostrix,
    Antiphlogistine Rub A-535,
    Capsaïcine HP), t4-485
Captopril (Capoten), t2-357,
    t2-399, t2-433, t3-366
Carbamazépine (Tegretol), t1-105,
    t1-114, t3-500
    convulsions, t4-304
    intoxication, t2-738
    névralgie faciale, t4-344
    syndrome des jambes sans
        repos, t4-340
    système nerveux, t4-192
Carbidopa/lévodopa (Sinemet)
    maladie de Parkinson, t4-323
    syndrome des jambes sans
        repos, t4-340
Carbocaine. Voir Mépivacaïne
Carboplatine (Paraplatin-AQ),
    t2-107, t3-675
Carcinome
    du foie, t3-249-250
    du pancréas, t3-261-263
    du rein, classification de
        Robson, t3-330
Carcinome basocellulaire, t4-114
Carcinome in situ, t1-256
Carcinome spinocellulaire, t4-114
Cardiologie nucléaire, t2-319
Cardiopathies inflammatoires,
    t2-494-515
Cardiopathies valvulaires,
    t2-515
    épreuves diagnostiques,
        t2-520
    lésions cardiopathiques
        congénitales, t2-516
    manifestations cliniques,
        t2-517
    plan de soins infirmiers,
        t2-526-528
    processus thérapeutique,
        t2-521

prothèses cardiaques et valves
tissulaires, types, t2-524
soins infirmiers, t2-524
traitement chirurgical, t2-522
Cardiospame. *Voir* Œsophage,
achalasie
Cardizem. *Voir* Diltiazem
Cardura. *Voir* Doxazosine
Carisoprodol (Soma), t4-427
Carmustine (BiCNU), t2-281,
t3-192, t3-263, t4-242
Carotide, rupture de la, t1-297
Cartilage, t4-389
Cartilage articulaire, t4-387
dégénérescence, t4-482
Carvédilol (Coreg), t2-434
Casodex. *Voir* Bicalumide
Catapres. *Voir* Clonidine
Cataracte, t4-48
gérontologie, t4-55
pharmacothérapie, t4-50
processus diagnostique et
thérapeutique, t4-49
soins infirmiers, t4-51
Cathartiques, t2-738
Cathéter biliaire transhépatique,
t3-268
cancer de la vésicule biliaire,
t3-271
enseignement, t3-271
pharmacothérapie, t3-268
soins infirmiers, t3-269
Cathéter de l'artère pulmonaire,
t2-9, t2-645, t2-648
insertion, t2-646
complications, t2-650
Cathéter intra-artériel, t2-643-644
Cathétérisme cardiaque, t2-321,
t2-398
Cathétérisme urinaire, indications, t3-336
cathéthers
suspubiens, t3-339
urétéraux, t3-338
sondes de néphrostomie,
t3-339
urétral, t3-337
urétral intermittent, t3-338
Caverject. *Voir* Alprostadil
Cavité pleurale, t2-6
Cécité
des couleurs, t4-10
fonctionnelle, t4-39
légale, t4-17, t4-39
CeeNU. *Voir* Lomustine
Céfalexine (Novo-Lexin), t3-304
Céfixime (Suprax), t3-613
Céfotaxime (Claforan), t4-251
Céfoxitine (Mefoxin), t3-661
Ceftriaxone (Rocephin), t3-613
maladie de Lyme, t4-508
méningite, t4-251
Célécoxib (Celebrex)
arthrose, t4-485
polyarthrite rhumatoïde,
t4-496
CellCept. *Voir*
Mofétilmycophénolate
Cellule
cycle, t1-244
différenciation anormale, t1-246

lésion, t1-142
modifications adaptatives,
t1-143
mort par rayonnement, t1-262
nécrose, t1-143, t1-147
phagocytaires mononucléées,
t1-176
prolifération normale, t1-244
régénération et réparation,
t1-153
tueuses naturelles (TN), t1-179
Cellules de Kupffer, t3-9
Cellules épendymaires, t4-176
Cellules souches, greffe de, t1-292
Céphalée
algie vasculaire de la face,
t4-294, t4-296
augmentation de la PIC,
t4-219
comparaison entre les types,
t4-292
de tension, t4-292, t4-295
enseignement, t4-300
épreuves diagnostiques, t4-295
migraine, t4-293, t4-296
pharmacothérapie, t4-295
plan de soins infirmiers,
t4-298-299
processus diagnostique et
thérapeutique, t4-294-295
soins infirmiers, t4-296
système nerveux, t4-192
Céphalosporine, t2-196, t2-264,
t4-251
Cerveau, t4-180
affections inflammatoires,
t4-249-250
aires cérébrales de Wernicke et
de Broca, t4-267
bulbe rachidien, t4-181
cervelet, t4-183, t4-186
circulation, t4-186
compliance, t4-215
élastance, t4-215
hémisphères, t4-180-181
liquide céphalorachidien
(LCR), t4-184
système limbique, t4-181
thalamus, t4-181
tronc, t4-181, t4-186
ventricules, t4-183
Cervicalgie, t4-86
Cétirizine (Reactine), t1-193
Chaîne paravertébrale, t4-186
Chalazion, t4-42
Chaleur et froid, effets
thérapeutiques, t4-163
Charbon activé, t2-737-738
Chéloïdes hypertrophiques, t1-156
Chimiorécepteurs, t2-11, t2-299
Chimiothérapie, t1-273
cathéters, t1-276
chambres à perfusion
implantables, t1-277
chimioprotecteurs, t1-276
effets indésirables, t1-279
effets retardés, t1-287-288
effets secondaires toxiques,
t1-280-281
intra-artérielle, t1-278
intra-péritonale, t1-278

intra-thécale, t1-278
intra-ventriculaire, t1-278
intravésicale, t1-279
modes d'administration,
t1-274-276
myélome multiple, t4-460
plan de traitement, t1-279
pompes à perfusion, t1-277
préopératoire, t4-461
problèmes posés par,
t1-267-268
sarcome d'Ewing, t4-461
sexualité et reproduction après
la, t1-283
soins infirmiers, t1-282
Chirurgie
abdomen, t3-163
admission à la salle de réveil,
t1-375
admission du client, t1-362
ambulatoire, critères, t1-386
anévrisme aortique, t2-534
anévrisme disséquant, t2-541
appareil digestif, t3-13
appareil reproducteur, t3-559,
t3-674, t3-676, t3-678-679
appareil urinaire, t3-339-347
artériopathie oblitérante,
t2-546
bronchopneumopathie
chronique obstructive,
t2-177
calculs urinaires, t3-322
cancer de la bouche, t3-89-90
cancer colorectal, t3-191
cancer de la prostate, t3-700
cancer de la tête et du cou,
t2-69
cancer de la vessie, t3-330
cancer de l'estomac, t3-142
cancer du poumon, t2-106
cancer du sein, t3-589-590
cardiopathie valvulaire, t2-522
colite ulcéreuse, t3-173
consentement éclairé,
t1-349-351
d'urgence, t1-338
dysfonctionnement érectile,
t3-713
élective, t1-338
embolie pulmonaire, t2-567
endométriose, t3-664
équipe chirurgicale, t1-359
équipe d'anesthésie, t1-359
évaluation préopératoire, t1-346
facteurs de sécurité, t1-365
greffe de rein, t3-395-397
hémorragie des voies gastro-
intestinales supérieures,
t3-116
hernie hiatale, t3-183
hyperthyroïdie, t3-505
hypertrophie bénigne de la
prostate, t3-689-692
hypophyse, lobe antérieur,
t3-491
infirmière, t1-358
interventions infirmières,
t1-360
maladie de Crohn, t3-182
malnutrition, t3-45

mammoplastie, t3-601-604
motifs, t1-338
nasale, t2-37-39
obésité, t3-73-77
ostomie, t3-195-196
pancréatite aiguë, t3-255
peurs fréquentes, t1-340
plaies chirurgicales, soins des,
t1-397
préparation du site opératoire,
t1-364
préparation le jour de la, t1-351
réactions psychosociales, t1-340
résultats escomptés, t1-365
risque chez les personnes âgées,
t1-69
saignements vaginaux, t3-649
salle d'attente, t1-358
salle d'opération, t1-357
situations d'urgence, t1-372
suffixes décrivant les interventions, t1-338
technique d'asepsie, t1-363-364
thoracoscopique, t2-121
thrombophlébite, t2-557
thyroïdienne, t3-507
transplantation du foie,
t3-250-251
tumeurs de l'appareil
reproducteur féminin,
t3-674, t3-676
ulcère gastroduodénal,
t3-136-138
uretères, t3-340
veines variqueuses, t2-563
vésicule biliaire, t3-266-268
Chirurgie cardiaque, t2-447-456
chirurgie valvulaire, t2-448
chirurgie ventriculaire, t2-449
complications postopératoires,
t2-451
enseignement, t2-455
évaluation postopératoire,
t2-456
indications, t2-447
processus thérapeutique et
soins infirmiers, t2-453
revascularisation myocardique,
t2-447
transplantation cardiaque,
t2-449
indications et contre-
indications, t2-450
Chirurgie crânienne
craniotomie, t4-243
indications, t4-244
plan de soins infirmiers,
t4-246-249
soins ambulatoires, t4-249
soins infirmiers, t4-244
stéréotactique, t4-243
types, t4-245
Chirurgie du thorax, t2-119-121
plan de soins infirmiers,
t2-123-124
Chirurgie filtrante, t4-62
Chirurgie plastique, t4-122
soins infirmiers, t4-129
Chirurgien, responsabilité, t1-359
Chlamydia, infection, t3-613,
t3-620

comparaison avec la gonorrhée, t3-620
épreuves diagnostiques, t3-621
facteurs de risque, t3-621
pharmacothérapie, t3-622
Chlorambucil (Leukeran), t2-280-281
Chloramphénicol (Chloromycetin), t2-196, t4-70
Chlorhexidine, t2-454
Chlorhydrate de kétamine (Ketalar), t1-370
Chlorpromazine (Largactil), t2-301, t2-729, t3-95, t4-354
Chlorpropamide (Apo-Chlorpropamide), t3-453
Choc, 571-602
anomalies lors d'un, t2-585-586
classification, t2-572
effets hémodynamiques, t2-573
épreuves diagnostiques, t2-583-587
facteurs de risque, t2-572
intervention en phase aiguë, t2-596
mesures d'urgence, t2-588
pharmacothérapie, t2-592-594
plan de soins infirmiers, t2-597-599
processus thérapeutique général, t2-586-590
recherche, t2-589
recommandations nutritionnelles, t2-594
soins infirmiers, t2-595
stades, t2-577
compensé, t2-577
irréversible, t2-582
progressif, t2-580
thérapie liquidienne, t2-588-590
Voir aussi Syndrome de défaillance multiviscérale
Choc anaphylactique, t2-575
processus thérapeutique, t2-593
Choc cardiogénique, t2-577
effet de l'infarctus du myocarde, t2-390
processus thérapeutique, t2-591
Choc hypovolémique, t2-575
processus thérapeutique, t2-591
Choc neurogénique, t2-572
processus thérapeutique, t2-593
Choc septique, t2-573
processus thérapeutique, t2-591
Cholédochojéjunostomie, t3-261
Cholélithiase et cholécystite, 264
manifestations cliniques et complications, t3-265
processus diagnostique et thérapeutique, t3-265-266
soins infirmiers, t3-269
Cholestéatome, t4-73
Cholestyramine (Questran), t2-374, t3-138, t3-246, t3-268

Chondroïtine. Voir Sulfate de chondroïtine
Chorée de Sydenham, t2-511
Choroïde, t4-3, t4-7
Chou palmiste nain, t3-689
Chrysothérapie, t4-506
Chyme, t3-6
Cicatrisation, t1-153
complications, t1-156
conséquences psychologiques, t1-32
deuxième intention, t1-155
nutrition, t1-159
première intention, t1-153-154
retardement, t1-155, t1-157
stress et, t1-92
troisième intention, t1-155
Cicatrisation et brûlure, t4-168
Cilostazol (Pletal), t2-547
Cimétidine (Tagamet), t2-150, t3-130-131, t3-715
Cipro. Voir Ciprofloxacine
Ciprofloxacine (Cipro), t2-150, t2-170, t2-196, t3-304, t3-704, t4-451
résistance à la, t3-612
Circulation collatérale, t2-6, t2-294, t4-260
Cirrhose, t3-229
anomalies de la bilirubine, t3-235
complications, t3-232
ascites, t3-232
encéphalopathie hépatique, t3-233
hypertension portale, t3-232
œdème périphérique, t3-232
syndrome hépatorénal, t3-235
varices œsophagiennes, t3-232
enseignement, t3-249
intervention en phase aiguë, t3-242
manifestations cliniques, t3-230
pharmacothérapie, t3-240
plan de soins infirmiers, t3-243-246
processus diagnostique et thérapeutique, t3-235-236
soins ambulatoires, t3-248
soins infirmiers, t3-241
Cisplatine, t2-107, t3-90, t3-105, t3-674
Citrate de magnésium (Citro-Mag), t3-287
Citro-Mag. Voir Citrate de magnésium
CIVD. Voir Coagulation intravasculaire disséminée
Claforan. Voir Céfotaxime
Clairance mucociliaire, t2-12
Claritin. Voir Loratadine
Claudication intermittente, programme d'exercices, t2-547
Clavulin. Voir Amoxicilline, avec clavulanate
Climatère. Voir Ménopause
Clindamycine (Dalacin), t2-99, t2-513, t4-105

Clobazam (Frisium), t4-305
Clodronate (Bonefos), t4-478
Clomid. Voir Clomiphène
Clomiphène (Clomid, Serophene), t3-640
Clonazépam (Rivotril), t1-105, t4-304
fibromyalgie, t4-526
Clonidine (Catapres), t1-125, t2-357, t3-558, t4-296
Clopidogrel (Plavix), t2-382-383, t2-547, t4-269, t4-272
Clotrimazole (Canesten), t3-310
CMV. Voir Virus de la maladie des inclusions cytomégaliques
Coagulation
anticoagulants, t2-207
chirurgie de l'anévrisme aortique, t2-534
épreuves, t2-217
facteurs, t2-206-207
mécanismes, t2-205
tests, t2-557
Voir aussi Hémophilie
Coagulation intravasculaire disséminée (CIVD), t2-258
conditions prédisposant à, t2-259
manifestations cliniques, t2-259
processus thérapeutique, t2-260
résultats de laboratoire, t2-260
soins infirmiers, t2-257
Cobalamine (vitamine B_{12}), carence, t2-233
Codéine, t2-553, t3-620, t4-252
Codéine (Empracet), t1-120
Cœur, t2-293-297
apport sanguin au myocarde, t2-294
circulation du sang, t2-293
conduction électrique, réseau, t2-295-296, t2-459
contrôle nerveux, t2-459
cycle cardiaque, t2-295
facteur natriurétique auriculaire, t3-416
fonction cardiaque, amélioration, t2-429
propriétés des tissus, t2-459
rythme, évaluation, t2-462
structures, t2-293
système mécanique, t2-297
fréquences, t2-464
Voir aussi Appareil cardiovasculaire
Cœur pulmonaire, t2-129, t2-166, t2-194, t2-196, t2-470
Cogentin. Voir Benztropine
Coiffe des rotateurs, t4-414
Col utérin, t3-549
affections, t3-658
cancer, t3-669
processus thérapeutique, t3-670
stades cliniques, classification internationale, t3-672
Colace. Voir Docusate sodique

Colchicine, t4-510
Colestid. Voir Colestipol
Colestipol (Colestid), t2-374
Colique néphrétique, t3-279
Colistine
épanchement de l'oreille moyenne, t4-74
otite externe, t4-70
Colite hémorragique, t3-146
Colite ulcéreuse, t3-169-180
cancer du côlon, t3-171
collecte de données, t3-177
comparaison avec la maladie de Crohn, t3-170
complications, t3-170-171
manifestations cliniques, t3-170
pharmacothérapie, t3-172
plan de soins infirmiers, t3-178-180
processus diagnostique et thérapeutique, t3-171
recommandations nutritionnelles, t3-176-177
soins infirmiers, t3-175
traitement chirurgical, t3-173
Côlon. Voir Intestin
Colostomie, t3-195
irrigation, t3-200
soins dans la famille, t3-201
Coma, t4-210-211
méningite, t4-250
modes de respiration, t4-224
Combivent, t2-151
Commotion cérébrale et lésion médullaire, t4-362
Communication
AVC, t4-266-267, t4-283, t4-288
client atteint de déficience auditive, t4-81
Communication intraventriculaire, t2-449
Complexe majeur d'histocompatibilité, t1-189, t1-199
Complexe Mycobacterium avium (CMA), t1-239
Comportements, modifications, et insuffisance cardiaque congestive, t2-246
Conduit iléal
changer les dispositifs, t3-347
plan de soins infirmiers, t3-344-346
Condyline. Voir Podofilox
Condylome acuminé, t3-622-623
Conjonctive, t4-5
évaluation, t4-18
Conjonctivite, t4-43
Conn, syndrome de. Voir Syndrome de Conn
Connectivité mixte, t4-525
Considérations éthiques
alimentation entérale, interruption du traitement, t3-59
allocation de ressources, greffe de rein, t3-393
approches alternatives, hyperthyroïdie, t3-514

avortement, t3-643
consentement éclairé, t1-351
distribution des soins
   (rationnement), cirrhose,
   t3-247
euthanasie et souffrance,
   t3-600
greffe de rein, abandon du
   traitement, t3-401
infections transmissibles
   sexuellement, confi-
   dentialité, t3-627
mort cérébrale, t2-725
questions d'ordre religieux,
   t2-283
test génétique, t2-239
tuberculose, observance du
   traitement, t2-94
VIH et notification des
   partenaires, t1-240
Constipation, t3-155
agents cathartiques, t3-157
causes, t3-156
côlon cathartique, t3-155
enseignement, t3-159
hypothyroïdie, t3-515
manifestations cliniques,
   t3-157
opiniâtre, t3-156
processus diagnostique et
   thérapeutique, t3-156
recommandations nutritionnelles, t3-158
soins infirmiers, t3-158
Contraceptifs oraux, t3-558,
   t3-631
effet sur l'appareil cardiovasculaire, t2-301
Contraception. Voir Méthodes
   contraceptives
Contractilité, t2-420, t2-641
Contraction haustrale, t3-8
Contracture, t1-156
Contrepulsion par ballon intra-
   aortique, t2-652
complications, t2-653, t2-655
effets, t2-652-653
indications et contre-
   indications, t2-652
soins infirmiers, t2-654
Convulsions et épilepsie,
   t4-299-310
classification internationale,
   t4-301
collectes de données, t4-306
complications, t4-302
crises généralisées, t4-301
crises partielles, t4-302
enseignement, t4-310
interventions chirurgicales,
   t4-305
manifestations cliniques,
   t4-301
médecines parallèles, t4-306
pharmacothérapie, t4-303,
   t4-305
plan de soins infirmiers,
   t4-308-309
processus diagnostique et
   thérapeutique, t4-303
soins d'urgence, t4-304

soins infirmiers, t4-307
traumatisme crânien et, t4-238
COOP (cyclophosphamide,
   vincristine, procarbazine,
   prednisone), t2-280
Coordination, évaluation, t4-197
Cordarone. Voir Amiodarone
Cordon spermatique, t3-546,
   t3-563
Coreg. Voir Carvédilol
Corgard. Voir Nadolol
Corlopam. Voir Fénoldopam
Corne dorsale, traitement du
   message, t1-105
Cornée, t4-3, t4-6
évaluation, t4-18
taies et opacités, t4-47
Coronarographie, t2-322
Coronaropathie, t2-360, t2-470
circulation collatérale,
   t2-365-t2-369
enseignement, t2-372
étiologie et physiopathologie,
   t2-361
exercice, t2-371
facteurs de risque, t2-365
femme, t2-414-415
gérontologie, t2-413-414
hypertension, t2-336, t2-366,
   t2-368
lipides du sang, t2-321
manifestations cliniques,
   t2-375-412
pharmacothérapie, t2-373-374
pontage, t2-447
prévention, t2-370
recommandations
   nutritionnelles, t2-372-373
Corps ciliaire, t4-3, t4-7
Corps vitré, t4-3-4
Cortex cérébral, réaction au stress,
   t1-88
Cortex somatosensoriel primaire
   (S1), t1-107
Cortex surrénal, t3-414
corticothérapie, t3-539
problèmes
   hyperaldostéroïsme
     primaire, t3-540
   hyperaldostéroïsme
     secondaire, t3-542
   hyperplasie surrénalienne
     congénitale, t3-542
   insuffisance corticosurré-
     nalienne, t3-535
   maladie d'Addison, t3-535
   phéochromocytome, t3-542
   syndrome de Cushing,
     t3-528
Corticolibérine (CRH), t1-89
Corticothérapie, t3-539
complications, t3-540
enseignement, t3-541
soins infirmiers, t3-540
Corticostéroïdes, t1-151, t3-121,
   t3-123-124
affections dermatologiques
   aiguës, t4-105, t4-111
allergies, t1-187, t1-194
arthrose, t4-485
asthme, t2-143-144, t2-149

bronchopneumopathie
   chronique obstructive,
   t2-170
choc anaphylactique,
   t2-593-594
colite ulcéreuse, t3-172
effets secondaires, t3-540
effets sur l'appareil
   cardiovasculaire, t2-301
encéphalite, t4-255
fibrose kystique, t2-197
fibrose pulmonaire, t2-127
gastrite, t3-110
hémorragies des voies
   gastro-intestinales,
   t3-113-114
inflammation des voies
   respiratoires, t2-623
insuffisance rénale, t3-398,
   t3-400
maladie de Crohn, t3-182
morsures et piqûres, t2-734
myélome multiple, t2-282,
   t4-460
œdème cérébral, t4-221
otite externe, t4-70
péricardite, t2-391, t2-505
polyarthrite rhumatoïde,
   t4-495
polymyosite et dermato-
   myosite, t4-524
prophylaxie, urographie
   intraveineuse, t3-294
purpura thrombocytopénique
   thrombotique, t2-250
purpura thrombopénique
   immun, t2-249
rhumatisme articulaire aigu,
   t2-512
thrombophlébite,
   prédisposition, t2-553
thyroïdite, t3-513
transplantation cardiaque,
   t2-450, t2-454
transplantation du foie, t3-251
usage, t3-538
Corticotrophine (ACTH), t1-89
Cortisol, t1-90, t3-414-415
Cortisone, t4-526
Corvert. Voir Ibutilide
Coryza. Voir Rhinite virale aiguë
Cosmegen. Voir Dactinomycine
Cotazym. Voir Pancrélipase
Côtes, fracture, t2-115
Cou. Voir Tête et cou
Coumadin. Voir Warfarine
Cozaar. Voir Losartan
CPAP (Continuous Positive Airway
   Pressure). Voir Ventilation
   continue en pression positive
Crâne, t4-211
chirurgie, t4-243, t4-245
fractures, t4-231
traumatisme, t4-230
Craniographie, t4-234, t4-240
Créatine, t3-277
clairance, comme épreuve
   diagnostique, t3-292
Crétinisme, t3-514-515
CRH. Voir Corticolibérine
Crise hypertensive, t2-356

causes, t2-356
soins infirmiers, t2-357
Cristallin, t4-3, t4-7
Crohn, maladie de. Voir Maladie
   de Crohn
Cromoglycate sodique (Intal),
   t2-136, t2-142-143, t2-149,
   t2-156-157, t2-196
Cromolyn (Intal), t1-194
Cryanesthésie, t1-371
Cryopexie, t4-57
Cryothérapie, t1-130
Cryptes de Lieberkühn, t3-6
Cryptorchidie, t3-706
Culture
cancer de l'appareil
   reproducteur féminin,
   t3-670
cancer du poumon, t2-102
cancer du sein, t3-584
cancer urogénital masculin,
   t3-697
coronaropathie, t2-366
diabète, t3-436
hypertension, t2-329
influence sociale sur les soins
   infirmiers, t1-3
troubles du côlon, t3-168
troubles hématologiques,
   t2-225
troubles urologiques, t3-303
tuberculose, t2-88
variable dans l'apprentissage,
   t1-23
Cuprimine. Voir Pénicillamine-D
Curiethérapie, t1-248
Cushing, syndrome de. Voir
   Syndrome de Cushing
Cuticule, t4-86
CVP (cyclophosphamide, vincristine, prednisone), t2-280
Cyanocobalamine, t2-234
Cycle menstruel, t3-552
caractéristiques, enseignement,
   t3-644
troubles dysménorrhée,
   t3-646-647
syndrome prémenstruel,
   t3-643-645
Cyclobenzaprine (Flexeril)
fibromyalgie, t4-526
fracture et douleur dues aux
   spasmes musculaires, t4-427
Cyclocryothérapie, t4-62
Cyclomen. Voir Danazol
Cyclophosphamide (Cytoxan),
   t2-107, t2-249, t2-280-281,
   t3-90, t3-330, t3-398
polymyosite et dermato-
   myosite, t4-524
sarcome d'Ewing, t4-461
sclérose en plaques, t4-313
Cyclophosphamide (Cytoxan),
   carcinogène potentiel, t1-6
Cycloplégiques, t4-49-50
Cyclosporine (Neoral), t2-130,
   t2-450, t2-508, t3-398, t4-313
Cystite, t3-301, t3-303
interstitielle, t3-310
pharmacothérapie, t3-303
processus thérapeutique,
   t3-303-304

soins infirmiers, t3-305
Cystocèle, t3-681
Cystographie, t3-295
Cystométrie, t3-298
Cystoscopie, t3-297
Cytarabine, t2-267
Cytokines, t1-180
  types et fonctions, t1-181
Cytokines pyrétogènes, t1-152
Cytologie urinaire, t3-292
Cytomégalovirus, t3-216
Cytotec. *Voir* Misoprostol
Cytovene. *Voir* Ganciclovir
Cytoxan. *Voir* Cyclophosphamide

D

D2T5. *Voir* Vaccin antitétanique
Daclizumab (Zenapax), t3-398, t3-400
Dactinomycine (Cosmegen), t3-330
Dalacin. *Voir* Clindamycine
Daltéparine (Fragmin), t2-454, t2-556
Danaparoïde (Orgaran), t2-556
Danazol (Cyclomen), t2-249, t3-645, t3-665
Darvon. *Voir* Porpoxyphène
DDAVP. *Voir* Desmopressine, acétate de
Débit cardiaque, t2-297, t2-325, t2-624, t2-640
  choc cardiogénique, t2-577
  facteurs d'influence, t2-297
  mesure par thermodilution, t2-648
  surveillance hémodynamique, t2-323
  syndrome de détresse respiratoire aiguë, t2-631
Débit sanguin cérébral (DSC), t4-214, t4-259
  autorégulation, t4-214
  facteurs d'influence, t4-215
  facteurs extracrâniens et intracrâniens, t4-260
Débridement, t4-527
Decadron. *Voir* Dexaméthasone
Declomycin. *Voir* Déméclocycline
Décompression microvasculaire, t4-345
Décongestionnants, t2-41-42, t4-74
Défibrillateur à synchronisation automatique (DSA) implantable, t2-480
  soins dans la famille, t2-482
Défibrillation, t2-479
Déficit ischémique neurologique réversible, t4-265
Déficit ventilatoire, t2-122
Dégénérescence maculaire liée à l'âge (DMLA), t4-58-59
Déglutition, t3-5
Déglutition supraglottique, enseignement, t2-64
Déglutition, évaluation de la capacité, t4-282
Déhiscence, t1-156

Delatestryl. *Voir* Testostérone, énanthate de
Délirium postopératoire, t1-384
Delirium tremens, t1-401
Déméclocycline (Declomycin), t3-498, t3-499
Démence progressive, causes, t4-331
Demerol. *Voir* Mépéridine
Démographie, changements, et soins de santé, t1-3, t1-6
Démyélinisation, t4-349
Dendrites, t4-175
Dents, problèmes, t3-84-87
  carie, t3-84
  intervention en phase aiguë, t3-86
  malocclusion, t3-85
  parodontolyse, t3-84
  soins ambulatoires et soins à domicile, t3-87
  soins infirmiers, t3-85
Depakene. *Voir* Acide valproïque
Dépériostage, t4-479
Dépolarisation, t2-459
Depo-Provera. *Voir* Médroxyprogestérone
Déridage, t4-128-129
Dérivation urinaire, t3-340
  continente, t3-341
  incontinente, t3-340
  plan de soins infirmiers, t3-344-346
  remplacement vésical orthotopique, t3-341
  soins infirmiers, t3-342
  types nécessitant des dispositifs collecteurs, t3-341
Dermabrasion, t4-127
Dermatome, t4-184
Dermatomes dorsaux, t1-105
Dermatomyosite, t4-523
  soins infirmiers, t4-524
Dermatose, t4-96
Derme, t4-85
Dermite
  atopique, t1-185
  de contact, t1-188
Dermite de contact, t4-101
Désarticulation, t4-456
Déséquilibres acidobasiques, t1-324, t1-326-330
  acidose métabolique et respiratoire, t1-328
  alcalose métabolique, t1-329
  alcalose respiratoire, t1-328
  concentration d'ions hydrogène, t1-324
  évaluation, t1-330
  manifestations cliniques, t1-329
  mixtes, t1-329
  terminologie, t1-324
Déséquilibres calciques, t1-319-320
  causes et manifestations cliniques, t1-320
  hypercalcémie, t1-319
  hypocalcémie, t1-320
Déséquilibres électrolytiques et SRIS et SDMV, t2-604
Déséquilibres magnésiens, t1-323

Déséquilibres phosphatiques, t1-322
Déséquilibres potassiques, t1-315-318
  causes et manifestations cliniques, t1-317
  hyperkaliémie, t1-316
  hypokaliémie, t1-318
Déséquilibres protéiques, t1-324
Déséquilibres sodiques et volumiques, t1-310, t1-312-314
  causes et manifestations, t1-312
  du liquide extracellulaire, t1-313
  hypernatrémie, t1-310
  hyponatrémie, t1-313
  soins infirmiers, t1-314
Déséquilibre V/P, t2-611, t2-627
Desflurane (Suprane), t1-367
Desmopressine, acétate de (DDAVP), t3-500
Desyrel. *Voir* Trazodone
Déxaméthasone, t2-281
Dexaméthasone (Decadron, Hexadrol)
  AVC, t4-272
  encéphalite, t4-255
  œdème cérébral, t4-222
  tumeur intracrânienne, t4-241
Dexamphétamine (Dexedrine), t1-128
Dexedrine. *Voir* Dexamphétamine
Dextran (Gentran), t2-653
DiaBeta. *Voir* Glyburide
Diabète, t3-434-487
  activités physiques, t3-455-456
  affections cutanées, t3-487
  agents oraux, t3-453, t3-465
    indications, t3-454
  autogestion, t3-470
  classification, t3-436
  comparaison entre l'hyperglycémie et l'hypoglycémie, t3-475
  complications, t3-470
    métaboliques aiguës, t3-474
  coronaropathie, t2-366, t2-369
  dépistage des sujets asymptomatiques, t3-464
  diagnostic, t3-437, t3-440
  différences entre les types 1 et 2, t1-435
  effet Somogyi, t3-452
  enseignement, t3-466, t3-469, t3-471
    recommandations nutritionnelles, t3-443
  fibrose kystique, t2-194
  gastroparésie, t3-485
  gérontologie, t3-486
  infection et, t3-487
  manifestations cliniques, t3-439
  néphropathie, t3-484
  neuropathie, t3-484
  normes de soins médicaux, t3-460
  obésité, t3-68
  pharmacothérapie, t3-444, t3-453. *Voir aussi* Insuline

phénomène de l'aube, t3-452
  plan de soins infirmiers, t3-461-463
  recommandations nutritionnelles, t3-441
  rétinopathie, t3-482-483
  soins infirmiers, t3-459
  tuberculose, t2-88
  type 1, t3-438
  type 2, t3-439
Diabète insipide, t3-499
  processus thérapeutique, t3-499
  soins infirmiers, t3-500
Dialyse, t3-356, t3-378-389
  comparaison entre la dialyse péritonéale et l'hémodialyse, t3-379
  hémodialyse, t3-384
    adaptation et efficacité, t3-389
    complications, t3-388
    dialyseurs, t3-386
    préparatifs, t3-388
    procédure, t3-387
    sites d'accès vasculaire, t3-384
  péritonéale, t3-379
    adaptation et efficacité, t3-384
    cathéter, mise en place, t3-379
    complications, t3-382
    solutions et cycle, t3-381
    systèmes, t3-381-382
Diamicron, Diamicron MR. *Voir* Gliclazide
Diaphragme, t2-6
Diaphyse, t4-388
Diarrhée, t3-149
  infectieuse aiguë, causes, t3-150
  pharmacothérapie, t3-151
  plan de soins infirmiers, t3-153-154
  processus thérapeutique, t3-150
  soins infirmiers, t3-151
Diathermie bipolaire, t3-210
Diazépam (Valium), t1-368
  brûlure, t4-167
  syndrome de Ménière, t4-76
  tétanos, t4-354
Diazoxide (Hyperstat IV), t2-357
Dibucaïne (Nupercaine), t3-180, t3-210
Diclofénac (Voltaren), t4-506
Dicyclomine (Bentylol), t3-169, t3-204
Didronel. *Voir* Étidronate
Diéthylamide de l'acide lysergique et crise hypertensive, t2-356
Diéthylstilbœstrol (Honvol), carcinogène potentiel, t1-248
Diffusion, t1-303
Diffusion, dialyse, t3-378
Diffusion facilitée, t1-304
Diffusion (gazeuse), t2-7
Diflucan. *Voir* Fluconazole
Digestion, t3-5
  absorption, t3-7

physiologie, t3-6
sécrétions gastro-intestinales liées à la, t3-6
Digibind. *Voir* Digoxine, anticorps spécifiques
Digitaline, t2-168, t2-431, t2-443, t2-470, t2-623, t3-109, t3-367
Digitopuncture et céphalée, t4-295
Digoxine (Lanoxin), t2-391, t2-399, t2-429, t2-431, t2-434, t2-445, t2-472-473, t2-476, t2-508, t2-521, t2-641, t3-131
anticorps spécifiques (Digibind), t2-431
Dihydroergotamine. *Voir* Mésylate de dihydroergotamine
Dihydrotachystérol (Hytakerol), t3-526
Dilantin. *Voir* Phénytoïne
Dilaudid
brûlure, t4-159
maladie de Parkinson, t4-323
Voir Hydromorphone
Diltiazem (Cardizem, Tiazac), t2-128, t2-385, t2-452, t2-470-472, t4-522
Dimenhydrinate (Gravol), t3-221
Diovan. *Voir* Valsartan
Diphenhydramine (Benadryl), t2-69, t2-96, t2-250, t2-593, t2-734, t3-95, t3-294, t3-398, t3-400, t4-168
Diprivan. *Voir* Propofol
Dipyridamole (Persantine), t2-246, t4-265, t4-269, t4-272
examen au, t2-380
Discectomie percutanée au laser, t4-469
Discoïdectomie, t4-469
Dislocation *Voir* Luxation
Dispositifs d'assistance ventriculaire, t2-654-655
Dissection cervicale radicale, t3-90
Distension abdominale, t1-396
Distraction et soulagement de la douleur, t1-133
Diurèse, t2-692
Diurétiques, t4-255
bronchopneumopathie chronique obstructive, t2-168
cardiopathie valvulaire, t2-521
greffe endovasculaire, t2-536
hypertension, t2-344
inflammation des voies respiratoires, t2-623
insuffisance cardiaque congestive, t2-428, t2-432, t2-434
myocardiopathie, t2-443
syndrome de bas débit cardiaque, t2-451
Diurétique de l'anse, t4-221
cirrhose, t3-236
insuffisance rénale aiguë, t3-355
Diurétiques osmotiques, t3-355, t4-220

Diurétiques thiazidiques, t3-500
Divalproex (Epival)
convulsions, t4-304
migraine, t4-296
syndrome des jambes sans repos, t4-340
Diversité culturelle
arthrite et maladies des tissus conjonctifs, t4-482
AVC, t4-260
ostéoporose, t4-475
troubles auditifs et visuels, t4-34
troubles tégumentaires, t4-100
Diverticule, t3-316
Diverticulose et diverticulite, t3-203
processus diagnostique et thérapeutique, t3-204
soins infirmiers, t3-204
DMLA. *Voir* Dégénérescence maculaire liée à l'âge
Dobutamine (Dobutrex), t2-390, t2-399, t2-429, t2-431, t2-444, t2-589, t2-594, t2-632, t2-641
Dobutrex. *Voir* Dobutamine
Docetaxel (Taxotere), t2-107
Docusate sodique (Colace), t1-128, t2-400, t3-211, t4-379
Dompéridone (Motilium), t3-100, t3-485
Donépézil (Aricept), t4-332
Dopamine (Intropin), t2-431, t2-474-475, t2-589, t2-594, t2-632, t2-641, t2-643, t2-692, t4-363
Doppler des carotides, t4-206
Dornase alfa recombinant (Pulmozyme), t2-181, t2-196
Dose d'analgésique équivalent, t1-118
Dostinex. *Voir* Cabergoline
Douleur, t1-101-137
ABC de la, t1-102
aiguë, t1-109
dangers de la, t1-111
brûlure, t4-166
chronique non cancéreuse, t1-110
classification d'après la pathologie, t1-110
complications postopératoires, t1-385
composante physiologique, t1-102
conditionnement, t1-133
cycle, t1-112, t1-116
dimension affective, t1-108
dimension comportementale et cognitive, t1-109
distraction et soulagement, t1-133
documentation, t1-118
enseignement préventif, t1-133
étiologie et type, t1-109
et personnes âgées, soulagement, t1-70
évaluation, t1-111, t4-198
échelles, t1-117
processus, t1-112
selon la méthode PQRST, t1-112-113

gérontologie, t1-137
imagerie, hypnose et soulagement, t1-133
infarctus du myocarde, t2-389
intensité, t1-114, t1-116
irradiation, t1-106
liée au cancer, soulagement, t1-298
maligne, t1-110
mécanismes neuraux, t1-103
médicaments et voies d'administration recommandées, t1-124
mesure, t1-115
modulation, t1-107
nature, t1-114, t1-117-118
neuropathique, t1-109
nociceptive, t1-109
obstacles au soulagement efficace, t1-135
perception, t1-107
peur, t1-340
pharmacothérapie analgésique, t1-118
plan de soulagement, évaluation, t1-137
processus thérapeutique, t1-134
région, t1-113, t1-116
stratégies effractives de soulagement, t1-131
stratégies non effractives de soulagement, t1-128
tachycardie, sinusale, t2-466
thérapies cognitivo-comportementales, t1-132
thoracique
insuffisance cardiaque congestive, t2-427
péricardite, t2-391, t2-503
prolapsus valvulaire mitral, t2-519
tissus du crâne sensibles à la, t4-292
traitement non pharmacologique, t1-128
transduction, t1-102
activation chimique, t1-103
fibres nerveuses périphériques, t1-104
mécanisme d'émission vers le SNC, t1-105
traitement du message, t1-105
voies de transmission, t1-106-107
Douleur abdominale, t3-159, t3-383
causes, t3-160
chronique, t3-163
plan de soins infirmiers (laparotomie), t3-162
processus diagnostique et thérapeutique, t3-160
soins d'urgence, t3-160
soins infirmiers, t3-161
Doxazosine (Cardura), t3-689
Doxorubicine (Adriamycin), t2-280-281, t3-142, t3-673, t4-460-461
effet sur l'appareil cardiovasculaire, t2-301

Doxycycline (Doxycin), t2-116
Doxycycline (Vibra-Tabs), t3-310, t3-613, t3-622, t3-661, t3-704, t4-508
Drainage postural, t2-168, t2-179, t2-196
Drains thoraciques et drainage pleural, t2-116-117
retrait du drain thoracique, t2-119
soins infirmiers, t2-118-119
Drépanocytose, t2-239
crise drépanocytaire, t2-241
dépistage, t2-243
manifestations cliniques et complication, t2-240
soins infirmiers, t2-242
Dristan. *Voir* Phényléphrine
Dropéridol, t1-369
DSA. *Voir* Défibrillateur à synchronisation automatique implantable
DSC. *Voir* Débit sanguin cérébral
Dulcolax. *Voir* Bisacodyl
Dulcolax. *Voir* Suppositoires de bisacodyl
Duragesic. *Voir* Fentanyl
Dure-mère, t4-186, t4-189
Duvoid. *Voir* Béthanéchol
Dysarthrie, t4-267
Dysfonctionnement érectile, t3-710
facteurs de risque, t3-711
épreuves diagnostiques, t3-710, t3-712
pharmacothérapie, t3-712
processus thérapeutique, t3-712
soins infirmiers, t3-713
Dysfonctionnement érectile et radiothérapie, t1-272
Dysménorrhée, t3-646-647
soins infirmiers, t3-647
Dysplasie, t1-143, t3-670
Dyspnée de Kussmaul, t3-353, t3-362-363
Dyspnée et insuffisance cardiaque congestive, t2-425
Dysréflexie autonome, t4-375

E

Ecchymose péri-orbitaire, t2-36
ECG. *Voir* Électrocardiogramme
Échanges gazeux, t2-6, t2-609
et oxygénation, amélioration, t2-428
Échelle d'évaluation de l'ajustement social, t1-82, t1-85
Échelle des événements récents, t1-85
Échographie cardiaque, t2-318
Échographie Doppler et AVC, t4-269
Échographie Doppler transcrânienne, t4-220
Échographie ultrasonique intracoronarienne, t2-322
Écran solaire, t4-100-101
Ectasie canalaire, t3-580

Eczéma marginé, t2-511
Edecrin. *Voir* Acide éthacrynique
EEG. *Voir* Électroencéphalo-
graphie
Efudex, crème à 5%. *Voir*
Fluorouracile
Elavil. *Voir* Amitriptyline
Eldepryl. *Voir* Sélégiline
Électrocardiogramme (ECG),
t2-317
dérivations, t2-317
intervalles, t2-464
surveillance, t2-459-462
ambulatoire, t2-318
Électrocoagulation, t4-107
Électrodessication, t4-107
Électroencéphalographie (EEG)
augmentation de la PIC, t4-220
AVC, t4-269
convulsions, t4-301, t4-303
système nerveux, t4-205
tumeur cérébrale, t4-240
Électrolytes, t1-302
valeurs normales, t1-310
Électromyographie (EMG), t4-205
Élimination, t3-8
Élimination intestinale et urinaire
lésion médullaire, t4-373,
t4-379-380
Elmiron. *Voir* Polysulphate de
pentosan sodique
Embolectomie, t2-567
Embolie
gazeuse, t2-650
postopératoire, t2-452
pulmonaire, t2-127, t2-391,
t2-565
complications, t2-565
épreuves diagnostiques,
t2-566-567
pharmacothérapie, t2-567
processus thérapeutique,
t2-566-567
soins infirmiers, t2-567
traitement chirurgical,
t2-567
Embolie cérébrale, t4-263
Embolie graisseuse et fracture,
t4-439
EMG. *Voir* Électromyographie
EMLA. *Voir* Prilocaïne
Emphysème, t2-160
comparaison avec la bronchite
chronique, t2-165
manifestations cliniques,
t2-164
physiopathologie, t2-163
soins infirmiers, t2-182
Voir aussi Bronchopneumopathie chronique obstructive
Empoisonnement alimentaire,
t4-352
Empoisonnement et intoxication,
t2-737-739
poisons courants, t2-738
Empracet. *Voir* Codéine
Énalapril (Vasotec), t2-399, t3-
366
Énalaprilat (Vasotec IV), t2-357
Enbrel *Voir* Étanercept
Encéphalite, t4-255

Encéphalopathie hépatique,
t3-233
facteurs déclencheurs, t3-234
insuffisance hépatique
fulminante, t3-249
soins infirmiers, t3-248
traitement, t3-239
Endocardite infectieuse,
t2-494-502
antibioprophylaxie, t2-497
interventions nécessitant,
t2-498
classification, t2-494
épreuves diagnostiques,
t2-496-497
facteurs de risque, t2-495
intervention en phase aiguë,
t2-499
manifestations cliniques,
t2-495
micro-organismes liés,
t2-494
pharmacothérapie, t2-498
plan de soins infirmiers,
t2-500-502
processus thérapeutique,
t2-497
soins ambulatoires et soins à
domicile, t2-502
soins infirmiers, t2-498
Endomètre
cancer, t3-671
processus thérapeutique,
t3-672
usage d'œstrogène, t3-558
endométriose, t3-662
hystérectomie, plan de soins
infirmiers, t3-666-668
pharmacothérapie, t3-665
soins infirmiers, t3-665
traitement chirurgical,
t3-664
Endophtalmie, t4-65
Endoprothèse vasculaire, t2-382,
t2-546
Endothélium
altération, t2-362-363
dysfonctionnement, t2-334
Enflurane, t1-367
Énoxaparine (Lovenox), t1-353,
t1-395, t2-556, t4-529
Enseignement préventif relatif à la
douleur, t1-133
Enseignement, processus, t1-20
âge du client, t1-22
collecte de données, t1-27
communication, t1-21
connaissance de la matière,
t1-21
culture du client, t1-23
écoute active, t1-22
empathie, t1-22
état psychologique du client,
t1-24
évaluation, t1-32
évaluation des caractéristiques,
t1-27
exécution, t1-31
facteurs de stress, t1-22
facteurs favorisant l'apprentissage, t1-25

niveau d'instruction du client,
t1-23
objectifs, t1-20
planification, t1-29
profession du client, t1-23
sentiment d'auto-efficacité du
client, t1-24
soutien familial et social, t1-24
stratégies, t1-30-31
Entorse, t4-409
Énucléation, t4-66
Épanchement pleural, t2-6,
t2-122, t2-427
manifestations cliniques,
t2-124
processus thérapeutique,
t2-126
thoracentèse, t2-124
tuberculose, t2-90
Épiderme, t4-85
rupture, prévention, t4-281
Épididymite, t3-706
Épiglotte, t3-5
Épilepsie *Voir* Convulsions et
épilepsie
Épinéphrine (Adrenalin), t2-144,
t2-431, t2-466, t2-471,
t2-474-476, t2-478, t2-594,
t2-641, t2-734, t3-116, t3-294
Épiphyse, t4-387
Épistaxis, t2-36-37
soins infirmiers, t2-38
Épithélioma malpighien spinocel-
lulaire. *Voir* Bouche, cancer;
Œsophage, cancer
Épithélium, t4-6
Epival. *Voir* Divalproex
Époprosténol (Flolan), t2-128
Épreuve de Rinne, t4-75
Épreuve de Weber, t4-75
Épreuve électrophysiologique,
t2-322
Épreuves à l'effort, t2-33, t2-318
Eprex. *Voir* Érythropoïétine
Épuration extrarénale continue,
t3-356, t3-390
Équation de Henderson-
Hasselbalch, t1-325
Équilibre électrolytique et
acidobasique, t3-362
Équilibre hydrique et sodique,
ventilation mécanique, t2-677
Équilibre hydroélectrolytique et
augmentation de la PIC, t4-228
Ergamisol. *Voir* Lévamisole
Ergotamine (Cafergot), t4-296
Eryc. *Voir* Érythromycine
Érythème palmaire, t3-231
Érythrocytes, t2-201
anémie par diminution de
production, t2-229
augmentation de la
destruction, anémie,
t2-238-244
diminution de la production,
anémie, t2-229-236
épreuves de laboratoire, t2-216
vitesse de sédimentation,
t2-217
Érythromycine (Eryc), t2-82,
t2-150, t2-170, t2-513, t3-612,

t3-622, t3-704, t4-105
Érythropoïèse, t2-201
nutriments nécessaires, t2-230
Érythropoïétine (Eprex), t2-226,
t2-243, t3-278, t3-367
Escarres de décubitus, t4-130
collecte de données, t4-131,
t4-134
plan de soins infirmiers, t4-135
soins dans la famille, t4-134
stades, t4-131
Esmolol (Brevibloc), t2-357
Ésoméprazole (Nexium), t3-130
Espace liquidien, t1-302
Espace mort anatomique, t2-5
Espace transcellulaire, t1-301
Estomac, t3-5
cancer, t3-140-144
intervention en phase aiguë,
t3-143
processus diagnostique et
thérapeutique,
t3-141-142
soins infirmiers, t3-142
pyrosis, t3-98, t3-100
ESV. *Voir* Extrasystole
ventriculaire
Étanercept (Enbrel), t4-496
État confusionnel aigu, t1-69
État de mal asthmatique, t2-139,
t2-144.*Voir aussi* Asthme
État mental, évaluation, t4-195
État nutritionnel, évaluation
préopératoire, t1-344
Éthique, droit à la mort et AVC,
t4-281
Éthique, progrès techniques et,
t1-7. *Voir aussi* Considérations
éthiques
Éthosuximide (Zarontin), t4-304
Étidronate (Didronel), t4-478
Étoposide (Vepesid), t2-107
Euflex. *Voir* Flutamide
Euglucon. *Voir* Glyburide
Evista. *Voir* Raloxifène
Ewing, sarcome d'. *Voir* Sarcome
d'Ewing
Exercice
activités influant sur la dépense
calorique, t3-457
angine, t2-376
asthme, t2-135, t2-156
complications locomotrices de
la ventilation mécanique,
t2-680
coronaropathie, t2-371
dépense énergétique en
équivalents métaboliques
(MET), t2-409
diabète et activités physiques,
t3-455-456
dysménorrhée, t3-647
fibrose kystique, t2-196, t2-198
hypertension, t2-344, t2-355
marche et bronchopneumo-
pathie chronique obstructive
mobilité du bras et de l'épaule
après une chirurgie pour un
cancer du sein, t3-599
obésité, t3-72
réadaptation après un infarctus
du myocarde, t2-409

syndrome prémenstruel,
t3-644-645
tachycardie, sinusale, t2-466
Exercice de Kegel, t3-335
Exfoliation chimique, t4-123
Expiration forcée, techniques,
t2-621-622
Exsudat inflammatoire, t1-149,
t1-151
Extrasystole ventriculaire (ESV),
t2-475

F

Facteur intrinsèque, t2-233
Facteur natriurétique auriculaire
(FNA), t3-278, t3-416
Facteurs de croissance
hématopoïétiques, t1-289
Faisceau uvéal, t4-3
Famciclovir (Famvir), t3-222,
t3-620, t4-348
Famille, t1-24
développement de l'adulte et,
t1-46
stress lié à la maladie, t1-50-51,
t1-93
Famotidine (Pepcid), t3-116,
t3-130, t3-237
lésion médullaire, t4-361
ulcère de stress, t4-374
sclérodermie systémique,
t4-523
Famvir. Voir Famciclovir
Fascia, t4-392
Fatigue et insuffisance cardiaque
congestive, t2-425
Fécalome, t3-165
Femara. Voir Létrozole
Fenfluramine (Pondimin, Redux),
t3-73
Fénofibrate (Lipidil μ, Lipidil
Supra), t2-375
Fénoldopam (Corlopam), t2-357
Fentanyl (Duragesic), t1-125-126,
t1-368, t2-659, t4-159
Fente palpébrale, t4-5
Fer
administration, t2-231
surcharge, t2-245
Fer dextran (Infufer), t3-175
Fexofénadine (Allegra), t1-193
Fibres nerveuses périphériques,
t1-104
Fibrillation
auriculaire, t2-471
ventriculaire, t2-477
hypothermie, t2-732
Fibrine, t1-147
Fibrinolyse, t2-207
Fibromyalgie, t4-525
Fibrose kystique, t2-193, t3-206
complications, t2-195
épreuves diagnostiques, t2-195
étiologie, t2-193
intervention en phase aiguë,
t2-197
manifestations cliniques,
t2-195
processus thérapeutique,
t2-196

soins infirmiers, t2-196
Fibrose pulmonaire diffuse,
t2-100
Fièvre, t1-152
effets de l'infarctus du
myocarde, t2-389
endocardite infectieuse, t2-495
intervention, t1-161
plan de soins infirmiers, t1-162
postopératoire, t2-452
stades de la réaction, t1-152
tachycardie, sinusale, t2-466
transfusion sanguine, t2-286
Fièvre pourprée des montagnes
rocheuses, t2-735
Filgrastim (Neupogen), t2-264
Filtrat glomérulaire, t3-277
Finastéride (Proscar), t3-688,
t3-701
Fiorinal. Voir AAS et butalbital
Fissure anale, t3-211
Fistules, t3-682
soins infirmiers, t3-683
Fistule périlymphatique, t4-75
Fitz-Hugh, syndrome de. Voir
Syndrome de Fitz-Hugh
Flagyl. Voir Métronidazole
Flamazine. Voir Sulfadiazine
d'argent
Flavoxate (Urispas), t3-304
Flécaïnide (Tambocor), t2-470, t2-
472-473
Fleet Enema. Voir Phosphate de
sodium
Flexeril. Voir Cyclobenzaprine
Flolan. Voir Époprosténol
Flomax. Voir Tamsulosine
Flovent. Voir Fluticasone
Floxin. Voir Ofloxacine
Fluconazole (Diflucan), t2-96,
t3-310
Fluoroquinolones, t3-304
Fluorouracile (5-FU), t3-44,
t3-90, t3-105, t3-142, t3-144,
t3-192, t3-250, t3-263, t3-624,
t3-674
chirurgie filtrante, t4-62
kératose actinique, t4-106
Fluoxétine (Prozac), t3-44, t4-296
Flutamide (Euflex), t3-701
Fluticasone (Flovent), t2-149
Flutter auriculaire, t2-471
Fluvastatine (Lescol), t2-375
FNA. Voir Facteur natriurétique
auriculaire
Foie, t2-205, t3-9
analyses sanguines et urinaires
de la fonction hépatique,
t3-27-28
biopsie, t3-26
changements physiopatho-
logiques provoqués par
l'hépatite, t3-218
fonctions hépatiques, t3-10
fonction hépatique, SRIS et
SDMV, t2-603
percussion, t3-17
transplantation, t3-239,
t3-250-251
troubles, t3-215-251
carcinome, t3-249-250

cirrhose, t3-229-249
hépatites, t3-216-229
ictère, t3-215-216
insuffisance hépatique
fulminante, t3-249
Foie, évaluation préopératoire,
t1-344
Fonction intellectuelle et AVC,
t4-267
Fonction musculosquelettique,
optimisation, t4-281
Fonction neuromotrice, déficits
reliés à l'AVC, t4-266
Fonctions organiques, surveillance, t4-211
Formule de Parkland, t4-156
Formule sanguine complète
(FSC), t2-215-216
Fosamax. Voir Alendronate
Foscarnet, t2-79
Fosfomycine (Monurol), t3-304
Foulure, t4-409
Fracture
du bassin, t4-440
classification, t4-417
collecte de données, t4-429
complications, t4-437
consolidation, t4-417-418
complications, t4-420
de l'humérus, t4-440
de la diaphyse fémorale, t4-447
de la hanche, t4-441
gérontologie, t4-447
plan de soins infirmiers,
t4-444-446
soins infirmiers, t4-442
de Pouteau, t4-440
des vertèbres, t4-448
du tibia, t4-448
fixation externe, t4-421
fixation interne, t4-427
immobilisation, t4-421
interventions d'urgence, t4-433
manifestations cliniques,
t4-417-418
maxillo-faciale, t4-449
ouverte, t4-427
pharmacothérapie, t4-427
plan de soins infirmiers,
t4-430-432
plâtre
soins, t4-433, t4-435
types, t4-425
problèmes associés aux lésions
de l'appareil locomoteur,
t4-439
processus diagnostique et
thérapeutique, t4-420
prothèse de tête fémorale,
t4-446
recommandations
nutritionnelles, t4-428
réduction, t4-420-421
soins ambulatoires et soins à
domicile, t4-435
soins d'urgence, t4-428
soins infirmiers, t4-428
traction, t4-421
continue, t4-427
soins, t4-434
types, t4-422-424

Fragmin. Voir Daltéparine
Freedox. Voir Tirilazade
Frisium. Voir Clobazam
FSC. Voir Formule sanguine
complète
FSH. Voir Hormone folliculosti-
mulante
Fundoplicature, t3-103
Furosémide (Lasix), t2-281,
t2-428, t2-433, t2-623, t2-733,
t2-739, t3-236,
t3-355, t3-498, t3-522
augmentation de la PIC, t4-221
AVC, t4-272

G

G6PD. Voir Glucose-6-phosphate
déshygrogénase
Gabapentine (Neurontin), t1-105,
t1-114
convulsions, t4-304
syndrome des jambes sans
repos, t4-340
Gammaencéphalographie, t4-240,
t4-269
Gammaglobuline (IgG), t3-222
Ganciclovir (Cytovene), t3-401
Ganciclovir IV (Cytovene), t2-79
Ganglions lymphatiques, t2-276
Garamycin. Voir Gentamicine
Gastrite, t3-109-112, t3-115
causes, t3-110
manifestations cliniques,
t3-110
pharmacothérapie, t3-110
par reflux biliaire, t3-138
soins infirmiers, t3-112
Gastro-entérite, t3-168
Gastroparésie diabétique, t3-485
Gaviscon. Voir Antiacide
Gaz sanguins artériels (GSA), t2-8
apport en oxygène, évaluation,
t2-10
échanges gazeux, t2-6, t2-428,
t2-609
valeurs normales, t2-8
Gaz sanguins, valeurs normales et
analyse, t1-330
Gemcitabine (Gemzar), t2-107,
t3-263
Gemfibrozil (Lopid), t2-374
Gemzar. Voir Gemcitabine
Génération sandwich, t1-47
Génétique et obésité, t3-67
Génétique, anémie hémolytique,
t2-239
Gentamicine (Garamycin), t2-513,
t3-367, t4-105
Gentran. Voir Dextran
Gérontologie, t1-54-80
alimentation entérale, t3-59
amputation, t4-460
anémie, t2-227
appareil auditif, t4-22
appareil cardiovasculaire,
t2-300
appareil digestif, t3-11
appareils et accessoires, t1-70
appareil locomoteur, t4-392

appareil reproducteur et réponse sexuelle, t3-555
appareil respiratoire, t2-12
appareil tégumentaire, t4-87
appareil urinaire, t3-281
appareil visuel, t4-7
AVC, t4-289
brûlure, t4-169
centres de jour, t1-77
centres de soins de longue durée, t1-78
changements mammaires, t3-584
client âgé en phase peropératoire, t1-372
client âgé en phase postopératoire, t1-401
client âgé en phase préopératoire, t1-340
conséquences de la perte de la vue, t4-42
considérations juridiques et éthiques, t1-78-79
coronaropathie, t2-413-414
diabète, t3-486
diagnostics infirmiers, t1-64, t1-66
douleur, t1-137
extraction de la cataracte, t4-55
fracture de la hanche, t4-447
glaucome, contre-indications médicamenteuses, t4-65
hernie hiatale et reflux gastro-œsophagien, t3-104
hypertension, t2-335
infirmière, rôle en milieu hospitalier, t1-69
instruments d'évaluation gériatrique, t1-65
insuffisance rénale, t3-359, t3-402
insuffisance respiratoire, t2-624
maladie inflammatoire intestinale, t3-183
maladies métaboliques osseuses, t4-479
maladie osseuse de Paget, t4-479
malnutrition, t3-52
nausées et vomissements, t3-98
ostéoporose, t4-479
pieds, problèmes, t4-474
polyarthrite rhumatoïde, t4-497
promotion de la santé et dépistage, t1-66
soins à domicile, t1-77
soins infirmiers, t1-64
sortie du centre hospitalier, t1-69
soulagement de la douleur, t1-70
système endocrinien, t3-416-417
système hématologique, t2-208
système immunitaire, t1-180, t1-182
système nerveux, t4-189
utilisation de moyens de contention, t1-73
vision diminuée, t4-47

Voir aussi Personnes âgées
Gigantisme, t3-490
Gilet halo, usage et mode d'entretien, t4-376
Glandes
    apocrines, t4-86
    eccrines, t4-86
    lacrymales, t4-6
    sébacées, t4-86
Glandes duodénales de Brunner, t3-6
Glandes endocrines, t3-406-416
    cœur, t3-416
    glandes surrénales, t3-414
    hypophyse, t3-413
    hypothalamus, t3-412
    pancréas, t3-415
    parathyroïdes, t3-414
    thyroïde, t3-413
Glandes parathyroïdes, troubles, t3-519
    hyperparathyroïdie, t3-519
    hypoparathyroïdie, t3-525
    manifestations cliniques, t3-521
Glandes salivaires, t3-5
Glaucome, t4-59
    gérontologie, t4-65
    pharmacothérapie, t4-63
    processus diagnostique et thérapeutique, t4-60-61
    soins infirmiers, t4-62
Gliclazide (Diamicron, Diamicron MR), t3-453
Glimépiride (Amaryl), t3-453
Globuline antilymphocytaire, t3-398
Glomérulonéphrite, t3-311
    chronique, t3-314
    poststreptococcique aiguë, t3-312
    processus diagnostique et thérapeutique, t3-312
    proliférative extracapilliaire, t3-313
    soins infirmiers, t3-313
Glossectomie, t3-89
Glucagon, t3-11, t3-415
Glucides
    lipides, anomalies et dialyse, t3-383
    métabolisme et insuffisance rénale, t3-360
Glucocorticoïdes, t1-89
Gluconéogenèse, t3-45
GlucoNorm. Voir Répaglinide
Glucophage. Voir Metformine
Glucosamine. Voir Sulfate de glucosamine
Glucose, intolérance, t3-437
Glucose-6-phosphate déshydrogénase (G6PD), carence, t2-243
Glyburide (DiaBeta, Euglucon), t3-453
Glycémie
    médicaments et contrôle, t3-456
    surveillance, t3-25-458, t3-463
    Voir aussi Diabète ;
    Hypoglycémie

Glycérine, t4-379
Goitre nodulaire, t3-502
    substances goitrigènes exogènes, t3-512
GOLYTELY. Voir Polyéthylène glycol isotonique et électrolyte
Gonadotrophine ménopausique humaine (Pergonal), t3-640
Gonorrhée, t3-611
    comparaison avec la chlamydia, t3-620
    pharmacothérapie, t3-612
    processus diagnostique et thérapeutique, t3-612-613
    souches résistantes aux antimicrobiens, t3-609
Goodpasture, syndrome de. Voir Syndrome de Goodpasture
Goséréline (Zoladex), t3-594, t3-700
Goutte, t4-509
    manifestations cliniques et complications, t4-509
    processus diagnostique et thérapeutique, t4-510
    pseudo-goutte, t4-510
    soins infirmiers, t4-511
Goutte, néphropathie, t3-329
Granulocytes, t1-147, t2-202
    éosinophiles et basophiles, t1-149
Granulome, t1-148
Graphestésie, t4-200
Graves, maladie de. Voir Maladie de Graves
Greffe
    autologue de cultures épithéliales, t4-164
    de moelle osseuse et de cellules souches, t2-273
    de poumon, t2-130, t2-177, t2-196
    endovasculaire, t2-535
    perméabilité, t2-536
    peau artificielle, t4-165
Greffe de rein, t3-391
    abandon du traitement, t3-401
    complications, t3-400-402
    donneur, t3-394
    intervention chirurgicale, t3-395
    receveur, t3-392
    allocation des ressources, t3-393
    épreuves d'histocompatibilité, t3-392
    soins infirmiers, t3-396
    traitement immunosuppresseur, t3-397-400
Grippe, t2-44
    vaccin, t2-44
    virus pouvant causer la, t2-42
Grossesse
    ectopique, t3-649-651
    épreuves diagnostiques, t3-650
    processus thérapeutique, t3-651
    infection par le virus de l'herpès simplex, t3-619
    test, t3-566

GSA. Voir Gaz sanguins artériels
Guillain-Barré, syndrome de. Voir Syndrome de Guillain-Barré
GVH. Voir Maladie du greffon contre l'hôte
Gynécomastie, t3-582
    chez l'homme âgé, t3-583
    pubertaire, t3-582

H

H. pylori. Voir Helicobacter pylori
Halopéridol (Haldol)
    augmentation de la PIC, t4-229
    brûlure, t4-166
Hamamélis, t3-210
Haptène, t1-174
HBP. Voir Prostate, hypertrophie bénigne
Helicobacter pylori, t3-110, t3-121-124, t3-126, t3-131, t3-140
    pharmacothérapie, t3-111
Hémaphérèse, t1-198
Hémianopsie, t4-195
Hémianopsie homonyme, t4-283
Hémiglossectomie, t3-89
Hémisphère cérébral, engagement, t4-209, t4-217
Hémochromatose, t2-245
Hémodialyse. Voir Dialyse, hémodialyse
Hémolyse, t2-202
    pathologique, t2-218
Hémophilie, t2-252-258
    comparaison entre les types, t2-255
    manifestations cliniques, t2-255
    pharmacothérapie, t2-256
    processus thérapeutique, t2-256-257
    résultats de laboratoire, t2-256
    soins infirmiers, t2-257
Hémorragie des voies gastro-intestinales supérieures, t3-112, t3-119
    causes courantes, t3-113
    complication de l'ulcère gastroduodénal, t3-124
    intervention en phase aiguë, t3-118
    pharmacothérapie, t3-115-116
    processus thérapeutique, t3-115
    soins ambulatoires et soins à domicile, t3-119
    soins infirmiers, t3-113, t3-116
    types, t3-112
Hémorragie intracérébrale, t4-264
Hémorragie intrapéritonéale, t3-383
Hémorragie sous-arachnoïdienne, t4-264
Hémorroïdes, t3-156, t3-209
    soins infirmiers, t3-210
Hémostase, t2-205
Héparine, t1-395, t2-261, t2-534, t2-542, t2-555, t2-558, t2-567, t3-79

antidote, t2-559
AVC, t4-272
de faible poids moléculaire
(HEPM), t2-556
thrombose veineuse profonde,
prévention, t4-373
Hépatite active, persistante et
fulminante, t3-220
Hépatite et traitement de la tuberculose, t2-91
Hépatite, et hémodialyse, t3-389
Hépatite idiopathique, t3-229
Hépatite toxique et médicamenteuse, t3-228
Hépatite virale, t3-216
anictérique, t3-219
caractéristiques, t3-217
complications, t3-219
contrôle chez le personnel
soignant, t3-228
épreuves diagnostiques,
t3-220-221
manifestations cliniques,
t3-219
mesures préventives, t3-226,
t3-228
pharmacothérapie, t3-220
physiopathologie, t3-218
plan de soins infirmiers,
t3-225-226
processus thérapeutique,
t3-220, 222
recommandations
nutritionnelles, t3-223
soins infirmiers, t3-224
test pour, t3-221
vaccin contre l'hépatite A,
t3-222
vaccin contre l'hépatite B,
t3-223
vaccin contre l'hépatite C,
t3-223
virus de l'hépatite A, t3-216
virus de l'hépatite B, t3-217
virus de l'hépatite C, D, E, G,
t3-218
Hépatomégalie, t2-427
Hépatotoxicité, t3-11
HEPM. Voir Héparine, de faible
poids moléculaire
Heptovir. Voir Lamivudine
Herceptin. Voir Trastuzumab
Hérédité
allergies, t1-183
bronchopneumopathie
chronique obstructive,
t2-162
cancer, t1-250
cancer du poumon, t2-102
chéloïdes, t1-156
coronaropathie, t2-367
hypertension, t2-334
Hérédité et diabète, t3-438
Hernie, t3-205, t3-383
soins infirmiers, t3-206
Hernie discale, t4-468-469
Hernie hiatale, t3-98, t3-101-103
gérontologie, t3-104
processus thérapeutique,
t3-102
soins infirmiers, t3-103

Hernie tentoriale, t4-189
Herpès génital, t3-617
manifestations cliniques,
t3-618
pharmacothérapie, t3-619
processus diagnostique et
thérapeutique, t3-619
virus, t3-216, t3-617
Hexadrol. Voir Dexaméthasone
Hexagone de Willis, t4-186,
t4-260-261
Hirudine, t2-261
HIS. Voir Hypertension, systolique
isolée
Homéostase et AVC, t4-279
Homéostasie, t1-301
Homocystéine et coronaropathie,
t2-370
Honvol. Voir Diéthylstilbœstrol
Hoquet, t1-396
Hormone adrénocorticotrope
(ACTH), t1-393
Hormone antidiurétique (ADH),
t1-90, t1-307, t1-393, t3-495
Hormone folliculostimulante
(FSH), t3-548, t3-551
Hormone lutéinisante (LH),
t3-548, t3-551
Hormone parathyroïdienne
(PTH), t3-414
Hormones, t3-406-411
caractéristiques, t3-406
dysfonctionnement,
manifestations non
spécifiques, t3-420
fonctions, t3-407
mécanisme d'action, t3-407
motilité gastro-intestinale, t3-7
récepteurs, t3-407
régulation de la sécrétion
complexe, t3-410
négative, t3-409
positive, t3-410
rythmes, t3-411
simple, t3-409
par le système nerveux,
t3-411
structure, t3-406
transport, t3-407
types
aminées, t3-406
antidiurétique, t3-413
calcitonine, t3-414
catécholamines, t3-414
glucagon, t3-415
inhibitrices, t3-412
insuline, t3-416
libérines, t3-412
ocytocine, t3-413
parathyroïdienne, t3-414
peptidiques, t3-407
stéroïdes, t3-407, t3-415
thyroïdiennes, t3-406
thyroxine (T_4), t3-413
triiodothyronine (T_3), t3-413
Hormones corticosurrénales,
dysfonctionnement, t3-528
manifestations cliniques,
t3-529
Hormones de croissance, excès,
t3-490

intervention en phase aiguë,
t3-492
soins ambulatoires et soins à
domicile, t3-492
soins infirmiers, t3-491
Hormones et régulation de l'ap-
pareil cardiovasculaire, t2-299
Hormonothérapie, t3-335, t3-593,
t3-640, t3-653, t3-673, t3-701
Huile d'onagre, t3-646
Huile de farine d'avoine (Aveeno),
t4-111
Huile minérale, t3-106
Humalog. Voir Insuline lispro
Huntington, maladie de. Voir
Maladie de Huntington
Hycamtin. Voir Topotécan
Hycodan. Voir Hydrocodone
Hydralazine (Apresoline), t2-357,
t2-466, t3-333, t3-558, t4-523
Hydrate de chloral, t3-222
Hydrea. Voir Hydroxyurée
Hydrocèle, t3-707
Hydrochlorothiazide
(HydroDiuril), t3-236
Hydrocodone (Hycodan), t1-120
Hydrocortisone, t2-96, t2-250,
t3-210
affections dermatologiques,
t4-106
syndrome du tunnel carpien,
t4-413
HydroDiuril. Voir
Hydrochlorothiazide
Hydromorphone (Dilaudid),
t1-123, t1-126
Hydroxocobalamine, t2-234
Hydroxychloroquine (Plaquenil),
t4-495
Hydroxyurée (Hydrea), t2-243,
t2-246, t3-90
Hydroxyzine (Atarax), t1-128,
t3-163
Hygiène
névralgie faciale, t4-346
troubles tégumentaires, t4-102
Hygiène et choc, t2-600
Hyperaldostéronisme, t3-540-541
Hypercalcémie, t1-296, t1-319,
t3-366
Hypercapnie, t2-609
manifestations cliniques,
t2-615
permissive, t2-629
Hyperémie, t1-148
Hyperglycémie hyperosmolaire
non cétosique, t3-477-478
Hyperkaliémie, t1-316, t3-355,
t3-358, t3-362, t3-366
Hypermétropie, t4-4, t4-35
Hypernatrémie, t1-310
Hyperparathyroïdie, t3-519
complications, t3-520
manifestations cliniques,
t3-520-521
pharmacothérapie, t3-521
plan de soins infirmiers,
t3-523-525
soins infirmiers, t3-522
Hyperplasie, t1-142
Hyperplasie surrénalienne

congénitale, t3-542
Hyperstat IV. Voir Diazoxide
Hypertension, t1-383, t2-329-355
anévrisme aortique, t2-531
artériopathie, t2-543
classification, t2-330-331
classification des risques,
t2-339-340
complications, t2-336
coronaropathie, t2-336, t2-366,
t2-368
crise hypertensive, t2-356-357
enseignement, t2-354
épreuves diagnostiques,
t2-338-339
essentielle, t2-331
facteurs de risque, t2-332
gérontologie, t2-335
insuffisance rénale, t3-366,
t3-401
manifestations cliniques,
t2-335-336
modifications du mode de vie,
t2-340-344
obésité, t3-68
observance du traitement,
t2-356
pharmacothérapie, t2-344-349,
t2-353
physiopathologie, t2-332
prévention, t2-351
processus thérapeutique,
t2-339
pseudohypertension, t2-335
recommandations
nutritionnelles, t2-340,
t2-353
secondaire, t2-331
signes d'atteinte d'organe cible,
t2-336
soins ambulatoires et soins à
domicile, t2-352
soins infirmiers, t2-350
suivi, recommandations, t2-353
systolique isolée (HIS), t2-335
traitement, absence de réponse,
t2-351
Hypertension portale, t3-232,
t3-238
Hypertension pulmonaire, t2-128,
t2-566
Hyperthermie, t2-727
Hyperthermie maligne, t1-372
Hyperthyroïdie, t3-501
comparaison entre le jeune
adulte et la personne âgée,
t3-504
complications, t3-503
épreuves diagnostiques, t3-503
intervention en phase aiguë,
t3-507
manifestations cliniques,
t3-502-503
pharmacothérapie, t3-505
plan de soins infirmiers,
t3-508-510
processus thérapeutique,
t3-504-505
soins ambulatoires et soins à
domicile, t3-511
soins infirmiers, t3-506

Hypertrophie, t1-142
Hypertrophie bénigne de la prostate. *Voir* Prostate, hypertrophie bénigne
Hypertrophie ventriculaire gauche, t2-336
Hyperuricémie, t4-509
Hyperventilation alvéolaire, t2-678
Hyphéma, t4-11
Hypnoanesthésie, t1-372
Hypnose et céphalée, t4-295
Hypnotiques non barbituriques, t1-367
Hypocalcémie, t1-320, t3-366
Hypochlorhydrie, t3-110
Hypoderme, t4-85
Hypogammaglobulinémie, t1-200
Hypoglycémie, t3-478
    complications chroniques, t3-481
    postprandiale, t3-137
    processus diagnostique et thérapeutique, t3-480
    réactionnelle, t3-487
    soins infirmiers, t3-479
Hypokaliémie, t1-318, t1-393
Hypomotilité de l'œsophage, t4-521
Hyponatrémie, t1-313
Hypoparathyroïdie, t3-525
    intervention en phase aiguë, t3-527
    soins infirmiers, t3-526
Hypophyse, t3-413
    hypofonctionnement, t3-493
        hormonothérapie de remplacement, t3-494
        soins infirmiers, t3-495
    lobe antérieur de l'hypophyse, problèmes, t3-490
        excès d'hormones de croissance, t3-490
        excès de stimulines, t3-493
    postérieure, troubles, t3-495
        diabète insipide, t3-499
        syndrome de sécrétion inappropriée d'hormone antidiurétique, t3-495
Hypopituitarisme, t3-493
Hypospadias, t3-704
Hypotension, t1-382
    contrôlée, t1-371
Hypotension et lésion médullaire, t4-359
Hypotension, hémodialyse, t3-388
Hypothalamus, t3-67, t3-412
    réaction au stress, t1-89
    régulation hydrique, t1-307
Hypothermie, t1-371, t1-384, t2-730
    processus thérapeutique, t2-732
    soins d'urgence, t2-731
Hypothermie, traitement de la sclérose en plaques, t4-313
Hypothyroïdie, t3-514
    complications, t3-516
    enseignement, t3-519
    épreuves diagnostiques, t3-516
    plan de soins infirmiers, t3-518-519

soins infirmiers, t3-517
Hypoventilation, t1-378
Hypoventilation alvéolaire, t2-612, t2-678
Hypoventilation et lésion médullaire, t4-359
Hypoventilation et obésité, t3-68
Hypoxémie, t1-377, t2-609, t2-612
    distinction avec l'hypoxie, t2-615
    manifestations cliniques, t2-615
    syndrome de détresse respiratoire, t2-627-628
Hypoxie, mécanismes compensatoires, t2-224
    distinction avec l'hypoxémie, t2-615
Hystérectomie, t3-678
    plan de soins infirmiers, t3-666-668
Hytakerol. *Voir* Dihydrotachystérol
Hytrin. *Voir* Térazosine

I

Ibuprofène (Advil, Motrin), t2-136, t2-555-556, t2-600, t3-645, t3-647
    arthrose, t4-485
    Voir aussi Anti-inflammatoires non stéroïdiens
Ibutilide (Corvert), t2-452, t2-472
IC. *Voir* Index cardiaque
ICC. *Voir* Insuffisance cardiaque congestive
ICT. *Voir* Ischémie cérébrale transitoire
Ictère, t3-215
    cirrhose, t3-230
    intervention en phase aiguë, t3-227
    phase de l'hépatite, t3-219
IECA. *Voir* Inhibiteurs de l'enzyme de conversion de l'angiotensine
Ifosfamide (Ifex), t2-107, t4-461
IgG. *Voir* Gammaglobuline
Iléostomie, t3-194
    continente (poche de Kock), t3-173, t3-196
    en boucle, t3-196
    protocolectomie totale, t3-173
    soins, t3-200
    terminale, t3-195
Iléus paralytique, t3-183
    complication de la chirurgie d'anévrisme, t2-538
Ilots de Langerhans, t3-11
Imagerie par résonance magnétique (IRM), t3-295
    augmentation de la PIC, t4-219
    AVC, t4-269
    encéphalite, dépistage précoce, t4-255
    épilepsie, t4-303
    lésion méniscale, t4-415
    maladies de l'appareil locomoteur, t4-405

pertes auditives, origine, t4-31
    système nerveux, t4-204
    traumatisme crânien, t4-233, t4-235
    tumeur intracrânienne, t4-240
Imagerie, hypnose et soulagement de la douleur, t1-133
IMAO. *Voir* Inhibiteurs de la monoamine-oxydase
IMC. *Voir* Indice de masse corporelle
Imdur. *Voir* Isosorbide, mononitrate de
Imipramine (Tofranil), t2-301, t3-335, t4-526
Imiquimod (Aldara), t3-624
Imitrex. *Voir* Sumatriptan
Immunisation contre la rougeole, les oreillons et la rubéole (Vaccin RRO), t4-68
Immunité, t1-174
    à médiation cellulaire, t1-179, t1-182
    auto-immunité, théories, t1-196
    humorale, t1-177, t1-182
    maladies auto-immunes, t1-197
    types, t1-174-175
Immunodéficience
    primaire, t1-200
    secondaire, t1-201
Immunoglobines, t1-178
Immunoglobulines, t2-204
Immunologie, nouvelles technologies
    amplification en chaîne par polymérase (ACP), t1-207
    hybridomes, t1-205
    technologie de recombinaison de l'ADN, t1-205
    thérapie génique, t1-206
Immunosuppresseurs
    polymyosite et dermatomyosite, t4-524
    sclérose en plaques, t4-313
Immunothérapie, t1-194
Imodium. *Voir* Lopéramide
Imovane. *Voir* Zopiclone
Imuran. *Voir* Azathioprine
Incision de Caldwell-Luc, t2-40
Inconscience, t4-209-210
    augmentation de la PIC, t4-218
    comportement, t4-210
    échelle de Glasgow, t4-211
    plan de soins infirmiers, t4-225-227
    surveillance des fonctions organiques, t4-211
Incontinence fécale, t3-152
    causes, t3-155
    processus diagnostique et thérapeutique, t3-152
    soins infirmiers, t3-154
Incontinence urinaire, t3-332
    causes, t3-333-334
    pharmacothérapie, t3-335
    soins infirmiers, t3-335
    interventions infirmières, t4-287
Indéral. *Voir* Propranolol
Indéral LA. *Voir* Propranolol
Index cardiaque (IC), t2-297

Indice de masse corporelle (IMC), t3-421
Indocid. *Voir* Indométhacine
Indométhacine (Indocid), t2-136, t2-505, t4-506
Infarctus du myocarde, t2-294, t2-388
    choc cardiogénique, t2-596
    complications, t2-390-391
    douleur, t2-389
        comparaison avec l'angine, t2-378
    enseignement, t2-407-408
        activité sexuelle, t2-411
        exercice, t2-410
    épreuves diagnostiques, t2-392-394
    examens diagnostiques, t2-320
    intervention en phase aiguë, t2-400
    manifestation cliniques, t2-389
    pharmacothérapie, t2-396-398
    plan de soins infirmiers, t2-401-403
    préopératoire, t2-452
    processus de guérison, t2-388
    processus thérapeutique, t2-394
    réactions émotionnelles et comportementales, t2-405
    recherche, t2-408
    résultats de l'électrocardiogramme, t2-392
    soins ambulatoires et soins à domicile, t2-405
    soins infirmiers, t2-400
Infarctus du ventricule droit, t2-391
Infarctus pulmonaire, t2-240, t2-565
    cathéter pulmonaire et prédisposition, t2-650
Infection, t1-141-172
    auriculaire chronique, traitement chirurgical, t4-74
    bronchopneumopathie chronique obstructive, t2-162
    brûlure, t4-158, t4-162
    chirurgie d'anévrisme, t2-536
    consécutive au cancer, t1-295
    cutanée
        bactérienne, t4-116-119
        fongique, t4-117, t4-121
        virale, t4-116, t4-120
    déhiscence et, t1-156
    dialyse, t3-382
    évaluation préopératoire et, t1-345
    fracture, t4-437
    greffe rénale, t3-400
    inflammation et, t1-145
    insuffisance rénale chronique, t3-362
    isolement protecteur, t1-171
    liée au LED, t4-514
    mammaire, t3-580
    nosocomiale et personnes âgées, t1-69
    organismes antibiorésistants, t1-159

précautions, t1-160
oxygénothérapie, t2-173
pharmacothérapie, t1-158
prévention, t1-164, t1-169-170
prévention, et PIC, t4-228
prévention, SRIS et SDMV, t2-603
processus thérapeutique, t1-157
soins ambulatoires, t1-32
soins infirmiers, t1-160
stress et prédisposition, t1-92
au VIH, asymptomatique et symptomatique, t1-214
transfusion sanguine, t2-288
utilisation d'un cathéter pulmonaire, t2-650
voies génitales inférieures, t3-658
Voir aussi Otite ; Inflammation et infection oculaires
Infections des voies urinaires (IVU), t3-301-310
classification, 301
cystite, t3-301, t3-303-307
interstitielle, t3-310
enseignement, t3-307
facteurs de risque, t3-302
micro-organismes courants, t3-301
plan de soins infirmiers, t3-306-307
pyélonéphrite, t3-301, t3-303, t3-307, t3-309
source, t3-302
syndrome urétral, t3-310
tuberculose rénale, t3-311
urétrite, t3-309
Infections pulmonaires, t2-623
fongiques, t2-95
Infections respiratoires
asthme, t2-135
plan de soins infirmiers, t2-43
Infections transmissibles sexuellement (ITS), t3-607-627
collecte de données, t3-624
confidentialité, t3-627
dépistage, t3-626
enseignement, t3-625, t3-627
facteurs de risque, t3-610
importance, t3-607
intervention en phase aiguë, t3-627
micro-organismes responsables, t3-607
soins infirmiers, t3-625
Infertilité, t3-638-640
évaluation du couple stérile, t3-639
fécondation *in vitro*, t3-640
masculine, t3-714-715
soins infirmiers, t3-639
tests de l'ovulation, t3-638
tests de perméabilité tubaire, t3-638
Infestations et piqûres d'insectes, t4-117, t4-122
Inflammation, t1-141-172
exsudat, types, t1-149
infection et, t1-145
lésion cellulaire et, t1-144
manifestations cliniques, t1-151

médiateurs, t1-149-150
pharmacothérapie, t1-158
processus thérapeutique, t1-157
réaction cellulaire, t1-147
réaction vasculaire, t1-146
soins infirmiers, t1-160
types, t1-153
Inflammation et infection oculaires
bactérienne, t4-43-44
à *Chlamydia*, t4-44-45
extraoculaire, t4-42
intraoculaire, t4-65
virale, t4-44-45
Infufer. *Voir* Fer dextran
tests postcoïtaux, t3-639
INH. *Voir* Isoniazide
Inhibiteurs calciques, t4-296
Inhibiteurs d'alpha-glucosidase, t3-454
Inhibiteurs de l'enzyme de conversion de l'angiotensine (IECA)
asthme, t2-136
azotémie, t3-351
crise hypertensive, t2-357
hypertension, t3-366
infarctus du myocarde, t2-399
insuffisance cardiaque congestive, t2-429, t2-433
myocardiopathie, t2-443
Inhibiteurs de la monoamine-oxydase (IMAO), t4-323
Inhibiteurs de la phospho-diestérase, t2-432
Inhibiteurs de la pompe à protons, t3-130
gastrite, t3-111
saignement gastro-intestinal, t3-116
ulcère gastroduodénal, t3-128
Inhibiteurs des canaux calciques
achalasie, t3-109
angine, t2-377, t2-385
contractilité, t2-642
hypertension, t2-344, t3-366
infarctus du myocarde, t2-399
maladie de Raynaud, t2-552
myocardiopathie hypertrophique, t2-445
Inhibiteurs des récepteurs H$_2$ de l'histamine, t3-130
gastrite, t3-111
saignement gastro-intestinal, t3-116
ulcère gastroduodénal, t3-127-128
Inhibiteurs sélectifs du recaptage de la sérotonine
syndrome prémenstruel, t3-645
Inotropes, t2-430, t2-451, t2-631
négatifs, t2-642
positifs, t2-641
Insuffisance cardiaque congestive (ICC), t2-419-442
aiguë
manifestations cliniques, t2-423
œdème pulmonaire et, soins infirmiers, t2-428
causes fréquentes, t2-419

chronique,
manifestations cliniques, t2-425
processus diagnostique et thérapeutique, t2-429-430
soins infirmiers, t2-434
classification, t2-427
complications, t2-427
effet de l'infarctus du myocarde, t2-390
endocardite infectieuse, t2-495
enseignement, t2-441
facteurs, t2-420-421
hypertension, t2-337
manifestations cliniques, t2-426
mécanismes compensatoires, t2-422, 433
pathologie, t2-421
pharmacothérapie, t2-430-434
plan de soins infirmiers, t2-438-440
recherche, t2-442
recommandations nutritionnelles, t2-434-436
soins ambulatoires et soins à domicile, t2-436
tachycardie, sinusale, t2-466
types, t2-423
Insuffisance hépatique fulminante, t3-249
Insuffisance pancréatique, t2-194
traitement, t2-196
Insuffisance rénale
aiguë, t3-350-359
causes courantes, t3-350
gérontologie, t3-359
intervention en phase aiguë, t3-358
manifestations cliniques, t3-354
phase de rétablissement, t3-353
phase diurétique, t3-353
phase oligurique, t3-351
prévention, t3-357
processus thérapeutique, t3-354-355
recommandations nutritionnelles, t3-356
soins ambulatoires et soins à domicile, t3-358
soins infirmiers, t3-356
chronique, t3-359-378
cancer, t3-363
enseignement, t3-378
gérontologie, t3-402
manifestations cliniques, t3-360-365
pharmacothérapie, t3-366-367
plan de soins infirmiers, t3-372-377
processus thérapeutique, t3-365
recommandations nutritionnelles, t3-367-371
soins ambulatoires et soins à domicile, t3-378
soins infirmiers, t3-370

Voir aussi Dialyse ; Greffe de rein
Insuffisance respiratoire
et syndrome de Guillain-Barré, t4-350
lésion médullaire, t4-359
Insuffisance respiratoire aiguë, t2-609-624
bronchopneumopathie chronique obstructive, t2-168
causes courantes, t2-609
épreuves diagnostiques, t2-616, t2-621
facteurs de risque, t2-610
gérontologie, t2-624
hypercapnique, t2-613
hypoxémique, t2-611-613
manifestations cliniques, t2-614-615
plan de soins infirmiers, t2-618-620
pharmacothérapie, t2-623
processus thérapeutique, t2-616, t2-621
mobilisation des sécrétions, t2-621
ventilation à pression positive, t2-50, t2-622, t2-676
recommandations nutritionnelles, t2-624
soins infirmiers, t2-616
traitement par ventilation à haute fréquence, t2-676
types, t2-609
Insuffisance ventilatoire. *Voir* Insuffisance respiratoire aiguë, hypercapnique
Insuline, t3-11, t3-415
administration, t3-447
endogène, t3-439
entreposage, t3-447
exogène, t3-444
risques d'allergie, t3-445
schémas posologiques, t3-449
insulinorésistance des tissus périphériques, t3-439
métabolisme normal, t3-435
perfusion continue, t3-450
régulière, demi-vie, t3-447
sécrétion, t3-410-411
sites d'injection, t3-447
types, t3-446
Insuline aspart (NovoRapid), t3-445
Insuline lispro (Humalog), t3-445
Insuline régulière, t2-454
Insulinorésistance et hyperin-sulinémie, t2-334
Insulinothérapie
allergies, t3-451
enseignement, t3-448
lipodystrophie, t3-451
lune de miel, t3-439
nutrition, t3-442
soins ambulatoires et soins à domicile, t3-465
Intal. *Voir* Cromoglycate sodique
Interféron alpha, t3-222

Interferon alfa (Intron A), t2-280
Interféron β-1a (Avonex), t4-313
Interféron β-1b (Betaseron), t4-313
Interférons, t1-288
Interleukines, t1-289
Intestin, t3-5, t3-8
   cancer colorectal, t3-171, t3-188-194
      classification de Dukes, t3-190
      classification TNM, t3-191
      colite ulcéreuse, t3-171
      facteurs de risque, t3-189
      intervention en phase aiguë, t3-193
      processus diagnostique et thérapeutique, t3-190
      radiothérapie et chimiothérapie, t3-192
      soins infirmiers, t3-192
      traitement chirurgical, t3-191
   côlon cathartique, t3-155
      agents cathartiques, t3-157
   diverticulose et diverticulite, t3-203-205
   gastro-entérite, t3-168
   hernie, t3-205-206
   maladie inflammatoire intestinale, t3-169-183, t3-206
   mégacôlon toxique, t3-170
   occlusion intestinale, t3-183-187
   ostomie, t3-194-203
   polypes du gros intestin, t3-187-188
   syndrome de l'intestin court, t3-209
   syndrome de l'intestin irritable, t3-168
   syndrome de malabsorption, t3-35, t3-206-209
   troubles anorectaux, t3-209-212
   troubles du côlon et diversité culturelle, t3-168
   Voir aussi Appareil digestif
Intimité
   dans la théorie d'Erikson, t1-39
   sexualité et, t1-45
Intoxication alimentaire, t3-144
   bactérienne, t3-145
   par Escherichia coli, t3-146
Intoxication au monoxyde de carbone (CO), t4-140
Intoxication digitalique, t2-431, t2-470
Intron A. Voir Interferon alfa
Intropin. Voir Dopamine
Invalidité, évaluation primaire à l'urgence, t2-719
Ions, t1-302
Iode et hyperthyroïdie, t3-505
Ion hydrogène (H⁺), t3-277
Ipratropium (Atrovent), t2-151, t2-170, t2-180
Irinotécan (Camptosar), t2-107, t3-192
Iris, t4-3, t4-6

évaluation, t4-19
IRM. Voir Imagerie par résonance magnétique
Irradiation et immunodéficience, t1-201
Ischémie anoxique cérébrale, t4-210
Ischémie cérébrale transitoire (ICT), t4-265
Ischémie myocardique, tachy-cardie, sinusale, t2-466
Ischémie silencieuse, t2-376
Isoflurane, t1-367
Isoniazide (INH), t2-91
Isoprotérénol (Isuprel), t2-476-477, t2-641
Isoptin. Voir Vérapamil
Isosorbide, dinitrate de (Isorbide), t2-384
Isosorbide, mononitrate de, (Imdur), t2-384
Isuprel. Voir Isoprotérénol
Itreconazole (Sporanox), t2-96
ITS. Voir Infections transmissibles sexuellement
IVU. Voir Infections des voies urinaires

K

Kayexalate. Voir Sulfonate de polystyrène sodique
Kemadrin. Voir Procyclidine
Kenalog. Voir Acétonide de triamcinolone
Kéranocytes, t4-85
Kératite, t4-44
Kératocône, t4-47
Kératoconjonctivite, t4-44
   épidémique, t4-45
   sèche, t4-46
Kératose actinique, t4-106, t4-113
Kératotomie radiale (KR), t4-39
Ketalar. Voir Chlorhydrate de kétamine
Kétoconazole (Nizoral), t2-96, t3-530
Kwashiorkor, t3-44

L

Labétalol Trandate, t2-357
Lactase, enzyme (Lactaid), t3-209
Lactose, intolérance, t3-206, t3-208
Lactulose (Laxilose, Acilac), t3-239
Lait de magnésie, t3-106
Lamictal. Voir Lamotrigine
Laminectomie, t4-470
Lamivudine (3TC, Heptovir), t3-222
Lamotrigine (Lamictal)
   convulsions, t4-304
   syndrome des jambes sans repos, t4-340
Langage, troubles, et AVC, t4-266-267
Lanoxin. Voir Digoxine

Lansoprazole (Prevacid), t3-100, t3-111, t3-130
Laparotomie, t3-162, t3-164
   exploratrice, t3-161
Largactil. Voir Chlorpromazine
Laryngectomie et hémilaryn-gectomie, t2-63
   plan de soins infirmiers, t2-66-68
   rééducation de la voix, t2-70
   soins de stomie, t2-71
Larynx
   artificiel et électrolarynx, t2-70
   problèmes liés au, t2-50
   cancer, ablation, t2-62
   Voir aussi Voies respiratoires
Lasix. Voir Furosémide
Laxatifs, t1-128
Laxilose. Voir Lactulose
LCR. Voir Liquide céphalora-chidien
LEC. Voir Liquide extracellulaire
LED. Voir Lupus érythémateux disséminé
Léflunomide (Arava), t4-496
Léiomyomes, t3-665
   processus thérapeutique, t3-668
Lentilles de contact, t4-37-38
Lentille intra-oculaire, implan-tation, t4-39
Lépirudine (Refludan), t2-251
Lescol. Voir Fluvastatine
Lésion cellulaire, t1-142
   létale, t1-143-144
   mécanismes de défense, t1-143
   réaction cellulaire, t1-147
   réaction inflammatoire, t1-144
   réaction vasculaire, t1-148
Lésion cutanée
   forme et répartition, t4-94
   plan de soins infirmiers, t4-109
   superficielle, t4-119
Lésion de masse supratensorielle, t4-209
Lésion médullaire, t4-355, t4-362
   classification, t4-357
   deuil, t4-381-382
   évaluation du niveau et de la gravité, t4-362
   incomplète, t4-357
   intervention d'urgence, t4-370
   manifestations cliniques, t4-359
   niveau fonctionnel d'une rupture médullaire et capacité de réadaptation, t4-360
   pharmacothérapie, t4-363
   plan de soins infirmiers, t4-365-370
   possibilité d'activité sexuelle chez les hommes atteints, t4-380
   soins ambulatoires, t4-375
   soins infirmiers, t4-364
   traitement chirurgical, t4-362
Lésion pulmonaire directe et syn-drome de détresse respiratoire, t2-625, t2-627-628

Lésions cardiaques congénitales, t2-516
Lésions des tissus mous, t4-409
   bursite, t4-416
   déchirure de la coiffe des rotateurs de l'épaule, t4-414
   entorses et foulures, t4-409
   lésion méniscale, t4-414
   lésions sportives fréquentes, t4-410
   luxation et subluxation, t4-411
   microtraumatismes répétés, t4-413
   problèmes associés, t4-439
   signe de Phalen, t4-413
   signe de Tinel, t4-413
   soins d'urgence, t4-411
   spasme musculaire, t4-416
   syndrome du tunnel carpien, t4-412
Létrozole (Femara), t3-594
Leucémie, t2-267-275
   à tricholeucocytes, t2-270
   aiguë lymphoblastique, t2-270
   aiguë myéloblastique, t2-270
   classification, t2-269
   épreuves diagnostiques, t2-269-270
   greffe de moelle osseuse et de cellules souches, t2-273
   intervention d'urgence, t2-274
   lymphoïde chronique, t2-267, t2-270
   manifestations cliniques, t2-268
   myéloïde chronique, t2-268, t2-270
   pharmacothérapie, t2-272-273
   processus thérapeutique, t2-271
      traitement chimiothérapeu-tique, t2-271
   soins ambulatoires et soins à domicile, t2-275
   soins infirmiers, t2-273
   types, t2-268
Leucocytes, t2-202
   épreuves de laboratoire, t2-217
Leucocytose, t1-147
Leucopénie, t2-262
Leucotriènes, t1-151
Leukeran. Voir Chlorambucil
Leuprolide (Lupron Dépôt), t3-651, t3-665, t3-669, t3-701
Lévamisole (Ergamisol), t3-192
Levaquin. Voir Lévofloxacine
Lévodopa, t3-239, t3-333
Lévofloxacine (Levaquin), t3-304
Levophed. Voir Norépinéphrine
LH. Voir Hormone lutéinisante
LIC. Voir Liquide intracellulaire
Lidocaïne (Xylocaine), t1-105, t1-126, t1-370, t2-69, t2-395, t2-452, t2-476-477, t2-659, t3-620, t4-526
Ligaments et tendons, t4-392
Lioresal. Voir Baclofène
Lipides sériques, t2-321, t2-367
Lipidil μ. Voir Fénofibrate
Lipidil Supra. Voir Fénofibrate
Lipitor. Voir Atorvastatine

Lipoprotéines, t2-366, t2-368
  médicaments diminuant la
    production, t2-374
  médicaments favorisant
    l'élimination, t2-373
  séparation, t2-321
  traitement de l'hypercholes-
    térolémie, t2-373
Liposuccion, t4-129
Liquide céphalorachidien (LCR),
  t4-184, t4-189, t4-211
  analyse, t4-201, t4-251
  drainage, t2-690, t2-692
  fuite, t2-36
  valeurs normales, t4-204
Liquide extracellulaire (LEC),
  t1-301
  déséquilibre, t1-313
Liquide intracellulaire (LIC),
  t1-301
Liquide synovial, analyse, t4-406
Liquides organiques
  anomalies courantes, t1-331
  calcul de l'apport ou de la perte,
    t1-302
  compartiments liquidiens,
    t1-301
  échanges, t1-306
  équilibre et tonicité de l'eau,
    t1-305
  mouvement de liquide entre le
    LIC et le LEC, t1-307
  mouvement osmotique, t1-305
  régulation de l'équilibre
    hydrique, t1-307
    déséquilibres, t1-310
  remplacement liquidien, t1-332
  terminologie liée à la chimie
    des, t1-302
  volume liquidien, t1-305
Liquides, maintien et lésion
  médullaire, t4-373
Lisinopril (Prinivil, Zestril),
  t2-433
Lithiase, 318. Voir aussi Calculs
  urinaires
Lithium, t4-296
  effet sur l'appareil
    cardiovasculaire, t2-301
Logette des osselets, t4-21
Loi modifiée de Monro-Kellie,
  t4-212
Loi sur les infirmières, article
  t2-36, t2-713
Lombalgie, t4-462
  aiguë, t4-463
    enseignement, t4-467
    plan de soins infirmiers,
      t4-464-466
  chirurgie de la colonne verté-
    brale, soins infirmiers,
    t4-470
  chronique, t4-467
    enseignement, exercices
      pour le dos, t4-468
    évaluation neurologique,
      t4-469
    processus diagnostique et
      thérapeutique, t4-469
Lomustine (CeeNU), t3-142,
  t4-242

Lopéramide (Imodium), t3-152
Lopid. Voir Gemfibrozil
Lopresor. Voir Métoprolol
Loratadine (Claritin), t1-193
Lorazépam (Ativan), t1-368,
  t2-601, t2-624, t2-678, t4-229
Losartan (Cozaar), t2-434, t4-523
Losec. Voir Oméprazole
Lotion Nivea, t4-168
Lovastatine (Mevacor), t2-375
Lovenox. Voir Énoxaparine
Lunettes, t4-36
Lunule, t4-86
Lupron Dépôt. Voir Leuprolide
Lupus érythémateux disséminé
  (LED), t1-198, t4-511
  enseignement, t4-519
  grossesse et, t4-520
  manifestations cliniques et
    complications, t4-512
  pharmacothérapie, t4-515
  plan de soins infirmiers,
    t4-517-519
  problèmes psychologiques,
    t4-520
  processus diagnostique et
    thérapeutique, t4-514-515
  soins infirmiers, t4-515
Lupus érythémateux disséminé
  (LED) et néphropathie, t3-329
Luxation, t4-411
Lyme, maladie de. Voir Maladie de
  Lyme
Lymphocytes, t1-149, t2-204
  B, t1-178
  production, t1-177
  T, t1-179
    auxiliaires et VIH, t1-212
Lymphomes, t2-275
  maladie de Hodgkin, t2-276
    pharmacothérapie, t2-279
    soins infirmiers, t2-277
  non hodgkiniens, t2-279
    classifications, t2-279
    traitement, t2-280
Lysodren. Voir Mitotane

M

Maalox. Voir Magnésium,
  hydroxyde de
MacroBID. Voir Nitrofurantoïne
Macrodantin. Voir Nitrofurantoïne
Macrolides, t2-82
Macrophages, t1-144, t1-147
Macrophages alvéolaires, t2-13
Magnésium, t1-323, t3-362
Magnésium, citrate de, t2-738
Magnésium, hydroxyde de
  (Maalox), t3-116, t3-366
Magnésium, sulfate de, t2-144,
  t2-477, t2-738
Maladie d'Addison, t3-535
  complications, t3-536
  enseignement, t3-537
  intervention en phase aiguë,
    t3-537
  processus diagnostique et
    thérapeutique, t3-536-537
  soins infirmiers, t3-536

Maladie d'Alzheimer, t4-331
  aidant naturel, plan de soins,
    t4-337-339
  démence progressive, causes,
    t4-331
  différence entre la dépression
    et la démence, t4-332
  pharmacothérapie, t4-333
  plan de soins infirmiers,
    t4-335-347
  processus thérapeutique,
    t4-332
  soins infirmiers, t4-333
Maladie de Bornholm. Voir
  Pleuropéricardite
Maladie de Buerger. Voir
  Thromboangéite oblitérante
Maladie de Crohn, t3-180
  comparaison avec la colite
    ulcéreuse, t3-170
  processus diagnostique et
    thérapeutique, t3-181-182
  soins infirmiers, t3-183
  traitement chirurgical, t3-182
Maladie de Graves, t3-501-502
Maladie de Hodgkin, t1-201
Maladie de Huntington, t4-340
Maladie de la Peyronie, t3-705
Maladie de Lyme, t2-735, t4-507
  enseignement, prévention,
    t4-508
  vaccin, t4-508
Maladie de Paget du mamelon,
  t3-586
Maladie de Parkinson, t4-320
  complications, t4-322
  manifestations cliniques,
    t4-321
  parkinsonisme dû aux
    médicaments, t4-321
  pharmacothérapie, t4-323-324
  plan de soins infirmiers,
    t4-326-328
  processus diagnostique et
    thérapeutique, t4-323
  recommandations
    nutritionnelles, t4-324
  soins infirmiers, t4-325
  traitement chirurgical, t4-323
Maladie de Still, t4-504
Maladie de von Willebrand,
  t2-254
Maladie du greffon contre l'hôte
  (GVH), t1-202
Maladie inflammatoire intestinale,
  t3-169, t3-206
  gérontologie, t3-183
Maladie inflammatoire pelvienne,
  t3-660-663
  plan de soins infirmiers, t3-663
  processus thérapeutique,
    t3-661
  soins infirmiers, t3-661
Maladie kystique de la médullaire,
  t3-328
Maladie osseuse de Paget, t4-478
  gérontologie, t4-479
Maladie sérique, t1-187
Maladie vasculaire cérébrale et
  hypertension, t2-337
Maladie vasculaire périphérique,
  t2-338, t3-482

Maladies métaboliques osseuses,
  t4-474
  gérontologie, t4-479
Maladies systémiques
  manifestations dermatolo-
    giques, t4-121, t4-126-127
  signes oculaires, t4-66
Maladies vésiculaires. Voir Voies
  biliaires
Malnutrition
  cancer et, t1-293
  immunodéficience et, t1-201
  personnes âgées et, t1-60
  Voir Nutrition, malnutrition
Mammographie, t3-578
Mammoplastie, t3-601-604
  augmentation et réduction
    mammaire, t3-601
    soins infirmiers, t3-602
  reconstruction mammaire,
    t3-602
    moment, t3-602
    techniques, t3-603
Mandélate de méthénamine
  (Mandelamine), t3-304, t4-373
Mandibule, fracture, t3-91
Mandibulectomie, t3-89
Mannitol (Osmitrol), t2-692,
  t2-733, t2-739, t3-355
  augmentation de la PIC, t4-221
  AVC, t4-272
  encéphalite, t4-255
Manœuvre de Valsalva, t3-9, t4-74
  lésion médullaire, t4-379
Marasme, t3-44
Marcaine. Voir Bupivacaïne
Marqueurs cardiaques sériques,
  t2-393
Massage, t1-129
Mastalgie, t3-580
Mastectomie radicale modifiée,
  t3-590
  plan de soins infirmiers,
    t3-596-598
Mastite, t3-580
Mastoïdectomie, t4-73
Mastoïdite, t4-72
Mastose sclérokystique,
  t3-580-581
Matériel d'injection, utilisation,
  t1-234
Maxalt. Voir Rizatriptan
Mécanorécepteurs, t2-11
Médicaments
  appareil digestif, t3-11
  appareil reproducteur, t3-558
  appareil urinaire, t3-282
  carcinogènes, t1-248-249
  consommation chez les
    personnes âgées, t1-70
  contenant des agents
    photosensibilisants,
    t4-101-102
  contribuant à la perte osseuse,
    t4-475
  déclenchant ou aggravant le
    LED, t4-512
  d'étape 1, t1-119, t1-121-122
  d'étape 2, t1-120, t1-123
  d'étape 3, t1-123-124
  dépendance, t1-136

déséquilibres hydriques, électrolytiques et acidobasiques et, t1-330
dilatation de la pupille, t4-49-50
hépatite, t3-229
hépatotoxiques, t3-11
hypertrophie bénigne de la prostate, t3-692
insuffisance hépatique fulminante, t3-249
insuffisance rénale aiguë, t3-351
interaction et évaluation préopératoire, t1-345
interactions aliments-médicaments, t3-41-43
ototoxiques, t4-69
pancréatite, t3-251
problèmes auditifs, t4-24
problèmes oculaires, t4-9
parkinsonisme, t4-321
rétention urinaire, t3-333
système endocrinien, t3-419
tolérance, t1-135
topiques, t4-111
ulcérigènes, t3-121-123
urémie, t3-367
Médroxyprogestérone (Depo-Provera), t3-563, t3-631, t3-637
Médroxyprogestérone, acétate de (Provera), t3-653
Médullosurrénale, t3-414
Mefoxin. Voir Céfoxitine
Megace. Voir Mégestrol
Mégacôlon toxique, t3-170
colite ulcéreuse, t3-172
Mégestrol (Megace), t3-594
Méglitinides, t3-453
Mélanine, augmentation, t4-100
Mélanocytes, t4-85
Mélanome
malin, t4-114
types, t4-114
Méléna, t3-113
Melphalan (Alkeran), t2-246, t2-281, t4-460
Ménarche, t3-552
Ménière, syndrome de. Voir Syndrome de Ménière
Méninges, t4-186
Méningite, t4-250
céphalalgie et cervicalgie, t4-252
complications, t4-251
épreuves diagnostiques, t4-251
manifestations cliniques, t4-251
plan de soins infirmiers, t4-252-254
processus thérapeutique, t4-251-252
soins ambulatoires, t4-255
soins infirmiers, t4-251
Méningite cryptococcique, t1-237
Ménisque, t4-414
Ménopause, t3-553
œstrogène, carence, t3-652
manifestations, t3-554
périménopause et post-ménopause, t3-651

processus thérapeutique, t3-652
recommandations nutrition-nelles, t3-654
soins infirmiers, t3-654
ulcère duodénal, t3-124
Ménorragie, t3-647-648
hypothyroïdie, t3-516
Menthol, t4-111
Mépéridine (Demerol), t1-123, t1-368, t2-250, t2-394, t2-398, t3-254, t3-268, t3-367
Meridia. Voir Sibutramine
Mesasal. Voir 5-ASA
Mésentère, t3-3
Mésylate de dihydroergotamine (Migranal), t4-296
MET. Voir Exercice, dépense énergétique en équivalents métaboliques
Metamucil. Voir Psyllium
Métaphyse, t4-388
Métaplasie, t1-142
Métastase, t1-251
Metformine (Glucophage), t3-454
Méthadone, t4-159
Méthénamine. Voir Mandélate de méthénamine
Méthimazole (Tapazole), t3-505
Méthocarbamole (Robaxin), t4-427
Méthode PQRST. Voir Douleur, évaluation
Méthodes contraceptives, t3-631-638
barrières et spermicides, t3-636
contraceptifs hormonaux, t3-631
contraception postcoïtale d'urgence, t3-636
dispositifs intra-utérins, t3-563, t3-635
méthodes permanentes, t3-637
planification familiale naturelle, t3-636
soins infirmiers, t3-637
Méthotrexate
polyarthrite psoriasique, t4-506
polyarthrite rhumatoïde, t4-495-496
polymyosite et dermato-myosite, t4-524
spondylite ankylosante, t4-506
tumeur intracrânienne, t4-242
Méthotrexate, t3-173
Méthyldopa (Aldomet), t3-333, t3-558, t3-523
Méthylphénidate (Ritalin), t1-128
Méthylprednisolone (Solu-Medrol), t2-130, t2-144, t2-594, t2-623, t2-729, t3-229, t3-398, t4-363
polyarthrite rhumatoïde, t4-496
sclérose en plaques, t4-313
tumeur intracrânienne, t4-241
Méthylxanthine, t2-150. Voir aussi Théophylline
Méthysergide (Sansert), t4-296
Métoclopramide (Reglan), t1-128, t1-369, t3-95, t3-100, t3-485

Métopirone (Métopirone), t3-530
Métoprolol (Lopresor), t2-384, t2-434, t2-452, t2-541
Métronidazole (Flagyl), t2-99, t3-150, t3-174, t3-182, t3-310
Métrorragie, t3-647-648
Mevacor. Voir Lovastatine
Mexilétine (Mexitil), t1-105
Mexitil. Voir Mexilétine
MG. Voir Myasténie grave
Microangiopathie et diabète, t3-481
Microglie, t4-176
Miction, techniques de stimulation, t3-336
Midamor. Voir Amiloride
Midazolam (Versed), t1-368, t2-659, t4-167
Migranal. Voir Mésylate de dihydroergotamine
Milrinone (Primacor), t2-399, t2-429, t2-431, t2-444, t2-641
Minipress. Voir Prazosine
Minitran, t2-384
Mirapex. Voir Pramipexole
Misoprostol (Cytotec), t3-118, t3-131, t4-485
Mitomycine (Mutamycin), t4-62
Mitotane (Lysodren), t3-530
Modes fonctionnels de santé et soins à domicile, t1-16
Modulateurs sélectifs des récep-teurs œstrogéniques, t3-653
Moelle épinière, t4-178-179, t4-189
arc réflexe, t4-180
compression, t1-295
coupe, t4-184
lésion, t4-355
neurones moteurs inférieurs et supérieurs, t4-179
rupture médullaire, niveau fonctionnel, et capacité de réadaptation, t4-360
sidération, t4-356
voies ascendantes, t4-178
voies descendantes, t4-179
Moelle osseuse, t2-201
examen, t2-219
greffe de, et de cellules souches, t2-273
Moelle osseuse, greffe, t1-292
Mofétilmycophénolate (CellCept), t2-450, t3-398
Mollory-Weiss, syndrome de. Voir Syndrome de Mollory-Weiss
Monitan. Voir Acébutol
Monocor. Voir Bisoprolol
Monocytes, t1-148, t2-203
Mononucléose, t1-202
Montélukast (Singulair), t2-142, t2-150
Monurol. Voir Fosfomycine
Morphine, t1-123, t1-124-125, t1-368, t2-394, t2-398, t2-429, t2-601, t2-678, t4-159
Morsures et piqûres, t2-734
processus thérapeutique, t2-736
Mort
perte du conjoint, t1-48

stades d'acceptation, t1-43
Mort subite, t2-412, t2-478
Motilium. Voir Dompéridone
Motrin. Voir Ibuprofène
Mucolytiques, t2-196
Mucomyst. Voir Acétylcystéine nébulisée
Mucus, appareil pour dégager, t2-180
Mupirocine, t4-105
Muromonab-CD3 (Orthoclone OKT 3), t3-398, t3-400
Muscles, t4-390
contraction, t4-391
échelle de la force, t4-399
jonction neuromusculaire, t4-391
source d'énergie, t4-392
structure, t4-391
types, t4-390
Muscles extraoculaires, t4-6
évaluation, t4-17
Muscle papillaire, dysfonction-nement, t2-390
MUSE. Voir Alprostadil
Mutamycin. Voir Mitomycine
Myasténie grave (MG), t4-328
comparaison avec les crises cholinergiques, t4-330
processus diagnostique et thérapeutique, t4-329
soins infirmiers, t4-330
traitement chirurgical, t4-330
Mycobactéries acidorésistantes atypiques, t2-95
Mycostatin. Voir Nystatine
Mydriatiques, t4-49-50
Myéline, t4-176
Myélogramme, t4-240
Myélographie, t4-205
Myélome multiple, t2-280
manifestations cliniques, t2-281
processus thérapeutique, t2-281
soins infirmiers, t2-282
Mylenan. Voir Busulfan
Myocarde, t4-390
apport sanguin, t2-294
besoins en oxygène, t2-375
infarctus, t2-294, t2-387-411
Myocardiopathie, t2-440-446
caractérisques, t2-443
dilatée, t2-441
épreuves diagnostiques, t2-442
processus thérapeutique et soins infirmiers, t2-443
due à la cocaïne, t2-446
hypertrophique, t2-445, t2-449
restrictive, t2-446
secondaire, causes de la, t2-440
Myocardite, t2-507
soins infirmiers, t2-508
Myopathie, t4-205
Myopéricardite chez l'enfant, t2-503
Myopie, t4-4, t4-35
Myorelaxants, t4-417, t4-427
Myotome, t4-184

Myringotomie, t4-72, t4-75
Mysoline. *Voir* Primidone

N

Nadolol (Corgard), t2-384
Naloxone (Narcan), t1-128,
 t1-368, t2-429
Nanisme hypophysaire, t3-495
Naratriptan (Amerge), t4-296
Narcan. *Voir* Naloxone
Narcose au CO₂, t2-171
Narcotiques, t2-40, t2-168, t2-243,
 t2-601, t2-659
 anesthésie générale, t1-368
 brûlure, t4-159
 chirurgie, t1-353
 dépendance, t4-296
Naropin. *Voir* Ropivacaïne
Natéglinide (Starlix), t3-453
Natulan. *Voir* Procarbazine
Nausées et vomissement,
 t3-93-98
 gérontologie, t3-98
 infarctus du myocarde, t2-389
 pharmacothérapie, t3-94-95
 plan de soins infirmiers, t3-97
 processus thérapeutique,
 t3-94
 recommandations nutritionnelles, t3-95
 régurgitation, t3-94, t3-98
 soins infirmiers, t3-95
 vomissements en jet, t3-94
Navelbine. *Voir* Vinorelbine
Nebcin. *Voir* Tobramycine
Nécrose avasculaire, risque,
 t4-412
Nécrose hypophysaire du post-
 partum, t3-494-495
Nécrose osseuse aseptique et
 greffe de rein, t3-402
Nécrose tubulaire aiguë (NTA),
 t3-351-352, t3-354
Nécrose, types, t1-147
Nédocromil (Tilade), t1-194,
 t2-136, t2-142-143, t2-149,
 t2-156-157
Neisseria gonorrhoeae, t3-611,
 t3-660. *Voir aussi* Gonorrhée
Néomycine, t4-70
Neoral. *Voir* Cyclosporine
Néostigmine (Prostigmin), t3-163
NeoVisc. *Voir* Acide hyaluronique
Néphrectomie, t3-395
Néphrectomie laparoscopique,
 t3-340
Néphron, t3-275
 fonction de base, t3-278
 fonctions des segments, t3-277
Néphropathie
 diabète, t3-484
 syndrome d'immunodéficience
 acquise, t3-315
Néphrosclérose, t3-326
Nerfs
 auditif, t4-197, t4-206
 crâniens, t4-184-185, t4-195
 affections, t4-343

facial, t4-196
 glossopharyngien et vague,
 t4-197
 hypoglosse, t4-197
 oculomoteur commun,
 pathétique et oculomoteur
 externe, t4-196
 olfactif, t4-195
 optique, t4-195, t4-206
 spinal, t4-197
 trijumeau, t4-196, t4-198,
 t4-343
Neupogen. *Voir* Filgrastim
Neurone, t4-175
 moteurs inférieurs et
 supérieurs, t4-179
Neuronite vestibulaire, t4-78
Neurontin. *Voir* Gabapentine
Neuropathie
 cirrhose, t3-232
 diabète, t3-484
Neurostimulation percutanée
 (PENS), t1-131
Neurostimulation transcutanée
 (TENS), t1-129, t4-469
Neurosyphilis, t4-354
Neurotransmetteurs, t4-178
Neutropénie, t2-262-265
 causes, t2-263
 épreuves diagnostiques,
 t2-263-264
 manifestations cliniques,
 t2-259
 plan de soins infirmiers, t2-266
 processus thérapeutique,
 t2-264
 soins infirmiers, t2-264
Névralgie faciale, t4-343
 intervention chirurgicale,
 t4-344-345
 interventions d'urgence, t4-346
 processus diagnostique et
 thérapeutique, t4-344
 soins ambulatoires, t4-347
 soins infirmiers, t4-346
Nexium. *Voir* Ésoméprade
Nez, t2-3
 cloison nasale, déviation, t2-36
 épistaxis, t2-37
 examen, t2-19
 fracture, t2-36
 plan de soins infirmiers pour
 une chirurgie nasale, t2-38-39
 reconstruction chirurgicale,
 t2-37
 sinus,
 asthme, t2-135
 inflammation et infection,
 t2-40
 obstruction, t2-46
Niacine. *Voir* Acide nicotinique
Nifédipine (Adalat), t2-128,
 t2-243, t2-357, t2-385, t2-466,
 t3-109, t3-366, t4-522
Nilutamide (Anandron), t3-701
Nimodipine (Nimotop), t4-273
Nipride. *Voir* Nitroprusside
Nitrates, t2-377, t2-381, t2-383,
 t2-433
 à action prolongée, t2-384
 dérivés nitrés à libération

contrôlée par voie transdermique, t2-384
Nitrés à action prolongée, t3-109
Nitro-Dur, t2-384
Nitrofurantoïne (Macrodantin
 MacroBID), t3-304, t3-310,
 t3-282
Nitroglycérine, t2-357, t2-384,
 t2-594
 IV, t2-398, t2-428
 pulvérisation (Nitrolingual),
 t2-383
 sublingual (Nitrong SR),
 t2-383, t2-384
Nitrolingual. *Voir* Nitroglycérine,
 pulvérisation
Nitrong SR. *Voir* Nitroglycérine,
 sublingual
Nitroprusside (Nipride), t2-357,
 t2-390, t2-429, t2-433, t2-541,
 t2-594, t2-643
Nizatidine (Axid), t3-100, t3-111,
 t3-130
Nizoral. *Voir* Kétoconazole
Nociception, t1-101
 neurofibres nociceptives,
 t1-104-105
Nœud sinusal (nœud SA), t2-295
Nolvadex. *Voir* Tamoxifène
Noradrénaline et régulation de la
 pression artérielle, t2-327
Norcuron. *Voir* Vécuronium
Norépinéphrine, t1-104, t3-116,
 t4-186
Norépinéphrine (Levophed),
 t2-431, t2-466, t2-589, t2-594,
 t2-641, t2-692
Norfloxacine (Noroxin), t3-304
Noroxin. *Voir* Norfloxacine
Norvasc. *Voir* Amlodipine
Nouveau-né
 infection à *chlamydia,* t3-621
 infection gonococcique,
 t3-611-612
Novamoxin. *Voir* Amoxicilline
Novocain. *Voir* Procaïne
Novo-Lexin. *Voir* Céfalexine
NovoRapid. *Voir* Insuline aspart
Noyade et quasi-noyade, t2-732
 constatations et soins
 d'urgence, t2-734
 hypothermie, t2-730
NTA. *Voir* Nécrose tubulaire aiguë
Numorphan. *Voir* Oxymorphone
Nutrition
 alimentation et névralgie
 faciale, t4-346
 alimentation orale et AVC,
 t4-282
 apports nutritionnels
 recommandés, t3-33
 artériopathie oblitérante
 chronique, t2-547
 arthrose, t4-485
 besoins, t3-33
 clients atteints de maladies
 physiques, t3-34
 enfants et adolescents, t3-33
 personnes âgées, t3-34
 situation socioéconomique,
 t3-34

botulisme et, t4-353
 calories, t3-32
 fibres alimentaires, teneur,
 t3-32
 administration par sonde,
 t3-60
 fracture, t4-428
 glucides, t3-31
 goutte, t4-511
 groupes alimentaires et
 portions recommandées,
 t3-30
 hypertension, t2-340, t2-353
 insuffisance respiratoire,
 t2-624
 insulinothérapie, t3-442
 interactions aliments-
 médicaments, t3-41-43
 lésion médullaire, t4-373
 lipides, t3-31
 maladie de Parkinson, t4-324
 malnutrition, t3-44
 albumine et pré-albumine,
 t3-47
 minéraux, t3-32
 déséquilibres, t3-35
 fer, t3-41
 nutriments recommandés et
 déséquilibre, t3-36
 protéines, t3-32
 suppléments, t3-34
 polyarthrite rhumatoïde,
 t4-497
 régimes végétariens, t3-35
 sclérose en plaques, t4-315
 syndrome de Guillain-Barré,
 t4-351
 taux, t3-47
 chirurgie, t3-45
 cirrhose, t3-230
 collecte de données, t3-48
 facteurs de risque, t3-49
 gérontologie, t3-52
 intervention, t3-49
 manifestations cliniques,
 t3-45-47
 processus thérapeutique,
 t3-47
 soins ambulatoires et soins à
 domicile, t3-51
 solutions nutritives
 élémentaires, t3-50
 suppléments alimentaires,
 t3-51
 types, t3-44
 thrombophlébite, t2-559
 troubles de l'alimentation
 anorexie, mentale, t3-41
 boulimie, t3-43
 troubles divers et nutrition
 calculs urinaires, t3-321-322
 cancer de la bouche,
 t3-90
 cancer de l'œsophage, t3-105
 cholélithiase et cholécystite,
 t3-268
 cirrhose et maladies
 hépatiques, t3-240-241
 colite ulcéreuse, t3-175-177
 constipation, t3-158
 dents, problèmes, t3-86
 diabète, t3-441-444

hépatite, t3-223
hyperthyroïdie, t3-506
hypoparathyroïdie, t3-527
insuffisance rénale, t3-356,
 t3-367-371
maladie de Crohn, t3-182
ménopause, t3-654
nausées et vomissements,
 t3-95
obésité, t3-70-71
pancréatite aiguë, t3-255
problèmes des voies
 biliaires, t3-268
reflux gastro-œsophagien,
 t3-100
stomie, élimination, t3-200
syndrome de chasse
 postgastrectomie, t3-139
syndrome de malabsorption,
 t3-35
ulcère gastroduodénal,
 t3-131, t3-138-139
troubles tégumentaires, t4-103
vitamines, t3-32, t3-278
 déséquilibres, t3-35
 rations alimentaires,
  t3-37-40
 thérapie mégavitaminique,
  t3-36
ventilation mécanique, t2-681
Voir aussi Alimentation ;
 Obésité ; Recommandations
 nutritionnelles
Nycturie et insuffisance cardiaque
 congestive, t2-426
Nystagmus, t4-30, t4-79
Nystatine (Mycostatin), t3-310
 brûlure, t4-160
 otite externe, t4-70

O

Obésité, t3-65-81
 complications, t3-67
 épreuves diagnostiques, t3-68
 étiologie et physiopathologie,
  t3-67
 exercice, t3-72
 pharmacothérapie, t3-73
 poids santé, t3-69
 recommandations
  nutritionnelles, t3-70-71
 thérapie cognitive et
  comportementale, t3-72
 tissu adipeux, formation, t3-67
 traitements chirurgicaux,
  t3-73-77
  chirurgies bariatriques,
   t3-75
  collecte de données, t3-77
  comparaison des
   interventions, t3-75
  interventions en phase
   aiguë, t3-78
  lipectomie, t3-74
  liposuccion, t3-74
  soins ambulatoires et soins à
   domicile, t3-80
 système endocrinien, t3-421
Obésité et coronaropathie, t2-369

Occlusion artérielle. Voir
 Artériopathie oblitérante
Occlusion intestinale, t3-183
 épreuves diagnostiques, t3-185
 manifestations cliniques,
  t3-185
 processus diagnostique et
  thérapeutique, t3-186
 soins infirmiers, t3-187
Octréotide (Sandostatin), t3-116,
 t3-491
Ocytocine, t3-413
Œdème
 aigu du poumon, t2-127,
  t2-423
 et insuffisance cardiaque
  congestive, t2-426
 interstitiel, t2-424, t2-627
Œdème cérébral, t4-210, t4-216,
 t4-221
Œdème pulmonaire, t1-378
Œdème pulmonaire et lésion
 médullaire, t4-359
Œil. Voir Appareil visuel ;
 Troubles visuels
Œsophage, t3-5
 achalasie, t3-107-109
 cancer, t3-103-107
  intervention en phase aiguë,
   t3-106
  soins ambulatoires et soins à
   domicile, t3-106
  soins infirmiers, t3-105-106
  processus thérapeutique,
   t3-104-105
 diverticules, t3-107
 hémorragie d'origine
  œsophagienne, t3-113
 œsophagite, t3-107, t3-113
 œsophagomyotomie, t3-109
 sténose, t3-108
 varices, t3-109, t3-115
Œstrogène, t3-551-552
 carence, t3-652
 hormonothérapie de
  remplacement, t3-522,
  t3-640, t3-653, t3-673
Œstrogènes conjugués
 (Premarin), t3-653
Œstrogénothérapie, t4-478
Ofloxacine (Floxin), t3-304,
 t3-622, t4-451
Oligodendroglie, t4-175
Oligoménorrhée, t3-647-648
Oligurie, t1-395, t3-351-352
Omentum, t3-3
Oméprazole (Losec), t3-100,
 t3-111, t3-116, t3-130
 saignements gastro-intestinaux,
  t4-222
 sclérodermie systémique,
  t4-523
Oncogènes, t1-246-247
Oncovin. Voir Vincristine
Ondansétron (Zofran), t1-369,
 t3-95
Ongles, t4-86
 inspection, t4-94
Opacifiant, réaction allergique,
 t4-204
Ophtalmopathie et hyperthy-
 roïdie, t3-502

Ophtalmoscopie, t4-196
Opiacés, antagoniste, t2-429
Opioïdes, t1-120-123, t2-282
 manifestations du syndrome de
  sevrage, t1-136
 voies d'administration, t1-125
Opisthotonos, t4-353
Or, thérapie à l', t4-496
Orchite, t3-707
Orciprénaline (Alupent), t2-150,
 t2-623
Oreille Voir Appareil auditif ;
 Troubles de l'ouïe
Organes lymphoïdes, t1-176
Organismes antibiorésistants,
 t1-158-159
Orgaran. Voir Danaparoïde
Orgelet, t4-42
Orlistat (Xenical), t3-73
Orthoclone OKT 3. Voir
 Muromonab-CD3
Os, t4-387
 cal osseux, formation, t4-418
 cancer, t4-460
 maladie de Paget, t4-478
 maladies métaboliques, t4-474
 microstructure, t4-388
 perte, médicaments
  contribuant à la, t4-475
 remodelage osseux, t4-388
 types, t4-388
Osmitrol. Voir Mannitol
Osmolalité, t1-305
Osmolalité plasmatique, t3-413
Osmose, t1-304
Osmose, dialyse, t3-379
Ostéoblastes, t4-388
Ostéoclastes, t4-388
Ostéocytes, t4-388
Ostéodystrophie rénale, t3-366
Ostéomalacie, t4-474
Ostéomyélite, t4-450
 chronique, t4-451
 épreuves diagnostiques, t4-451
 plan de soins infirmiers,
  t4-453-454
 soins infirmiers, t4-452
Ostéoporose, t3-554, t4-474
 diversité culturelle, t4-475
 facteurs de risque, t4-475
 gérontologie, t4-479
 hyperparathyroïdie, t3-520
 pharmacothérapie, t4-478
 processus diagnostique et
  thérapeutique, t4-476
Ostéotomie, t4-527
Ostomie, t3-194
 adaptation à la stomie, t3-202
 caractéristiques de la stomie,
  t3-197
 colostomie, t3-195
 comparaison entre la
  colostomie et l'iléostomie,
  t3-196
 dysfonctionnement sexuel
  après la stomie, t3-202
 effets des aliments sur
  l'élimination de la stomie,
  t3-200
 enseignement, autosoins de la
  stomie, t3-201

iléostomie, t3-194
 plan de soins infirmiers, 198-
  t3-199
 réservoir iléo-anal, t3-196
 soins infirmiers, t3-197
 stomie double, t3-196
Otite
 externe, t4-70-71
 moyenne aiguë, t4-72, t4-74
 moyenne chronique, t4-72
  accompagnée d'épan-
   chement, t4-74
  processus diagnostique et
   thérapeutique, t4-73
  soins infirmiers, t4-74
Otorrhée, t4-231
Otosclérose, t4-75
Ovaire, t3-547, t3-552
 cancer, t3-673
 ovarectomie, t3-679
 ovarite, t3-660
 tumeurs bénignes, t3-669
Ovaires, défaillance, et radiothérapie, t1-272
Ovulation, t3-548-549, t3-551-552
Oxprénolol (Slow-Trasicor),
 t2-384
Oxycodone (Percodan, Supeudol),
 t1-120, t1-125-126, t4-340
Oxyde nitreux, t1-367
Oxygénation
 apport, évaluation, t2-10
 inadéquate, signes et
  symptômes, t2-14
Oxygénation insuffisante, manifestations cliniques, t1-376
Oxygène, toxicité, t2-8, t2-173
Oxygénothérapie, t1-375, t2-129,
 t2-168, t2-171, t2-196-197,
 t2-226, t2-243, t2-586, t2-612,
 t2-617, t2-630, t2-718
 à domicile, t2-174-176
 canule à réservoir,
  fonctionnement, t2-176
 complications, t2-171
 méthodes d'administration,
  t2-171-173
Oxyhémoglobine, courbe de
 dissociation, t2-8
Oxymétrie pulsée. Voir
 Saturométrie
Oxymorphone (Numorphan),
 t1-126

P

PA. Voir Pression artérielle
PaO$_2$. Voir Pression partielle en
 oxygène
Paclitaxel (Taxol), t2-107, t3-674
Paget, maladie osseuse de. Voir
 Maladie osseuse de Paget
PAM. Voir Pression artérielle
 moyenne
Pamidronate (Aredia), t2-281-282,
 t3-521, t4-478-479
Pancréas, t3-11, t3-415
 autodigestion, t3-252
 troubles, t3-251-263
  carcinome, t3-261-263

pancréatite aiguë,
  t3-251-260
pancréatite chronique,
  t3-260-261
Pancréatite aiguë, t3-251-260
  complications, t3-253
  épreuves diagnostiques,
    t3-253-254
  manifestations cliniques,
    t3-252
  pharmacothérapie, t3-255
  plan de soins infirmiers,
    t3-257-259
  recommandations
    nutritionnelles, t3-255
  soins infirmiers, t3-256
  traitement chirurgical, t3-255
  traitement conservateur, t3-254
Pancréatite chronique, t3-260
  soins infirmiers, t3-261
Pancrélipase (Viokase, Cotazym),
  t3-261
Pancuronium, t2-680
Pancytopénie, t2-216
Panophtalmie, t4-65
Pansements d'argent (Acticoat,
  Silverleaf), t4-159
Pantasa. Voir 5-ASA
Pantoloc. Voir Pantoprazole
Pantoprazole (Pantoloc), t2-630,
  t3-130
  saignements gastro-intestinaux,
    t4-222
  sclérodermie systémique,
    t4-523
Papavérine, t3-711-712
Papillome humain. Voir Virus du
  papillome humain
Papillome intracanalaire, t3-582
Paralysie de Bell, t4-347
  complications, t4-348
  pharmacothérapie, t4-348
  soins infirmiers, t4-348
Paralysie de Todd, t4-302
Paraphimosis, t3-705
Paraplatin-AQ. Voir Carboplatine
Parathormone (PTH), t3-519
Paresthésie et syndrome de
  Guillain-Barré, t4-350
Pariet. Voir Rabéprazole
Parkinson, maladie de. Voir
  Maladie de Parkinson
Parkland, formule de. Voir
  Formule de Parkland
Parlodel. Voir Bromocriptine
Paroxétine (Paxil), t4-526
Partenariat, t1-10
Participation, t1-10
Pasturographie, t4-30
Pavillon, t4-21
Paxil. Voir Paroxétine
Peau
  affections cutanées bénignes,
    t4-124-125. Voir aussi
    Affections dermatologiques
    aiguës
  affections reliées au diabète,
    t3-487
  cancers, t4-113
  effets des longueurs d'onde du
    soleil, t4-101

foncée, examen, t4-94
  greffes, t4-129
    soins infirmiers, t4-130
  inspection, t4-92
  lésions cutanées et cirrhose du
    foie, t3-231
  lésion médullaire et soins,
    t4-377
  palpation, t4-94
  réactions dermatologiques liées
    au LED, t4-513
  soins spécifiques, t4-112
  structures, t4-85
  variations, t4-93
Peau, modifications
  choc, t2-600
  insuffisance cardiaque
    congestive, t2-426
PEEP. Voir Pression positive en fin
  d'expiration
Pénicillamine-D (Cuprimine),
  t4-496
Pénicilline, t2-196, t2-264, t2-512,
  t3-367
  méningite, t4-251
  tétanos, t4-354
Pénicilline de synthèse, t4-105
Pénicilline G benzathinique,
  t2-513, t3-616
Pénis, t3-563
  affections congénitales, t3-704
  affections du mécanisme
    d'érection, t3-705
  affections du prépuce, t3-705
  cancer, t3-705
PENS. Voir Neurostimulation percutanée
Pentamidine (Pentacarinat), t2-79,
  t2-181
Pentazocine (Talwin), t1-120
Pentothal. Voir Thiopental
Pentoxifylline (Trental), t2-547,
  t4-522
Pepcid. Voir Famotidine
Pepto-Bismol. Voir Subsalicylate
  de bismuth
Percodan. Voir Oxycodone
Perfusion cérébrale inadéquate et
  augmentation de la PIC, t4-217
Pergolide (Permax)
  maladie de Parkinson, t4-323
  syndrome des jambes sans
    repos, t4-340
Pergonal. Voir Gonadotrophine
  ménopausique humaine
Péricardectomie, t2-507
Péricardiocentèse, t2-505
Péricardite aiguë, t2-390-391,
  t2-503-506
  causes, t2-503
  complications, t2-504
  épreuves diagnostiques,
    t2-504-505
  manifestations cliniques,
    t2-503
  processus thérapeutique,
    t2-505
  soins infirmiers, t2-506
Péricardite constrictive chronique,
  t2-507
Périodonte, t3-84

Périoste, t4-388
Péritoine, t3-3
Péritonite, t3-166, t3-383, t3-660
  causes, t3-166
  encapsulante, t3-384
  processus diagnostique et
    thérapeutique, t3-20
  soins infirmiers, t3-167
Permanganate de potassium,
  t4-111
Permax. Voir Pergolide
Persantine. Voir Dipyridamole
Personnes âgées
  aidants naturels, t1-74
  concept et estime de soi, t1-42
  consommation de médicaments,
    t1-70
    interventions infirmières,
      t1-72
  déficit cognitif, t1-56, t1-61
  dépression, t1-71
  développement familial, t1-47
  diagnostic chez les, difficulté,
    t1-62
  enseignement, t1-66
  environnement, t1-64, t1-70
  état confusionnel aigu, t1-69
  femmes âgées, facteurs ayant
    des répercussions sur la
    santé, t1-56
  habitation, t1-76
  hospitalisation et problèmes de
    santé aigus, t1-68
  malades, t1-62
  pertes de mémoire, t1-56
  problèmes de comportement,
    t1-73
  problèmes de santé chroniques,
    t1-67
  promotion de la santé, t1-50
  réadaptation, t1-68
  recommandations
    nutritionnelles, t1-72
  réseaux de soutien, t1-75
  risque chirurgical, t1-69
  sans logement, t1-77
  sécurité, t1-73
  sexualité, t1-46
  sommeil, t1-72
  stress relatif à la maladie, t1-51
  violence et négligence, t1-74
  vulnérables, t1-60
  Voir aussi Gérontologie;
    Vieillissement
PGE₁. Voir Prostaglandine
Phagocytose, t2-202
Phanères, t4-85
Pharyngite aiguë, t2-48
Pharynx, t3-5
Pharynx, examen, t2-19. Voir aussi
  Voies respiratoires
Phase peropératoire, t1-356-373
  activités de l'infirmière, t1-359
  admission du client, t1-362
  gérontologie, t1-372
  positionnement du client,
    t1-364
  préparation de la salle, t1-362
  préparation du site opératoire
  transfert du client, t1-362
  Voir aussi Chirurgie

Phase postopératoire, t1-365,
  t1-374-402
  ambulation précoce et exercice
    postopératoire, t1-387,
    t1-394, t1-397
  changements de température,
    t1-399
  complications, t1-376-378
    cardiovasculaires,
      t1-382-383, t1-393
    douleur et malaise, t1-385
    gastro-intestinales,
      t1-396-397
    hypothermie, t1-384
    nausées et vomissements,
      t1-385
    neurologiques, t1-384,
      t1-398-399
    psychologiques, t1-400
    respiratoires, t1-376-378,
      t1-381, t1-388
    tégumentaires, t1-397
    urinaires, t1-395
  drainage escompté à partir des
    sondes et des cathéters,
    t1-398
  gérontologie, t1-401
  plan de soins infirmiers,
    t1-389-392
  planification du congé et du
    suivi, t1-402
  soins chirurgicaux en salle de
    réveil, t1-385
  sortie postanesthésique, critères,
    t1-386
  unité de soins généraux, t1-387
  Voir aussi Chirurgie
Phase préopératoire, t1-337-355
  antécédents de santé, t1-342
  but, t1-341
  collecte de données, t1-347
  échelle de risque, t1-346
  enseignement, t1-346, t1-348,
    t1-350
  entrevue, objectifs, t1-341
  épreuves de laboratoire, t1-346,
    t1-348
  évaluation physiologique,
    t1-343
  évaluation psychosociale,
    t1-342, t1-361
  examen du dossier, t1-362
  examen physique, t1-346,
    t1-361
  gérontologie, t1-340
  médication, t1-345
  prémédication anesthésique,
    t1-353-354
  transport du client vers la salle
    d'opération, t1-354
  Voir aussi Chirurgie
Phase terminale et stress, t1-92
Phénazopyridine (Pyridium),
  t3-282, t3-304
Phencyclidine et crise hypertensive, t2-356
Phénergan. Voir Prométhazine
Phénobarbital
  convulsions, t4-304
  système nerveux, t4-192
Phénobarbital, intoxication,
  t2-738-739

Phénol, t4-111
Phénol à 5 % dans l'huile, t3-210
Phénomène d'Arthus, t1-187
Phénomène d'émergence au réveil, t1-376, t1-384
Phénomène de Raynaud, t4-521-522
Phénothiazines, t2-264, t2-301, t2-454, t3-95
Phentolamine (Rogitine), t2-357, t3-711-712
Phényléphrine (Dristan, vaporisateur nasal), t1-194
Phényléphrine (Neo-Synephrine), t2-692
Phénytoïne (Dilantin), t1-105, t2-473, t2-556, t3-85, t3-131
augmentation de la PIC, t4-222
AVC, t4-273
convulsions, t4-304
névralgie faciale, t4-344
système neurologique, t4-192
Phéochromocytome, t3-542
Phimosis, t3-705
Phosphate
insuffisance rénale aiguë, t3-353
insuffisance rénale chronique, t3-366
Phosphate de sodium (Fleet Enema, Phospho-Soda), t3-287
Phosphate oral, t3-521
Phosphore, t1-322
Phospho-Soda. Voir Phosphate de sodium
Photocoagulation au laser, t4-56
Photocoagulation infrarouge, t3-210
Photokératectomie réfractive (PKR), t4-39
Photorécepteurs, t4-7
Photothérapie
lésions bronchiques obstructives, ablation, t2-107
Physiothérapie
brûlure, t4-159, t4-163
fracture, t4-435
sclérose en plaques, t4-313
Physiothérapie respiratoire (du thorax), t2-178-179, t2-196-197, t2-622
Phytonadione (vitamine K), t3-237
PIC. Voir Pression intracrânienne
Pieds
problèmes courants, t4-471-473
gérontologie, t4-474
soins, t3-482
soins infirmiers, t4-473
Pie-mère, t4-189
Pilocarpine (Salagen), t4-525
Pilocarpine, chlorhydrate de (Salagen), t2-69
Pindolol (Visken), t2-384
Pioglitazone (Actos), t3-454
PKR. Voir Photokératectomie réfractive
Plaies
classification, t1-155

débridement, t1-168
soins ambulatoires, t1-32
traitement, t1-162-167
Plan de soins infirmiers
affections dermatologiques aiguës, t4-109-110
alimentation entérale, t3-56-57
alimentation parentérale totale, t3-63-64
anémie, t2-228-229
anévrisme, t2-537-538
apnée obstructive du sommeil, t2-51-52
artériopathie oblitérante chronique, t2-549-550
arthroplastie, t4-531-33
arythmie cardiaque, t2-468-469
asthme, t2-154-156
AVC, t4-259
bronchopneumopathie chronique obstructive (BPCO), t2-183-187
brûlure, t4-152-155
cancer, t1-284-287
cancer de la tête et du cou, t2-66-68
cancer du sein, t3-596-598
cardiopathies valvulaires, t2-526-528
céphalée, t4-298-299
chirurgie crânienne, t4-246-249
chirurgie du thorax, t2-123-124
chirurgie nasale, t2-38-39
chirurgie oculaire, t4-53-55
choc, t2-597-599
cirrhose, t3-243-246
colite ulcéreuse, t3-178-180
conduit iléal et dérivation urinaire, t3-344-346
convulsions et épilepsie, t4-308-309
diabète, t3-461-463
diarrhée, t3-153-154
endocardite infectieuse, t2-500-502
escarres de décubitus, t4-135
fièvre, t1-162
fracture, t4-430-432, t4-444-446
hépatite virale, t3-225-226
hyperparathyroïdie, t3-523-525
hyperthyroïdie, t3-508-510
hypothyroïdie, t3-518-519
hystérectomie, t3-666-668
inconscience, t4-225-227
infarctus du myocarde, t2-401-403
infections des voies urinaires, t3-306-307
infection inflammatoire au cerveau, t4-252-254
insuffisance rénale, t3-372-377
infections respiratoires, t2-43
insuffisance cardiaque congestive, t2-438-440
insuffisance respiratoire aiguë, t2-618-620
laparotomie, t3-162
laryngectomie et hémilaryngectomie, t2-66-68

lésion cutanée, t4-109
lésion médullaire, t4-365-370
lithiase rénale aiguë, t3-324-325
lombalgie, t4-464-466
lupus érythémateux disséminé (LED), t4-517-519
maladie d'Alzheimer, t4-335-337
maladie de Parkinson, t4-326-328
maladie inflammatoire pelvienne, t3-663
mastectomie radicale modifiée, t3-596-598
méningite, t4-252-254
nausées et vomissements, t3-97
neutropénie, t2-266
ostéomyélite, t4-453-454
ostomie, t3-198-199
pancréatite aiguë, t3-257-259
phase postopératoire, t1-389-392
pneumonie, t2-84-86
polyarthrite rhumatoïde, t4-499-501
résection transurétrale de la prostate, t3-694-696
rhumatisme articulaire aigu et rhumatisme cardiaque, t2-514
sclérose en plaques, t4-317-320
sinusite, t2-47-48
soins intensifs, t2-694-703
syndrome de Cushing, t3-533-534
thoracotomie, t2-123-124
thrombocytopénie, t2-253-254
thrombophlébite, t2-560-561
trachéostomie, t2-58-61
tubes endotrachéaux, t2-661-665
ulcère gastroduodénal, t3-133-135
ventilation mécanique, t2-684-687
virus de l'immunodéficience humaine (VIH), t1-226-231
Plaque motrice, t4-391
Plaquenil. Voir Hydroxychloroquine
Plaquettes, t2-204
agrégation, t2-205
médicaments et nutriments altérant la fonction plaquettaire, t2-248
numération, t2-217
réduction du nombre, t2-247-249
Plasmaphérèse, t1-198
Plavix. Voir Clopidogrel
Pletal. Voir Cilostazol
Pleurésie, t2-126
Pleurésie liée au LED, t4-513
Pleuropéricardite (maladie de Bornholm), t2-503
Pneumoconiose, t2-100
Pneumocystose, t1-237
Pneumonie, t2-75-87
associée à la ventilation, t2-678

bronchopneumopathie chronique obstructive, t2-169
causes, t2-76
complications, t2-80
d'aspiration (nécrosante), t2-77
épreuves diagnostiques, t2-80-81
extrahospitalière, t2-76-77
facteurs de risque, t2-75-76
grippe, t2-44
manifestations cliniques, t2-80
nosocomiale, t2-76, t2-629
classement des clients et traitement, t2-77
organismes pathogènes et antibiotiques, t2-78
opportuniste, t2-78
pharmacothérapie, t2-82
physiopathologie, t2-79
plan de soins infirmiers, t2-84-86
processus thérapeutique, t2-81
recommandations nutritionnelles, t2-82
soins infirmiers, t2-82
tuberculeuse, t2-90
vaccin, t2-81
volumes pulmonaires et déficit ventilatoire, t2-122
Pneumonie et lésion médullaire, t4-359
Pneumopathie chimique et d'hypersensibilité, t2-100
Pneumothorax, t2-113-115
barotraumatisme, t2-629
Poche de Hartmann, t3-195
Poche Kock, t3-173, t3-196
Podofilox (Condyline), t3-624
Podophylline, t3-624
Poids, modifications, et insuffisance cardiaque congestive, t2-427
Poïkilothermie, t4-361
Poisons courants, t2-738
Pollution et bronchopneumopathie chronique obstructive, t2-160
Polyarthrite, t2-511
Polyarthrite psoriasique, t4-506
Polyarthrite rhumatoïde, t4-491-504
arthroplastie des doigts, t4-529
comparaison avec l'arthrose, t4-492
enseignement, t4-503
manifestations extra-articulaires, t4-493
gérontologie, t4-497
pharmacothérapie, t4-495
plan de soins infirmiers, t4-499-501
processus diagnostique et thérapeutique, t4-493-495
soins ambulatoires et soins à domicile, t4-503
soins infirmiers, t4-498
soulagement non pharmacologique, t4-502
stades anatomiques de l'American Rheumatism

Association, t4-495
synovectomie, t4-527
Polyarthrite rhumatoïde juvénile, t4-504
Polyéthylène glycol isotonique et électrolyte (GOLYTELY), t2-738
Polyglobulie
  essentielle, t2-245
    manifestations cliniques et complications, t2-246
    processus thérapeutique, t2-246
    soins infirmiers, t2-247
Polyglobulie et obésité, t3-67
Polykystose rénale, t3-327
Polymyosite, t4-523
  soins infirmiers, t4-524
Polymyxine B
  otite externe, t4-70
  troubles dermatologiques, t4-105
Polyneuropathies, t4-349
Polypeptide pancréatique, t3-11
Polypes, t3-115
  du gros intestin, t3-187
    processus diagnostique et thérapeutique, t3-188
    types, t3-188
  laryngés, t2-57
  nasaux, t2-46, t2-135
Polypes cervicaux, t3-669
Polysulphate de pentosan sodique (Elmiron), t3-310
POMC. *Voir* Pro-opiomélanocortine
Pompe sodium-potassium, t1-304
Pondimin. *Voir* Fenfluramine
Pontage coronarien, t2-447
Pontocaine. *Voir* Tétracaïne
Populations vulnérables, t1-7
  comportements à risque, t1-8
  états chroniques, t1-9
  pauvreté et itinérance, t1-8
  sexe et âge, t1-9
  violence, t1-8
Porpoxyphène (Darvon), t4-363
Position de Trendelenburg et choc, t2-587, t2-589
Postcharge, t2-420, t2-641
  diminution, t2-429
Potassium, t1-315
  élimination, t1-316
  insuffisance rénale aiguë, t3-353, t3-355
  insuffisance rénale chronique, t3-362
Potentiel d'action, t2-295
Potentiels évoqués, t4-206, t4-220
Pouls paradoxal, prise du, t2-139, t2-505
Poumon
  abcès, t2-99
  angiographie, t2-31
  anomalies courantes, t2-21-22
  artère pulmonaire
    cathéter, t2-9, t2-645-650
    rupture, t2-650
  biopsie, t2-32
  bronches et bronchioles, t2-4
  cancer, t2-102-112

classification, t2-106, t2-108
comme maladie profession-nelle, t2-100
épreuves diagnostiques, t2-105
intervention en phase aiguë, t2-111
maladies pulmonaires et risques, t2-103
manifestations cliniques, t2-104
physiopathologie, t2-103
soins ambulatoires et soins à domicile, t2-111
soins infirmiers, t2-107
syndrome de sécrétions hormonales ectopiques, t2-106
tumeurs, autres types, t2-112
traitement chirurgical, t2-106
types de cancer primitif, t2-104
circulation, t2-6
compliance, t2-7
  diminution, t2-122
congestion, réduction, t2-623
élasticité, t2-7
embolie, t2-127, t2-391, t2-565-567
examen, t2-20
fibrose, t2-100, t2-127
fonctions pulmonaires, mesures courantes, t2-30
greffe, t2-130
hypertension, t2-128, t2-566
infarctus, t2-240, t2-565, t2-650
infections, t2-75-95
  traitement, t2-623
infections fongiques, t2-95
  processus thérapeutique, t2-96
lésion pulmonaire directe et syndrome de détresse respiratoire, t2-625, t2-627-628
maladie restrictive,
  causes extrapulmonaires, t2-125
  causes intrapulmonaires, t2-126
maladies obstructives, t2-134-198
maladies professionnelles, t2-100-101
maladies pulmonaires, résultats des examens du thorax, t2-24
œdème aigu, t2-127, t2-428
radiographie, t2-90
recherche, réadaptation pulmonaire, t2-191
résistance vasculaire, t2-642
scintigraphie, t2-30, t2-566
sons de percussion, t2-17
surfactant, t2-5
volumes et capacités, t2-30, t2-122
Voir aussi Appareil respiratoire ; Respiration

PPC. *Voir* Pression de perfusion cérébrale
Pramipexole (Mirapex), t4-323
Pramoxine, t3-210
Prandase. *Voir* Acarbose
Pravachol. *Voir* Pravastatine
Pravastatine (Pravachol), t2-375
Prazosine (Minipress), t3-689
Précharge, t2-420, t2-640
  diminution, t2-429
Prednisone, t2-130, t2-249, t2-280, t2-505, t2-508
  paralysie de Bell, t4-348
  polyarthrite rhumatoïde, t4-495
  sclérose en plaques, t4-313
Prednisolone (orale), t3-172
Premarin. *Voir* Œstrogènes conjugués
Presbyacousie, t4-77
  classification, t4-78
Presbytie, t4-4, t4-35
Préservatifs masculin et féminin, t1-232-234
Pression
  hydrostatique, t1-305, t1-306
  oncotique, t1-306
  osmotique, t1-304
  stratégie de soulagement de la douleur, t1-129
Pression artérielle (PA), t2-297, t2-299
  différentielle et moyenne, t2-299
  hérédité, t2-334
  mesure, t2-338, t2-644
  monitorage effractif, t2-642-644
  recherche, t2-355
  régulation, t2-325-328
  surveillance ambulatoire, t2-339
    à domicile, t2-355
  surveillance hémodynamique, t2-323
Pression artérielle moyenne (PAM), t4-214, t4-260
Pression de perfusion cérébrale (PPC), t2-687, t4-214
Pression intracrânienne (PIC), t2-683, t4-211
  adaptations compensatoires normales, t4-214
  augmentation, t2-687, t4-216
    complications, t4-217
    facteurs, t4-229
    manifestations cliniques, t4-218
    mesures d'urgence, t4-220, t4-227
    pharmacothérapie, t4-220
    positionnement du corps, t4-228
    recommandations nutrition-nelles, t4-222
    soins infirmiers, t4-223
    traitement par hyperventila-tion, t4-222
  AVC, t4-260, t4-272
  courbe, t2-688
  courbe volume-pression, t4-215

drainage du liquide céphalorachidien, t2-690, t2-692
épreuves diagnostiques, t4-219
mesure, t2-688
  technique, t2-353
processus diagnostique et thérapeutique, t4-220
réanimation liquidienne, t2-692
soins infirmiers, t2-691
surveillance, t2-683, t2-688, t4-228
  comparaison des systèmes, t2-689
Pression intra-oculaire
  évaluation, t4-17
  glaucome, t4-59-60
Pression intrapleurale, t2-116-117
Pression partielle en oxygène (PaO$_2$), t2-7-8
  valeurs critiques, t2-13
Pression positive en fin d'expira-tion (PEEP), t2-675
Pression positive expiratoire à deux niveaux (BiPAP), t2-50
Pressyn. *Voir* Vasopressine
Prevacid. *Voir* Lansoprazole
Prevacid. *Voir* Lansoprazole
Priapisme, t3-705
Prilocaïne (crème EMLA), t1-126
Primacor. *Voir* Milrinone
Primidone (Mysoline), t4-304
Prinivil. *Voir* Lisinopril
Prise en charge, t1-10
Proact 1. *Voir* Pro-urokinase
Proarythmie, t2-478
Probénécide (Benuryl), t4-510
Procaïnamide (Pronestyl), t2-412, t2-476-477, t2-642
Procaïne (Novocain), t1-370
Procarbazine (Natulan), t4-242
Prochlorpérazine (Stémétil), t1-369, t3-95, t3-163. *Voir aussi* Antiémétique de phénothiazine
Procyclidine (Kemadrin), t4-323
Produits azotés, accumulation, t3-353, t3-361
Progestérone, t3-551-552
Progestérone micronisée (Prometrium), t3-653
Prograf. *Voir* Tacrolimus
Prokinétiques, t3-95
Prolactine, t3-551
Prolapsus utérin, t3-680
Prolapsus valvulaire mitral, t2-518
  enseignement au client, t2-519
Prométhazine (Phénergan), t1-369, t3-163, t4-354
Prometrium. *Voir* Progestérone micronisée
Pronestyl. *Voir* Procaïnamide
Pro-opiomélanocortine (POMC), t1-89
Propafénone (Rythmol), t2-471-472
Propanthel. *Voir* Propanthéline
Propanthéline (Propanthel), t3-335
Propofol (Diprivan), t1-367, t2-680, t2-692

Propranolol (Indéral), t2-136, t2-156, t2-168, t2-384, t2-454, t2-470, t2-473, t2-541, t3-238, t3-505
Propranolol (Indéral LA, Indéral) maladie de Parkinson, t4-323 migraine, t4-296 sclérodermie systémique, t4-523
Proprioception, altérations, t4-283, t4-287, t4-374
Propylthiouracile (PTU), t3-505
Proscar. *Voir* Finastéride
Prostacycline, t1-151
Prostaglandines, t1-151
Prostaglandine (PGE₁), t3-711
Prostaglandines, synthèse et rôle, t3-279
Prostate, t3-547, t3-563
    cancer, t3-698
        classification TNM, t3-700
        épreuves diagnostiques, t3-699, t3-701
        intervention en phase aiguë, t3-702
        processus thérapeutique, t3-699, t3-701
        soins ambulatoires et soins à domicile, t3-703
        soins infirmiers, t3-702
        traitement chirurgical, t3-700
    hypertrophie bénigne (HBP), t3-686
        ablation au laser, t3-690
        complications, t3-687
        complications reliées à la chirurgie, t3-692
        épreuves diagnostiques, t3-688
        incision transurétrale, t3-691
        intervention en phase aiguë, t3-693
        pharmacothérapie, t3-688
        plan de soins infirmiers, t3-694-696
        résection périnéale, t3-692
        résection rétropubienne, t3-692
        résection suspubienne, t3-691
        résection transurétrale, t3-690
        soins ambulatoires et soins à domicile, t3-697
        soins infirmiers, t3-692
        traitement effractif non chirurgical, t3-689
    prostatite, t3-703
        processus thérapeutique, t3-704
        soins infirmiers, t3-704
Prostigmin. *Voir* Néostigmine
Protéase, t1-212
Protéines
    perte et dialyse, t3-383
    restrictions et insuffisance rénale chronique, t3-367
Protéines plasmatiques, t1-324
Prothèses valvulaires, t2-523

Protocolectomie totale, t3-173
Pro-urokinase (Proact 1), t4-272
Provera. *Voir* Médroxyprogestérone, acétate de
Prozac. *Voir* Fluoxétine
Prurit, t3-231, t4-111
Pseudoéphédrine (Sudafed), t1-194
Psyllium (Metamucil), t3-152, t3-158, t3-204
PTH. *Voir* Hormone parathyroïdienne
Ptosis, t4-196
PTU. *Voir* Propylthiouracile
Pulmicort. *Voir* Budésonide
Pulmozyme. *Voir* Dornase alfa recombinant
Pupille, t4-6
    dilatation, médicaments, t4-49-50
    évaluation, t4-17
Purinethol. *Voir* 6-MP
Purpura thrombocytopénique thrombotique, t2-248
    processus thérapeutique, t2-250
Purpura thrombopénique immun, t2-247
    processus thérapeutique, t2-249
Pus, t1-147
Pyélographie ascendante et antérograde, t3-294
Pyélonéphrite, t3-301, t3-303
    aiguë, t3-308
    chronique, t3-309
        processus diagnostique et thérapeutique, t3-308
        soins infirmiers, t3-309
Pyrazinamide (Rifater, Tebrazid), t2-91
Pyridium. *Voir* Phénazopyridine
Pyrosis, t3-98, t3-100

Q

Quelicin. *Voir* Succinylcholine
Questran. *Voir* Cholestyramine
Quinidine, t2-412, t2-470-472
Quinine, t2-553
    intoxication, t2-739
Quinine et urée, t3-210
Quinolone, t2-196

R

Rabéprazole (Pariet), t3-130
Radiation, troubles cutanés, t4-102
Radioactivité et tumeurs malignes, t1-249
Radiochirurgie au scalpel gamma, t4-345
Radiographie du thorax, t2-310
Radiothérapie, t1-262
    but, t1-265
    client muni d'un implant radioactif, t1-264

effets cliniques indésirables, t1-263
effets gastro-intestinaux, t1-271
effets pulmonaires, t1-271
effets retardés, t1-287-288
effets secondaires, t1-24
effets sur l'appareil reproducteur, t1-272
maladie osseuse de Paget, t4-479
myélome multiple, t4-460
myélosuppression, t1-266
problèmes posés par la, t1-268-267
réactions cutanées, t1-269-270
sarcome d'Ewing, t4-461
stratégie d'adaptation, t1-30
Raloxifène (Evista), t3-594, t3-653, t4-478
Ramipril (Altace), t2-399, t2-433
Ranitidine (Zantac), t2-630, t2-679, t3-100, t3-111, t3-116, t3-130, t3-261
    saignements gastro-intestinaux, t4-222
    ulcères de stress, t4-361, t4-374
Rapamune. *Voir* Sirolimus
Rapports sexuels et transmission du VIH, t1-213
Rate, t1-176, t2-204
    autosplénectomie, t2-241
    troubles, t2-282
Raynaud, phénomène de. *Voir* Phénomène de Raynaud ; Syndrome de Raynaud
RCR. *Voir* Réanimation cardiorespiratoire
Reactine. *Voir* Cétirizine
Réaction affective atypique, interventions infirmières, t4-288
Réactions cutanées aux rayonnements, t1-269
    enseignement, t1-270
Réactions d'hypersensibilité
    aux micro-organismes, t1-188
    réactions anaphylactiques, t1-182
    réactions cytotoxiques et cytolytiques, t1-186
    réactions du complexe immun, t1-186
    retardée, t1-187
Réactions ischémiques en cascade, t4-271
Réactions transfusionnelles hémolytiques, t1-186
Réadaptation fonctionnelle, t1-12
Réanimation cardiorespiratoire (RCR), t2-485
    à deux secouristes, t2-490
    à un secouriste, t2-489
    avancée, t2-489
    pharmacothérapie, t2-491
    rôle de l'infirmière, t2-490
    soins immédiats, t2-485
        dégagement des voies respiratoire et respiration, t2-486-487
        massage cardiaque externe, t2-486
Réanimation liquidienne, t2-692

Recherche
    administration de fibres par sonde d'alimentation, t3-60
    artériopathie oblitérante chronique, programme d'exercices, t2-547
    arthroplastie du genoux, t4-416
    autogestion du diabète, t3-470
    AVC, dépistage précoce, t4-280
    brûlure et sexualité, t4-171
    cancer de la thyroïde, t3-511
    cancer du sein, fatigue et intervention de groupe, t3-583
    chirurgie, suivi des clients non hospitalisés, t1-386
    coronaropathie et femmes, t2-415
    dégénérescence maculaire liée à l'âge (DMLA), t4-59
    escarres de décubitus et prévention, t4-133
    évolution du SARM dans les hôpitaux canadiens, t1-159
    fibromyalgie et femmes, t4-526
    fonctionnement sexuel après une transplantation du foie, t3-251
    insuffisance cardiaque, soutien social pour les femmes âgées, t2-442
    lésion médullaire et fonction intestinale, t4-374
    lésions graves et répercussion sur la famille, t4-230
    lien entre le stress, les hormones et le syndrome prémenstruel, t3-645
    perception de la douleur, t1-115
    pression artérielle, prise à domicile, t2-355
    réadaptation pulmonaire, t2-191
    sclérose en plaques et promotion de la santé, t4-320
    stress et infection par VIH, t1-93
    suivi des clients non hospitalisés, t1-13.4
    tendance dans le traitement du syndrome de détresse respiratoire aiguë, t2-632
Recommandations nutritionnelles
    cancer, t1-293-294
    cicatrisation, t1-159
    personnes âgées, t1-72
Rectocèle, t3-681
Rectum et anus
    examen, t3-19
    fissure anale, t3-211
    troubles anorectaux, t3-209
Redux. *Voir* Fenfluramine
Rééducation respiratoire, t2-177
Réflexe tussigène, t2-12
Réflexes, évaluation, t4-200
    cornéen, t4-196
    perte, t4-27
    lésion médullaire, t4-374
    oculocéphalique, t4-224
    pharyngé, t4-197

photomoteur, t4-223
Refludan. *Voir* Lépirudine
Reflux gastro-œsophagien (RGO),
  t3-98-101, t3-104
  asthme, t2-136
  bronchopneumopathie
    chronique obstructive,
    t2-168
  enseignement, prévention,
    t3-101
  gérontologie, t3-104
  manifestations cliniques, t3-98
  pharmacothérapie, t3-100
  processus diagnostique et
    thérapeutique, t3-99
  recommandations nutrition-
    nelles, t3-100
  soins infirmiers, t3-101
  syndrome de Barrett, t3-104
Réfraction, t4-4
  corrections non chirurgicales,
    t4-36
  erreurs corrigibles, t4-34
  traitement chirurgical, t4-39
Reglan. *Voir* Métoclopramide
Règle des 9 de Wallace,
  t4-143-144
Régulation acidobasique, t1-325
  appareil respiratoire, t1-326
  appareil urinaire, t1-326
  système tampon, t1-325
Régulation hydrique, t1-307
  anomalies courantes, t1-331
  cardiaque, t1-309
  corticosurrénalienne, t1-308
  de l'hypophyse, t1-308
  gastro-intestinale, t1-309
  hypothalamique, t1-307
  perte hydrique sensible, t1-309
  rénale, t1-309
Régulation hydroélectrolytique,
  t1-303
  anomalies courantes, t1-331
  déséquilibres, t1-310
  équilibre hydrique, t1-307
Régurgitation aortique, t2-520
Régurgitation mitrale, t2-518
Rein, t3-275, t3-311
  agents néphrotoxiques, t3-282
  angiographie numérique avec
    soustractions, t3-297
  antériographie, t3-292
  apport sanguin, t3-276
  biopsie, t3-297
  calculs urinaires, t3-317-325
  carcinome, classification de
    Robson, t3-330
  échographie, t3-295
  évaluation préopératoire, t1-344
  examen physique, t3-285
  imagerie isotopique, t3-296
  insuffisance et sclérodermie
    systémique, t4-522
  insuffisance rénale aiguë,
    t3-350-359
  insuffisance rénale chronique,
    t3-358-378
    maladies des tissus conjonc-
      tifs et métaboliques et
      atteinte rénale,
      t3-328-329

néphropathie
  héréditaire, t3-327-328
  syndrome d'immunodéfi-
    cience acquise, t3-315
néphrosclérose et
  hypertension, t2-338
perfusion, et anévrisme
  aortique, t2-539
problèmes liés au LED, t4-513
problèmes rénovasculaires,
  t3-326-327
pyélonéphrites, t3-308-309
radiographie, t3-292
régulation de l'appareil
  cardiovasculaire, t2-299
régulation de la pression
  artérielle, t2-328
  mécanisme rénine-
    angiotensine, altérations,
    t2-334
régulation hydrique, t1-309
traumatisme, t3-326
troubles immunologiques,
  t3-311-315
tuberculose rénale, t3-311
tumeurs, t3-329
tumeur de Wilms, t3-330
tumeurs malignes et greffe de
  rein, t3-401
Voir aussi Appareil urinaire
Reiter, syndrome de. *Voir*
  Syndrome de Reiter
Rejet du greffon ou d'organes
  transplantés, t1-189
Relanza. *Voir* Zanamivir
Relaxation
  soulagement de la douleur,
    t1-134
  stratégies, t1-98
Rémifentanil (Ultiva), t1-368
Remplacement liquidien chez le
  client atteint de brûlure,
  t4-156, t4-160, t4-163
Remplacement liquidien et élec-
  trolytique, t1-332
Rénine, t3-278
Reopro. *Voir* Abciximab
Répaglinide (GlucoNorm), t3-453
Repolarisation, t2-459
Réponse bronchoconstrictive,
  t2-12
Requip. *Voir* Ropinirole
Réserve cardiaque, t2-297
Résistance cérébrale vasculaire,
  t2-687
Résistance vasculaire périphérique
  (RVP), t2-325
Résistance vasculaire pulmonaire
  (RVP), t2-642
Résistance vasculaire systémique
  (RVS), t2-642
Respiration
  évaluation primaire à l'urgence,
    t2-718
  troubles graves, t2-717
  physiologie, t2-7
  régulation, t2-11
  Voir aussi Poumon ; Voies
    respiratoires
Rétention urinaire, t3-332-333
  causes, t3-333

lésion médullaire, t4-361
syndrome de Guillain-Barré,
  t4-351
Rétine, t4-3, t4-7
  décollement, t4-55
    facteurs de risque, t4-55
    processus diagnostique et
      thérapeutique, t4-56
    soins infirmiers, t4-57
Rétine, lésions, et hypertension,
  t2-338
Rétinite à cytomégalovirus, t1-238,
  t4-65
Rétinopathie diabétique,
  t3-482-483
Rétinopexie pneumatique, t4-57
Retour veineux. *Voir* Précharge
Rétrécissement aortique, t2-519
Rétrécissement mitral, t2-516
  valvulopathie tricuspidienne,
    t2-520
Rétroaction biologique
  céphalée et, t4-295
  convulsions, t4-306
Rétrovirus, t1-212
  administration des médicaments
    antirétroviraux, t1-237
  syndrome rétroviral aigu, t1-214
  traitement antirétroviral,
    indications, t1-221
Réveil retardé, t1-384
RGO. *Voir* Reflux gastro-
  œsophagien
Rhinite
  allergique, t1-184, t1-192-193
  médicamenteuse, t1-194
Rhinite allergique, t2-40, t2-135
  atténuation des symptômes,
    t2-41
  manifestations cliniques, t2-41
Rhinite virale aiguë, t2-42
Rhinoplastie, t2-36-37
Rhinorrhée, t4-231
Rhinorrhée, réduction, t2-41
Rhizotomie par injection de gly-
  cérol, t4-345
Rhizotomie percutanée par
  radiofréquence, t4-345
Rhumatisme articulaire aigu
  (RRA) et rhumatisme
  cardiaque, t2-509-515
  anomalies des épreuves de
    laboratoire, t2-511
  critères de Jones, t2-511
  intervention en phase aiguë,
    t2-513
  manifestations cliniques,
    t2-510
  plan de soins infirmiers, t2-514
  prévention, t2-513
  processus thérapeutique,
    t2-512
  soins ambulatoires et soins à
    domicile, t2-515
  soins infirmiers, t2-512
Rhume et stress psychologique,
  t1-92
Ribavirine (Virazole), t3-222
Rifadin. *Voir* Rifampine
Rifampine (Rifadin, Rofact),
  t2-91

Rifater. *Voir* Pyrazinamide
Risédronate (Actonel), t4-478-479
Ritalin. *Voir* Méthylphénidate
Rituxan. *Voir* Rituximab
Rituximab (Rituxan), t2-280
Rivotril. *Voir* Clonazépam
Rizatriptan (Maxalt), t4-296
Robaxin. *Voir* Méthocarbamole
Rocaltrol. *Voir* Calcitriol
Rocephin. *Voir* Ceftriaxone
Rofact. *Voir* Rifampine
Rofécoxib (Vioxx)
  arthrose, t4-485
  polyarthrite rhumatoïde,
    t4-496
Rogitine. *Voir* Phentolamine
Romberg, test de, t4-200
Ropinirole (Requip), t4-323
Ropivacaïne (Naropin), t1-370
Rosiglitazone (Avandia), t3-454
Rougeole et coqueluche, vaccina-
  tion, t2-98
RRA. *Voir* Rhumatisme articulaire
  aigu
Rubéole, t1-201
RVS. *Voir* Résistance vasculaire
  systémique
Rythmol. *Voir* Propafénone

S

Sabril. *Voir* Vigabatrine
Saignements vaginaux, t3-647-649
  processus thérapeutique,
    t3-649
  soins infirmiers, t3-649
  types, t3-648
Salagen. *Voir* Pilocarpine,
  chlorhydrate de
Salazopyrin. *Voir* Sulfasalazine
Salbutamol (Ventolin), t2-136,
  t2-150, t2-180, t2-623
Salicylates, t2-505, t2-512, t3-513
  intoxication, t2-738-739
Salinex. *Voir* Vaporisations salines
  nasales
Salle de réveil
  admission, t1-375
  congé, t1-386
  soins chirurgicaux, t1-385
Salmétérol (Serevent, Advair
  Diskus), t2-136, t2-150
Salpingite, t3-660
Sandostatin. *Voir* Octréotide
Sang
  analyses sanguines diverses,
    t2-219
  autotransfusion, t2-288
  circulation, évaluation primaire
    à l'urgence, t2-718
  troubles graves, t2-717
  composantes cellulaires,
    t2-201-204
  composants sanguins
    fournis par Héma-Québec,
    t2-284-285
  traitement, t2-283
  débit, surveillance
    hémodynamique, t2-323
  dons autologues, t2-453

formule sanguine complète, t2-215-216
  groupes sanguins
    compatibilité, t2-218
    facteur Rhésus, t2-218
  lipides, t2-321
  réactions à la transfusion, t2-286-288
  veineux mélangé, t2-9
Sansert. *Voir* Méthysergide
SaO₂. *Voir* Saturation du sang artériel en oxygène
Sarcoïdose, t2-127
Sarcome d'Ewing, t4-461
Sarcome de Kaposi, t1-239
Saturation du sang artériel en oxygène (SaO₂), t2-8
Saturation du sang veineux en oxygène (SvO₂) baisse, t2-666
  surveillance, t2-648-649
Saturation pulsatile en oxygène (SpO₂), t2-10
  valeurs critiques, t2-13
Saturométrie (oxymétrie pulsée), t1-375, t2-10, t2-28
Schwartz-Bartter, syndrome de. *Voir* Syndrome de Schwartz-Bartter
Scintigraphie, t3-295
Scintigraphie pulmonaire, t2-566
  de ventilation-perfusion, t2-30
Sclérodermie et néphropathie, t3-329
Sclérodermie systémique, t4-520
  processus diagnostique et thérapeutique, t4-522
  soins infirmiers, t4-523
Sclérose en plaques, t4-310
  collectes de données, t4-316
  manifestations cliniques, t4-311
  pharmacothérapie, t4-313-315
  plan de soins infirmiers, t4-317-320
  processus diagnostique et thérapeutique, t4-313
  recommandations nutritionnelles, t4-315
  soins infirmiers, t4-315
  traitement chirurgical, t4-313
Sclérose latérale amyotrophique, t4-340
Sclérothérapie endoscopique, t3-237
Sclérotique, t4-3, t4-6
  évaluation, t4-18
Scopolamine, t3-95
Scopolamine transdermique, t1-128
Scrotum, t3-546, t3-563
  affections acquises, t3-706
  affections congénitales, t3-706
  affections externes, t3-705
SDRA. *Voir* Syndrome de détresse respiratoire aiguë
SDT. *Voir* Sonographie Doppler transcrânienne
Sectral. *Voir* Acébutolol
Sédatifs, t2-168, t2-586, t2-601, t2-624, t2-659, t2-676, t2-692, t3-116, t4-159

Sédatifs hypnotiques (benzodiazépines), t1-368
Sédentarité et coronaropathie, t2-369
Seins, t3-547, t3-564
  autoexamen, t3-577
  cancer
    classification TNM, t3-589
    épreuves diagnostiques, t3-587
    exercices de mobilité après la chirurgie, t3-599
    facteurs de risque, t3-574, t3-584
    intervention en phase aiguë, t3-594
    métastases à distance, t3-547
    plan de soins infirmiers, t3-596-598
    processus thérapeutique, t3-588
    recherche, t3-583
    récidives et métastase, t3-586-587
    soins ambulatoires et soins à domicile, t3-601
    soins infirmiers, t3-594
    soins psychologiques, t3-600
    traitement adjuvant, t3-590
    traitement chirurgical, t3-589
    traitement, choix et effets secondaires, t3-591
    types, t3-585
Sélégiline (Eldepryl), t4-323
Selye, théorie de. *Voir* Syndrome général d'adaptation
Sepsis, t2-573-574, t2-602, t3-389
  et utilisation d'un cathéter pulmonaire, t2-650
Septicémie et transfusion sanguine, t2-288
Septoplastie, t2-36
Septra. *Voir* Triméthoprime-sulfaméthoxazole
Séquestration dans un troisième compartiment, t1-296
Serevent. *Voir* Salmétérol
Serophene. *Voir* Clomiphène
Sertraline (Zoloft), t3-645, t4-526
Sévoflurane (Sevorane AF), t1-367
Sevorane AF. *Voir* Sévoflurane
Sexe, comme variable
  coronaropathie, t2-366
  prolapsus valvulaire mitral, t2-519
Sexualité
  après un infarctus du myocarde, t2-410-411
  bronchopneumopathie chronique obstructive, t2-191
  brûlure, t4-171
  crises partielles complexes, t4-302
  dysfonctionnement sexuel après la stomie, t3-202
  et reproduction après la chimiothérapie et la

radiothérapie, t1-283
  fonctionnement sexuel après une transplantation du foie, t3-251
  intimité et, t1-45
  lésion médullaire, t4-379-381
  performance, examen clinique, t3-710
  réponse sexuelle, phases, t3-554-555
  trachéostomie, t2-71
SFC. *Voir* Syndrome de fatigue chronique
SGA. *Voir* Syndrome général d'adaptation
Sheehan, syndrome. *Voir* Syndrome de Sheehan
Shunt, t2-612, t2-627
SIADH. *Voir* Syndrome de sécrétion inappropriée d'ADH
Sibutramine (Meridia), t3-73
SIDA. *Voir* Syndrome d'immunodéficience acquise
Signe de Chvotek, t1-321
Signe de Russell, t3-44
Signe de Trousseau, t1-321
Sildénafil (Viagra), t3-712-713
Silverleaf. *Voir* Pansements d'argent
Simulect. *Voir* Basiliximab
Simvastatine (Zocor), t2-375
Sinemet. *Voir* Carbidopa/lévodopa
Singulair. *Voir* Montélukast
Sinusite, t2-36, t2-45
  asthme, t2-46
  enseignement, t2-46
  plan de soins infirmiers, t2-47-48
  soins infirmiers et processus thérapeutique, t2-46
Sirolimus (Rapamune), t3-398
Sjögren, syndrome de. *Voir* Syndrome de Sjögren
Slow-Trasicor. *Voir* Oxprénolol
SNA. *Voir* Système nerveux autonome
SNC. *Voir* Système nerveux central
SNP. *Voir* Système nerveux périphérique
Sodium, bicarbonate de, t2-144, t2-739
Sodium, équilibre
  insuffisance rénale aiguë, t3-353, t3-355
  insuffisance rénale chronique, t3-362
Sodium, excès, et hypertension, t2-334, t2-627
Soignants, besoins, t1-137
Soins de santé
  changements démographiques et, t1-3, t1-6
  comparaison des milieux, t1-11
  continuum, t1-11
  nouvelle organisation, t1-3
  populations vulnérables, t1-7
  problématiques nouvelles, t1-7
  progrès technologiques, t1-6
  réadaptation fonctionnelle, t1-12

sensibilisation des usagers, t1-6
soins à domicile, t1-14
  activités, t1-15
  diagnostics, t1-17
  équipe, t1-16
  préoccupations des clients, t1-16
  rôle de l'infirmière, t1-17
  services informels, t1-18
soins ambulatoires, t1-18
soins critiques, t1-12
soins de courte durée, t1-12
soins de longue durée, t1-13
soins généraux, t1-12
soins intermédiaires, t1-12
soins palliatifs, t1-19-20
Soins infirmiers
  influences sociales sur les, t1-3
  tendances en matière de, t1-5
Soins intensifs, t2-635-640
  abréviations courantes, t2-636
  agents stressants, conséquences et interventions, t2-637
  client, t2-636
    anxiété, t2-637
    communication, t2-638
    dépendance, t2-638
    famille, problèmes liés, t2-639
    perception sensorielle, t2-638
    sommeil, t2-638
  infirmière en, t2-635
  plan de soins infirmiers, t2-694-703
  unités de, t2-635
Solu-Medrol. *Voir* Méthylprednisolone
Solutions cristaloïdes, composition et usage, t1-333
Soma. *Voir* Carisoprodol
Somatostatine (Stilamin), t1-125, t3-11
Sommeil, troubles cutanés, t4-102
Son
  nombre et intensité des vibrations (décibels et hertz), t4-29
  registres audibles pour l'humain, t4-67, t4-69
  transmission, t4-22
Sonde de Sengstaken-Blakemore, t3-237
Sonographie Doppler transcrânienne (SDT), t4-206
Sorbitol, t2-738
Sotacor. *Voir* Sotalol
Sotalol (Sotacor), t2-471-472
Souffrance, t4-101
Spectroscopie infrarouge, t4-220
Spermatocèle, t3-707
Spironolactone (Aldactone), t2-433, t3-236, t3-645
Splénectomie, t2-249-250
Splénomégalie, t2-282
SPM. *Voir* Syndrome prémenstruel
SpO₂. *Voir* Saturation pulsatile en oxygène
Spondylite ankylosante, t4-505
  ostéotomie, t4-527
  soins infirmiers, t4-506

Sporanox. *Voir* Itraconazole

Sprue tropicale et non tropicale, t3-206, t3-208

SRA. *Voir* Système réticulé activateur

SRIS. *Voir* Syndrome de réponse inflammatoire systémique

Stadol. *Voir* Butorphanol

Stapédectomie, t4-75

Starlix. *Voir* Natéglinide

Statine, t2-375

Stéatorrhée, t3-206, t3-208

Stémétil. *Voir* Antiémétique de phénothiazine; Prochlorpérazine

Sténose, t3-325
  artérielle rénale, t3-326
  œsophagienne, t3-108
  pyloroduodénale, t3-125

Stéréognosie, t4-200

Stérilet. *Voir* Méthodes contraceptives, dispositifs intra-utérins

Sternotomie médiane, t2-121

Stilamin. *Voir* Somatostatine

Still, maladie de. *Voir* Maladie de Still

Stimulateurs cardiaques, t2-481
  enseignement, t2-484
  indications pour la pose, t2-483
  stimulateur externe, t2-484

Stimulation cérébrale profonde, t1-132

Stimulation cutanée, t1-129
  lignes directrices, t1-131

Stimulation électrique, t3-335

Stimulation épidurale, t1-132

Stimulines, excès, t3-493

Stomie *Voir* Ostomie

Strabisme, t4-47

Streptokinase, t2-396, t2-542

Streptomycine, t2-91

Stress, t1-81-99
  adaptation, t1-93-94, t1-96
  agents stressants, t1-82
  allergies et, t1-192
  asthme, t2-136
  brûlure, t4-170
  cohérence, t1-85
  contrariétés quotidiennes, t1-86
  coronaropathie, t2-366, t2-370
  diabète, t3-463
  en tant que processus transactionnel, t1-86
  en tant que stimulus, t1-85
  enseignement et, t1-22
  évaluation, t1-86
  facteurs, t1-97
  fibrillation auriculaire, t2-471
  fibromyalgie, t4-526
  hardiesse, t1-85
  hypertension, t2-334, t2-344
  immunodéficience et, t1-201
  lien entre les hormones et le syndrome prémenstruel, t3-645
  phase d'épuisement, t1-84
  phase de résistance, t1-83
  raffinement de la théorie de Selye, t1-84
  réaction à la chirurgie, t1-340

réaction d'alarme, t1-83

réactions comportementales, t1-95

réactions physiologiques, t1-87, t1-95

relatif à la maladie, t1-50

relaxation, t1-98

résilience, t1-86

résumé théorique, t1-87

soins infirmiers, t1-95

stratégies, t1-94, t1-97

syndrome général d'adaptation (SGA), t1-83

système endocrinien et, t1-89

système nerveux et, t1-88

tachycardie, supraventriculaire paroxystique, t2-470

ulcère, t2-629, t3-123

Stroma, t4-6

Subsalicylate de bismuth (Pepto-Bismol), t3-131

Substance P, t1-104

Succinylcholine (Quelicin), t1-368, t2-659
  cause de l'hyperthermie maligne, t1-372

Sucralfate (Sulcrate), t2-630, t2-680, t3-100, t3-131, t4-361

Sudafed. *Voir* Pseudoéphédrine

Sueur, t4-86

Sufenta. *Voir* Sufentanil

Sufentanil (Sufenta), t1-368

Suicide assisté et euthanasie, t1-136

Sulcrate. *Voir* Sucralfate

Sulfadiazine d'argent (Flamazine), t4-159

Sulfamidés, t2-513

Sulfasalazine (Salazopyrin), t3-172, t3-182, t3-715
  polyarthrite rhumatoïde, t4-496
  spondylite ankylosante, t4-506

Sulfate de chondroïtine, t4-485

Sulfate de glucosamine, t4-485

Sulfate de protamine, t2-251, t2-559

Sulfonate de polystyrène sodique (Kayexalate), t3-355, t3-366

Sulfonylurées, t3-419, t3-453

Sulindac, t3-192

Sumatriptan (Imitrex), t4-296

Supeudol. *Voir* Oxycodone

Suppositoires de bisacodyl (Dulcolax), t1-397

Suprane. *Voir* Desflurane

Suprax. *Voir* Céfixime

Surdité, t4-79
  communication avec le client, t4-81
  de conduction, chez la femme enceinte, t4-75
  manifestations cliniques, t4-80
  processus thérapeutique, t4-80
  virus, t4-69
  Voir aussi Troubles de l'ouïe

Surveillance hémodynamique, t2-640
  monitorage effractif de la pression, t2-642
  cathéter de l'artère

pulmonaire, t2-645-646, t2-648, t2-650
  complications, t2-644-645
  mesure de la pression artérielle, t2-644
  mesure de la pression de l'artère pulmonaire, t2-646
  mesure de la pression veineuse centrale et de la pression de l'oreillette droite, t2-647
  mesure du débit cardiaque par thermodilution, t2-648
  principes, t2-642
  types, t2-643
  saturation du sang veineux en oxygène, t2-648-649
  paramètres au repos, t2-641
  soins infirmiers, t2-651
  surveillance non effractive de l'oxygénation artérielle, t2-650
  terminologie, t2-640

SvO$_2$. *Voir* Saturation du sang veineux en oxygène

Symmetrel. *Voir* Amantadine, chlorhydrate de

Sympatomimétiques, t2-594

Synapse, t4-177

Syncytium, t1-213

Syndrome bulbaire antérieur médian, t4-358

Syndrome centro-médullaire, t4-357

Syndrome cordonal postérieur, t4-359

Syndrome coronarien aigu et anémie hémolytique, t2-240

Syndrome d'Alport, t3-328

Syndrome d'immunodéficience acquise (SIDA), t1-210-211
  complexe démentiel, t1-240
  diagnostic, critères, t1-215
  infection intra-oculaire, t4-65
  interventions, t1-237
  maladies opportunistes, t1-215, t1-217-218, t1-237
  pharmacologie, t1-220
  plan de soins infirmiers, t1-226-231
  Voir aussi Virus de l'immunodéficience humaine

Syndrome d'immunodéficience acquise et néphropathie, t3-315

Syndrome d'immunodéficience combinée, t1-201

Syndrome de Barrett, t3-104

Syndrome de Brown-Séquard, t4-359

Syndrome de Conn, t3-540

Syndrome de CREST, t4-520

Syndrome de Cushing, t3-528
  causes, t3-528
  plan de soins infirmiers, t3-533-534
  processus diagnostique et thérapeutique, t3-530-531
  soins infirmiers, t3-531

Syndrome de défaillance multiviscérale, t2-602
  anomalies, t2-585-586
  défaillance organique et métabolique, t2-602
  manifestations cliniques, t2-605
  effets hémodynamiques, t2-573
  évolution, t2-605
  manifestations cliniques, t2-604
  médiateurs, t2-575
  pharmacothérapie, t2-592-593
  recherche, t2-606
  soins infirmiers et processus thérapeutique, t2-604-606
  thérapie liquidienne, t2-590
  Voir aussi Choc

Syndrome de détresse respiratoire aiguë (SDRA), t2-625-632
  complications, t2-629
  états prédisposant, t2-625
  manifestations cliniques, t2-628
  phase exsudative, t2-627
  phase fibrotique, t2-628
  phase proliférative, t2-627
  processus thérapeutique, t2-630
    décubitus ventral, t2-631
    ventilation mécanique, t2-630
  recherche, t2-632
  toxicité causée par l'oxygène, t2-173
  traitements ventilatoires, t2-675-676

Syndrome de Di George, t1-200-201

Syndrome de Dressler, t2-391, t2-503

Syndrome de fatigue chronique (SFC), t1-203

Syndrome de Fitz-Hugh, t3-661

Syndrome de Goodpasture, t1-186, t3-313

Syndrome de Guillain-Barré, t4-349
  complications, t4-350
  recommandations nutritionnelles, t4-351
  manifestations cliniques, t4-350
  processus thérapeutique, t4-350
  soins infirmiers, t4-351

Syndrome de l'intestin court, t3-209

Syndrome de l'intestin irritable, t3-168

Syndrome de la veine cave supérieure, t1-295

Syndrome de lyse tumorale, t1-296

Syndrome de malabsorption, t3-35, t3-206
  manifestations cliniques, t3-207

Syndrome de Ménière, t4-76
  processus diagnostique et thérapeutique, t4-77

Syndrome de Mollory-Weiss, t3-113, t3-115
Syndrome de négligence, t4-283-284
Syndrome de Raynaud, t2-551-552
Syndrome de Reiter, t4-506
Syndrome de réponse inflammatoire systémique (SRIS), t2-602
  effets hémodynamiques, t2-573
  manifestations cliniques, t2-604
  médiateurs, t2-575
  recherche, t2-606
  soins infirmiers, t2-604-606
  Voir aussi Syndrome de défaillance multiviscérale
Syndrome de sécrétion inappropriée d'ADH (SIADH), t1-296, t1-308, t3-495
  causes, t3-496
  soins infirmiers, t3-498
Syndrome de Sheehan, t3-494-495
Syndrome de Sjögren, t4-47, t4-525
Syndrome de Volkmann, t4-438
Syndrome de Waterhouse-Friderichsen, t4-251
Syndrome de Zolliger-Ellison, t3-124, t3-126
Syndrome des jambes sans repos, t4-334, t4-339
Syndrome du bas débit cardiaque, t2-451
Syndrome du côlon irritable et fibromyalgie, t4-526
Syndrome du compartiment, t4-437
  manifestations, t4-438
  processus thérapeutique, t4-438
Syndrome du corset plâtré, t4-426
Syndrome du nævus dysplasique, t4-116
Syndrome du tunnel carpien, t4-412
Syndrome général d'adaptation (SGA), t1-83
  phase d'épuisement, t1-84
  phase de résistance, t1-83
  raffinement de la théorie de Selye, t1-84
  réaction d'alarme, t1-83
Syndrome myélodysplasique, t2-265
  épreuves diagnostiques, t2-266
  manifestations cliniques, t2-265
  soins infirmiers, t2-267
Syndrome néphrotique, t3-314
  soins infirmiers, t3-315
Syndrome paranéoplasique, t2-103
Syndrome prémenstruel (SPM), t3-643-645
  épreuves diagnostiques et processus thérapeutique, t3-644
  lien entre le stress, les hormones et le, t3-645
  pharmacothérapie, t3-645

Syndrome rétroviral aigu, t1-214
Syndrome Schwartz-Bartter, t3-495
Syndrome thrombotique, t2-248
Syndrome urétral, t3-310
Synovectomie, t4-527
Synvisc. *Voir* Acide hyaluronique
Syphilis, t3-613
  complications, t3-615
  épreuves diagnostiques, t3-615
  interprétation des résultats, t3-616
  pharmacothérapie, t3-616-617
  stades, t3-614
Système de Havers, t4-387-388
Système du complément, t1-150
Système endocrinien, t3-406-432
  antécédents de santé, t3-417
  données objectives, t3-423
  données subjectives, t3-417-418, t3-421-423
  épreuves diagnostiques, t3-424-431
  évaluation, t3-416
  évaluation préopératoire, t1-345
  glandes et hormones, principales, t3-408
  insuffisance rénale chronique, t3-365
  manifestations non spécifiques, t3-420
  réaction au stress, t1-89
  système neuroendocrinien, t3-411-412
  théorie du vieillissement et, t1-37
  troubles endocriniens et cirrhose, t3-232
  vieillissement, effets, t3-417
Système endocrinien et brûlure, t4-163
Système endocrinien, régulation de la pression artérielle, t2-328
Système hématologique
  anomalies courantes, t2-214-215
  données objectives, t2-212-213
  données subjectives, t2-209-212
  épreuves diagnostiques, t2-213-221
    biopsie, t2-219
    épreuves de laboratoire, t2-215
    lymphangiographie, t2-218
  médicaments, effets, t2-211
  structure et fonctions, t2-201-207
  troubles, t2-223-289
    anémies, t2-224-244
    coagulation intravasculaire disséminée, t2-258-262
    hémochromatose, t2-245
    hémophilie, t2-252-258
    leucémie, t2-267
    lymphomes, t2-275
    neutropénie, t2-262-265
    polyglobulie, t2-245
    splénomégalie, t2-282
    syndrome myélodysplasique, t2-265-267

thrombocytopénie, t2-247-254
  traitement à base de composants sanguins, t2-283
  tumeurs malignes des cellules plasmatiques, t2-280
  vieillissement, effets, t2-208-209
Système hématologique et insuffisance rénale chronique, t3-362
Système immunitaire
  composantes, t1-176
  fonctions, t1-174
  immunodéficience, t1-200
  maladies immunitaires, t1-202
  réaction au stress, t1-91
  réactions d'hypersensibilité, t1-182-183
  réaction immunitaire, t1-178
  rôle dans la reconnaissance et la destruction des cellules tumorales, t1-252
  théorie du vieillissement et, t1-38
  vieillissement, effets, t1-180, t1-182
Système lacrymal, t4-6
Système limbique, réaction au stress, t1-88
Système lymphatique, t2-204
  ganglions
    biopsie, t2-221
    palpation, t2-213
    lymphangiographie, t2-218
Système nerveux, t4-175-207
  anomalies courantes, t4-199-200
  autonome, effets sur le système digestif, t3-3
  AVC, t4-279
  barrière hémato-encéphalique, t4-186
  brûlure, t4-162
  cerveau, t4-180
  chirurgie d'anévrisme, t2-538
  choc, t2-599
  circulation cérébrale, t4-186
  colonne vertébrale, t4-189
  complications postopératoires, t1-384, t1-398-399
  crâne, t4-189
  démarche de soins, t4-201
  données subjectives, t4-190-194
  et risque d'insuffisance respiratoire, t2-613
  épreuves diagnostiques, t4-201-203
  évaluation préopératoire, t1-344
  examen clinique et gérontologique, t4-191
  examen, évaluation primaire à l'urgence, t2-719
  examen physique, t4-194
  examens électrographiques, t4-205
  examens par échographie Doppler, t4-206
  examen postanesthésique, t1-376

examens radiologiques, t4-204
  fonctions, t4-201
  impulsion nerveuse, t4-176
  insuffisance rénale chronique, t3-363
  liquide céphalorachidien, t4-184, t4-189, t4-201
  maladie vasculaire et greffe de rein, t3-401
  méninges, t4-186
  moelle épinière, t4-178-179, t4-189
  nerfs crâniens, t4-184-185, t4-195
  nerfs rachidiens, t4-184
  neurone, t4-175
  neurotransmetteurs, t4-178
  névroglie, t4-175
  ponction lombaire, t4-202
  potentiel d'action, t4-176
  réaction au stress, t1-88
  régénération, t4-176
  régulation de la sécrétion d'hormones, t3-411
  synapse, t4-177
  vieillissement, effets, t4-189
Système nerveux autonome (SNA), t4-185
  contrôle du cœur, t2-459
  dysfonctionnement et syndrome de Guillain-Barré, t4-350
  effets des systèmes nerveux sympathique et parasympathique, t4-187
  régulation de l'appareil cardiovasculaire, t2-298
Système nerveux central (SNC), t4-178
  complications de la ventilation mécanique, t2-679
  problèmes liés au LED, t4-514
Système nerveux central, mécanisme d'émission vers le, t1-105
Système nerveux périphérique (SNP), t4-184
  syndrome de Guillain-Barré, t4-349
Système nerveux sympathique
  augmentation de l'activité, hypertension, t2-334
  effets de l'infarctus du myocarde, t2-389
  régulation de la pression artérielle, t2-325, t2-327
Système neuroendocrinien, t3-411-412
Système phagocytaire et lésion cellulaire, t1-144
Système réticulé activateur (SRA), t1-88-89, t4-209
Système sensoriel, évaluation, t4-198
Système vestibulaire, évaluation, t4-30

T

Tabagisme
  anévrisme aortique, t2-531

angine, t2-376
artériopathie, t2-543
bronchopneumopathie
  chronique obstructive,
  t2-17, t2-160
  effets de la fumée de
    cigarette sur l'appareil
    respiratoire, t2-162
  sevrage, t2-170
cancer de la bouche, t3-88-89
cancer de la tête et du cou,
  t2-61, t2-65
cancer de l'œsophage, t3-104
carcinome du pancréas, t3-262
chirurgie thoracique, t2-120
coronaropathie, t2-366, t2-369
désaccoutumance, t2-110-111
évaluation préopératoire et,
  t1-346
hypertension, t2-344
système digestif, t3-12
système hématologique, t2-209
système nerveux, t4-192
tachycardie, supraventriculaire
  paroxystique, t2-470
thromboangéite, t2-551
thrombophlébite, risque,
  t2-553
ulcères gastriques, t3-123-124
Tabes dorsalis, t4-354
Table de Lund et Browder,
  t4-143-144
Tache jaune, t4-7, t4-19
Tachycardie
  sinusale, t2-466
    insuffisance cardiaque
      congestive, t2-466
    médicaments, t2-466
  supraventriculaire paroxystique
    (TSVP), t2-470
  ventriculaire, t2-476
Tacrolimus (Prograf), t2-450,
  t3-398
Tagamet. *Voir* Cimétidine
Talwin. *Voir* Pentazocine
Tambocor. *Voir* Flécaïnide
Tamoxifène (Nolvadex),
  t3-593-594
Tamponnade cardiaque, t1-297,
  t2-451
  anévrisme disséquant, t2-540
  manifestations cliniques et
    péricardite, t2-504
Tamsulosine (Flomax), t3-689
Tapazole. *Voir* Méthimazole
Tarse palpébral, t4-5
Taxol. *Voir* Paclitaxel
Taxotere. *Voir* Docetaxel
TCA. *Voir* Acide trichloracétique
TDM. *Voir* Tomodensitométrie
Tebrazid. *Voir* Pyrazinamide
Tecnal. *Voir* AAS et butalbital
Tegretol. *Voir* Carbamazépine
Télémétrie, t2-462
Téléthérapie, t1-264
Ténesme, t3-149
Tenormin. *Voir* Aténolol
TENS. *Voir* Neurostimulation
  transcutanée
TEP. *Voir* Tomographie par
  émission de positons

Térazosine (Hytrin), t3-689
Terburtaline (Bricanyl), t2-150
Test de Papanicolaou, t3-568
  classification des résultats
    cytologiques, t3-571
Test de Romberg. *Voir* Romberg,
  test de
Test de Schirmer, t4-525
Testicules, t3-546, t3-563
  autoexamen, t3-708
  cancer, t3-707
    soins infirmiers, t3-708
  torsion, t3-707
Testostérone, t3-551-552
Testostérone, énanthate de
  (Delatestryl), t3-712
Testostérone, réaction au stress et,
  t1-90
Tests au diapason, t4-29, t4-43
Tétanie, t1-321, t3-526
Tétanos, t4-353
  manifestations cliniques,
    t4-353
  pharmacothérapie, t4-354
  prophylaxie, t2-718, t2-724,
    t2-730, t2-736
  soins infirmiers, t4-354
Tête et cou
  cancer, t2-61-72
    dissection radicale du cou,
      t2-63
    enseignement, t2-69
    plan de soins infirmiers,
      t2-66-68
    processus thérapeutique,
      t2-62
    programme d'exercices,
      t2-70
    recommandations nutrition-
      nelles, t2-64
    soins infirmiers, t2-65
    traitement chirurgical, t2-69
  évaluation secondaire à
    l'urgence, t2-721
  examen du cou, t2-19
Tétracaïne (Pontocaine), t1-370
Tétracycline (Vibra-Tabs), t2-82,
  t2-196, t3-131, t3-208, t3-704,
  t4-105
Thalassémie, t2-232
  manifestations cliniques,
    t2-233
  processus thérapeutique,
    t2-233
Théophylline, t2-143, t2-150,
  t2-170, t2-192, t2-196, t2-466
  effet sur l'appareil cardiovascu-
    laire, t2-301
  intoxication, t2-738
Théorie d'Erikson, t1-38
Théorie de Havighurst, t1-40
Théorie de Levinson, t1-40
Théorie de Peck, t1-40
Théorie des radicaux libres, t1-36
Théorie du stress en tant que
  stimulus
  cohérence, t1-85
  contrariétés quotidiennes, t1-86
  hardiesse, t1-85
  résilience, t1-86
Théories de la causalité, t1-196

Théories des stades du développe-
  ment de l'adulte, t1-40
Thérapie biologique et tumeurs
  rénales, t3-329
Thérapie cognitive et
  comportementale
  obésité, t3-72
  troubles de l'alimentation, t3-44
Thérapie immunodépressive et
  greffe pulmonaire, t2-130
Thermoablation, t2-485
Thermothérapie, t1-130
Thiazides, t4-296
Thiazolidinediones (TZD), t3-454
Thiomides, t3-505
Thiopental (Pentothal), t1-366
Thiotépa, t3-332
Thoracoscopie, t2-121
Thoracotomie
  contre-indications dans le
    traitement du cancer du
    poumon, t2-107
  latérale, t2-121
  plan de soins infirmiers,
    t2-123-124
Thorax (cage thoracique), t2-6
  anomalies courantes, t2-21-22
  chirurgie, t2-119-121
  compliance, diminution, t2-122
  évaluation secondaire à
    l'urgence, t2-721
  examen, t2-20
  pneumothorax, t2-113-115
  radiographie, t2-29
  thoracentèse, t2-33
  traumatismes et lésions,
    t2-112, t2-722
  soins d'urgence, t2-113-114
Thromboangéite oblitérante
  (maladie de Buerger), t2-551
  manifestations cliniques,
    t2-552
Thrombocytopénie, t2-247-254
  causes, t2-248
  épreuves diagnostiques,
    t2-249-250
  intervention en phase aiguë,
    t2-252
  manifestations cliniques,
    t2-248
  plan de soins infirmiers,
    t2-253-254
  processus thérapeutique,
    t2-249-250
  soins ambulatoires et soins à
    domicile, t2-252
  soins infirmiers, t2-251
Thrombopénie induite par
  l'héparine, t2-248
Thrombophlébite, t2-552-561
  complications, t2-554
  enseignement, t2-561
  épreuves diagnostiques,
    t2-554-555
  étiologie, t2-553
  facteurs de risque, t2-553
  intervention en phase aiguë,
    t2-559
  manifestations cliniques,
    t2-554
  pharmacothérapie, t2-555-556

plan de soins infirmiers,
    t2-560-561
  processus thérapeutique,
    t2-554-555
  recommandations
    nutritionnelles, t2-559
  soins ambulatoires et soins à
    domicile, t2-559
  soins infirmiers, t2-558
  traitement chirurgical, t2-557
  veines variqueuses, t2-562
Thrombophlébite superficielle,
  t1-393
Thrombose, t4-262
Thrombose de la veine rénale,
  t3-327
Thrombose veineuse
  fracture, t4-439
  profonde, prévention, t4-280
Thrombose veineuse profonde,
  t1-393
Thrombus intra-artériel, t4-265
Thrombus ventriculaire gauche,
  t2-427
Thymus, t1-176
Thyroïde, t3-413-414
  affections, t3-501
    cancer de la thyroïde, t3-511
    hyperthyroïdie, t3-501
    hypertrophie de la glande,
      t3-512
    hypothyroïdie, t3-514
    manifestations cliniques,
      t3-503
    nodules thyroïdiens, t3-512
    thyroïdite, t3-513
  palpation, t3-423-424
Thyrotoxicose, t3-501
Thyroxine (T$_4$), t3-413
Thyroxine synthétique orale
  (Synthroid, Eltroxin),
  t3-516
Tiazac. *Voir* Diltiazem
Ticlid. *Voir* Ticlopidine
Ticlopidine (Ticlid), t2-382-383,
  t2-547, t4-269, t4-272
Tilade. *Voir* Nédocromil
Timbre Evra, t3-635
Timolol (Apo-Timol, Timoptic),
  t2-136, t2-384
Tirilazade (Freedox), t4-363
Tissu adipeux, formation, t3-66
Tissu de granulation, t1-154
  excédent, t1-157
Tissu lymphoïde, t1-176
TN. *Voir* Cellule, tueuses naturelles
Tobramycine (Nebcin), t3-367
Todd, paralysie de. *Voir* Paralysie
  de Todd
Tofranil. *Voir* Imipramine
Tolbutamide (Apo-Tolbutamide),
  t3-453
Tomodensitométrie (TDM)
  augmentation de la PIC, t4-219
  AVC, t4-268
  épilepsie, t4-303
  lésion de l'appareil auditif,
    t4-30
  traumatisme crânien, t4-235
Tomographie par émission de
  positons (TEP), t1-107

augmentation de la PIC, t4-220
AVC, t4-268
encéphalite, dépistage précoce,
   t4-255
épilepsie, t4-303
système nerveux, t4-192,
   t4-205
traumatisme crânien, t4-235
tumeur intracrânienne, t4-240
Tonomètre Schiotz, t4-17
Tonométrie par aplanation, t4-17,
   t4-60
Topamax. *Voir* Topiramate
Topiramate (Topamax), t4-304
Topotécan (Hycamtin), t2-107,
   t3-674
Toux, t2-16
   assistée, t2-621
   contrôlée, t2-622
   productive, t2-178
Toxicomanie, t1-136
   évaluation préopératoire et,
      t1-346
Toxine botulinique, injection,
   t3-109
Trabéculation, t3-316
Trabéculectomie, t4-62
Trabéculoplastie au laser argon,
   t4-62
Trachée, problèmes liés à la,
   t2-50. *Voir aussi* Voies
      respiratoires, supérieures
Trachéostomie, t2-52
   canules, t2-53
   décanulation, t2-57
   déglutition, problèmes, t2-56
   mini-trachéostomie, t2-622
   parler avec une canule, t2-56
   plan de soins infirmiers,
      t2-58-61
   sécrétions trachéales,
      aspiration, t2-53-54
   soins, t2-52, t2-55
   soins ambulatoires et soins à
      domicile, t2-71
Transderm-Nitro, t2-384
Traction par halo crânien, t4-371
Tractus gastro-intestinal et lésion
   médullaire, t4-373
Trandate. *Voir* Labétalol
Transduction, t1-102
Transmission, t1-105
Trastuzumab (Herceptin), t3-594
Traumatisme crânien, t4-230-238
   commotion, t4-232
   complications, t4-233
   contusion, t4-232
   craniographie, t4-234
   facteurs liés à un mauvais
      pronostic, t4-230
   fractures du crâne, t4-231
   hématome épidural, t4-233
   hématome intracérébral, t4-234
   hématome sous-dural, t4-234
   lacérations cérébrales, t4-233
   lacérations du cuir chevelu,
      t4-231
   lésion axonale diffuse, t4-233
   séquelles mentales, t4-238
   soins ambulatoires, t4-237
   soins d'urgence, t4-235

soins infirmiers, t4-235
   statistiques, t4-230
Trazodone (Desyrel)
   fibromyalgie, t4-526
Trental. *Voir* Pentoxifylline
Trétinoïne topique, t4-125
Trétinoïne. *Voir* Acide transréti-
   noïque
Triamcinolone. *Voir* Acétonide de
   triamcinolone
Triamtérène, t3-236
Trianal. *Voir* AAS et butalbital
Triglycérides, insuffisance rénale,
   t3-360
Trihexyphénidyle (Apo-Trihex),
   t4-323
Triiodothyronine (T$_3$), t3-413
Triméthoprime-sulfaméthoxazole
   (Septra), t2-79, t2-170, t2-196,
   t3-304, t3-310, t3-704
Trompe d'Eustache, t4-21
Trompes de Fallope, t3-548
   salpingectomie, t3-679
   salpingite, t3-660
Troubles de l'ouïe
   aides de suppléance à
      l'audition, t4-81
   cérumen, bouchon, t4-71
   communication avec le client
      atteint de déficience
      auditive, t4-81
   corps étrangers dans le conduit
      auditif externe, t4-71
   immunisation, t4-69
   infection auriculaire chronique,
      traitement chirurgical, t4-74
   labyrinthite, t4-72
   malignités de l'oreille externe,
      t4-71
   mastoïdite, t4-72
   neurinome acoustique, t4-78
   otite externe, t4-70-71
   otite moyenne aiguë, t4-72
   otite moyenne chronique,
      t4-72-73
      accompagnée d'épan-
         chement, t4-74
   otosclérose, t4-75
   perte auditive
      classification, t4-80
      due au bruit, t4-67
      dépistage, t4-70
      risque, t4-69
      types, t4-79
   presbyacousie, t4-77-78
   promotion de la santé, t4-67
   registres sonores audibles,
      t4-69
   soins infirmiers
      otite externe, t4-71
      otite moyenne aiguë, t4-74
   surdité, t4-79
   syndrome de Ménière, t4-76-77
   traumatisme, t4-70
Troubles hématologiques,
   cirrhose, t3-231
Troubles oculaires. *Voir* Troubles
   visuels
Troubles respiratoires et AVC,
   t4-279
Troubles vasculaires périphériques
   et lésion médullaire, t4-361

Troubles visuels, t4-34-66
   augmentation de la PIC, t4-218
   cataracte, t4-48-52, t4-55
   chirurgie oculaire
      enseignement après une,
         t4-52
      énucléation, t4-66
      plan de soins infirmiers,
         t4-53-54
   cornée, taies et opacités, t4-47
   correction des erreurs de
      réfraction, t4-36
   décollement rétinien, t4-54-57
   dégénérescence maculaire liée à
      l'âge (DMLA), t4-58-59
   diversité culturelle, t4-34
   erreurs de réfraction
      corrigibles, t4-34-36
      corrections non
         chirurgicales, t4-36
      traitement chirurgical, t4-39
   extra-oculaires, t4-42-47
   gérontologie, t4-42, t4-47,
      t4-65
   glaucome, t4-59-65
   inflammation et infection
      extra-oculaires, t4-42
      intra-oculaires, t4-65
   intra-oculaires, t4-48-65
   kératocône, t4-47
   lentilles de contact, types,
      t4-38
   lésion, soins d'urgence, t4-43
   maladies systémiques, signes
      oculaires, t4-67
   prothèse oculaire, t4-66-67
   pupille, médicaments topiques
      pour dilater, t4-50
   sécheresse oculaire, t4-46
   soins infirmiers
      cataracte, t4-51
      décollement rétinien, t4-57
      déficience grave, t4-39
      glaucome, t4-62
      inflammation et infection,
         t4-45
   strabisme, t4-47
   traumatisme oculaire, t4-42
   Voir aussi Appareil visuel
TSVP. *Voir* Tachycardie, supraventriculaire paroxystique
Tuberculose, t1-188, t2-87-95
   classification, t2-89
   complications, t2-90
   épreuves diagnostiques, t2-90
   examens, t2-29
   intervention en phase aiguë,
      t2-94
   personnes à risque, t2-87
   pharmacothérapie, t2-91-92
   physiopathologie, t2-88
   prophylaxie, t2-91, t2-93
   soins ambulatoires et soins à
      domicile, t2-94
   soins infirmiers, t2-93
   vaccin, t2-93
Tuberculose rénale, t3-311
Tubes endotrachéaux, t2-657
   aspiration des sécrétions,
      t2-660, t2-667
   caractéristiques et soins

infirmiers, t2-666
   complications, t2-669-671
   extubation, t2-669
   gonflement du ballonnet,
      maintien, t2-660
   perméabilité, maintien, t2-667
   plan de soins infirmiers,
      t2-661-665
   positionnement, t2-660, t2-668
   procédures d'intubation, t2-658
   soins buccaux, t2-669
   syndrome de détresse
      respiratoire aiguë, t2-629
Tumeur
   angiogenèse, t1-251
   antigènes associés aux, t1-252
   bénignes et malignes, compa-
      raison, t1-247
   classification anatomique,
      t1-255
   maligne, et radioactivité, t1-249
   radiosensibilité, t1-263
   rôle du système immunitaire,
      t1-252
Tumeur de Wilms, t3-330
Tumeur intracrânienne,
   t4-238-239
   complications, t4-240
   épreuves diagnostiques, t4-240
   foyer, et symptômes, t4-241
   manifestations cliniques,
      t4-239
   processus thérapeutique,
      t4-241
   soins infirmiers, t4-242
Tumeur médullaire, t4-382
   classification, t4-383
   manifestations cliniques,
      t4-383
   soins infirmiers, t4-384
Tylenol. *Voir* Acétaminophène
Tympan, t4-21
   évaluation, t4-26
   signe de Schwartz, t4-75
Tympanoplasie, t4-73
   soins infirmiers, t4-74
TZD. *Voir* Thiazolidinediones

U

Ulcère de stress
   consécutif au syndrome de
      détresse respiratoire aiguë,
      t2-629
   lésion médullaire, t4-374
Ulcère gastroduodénal, t3-113,
   t3-115-116, t3-119, t3-138
   complications, t3-124
      hémorragie, t3-124, t3-128,
         t3-132
      perforation, t3-124, t3-128,
         t3-132
      sténose pyloroduodénale,
         t3-125, t3-128, t3-135
   enseignement, t3-136
   intervention en phase aiguë,
      t3-132
   manifestations cliniques,
      t3-124

origine et physiopathologie,
120
affections reliées au risque
d'ulcère duodénal, t3-124
comparaison, t3-121
ulcère duodénal, t3-123
ulcère gastrique, t3-122
pharmacothérapie, t3-129-131
plan de soins infirmiers,
t3-133-135
processus diagnostique et
thérapeutique, t3-126-127
récidive, t3-128, t3-132
recommandations
nutritionnelles, t3-131
soins ambulatoires et soins à
domicile, t3-135
soins infirmiers, t3-131
traitement chirurgical, t3-136
complications postpéra-
toires, t3-137
recommandations nutritionnelles, t3-138-139
soins infirmiers, t3-138
Ulcère gastroduodénal et bronchopneumopathie obstructive
chronique, 168
Ulcères variqueux, t2-563
soins infirmiers, t2-564
Ultiva. Voir Rémifentanil
Ultrafiltration
dialyse, t3-379
perte, t3-384
Ultrasonothérapie, t4-469
Urecholine. Voir Béthanéchol
Urémie, t3-350. Voir aussi
Insuffisance rénale chronique
Urémie et syndrome des jambes
sans repos, t4-334
Uretères, t3-279
cathéter, t3-338
chirurgie, t3-340
radiographie, t3-292
Urètre, t3-280
syndrome urétral, t3-310
urétrite, t3-309
Urétrographie rétrograde, t3-295
Urgence, situations, t2-726-736
chaleur
brûlures, t2-727
coup de, t2-729
épuisement dû à la, t2-728
facteurs de risque, t2-726
hyperthermie, soins
d'urgence, t2-727
empoisonnements et
intoxications, t2-737-739
poisons courants, t2-738
froid
engelures, t2-729-730
hypothermie, t2-730-732
morsures et piqûres,
t2-734-737
processus thérapeutique,
t2-736
noyade et quasi-noyade,
t2-732
processus thérapeutique,
t2-733
soins d'urgence, t2-734
Urgence, soins à l'unité d',
t2-708-725

considérations éthiques, mort
cérébrale, t2-725
décès, t2-725
évaluation primaire,
t2-715-719
évaluation secondaire,
t2-719-720
intervention et évaluation,
t2-724
protocole de mise sous tension,
t2-713
triage, t2-708
classement des priorités,
t2-711
échelle de gravité, t2-713
processus, t2-709
types, t2-708
Urine
débit, test, t3-298
épreuves urinaires, t3-287
physiologie de la production,
t3-276
résultats des analyses, t3-293
Urispas. Voir Flavoxate
Urographie intraveineuse, t3-294
Urokinase, t2-542
Uropathies obstructives, t3-316
URSO. Voir Ursodiol
Ursodiol (URSO), t3-268
Utérus, t3-549 Voir aussi
Col utérin
Uvéite, t4-65

V

Vaccin
antipneumococcique, t2-81
antirabique, t2-736
grippe, t2-44
rougeole et coqueluche, t2-98
tétanos, t2-718
tuberculose, t2-93
Vaccin antitétanique (D2T5),
t4-159
Vaccin RRO, 69. Voir aussi
Immunisation contre la
rougeole, les oreillons
et la rubéole
VAD (vincristine, doxorubicine,
dexaméthasone), t2-281
Vagin, t3-550
affections, t3-658
cancer, t3-674
Vaisseaux lymphatiques, t1-176
Valacyclovir (Valtrex), t3-620,
t4-348
Valdécoxib (Bextra), t4-485
Valium. Voir Diazépam
Valsartan (Diovan), t2-434, t4-523
Valtrex. Voir Valacyclovir
Valve de Heimlich, t2-118
Valve de Le Veen, t3-236
Valves cardiaques, remplacement,
t2-448
Valvulopathie pulmonaire, t2-520
Valvulopathie tricuspidienne,
t2-520
Valvuloplastie percutanée, t2-521
Vancocin. Voir Vancomycine

Vancomycine (Vancocin), t2-513,
t3-150, t3-367
Vaporisations salines nasales
(Salinex), t2-192
Varices. Voir Veines variqueuses
Varices œsophagiennes, t3-232
soins infirmiers, t3-247
traitement, t3-236
Varicocèle, t3-707
Vasectomie, t3-709
Vasodilatateurs, t2-344, t2-357,
t2-594
Vasopresseurs, t2-451, t2-594
Vasopressine (Pressyn), t3-116,
t3-237
Vasotec. Voir Énalapril
Vasotec IV. Voir Énalaprilat
VCPP. Voir Ventilation continue
en pression positive
VEB. Voir Virus Epstein-Barr
Vécuronium (Norcuron), t2-601,
t4-228
Veines, t2-298
affections, t2-552-564.
Veines variqueuses, t2-562
soins infirmiers, t2-563
Velban. Voir Vinblastine
Ventilation, t2-7
à haute fréquence, t2-676
à rapport inversé, t2-676
assistée, t2-586
continue en pression positive
(VCPP), t2-50, t2-676
à domicile, t2-683
aspiration, procédures,
t2-660
autres manœuvres ventila-
toires, t2-675
ballon de réanimation et
appareil d'aspiration,
t2-682
bris mécanique ou
débranchement acciden-
tel, t2-681
complications, t2-677
mécanique, t2-669
modes de, t2-672-674
plan de soins infirmiers,
t2-684-687
recommandations nutritionnelles, t2-681
réglage, t2-673
sevrage, t2-672, t2-675,
t2-682
syndrome de détresse respiratoire aiguë, t2-629-630
types de ventilateurs
mécaniques, t2-671
Ventolin. Voir Salbutamol
Vepesid. Voir Étoposide
Vérapamil (Isoptin), t2-150,
t2-385, t2-399, t2-470-473,
t2-642, t4-296
Versed. Voir Midazolam
Vertèbres, fusion, t4-470
Vertige
chronique, t4-25
crises partielles complexes,
t4-302
Vessie, t3-279
cancer, t3-330-332

classification TNM, t3-331
processus diagnostique et
thérapeutique, t3-332
stades, t3-331
cystite, t3-301, t3-303-307
interstitielle, t3-310
cystométrie, t3-298
cystoscopie, t3-297
fonction normale, t3-332
fonction vésicale et AVC,
t4-287
neurogène, t3-333, t4-377-378
programme de rééducation,
t4-282
radiographie, t3-292
VHS. Voir Virus de l'herpès
simplex
Viagra. Voir Sildénafil
Vibra-Tabs. Voir Doxycycline ;
Tétracycline
Vibration cutanée, t1-129
Vieillissement, t1-36
attitude face au, t1-55
changements physiologiques,
t1-56-60
ethnicité et, t1-62-63
fonctionnement mental,
conséquences, t1-44
immunodéficience et, t1-201
problèmes de santé chroniques,
t1-51
théories
biologiques, résumé, t1-37
non stochastiques, t1-37
psychologiques, t1-38
stochastiques, t1-36
Voir aussi Adulte, développement ; Gérontologie ;
Personnes âgées
Vieillissement et bronchopneumopathie chronique obstructive, t2-162
Vigabatrine (Sabril), t4-304
VIH. Voir Virus de l'immunodéficience humaine
Villosités, t3-6
Vinblastine (Velban), t3-90
Vincristine, t3-330, t4-460-461
Vincristine (Oncovin),
t2-249-250, t2-280-281
Vinorelbine (Navelbine), t2-107
Viokase. Voir Pancréalipase
Vioxx. Voir Rofécoxib
Virazole. Voir Ribavirine
Virus à ADN et à ARN
(oncologiques), t1-250
Virus Coxsackie, t3-216
Virus de l'hépatite, t3-216-218
Virus de l'herpès simplex (VHS),
t3-216, t3-617
infection durant la grossesse,
t3-619
Virus de l'immunodéficience
humaine (VIH), t1-209-242
administration des médicaments
antirétroviraux, t1-237
aide psychologique, t1-234,
t1-236
arthrite, t4-508
chimioprophylaxie après une
exposition professionnelle,
t1-235

collecte de données, t1-225
complications, t1-214
dépistage, t1-236
épreuves diagnostiques, t1-216,
    t1-220
interprétation des tests, t1-219
intervention précoce, t1-234
manifestations cliniques, t1-214
matériel d'injection,
    enseignement, t1-234
pharmacothérapie, t1-216,
    t1-222-223
physiopathologie, t1-212
plan de soins infirmiers,
    t1-224-231
préservatif féminin, t1-233-234
préservatif masculin,
    t1-232-233
prévention, t1-225
réduction des risques, t1-231,
    t1-234
signes et symptômes à
    surveiller, t1-238
soins ambulatoires et soins à
    domicile, t1-239
soins en phase terminale,
    t1-240
soins infirmiers, t1-224
stress et, t1-93
traitement antirétroviral,
    indications, t1-221
transmission, t1-210
vaccination, t1-221
Voir aussi Syndrome d'immu-
    nodéficience acquise (SIDA)
Virus d'immunodéficience
    humaine et tuberculose,
    t2-87, t2-91
Virus de la maladie des inclusions
    cytomégaliques (CMV), t2-79
Virus de la rubéole, t3-216
Virus du papillome humain
    (VPH), infection, t3-622

infections infracliniques,
    t3-623
processus thérapeutique,
    t3-623
Virus Epstein-Barr (VEB), t1-202,
    t1-250, t2-61, t3-216
Virus, types, t1-145
Visken. *Voir* Pindolol
Vitamine K, t2-559
Vitamines, suppléments, t2-226
Vitesse de conduction, t1-104
Vitrectomie, t4-57
Vitréorétinopathie proliférante,
    t4-57
Voies biliaires, t3-9
    cancer de la vésicule, t3-271
    cholécystite, t3-264
    cholélithiase, t3-264
        colique biliaire, t3-265
    intervention chirurgicale de la
        vésicule, t3-267
    obstruction du débit, t3-265
    pharmacothérapie, t3-268
    processus thérapeutique,
        t3-266-268
    recommandations
        nutritionnelles, t3-268
    soins infirmiers, t3-269
Voies respiratoires
    affection inflammatoire
        chronique (asthme), t2-134
    apport sanguin, t2-6
    colonne cervicale, évaluation
        primaire à l'urgence, t2-715
    inférieures, t2-4
        mécanismes de défense,
            t2-75
        troubles, t2-75-130
    mécanismes de protection,
        t2-11
    supérieures, t2-3
        obstruction, t2-50
        plan de soins infirmiers

pour une infection, t2-43
troubles, t2-36-72
troubles graves, évaluation à
    l'urgence, t2-716
Voir aussi Appareil respiratoire ;
    Respiration
Voies respiratoires. *Voir* Appareil
    respiratoire
Voies urinaires. *Voir* Appareil
    urinaire
Volémie, t1-302
Volet thoracique, t2-116
Volkmann, syndrome de. *Voir*
    Syndrome de Volkmann
Voltaren. *Voir* Diclofénac
Volume liquidien
    insuffisance rénale aiguë,
        t3-352
Vomissements. *Voir* Nausées et
    vomissements
Vomissements et augmentation de
    la PIC, t4-219
VPH. *Voir* Virus du papillome
    humain
Vulve, t3-550
    affections, t3-658
    cancer, t3-674
    vulvectomie, t3-679

W

Warfarine (Coumadin) et dérivés
    coumariniques, t2-382, t2-454,
    t2-472, t2-547, t2-556, t2-567,
    t3-131, t3-297, t3-419, t4-272
    antidote des dérivés
        coumariniques, t2-559
Waterhouse-Friderichsen,
    syndrome de. *Voir* Syndrome
    de Waterhouse-Friderichsen

Wilms, tumeur de. *Voir* Tumeur
    de Wilms

X

Xanax. *Voir* Alprazolam
Xenical. *Voir* Orlistat
Xylocaine. *Voir* Lidocaïne

Z

Zafirlukast (Accolate), t2-142,
    t2-150
Zanamivir (Relanza), t2-45
Zantac. *Voir* Ranitidine
Zarontin. *Voir* Éthosuximide
Zenapax. *Voir* Daclizumab
Zestril. *Voir* Lisinopril
Zithromax. *Voir* Azithromycine
Zocor. *Voir* Simvastatine
Zofran. *Voir* Ondansétron
Zoladex. *Voir* Goséréline, acétate
    de
Zolliger-Ellison, syndrome de.
    Voir Syndrome de Zolliger-
    Ellison
Zolmitriptan (Zomig), t4-296
Zoloft. *Voir* Sertraline
Zometa. *Voir* Acide zolédronique
Zomig. *Voir* Zolmitriptan
Zona ophtalmique, t4-45
Zone de Kisselbach, t2-37
Zopiclone (Imovane), t4-526
Zostrix. *Voir* Capsaïcine
Zovirax. *Voir* Acyclovir
Zyban. *Voir* Bupropion
Zyloprim. *Voir* Allopurionol